A-Z SURR

CONTENTS

Key to Map Pages	2-3
Map Pages	4-199
Large Scale Town Centres: Croydon, Dorking, Epsom, Guildford & Kingston upon Thames	200-203
Index to Streets, Towns, Villages, Hospitals and Selected Places of Interest	204-288

REFERENCE

Motorway	M3
A Road	A246
Under Construction	
Proposed	
B Road	B3430
Dual Carriageway	
One-Way Street Traffic flow on A Roads is indicated by a heavy line on the driver's left	
Large Scale Pages Only	
Junction Name	APEX CORNER
Pedestrianized Road	
Restricted Access	
Track and Footpath	
Residential Walkway	
Railway	Tunnel Level Crossing
Stations: National Rail Network	
Heritage Station	
Underground Station	is the registered trade mark of Transport for London
Croydon Tramlink The boarding of Tramlink trams at stops may be limited to a single direction, indicated by the arrow	Tunnel Stop
Built-Up Area	HIGH STREET
Local Authority Boundary	
Posttown Boundary	
Postcode Boundary (within Posttowns)	

Map Continuation	80; Large Scale Town Centre 200
Car Park (Selected)	P
Park & Ride	P+
Church or Chapel	†
Fire Station	■
Hospital	H
House Numbers A & B Roads only	51 22 19 48
Information Centre	i
National Grid Reference	535
Police Station	▲
Post Office	★
Toilet	▽
with Facilities for the Disabled	
Viewpoint	
Educational Establishment	
Hospital or Hospice	
Industrial Building	
Leisure or Recreational Facility	
Place of Interest	
Public Building	
Shopping Centre or Market	
Other Selected Buildings	

SCALE

Map Pages 200-203 1:9051

0 ⅛ ¼ Mile

0 100 200 300 400 Metres

7 inches (17.78 cm) to 1 mile 11.05 cm to 1 km

Head Office:
Fairfield Road, Borough Green, Sevenoaks, Kent, TN15 8PP
Telephone 01732 781000 (General Enquiries & Trade Sales)

Showrooms:
44 Gray's Inn Road, London, WC1X 8HX
Telephone 020 7440 9500 (Retail Sales)

www.a-zmaps.co.uk

Edition 4 2002

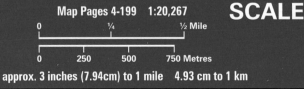

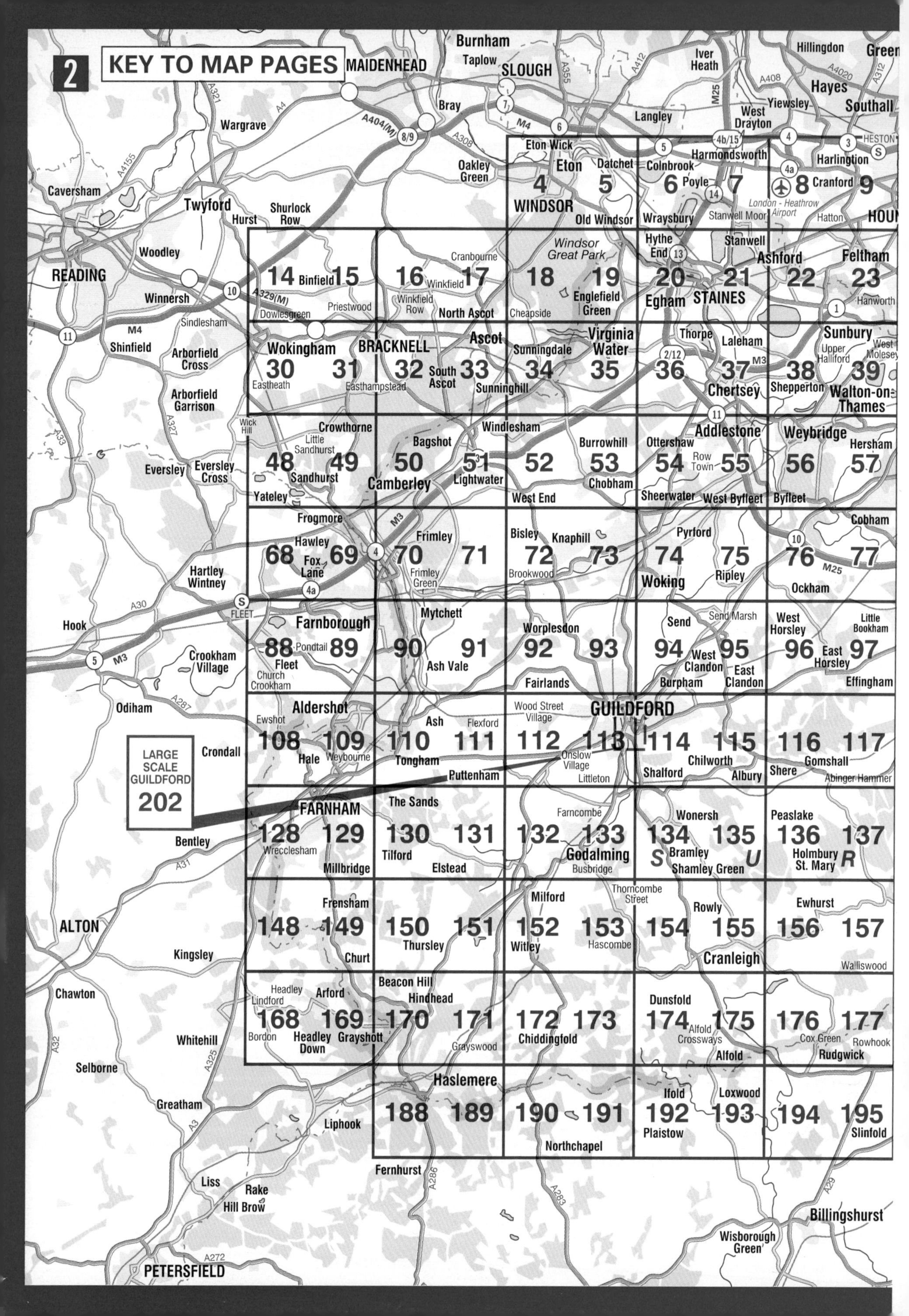

KEY TO MAP PAGES
MAIDENHEAD
Burnham
Taplow
SLOUGH
Iver Heath
Hillingdon
Green
Hayes
Yiewsley
Southall
West Drayton
Langley
Bray
Wargrave
Oakley Green
Eton Wick
Eton
Datchet
WINDSOR
Old Windsor
Colnbrook
Harmondsworth
Poyle
Wraysbury
Stanwell Moor
London - Heathrow Airport
Cranford
Harlington
Hatton
HESTON
Caversham
Twyford
Hurst
Shurlock Row
Woodley
READING
Winnersh
Sindlesham
Shinfield
Arborfield Cross
Arborfield Garrison
Binfield
Priestwood
Dowlesgreen
Cranbourne
Winkfield
Winkfield Row
North Ascot
Windsor Great Park
Englefield Green
Cheapside
Hythe End
Egham
STAINES
Stanwell
Ashford
Feltham
Hanworth
Wokingham
BRACKNELL
Ascot
South Ascot
Sunninghill
Eastheath
Easthampstead
Sunningdale
Virginia Water
Thorpe
Laleham
Chertsey
Sunbury
Upper Halliford
Shepperton
West Molesey
Walton-on-Thames
Wick Hill
Crowthorne
Little Sandhurst
Sandhurst
Yateley
Eversley
Eversley Cross
Bagshot
Camberley
Lightwater
Windlesham
West End
Burrowhill
Chobham
Ottershaw
Addlestone
Row Town
Sheerwater
West Byfleet
Byfleet
Weybridge
Hersham
Frogmore
Hawley
Fox Lane
Frimley
Frimley Green
Bisley
Knaphill
Brookwood
Pyrford
Woking
Ripley
Ockham
Cobham
Hartley Wintney
Hook
FLEET
Farnborough
Pondtail
Fleet
Church Crookham
Crookham Village
Mytchett
Ash Vale
Worplesdon
Fairlands
Send
Send Marsh
West Clandon
East Clandon
Burpham
West Horsley
East Horsley
Little Bookham
Effingham
Odiham
Aldershot
Ewshot
Hale
Weybourne
Ash
Tongham
Flexford
Puttenham
Wood Street Village
GUILDFORD
Onslow Village
Littleton
Shalford
Chilworth
Albury
Shere
Gomshall
Abinger Hammer
Crondall
LARGE SCALE GUILDFORD 202
FARNHAM
Wrecclesham
Bentley
Millbridge
The Sands
Tilford
Elstead
Farncombe
Godalming
Busbridge
Wonersh
Bramley
Shamley Green
Peaslake
Holmbury St. Mary
S U R
ALTON
Kingsley
Frensham
Churt
Thursley
Milford
Witley
Thorncombe Street
Hascombe
Rowly
Cranleigh
Ewhurst
Walliswood
Chawton
Headley
Lindford
Bordon
Arford
Headley Down
Grayshott
Beacon Hill
Hindhead
Grayswood
Chiddingfold
Dunsfold
Alfold Crossways
Alfold
Cox Green
Rowhook
Rudgwick
Whitehill
Selborne
Greatham
Liphook
Haslemere
Ifold
Plaistow
Loxwood
Slinfold
Northchapel
Fernhurst
Liss
Rake
Hill Brow
Billingshurst
Wisborough Green
PETERSFIELD
M4
M3
M25
A404(M)
A329(M)
A4
A321
A4155
A308
A355
A412
A408
A4020
A312
A33
A327
A30
A287
A31
A32
A325
A3
A286
A283
A29
A272
4 5 6 7 8 9
14 15 16 17 18 19 20 21 22 23
30 31 32 33 34 35 36 37 38 39
48 49 50 51 52 53 54 55 56 57
68 69 70 71 72 73 74 75 76 77
88 89 90 91 92 93 94 95 96 97
108 109 110 111 112 113 114 115 116 117
128 129 130 131 132 133 134 135 136 137
148 149 150 151 152 153 154 155 156 157
168 169 170 171 172 173 174 175 176 177
188 189 190 191 192 193 194 195

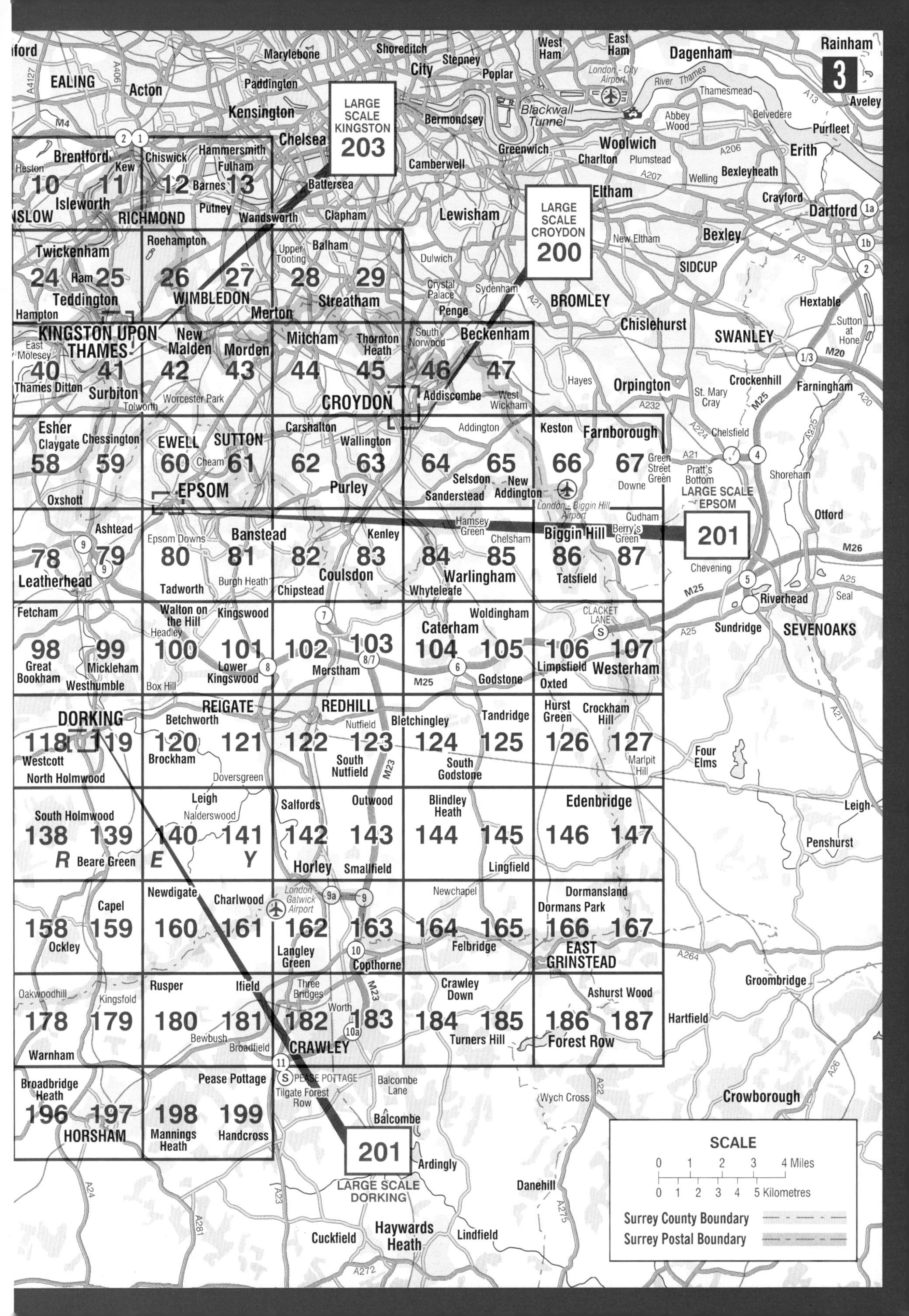

EALING
Acton
Marylebone
Paddington
Kensington
Shoreditch
City
Stepney
Poplar
West Ham
East Ham
London - City Airport
Dagenham
Rainham
River Thames
Thamesmead
Aveley
Bermondsey
Blackwall Tunnel
Abbey Wood
Belvedere
Purfleet
LARGE SCALE KINGSTON 203
Chelsea
Brentford
Chiswick
Hammersmith
Kew
Fulham
Heston
Barnes
Battersea
Camberwell
Greenwich
Woolwich
Charlton
Plumstead
Erith
Welling
Bexleyheath
Isleworth
RICHMOND
Putney
Wandsworth
Clapham
Lewisham
Eltham
Crayford
Dartford
LARGE SCALE CROYDON 200
Twickenham
Roehampton
Upper Tooting
Balham
Dulwich
New Eltham
Bexley
Ham
SIDCUP
Teddington
WIMBLEDON
Streatham
Crystal Palace
Sydenham
BROMLEY
Hampton
Merton
Penge
Chislehurst
Hextable
KINGSTON UPON THAMES
New Malden
Morden
Mitcham
Thornton Heath
South Norwood
Beckenham
SWANLEY
Sutton at Hone
East Molesey
Thames Ditton
Surbiton
Tolworth
Worcester Park
CROYDON
Addiscombe
West Wickham
Hayes
Orpington
St. Mary Cray
Crockenhill
Farningham
Esher
Claygate
Chessington
EWELL
SUTTON
Cheam
Carshalton
Wallington
Addington
Keston
Farnborough
Chelsfield
Pratt's Bottom
Green Street Green
Shoreham
Oxshott
EPSOM
Purley
Selsdon
New Addington
Sanderstead
Downe
LARGE SCALE EPSOM
London - Biggin Hill Airport
Cudham
Ashtead
Epsom Downs
Banstead
Kenley
Hamsey Green
Chelsham
Biggin Hill
Berry's Green
201
Otford
Leatherhead
Tadworth
Burgh Heath
Chipstead
Coulsdon
Whyteleafe
Warlingham
Tatsfield
Chevening
Fetcham
Walton on the Hill
Kingswood
Headley
Caterham
Woldingham
CLACKET LANE
Riverhead
Sundridge
SEVENOAKS
Seal
Great Bookham
Mickleham
Westhumble
Box Hill
Lower Kingswood
Merstham
Limpsfield
Westerham
Oxted
Godstone
DORKING
REIGATE
Betchworth
REDHILL
Nutfield
Bletchingley
Tandridge
Hurst Green
Crockham Hill
Westcott
North Holmwood
Brockham
Doversgreen
South Nutfield
South Godstone
Marlpit Hill
Four Elms
Leigh
Nalderswood
Salfords
Outwood
Blindley Heath
Edenbridge
South Holmwood
Beare Green
Horley
Smallfield
Lingfield
Penshurst
R
E
Y
Newdigate
Charlwood
London Gatwick Airport
Newchapel
Dormansland
Dormans Park
Capel
Ockley
Langley Green
Copthorne
Felbridge
EAST GRINSTEAD
Oakwoodhill
Kingsfold
Rusper
Ifield
Three Bridges
Crawley Down
Ashurst Wood
Groombridge
Worth
Warnham
Bewbush
Broadfield
CRAWLEY
Turners Hill
Forest Row
Hartfield
PEASE POTTAGE
Balcombe Lane
Broadbridge Heath
Pease Pottage
Tilgate Forest Row
Wych Cross
Crowborough
HORSHAM
Mannings Heath
Handcross
Balcombe
LARGE SCALE DORKING
Ardingly
Danehill
Cuckfield
Haywards Heath
Lindfield
SCALE
0 1 2 3 4 Miles
0 1 2 3 4 5 Kilometres
Surrey County Boundary
Surrey Postal Boundary

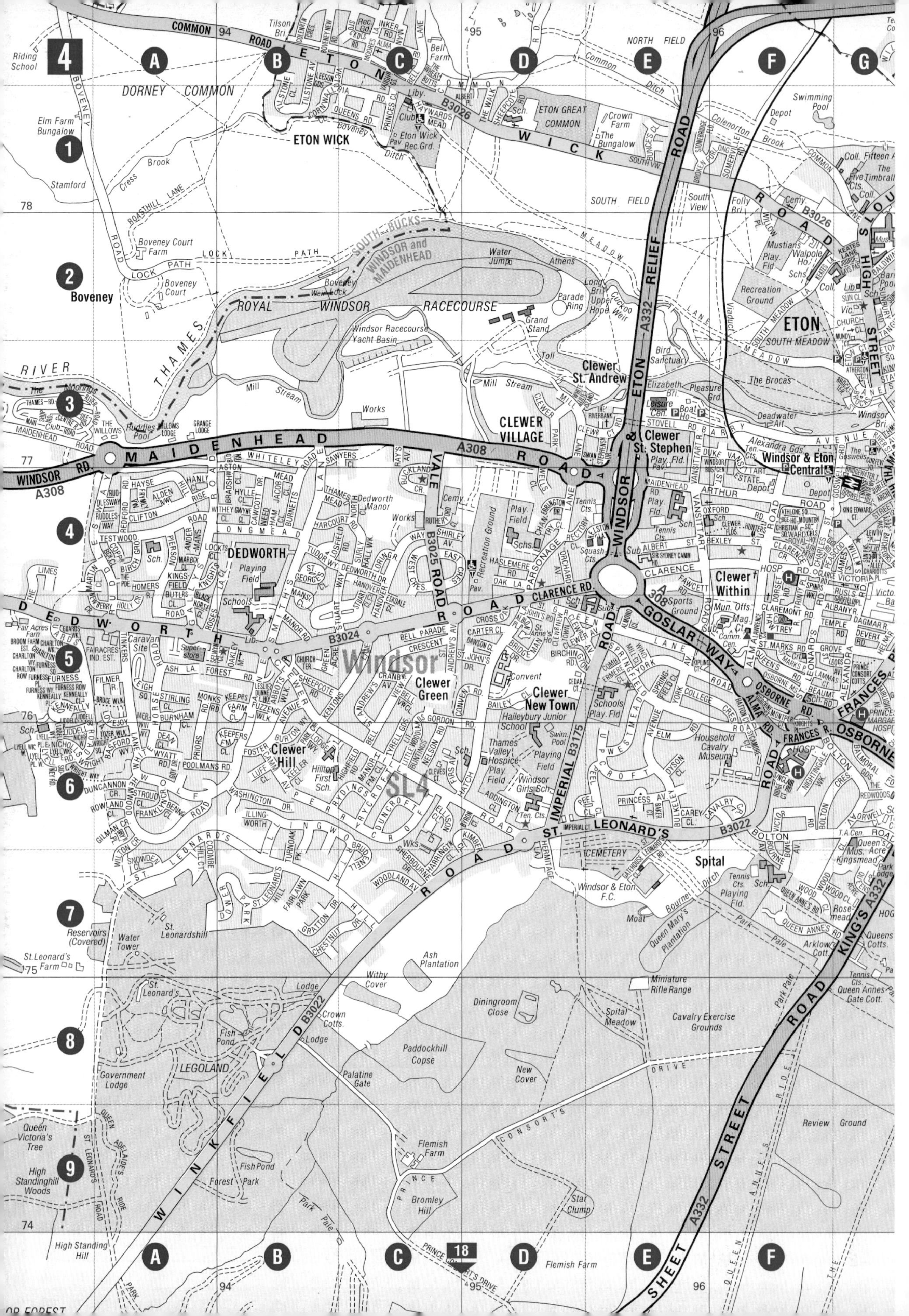
DORNEY COMMON
ETON WICK
COMMON ROAD
ETON WICK ROAD
NORTH FIELD
SOUTH FIELD
ETON GREAT COMMON
Boveney
Boveney Court
LOCK PATH
RIVER THAMES
ROYAL WINDSOR RACECOURSE
Windsor Racecourse Yacht Basin
Mill Stream
Clewer St. Andrew
CLEWER VILLAGE
Clewer St. Stephen
ETON
SOUTH MEADOW
The Brocas
Windsor & Eton Central
MAIDENHEAD ROAD
A308
WINDSOR RD.
DEDWORTH
DEDWORTH ROAD
B3024
VALE ROAD
B3025
CLARENCE RD.
WINDSOR & ETON RELIEF ROAD
A332
GOSLAR WAY
Clewer Within
Windsor
SL4
Clewer Green
Clewer Hill
Clewer New Town
IMPERIAL ROAD
B3175
ST. LEONARD'S ROAD
B3022
CEMETERY
Spital
Household Cavalry Museum
Windsor & Eton F.C.
Queen Mary's Plantation
St. Leonardshill
Reservoirs (Covered)
Water Tower
St. Leonard's Farm
LEGOLAND
Government Lodge
Queen Victoria's Tree
High Standinghill Woods
High Standing Hill
WINKFIELD ROAD
Ash Plantation
Withy Cover
Diningroom Close
Spital Meadow
Paddockhill Copse
Palatine Gate
New Cover
Flemish Farm
Bromley Hill
Star Clump
Fish Pond
Forest Park
Miniature Rifle Range
Cavalry Exercise Grounds
Review Ground
KING'S ROAD
SHEET STREET
QUEEN ANNE'S RIDE
CONSORT'S DRIVE
PRINCE CONSORT'S DRIVE
Flemish Farm
18
A B C D E F G
1 2 3 4 5 6 7 8 9
74 75 76 77 78
94 95 96

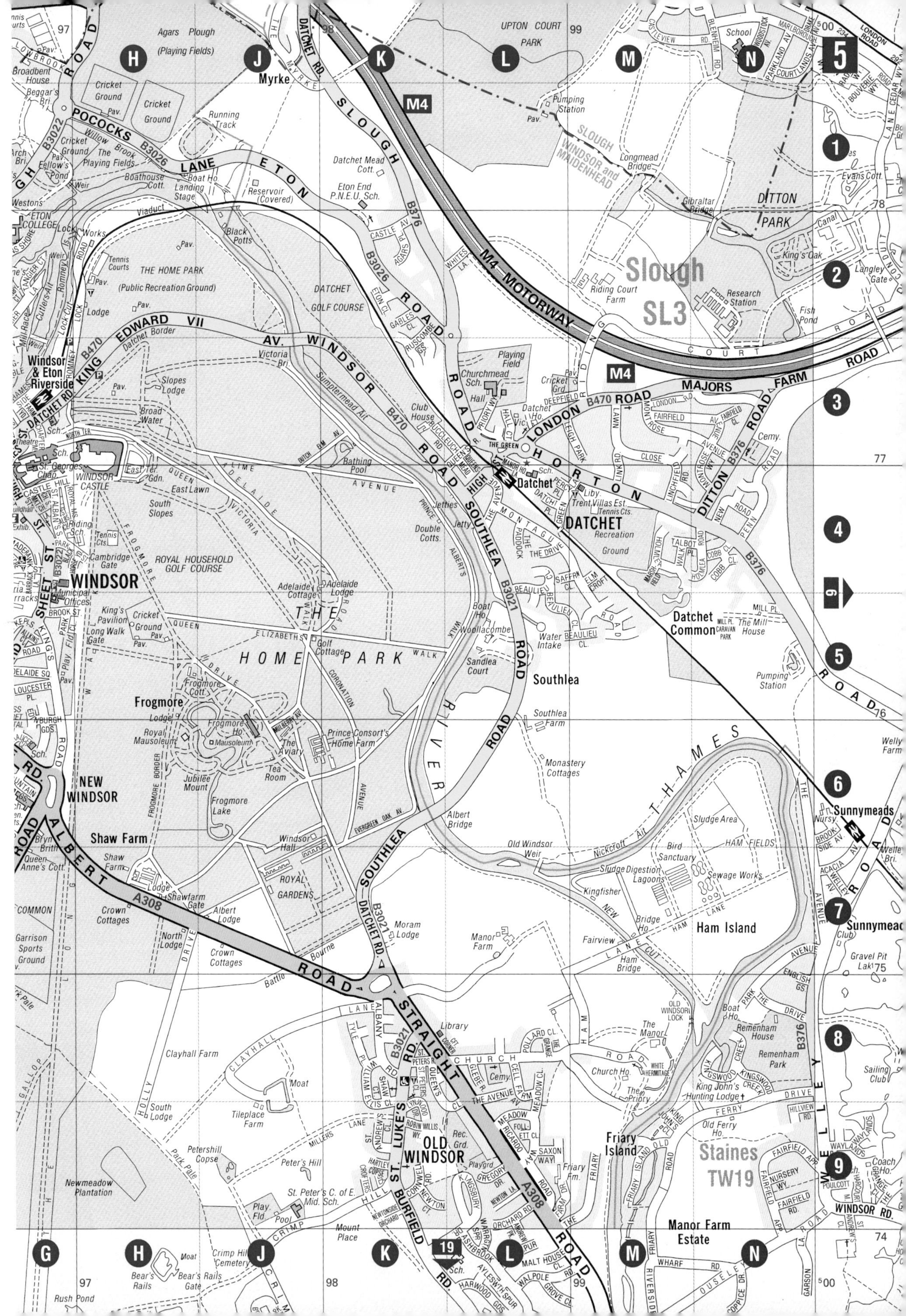

5
Agars Plough (Playing Fields)
Myrke
UPTON COURT PARK
M4
SLOUGH
Pumping Station
Running Track
Cricket Ground
POCOCKS LANE
ETON
Datchet Mead Cott.
Eton End P.N.E.U. Sch.
Reservoir (Covered)
Boathouse Cott.
Boat Ho. Landing Stage
ETON COLLEGE
Black Potts
THE HOME PARK (Public Recreation Ground)
DATCHET GOLF COURSE
KING EDWARD VII AV.
WINDSOR ROAD
Victoria Bri.
Windsor & Eton Riverside
Longmead Bridge
Gibraltar Bridge
DITTON PARK
King's Oak
Slough SL3
Riding Court Farm
Research Station
Langley Gate
Fish Pond
M4 MOTORWAY
MAJORS FARM ROAD
LONDON ROAD
Churchmead Sch.
Playing Field
Datchet
DATCHET
HORTON ROAD
DITTON ROAD
Recreation Ground
Datchet Common
The Mill House
WINDSOR CASTLE
WINDSOR
ROYAL HOUSEHOLD GOLF COURSE
HOME PARK
Adelaide Cottage
Adelaide Lodge
Frogmore
Frogmore Ho.
Royal Mausoleum
Frogmore Lake
Jubilee Mount
Prince Consort's Home Farm
The Aviary
Tea Room
Southlea
Southlea Farm
Monastery Cottages
RIVER THAMES
Albert Bridge
Old Windsor Weir
Nickcroft Ait
Sludge Area
Bird Sanctuary
Sewage Works
Ham Island
Sunnymeads
NEW WINDSOR
Shaw Farm
ALBERT ROAD
Windsor Hall
ROYAL GARDENS
Crown Cottages
Albert Lodge
North Lodge
STRAIGHT ROAD
Manor Farm
Moram Lodge
Ham Bridge
OLD WINDSOR LOCK
The Manor
Remenham House
Remenham Park
Sailing Club
Clayhall Farm
Moat
South Lodge
Tileplace Farm
Petershill Copse
Peter's Hill
Newmeadow Plantation
OLD WINDSOR
King John's Hunting Lodge
Friary Island
Staines TW19
Manor Farm Estate
Crimp Hill Cemetery
Bear's Rails
Rush Pond
WELLEY ROAD
WINDSOR RD.
19
9

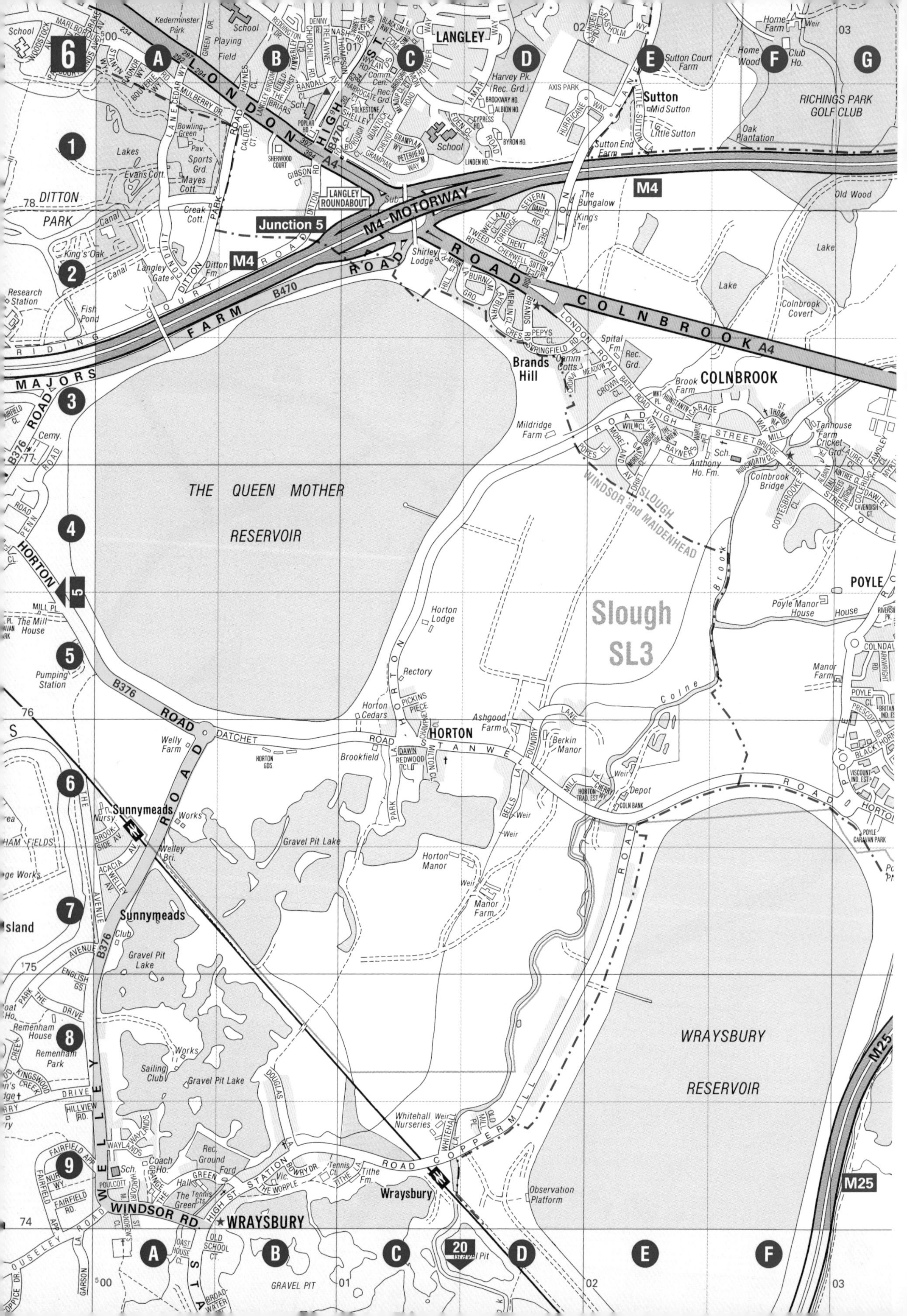
6
LANGLEY
Harvey Pk. (Rec. Grd.)
AXIS PARK
Sutton Court Farm
Sutton
Mid Sutton
Little Sutton
Sutton End Farm
Home Farm
Home Wood
Club Ho.
RICHINGS PARK GOLF CLUB
Oak Plantation
Old Wood
Lake
Colnbrook Covert
M4
M4 MOTORWAY
Junction 5
LANGLEY ROUNDABOUT
LONDON ROAD A4
COLNBROOK A4
DITTON PARK
Research Station
Fish Pond
Lakes
Evans Cott.
Mayes Cott.
Bowling Green
Pav.
Sports Grd.
Creak Cott.
Langley Gate
Ditton Fm.
King's Oak
Canal
RIDING COURT ROAD
MAJORS FARM ROAD B470
Shirley Lodge
The Bungalow
King's Ter.
School
Kederminster Park
Playing Field
Brands Hill
Comm. Cotts.
Spital Fm.
Rec. Grd.
COLNBROOK
Brook Farm
Mildridge Farm
Sch.
Anthony Ho. Fm.
Colnbrook Bridge
Tanhouse Farm
Cricket Grd.
SLOUGH
WINDSOR and MAIDENHEAD
THE QUEEN MOTHER RESERVOIR
HORTON ROAD
B376
Cemy.
Mill Pl.
The Mill House
Pumping Station
5
Slough SL3
POYLE
Poyle Manor House
Manor Farm
Horton Lodge
Rectory
Horton Cedars
Pickins Piece
HORTON
Ashgood Farm
Berkin Manor
Brookfield
Welly Farm
DATCHET ROAD
STANWELL
Colne Brook
Depot
COLN BANK
HORTON TRAD. EST.
Sunnymeads
Works
Gravel Pit Lake
Welley Bri.
Horton Manor
Manor Farm
Weir
Island
Gravel Pit Lake
Club
Sailing Club
Remenham House
Remenham Park
WELLEY ROAD
WRAYSBURY RESERVOIR
M25
Whitehall Nurseries
COPPERMILL ROAD
Rec. Ground
Ford
Coach Ho.
Tithe Fm.
Wraysbury
Observation Platform
Halls
The Green
WINDSOR RD.
HIGH ST.
WRAYSBURY
GRAVEL PIT
20
Pit
A B C D E F G
1 2 3 4 5 6 7 8 9

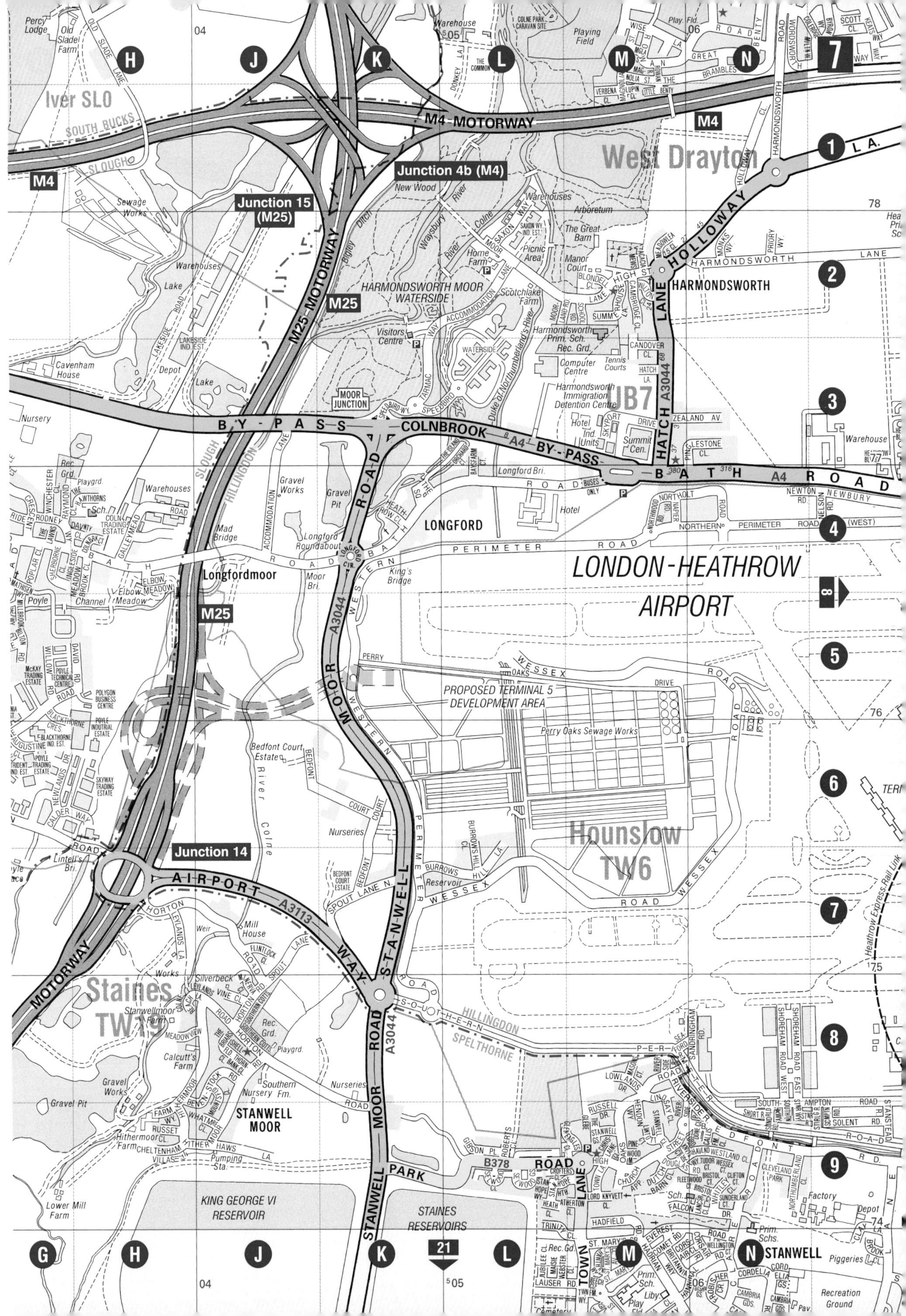

7
M4-MOTORWAY
M4
M25
M25-MOTORWAY
Junction 4b (M4)
Junction 15 (M25)
Junction 14
West Drayton
Iver SL0
SOUTH BUCKS
SLOUGH
HILLINGDON
SPELTHORNE
UB7
HARMONDSWORTH
HARMONDSWORTH MOOR WATERSIDE
Harmondsworth Immigration Detention Centre
Harmondsworth Prim. Sch. Rec. Grd.
Computer Centre
Tennis Courts
The Great Barn
Arboretum
Manor Court
Picnic Area
Home Farm
Visitors Centre
Scotchlake Farm
Warehouses
Sewage Works
Lake
Depot
Cavenham House
New Wood
Nursery
Playing Field
Percy Lodge
Old Slade Farm
MOOR JUNCTION
BY-PASS
COLNBROOK
A4 BY-PASS
BATH ROAD
A4 ROAD
HOLLOWAY LA.
HATCH LANE A3044
HIGH ST
ZEALAND AV.
Summit Cen.
Hotel
Ind. Units
Longford Bri.
LONGFORD
Longford Roundabout
Longfordmoor
Mad Bridge
Gravel Works
Gravel Pit
Moor Bri.
King's Bridge
Poyle
Poyle Channel
Elbow Meadow
LONDON-HEATHROW AIRPORT
8
PERIMETER ROAD
NORTHERN PERIMETER ROAD (WEST)
PROPOSED TERMINAL 5 DEVELOPMENT AREA
Perry Oaks Sewage Works
PERRY OAKS DRIVE
WESSEX ROAD
Hounslow TW6
Bedfont Court Estate
River Colne
Nurseries
Reservoir
MOOR ROAD A3044
WESTERN PERIMETER
STANWELL MOOR ROAD
A3044
AIRPORT WAY A3113
SOUTHERN PERIMETER
Staines TW19
Stanwellmoor Farm
Calcutt's Farm
Gravel Works
Gravel Pit
Hithermoor Farm
Lower Mill Farm
Mill House
Weir
Rec. Grd.
Southern Nursery Fm.
STANWELL MOOR
Pumping Sta.
KING GEORGE VI RESERVOIR
STAINES RESERVOIRS
21
STANWELL PARK ROAD B378
TOWN LANE
STANWELL
Prim. Schs.
Piggeries
Recreation Ground
Factory
Depot
Heathrow Express Rail Link
G H J K L M N
1 2 3 4 5 6 7 8 9
04 05 06 74 75 76 78

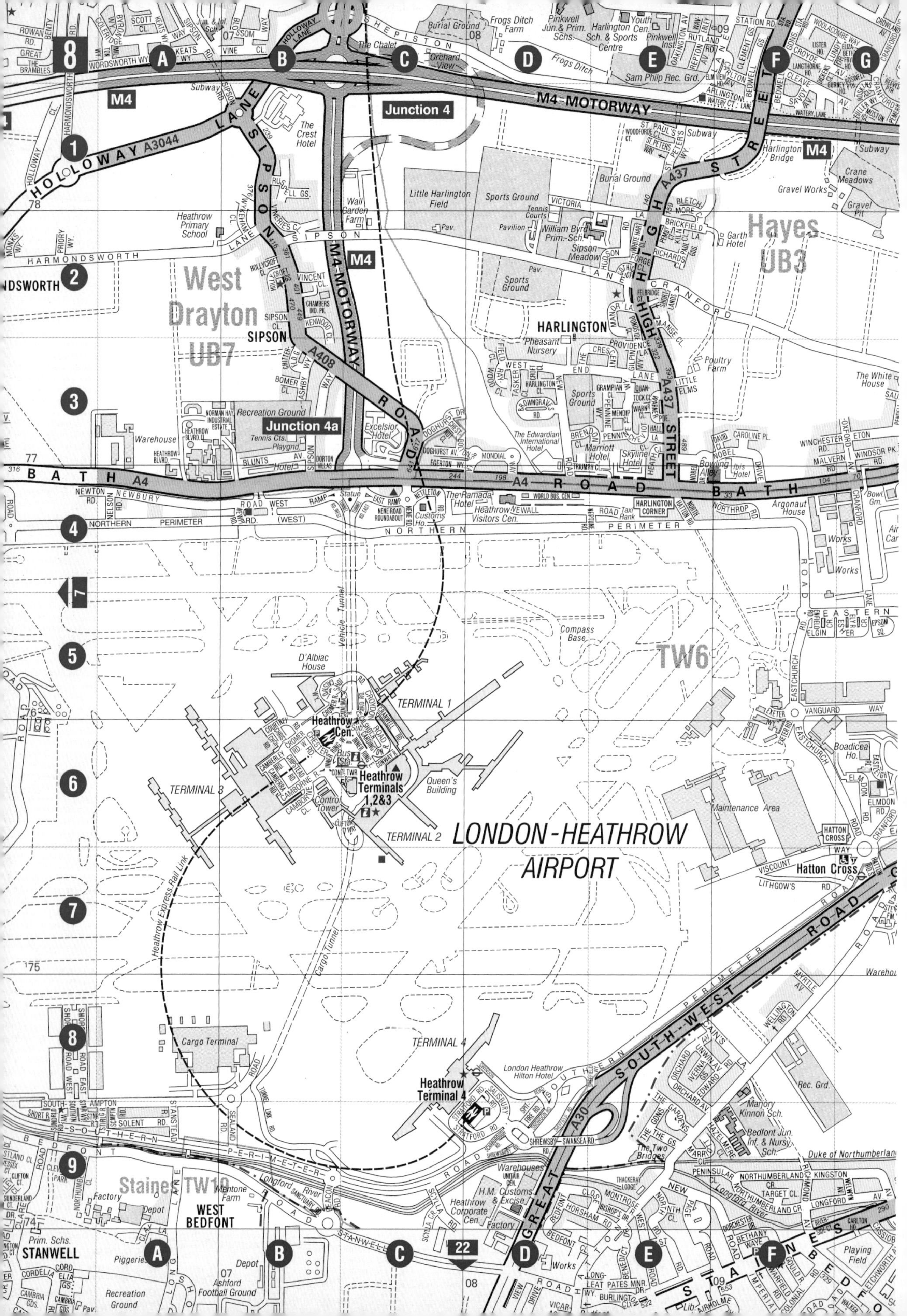
8
M4-MOTORWAY
Junction 4
Junction 4a
HOLLOWAY A3044
SIPSON LANE
A408
BATH ROAD A4
NORTHERN PERIMETER ROAD
HIGH STREET A437
West Drayton UB7
Hayes UB3
SIPSON
HARLINGTON
LONDON-HEATHROW AIRPORT
TW6
TERMINAL 1
TERMINAL 2
TERMINAL 3
TERMINAL 4
Heathrow Terminals 1,2&3
Heathrow Terminal 4
Heathrow Cen.
Cargo Terminal
Maintenance Area
Hatton Cross
GREAT SOUTH-WEST ROAD A30
Staines TW19
WEST BEDFONT
STANWELL
Heathrow Express Rail Link
Vehicle Tunnel
Cargo Tunnel
22
7

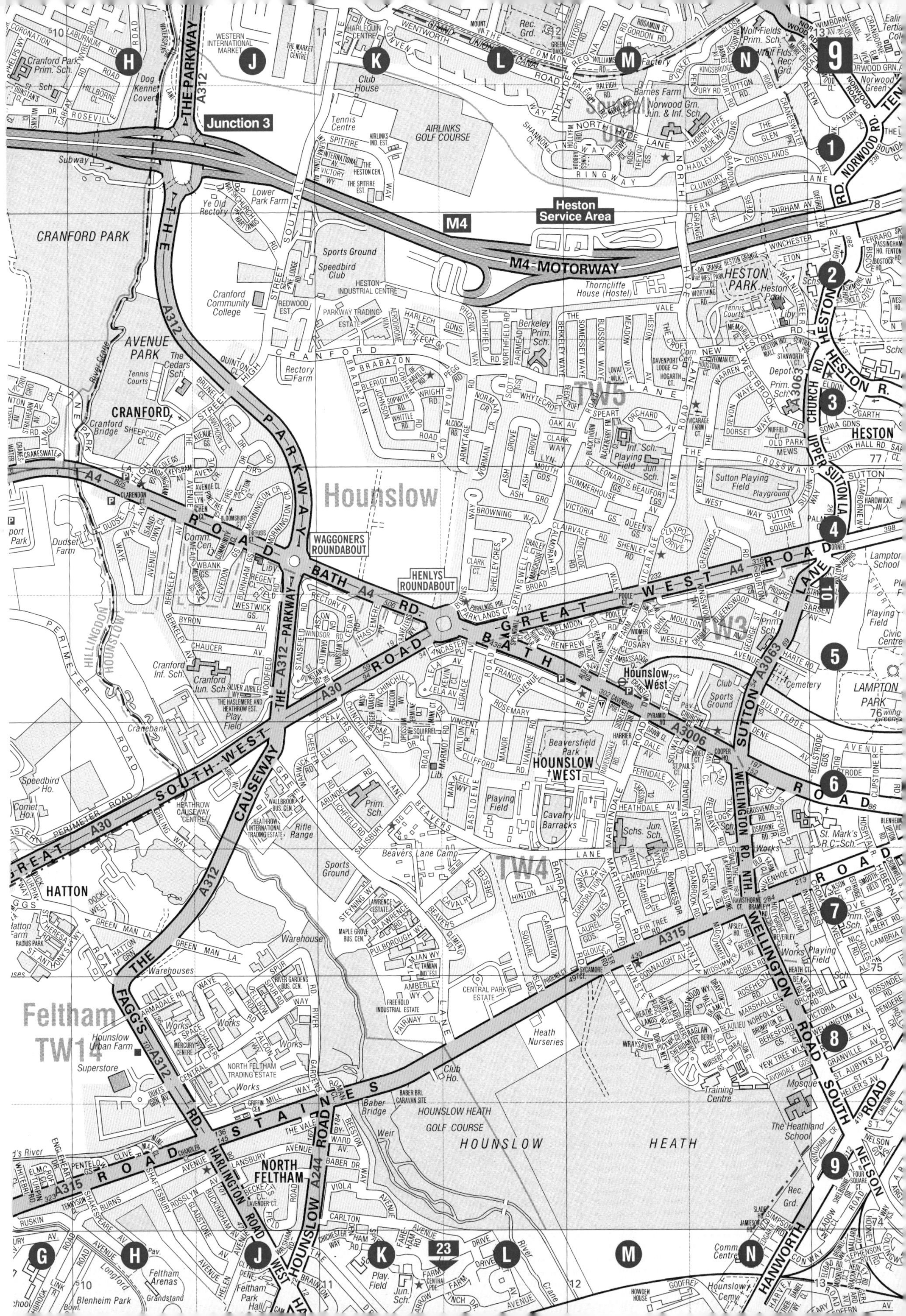

9
H
J
K
L
M
N
G
1
2
3
4
5
6
7
8
10
THE PARKWAY
A312
Junction 3
WESTERN INTERNATIONAL MARKET
THE MARKET CENTRE
HARLEQUIN CENTRE
GRAND UNION CANAL
Cranford Park Prim. Sch.
Dog Kennel Covert
Club House
Tennis Centre
AIRLINKS GOLF COURSE
AIRLINKS IND. EST.
THE HESTON CEN.
THE SPITFIRE EST.
Barnes Farm
Norwood Grn. Jun. & Inf. Sch.
NORTH HYDE LANE
RINGWAY
CROSSLANDS
Heston Service Area
M4
M4 MOTORWAY
CRANFORD PARK
Lower Park Farm
Ye Old Rectory
Sports Ground
Speedbird Club
HESTON INDUSTRIAL CENTRE
Cranford Community College
REDWOOD EST.
PARKWAY TRADING ESTATE
Thorncliffe House (Hostel)
HESTON PARK
Heston Pool
Berkeley Prim. Sch.
AVENUE PARK
The Cedars Sch.
Tennis Courts
CRANFORD
Cranford Bridge
Rectory Farm
TW5
HESTON
Sutton Playing Field
Hounslow
WAGGONERS ROUNDABOUT
HENLYS ROUNDABOUT
BATH ROAD
A4
GREAT WEST ROAD
A3063
A3006
A30
Dudset Farm
Lampton School
Playing Field
Civic Centre
LAMPTON PARK
Cemetery
Hounslow West
Sports Ground
HOUNSLOW WEST
Beaversfield Park
Cavalry Barracks
Cranford Inf. Sch.
Cranford Jun. Sch.
Play. Field
Cranebank
PERIMETER ROAD
SOUTH WEST
CAUSEWAY
HEATHROW CAUSEWAY CENTRE
Speedbird Ho.
Comet Ho.
HATTON
Hatton Farm
Prim. Sch.
Rifle Range
Beavers Lane Camp
TW4
St. Mark's R.C. Sch.
Warehouse
Warehouses
GREEN MAN LA.
Feltham TW14
Hounslow Urban Farm
Superstore
NORTH FELTHAM TRADING ESTATE
CENTRAL PARK ESTATE
Heath Nurseries
FREEHOLD INDUSTRIAL ESTATE
Club Ho.
BABER BRL CARAVAN SITE
Baber Bridge
Weir
HOUNSLOW HEATH GOLF COURSE
HOUNSLOW HEATH
Training Centre
Mosque
The Heathland School
Rec. Grd.
STAINES ROAD
A315
A244
HOUNSLOW ROAD
HARLINGTON ROAD
FAGG'S RD.
NORTH FELTHAM
WELLINGTON RD. NTH
WELLINGTON ROAD SOUTH
HANWORTH ROAD
NELSON ROAD
23
Play. Field
Jun. Sch.
Comm. Centre
Hounslow Cemy.
Feltham Arenas
Grandstand
Blenheim Park
Feltham Park Hall

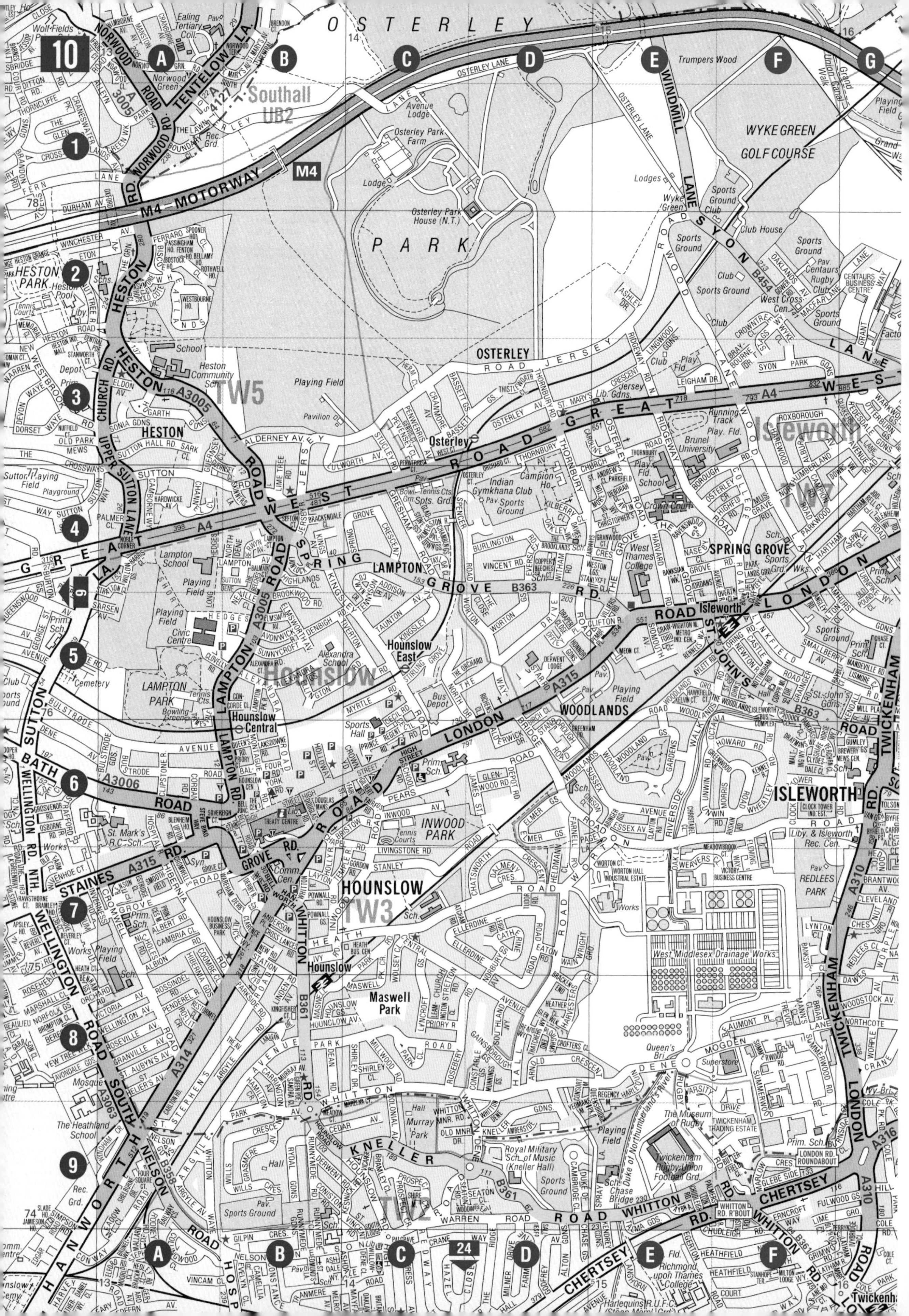
OSTERLEY
Southall UB2
M4 MOTORWAY
M4
Trumpers Wood
WYKE GREEN GOLF COURSE
Osterley Park Farm
Osterley Park House (N.T.)
PARK
Avenue Lodge
OSTERLEY LANE
WINDMILL LANE
SYON LANE
Norwood Green
NORWOOD ROAD
TENTELOW LA.
HESTON PARK
Heston Pool
HESTON ROAD
Heston Community Sch.
TW5
HESTON
Playing Field
OSTERLEY
JERSEY ROAD
Osterley
GREAT WEST ROAD
A4
Indian Gymkhana Club Sports Ground
Brunel University
Isleworth
TW7
West Thames College
Crown Court
SPRING GROVE
LAMPTON
SPRING GROVE ROAD
B363
LAMPTON ROAD
A3005
Lampton School
Civic Centre
LAMPTON PARK
Hounslow
Alexandra School
Hounslow East
Hounslow Central
LONDON ROAD
A315
WOODLANDS
Bus Depot
BATH ROAD
A3006
STAINES RD.
St. Mark's R.C. Sch.
Treaty Centre
HOUNSLOW
TW3
INWOOD PARK
Hounslow
Maswell Park
B361
ISLEWORTH
Clock Tower
West Middlesex Drainage Works
REDLEES PARK
TWICKENHAM ROAD
A310
Mogden
Superstore
Queen's Bri.
The Museum of Rugby
Twickenham Trading Estate
Twickenham Rugby Union Football Grd.
Royal Military Sch. of Music (Kneller Hall)
Sports Ground
Murray Park
KNELLER ROAD
WHITTON ROAD
CHERTSEY RD.
TW2
HANWORTH ROAD
A314
The Heathland School
Mosque
NELSON ROAD
B358
Richmond upon Thames College
Harlequins R.F.C.
Twickenham
A B C D E F G
1 2 3 4 5 6 7 8 9
24

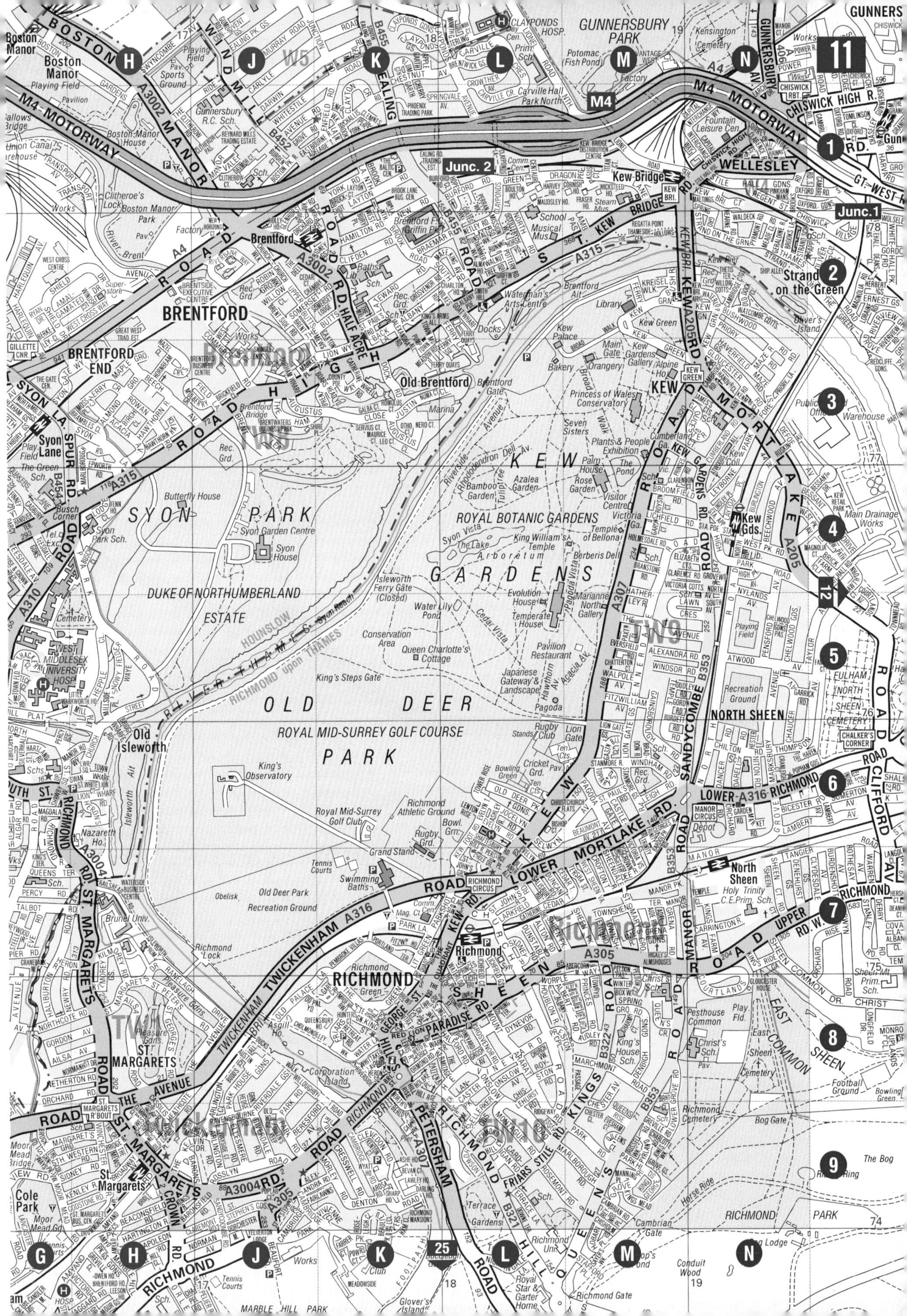
GUNNERSBURY PARK
Boston Manor
Boston Manor Playing Field
BOSTON MANOR
M4 MOTORWAY
WINDMILL
EALING
W5
Claypond Hosp.
Potomac (Fish Pond)
Kensington Cemetery
GUNNERSBURY AV.
CHISWICK HIGH R.
Gunnersbury R.C. Sch.
Boston Manor House
Union Canal
Clitheroe's Lock
Boston Manor Park
River Brent
Phoenix Trading Park
Carville Hall Park North
Fountain Leisure Cen.
Junc. 2
Junc. 1
Kew Bridge
WELLESLEY
Steam Mus.
Musical Mus.
Brentford F.C. Griffin Pk.
Brentford
BRENTFORD
BRENTFORD END
GREAT WEST RD.
A4
A315
A3002
B455
HALF ACRE
HIGH
KEW BRIDGE RD.
Waterman's Arts Centre
Brentford Ait
Strand on the Green
Oliver's Island
Kew Pier
Kew Green
Kew Palace
Main Gate
Orangery
Kew Gardens Gallery
Alpine Ho.
Princess of Wales Conservatory
KEW
Old Brentford
Brentford Gate
Marina
Syon Lane
SYON LA
SPUR RD
Busch Corner
Butterfly House
SYON PARK
Syon Garden Centre
Syon House
DUKE OF NORTHUMBERLAND ESTATE
Seven Sisters
Plants & People Exhibition
Palm House
Rose Garden
The Pond
Azalea Garden
Bamboo Garden
Rhododendron Dell
Riverside Avenue
Visitor Centre
Victoria Ga.
ROYAL BOTANIC GARDENS
KEW GARDENS
Syon Vista
The Lake
Arboretum
King William's Temple
Temple of Bellona
Berberis Dell
Pagoda Vista
Evolution House
Temperate House
Marianne North Gallery
Cedar Vista
Water Lily Pond
Isleworth Ferry Gate (Closed)
Conservation Area
Queen Charlotte's Cottage
Pavilion Restaurant
Japanese Gateway & Landscape
Pagoda
King's Steps Gate
HOUNSLOW
RICHMOND upon THAMES
RIVER THAMES
Kew Gds.
MORTLAKE RD.
A205
Main Drainage Works
Public Record Office
Warehouse
NORTH SHEEN
Recreation Ground
Fulham (North Sheen) Cemetery
Chalker's Corner
TW9
WEST MIDDLESEX UNIVERSITY HOSP.
Old Isleworth
Isleworth Ait
OLD DEER PARK
ROYAL MID-SURREY GOLF COURSE
King's Observatory
Royal Mid-Surrey Golf Club
Richmond Athletic Ground
Rugby Club
Lion Gate
Cricket Grd.
Grand Stand
Swimming Baths
Old Deer Park Recreation Ground
Obelisk
Richmond Circus
LOWER MORTLAKE RD.
A316
LOWER RICHMOND RD.
CLIFFORD AV.
North Sheen
Holy Trinity C.E. Prim. Sch.
Manor Circus
SANDYCOMBE RD.
B353
UPPER RICHMOND RD. W.
A305
Richmond
Richmond Lock
Brunel Univ.
Nazareth Ho.
ST. MARGARETS RD.
A3004
TWICKENHAM RD.
RICHMOND
Richmond Green
SHEEN RD.
PARADISE RD.
Corporation Island
Asgill Ho.
Pleasure Gdns.
ST. MARGARETS
St. Margarets
TW1
Cole Park
Moor Mead Rd.
Twickenham
PETERSHAM RD.
A307
RICHMOND HILL
B321
FRIARS STILE RD.
QUEENS RD.
KINGS RD.
TW10
Pesthouse Common
Christ's Sch.
East Sheen Cemetery
Richmond Cemetery
EAST SHEEN COMMON
Football Ground
Bog Gate
The Bog
Richmond Ring
RICHMOND PARK
Horse Ride
Cambrian Gate
Conduit Wood
Richmond Gate
Royal Star & Garter Home
Terrace Gardens
Glover's Island
MARBLE HILL PARK
Sheen Mt. Prim. Sch.
SHEEN
CHRIST CHURCH RD.
Richmond Univ.
Tennis Courts
Works
25
12
G H J K L M N
1 2 3 4 5 6 7 8 9
17 18 19
74 75 76 77 78

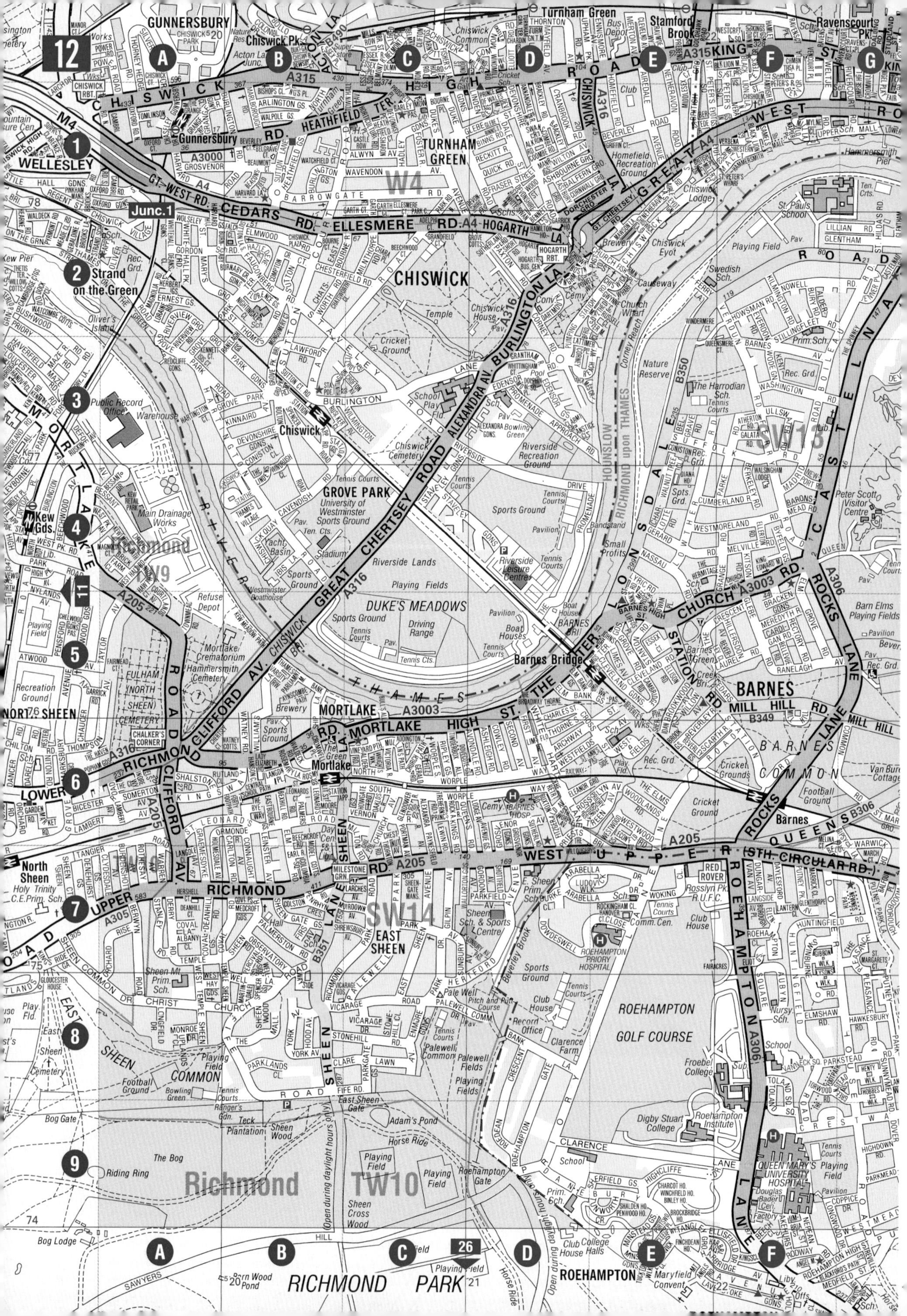
12
GUNNERSBURY
Chiswick Pk.
Turnham Green
Stamford Brook
Ravenscourt Pk.
A
B
C
D
E
F
G
1
2
3
4
5
6
7
8
9
CHISWICK HIGH ROAD
KING ST.
A315
M4
WELLESLEY
Gunnersbury
HEATHFIELD TER.
TURNHAM GREEN
W4
GT. WEST RD.
GREAT WEST ROAD
A4
Junc.1
CEDARS RD.
ELLESMERE RD.
HOGARTH LA.
HOGARTH RBT.
Strand on the Green
Kew Pier
CHISWICK
Chiswick House
Temple
Chiswick Eyot
St. Pauls School
Hammersmith Pier
BURLINGTON LA.
A316
Swedish Sch.
Church Wharf
Corney Reach
HOUNSLOW
RICHMOND upon THAMES
Public Record Office
Chiswick
GROVE PARK
University of Westminster Sports Ground
Kew Gds.
Richmond
TW9
Main Drainage Works
Riverside Recreation Ground
Riverside Leisure Centre
The Harrodian Sch.
SW13
Peter Scott Visitor Centre
LONSDALE RD.
CHURCH RD.
A3003
ROCKS LANE
A306
Barn Elms Playing Fields
GREAT CHERTSEY ROAD
Riverside Lands
Playing Fields
DUKE'S MEADOWS
Sports Ground
Driving Range
RIVER THAMES
Barnes Bridge
BARNES
MILL HILL RD.
B349
BARNES COMMON
MORTLAKE
MORTLAKE HIGH ST.
Mortlake Crematorium
Hammersmith Cemetery
FULHAM (NORTH SHEEN) CEMETERY
CHALKER'S CORNER
NORT. SHEEN
RICHMOND RD.
CLIFFORD AV.
A205
Mortlake
LOWER
North Sheen
UPPER RICHMOND RD.
UPPER RICHMOND RD. WEST
(STH. CIRCULAR RD.)
A305
Barnes
QUEENS RIDE
B306
Rosslyn Pk. R.U.F.C.
ROEHAMPTON PRIORY HOSPITAL
SW14
EAST SHEEN
SHEEN LANE
B351
East Sheen Gate
Adam's Pond
Sheen Common
ROEHAMPTON GOLF COURSE
Froebel College
Digby Stuart College
Roehampton Institute
QUEEN MARY'S UNIVERSITY HOSPITAL
ROEHAMPTON LANE
A306
East Sheen Cemetery
Bog Gate
The Bog
Riding Ring
Richmond
TW10
Sheen Wood
Teck Plantation
Sheen Cross Wood
Roehampton Gate
(Open during daylight hours only)
Bog Lodge
26
RICHMOND PARK
ROEHAMPTON
Maryfield Convent
Club House
College Halls
Barn Wood Pond
Horse Ride

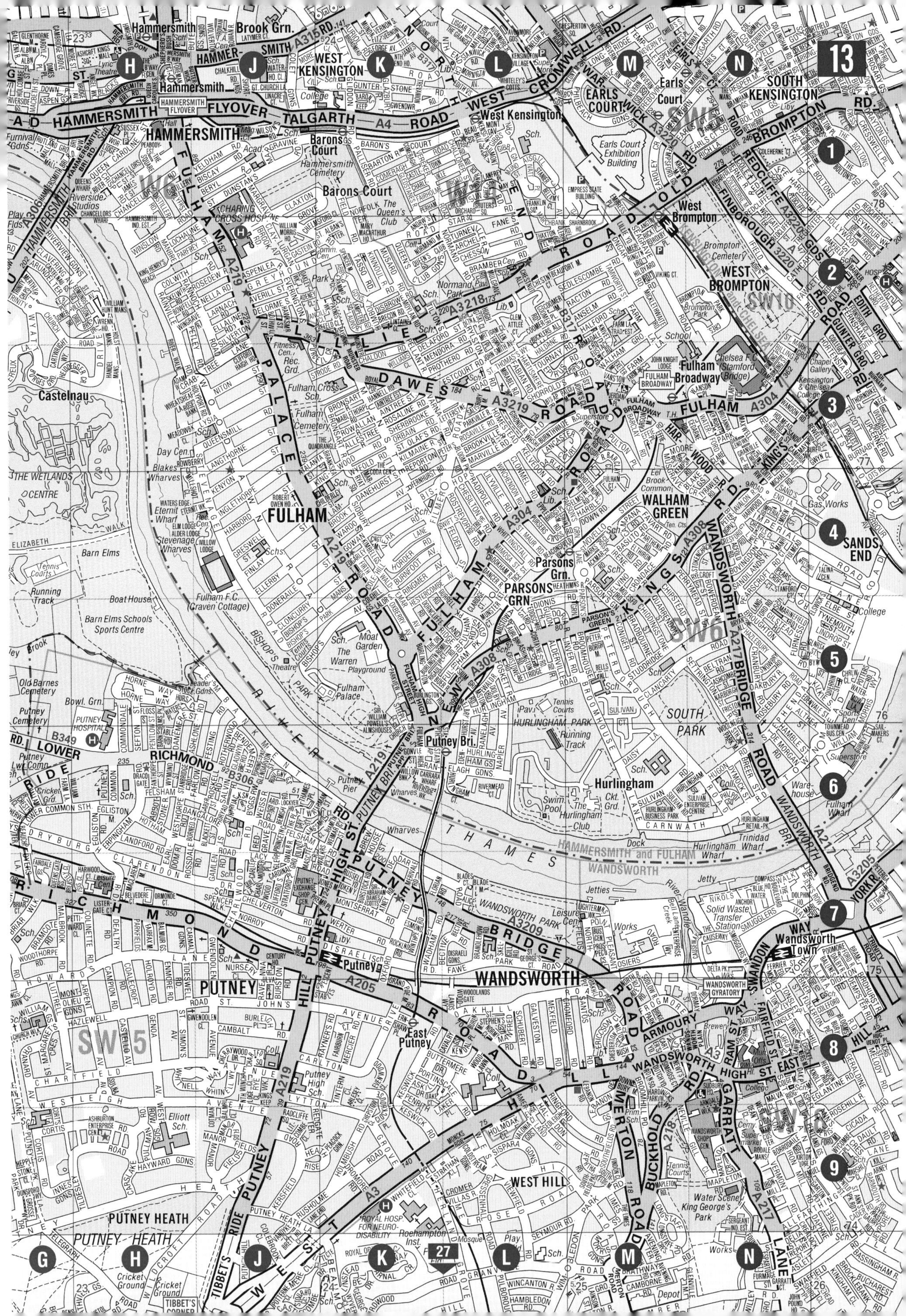
H
J
K
L
M
N
Hammersmith
Brook Grn.
HAMMERSMITH
WEST KENSINGTON
EARLS COURT
Earls Court
SOUTH KENSINGTON
HAMMERSMITH FLYOVER
TALGARTH
A4
ROAD
West Kensington
WEST CROMWELL RD.
BROMPTON RD.
Barons Court
Hammersmith Cemetery
The Queen's Club
Earls Court Exhibition Building
EMPRESS STATE BUILDING
West Brompton
WEST BROMPTON
Brompton Cemetery
SW10
CHARING CROSS HOSP.
LILLIE
ROAD
A3218
DAWES ROAD
A3219
Fulham Broadway
Chelsea F.C. (Stamford Bridge)
FULHAM
A304
FULHAM PALACE ROAD
A219
Fulham Cemetery
Castelnau
THE WETLANDS CENTRE
Blakes Wharves
Barn Elms
Running Track
Boat House
Barn Elms Schools Sports Centre
Fulham F.C. (Craven Cottage)
Eel Brook Common
WALHAM GREEN
Gas Works
SANDS END
Parsons Grn.
PARSONS GRN
KINGS ROAD
A308
WANDSWORTH BRIDGE ROAD
A217
SW6
Moat Garden
The Warren
Fulham Palace
Putney Bri.
RIVER THAMES
HURLINGHAM PARK
Running Track
SOUTH PARK
Hurlingham
The Hurlingham Club
Putney Pier
Old Barnes Cemetery
Putney Cemetery
PUTNEY HOSPITAL
LOWER RICHMOND RD.
B349
B306
HAMMERSMITH and FULHAM
WANDSWORTH
Hurlingham Wharf
Trinidad Wharf
Fulham Wharf
Solid Waste Transfer Station
Wandsworth Town
WANDSWORTH BRIDGE
A3209
RICHMOND ROAD
PUTNEY
PUTNEY HIGH ST.
PUTNEY BRIDGE RD.
Putney
A205
WANDSWORTH
East Putney
SW15
PUTNEY HILL
WANDSWORTH HIGH ST.
A3
GARRATT LANE
BUCKHOLD RD.
A218
MERTON ROAD
WEST HILL
SW18
King George's Park
Water Scene
PUTNEY HEATH
Cricket Ground
ROYAL HOSP FOR NEURO-DISABILITY
Roehampton Inst.
TIBBET'S CORNER
G
27
1
2
3
4
5
6
7
8
9

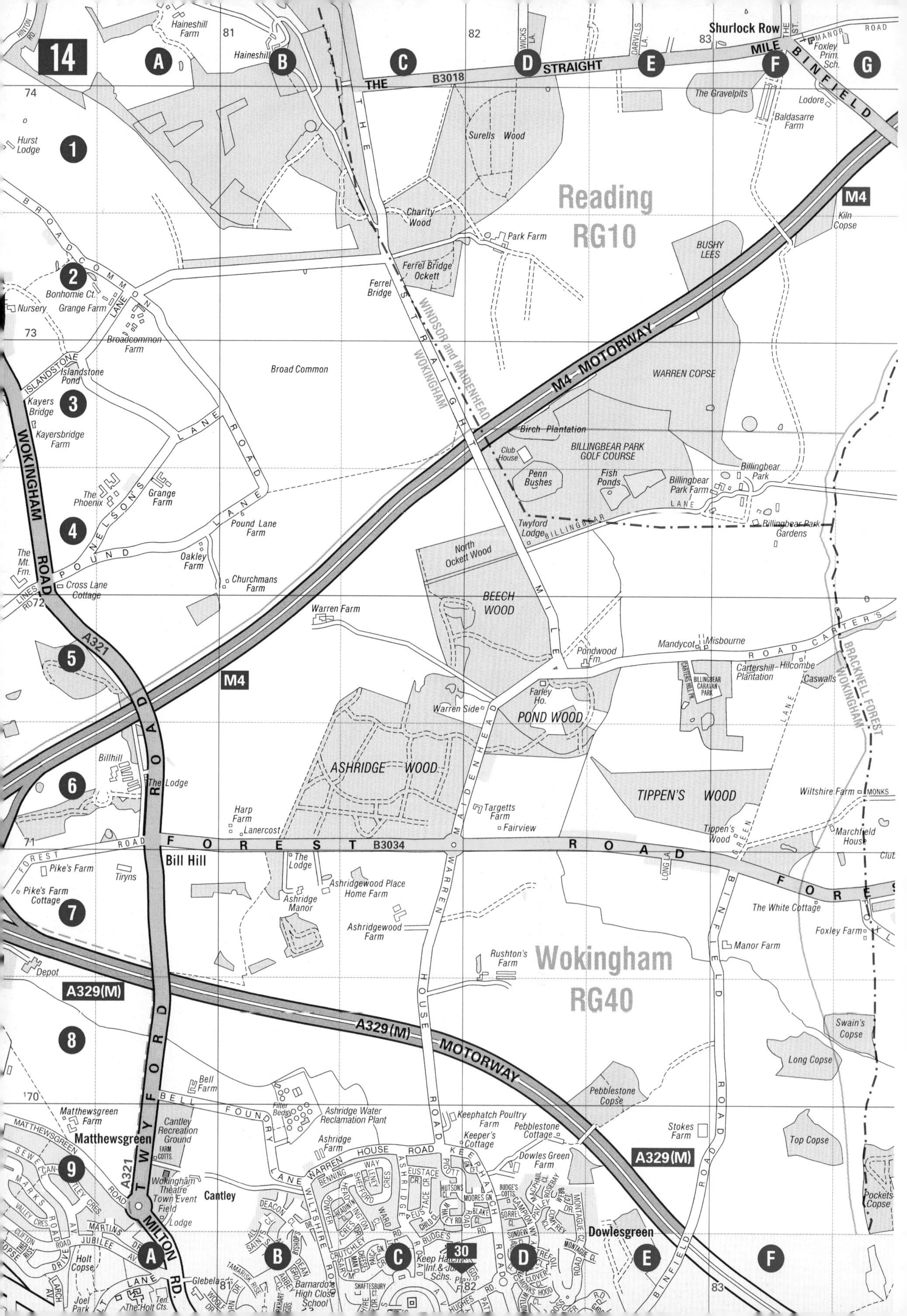

Haineshill Farm
Haineshill
81
82
83
Shurlock Row
THE STRAIGHT MILE
B3018
Hurst Lodge
The Gravelpits
Baldasarre Farm
Lodore
Foxley Prim. Sch.
MANOR ROAD
BINFIELD
Surells Wood
Charity Wood
Park Farm
Reading
RG10
M4
Kiln Copse
BUSHY LEES
Ferrel Bridge Ockett
Ferrel Bridge
WINDSOR and MAIDENHEAD
WOKINGHAM
BROAD COMMON LANE
Bonhomie Ct.
Nursery
Grange Farm
Broadcommon Farm
73
74
Islandstone Pond
Kayers Bridge
Kayersbridge Farm
Broad Common
M4 MOTORWAY
WARREN COPSE
Birch Plantation
BILLINGBEAR PARK GOLF COURSE
Club House
Penn Bushes
Fish Ponds
Billingbear Park Farm
Billingbear Park
BILLINGBEAR LANE
Billingbear Park Gardens
Twyford Lodge
The Phoenix
Grange Farm
NELSON'S LANE
POUND LANE
Pound Lane Farm
Oakley Farm
Churchmans Farm
The Mt. Frm.
Cross Lane Cottage
LINES RD
72
North Ockett Wood
BEECH WOOD
Warren Farm
WOKINGHAM ROAD
A321
Mandycot
Misbourne
CARTER'S ROAD
Pondwood Fm.
Cartershill Plantation
Hilcombe
Caswalls
BILLINGBEAR CARAVAN PARK
BRACKNELL FOREST
Farley Ho.
Warren Side
POND WOOD
ASHRIDGE WOOD
Billhill
The Lodge
TIPPEN'S WOOD
Wiltshire Farm
MONKS
Harp Farm
Lanercost
Targetts Farm
Fairview
Tippen's Wood
Marchfield House
71
FOREST ROAD
B3034
Bill Hill
Pike's Farm
Tiryns
Pike's Farm Cottage
The Lodge
Ashridgewood Place Home Farm
Ashridge Manor
Ashridgewood Farm
WARREN HOUSE ROAD
The White Cottage
Foxley Farm
Manor Farm
Rushton's Farm
Wokingham
RG40
Depot
A329(M)
A329(M) MOTORWAY
Swain's Copse
Long Copse
TWYFORD ROAD
Bell Farm
Pebblestone Copse
170
Matthewsgreen Farm
Matthewsgreen
BELL FOUNDRY LANE
Filter Beds
Ashridge Water Reclamation Plant
Keephatch Poultry Farm
Keeper's Cottage
Pebblestone Cottage
Stokes Farm
Top Copse
Cantley Recreation Ground
FARM COTTS.
Ashridge Farm
Dowles Green Farm
BINFIELD ROAD
Wokingham Theatre
Town Event Field
Lodge
Cantley
Pockets Copse
Dowlesgreen
MILTON RD.
Holt Copse
Glebelands
Barnardo's High Close School
Keep Hatch Inf.& Jun. Schs.
30
Joel Park
The Holt Cts.
83

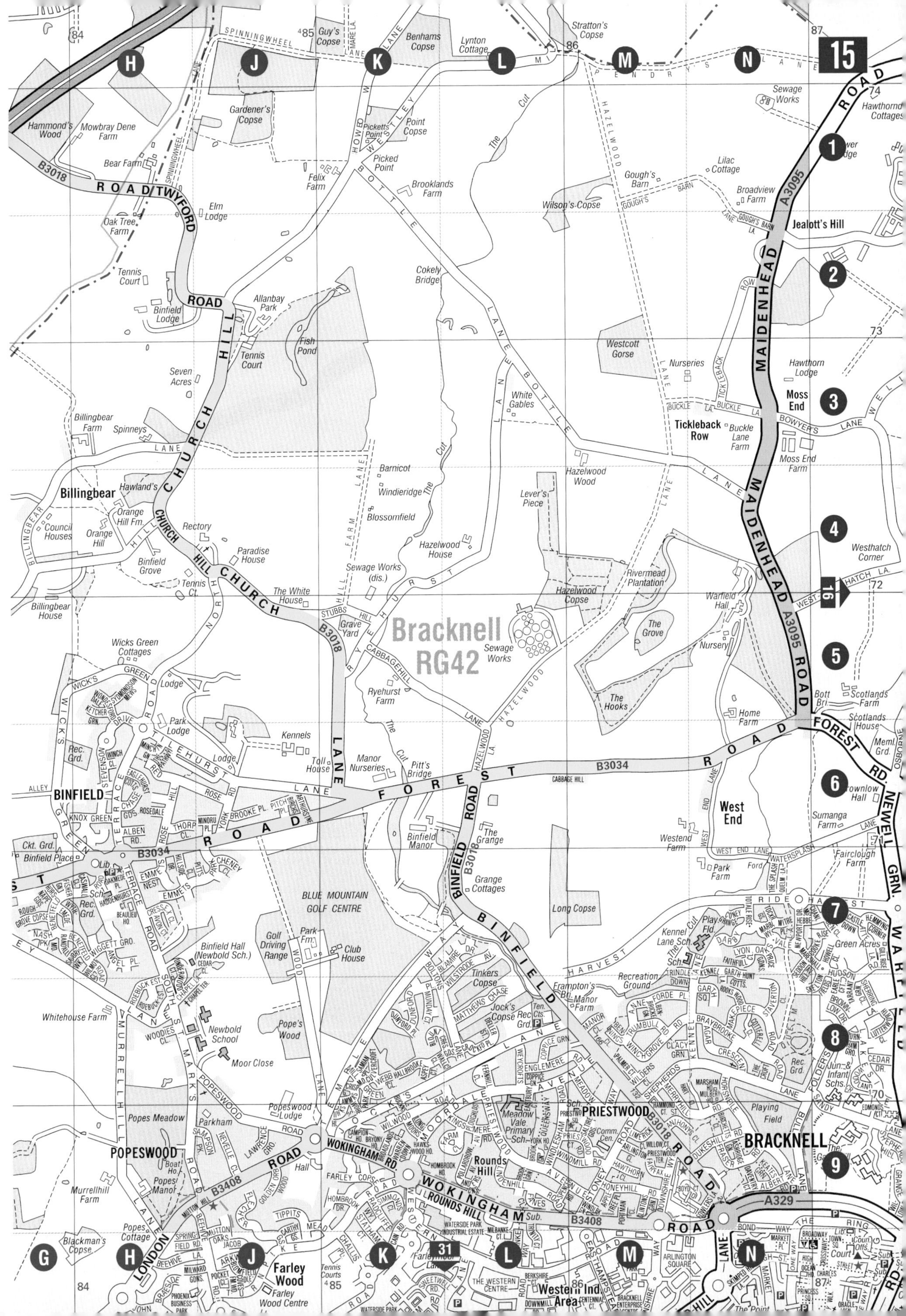

15
Bracknell
RG42
Spinningwheel Lane
Guy's Copse
Benhams Copse
Lynton Cottage
Stratton's Copse
Pendry's Lane
Sewage Works
Hawthorne Cottages
Hammond's Wood
Mowbray Dene Farm
Gardener's Copse
Picketts Point
Point Copse
Picked Point
Felix Farm
Brooklands Farm
Bear Farm
Twyford Road
B3018
Elm Lodge
Oak Tree Farm
Tennis Court
Binfield Lodge
Allanbay Park
Fish Pond
Cokely Bridge
The Cut
Hazelwood Lane
Gough's Barn
Lilac Cottage
Broadview Farm
Wilson's Copse
Gough's Barn La.
Jealott's Hill
Maidenhead Road
A3095
Westcott Gorse
Nurseries
Hawthorn Lodge
Moss End
Tickleback Row
Buckle Lane
Buckle Lane Farm
Bowyer's Lane
Moss End Farm
Seven Acres
Billingbear Farm
Spinneys
Billingbear Lane
Billingbear
Hawland's
Church Hill
Council Houses
Orange Hill Fm.
Orange Hill
Rectory
Paradise House
Binfield Grove
Tennis Ct.
Billingbear House
White Gables
Bottle Lane
Barnicot
Windieridge
Blossomfield
Hazelwood Wood
Lever's Piece
Hazelwood House
Sewage Works (dis.)
Ryehurst Lane
The White House
Stubbs Hill
Grave Yard
Hazelwood Copse
Rivermead Plantation
Warfield Hall
The Grove
Nursery
Westhatch Corner
Hatch La.
West
Sewage Works
Wicks Green Cottages
Wick's Green
Lodge
Park Lodge
Cabbage Hill
Ryehurst Farm
The Hooks
Bott Bri.
Scotlands Farm
Scotlands House
Home Farm
Forest Road
B3034
Kennels
Toll House
Manor Nurseries
Pitt's Bridge
Hazelwood La.
Cabbage Hill
West End
West End Lane
Westend Farm
Binfield Road
Binfield Manor
The Grange
Grange Cottages
Blue Mountain Golf Centre
Brownlow Hall
Newell Grn.
Sumanga Farm
Waterssplash
Faircloughs Farm
Park Farm
Ford
BINFIELD
Tilehurst Lane
Rec. Grd.
Knox Green
Ckt. Grd.
Binfield Place
Lib.
Sch.
Long Copse
Golf Driving Range
Park Fm.
Club House
Binfield Hall (Newbold Sch.)
Harvest Ride
Kennel Lane Sch.
Play Fld.
Recreation Ground
Green Acres
Whitehouse Farm
Murrell Hill
Newbold School
Moor Close
Pope's Wood
Tinkers Copse
Jock's Copse
Frampton's Bri.
Manor Farm
Rec. Grd.
Jun. & Infant Schs.
Popes Meadow
Parkham
Popeswood Lodge
Wokingham Rd.
Meadow Vale Primary Sch.
PRIESTWOOD
Playing Field
BRACKNELL
POPESWOOD
Rounds Hill
Murrellhill Farm
Popes Manor
B3408
Wokingham Road
A329
The Ring
Blackman's Copse
Popes Cottage
London Road
Farley Wood
Farley Wood Centre
Tennis Courts
Farley Copse
Hombrook Dr.
31
The Western Centre
Western Ind. Area
Arlington Square
Waterside Park Industrial Estate
Bracknell Enterprise Centre
Market St.
Skimped Hill Lane
The Point
Sub.
84
85
86
87
74
73
72
71
70
G H J K L M N
1 2 3 4 5 6 7 8 9

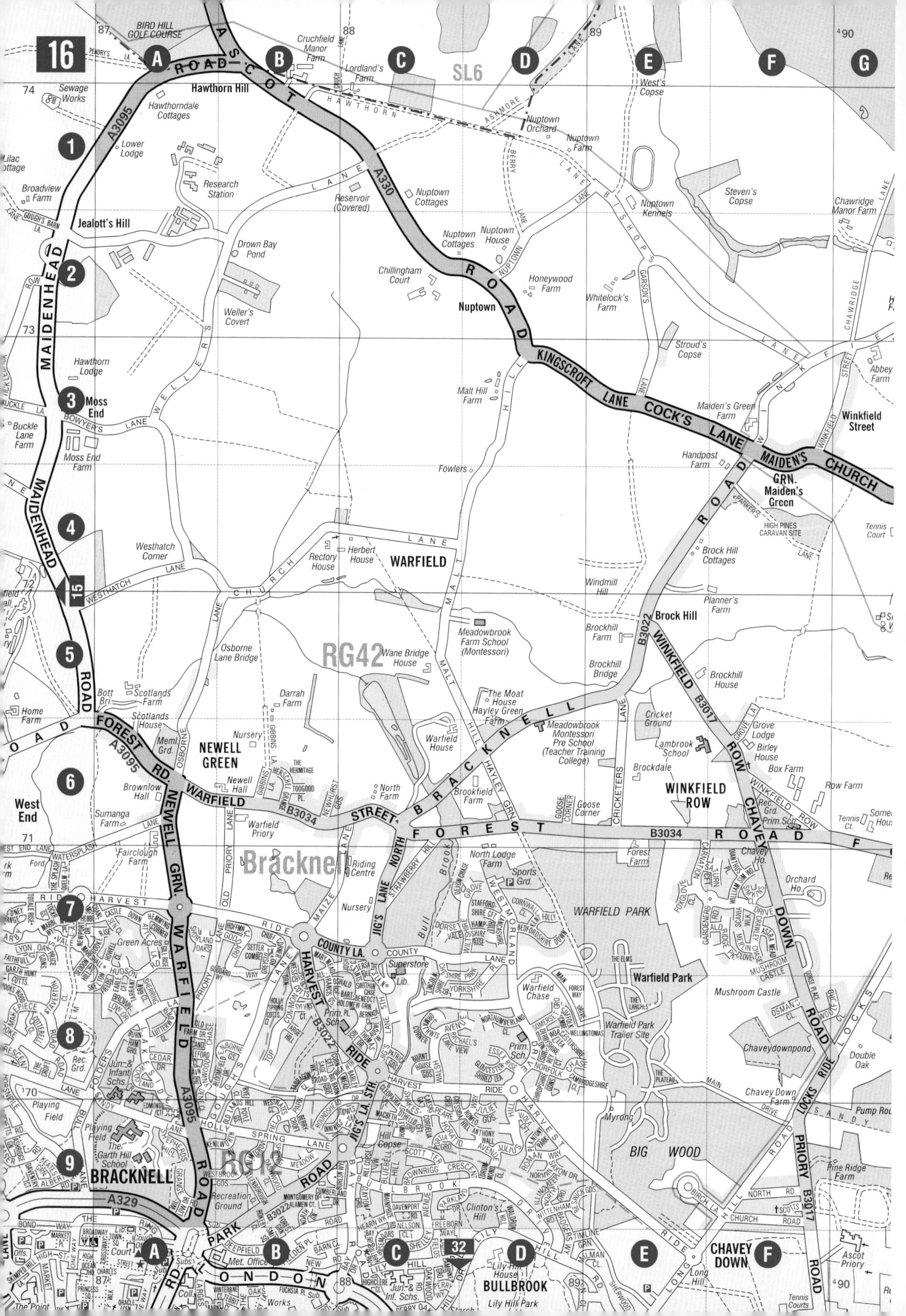

BIRD HILL GOLF COURSE
Cruchfield Manor Farm
Lordland's Farm
SL6
Hawthorn Hill
Sewage Works
Hawthorndale Cottages
ASCOT ROAD
HAWTHORN
ASHMORE
Nuptown Orchard
Nuptown Farm
West's Copse
Lower Lodge
Research Station
Reservoir (Covered)
Nuptown Cottages
Nuptown Kennels
Steven's Copse
Chawridge Manor Farm
Broadview Farm
Jealott's Hill
Drown Bay Pond
Chillingham Court
Nuptown House
Honeywood Farm
Whitelock's Farm
Weller's Covert
Nuptown
MAIDENHEAD ROAD
Stroud's Copse
KINGSCROFT LANE
COCK'S LANE
MAIDEN'S GRN.
CHURCH
Hawthorn Lodge
Moss End
Buckle Lane Farm
Moss End Farm
Malt Hill Farm
Maiden's Green Farm
Abbey Farm
Winkfield Street
Handpost Farm
Fowlers
Maiden's Green
HIGH PINES CARAVAN SITE
Westhatch Corner
Rectory House
Herbert House
WARFIELD
Brock Hill Cottages
Windmill Hill
Planner's Farm
Brock Hill
Brockhill Farm
Meadowbrook Farm School (Montessori)
Osborne Lane Bridge
RG42
Wane Bridge House
Brockhill Bridge
Brockhill House
Home Farm
Bott Bri
Scotlands Farm
Scotlands House
Darrah Farm
The Moat House
Hayley Green Farm
Meadowbrook Montessori Pre School (Teacher Training College)
Cricket Ground
Lambrook School
Grove Lodge
Birley House
Box Farm
West End
Brownlow Hall
NEWELL GREEN
Newell Hall
Warfield House
Brookfield Farm
Brockdale
WINKFIELD ROW
Row Farm
Sumanga Farm
Warfield Priory
North Farm
Goose Corner
FOREST ROAD
B3034
Fairclough Farm
Bracknell
Riding Centre
North Lodge Farm
Sports Grd.
Forest Farm
Chavey Ho.
Orchard Ho.
WARFIELD PARK
Superstore
Lib.
Green Acres
Warfield Park
Warfield Chase
Mushroom Castle
Warfield Park Trailer Site
Chaveydownpond
Double Oak
Rec. Grd.
Jun. & Infant Schs.
Playing Field
Chavey Down Farm
Pump Road
Myrong
BIG WOOD
BRACKNELL
The Garth Hill School
Recreation Ground
Clinton's Hill
Pine Ridge Farm
A329
Met. Office
LONDON ROAD
Lily Hill House
BULLBROOK
Lily Hill Park
CHAVEY DOWN
Long Hill
Ascot Priory
Tennis Courts
The Point

15
32

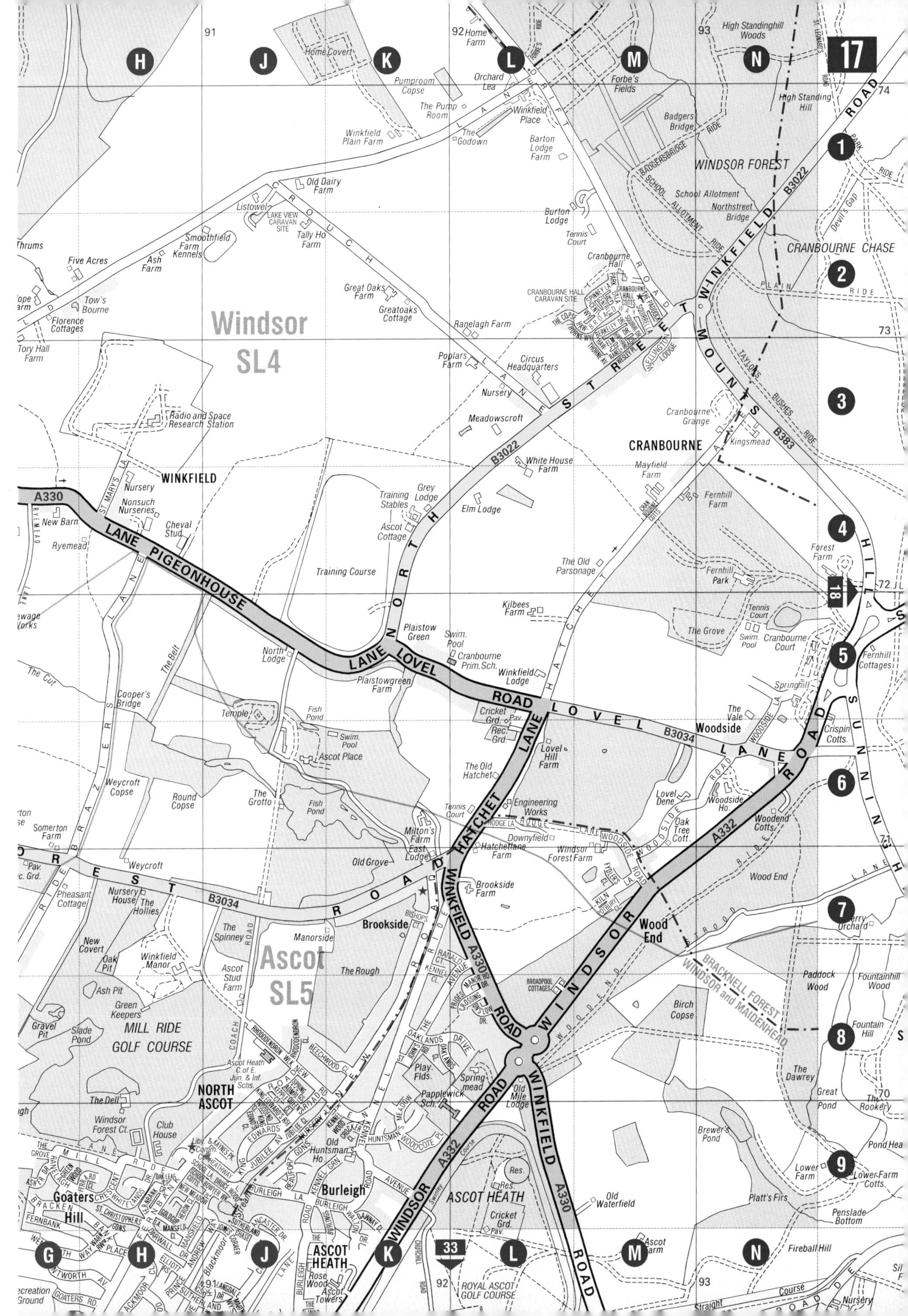
Windsor
SL4
Ascot
SL5
WINKFIELD
CRANBOURNE
NORTH ASCOT
ASCOT HEATH
Goaters Hill
Burleigh
Woodside
Wood End
WINDSOR FOREST
CRANBOURNE CHASE
MILL RIDE GOLF COURSE
ROYAL ASCOT GOLF COURSE
BRACKNELL FOREST
WINDSOR and MAIDENHEAD
Home Covert
Pumproom Copse
The Pump Room
Winkfield Plain Farm
Home Farm
Orchard Lea
Winkfield Place
The Godown
Forbe's Fields
Barton Lodge Farm
High Standinghill Woods
High Standing Hill
Badgers Bridge
School Allotment
Northstreet Bridge
Old Dairy Farm
Listowel
LAKE VIEW CARAVAN SITE
Tally Ho Farm
Smoothfield Farm Kennels
Ash Farm
Five Acres
Tow's Bourne
Florence Cottages
Tory Hall Farm
Thrums
Burton Lodge
Tennis Court
Cranbourne Hall
CRANBOURNE HALL CARAVAN SITE
Great Oaks Farm
Greatoaks Cottage
Ranelagh Farm
Poplars Farm
Circus Headquarters
Nursery
Meadowscroft
Cranbourne Grange
Kingsmead
Mayfield Farm
White House Farm
Radio and Space Research Station
Nursery
Nonsuch Nurseries
Cheval Stud
New Barn
Ryemead
Training Stables
Grey Lodge
Ascot Cottage
Elm Lodge
Fernhill Farm
Forest Farm
Fernhill Park
The Old Parsonage
Training Course
Kilbees Farm
Plaistow Green
Swim. Pool
Cranbourne Prim.Sch.
Winkfield Lodge
Tennis Court
The Grove
Cranbourne Court
Fernhill Cottages
Springhill
North Lodge
Plaistowgreen Farm
Sewage Works
The Cut
The Belt
Cooper's Bridge
Temple
Fish Pond
Swim. Pool
Ascot Place
Cricket Grd.
Rec. Grd.
Lovel Hill Farm
The Vale
Crispin Cotts.
The Old Hatchet
Lovel Dene
Woodside Ho.
Oak Tree Cott.
Woodend Cotts.
Weycroft Copse
Round Copse
The Grotto
Fish Pond
Tennis Court
Engineering Works
Downyfield
Hatchetlane Farm
Windsor Forest Farm
Wood End
Somerton Farm
Milton's Farm
East Lodge
Old Grove
Brookside Farm
Weycroft
Pheasant Cottage
Nursery House
The Hollies
The Spinney
Brookside
Manorside
The Rough
Merry Orchard
Paddock Wood
Fountainhill Wood
New Covert
Oak Pit
Winkfield Manor
Ascot Stud Farm
BROADPOOL COTTAGES
Birch Copse
Fountain Hill
Ash Pit
Green Keepers
Gravel Pit
Slade Pond
Ascot Heath C.of E. Jun. & Inf. Schs.
Play. Flds.
Spring-mead
The Dawrey
Great Pond
The Rookery
The Dell
Windsor Forest Ct.
Club House
Papplewick Sch.
Old Mile Lodge
Brewer's Pond
Pond Hea
Old Huntsman's Ho.
Res.
Lower Farm
Lower Farm Cotts.
Old Waterfield
Platt's Firs
Penslade Bottom
Cricket Grd.
Ascot Farm
Fireball Hill
Rose Wood
Ascot Towers
Recreation Ground
Nursery
A330
A332
B3022
B3034
B383
LANE PIGEONHOUSE
LOVEL LANE
LOVEL ROAD
LOVEL LANE
HATCHET LANE
NORTH STREET
WINKFIELD STREET
MOUNTS HILL
WINKFIELD ROAD
WINDSOR ROAD
FOREST ROAD
WINKFIELD LANE
CROUCH LANE
SUNNINGHILL ROAD
TAYLORS BUSHES RIDE
PLAIN RIDE
BADGERSBRIDGE RIDE
SCHOOL ALLOTMENT RIDE
WOODEND RIDE
STROOD LANE
MILL RIDE
ST. MARY'S LA.
BRAZIERS LANE
Straight Course
Swinley Course
91
92
93
74
73
72
71
70
H
J
K
L
M
N
G
1
2
3
4
5
6
7
8
9
18
33

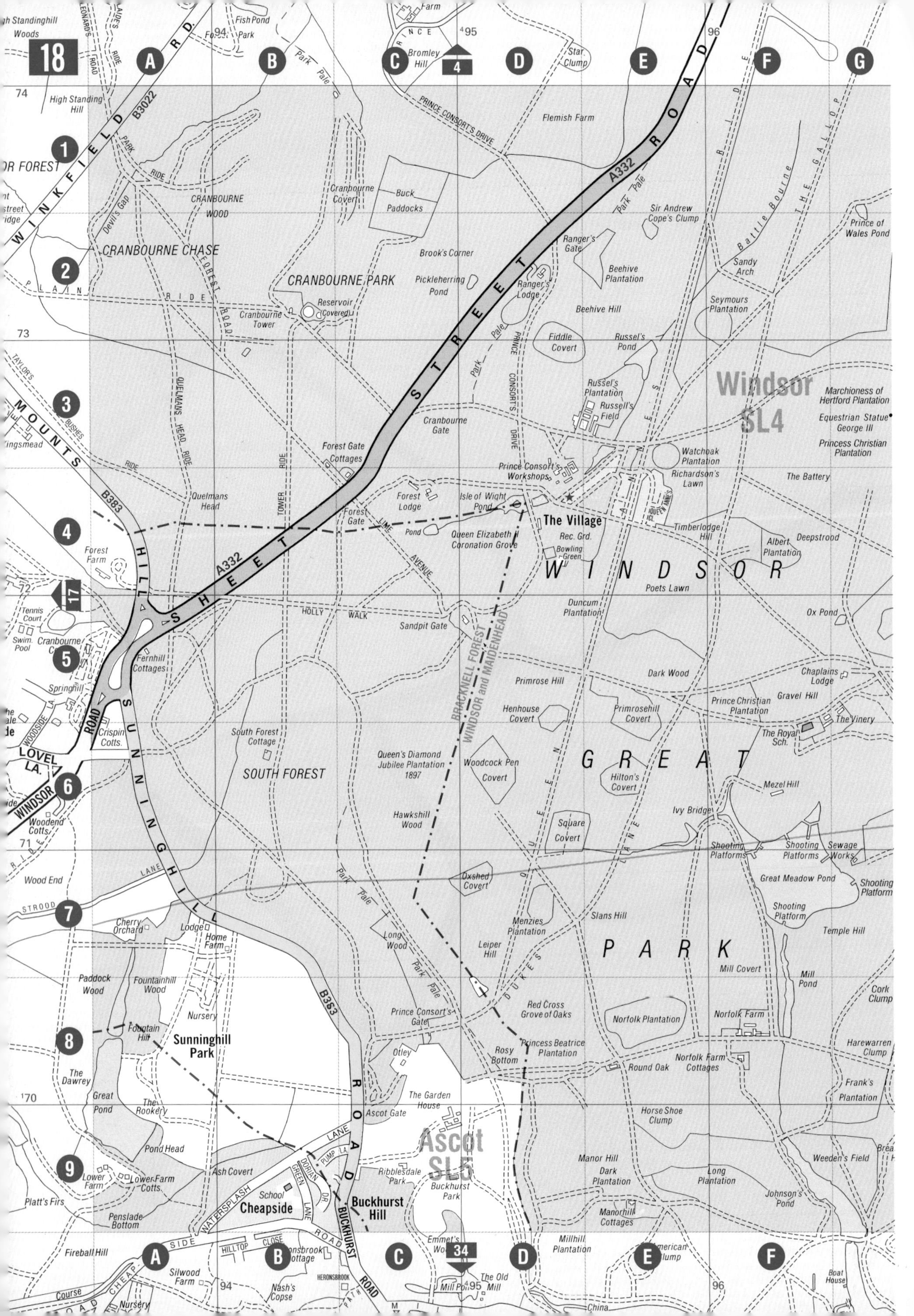

WINKFIELD ROAD
B3022
High Standing Hill
Cranbourne Chase
Cranbourne Wood
Cranbourne Park
Cranbourne Tower
Reservoir (Covered)
Cranbourne Cover
Buck Paddocks
Brook's Corner
Pickleherring Pond
Bromley Hill
Star Clump
Flemish Farm
Prince Consort's Drive
SHEET STREET ROAD
A332
Park Pale
Sir Andrew Cope's Clump
Ranger's Gate
Ranger's Lodge
Beehive Plantation
Beehive Hill
Fiddle Covert
Russel's Pond
Russel's Plantation
Russell's Field
Sandy Arch
Seymours Plantation
Prince of Wales Pond
Battle Bourne
The Gallop
Windsor SL4
Marchioness of Hertford Plantation
Equestrian Statue George III
Princess Christian Plantation
The Battery
Watchoak Plantation
Richardson's Lawn
Prince Consort's Workshops
The Village
Rec. Grd.
Bowling Green
Timberlodge Hill
Albert Plantation
Deepstrood
Isle of Wight Pond
Queen Elizabeth II Coronation Grove
Forest Lodge
Forest Gate
Forest Gate Cottages
Cranbourne Gate
Lime Avenue
Quelmans Head
Quelmans Head Ride
Tower Ride
Forest Road
Plain Ride
Mounts Hill
B383
Forest Farm
Tennis Court
Swim. Pool
Cranbourne
Springhill
Fernhill Cottages
Crispin Cotts.
Lovel La.
Windsor Road
Woodend Cotts.
Wood End
Strood Lane
Cherry Orchard
Lodge
Home Farm
Holly Walk
Sandpit Gate
WINDSOR GREAT PARK
Poets Lawn
Duncum Plantation
Ox Pond
Dark Wood
Chaplains Lodge
Gravel Hill
Primrose Hill
Primrosehill Covert
Prince Christian Plantation
The Royal Sch.
The Vinery
Henhouse Covert
Woodcock Pen Covert
Hilton's Covert
Mezel Hill
Ivy Bridge
Queen Anne's Ride
Queen's Diamond Jubilee Plantation 1897
South Forest Cottage
South Forest
Hawkshill Wood
Square Covert
Shooting Platforms
Sewage Works
Great Meadow Pond
Shooting Platform
Oxshed Covert
Slans Hill
Temple Hill
Menzies Plantation
Leiper Hill
Long Wood
Mill Covert
Mill Pond
Cork Clump
BRACKNELL FOREST
WINDSOR and MAIDENHEAD
Dukes Lane
Red Cross Grove of Oaks
Norfolk Plantation
Norfolk Farm
Norfolk Farm Cottages
Harewarren Clump
Prince Consort's Gate
Princess Beatrice Plantation
Rosy Bottom
Round Oak
Frank's Plantation
Paddock Wood
Fountainhill Wood
Nursery
Fountain Hill
Sunninghill Park
Sunninghill Road
B383
Otley
The Garden House
Ascot Gate
Ascot SL5
The Dawrey
Great Pond
The Rookery
Pond Head
Ash Covert
Horse Shoe Clump
Manor Hill
Dark Plantation
Long Plantation
Weeden's Field
Johnson's Pond
Lower Farm
Lower Farm Cotts.
Platt's Firs
Penslade Bottom
School
Cheapside
Watersplash Lane
Green Lane
Dorian Dr.
Pump La.
Ribblesdale Park
Buckhurst Park
Buckhurst Hill
Buckhurst Road
Manorhill Cottages
Millhill Plantation
American Clump
Fireball Hill
Cheapside Road
Hilltop Close
Heronsbrook Cottage
Heronsbrook
Silwood Farm
Nash's Copse
Emmet's Wood
Mill Pond
The Old Mill
Boat House
China
Course
Nursery
A B C D E F G
1 2 3 4 5 6 7 8 9
74 73 72 71 170
94 95 96
4
17
34

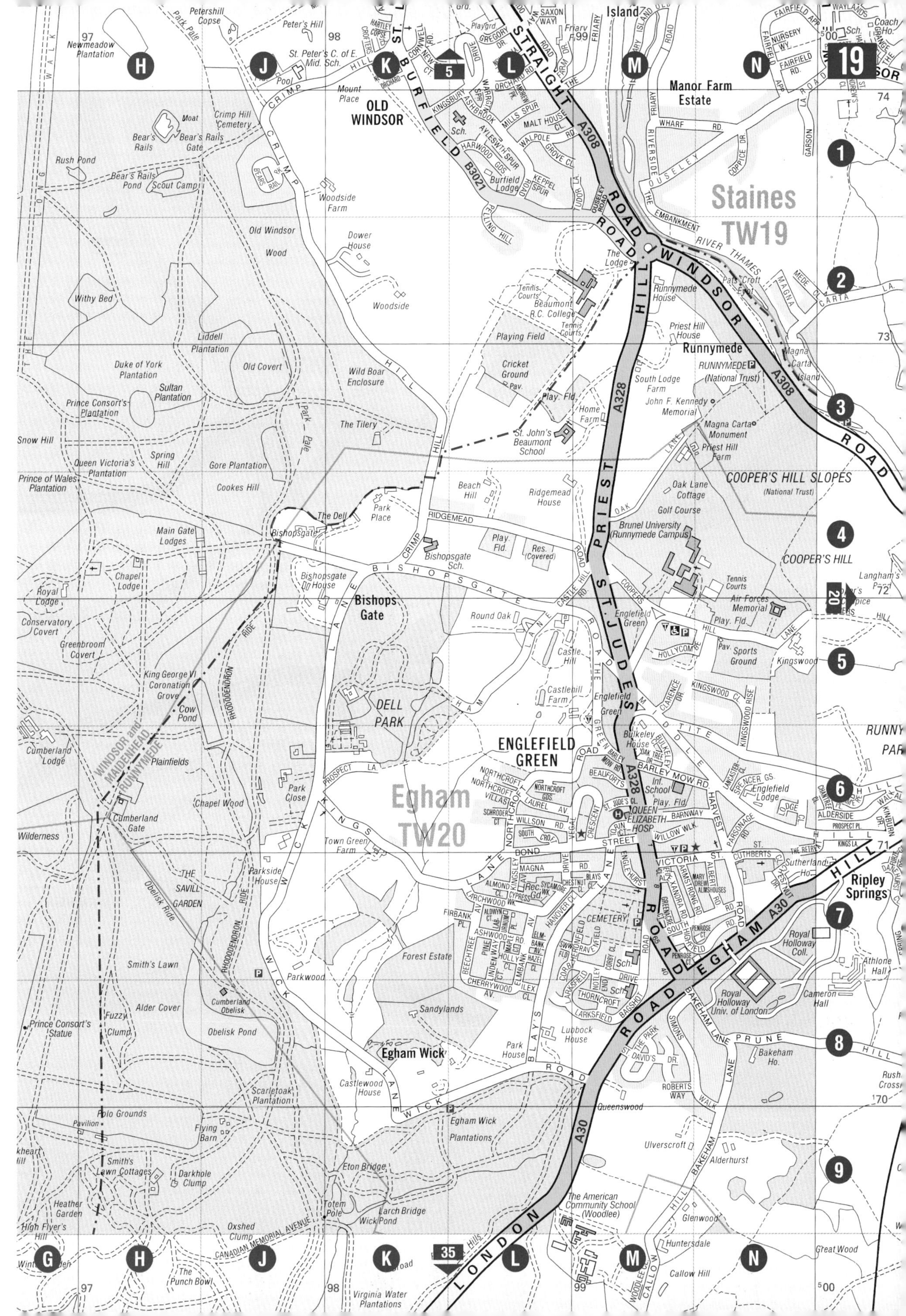
19
Staines
TW19
Egham
TW20
OLD WINDSOR
ENGLEFIELD GREEN
Bishops Gate
Egham Wick
Runnymede
Island
Manor Farm Estate
Petershill Copse
Peter's Hill
Newmeadow Plantation
St. Peter's C. of E. Mid. Sch.
Pool
Mount Place
Crimp Hill Cemetery
Moat
Bear's Rails
Bear's Rails Gate
Rush Pond
Bear's Rails Pond
Scout Camp
Woodside Farm
Old Windsor Wood
Dower House
Woodside
Withy Bed
Liddell Plantation
Old Covert
Duke of York Plantation
Sultan Plantation
Prince Consort's Plantation
Wild Boar Enclosure
The Tilery
Snow Hill
Spring Hill
Queen Victoria's Plantation
Gore Plantation
Prince of Wales Plantation
Cookes Hill
The Dell
Park Place
Beach Hill
Main Gate Lodges
Bishopsgate
Chapel Lodge
Royal Lodge
Bishopsgate House
Bishopsgate Sch.
Conservatory Covert
Greenbroom Covert
King George VI Coronation Grove
Cow Pond
Cumberland Lodge
Plainfields
WINDSOR and MAIDENHEAD
RUNNYMEDE
Chapel Wood
Cumberland Gate
Wilderness
THE SAVILL GARDEN
Obelisk Ride
Smith's Lawn
Alder Cover
Cumberland Obelisk
Obelisk Pond
Fuzzy Clump
Prince Consort's Statue
Polo Grounds
Pavilion
Flying Barn
Smith's Lawn Cottages
Darkhole Clump
Heather Garden
High Flyer's Hill
Oxshed Clump
CANADIAN MEMORIAL AVENUE
The Punch Bowl
Virginia Water Plantations
Scarletoak Plantation
Eton Bridge
Totem Pole
Larch Bridge
Wick Pond
Castlewood House
Egham Wick Plantations
Parkwood
Sandylands
Forest Estate
Park House
Lubbock House
Queenswood
The American Community School (Woodlee)
Ulverscroft
Alderhurst
Glenwood
Huntersdale
Callow Hill
Great Wood
Tennis Courts
Beaumont R.C. College
Playing Field
Cricket Ground
Pav.
Play. Fld.
St. John's Beaumont School
Home Farm
The Lodge
Runnymede House
Priest Hill House
South Lodge Farm
RUNNYMEDE (National Trust)
John F. Kennedy Memorial
Magna Carta Monument
Priest Hill Farm
Magna Carta Island
Pats Croft Eyot
COOPER'S HILL SLOPES (National Trust)
Oak Lane Cottage
Golf Course
Brunel University (Runnymede Campus)
Ridgemead House
Res. (Covered)
COOPER'S HILL
Air Forces Memorial
Langham's Pond
Sports Ground
Kingswood
Round Oak
Englefield Green
Castle Hill
Castlehill Farm
DELL PARK
Park Close
Town Green Farm
Parkside House
Bulkeley House
Inf. School
Englefield Lodge
QUEEN ELIZABETH HOSP.
Rec. Gd.
CEMETERY
Sch.
Royal Holloway Coll.
Royal Holloway Univ. of London
Athlone Hall
Cameron Hall
Sutherland Ho.
Ripley Springs
Bakeham Ho.
Rush Cross
A308
A328
A30
B3021
WINDSOR ROAD
STRAIGHT ROAD
PRIEST HILL
ST. JUDES ROAD
EGHAM HILL
LONDON ROAD
CRIMP HILL
BURFIELD
BISHOPSGATE
WICK LANE
WICK ROAD
KINGS LANE
PROSPECT LA.
BOND STREET
NORTH ST.
HARVEST RD.
VICTORIA ST.
BAKEHAM LANE
PRUNE HILL
BARLEY MOW RD.
MIDDLE HILL
COOPERS HILL LANE
RIDGEMEAD
RIVER THAMES
THE EMBANKMENT
OUSELEY RD.
WHARF RD.
RIVERSIDE
MAGNA CARTA LA.
GREEN LANE
BLAY'S LANE
ALDERSIDE
ST. CUTHBERTS CL.
5
20
35
97
98
99
500
74
73
72
71
170
1
2
3
4
5
6
7
8
9
G
H
J
K
L
M
N

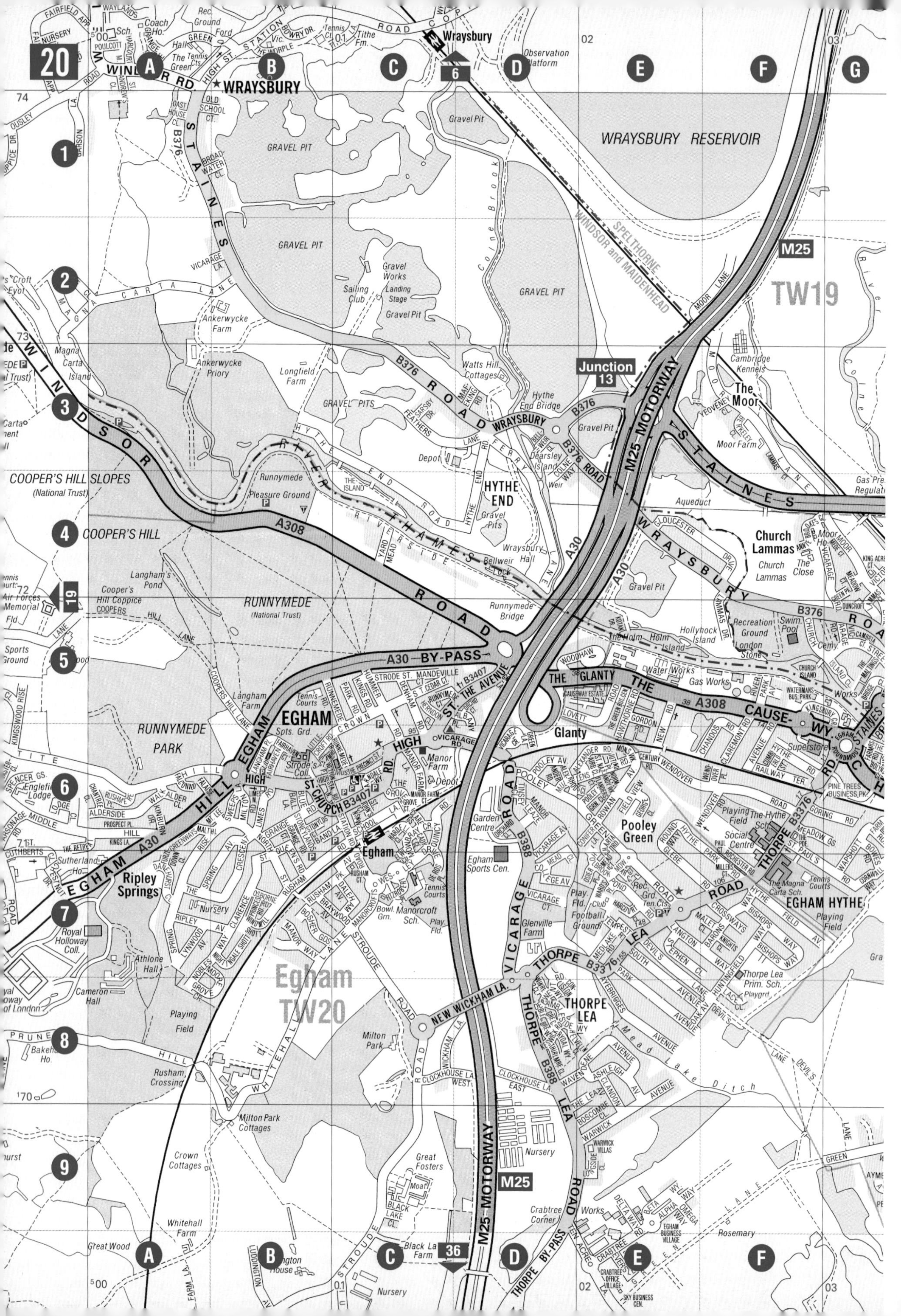
20
WRAYSBURY
Wraysbury
WRAYSBURY RESERVOIR
GRAVEL PIT
Gravel Pit
Gravel Works
Sailing Club
Landing Stage
Observation Platform
Ankerwycke Farm
Ankerwycke Priory
Magna Carta Island
Longfield Farm
Watts Hill Cottages
Hythe End Bridge
Junction 13
M25 MOTORWAY
M25
TW19
SPELTHORNE
WINDSOR and MAIDENHEAD
Cambridge Kennels
The Moor
Moor Farm
Aqueduct
Church Lammas
The Close
Recreation Ground
Swim. Pool
London Stone
Hollyhock Island
Holm Island
The Holm
Water Works
Gas Works
THE GLANTY
THE CAUSEWAY
A308
A30
B376
B388
B3407
HYTHE END
Gravel Pits
Wraysbury Hall
Bellweir Lock
RIVER THAMES
Runnymede Pleasure Ground
Runnymede Bridge
RUNNYMEDE
(National Trust)
COOPER'S HILL SLOPES
(National Trust)
COOPER'S HILL
Langham's Pond
Cooper's Hill Coppice
Air Forces Memorial
Sports Ground
Langham Farm
A30 BY-PASS
EGHAM
Spts. Grd.
Strode's Coll.
Manor Farm
Depot
Egham
Glanty
Pooley Green
Garden Centre
Egham Sports Cen.
Superstore
Pine Trees Business Pk.
Playing Field
The Hythe Sch.
Social Centre
The Magna Carta Sch.
EGHAM HYTHE
Tennis Courts
Thorpe Lea Prim. Sch.
Playgrd.
THORPE LEA
Rec. Grd.
Play. Fld.
Football Ground
Glenville Farm
RUNNYMEDE PARK
Englefield Lodge
Sutherland Ho.
Ripley Springs
Nursery
Royal Holloway Coll.
Athlone Hall
Cameron Hall
Playing Field
Bowl. Grn.
Manorcroft Sch.
Egham TW20
Milton Park
Bakeham Ho.
Rusham Crossing
Milton Park Cottages
Crown Cottages
Whitehall Farm
Great Wood
Great Fosters
Moat
Black Lake Farm
Nursery
Crabtree Corner
Works
Egham Business Village
Crabtree Office Village
Sky Business Cen.
Rosemary
Mead Lake Ditch
M25 MOTORWAY
THORPE BY-PASS
Colne Brook
6
19
36

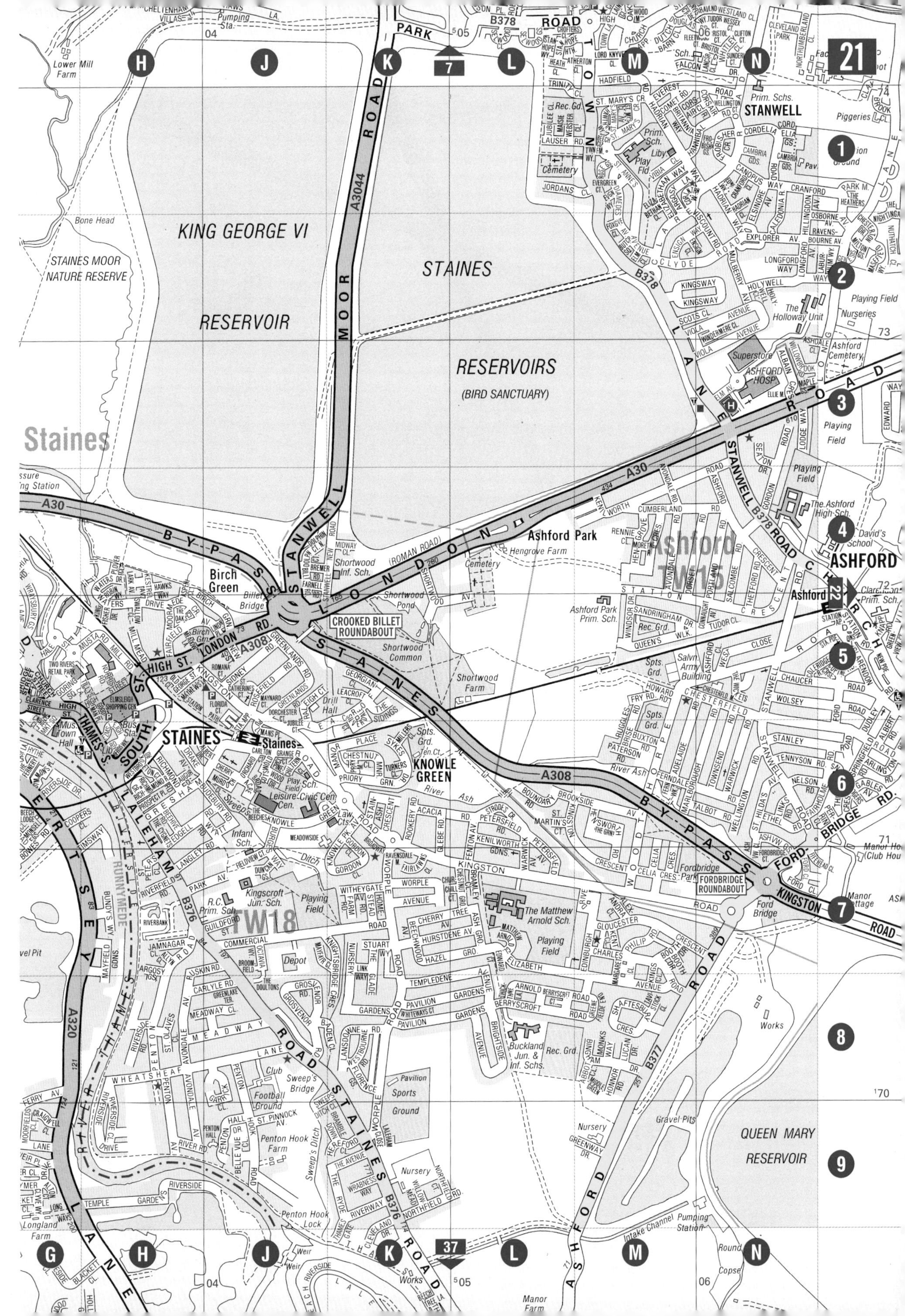
KING GEORGE VI
RESERVOIR
STAINES
RESERVOIRS
(BIRD SANCTUARY)
Staines
STAINES MOOR
NATURE RESERVE
Bone Head
Lower Mill Farm
STANWELL
ASHFORD
Ashford
TW15
Ashford Park
STAINES
TW18
KNOWLE GREEN
Birch Green
CROOKED BILLET ROUNDABOUT
FORDBRIDGE ROUNDABOUT
QUEEN MARY RESERVOIR
RUNNYMEDE
RIVER THAMES
A30
A308
A3044
A320
B378
B376
B377
MOOR ROAD
STANWELL ROAD
LONDON ROAD
STAINES BY-PASS
LALEHAM ROAD
THAMES LANE
ASHFORD ROAD
KINGSTON ROAD
CHURCH ROAD
STATION ROAD
Hengrove Farm
Shortwood Common
Shortwood Farm
Shortwood Pond
Penton Hook Lock
Penton Hook Farm
Sweep's Bridge
Ford Bridge
Manor Farm
Gravel Pits
Intake Channel
Pumping Station
Round Copse
Longford Farm
The Matthew Arnold Sch.
Ashford Hosp.
The Ashford High Sch.
Ashford Park Prim. Sch.
Buckland Jun. & Inf. Schs.
Kingscroft Jun. Sch.
Leisure-Civic Cen.
Football Ground
Sports Ground
Ashford Cemetery
7
37
22
04
05
06
70
71
72
73
G
H
J
K
L
M
N
1
2
3
4
5
6
7
8
9

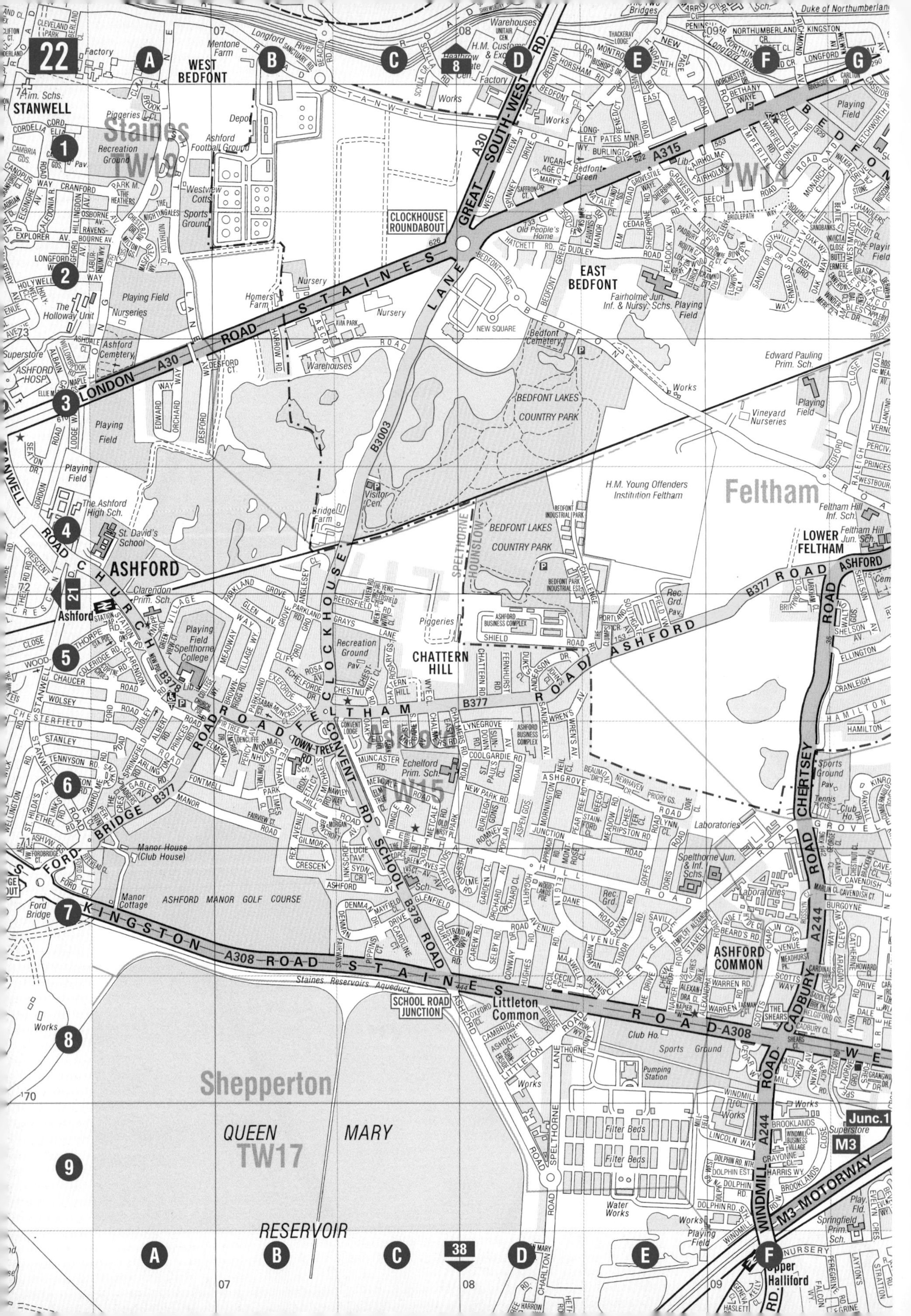
STANWELL
WEST BEDFONT
Staines TW19
Recreation Ground
Ashford Football Ground
Westview Cotts
Sports Ground
CLOCKHOUSE ROUNDABOUT
GREAT SOUTH-WEST RD.
A30
LONDON ROAD
STAINES ROAD
A315
EAST BEDFONT
TW14
Bedfont Green
Old People's Home
Fairholme Jun. Inf. & Nursy. Schs.
NEW SQUARE
Bedfont Cemetery
Ashford Cemetery
ASHFORD HOSP.
The Holloway Unit
Superstore
Homers Farm
Nursery
Warehouses
BEDFONT LAKES COUNTRY PARK
Edward Pauling Prim. Sch.
Vineyard Nurseries
H.M. Young Offenders Institution Feltham
Feltham
Feltham Hill Inf. Sch.
Feltham Hill Jun. Sch.
LOWER FELTHAM
Visitor Cen.
Bridge Farm
The Ashford High Sch.
St. David's School
ASHFORD
Ashford
Clarendon Prim. Sch.
Spelthorne College
SPELTHORNE
HOUNSLOW
BEDFONT INDUSTRIAL PARK
BEDFONT PARK INDUSTRIAL EST.
ASHFORD BUSINESS COMPLEX
CHATTERN HILL
Piggeries
B377
B3003
B378
FELTHAM ROAD
ASHFORD ROAD
CLOCKHOUSE LANE
CONVENT RD.
SCHOOL ROAD
CHURCH ROAD
Ashford TW15
Echelford Prim. Sch.
Manor House (Club House)
Manor Cottage
ASHFORD MANOR GOLF COURSE
Ford Bridge
KINGSTON ROAD
A308
STAINES ROAD
Staines Reservoirs Aqueduct
SCHOOL ROAD JUNCTION
Littleton Common
Laboratories
Spelthorne Jun. & Inf. Schs.
ASHFORD COMMON
CHERTSEY ROAD
A244
Sports Ground
Club Ho.
Pumping Station
Works
Filter Beds
Water Works
Playing Field
Shepperton
QUEEN MARY RESERVOIR
TW17
SPELTHORNE ROAD
CHARLTON ROAD
WINDMILL ROAD
M3 MOTORWAY
Junc.1
M3
Superstore
Springfield Prim. Sch.
Upper Halliford
07
08
09
170
38
21
8

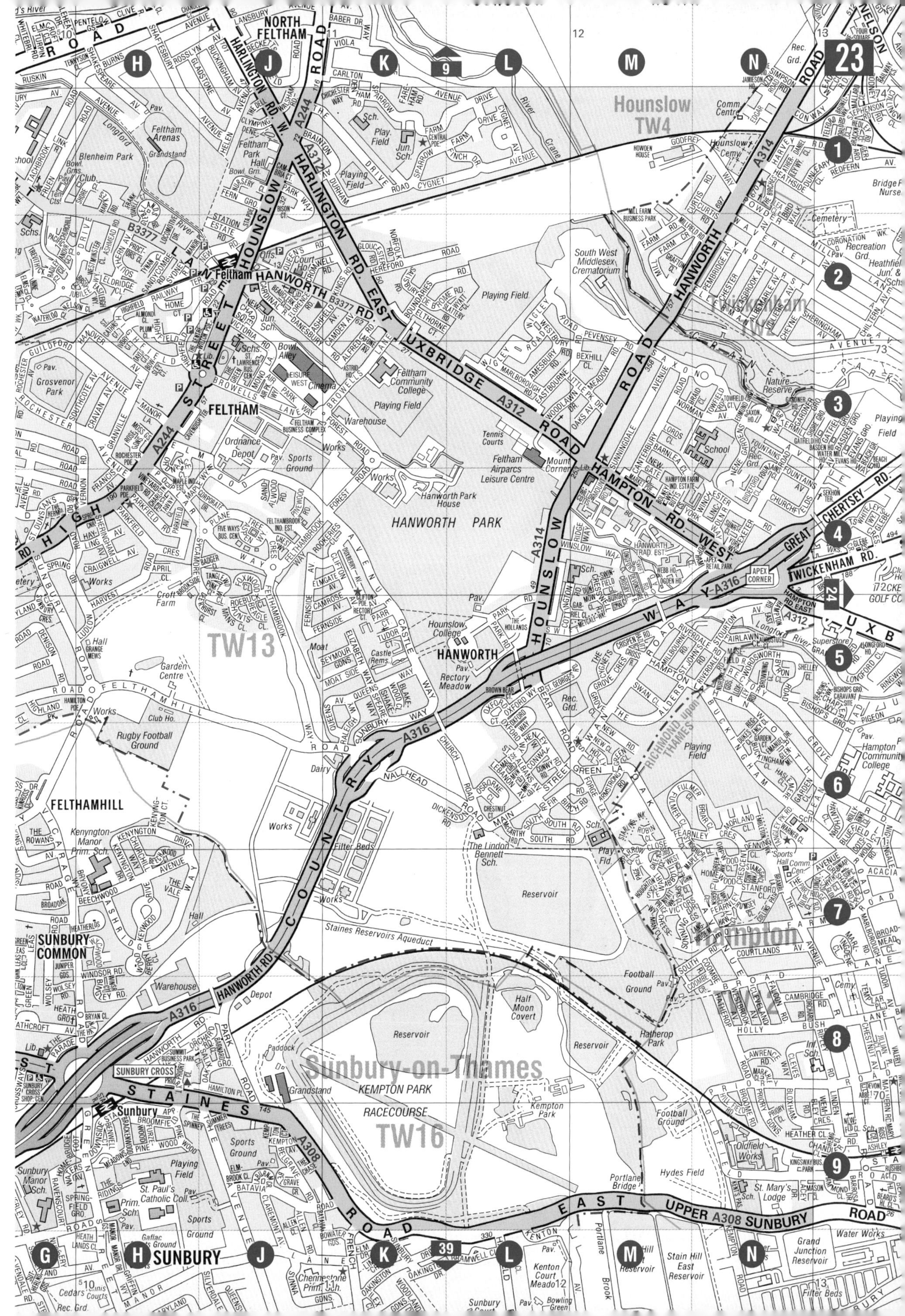

23
NORTH FELTHAM
Hounslow
TW4
Twickenham
TW2
Feltham Arenas
Blenheim Park
South West Middlesex Crematorium
Playing Field
Feltham Community College
FELTHAM
Grosvenor Park
Ordnance Depot
Sports Ground
Feltham Airparcs Leisure Centre
Mount Corner
Hanworth Park House
HANWORTH PARK
UXBRIDGE
A312
ROAD
HAMPTON RD. WEST
HANWORTH ROAD
A314
HOUNSLOW ROAD
HIGH STREET
A244
HOUNSLOW RD. W.
HARLINGTON RD. EAST
HANWORTH RD.
B3377
Nature Reserve
Recreation Grd.
Cemetery
Heathfield Jun. & Inf. Schs.
Bridge Farm Nursery
TWICKENHAM RD.
CHERTSEY RD.
GREAT CHERTSEY RD.
APEX CORNER
24
GOLF CO
TW13
Croft Farm
Hounslow College
HANWORTH
Rectory Meadow
Garden Centre
Rugby Football Ground
Club Ho.
FELTHAM HILL
FELTHAMHILL
Kenyngton Manor Prim. Sch.
SUNBURY COMMON
COUNTRY WAY
A316
Works
Filter Beds
The Lindon Bennett Sch.
Reservoir
Playing Field
RICHMOND upon THAMES
Hampton Community College
Hampton
TW12
Staines Reservoirs Aqueduct
Football Ground
Hatherop Park
Half Moon Covert
Sunbury-on-Thames
KEMPTON PARK
RACECOURSE
TW16
Grandstand
Kempton Park
Football Ground
Hydes Field
Portlane Bridge
St. Mary's Lodge
Oldfield Works
SUNBURY CROSS
Sunbury
STAINES ROAD EAST
A308
UPPER A308 SUNBURY ROAD
St. Paul's Catholic Coll.
Sunbury Manor Sch.
Sports Ground
SUNBURY
Kenton Court Meadow
Chennestone Prim. Sch.
Stain Hill East Reservoir
Grand Junction Reservoir
Water Works
Filter Beds
39
9
G H J K L M N
1 2 3 4 5 6 7 8 9
10 11 12 13

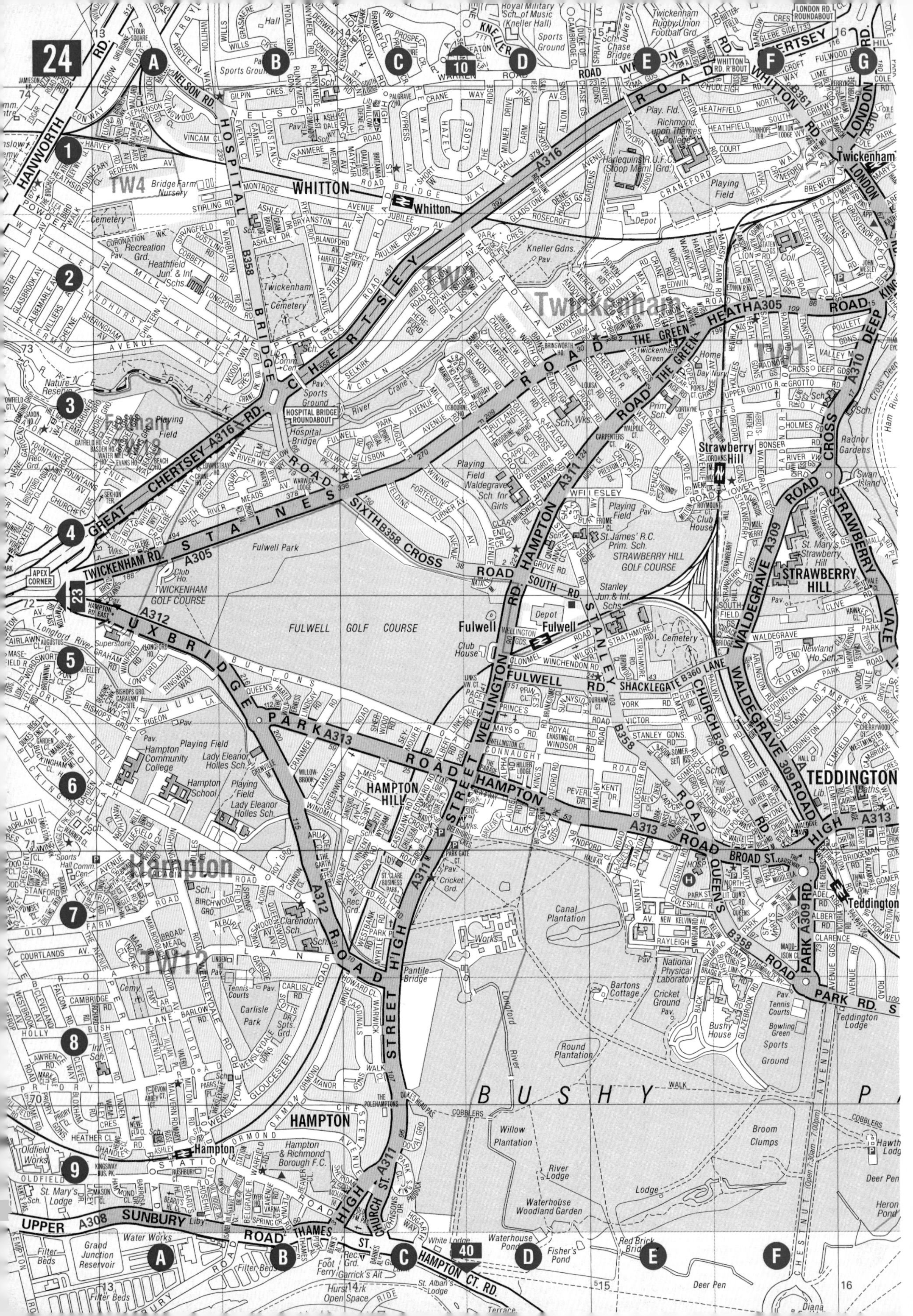

24
Whitton
Whitton Road
Chertsey Road
A316
Twickenham
Hampton Road
Staines Road
A305
Great Chertsey Road
Hospital Bridge Road
Hospital Bridge Roundabout
Uxbridge Road
A312
Park Road
A313
Hampton Hill
Fulwell
Fulwell Golf Course
Fulwell Park
Twickenham Golf Course
Strawberry Hill
Strawberry Hill Golf Course
Waldegrave Road
A309
Teddington
Broad St.
High Street
A311
Wellington Road
Stanley Road
Shacklegate Lane
Hampton
Upper Sunbury Road
A308
Thames St.
Hampton Ct. Rd.
Bushy Park
Chestnut Avenue
Twickenham Cemetery
Kneller Gdns.
Richmond upon Thames College
Twickenham Rugby Union Football Grd.
Royal Military Sch. of Music (Kneller Hall)
Hampton School
Lady Eleanor Holles Sch.
Hampton Community College
Carlisle Park
National Physical Laboratory
Bushy House
Canal Plantation
Round Plantation
Willow Plantation
Waterhouse Woodland Garden
Broom Clumps
Grand Junction Reservoir
Filter Beds
Water Works
Hampton & Richmond Borough F.C.
Teddington Lodge
Apex Corner
Feltham
Hanworth
TW1
TW2
TW4
TW12
10
23
40

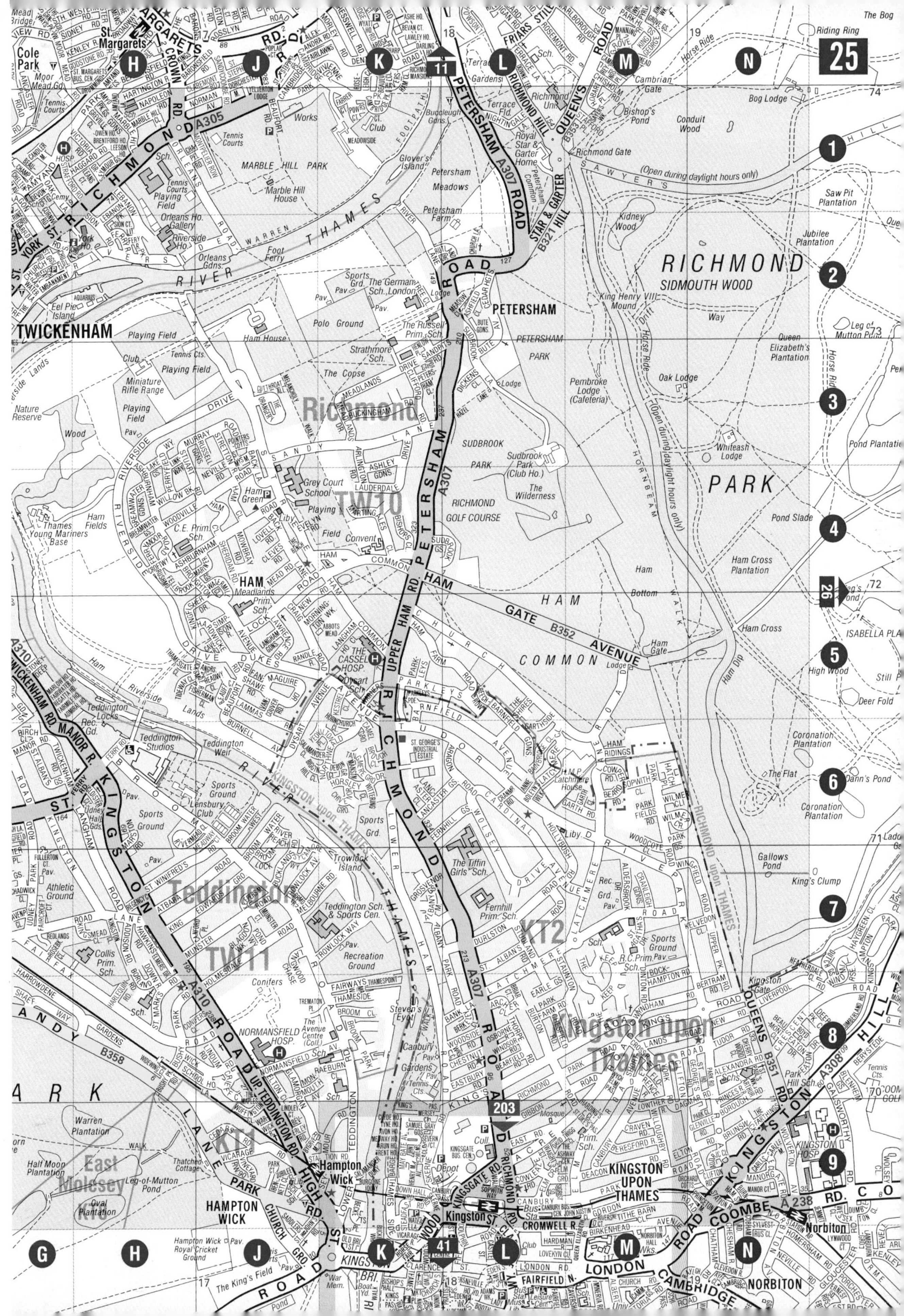
25
RICHMOND PARK
TWICKENHAM
PETERSHAM
HAM
Richmond
TW10
Teddington
TW11
KT1
KT2
Kingston upon Thames
KINGSTON UPON THAMES
HAMPTON WICK
Hampton Wick
East Molesey
NORBITON
Norbiton
St. Margarets
Cole Park
RIVER THAMES
MARBLE HILL PARK
Marble Hill House
Ham House
Polo Ground
Petersham Meadows
Petersham Farm
PETERSHAM PARK
Pembroke Lodge (Cafeteria)
SUDBROOK PARK
RICHMOND GOLF COURSE
The Wilderness
HAM COMMON
HAM GATE AVENUE B352
PETERSHAM ROAD A307
RICHMOND ROAD A307
UPPER HAM RD.
KINGSTON ROAD A310
Richmond Gate
Kingston Gate
Ham Gate
Teddington Locks
Teddington Weir
Teddington Studios
Trowlock Island
Steven's Eyot
Canbury Gardens
NORMANSFIELD HOSP.
KINGSTON HOSP.
Sidmouth Wood
Isabella Plantation
Coronation Plantation
Ham Cross Plantation
Queen Elizabeth's Plantation
Kidney Wood
Warren Plantation
Half Moon Plantation
Oval Plantation
Leg-of-Mutton Pond
Gallows Pond
King's Clump
The Flat
Dann's Pond
Oak Lodge
Whiteash Lodge
Bog Lodge
Conduit Wood
Bishop's Pond
Saw Pit Plantation
Jubilee Plantation
Pond Slade
High Wood
Deer Fold
Ham Cross
Ham Bottom
Ham Dip
Hornbeam Walk
(Open during daylight hours only)
11
26
41
203

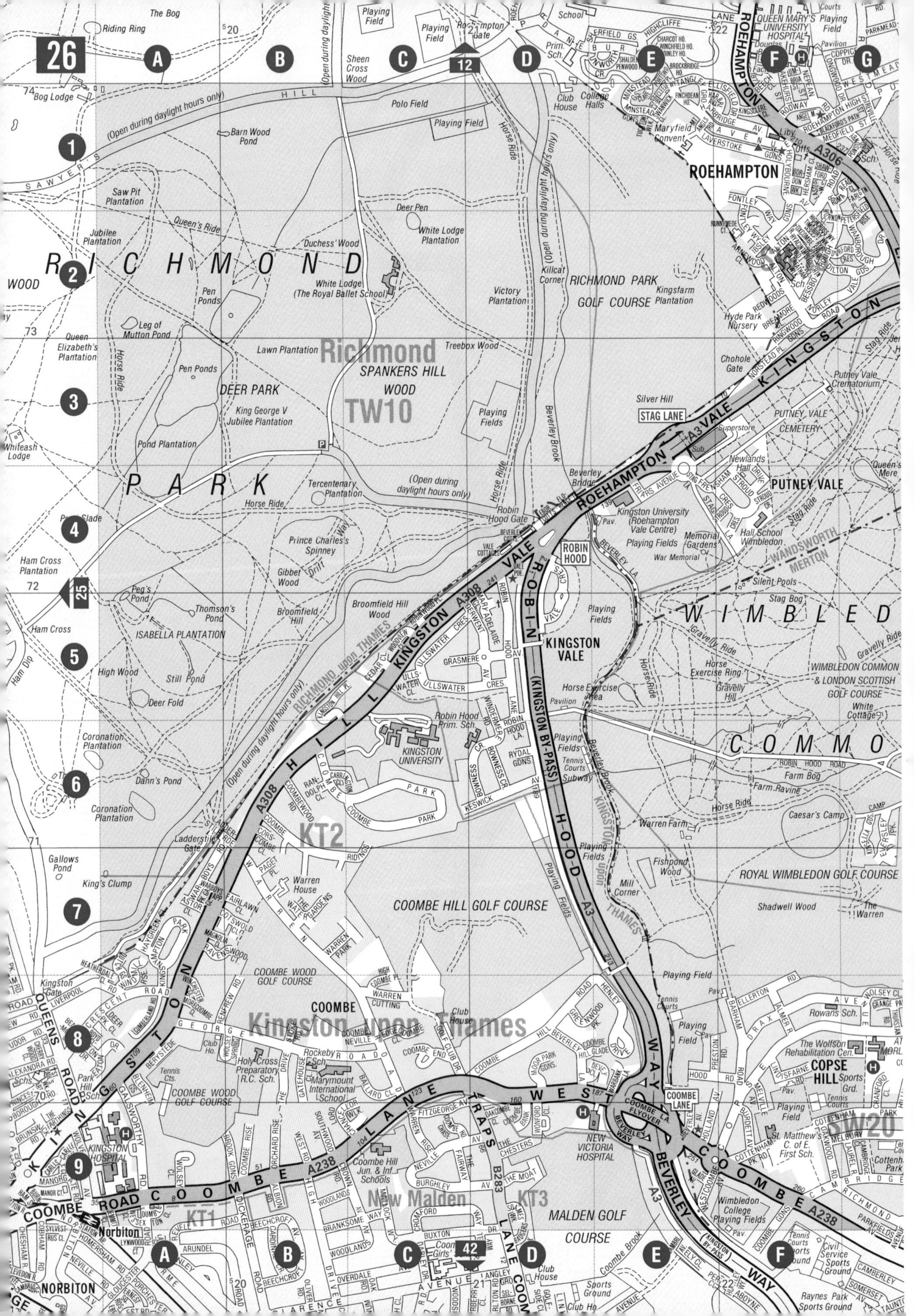
The Bog
Riding Ring
Bog Lodge
Sheen Cross Wood
Playing Field
Roehampton Gate
12
School
Prim. Sch.
QUEEN MARY'S UNIVERSITY HOSPITAL
Playing Field
ROEHAMPTON
(Open during daylight hours only)
Polo Field
Club House
College Halls
Maryfield Convent
Barn Wood Pond
SAWYERS HILL
Saw Pit Plantation
Queen's Ride
Jubilee Plantation
Deer Pen
White Lodge Plantation
Duchess' Wood
RICHMOND
WOOD
White Lodge (The Royal Ballet School)
Pen Ponds
Leg of Mutton Pond
Queen Elizabeth's Plantation
Lawn Plantation
Richmond
SPANKERS HILL WOOD
TW10
Treebox Wood
Victory Plantation
Killcat Corner
RICHMOND PARK GOLF COURSE
Kingsfarm Plantation
Hyde Park Nursery
Chohole Gate
Horse Ride
Pen Ponds
DEER PARK
King George V Jubilee Plantation
Pond Plantation
Whiteash Lodge
Playing Fields
Beverley Brook
Silver Hill
STAG LANE
Putney Vale Crematorium
PUTNEY VALE CEMETERY
PARK
Tercentenary Plantation
(Open during daylight hours only)
Beverley Bridge
ROEHAMPTON VALE
KINGSTON
A3
Newlands Hall
PUTNEY VALE
Queen's Mere
Robin Hood Gate
Kingston University (Roehampton Vale Centre)
Playing Fields
Memorial Gardens
War Memorial
Hall School Wimbledon
Stag Ride
WANDSWORTH
MERTON
Ham Cross Plantation
Prince Charles's Spinney
Gibbet Wood
ROBIN HOOD
Peg's Pond
25
Broomfield Hill Wood
Broomfield Hill
Thomson's Pond
Silent Pools
Stag Bog
WIMBLED
Ham Cross
ISABELLA PLANTATION
KINGSTON VALE
Gravelly Ride
Horse Exercise Ring
WIMBLEDON COMMON & LONDON SCOTTISH GOLF COURSE
Ham Dip
High Wood
Still Pond
RICHMOND upon THAMES
Horse Exercise Area
Gravelly Hill
White Cottage
Deer Fold
Pavilion
Coronation Plantation
Robin Hood Prim. Sch.
KINGSTON UNIVERSITY
(KINGSTON BY-PASS)
Playing Fields
Tennis Courts
Subway
COMMO
ROBIN HOOD ROAD
Farm Bog
Farm Ravine
Dann's Pond
Coronation Plantation
KT2
Caesar's Camp
Warren Farm
Ladderstile Gate
Playing Fields
Fishpond Wood
ROYAL WIMBLEDON GOLF COURSE
Gallows Pond
King's Clump
Warren House
Mill Corner
Shadwell Wood
The Warren
COOMBE HILL GOLF COURSE
KINGSTON upon THAMES
Playing Field
COOMBE WOOD GOLF COURSE
Kingston Gate
COOMBE
Kingston upon Thames
Club House
Rowans Sch.
The Wolfson Rehabilitation Cen.
COPSE HILL
Holy Cross Preparatory R.C. Sch.
Rockeby Sch.
Marymount International School
Tennis Cts.
COOMBE WOOD GOLF COURSE
Park Hill Sch.
KINGSTON HOSPITAL
COOMBE LANE WEST
A238
NEW VICTORIA HOSPITAL
COOMBE LANE FLYOVER
Playing Field
St. Matthew's C. of E. First Sch.
SW20
Coombe Hill Jun. & Inf. Schools
TRAPS LANE
B283
New Malden
KT3
MALDEN GOLF COURSE
Wimbledon College Playing Fields
COOMBE ROAD
KT1
Norbiton
NORBITON
42
Club House
Coombe Brook
Sports Ground
Civil Service Sports Ground
Raynes Park Sports Ground
BEVERLEY WAY
KINGSTON BY-PASS

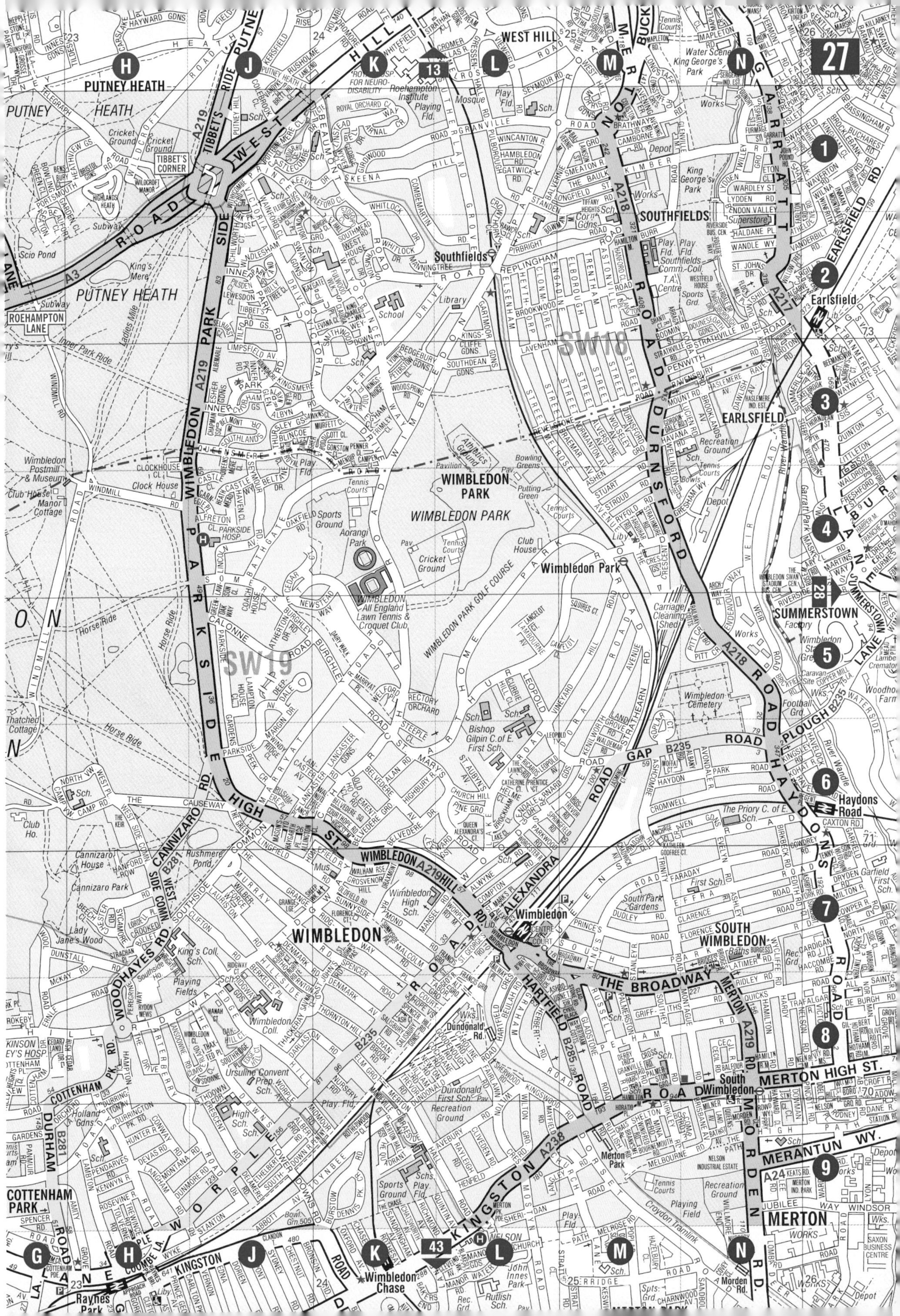
H
J
K
L
M
N
13
PUTNEY HEATH
PUTNEY
HEATH
WEST HILL
Roehampton Institute Playing Fld.
Mosque
King George's Park
Water Scene
Works
TIBBET'S CORNER
TIBBET'S RIDE
A219
A3
ROAD
WEST
Cricket Ground
Subway
Scio Pond
King's Mere
PUTNEY HEATH
ROEHAMPTON LANE
Ladies Mile
Inner Park Ride
WINDMILL RD.
SOUTHFIELDS
Southfields
Library
School
King George's Park
Superstore
Play. Fld.
Southfields Comm. Coll.
T.A. Centre
Sports Grd.
Depot
A218
Earlsfield
EARLSFIELD
EARLSFIELD RD.
GARRATT
A217
SW18
DURNSFORD ROAD
Recreation Ground
Tennis Courts
Bowls
River Wandle
Garratt Park
SUMMERSTOWN
Factory
28
1
2
3
4
5
6
7
8
9
Wimbledon Postmill & Museum
Club House
Manor Cottage
Clock House
WINDMILL RD
WIMBLEDON PARK SIDE
PARKSIDE HOSP.
WIMBLEDON PARK
Athletics Ground
Pavilion
Bowling Greens
Putting Green
Tennis Courts
Sports Ground
Aorangi Park
Cricket Ground
Club House
Wimbledon Park
WIMBLEDON All England Lawn Tennis & Croquet Club
WIMBLEDON PARK GOLF COURSE
Carriage Cleaning Shed
Wimbledon Cemetery
Wimbledon Stadium
Caravan Site
Football Grd.
PLOUGH
B235
GAP ROAD
HAYDONS ROAD
Haydons Road
SW19
Horse Ride
Thatched Cottage
Horse Ride
O N
Bishop Gilpin C.of E. First Sch.
RECTORY ORCHARD
THE CAUSEWAY
HIGH ST
WIMBLEDON HILL RD.
Club Ho.
Cannizaro House
Cannizaro Park
Rushmere Pond
Lady Jane's Wood
CANNIZARO RD.
WEST SIDE COMMON
B281
The Priory C. of E. Sch.
South Park Gardens
First Sch.
SOUTH WIMBLEDON
Baths
Garfield First Sch.
Wimbledon
ALEXANDRA RD.
WIMBLEDON
Wimbledon High Sch.
King's Coll. Sch.
Playing Fields
Wimbledon Coll.
Ursuline Convent Prep. Sch.
High Sch.
Dundonald Rd.
Dundonald First Sch.
Recreation Ground
THE BROADWAY
HARTFIELD ROAD
B285
MERTON HIGH ST.
South Wimbledon
MORDEN RD.
A219
WOODHAYES RD.
RIDGWAY
WORPLE ROAD
B235
KINGSTON ROAD
A238
Merton Park
Tennis Courts
Playing Field
Recreation Ground
NELSON INDUSTRIAL ESTATE
MERANTUN WY.
A24
JUBILEE WAY
MERTON
WORKS
SAXON BUSINESS CENTRE
Croydon Tramlink
Play Fld.
Sports Ground
Schs. Play. Fld.
Bowl. Grn.
DURHAM ROAD
COTTENHAM PARK
COTTENHAM PK. RD.
Holland Gdns.
G
H
J
K
L
M
N
43
Wimbledon Chase
John Innes Park
Rutlish Sch.
Raynes Park
Morden Rd.
Depot

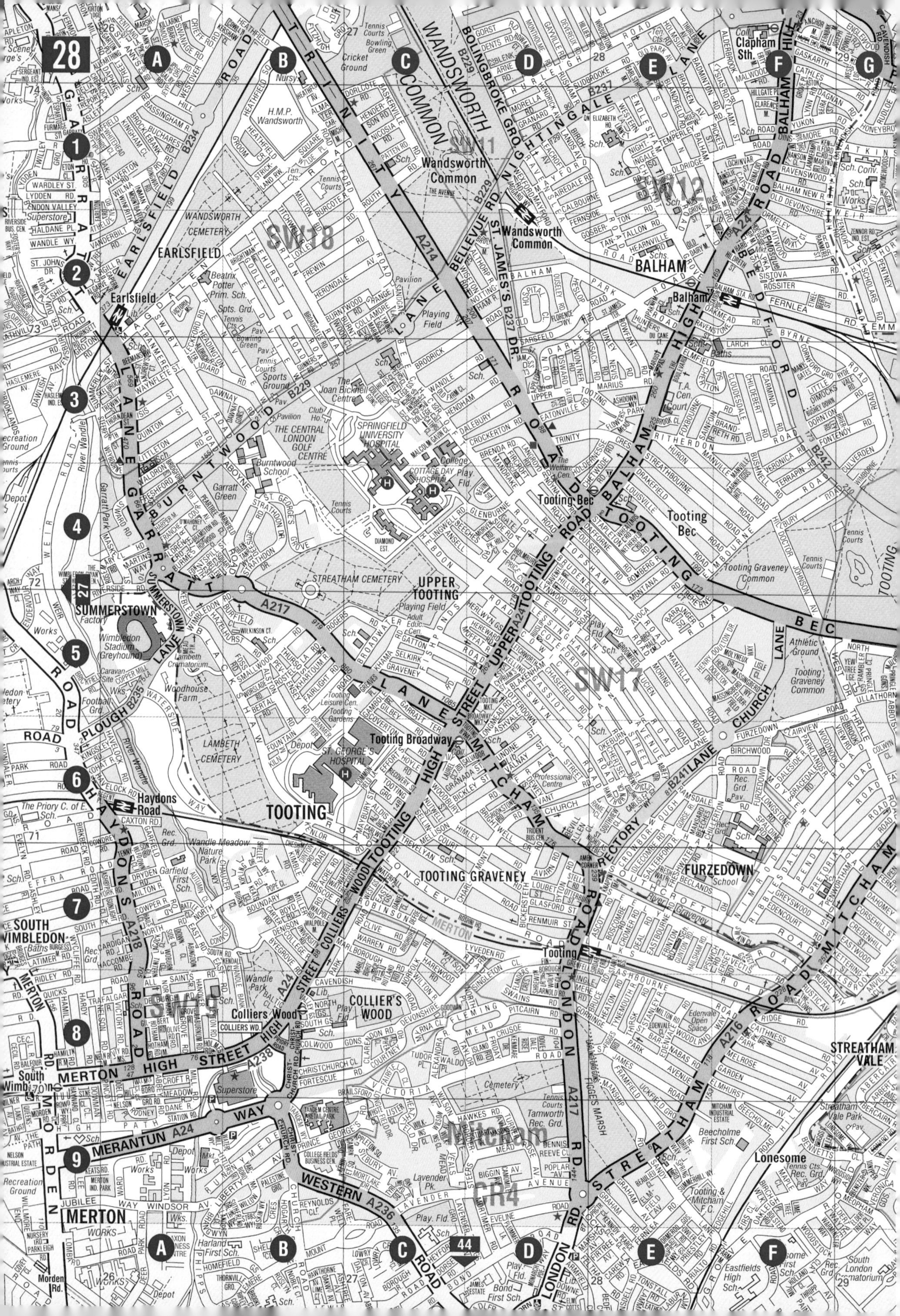
A
B
C
D
E
F
G
1
2
3
4
5
6
7
8
9
WANDSWORTH COMMON
BOLINGBROKE GROVE
TRINITY ROAD
NIGHTINGALE LANE
H.M.P. Wandsworth
Wandsworth Common
WANDSWORTH CEMETERY
SW18
EARLSFIELD
Earlsfield
EARLSFIELD ROAD
GARRATT LANE
BURNTWOOD LANE
Beatrix Potter Prim. Sch.
Garratt Green
Burntwood School
THE CENTRAL LONDON GOLF CENTRE
SPRINGFIELD UNIVERSITY HOSPITAL
The Joan Bicknell Centre
BELLEVUE RD.
ST. JAMES'S DR.
Wandsworth Common
BALHAM
Balham
BALHAM HIGH ROAD
BEDFORD HILL
SW12
Clapham Sth.
BALHAM HILL
TOOTING BEC ROAD
Tooting Bec
UPPER TOOTING ROAD
TOOTING BEC
Tooting Graveney Common
STREATHAM CEMETERY
UPPER TOOTING
SW17
SUMMERSTOWN
Wimbledon Stadium (Greyhound)
PLOUGH LANE
Woodhouse Farm
LAMBETH CEMETERY
TOOTING
Tooting Broadway
ST. GEORGE'S HOSPITAL
MITCHAM ROAD
UPPER TOOTING HIGH STREET
TOOTING GRAVENEY
FURZEDOWN
Haydons Road
HAYDONS ROAD
SOUTH WIMBLEDON
Wandle Meadow Nature Park
Colliers Wood
COLLIER'S WOOD
MERTON HIGH STREET
SW19
Superstore
South Wimbledon
MERANTUN WAY
MERTON
MORDEN ROAD
Morden Rd.
WESTERN ROAD
Mitcham
CR4
Cemetery
LONDON ROAD
STREATHAM ROAD
Tooting
STREATHAM VALE
Lonesome
Tooting & Mitcham F.C.
FIGGES MARSH
27
44

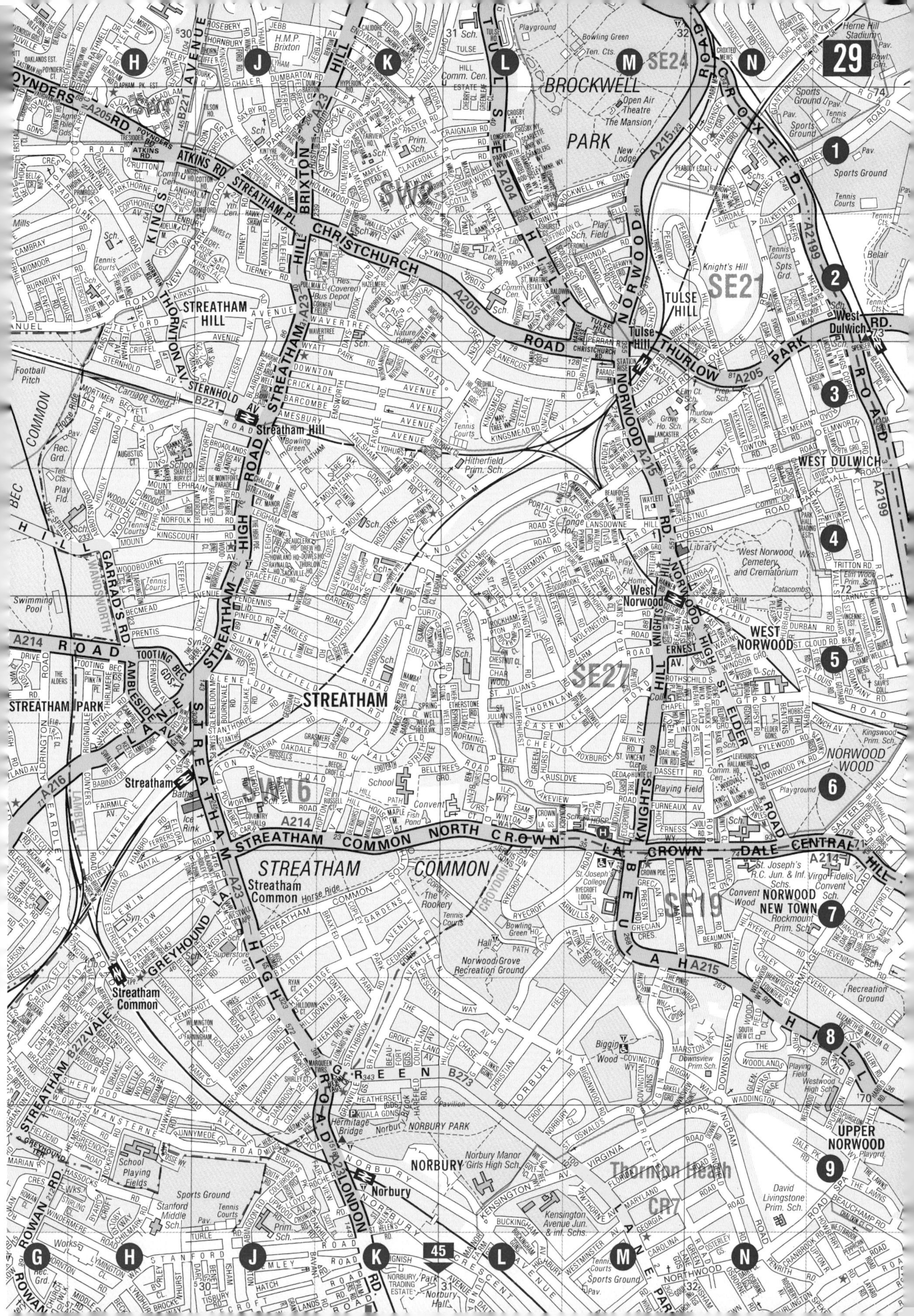
H
J
K
L
M
N
SE24
BROCKWELL
PARK
Open Air Theatre
The Mansion
Herne Hill Stadium
Playground
Bowling Green
H.M.P. Brixton
POYNDERS RD.
ATKINS RD.
STREATHAM PL.
KINGS AVENUE
BRIXTON HILL
A23
A205
A204
A215
A2199
SW2
CHRISTCHURCH ROAD
TULSE HILL
NORWOOD ROAD
THURLOW PARK RD.
CROXTED ROAD
Knight's Hill
SE21
West Dulwich
WEST DULWICH
STREATHAM HILL
Streatham Hill
Football Pitch
COMMON
Carriage Shed
STERNHOLD AV.
B221
Bus Depot
Hitherfield Prim. Sch.
Tulse Hill
West Norwood Cemetery and Crematorium
Catacombs
Library
West Norwood
WEST NORWOOD
SE27
Swimming Pool
A214
TOOTING BEC RD.
STREATHAM PARK
GARRAD'S RD.
WANDSWORTH
LAMBETH
STREATHAM
STREATHAM HIGH RD.
Streatham
Baths
Ice Rink
SW16
A216
STREATHAM COMMON NORTH
CROWN LA.
CROWN DALE
CENTRAL HILL
STREATHAM COMMON
Streatham Common
Horse Ride
The Rookery
CROYDON
Norwood Grove Recreation Ground
NORWOOD WOOD
NORWOOD NEW TOWN
SE19
Convent Wood
Recreation Ground
GREYHOUND LA.
Streatham Common
Superstore
GREEN LA.
B273
Hermitage Bridge
NORBURY PARK
NORBURY
Norbury
Norbury Manor Girls High Sch.
Thornton Heath
CR7
Biggin Wood
Kensington Avenue Jun. & Inf. Schs.
David Livingstone Prim. Sch.
UPPER NORWOOD
School Playing Fields
Sports Ground
Stanford Middle Sch.
LONDON RD.
A23
B272
STREATHAM VALE
ROWAN RD.
G
H
J
K
45
L
M
N
Norbury Trading Estate
Norbury Hall

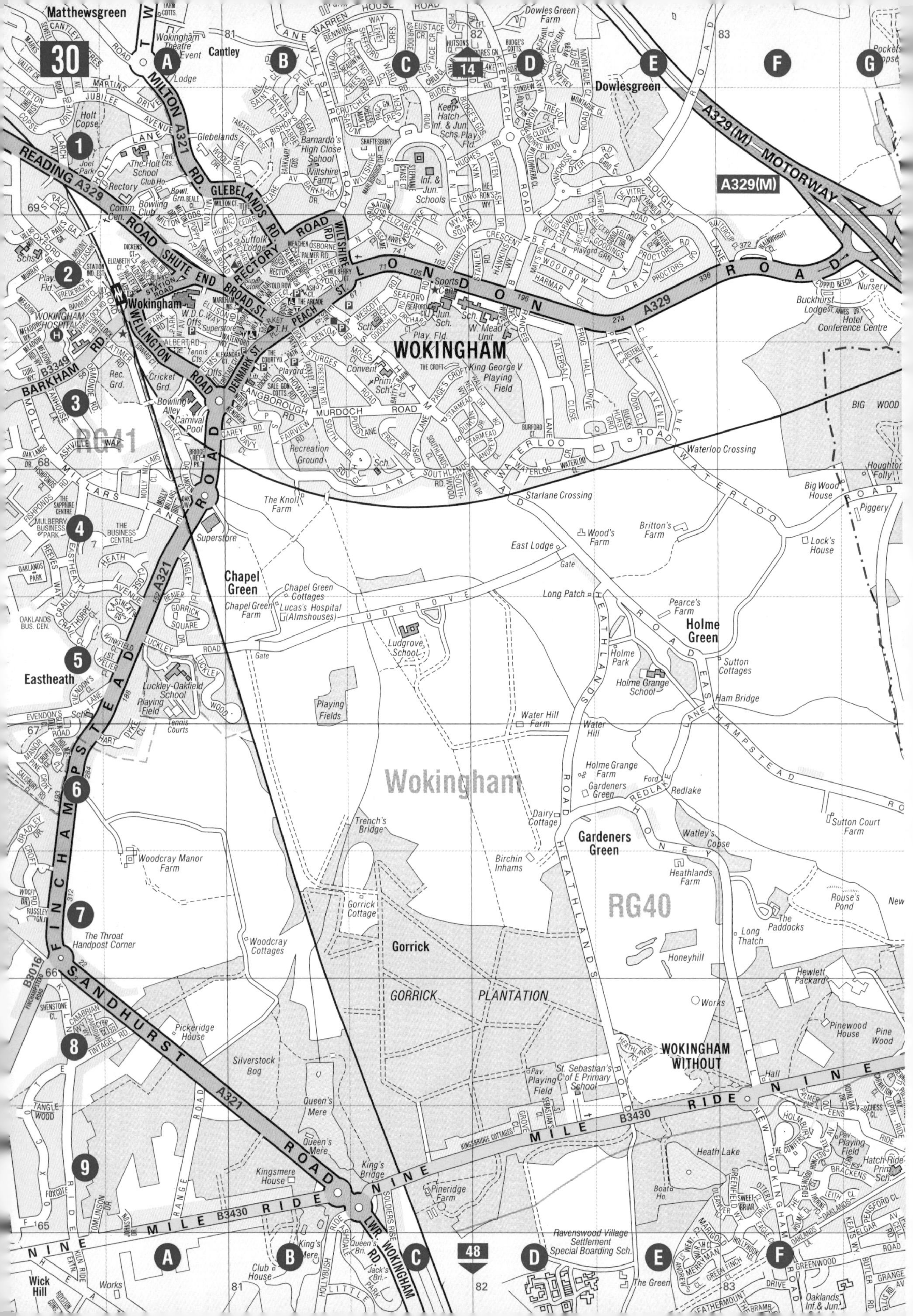

Matthewsgreen
Cantley
Dowles Green Farm
Dowlesgreen
A329(M) MOTORWAY
A329(M)
14
48
83
82
81
A
B
C
D
E
F
G
1
2
3
4
5
6
7
8
9
MILTON RD. A321
GLEBELANDS RD.
READING ROAD A329
SHUTE END
BROAD ST.
RECTORY ROAD
WILTSHIRE RD.
LONDON ROAD A329
WELLINGTON ROAD
DENMARK ST.
PEACH ST.
BARKHAM RD. B3349
WOKINGHAM
Wokingham
Wokingham Theatre Event
Holt Copse
The Holt School
Barnardo's High Close School
Wiltshire Farm
Keep Hatch Inf. & Jun. Schs.
Inf. & Jun. Schools
Wokingham Hospital
Rec. Grd.
Cricket Grd.
Bowling Alley
Carnival Pool
Superstore
W.D.C. Offs
Convent
King George V Playing Field
Recreation Ground
Sports Cen.
LANGBOROUGH RD
MURDOCH ROAD
WATERLOO ROAD
Waterloo Crossing
Starlane Crossing
RG41
RG40
The Knoll Farm
Chapel Green
Chapel Green Farm
Chapel Green Cottages
Lucas's Hospital (Almshouses)
LUDGROVE
Ludgrove School
LUCKLEY ROAD
Luckley-Oakfield School
Playing Field
Tennis Courts
Playing Fields
East Lodge
Wood's Farm
Britton's Farm
Long Patch
Pearce's Farm
Holme Green
Holme Park
Holme Grange School
Sutton Cottages
Ham Bridge
EASTHAMPSTEAD ROAD
HEATHLANDS ROAD
Water Hill Farm
Water Hill
Holme Grange Farm
Gardeners Green
Redlake
Ford
Dairy Cottage
Watley's Copse
Sutton Court Farm
Birchin Inhams
Heathlands Farm
Rouse's Pond
The Paddocks
Long Thatch
Honeyhill
Hewlett Packard
Works
Pinewood House
Pine Wood
WOKINGHAM WITHOUT
St. Sebastian's C of E Primary School
Pav. Playing Field
Big Wood
Big Wood House
Piggery
Lock's House
Houghton Folly
Buckhurst Lodge
Hotel Conference Centre
Nursery
Eastheath
The Business Centre
Mulberry Business Park
Oaklands Park
Oaklands Bus. Cen.
FINCHAMPSTEAD ROAD A321
Woodcray Manor Farm
The Throat Handpost Corner
Woodcray Cottages
Trench's Bridge
Gorrick Cottage
Gorrick
GORRICK PLANTATION
SANDHURST ROAD A321
B3016
Pickeridge House
Silverstock Bog
Queen's Mere
Kingsmere House
King's Bridge
Pineridge Farm
NINE MILE RIDE B3430
NEW WOKINGHAM ROAD
Heath Lake
Hall
Hatch Ride Prim. Sch.
Ravenswood Village Settlement Special Boarding Sch.
The Green
Oaklands Inf.& Jun.
Wick Hill
Club House
LWR. WOKINGHAM RD
Jack's Bri.
Queen's Bri.
King's Mere
Tangle Wood
Works

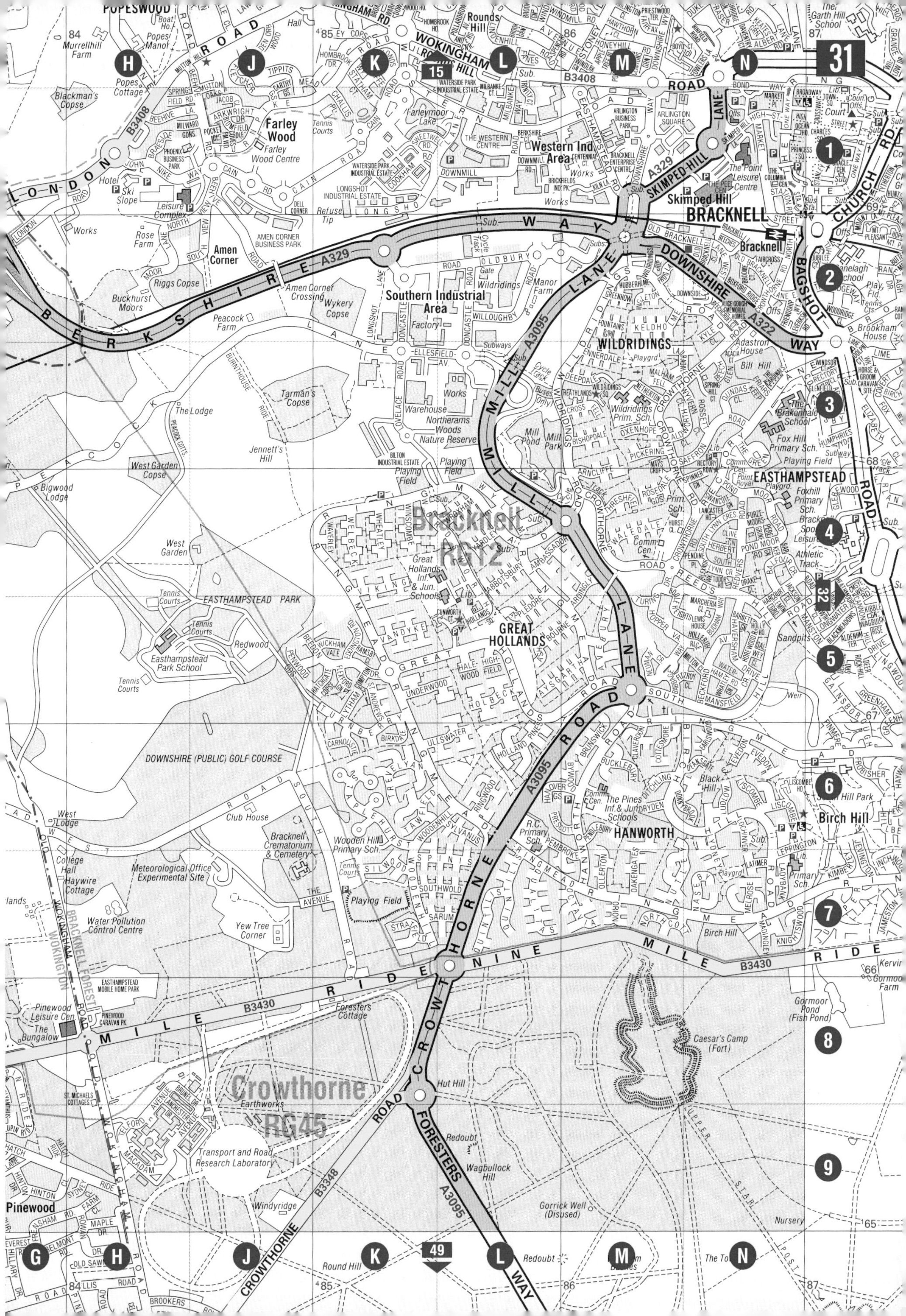

31
BRACKNELL
Bracknell RG12
Crowthorne RG45
POPESWOOD
Murrellhill Farm
Popes Manor
Popes Cottage
Blackman's Copse
Farley Wood
Farley Wood Centre
Rounds Hill
WOKINGHAM ROAD
LONDON ROAD
Ski Slope
Leisure Complex
Rose Farm
Amen Corner
Amen Corner Business Park
Riggs Copse
Buckhurst Moors
BERKSHIRE WAY
A329
Amen Corner Crossing
Wykery Copse
Peacock Farm
PEACOCK LANE
Southern Industrial Area
Western Ind. Area
Arlington Business Park
Longshot Industrial Estate
Downmill
Skimped Hill
The Point Leisure Centre
SKIMPED HILL LANE
DOWNSHIRE WAY
A322
MILL LANE
A3095
WILDRIDINGS
Wildridings Prim. Sch.
Manor Farm
Tarman's Copse
The Lodge
Northerams Woods Nature Reserve
Bilton Industrial Estate
Jennett's Hill
West Garden Copse
Bigwood Lodge
West Garden
EASTHAMPSTEAD
EASTHAMPSTEAD PARK
Easthampstead Park School
Redwood
Fox Hill Primary Sch.
Foxhill Primary Sch.
The Brakenhale School
Ranelagh School
Brookham House
BAGSHOT ROAD
CHURCH RD.
GREAT HOLLANDS
Great Hollands Inf. & Jun. Schools
Sandpits
DOWNSHIRE (PUBLIC) GOLF COURSE
Club House
West Lodge
College Hall
Haywire Cottage
Meteorological Office Experimental Site
Bracknell Crematorium & Cemetery
Wooden Hill Primary Sch.
Playing Field
Water Pollution Control Centre
Yew Tree Corner
HANWORTH
The Pines Inf. & Jun. Schools
R.C. Primary Sch.
Black Hill
Birch Hill
South Hill Park
Birch Hill
CROWTHORNE ROAD
NINE MILE RIDE
B3430
Gormoor Farm
Gormoor Pond (Fish Pond)
Caesar's Camp (Fort)
Foresters Cottage
Easthampstead Mobile Home Park
Pinewood Leisure Cen.
The Bungalow
Pinewood Caravan Pk.
St. Michaels Cottages
Hut Hill
Earthworks
Redoubt
Wagbullock Hill
Transport and Road Research Laboratory
Windyridge
Gorrick Well (Disused)
FORESTERS WAY
B3348
Pinewood
Round Hill
Nursery
32
15
49

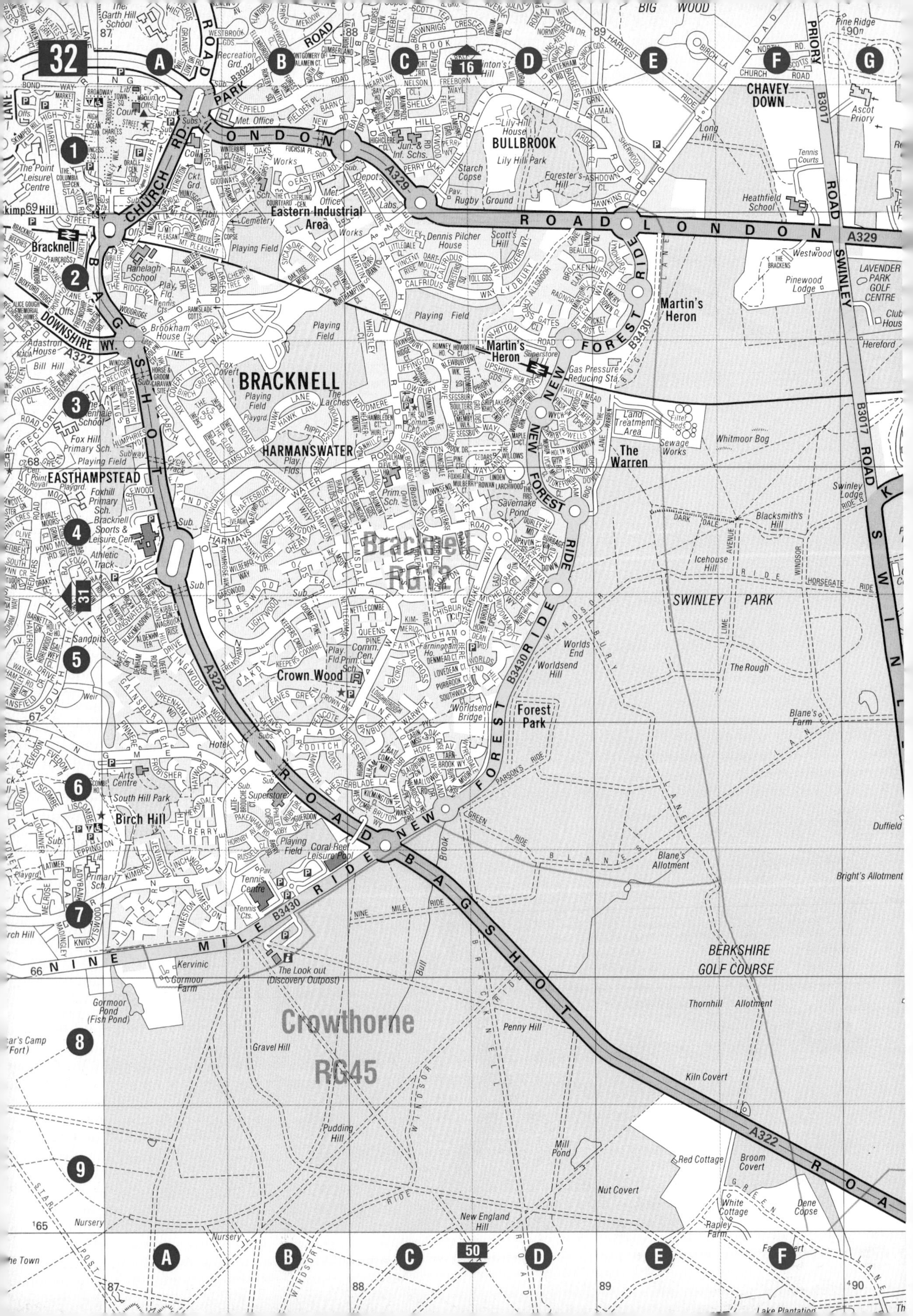
32
A
B
C
D
E
F
G
16
31
50
1
2
3
4
5
6
7
8
9
BRACKNELL
Bracknell
RG12
Crowthorne
RG45
BULLBROOK
CHAVEY DOWN
EASTHAMPSTEAD
HARMANSWATER
Birch Hill
Crown Wood
Martin's Heron
SWINLEY PARK
BERKSHIRE GOLF COURSE
Eastern Industrial Area
Lily Hill Park
The Warren
Forest Park
Ascot Priory
Heathfield School
LAVENDER PARK GOLF CENTRE
The Point Leisure Centre
Bracknell Sports & Leisure Cen.
South Hill Park
Arts Centre
Coral Reef Leisure Pool
The Look out (Discovery Outpost)
Gormoor Pond (Fish Pond)
Swinley Lodge
Blacksmith's Hill
Icehouse Hill
The Rough
Worlds End
Worldsend Hill
Blane's Farm
Blane's Allotment
Bright's Allotment
Thornhill Allotment
Kiln Covert
Penny Hill
Gravel Hill
Pudding Hill
Mill Pond
Nut Covert
New England Hill
Red Cottage
Broom Covert
White Cottage
Dene Copse
Rapley Farm
Whitmoor Bog
Sewage Works
Land Treatment Area
Martin's Heron
Pinewood Lodge
Westwood
Duffield
Kervinic
Gormoor Farm
LONDON ROAD
A329
A322
B3430
B3017
B3022
BAGSHOT ROAD
NEW FOREST RIDE
NINE MILE RIDE
SWINLEY ROAD
DOWNSHIRE WY.
CHURCH RD.
PARK ROAD
87
88
89
90
65
66
67
68
69

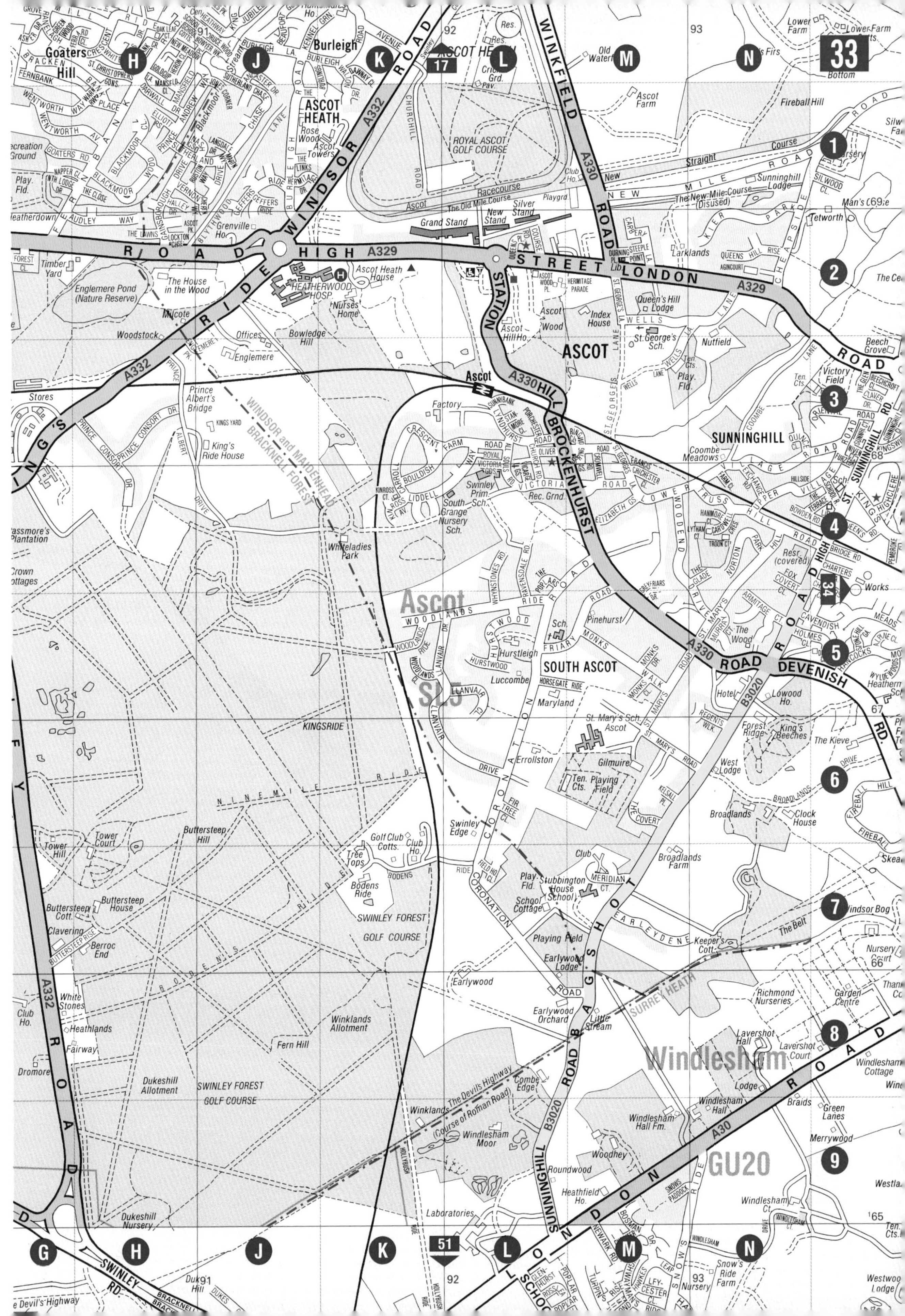
33
Goaters Hill
Burleigh
ASCOT HEATH
ROYAL ASCOT GOLF COURSE
Ascot Racecourse
Grand Stand
New Stand
Silver Stand
The Old Mile Course
New Straight Course
New Mile Road
The New Mile Course (Disused)
Ascot Farm
Fireball Hill
Lower Farm
Old Water
HIGH STREET
LONDON ROAD
A329
WINDSOR ROAD
A332
WINKFIELD ROAD
A330
RIDE
Heatherwood Hosp.
Ascot Heath House
Englemere Pond (Nature Reserve)
The House in the Wood
Woodstock
Bowledge Hill
Englemere
ASCOT
Ascot Wood
Index House
Queen's Hill Lodge
St. George's Sch.
Nutfield
Victory Field
SUNNINGHILL
Coombe Meadows
BROCKENHURST
A330 HILL
STATION
Ascot
Prince Albert's Bridge
King's Ride House
WINDSOR and MAIDENHEAD
BRACKNELL FOREST
Swinley Prim. Sch.
South Grange Nursery Sch.
Whiteladies Park
Ascot
SL5
SOUTH ASCOT
Pinehurst
Hurstleigh
Luccombe
Maryland
St. Mary's Sch. Ascot
Errollston
Gilmuire
KINGSRIDE
NINE MILE RIDE
Buttersteep Hill
Tower Court
Tower Hill
Buttersteep House
Berroc End
Clavering
Golf Club Cotts.
Club Ho.
Tree Tops
Bodens Ride
SWINLEY FOREST GOLF COURSE
Stubbington House (School)
Playing Field
Earlywood Lodge
Earlywood
Earlywood Orchard
Little Stream
BAGSHOT ROAD
B3020
SUNNINGHILL ROAD
Broadlands
Broadlands Farm
Clock House
Windsor Bog
Keeper's Cott.
SURREY HEATH
Richmond Nurseries
Garden Centre
Windlesham
Lavershot Hall
Lavershot Court
Windlesham Hall
Windlesham Hall Fm.
Woodhey
Roundwood
Heathfield Ho.
Windlesham Moor
Winklands
The Devils Highway (Course of Roman Road)
Combe Edge
Laboratories
LONDON ROAD
A30
GU20
Merrywood
Green Lanes
Braids
Windlesham Cottage
Windlesham Ct.
Snow's Ride Farm
Nursery
Winklands Allotment
Fern Hill
Dukeshill Allotment
SWINLEY FOREST GOLF COURSE
Dukeshill Nursery
Heathlands
Fairway
Dromore
White Stones
Club Ho.
A332 ROAD
SWINLEY RD.
The Devil's Highway
Duke Hill
G H J K L M N
1 2 3 4 5 6 7 8 9
91 92 93
17
34
51

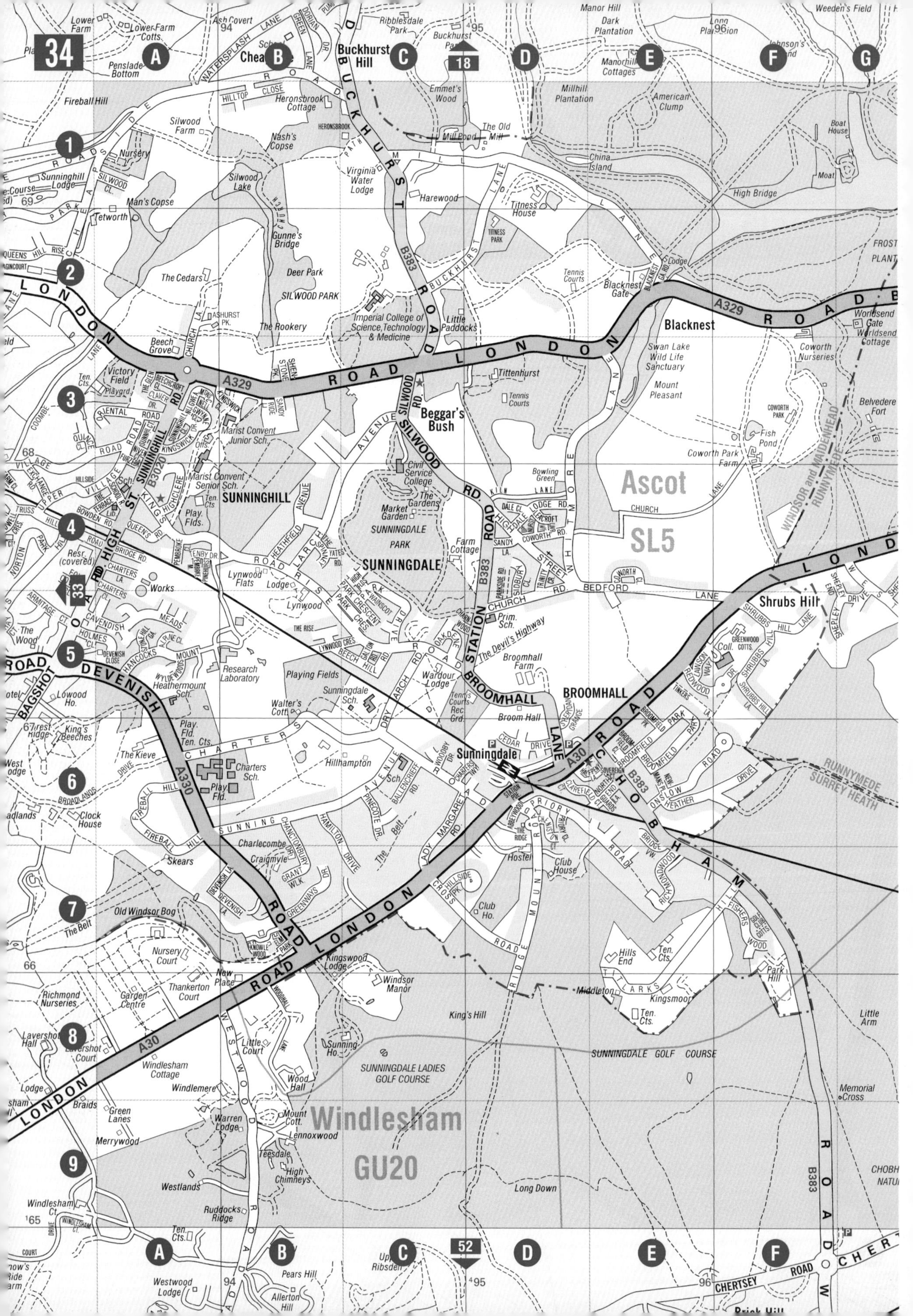
Buckhurst Hill
Cheapside
Fireball Hill
Silwood Farm
Silwood Park
Nash's Copse
Heronsbrook Cottage
Silwood Lake
Man's Copse
Tetworth
Sunninghill Lodge
Gunne's Bridge
Deer Park
The Cedars
The Rookery
Beech Grove
Victory Field
Imperial College of Science, Technology & Medicine
Virginia Water Lodge
Harewood
Emmet's Wood
The Old Mill
Mill Pond
Millhill Plantation
China Island
Titness House
Titness Park
Tennis Courts
Blacknest Gate
Blacknest
American Clump
Manorhill Cottages
Manor Hill
Dark Plantation
Long Plantation
Boat House
Moat
High Bridge
Swan Lake Wild Life Sanctuary
Mount Pleasant
Coworth Park
Coworth Park Farm
Fish Pond
Coworth Nurseries
Belvedere Fort
Worldsend Gate
Worldsend Cottage
Tittenhurst
Beggar's Bush
Little Paddocks
London Road
A329
Sunninghill
Marist Convent Junior Sch.
Marist Convent Senior Sch.
Civil Service College
The Gardens
Market Garden
Sunningdale Park
Sunningdale
Ascot
SL5
Bowling Green
Farm Cottage
Lynwood Flats
Lynwood
Works
Resr. (covered)
The Wood
Shrubs Hill
Windsor and Maidenhead
Runnymede
Surrey Heath
Broomhall
Broomhall Farm
Broom Hall
Sunningdale
The Devil's Highway
Prim. Sch.
Research Laboratory
Heathermount Sch.
Playing Fields
Sunningdale Sch.
Walter's Cott.
Wardour Lodge
Hillhampton
Charters Sch.
The Kieve
Clock House
Lowood Ho.
King's Beeches
Skears
Charlecombe
Craigmyle
Old Windsor Bog
The Belt
Club House
Hostel
Club Ho.
Kingswood Lodge
Windsor Manor
Nursery Court
New Place
Thankerton Court
Garden Centre
Richmond Nurseries
Lavershot Hall
Lavershot Court
Windlesham Cottage
Windlemere
Little Court
Sunning Ho.
Wood Hall
King's Hill
Sunningdale Ladies Golf Course
Sunningdale Golf Course
Hills End
Middleton
Kingsmoor
Park Hill
Little Arm
Memorial Cross
Windlesham
GU20
Mount Cott.
Lennoxwood
Warren Lodge
Merrywood
Green Lanes
Braids
Teesdale
High Chimneys
Westlands
Long Down
Ruddocks Ridge
Windlesham Ct.
Westwood Lodge
Pears Hill
Allerton Hill
Chertsey Road
B383
A30
A330
B3020
Devenish Road
Bagshot Road
London Road
Station Road
Broomhall Lane
Silwood Road
Buckhurst Road
Whitmore Lane
Bedford Lane
Church Road
Charters Road
Sunning Hill
Fireball Hill
Westwood Road
Ridge Mount Road
Priory Road
Chobham Road
High Street
Heather Drive
Onslow Road
Broomfield Park
Kiln Lane
Coworth Road
Dry Arch Road
Rise Road
Bridge Rd.
Cavendish
Hancocks Mount
Holmes Cl.
Armitage Ct.
Queens Hill Rise
Queen's Rd.
Upper Village Road
Coombe Lane
Church La.
Watersplash Lane
Kingswick Dr.
Highclere
A B C D E F G
1 2 3 4 5 6 7 8 9
18
33
52
94 95 96
65 66 67 68 69

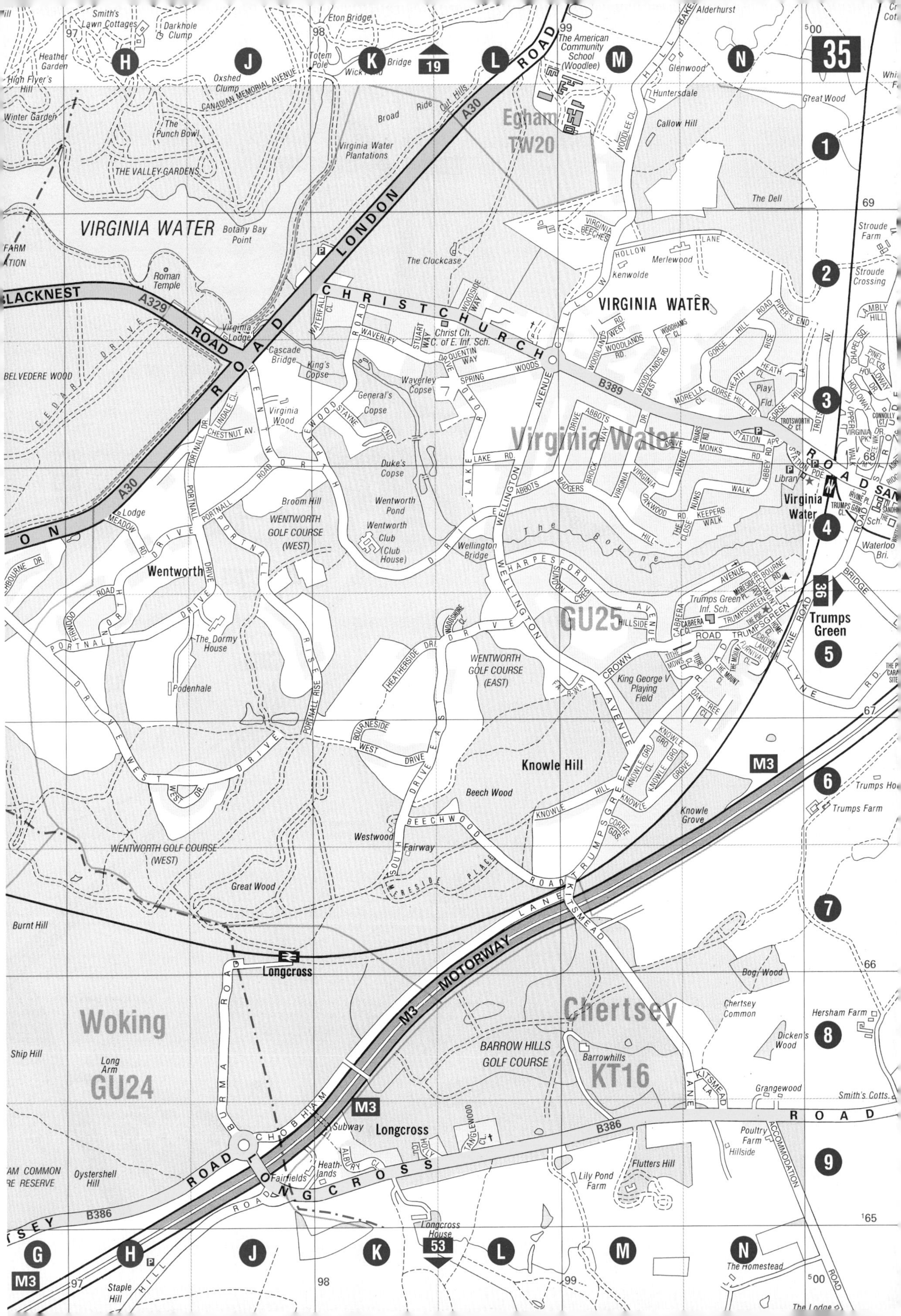
19
53
36
VIRGINIA WATER
Virginia Water
Egham
TW20
GU25
GU24
KT16
Woking
Chertsey
Wentworth
Knowle Hill
Longcross
Trumps Green
WENTWORTH GOLF COURSE (WEST)
WENTWORTH GOLF COURSE (EAST)
BARROW HILLS GOLF COURSE
THE VALLEY GARDENS
Virginia Water Plantations
The American Community School (Woodlee)
Christ Ch. C. of E. Inf. Sch.
Trumps Green Inf. Sch.
King George V Playing Field
LONDON ROAD
A30
A329
B389
B386
CHRISTCHURCH ROAD
BLACKNEST ROAD
CHOBHAM ROAD
LONGCROSS ROAD
M3 MOTORWAY
M3
Smith's Lawn Cottages
Darkhole Clump
Heather Garden
High Flyer's Hill
Winter Garden
Oxshed Clump
The Punch Bowl
Totem Pole
Eton Bridge
Alderhurst
Glenwood
Huntersdale
Callow Hill
Great Wood
The Dell
Stroude Farm
Stroude Crossing
Botany Bay Point
Roman Temple
Virginia Lodge
Cascade Bridge
King's Copse
Virginia Wood
General's Copse
Waverley Copse
Duke's Copse
Broom Hill
Wentworth Pond
Wentworth Club (Club House)
Wellington Bridge
The Clockcase
Merlewood
Kenwolde
BELVEDERE WOOD
The Dormy House
Podenhale
Beech Wood
Westwood
Fairway
Great Wood
Burnt Hill
Ship Hill
Long Arm
Oystershell Hill
Barrowhills
Bog Wood
Chertsey Common
Hersham Farm
Dicken's Wood
Grangewood
Smith's Cotts.
Poultry Farm
Hillside
Flutters Hill
Lily Pond Farm
Heathlands
Fairfields
Subway
Longcross House
The Homestead
Staple Hill
Knowle Grove
Trumps Farm
Waterloo Bri.
Library
CANADIAN MEMORIAL AVENUE
WENTWORTH DRIVE
PORTNALL DRIVE
PORTNALL RISE
WELLINGTON AVENUE
CALLOW HILL
TRUMPSGREEN AVENUE
CROWN ROAD
LYNE ROAD
KITSMEAD LANE
BURMA ROAD
ACCOMMODATION ROAD
BEECHWOOD ROAD
KNOWLE HILL
STATION APP.
H J K L M N
G H J K L M N
1 2 3 4 5 6 7 8 9
97 98 99 500
69 67 66 65

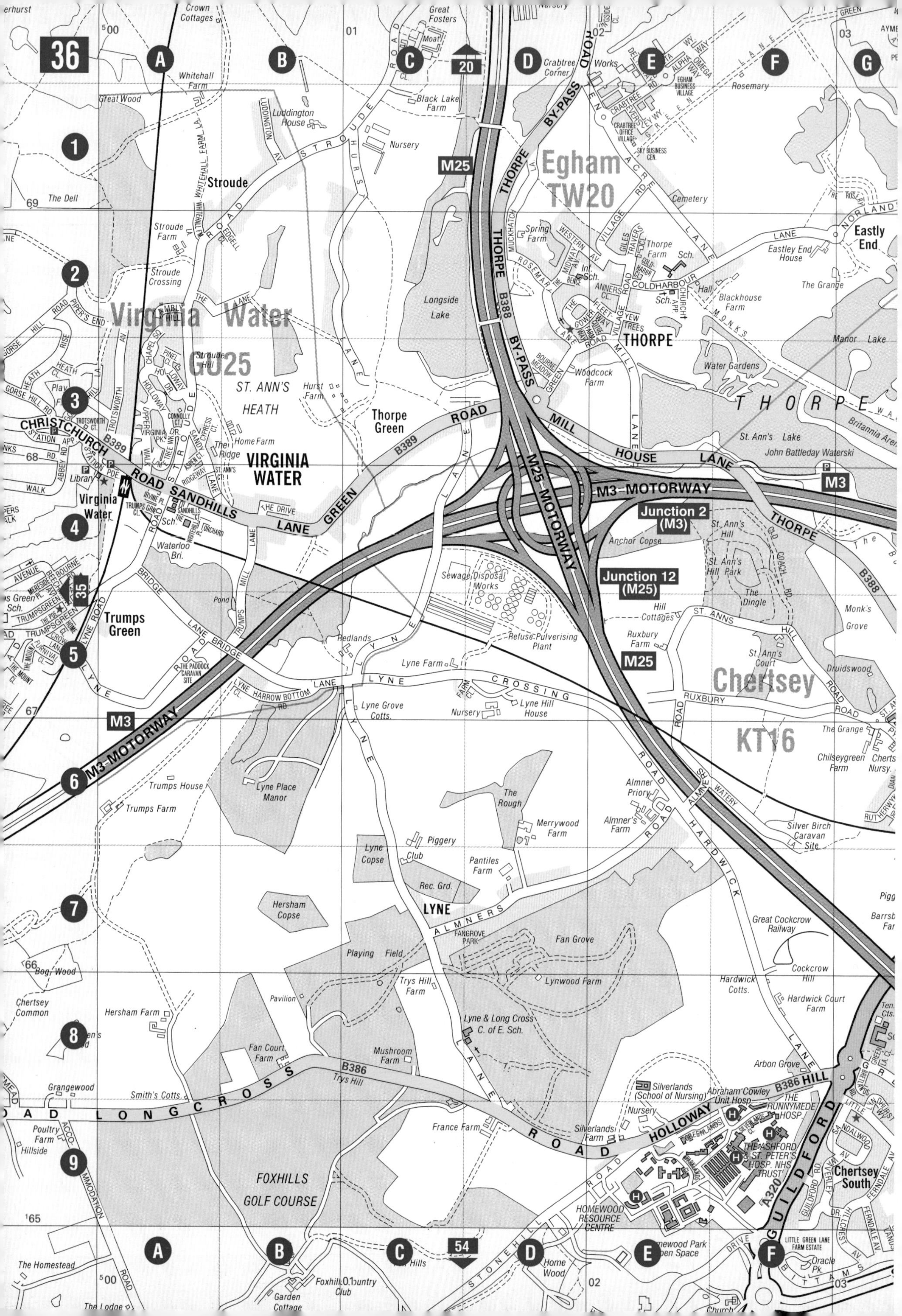
Egham
TW20
Virginia Water
GU25
VIRGINIA WATER
Chertsey
KT16
THORPE
Stroude
Thorpe Green
Trumps Green
LYNE
Chertsey South
Eastly End
M25
M3
M3-MOTORWAY
M25 MOTORWAY
Junction 2 (M3)
Junction 12 (M25)
THORPE BY-PASS
B388
B389
B386
A320
CHRISTCHURCH ROAD
SANDHILLS LANE
LONGCROSS ROAD
HOLLOWAY HILL
GUILDFORD
MILL HOUSE LANE
THORPE LANE
ALMNERS ROAD
LYNE CROSSING
LYNE LANE
HARDWICK LANE
RUXBURY ROAD
ST. ANNS HILL
STROUDE ROAD
Great Fosters
Crabtree Corner
Whitehall Farm
Great Wood
Luddington House
Black Lake Farm
Nursery
The Dell
Stroude Farm
Stroude Crossing
ST. ANN'S HEATH
Hurst Farm
Home Farm
Longside Lake
Spring Farm
Thorpe Farm
Woodcock Farm
Water Gardens
Manor Lake
St. Ann's Lake
John Battleday Waterski
Blackhouse Farm
The Grange
Eastley End House
Cemetery
Rosemary
Sewage Disposal Works
Refuse Pulverising Plant
Anchor Copse
St. Ann's Hill
St. Ann's Hill Park
The Dingle
Monk's Grove
Druidswood
Hill Cottages
Ruxbury Farm
St. Ann's Court
Lyne Farm
Lyne Grove Cotts.
Lyne Hill House
Redlands
Waterloo Bri.
Pond
Trumps House
Trumps Farm
Lyne Place Manor
The Rough
Merrywood Farm
Almner Priory
Almner's Farm
Silver Birch Caravan Site
Chilseygreen Farm
Lyne Copse
Piggery
Club
Pantiles Farm
Rec. Grd.
Hersham Copse
Playing Field
Fan Grove
Lynwood Farm
Trys Hill Farm
Pavilion
Lyne & Long Cross C. of E. Sch.
Great Cockcrow Railway
Cockcrow Hill
Hardwick Cotts.
Hardwick Court Farm
Arbon Grove
Bog Wood
Chertsey Common
Hersham Farm
Fan Court Farm
Mushroom Farm
Trys Hill
Smith's Cotts.
Grangewood
Poultry Farm
Hillside
France Farm
Silverlands (School of Nursing)
Abraham Cowley Unit Hosp.
THE RUNNYMEDE HOSP.
THE ASHFORD & ST. PETER'S HOSP. NHS TRUST
Silverlands Farm
HOMEWOOD RESOURCE CENTRE
FOXHILLS GOLF COURSE
Foxhills Country Club
Home Wood
The Homestead
The Lodge
Garden Cottage
LITTLE GREEN LANE FARM ESTATE
Oracle Pk.
Library
Station
Sch.
Church
20
35
54

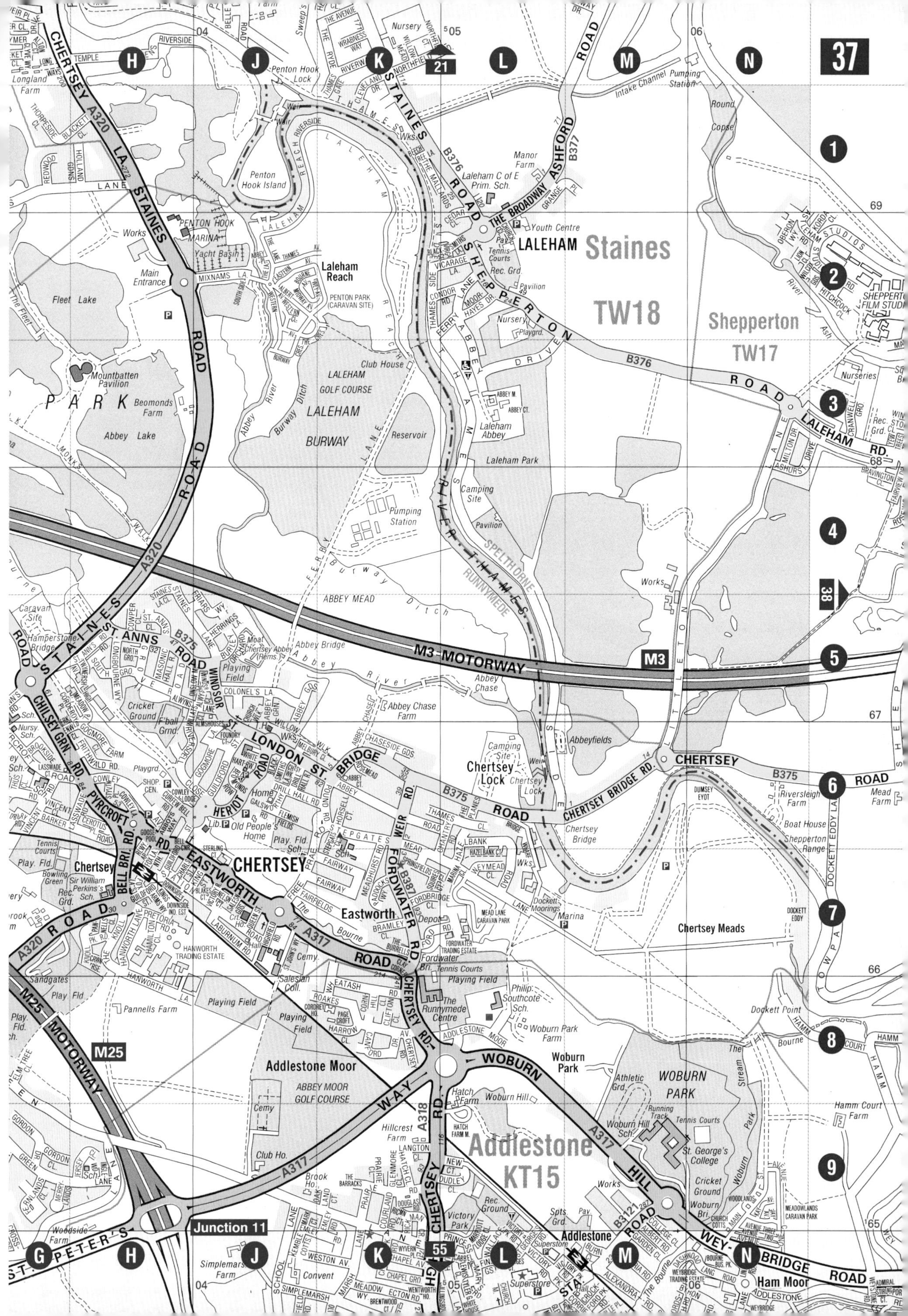
H
J
K
L
M
N
21
05
04
06
1
2
3
4
5
6
7
8
9
69
68
67
66
65
38
55
Staines
TW18
LALEHAM
Shepperton
TW17
SHEPPERTON FILM STUDIOS
CHERTSEY
Chertsey Lock
Chertsey Bridge
Chertsey Meads
Eastworth
Addlestone
KT15
Addlestone Moor
ABBEY MOOR GOLF COURSE
WOBURN PARK
Woburn Park
Ham Moor
Laleham Reach
PENTON PARK (CARAVAN SITE)
LALEHAM GOLF COURSE
LALEHAM BURWAY
Penton Hook Island
Penton Hook Lock
PENTON HOOK MARINA
Yacht Basin
Fleet Lake
Abbey Lake
Mountbatten Pavilion
PARK
Beomonds Farm
Laleham Abbey
Laleham Park
Camping Site
Pumping Station
Reservoir
ABBEY MEAD
Abbey Bridge
Abbey Chase Farm
Abbeyfields
Manor Farm
Laleham C of E Prim. Sch.
Youth Centre
Intake Channel Pumping Station
Round Copse
RIVER THAMES
SPELTHORNE
RUNNYMEDE
M3 MOTORWAY
M3
M25 MOTORWAY
M25
Junction 11
CHERTSEY LA.
STAINES ROAD
A320
STAINES ROAD
B376
ASHFORD ROAD
B377
SHEPPERTON ROAD
LALEHAM RD.
CHERTSEY BRIDGE RD.
CHERTSEY ROAD
B375
LONDON ST.
BRIDGE
EASTWORTH ROAD
A317
WOBURN HILL
WEYBRIDGE ROAD
ST. PETER'S WAY
A318
CHERTSEY RD.
FORDWATER RD.
B387
GUILDFORD ST.
PYRCROFT RD.
CHILSEY GRN. RD.
WINDSOR ST.
ST. ANNS ROAD
HERIOT ROAD
THE BROADWAY
DOCKETT EDDY LA.
TOWPATH
HAMM COURT
Sir William Perkins's Sch.
The Runnymede Centre
Philip Southcote Sch.
St. George's College
Woburn Hill Sch.
Salesian Coll.
HANWORTH TRADING ESTATE
Mead Lane Caravan Park
Fordwater Trading Estate
Dockett Point
Hamm Court Farm
Riversleigh Farm
Mead Farm
Boat House
Shepperton Range
Simplemarsh Farm
Woodside Farm
Pannells Farm
Hatch Farm
Hillcrest Farm
Longland Farm
Old People's Home
Chertsey Abbey (Rems.)

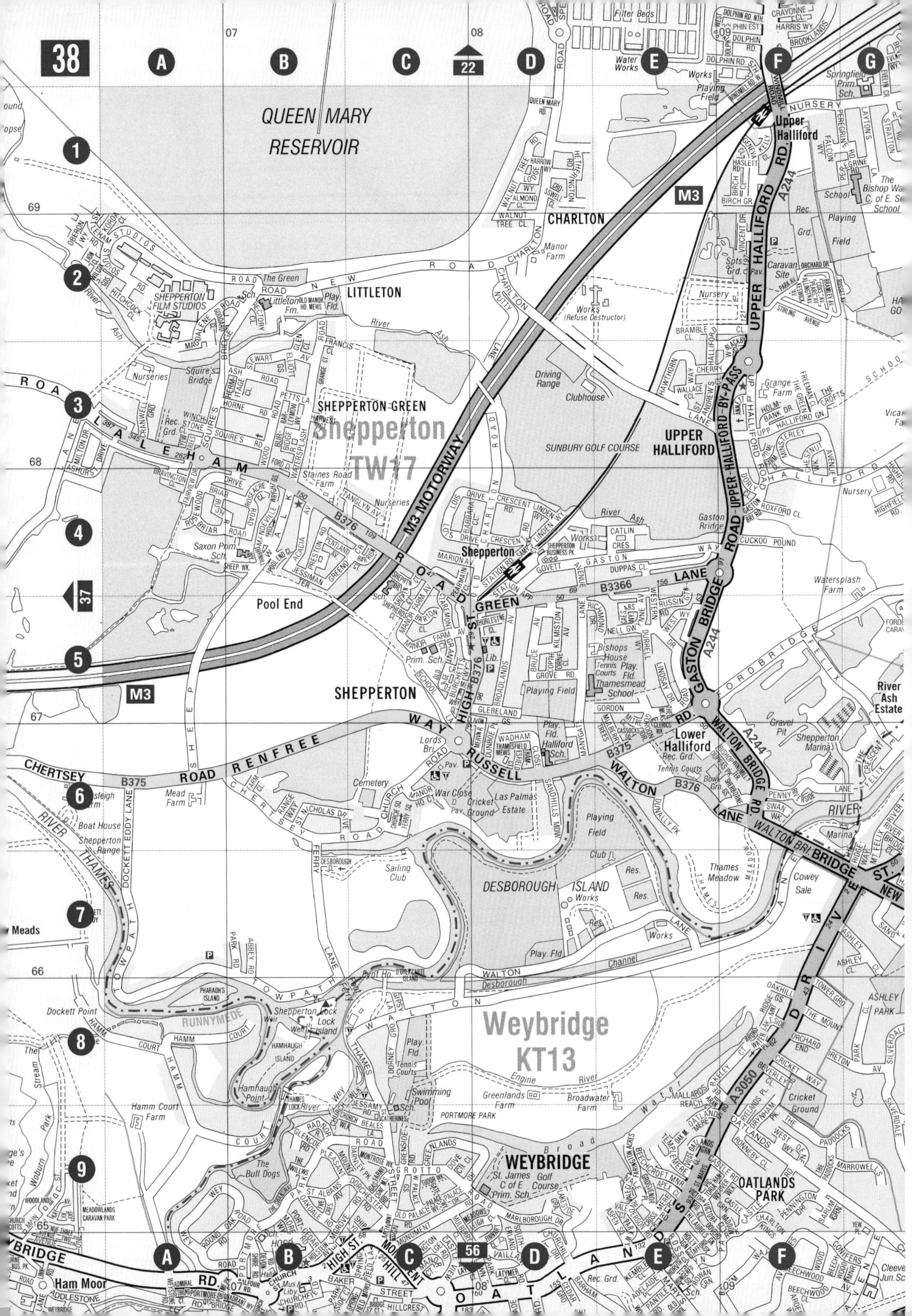
A
B
C
D
E
F
G
22
07
08
QUEEN MARY RESERVOIR
Filter Beds
Water Works
Works
Playing Field
Upper Halliford
M3
CHARLTON
Manor Farm
LITTLETON
SHEPPERTON FILM STUDIOS
The Green
Littleton Fm.
Play Fld.
River Ash
Works (Refuse Destructor)
Nurseries
Squire's Bridge
SHEPPERTON GREEN
Shepperton TW17
M3 MOTORWAY
Driving Range
Clubhouse
SUNBURY GOLF COURSE
UPPER HALLIFORD
UPPER HALLIFORD-BY-PASS
UPPER HALLIFORD RD.
A244
Grange Farm
Staines Road Farm
Saxon Prim. Sch.
Pool End
Shepperton
Shepperton Business Pk.
Gaston Bridge
CUCKOO POUND
Watersplash Farm
Bishops House
Thamesmead School
Playing Field
SHEPPERTON
Prim. Sch.
Lib.
River Ash Estate
Gravel Pit
Shepperton Marina
Lower Halliford
Rec. Grd.
Tennis Courts
Bowl Grn.
CHERTSEY ROAD RENFREE WAY B375
Mead Farm
Boat House
Shepperton Range
RIVER THAMES
Cemetery
Lords Bri.
War Close
Cricket Pav. Ground
Las Palmas Estate
Sailing Club
DESBOROUGH ISLAND
Works
Res.
Thames Meadow
Cowey Sale
Meads
Play. Fld.
Walton Channel
Desborough
PHARAOH'S ISLAND
D'OYLY CARTE ISLAND
Eyot Ho.
Dockett Point
Shepperton Lock
Lock Island
Weir
RUNNYMEDE
HAMHAUGH ISLAND
Hamhaugh Point
Weybridge KT13
Play. Fld.
Tennis Courts
Swimming Pool
Engine River
Greenlands Farm
Broadwater Farm
Hamm Court Farm
PORTMORE PARK
Cricket Ground
The Bull Dogs
WEYBRIDGE
St. James C of E Prim. Sch.
Golf Course
OATLANDS PARK
A3050
Ham Moor
ADDLESTONE
56
1
2
3
4
5
6
7
8
9
37
69
68
67
66
65

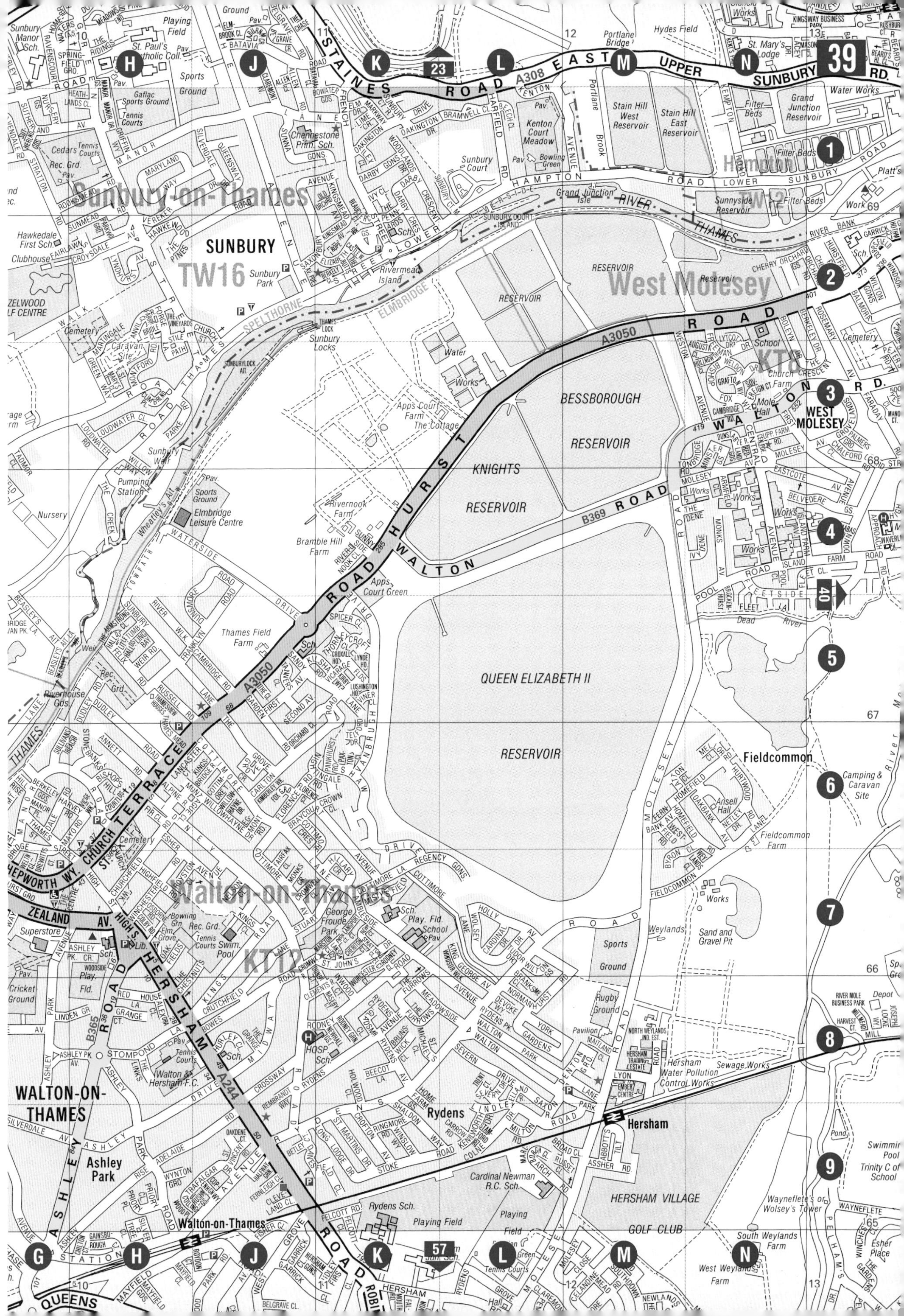

Sunbury-on-Thames
SUNBURY
TW16
Sunbury Park
West Molesey
WEST MOLESEY
KT8
Walton-on-Thames
WALTON-ON-THAMES
KT12
Hersham
HERSHAM VILLAGE
GOLF CLUB
Rydens
Ashley Park
Fieldcommon
Hampton
TW12
STAINES ROAD EAST
A308
UPPER SUNBURY RD.
HAMPTON ROAD LOWER SUNBURY
RIVER THAMES
HURST ROAD
A3050
WALTON ROAD
B369
CHURCH TERRACE
HERSHAM ROAD
A244
ZEALAND AV.
ASHLEY RD.
B365
QUEENS
Stain Hill West Reservoir
Stain Hill East Reservoir
Grand Junction Reservoir
Filter Beds
Sunnyside Reservoir
Water Works
Kenton Court Meadow
Sunbury Court
Grand Junction Isle
Sunbury Court Island
Rivermead Island
Sunbury Locks
BESSBOROUGH RESERVOIR
KNIGHTS RESERVOIR
QUEEN ELIZABETH II RESERVOIR
RESERVOIR
Apps Court Farm
The Cottage
Rivernook Farm
Bramble Hill Farm
Apps Court Green
Thames Field Farm
Elmbridge Leisure Centre
Sports Ground
Pumping Station
Sunbury Weir
Wheatley's Ait
Nursery
Cemetery
Caravan Site
Riverhouse Gdns
Sunbury Manor Sch.
St. Paul's Catholic Coll.
Playing Field
Gaflac Sports Ground
Tennis Courts
Rec. Grd.
Cedars
Chennestone Prim. Sch.
Hawkedale First Sch.
Clubhouse
Portlane Bridge
Portlane Brook
Hydes Field
St. Mary's Lodge
KINGSWAY BUSINESS PARK
Church Farm
Mole Hall
School
Dead River
Camping & Caravan Site
Ansell Hall
Fieldcommon Farm
Works
Sand and Gravel Pit
Weylands
Sports Ground
Rugby Ground
Pavilion
NORTH WEYLANDS IND. EST
HERSHAM TRADING ESTATE
Hersham Water Pollution Control Works
Sewage Works
Depot
RIVER MOLE BUSINESS PARK
Pond
Swimming Pool
Trinity C of E School
Wayneflete's or Wolsey's Tower
South Weylands Farm
West Weylands Farm
Esher Place
Cardinal Newman R.C. Sch.
Rydens Sch.
Playing Field
Tennis Courts
Walton-on-Thames
Walton & Hersham F.C.
HOSP.
Superstore
Cricket Ground
Play. Fld.
George Froude Park
Bowling Grn.
Swim. Pool
Lib.
23
40
57

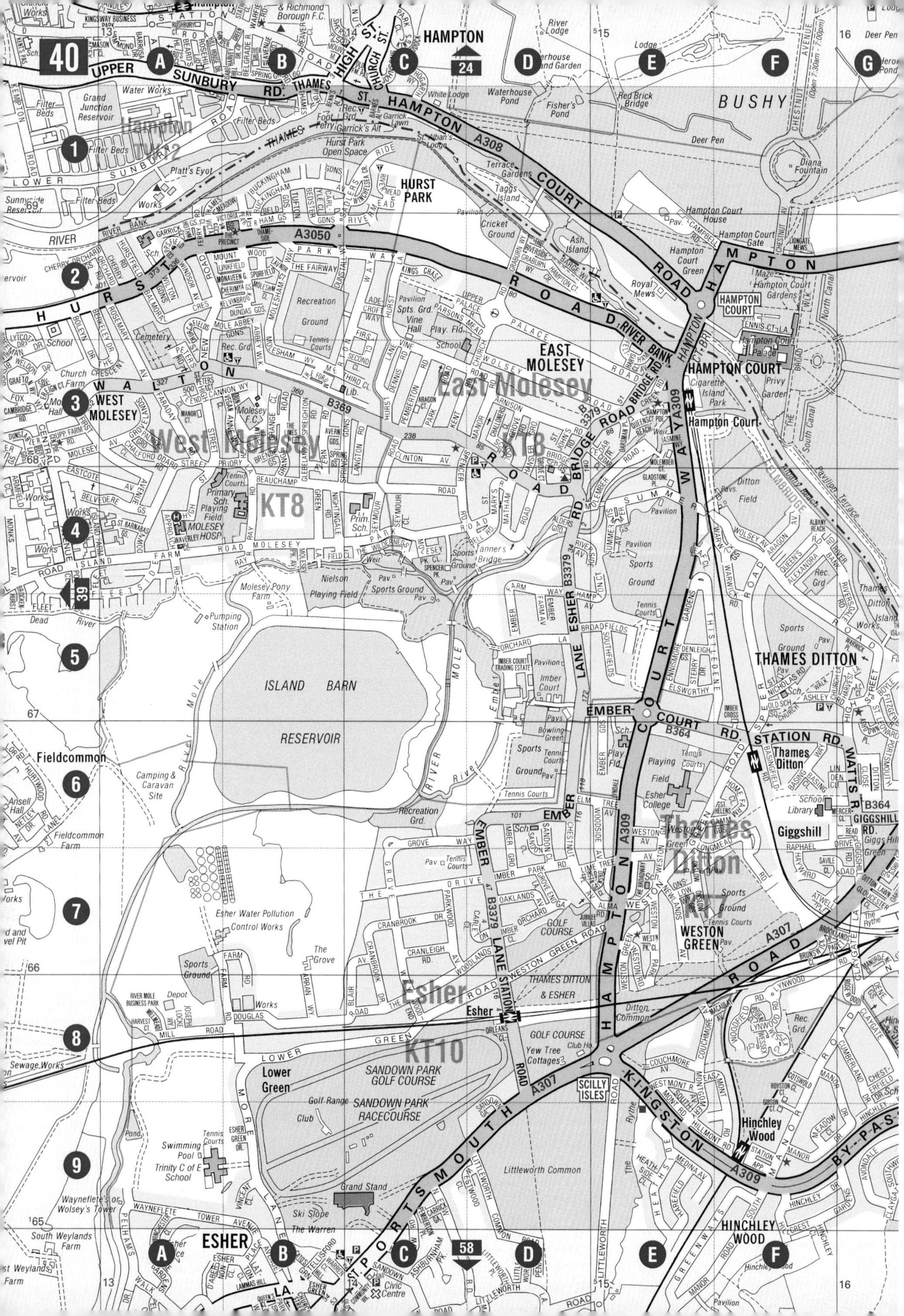

40
HAMPTON
24
BUSHY
Deer Pen
Diana Fountain
Hampton Court House
Hampton Court Gate
HAMPTON COURT
Hampton Court Gardens
Privy Garden
Cigarette Island Park
Hampton Court
HURST PARK
Hurst Park Open Space
Garrick's Ait
Platt's Eyot
Grand Junction Reservoir
Filter Beds
Water Works
Taggs Island
Ash Island
Terrace Gardens
Cricket Ground
Royal Mews
Waterhouse Pond
Fisher's Pond
Red Brick Bridge
UPPER SUNBURY RD.
THAMES ST.
HAMPTON COURT ROAD
A308
A3050
A309
B369
B3379
B364
A307
HURST RD.
WALTON RD.
RIVER THAMES
EAST MOLESEY
East Molesey
WEST MOLESEY
West Molesey
KT8
Recreation Ground
Molesey F.C.
MOLESEY HOSP.
Nielson Playing Field
Molesey Pony Farm
Pumping Station
Dead River
ISLAND BARN RESERVOIR
River Mole
River Ember
Fieldcommon
Fieldcommon Farm
Camping & Caravan Site
Esher Water Pollution Control Works
Sports Ground
RIVER MOLE BUSINESS PARK
MILL ROAD
Sewage Works
Lower Green
KT10
SANDOWN PARK GOLF COURSE
SANDOWN PARK RACECOURSE
Grand Stand
Ski Slope
The Warren
Trinity C of E School
Swimming Pool
Wayneflete's or Wolsey's Tower
South Weylands Farm
ESHER
Esher
Civic Centre
58
Littleworth Common
SCILLY ISLES
KINGSTON BY-PASS
PORTSMOUTH ROAD
Esher College
THAMES DITTON
Thames Ditton
Giggshill
WESTON GREEN
Weston Green
Ditton Field
Imber Court
IMBER COURT TRADING ESTATE
Ditton Common
GOLF COURSE
Yew Tree Cottages
Hinchley Wood
HINCHLEY WOOD
Tanners Bridge
Weir
39
A B C D E F G
1 2 3 4 5 6 7 8 9

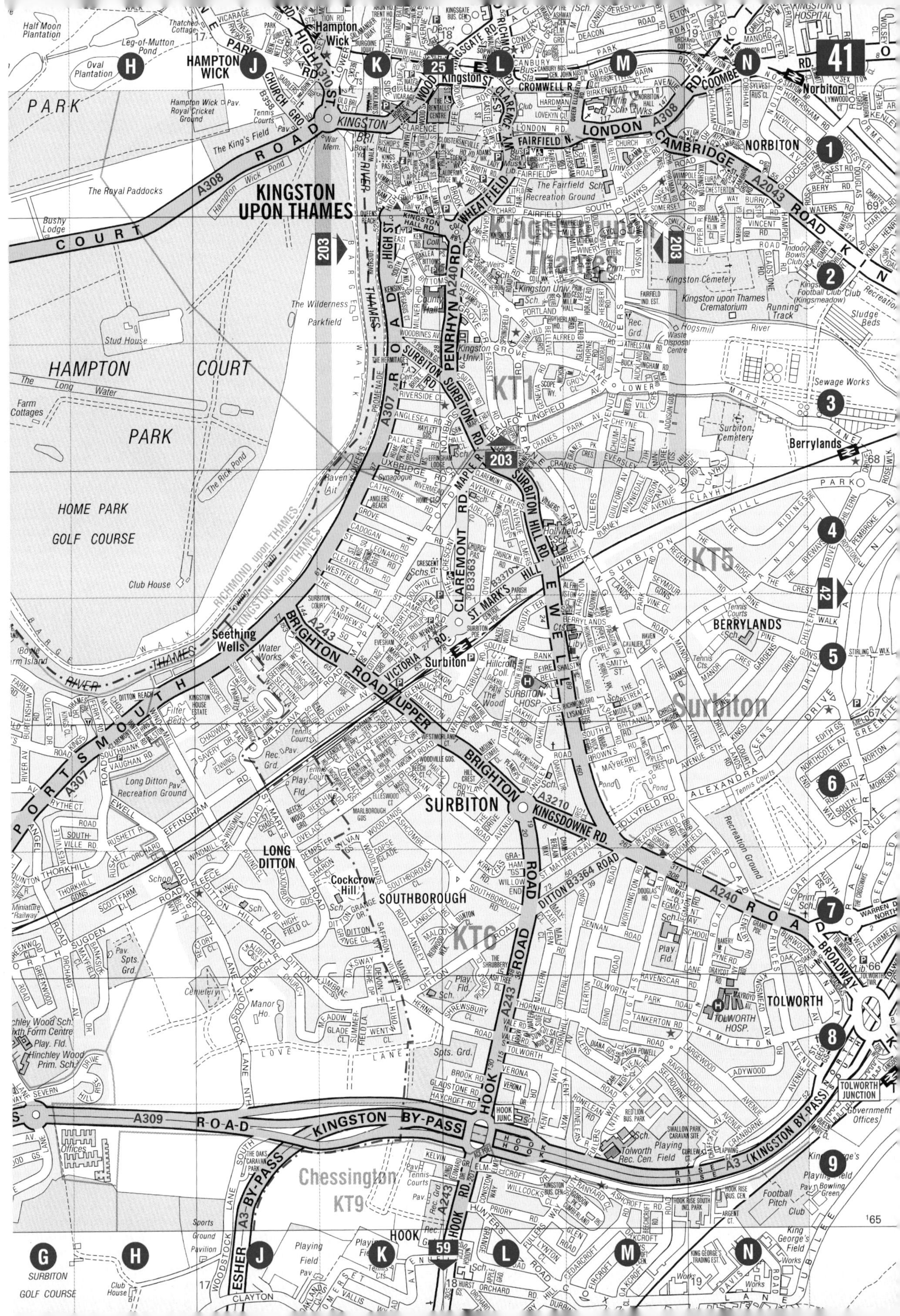
41
KINGSTON UPON THAMES
HAMPTON COURT PARK
HOME PARK GOLF COURSE
Hampton Wick
HAMPTON WICK
Kingston
Norbiton
NORBITON
KT1
KT5
KT6
Chessington KT9
Berrylands
BERRYLANDS
Surbiton
SURBITON
Seething Wells
LONG DITTON
SOUTHBOROUGH
TOLWORTH
TOLWORTH JUNCTION
HOOK
HOOK JUNC.
Cockcrow Hill
HAMPTON COURT ROAD
A308
PORTSMOUTH ROAD
A307
BRIGHTON ROAD
A243
UPPER BRIGHTON
KINGSDOWNE RD.
A3210
EWELL ROAD
A240 ROAD
A309 ROAD
KINGSTON BY-PASS
A3 (KINGSTON BY-PASS)
ESHER A3 BY-PASS
HOOK RD.
DITTON B3364 ROAD
CLAREMONT RD.
PENRHYN A240 RD.
SURBITON HILL RD.
LONDON A308
CAMBRIDGE A2043 ROAD
RIVER THAMES
The Long Water
Half Moon Plantation
Oval Plantation
Leg-of-Mutton Pond
Hampton Wick Pond
The Royal Paddocks
The King's Field
Stud House
Farm Cottages
The Rick Pond
Club House
Bushy Lodge
The Wilderness
Parkfield
Raven's Ait
The Fairfield Recreation Ground
Kingston Cemetery
Kingston upon Thames Crematorium
Sewage Works
Sludge Beds
Surbiton Cemetery
Hogsmill River
SURBITON HOSP.
TOLWORTH HOSP.
Long Ditton Recreation Ground
Recreation Ground
Tolworth Rec. Cen.
King George's Playing Field
Football Pitch
SURBITON GOLF COURSE
Government Offices
Kingstonian Football Club (Kingsmeadow)
Indoor Bowls Club
Running Track
County Hall
Kingston Univ.
Hillcroft Coll.
Miniature Railway
Filter Beds
Water Works
Manor Ho.
RICHMOND upon THAMES
KINGSTON upon THAMES
25
203
42
59
G H J K L M N
1 2 3 4 5 6 7 8 9
17
18
19
65

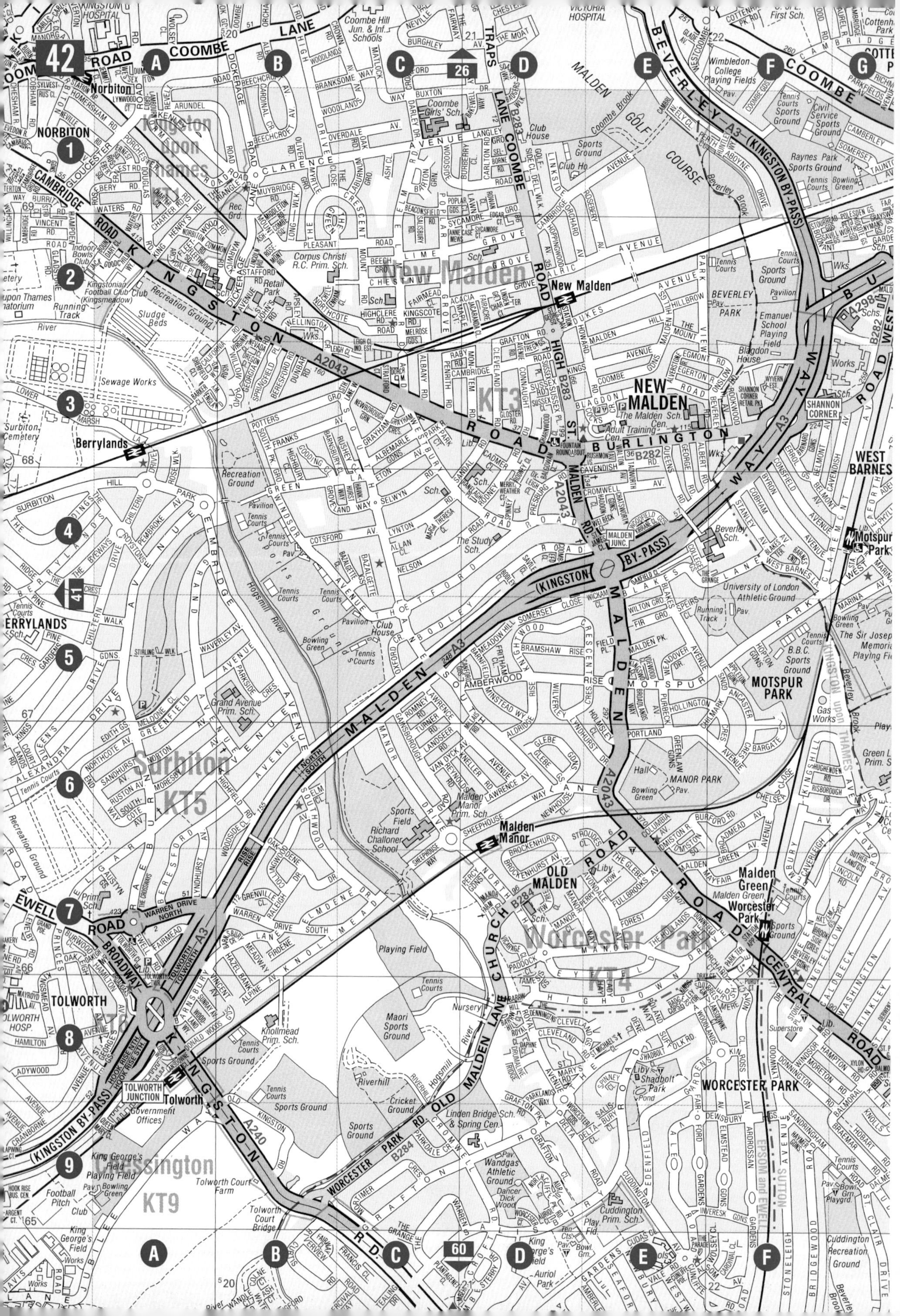

A
B
C
D
E
F
G
1
2
3
4
5
6
7
8
9
26
41
60
COOMBE ROAD
COOMBE LANE
Norbiton
NORBITON
Kingston upon Thames KT1
CAMBRIDGE ROAD
KINGSTON ROAD
A2043
Kingstonian Football Club (Kingsmeadow)
Indoor Bowls Club
Running Track
Sludge Beds
Sewage Works
Recreation Ground
River
Hogsmill River
Surbiton Cemetery
Berrylands
BERRYLANDS
Coombe Hill Jun. & Inf. Schools
Coombe Girls' Sch.
VICTORIA HOSPITAL
KINGSTON HOSPITAL
TRAPS LANE
COOMBE ROAD
B283
Club House
Sports Ground
MALDEN GOLF COURSE
Coombe Brook
Beverley Brook
BEVERLEY-A3-(KINGSTON BY-PASS)
Wimbledon College Playing Fields
Tennis Courts Sports Ground
Civil Service Sports Ground
Raynes Park Sports Ground
CAMBRIDGE
New Malden
NEW MALDEN
HIGH ST.
KT3
Corpus Christi R.C. Prim. Sch.
Retail Park
BURLINGTON ROAD
B282
The Malden Sch.
Adult Training Cen.
FOUNTAIN ROUNDABOUT
MALDEN RD.
MALDEN JUNC.
BEVERLEY PARK
Emanuel School Playing Field
Blagdon House
SHANNON CORNER
SHANNON CORNER RETAIL PK.
A298
WEST BARNES
Motspur Park
MOTSPUR PARK
University of London Athletic Ground
B.B.C. Sports Ground
The Sir Joseph Memorial Playing Field
Gas Works
Beverley Sch.
The Study Sch.
Club House
Bowling Green
Tennis Courts
KINGSTON BY-PASS
MALDEN WAY A3
Grand Avenue Prim. Sch.
Surbiton KT5
Malden Manor
Malden Manor Prim. Sch.
Richard Challoner School
Sports Field
OLD MALDEN
MANOR PARK
Hall
Bowling Green
A2043
MALDEN ROAD
Malden Green
Worcester Park
Worcester Park KT4
CENTRAL ROAD
Playing Field
Maori Sports Ground
Knollmead Prim. Sch.
Nursery
Riverhill
Cricket Ground
Sports Ground
Linden Bridge Sch. & Spring Cen.
Wandgas Athletic Ground
Dancer Dick Wood
Cuddington Prim. Sch.
Shadbolt Park
WORCESTER PARK
Superstore
Cuddington Recreation Ground
EPSOM and EWELL
SUTTON
Kingston upon Thames
EWELL ROAD
BROADWAY
TOLWORTH
Tolworth
TOLWORTH JUNCTION
TOLWORTH HOSP.
Government Offices
KT6
KINGSTON ROAD
A240
Sports Ground
OLD MALDEN LANE
WORCESTER PARK RD.
B284
Chessington KT9
King George's Field Playing Field
Football Pitch
Tolworth Court Farm
Tolworth Court Bridge
King George's Field
Works
Auriol Park

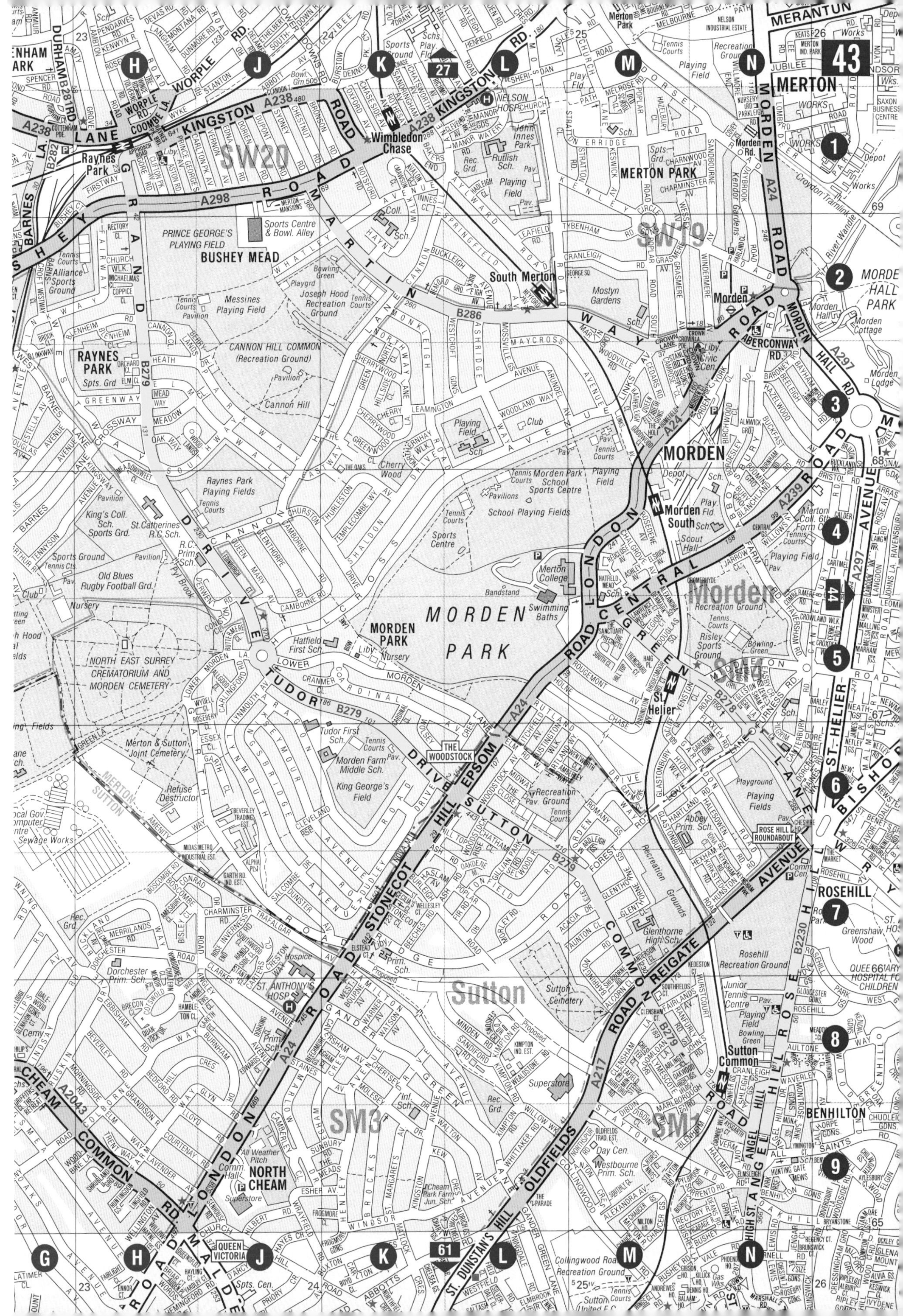
MERTON
MERTON PARK
Merton Park
SW20
SW19
Raynes Park
RAYNES PARK
Wimbledon Chase
KINGSTON ROAD
A238
WORPLE RD.
COOMBE LA.
A298
BUSHEY MEAD
PRINCE GEORGE'S PLAYING FIELD
Sports Centre & Bowl. Alley
Messines Playing Field
Joseph Hood Recreation Ground
CANNON HILL COMMON (Recreation Ground)
Cannon Hill
South Merton
B286
Mostyn Gardens
Morden
MORDEN
MORDEN HALL PARK
Morden Hall
Morden Cottage
Morden Lodge
MORDEN ROAD
A24
A297
MORDEN HALL RD.
Croydon Tramlink
River Wandle
Raynes Park Playing Fields
King's Coll. Sch. Sports Grd.
St. Catherines R.C. Sch.
Old Blues Rugby Football Grd.
Sports Ground
NORTH EAST SURREY CREMATORIUM AND MORDEN CEMETERY
Merton & Sutton Joint Cemetery
Refuse Destructor
Sewage Works
MERTON
SUTTON
GRAND DRIVE
B279
MORDEN PARK
Merton College
Swimming Baths
Morden Park School Sports Centre
School Playing Fields
Morden South
LONDON ROAD
CENTRAL ROAD
A239
Morden Recreation Ground
SM4
St. Helier
TUDOR DRIVE
THE WOODSTOCK
Morden Farm Middle Sch.
King George's Field
EPSOM ROAD
STONECOT HILL
SUTTON COMMON ROAD
B279
Recreation Ground
ROSE HILL ROUNDABOUT
ST. HELIER AVENUE
ROSEHILL
Rosehill Recreation Ground
B2230
Glenthorne High Sch.
REIGATE AVENUE
A217
Sutton
Sutton Cemetery
Sutton Common
ST. ANTHONY'S HOSP.
Superstore
SM3
SM1
NORTH CHEAM
CHEAM COMMON RD.
A2043
OLDFIELDS ROAD
ST. DUNSTAN'S HILL
ANGEL HILL
BENHILTON
QUEEN VICTORIA
Collingwood Road Recreation Ground
QUEEN MARY'S HOSPITAL FOR CHILDREN
Greenshaw Wood
44
27
61
G
H
J
K
L
M
N
1
2
3
4
5
6
7
8
9
23
24
25
26
65
66
67
68
69

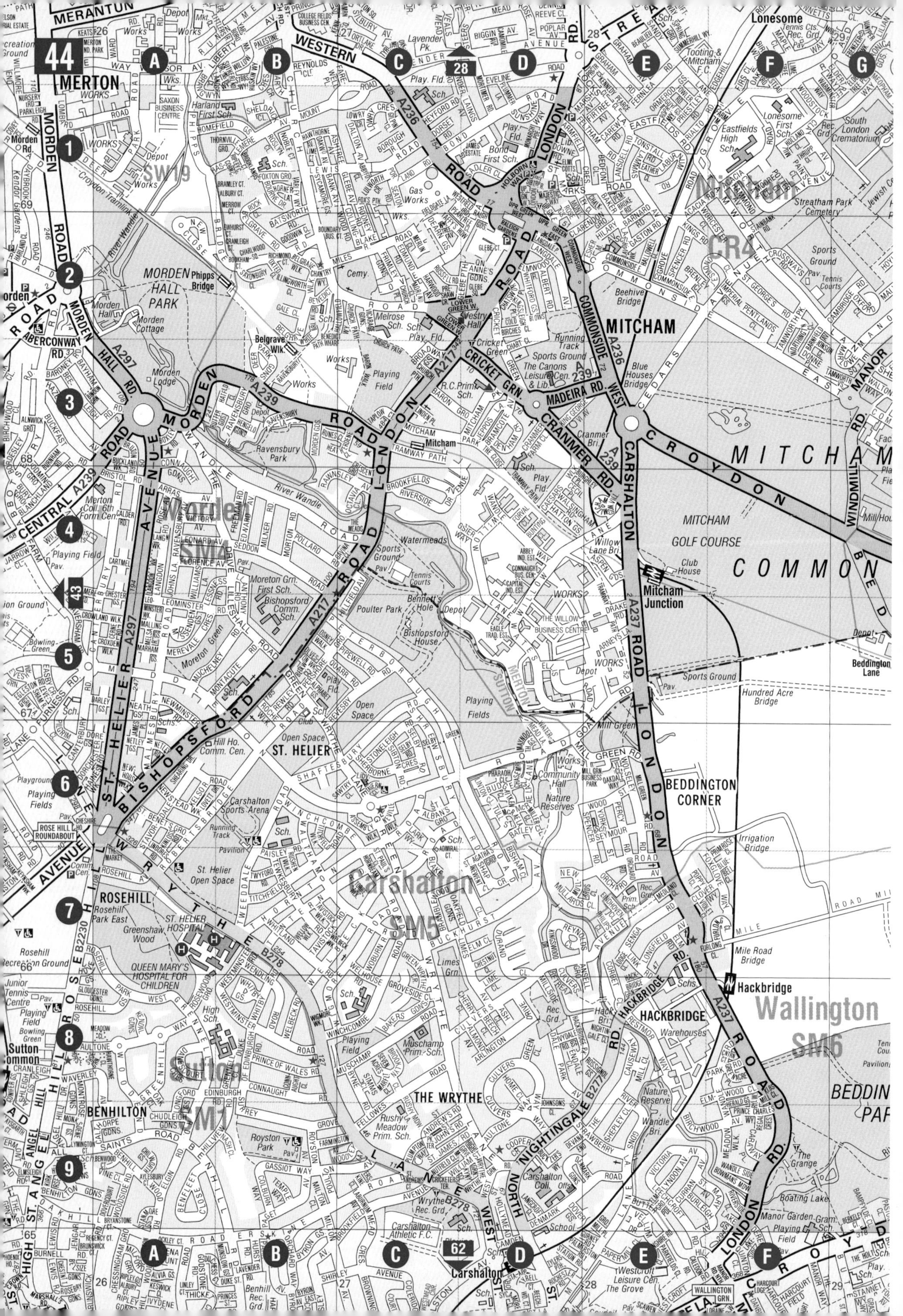

44
MERTON
SW19
Morden Rd
MORDEN ROAD
MORDEN HALL PARK
Morden Hall
Morden Cottage
Morden Lodge
Phipps Bridge
Belgrave Wlk.
Croydon Tramlink
River Wandle
WESTERN ROAD
A236
28
Lavender Pk.
Harland First Sch.
Saxon Business Centre
Gas Works
Cemy.
Melrose Sch.
Vestry Hall
Cricket Green
CRICKET GRN.
LONDON ROAD
Bond First Sch.
Lonesome
Lonesome First Sch.
Eastfields High Sch.
Tooting & Mitcham F.C.
Mitcham
CR4
Streatham Park Cemetery
South London Crematorium
Sports Ground
Beehive Bridge
MITCHAM
COMMONSIDE WEST
Blue Houses Bridge
Running Track
Sports Ground
The Canons Leisure Cen. & Lib.
MADEIRA RD.
CROYDON ROAD
MITCHAM
COMMON
MITCHAM GOLF COURSE
Club House
Mitcham Junction
MANOR
WINDMILL RD.
Beddington Lane
CARSHALTON ROAD
A237
CRANMER RD.
A239
MORDEN ROAD
Ravensbury Park
Mitcham
A217
A297
ST. HELIER AVENUE
Morden
SM4
Moreton Grn. First Sch.
Bishopsford Comm. Sch.
Watermeads
Poulter Park
Bennett's Hole
Bishopsford House
Playing Fields
MERTON
SUTTON
Sports Ground
Hundred Acre Bridge
BISHOPSFORD ROAD
CENTRAL ROAD
A239
Merton Coll. 6th Form Cen.
Playing Field
43
Bowling Green
Open Space
Hill Ho. Comm. Cen.
ST. HELIER
Mill Green
Community Hall
Nature Reserves
BEDDINGTON CORNER
Irrigation Bridge
ROSE HILL ROUNDABOUT
Carshalton Sports Arena
Running Track
Pavilion
St. Helier Open Space
ROSEHILL
Rosehill Park East
ST. HELIER HOSPITAL
Greenshaw Wood
QUEEN MARY'S HOSPITAL FOR CHILDREN
WRYTHE LANE
B278
Carshalton
SM5
Limes Grn.
Mile Road Bridge
Hackbridge
HACKBRIDGE
Warehouses
Wallington
SM6
Rosehill Recreation Ground
Junior Tennis Centre
Playing Field
Bowling Green
Sutton Common
High Sch.
Sutton
SM1
BENHILTON
Muschamp Prim. Sch.
Playing Field
THE WRYTHE
Rushy Meadow Prim. Sch.
Royston Park
NIGHTINGALE RD.
B277
Carshalton Coll.
Nature Reserve
Wandle Bri.
LONDON ROAD
The Grange
Boating Lake
Manor Garden Gram. Sch.
BEDDINGTON PARK
Wrythe Rec. Grd.
Carshalton Athletic F.C.
62
Carshalton
Westcroft Leisure Cen.
The Grove
WALLINGTON GRN.
ST. HELIER AVENUE
ANGEL HILL
HIGH ST.
A B C D E F G
1 2 3 4 5 6 7 8 9

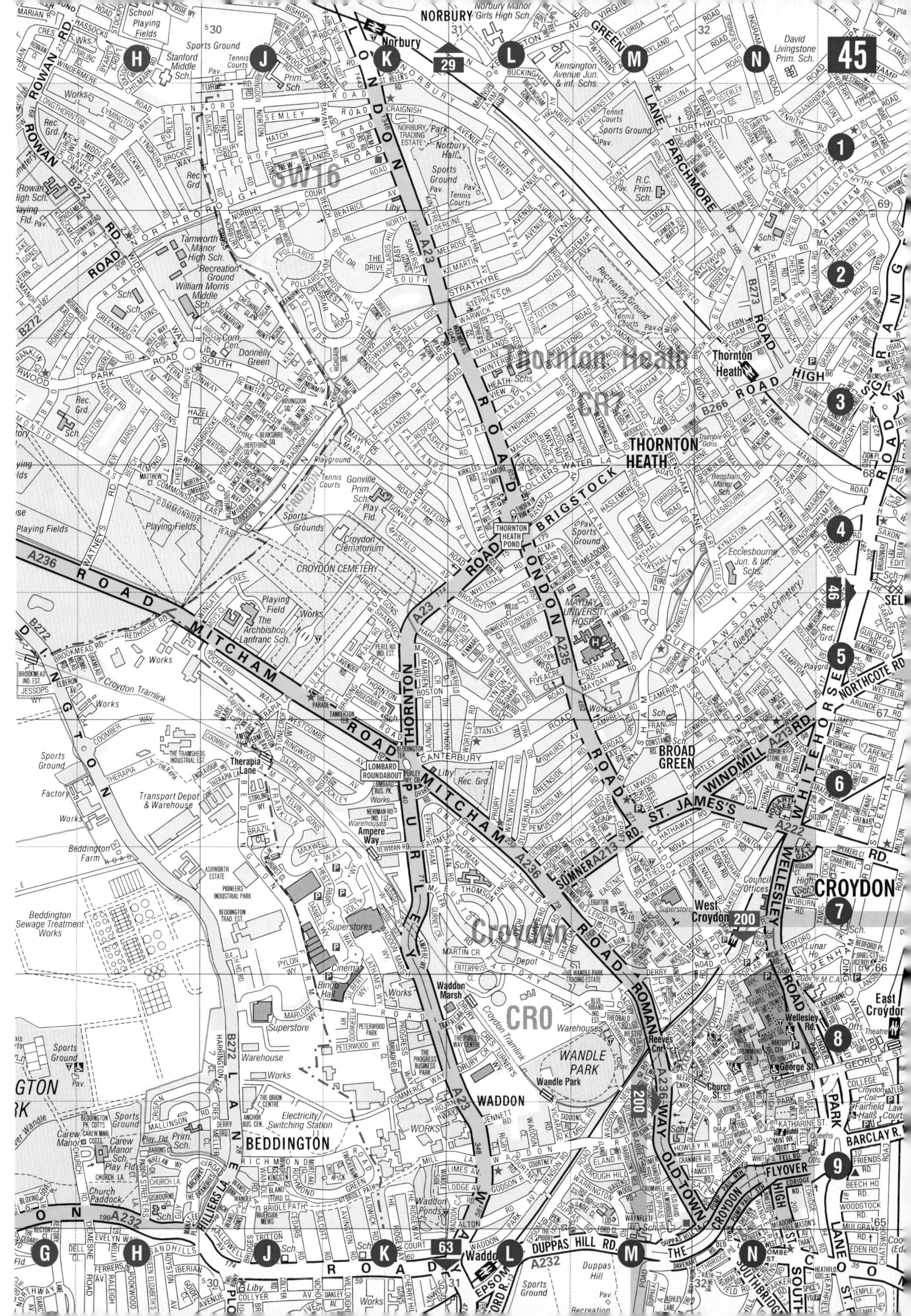

45
H J K L M N
1 2 3 4 5 6 7 8 9
G H J K L M N
29
46
63
200
Norbury
NORBURY
SW16
Thornton Heath
CR7
THORNTON HEATH
THORNTON HEATH POND
BROAD GREEN
CROYDON
Croydon
CR0
WADDON
BEDDINGTON
LOMBARD ROUNDABOUT
West Croydon
East Croydon
Therapia Lane
Ampere Way
Waddon Marsh
Wellesley Rd.
George St.
Church St.
Reeves Cnr.
Wandle Park
WANDLE PARK
Waddon
CROYDON CEMETERY
Croydon Crematorium
MAYDAY UNIVERSITY HOSP.
Queen's Road Cemetery
Beddington Sewage Treatment Works
Beddington Farm
Carew Manor
Playing Fields
Sports Ground
Recreation Ground
Duppas Hill
Croydon Tramlink
LONDON ROAD
MITCHAM ROAD
PURLEY WAY
BRIGSTOCK ROAD
ROMAN WAY
OLD TOWN
THE FLYOVER
ST. JAMES'S RD.
WINDMILL RD.
WHITEHORSE RD.
NORTHBOROUGH RD.
ROWAN RD.
BEDDINGTON LANE
DUPPAS HILL RD.
A23
A232
A235
A236
A213
A222
B266
B272
B273

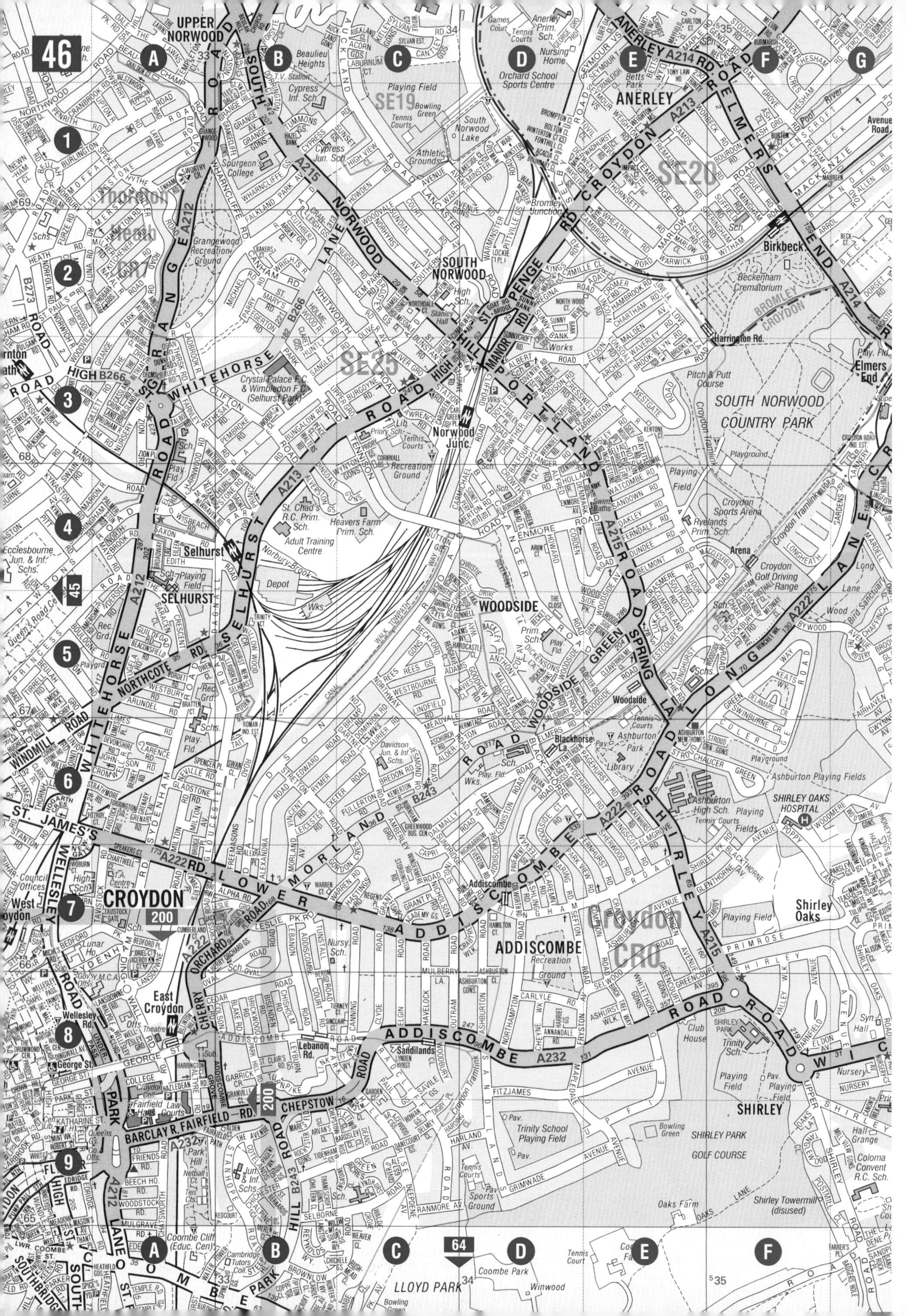

46
UPPER NORWOOD
Beaulieu Heights
T.V. Station
Cypress Inf. Sch.
Playing Field
SE19
Bowling Green
Tennis Courts
Orchard School Sports Centre
Anerley Prim. Sch.
Nursing Home
Games Court
ANERLEY
Betts Park
South Norwood Lake
Athletic Grounds
Spurgeon's College
Cypress Jun. Sch.
Thornton Heath
CR7
Grangewood Recreation Ground
SE20
Bromley Junction
Birkbeck
Beckenham Crematorium
BROMLEY
CROYDON
SOUTH NORWOOD
High Sch.
Stanley Hall
SE25
Crystal Palace F.C. & Wimbledon F.C. (Selhurst Park)
Norwood Junc.
Priory Sch.
Recreation Ground
Harrington Rd.
Elmers End
Pitch & Putt Course
SOUTH NORWOOD COUNTRY PARK
Croydon Tramlink
Playground
Playing Field
Croydon Sports Arena
Ryelands Prim. Sch.
Arena
Croydon Golf Driving Range
Long Lane Wood
Bird Sanctuary
St. Chad's R.C. Prim. Sch.
Heavers Farm Prim. Sch.
Adult Training Centre
Norbury Brook
Depot
Selhurst
SELHURST
Ecclesbourne Jun. & Inf. Schs.
45
WOODSIDE
Prim. Sch.
Play. Fld.
Woodside
Tennis Courts
Ashburton Park
Library
Blackhorse La.
Davidson Jun. & Inf. Schs.
Ashburton Playing Fields
SHIRLEY OAKS HOSPITAL
Ashburton High Sch.
Playing Fields
Shirley Oaks
CROYDON
200
Council Offices
West Croydon
Addiscombe
ADDISCOMBE
Recreation Ground
Croydon
CR0
Playing Field
East Croydon
Wellesley Rd.
George St.
Lebanon Rd.
Sandilands
Club House
Trinity Sch.
Playing Field
SHIRLEY
Croydon Coll.
Fairfield Halls
Law Courts
Park Hill
Trinity School Playing Field
Bowling Green
SHIRLEY PARK GOLF COURSE
Coloma Convent R.C. Sch.
Hall Grange
Nursery
Sports Ground
Oaks Farm
Shirley Towermill (disused)
Coombe Cliff (Educ. Cen.)
Cambridge Tutors Coll.
64
Coombe Park
LLOYD PARK
Winwood
Tennis Court
A
B
C
D
E
F
G
1
2
3
4
5
6
7
8
9
A212
A215
A213
A214
A222
A232
B266
B243
B273
NORWOOD ROAD
CROYDON ROAD
ELMERS END
WHITEHORSE ROAD
SELHURST ROAD
PORTLAND ROAD
LOWER ADDISCOMBE ROAD
ADDISCOMBE ROAD
LONG LANE
SHIRLEY ROAD
SPRING LANE
WOODSIDE GREEN
WICKHAM ROAD
PARK LANE
CHEPSTOW ROAD
PARK HILL ROAD
ST. JAMES'S ROAD
WELLESLEY ROAD
CHERRY ORCHARD ROAD
NORTHCOTE RD.
SOUTH NORWOOD HILL

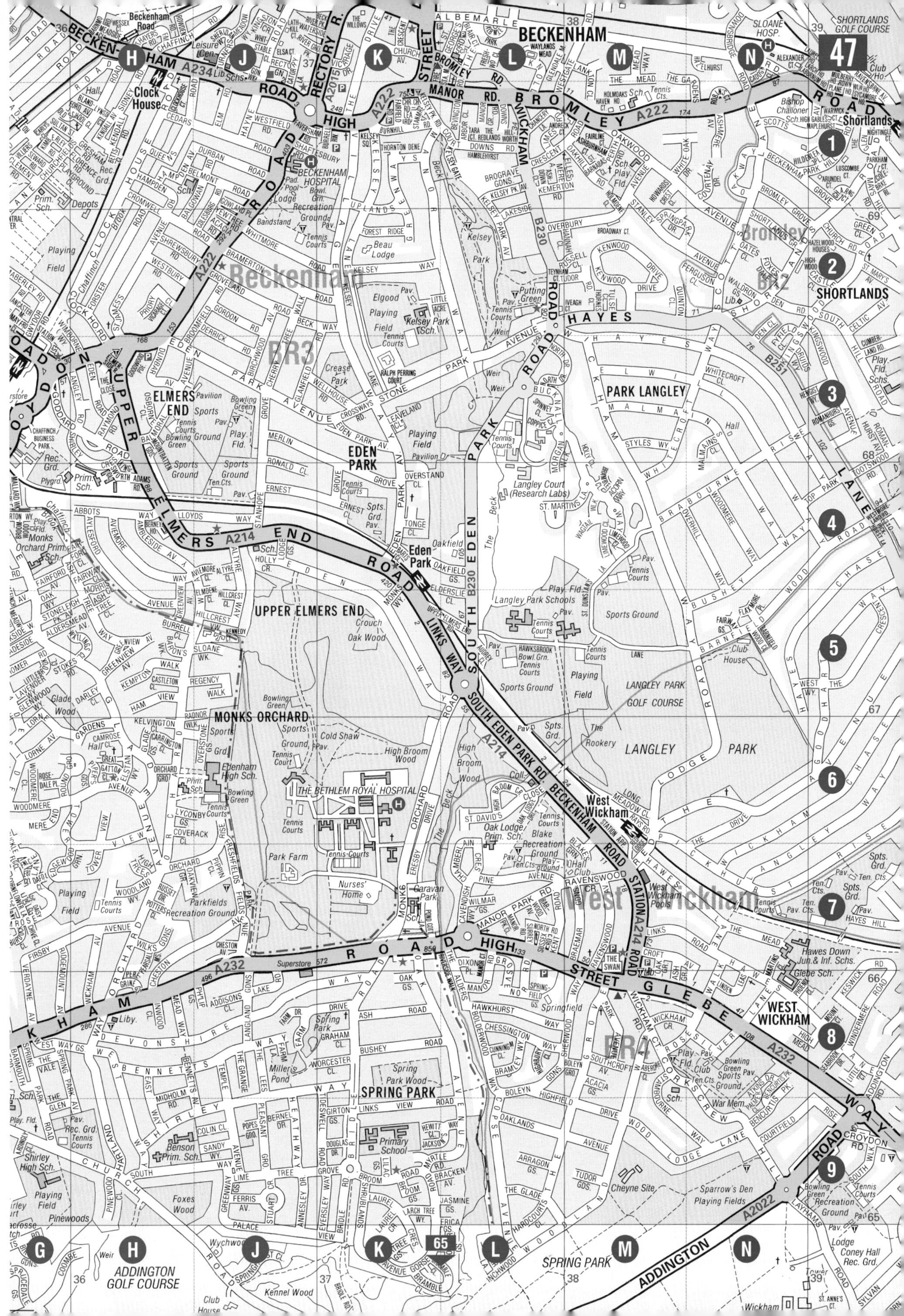
BECKENHAM
Beckenham
BR3
Clock House
Beckenham Road
BECKENHAM HOSPITAL
SLOANE HOSP.
SHORTLANDS GOLF COURSE
Shortlands
SHORTLANDS
Bromley
BR2
ELMERS END
EDEN PARK
Eden Park
PARK LANGLEY
UPPER ELMERS END
MONKS ORCHARD
THE BETHLEM ROYAL HOSPITAL
Langley Court (Research Labs)
Langley Park Schools
LANGLEY PARK GOLF COURSE
LANGLEY PARK
West Wickham
WEST WICKHAM
BR4
SPRING PARK
ADDINGTON GOLF COURSE
SPRING PARK
Kelsey Park
Crease Park
Elgood Playing Field
Kelsey Park Sch.
Crouch Oak Wood
High Broom Wood
Park Farm
Parkfields Recreation Ground
Blake Recreation Ground
Sparrow's Den Playing Fields
Coney Hall Rec. Grd.
Foxes Wood
Kennel Wood
Hawes Down Jun.& Inf. Schs.
Glebe Sch.
Eden Park High Sch.
Shirley High Sch.
Benson Prim. Sch.
Primary School
Oak Lodge Prim. Sch.
Monks Orchard Prim. Sch.
Bishop Challoner Sch.
West Wickham Pools
Cheyne Site
HIGH STREET
BECKENHAM ROAD
HAYES LANE
SOUTH EDEN PARK RD.
ELMERS END ROAD
UPPER ELMERS END
WICKHAM ROAD
GLEBE WAY
ADDINGTON
A222
A214
A232
A234
A2015
A2022
B230
B251
H
J
K
L
M
N
G
1
2
3
4
5
6
7
8
9
36
37
38
39
65
66
67
68
69

65

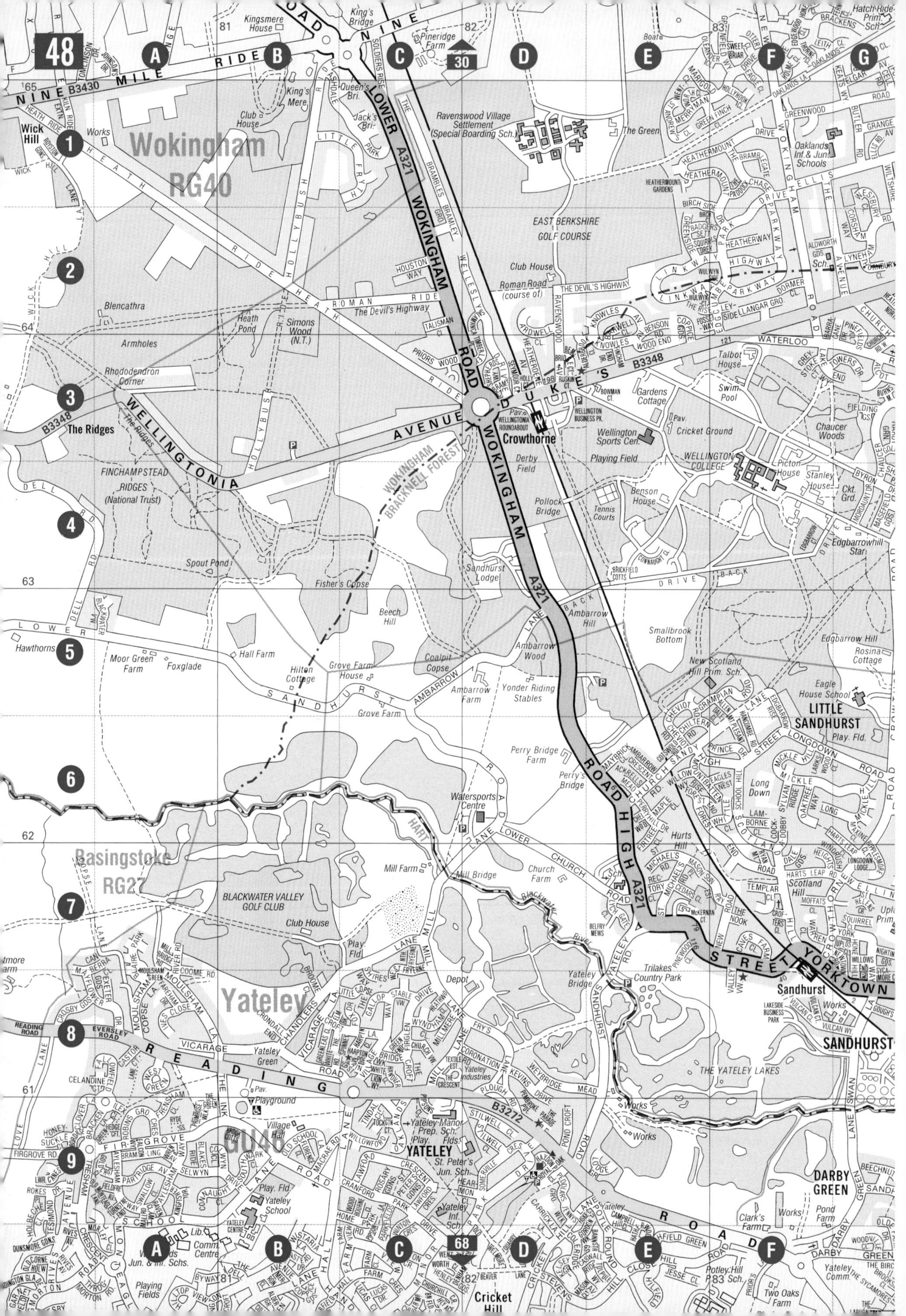

48
30
68
Wokingham
RG40
Basingstoke
RG27
GU46
Yateley
YATELEY
Crowthorne
Sandhurst
SANDHURST
LITTLE SANDHURST
DARBY GREEN
Wick Hill
NINE MILE RIDE
B3430
HEATH RIDE
ROMAN RIDE
The Devil's Highway
WELLINGTONIA AVENUE
B3348
The Ridges
FINCHAMPSTEAD RIDGES (National Trust)
Armholes
Rhododendron Corner
Blencathra
Heath Pond
Simons Wood (N.T.)
Spout Pond
Fisher's Copse
Beech Hill
Hall Farm
Moor Green Farm
Foxglade
Hawthorns
LOWER SANDHURST RD
Grove Farm House
Grove Farm
Hilton Cottage
Ambarrow Farm
Coalpit Copse
Ambarrow Wood
Ambarrow Hill
Yonder Riding Stables
Sandhurst Lodge
LOWER WOKINGHAM ROAD A321
WOKINGHAM ROAD
Ravenswood Village Settlement (Special Boarding Sch.)
The Green
EAST BERKSHIRE GOLF COURSE
Club House
Roman Road (course of)
DUKE'S RIDE
WELLINGTONIA ROUNDABOUT
WELLINGTON BUSINESS PK.
Gardens Cottage
Wellington Sports Cen.
Cricket Ground
Playing Field
WELLINGTON COLLEGE
Derby Field
Pollock Bridge
Tennis Courts
Benson House
Talbot House
Swim Pool
Picton House
Stanley House
Ckt. Grd.
Chaucer Woods
Edgbarrowhill Star
Smallbrook Bottom
Edgbarrow Hill
Rosina Cottage
Eagle House School
New Scotland Hill Prim. Sch.
Oaklands Inf. & Jun. Schools
Hatch Ride Prim. Sch.
King's Bridge
Pineridge Farm
Queen's Bri.
Jack's Bri.
King's Mere
Kingsmere House
Club House
Perry Bridge Farm
Perry's Bridge
Watersports Centre
Mill Farm
Mill Bridge
Church Farm
LOWER CHURCH ROAD
BLACKWATER VALLEY GOLF CLUB
Club House
Play. Fld
Depot
Yateley Bridge
Trilakes Country Park
THE YATELEY LAKES
HIGH STREET
YORKTOWN
Long Down
Hurts Hill
Scotland Hill
LAKESIDE BUSINESS PARK
READING ROAD
B3272
Yateley Green
Yateley Industries
Playground
Village Hall
Yateley Manor Prep. Sch.
St. Peter's Jun. Sch.
Yateley School
Yateley Inf. Sch.
Lib.
Comm. Centre
Playing Fields
Cricket Hill
Clark's Farm
Pond Farm
Potley Hill Sch.
Two Oaks Farm
Yateley Comm.
Works

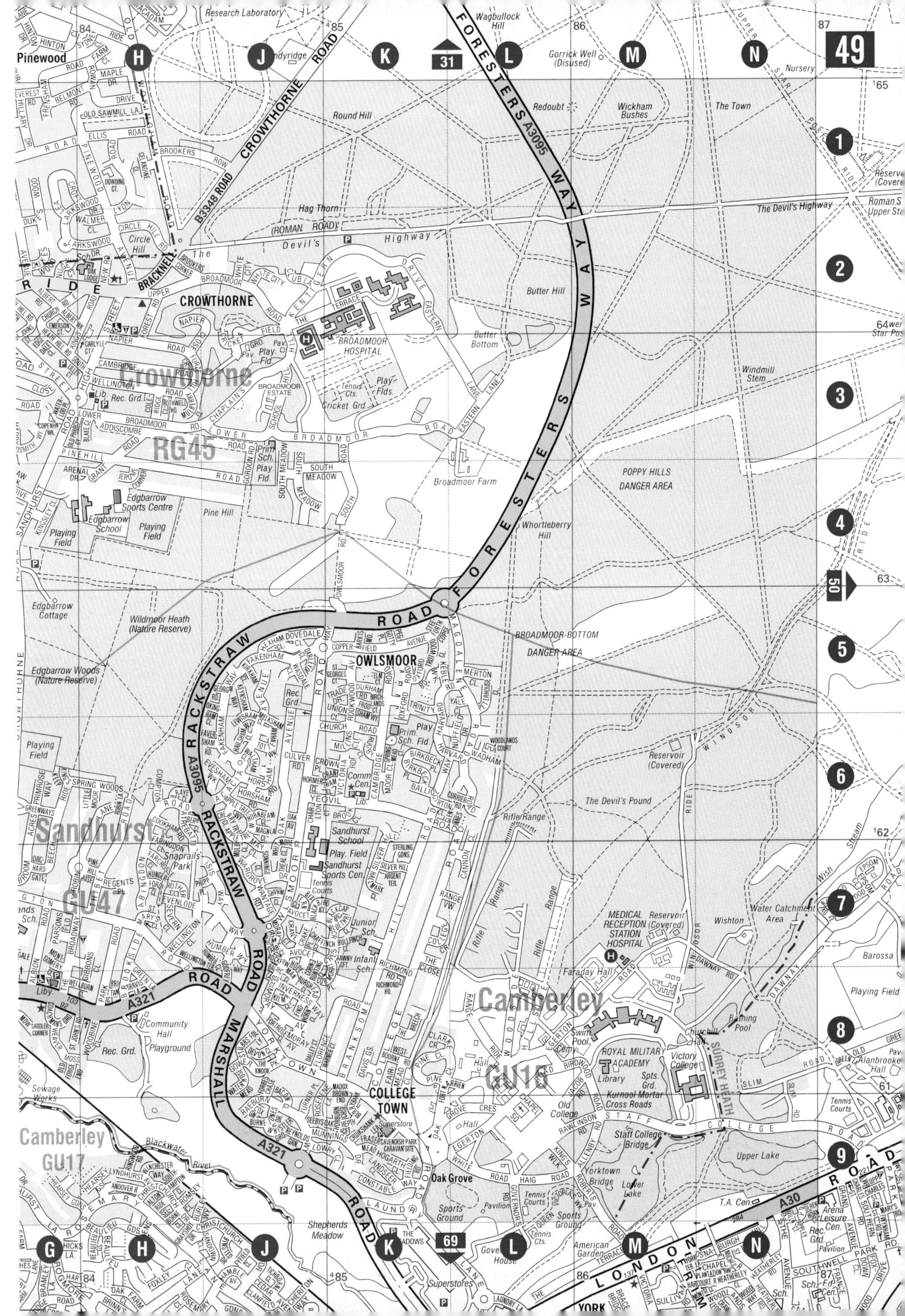

49
31
69
50
H
J
K
L
M
N
G
1
2
3
4
5
6
7
8
9
84
85
86
87
65
64
63
62
61
Pinewood
Research Laboratory
Wagbullock Hill
Gorrick Well (Disused)
Nursery
Round Hill
Redoubt
Wickham Bushes
The Town
CROWTHORNE ROAD
B3348 ROAD
FORESTERS WAY
A3095
Hag Thorn
(ROMAN ROAD)
Devil's Highway
The Devil's Highway
Circle Hill
CROWTHORNE
Crowthorne
RG45
BROADMOOR HOSPITAL
BROADMOOR ESTATE
Butter Hill
Butter Bottom
Windmill Stem
Broadmoor Farm
POPPY HILLS DANGER AREA
Whortleberry Hill
Edgbarrow Sports Centre
Edgbarrow School
Playing Field
Pine Hill
Edgbarrow Cottage
Wildmoor Heath (Nature Reserve)
Edgbarrow Woods (Nature Reserve)
RACKSTRAW ROAD
BROADMOOR-BOTTOM DANGER AREA
OWLSMOOR
Reservoir (Covered)
The Devil's Pound
Rifle Range
Sandhurst
Sandhurst School
Sandhurst Sports Cen.
Snaprails Park
GU47
MEDICAL RECEPTION STATION HOSPITAL
Wishton
Water Catchment Area
Barossa
Playing Field
Faraday Hall
Camberley
Bathing Pool
Churchill Hall
ROYAL MILITARY ACADEMY
Victory College
SURREY HEATH
GU15
Old College
Kurnool Mortar Cross Roads
Staff College Bridge
Upper Lake
Lower Lake
Yorktown Bridge
Alanbrooke Hall
Community Hall
Playground
Rec. Grd.
MARSHALL ROAD
A321
COLLEGE TOWN
Superstore
Camberley GU17
Blackwater River
Sewage Works
Oak Grove
Sports Ground
Shepherds Meadow
American Garden
LONDON ROAD
A30
Arena Leisure Cen.
T.A. Cen.
Superstores
YORK

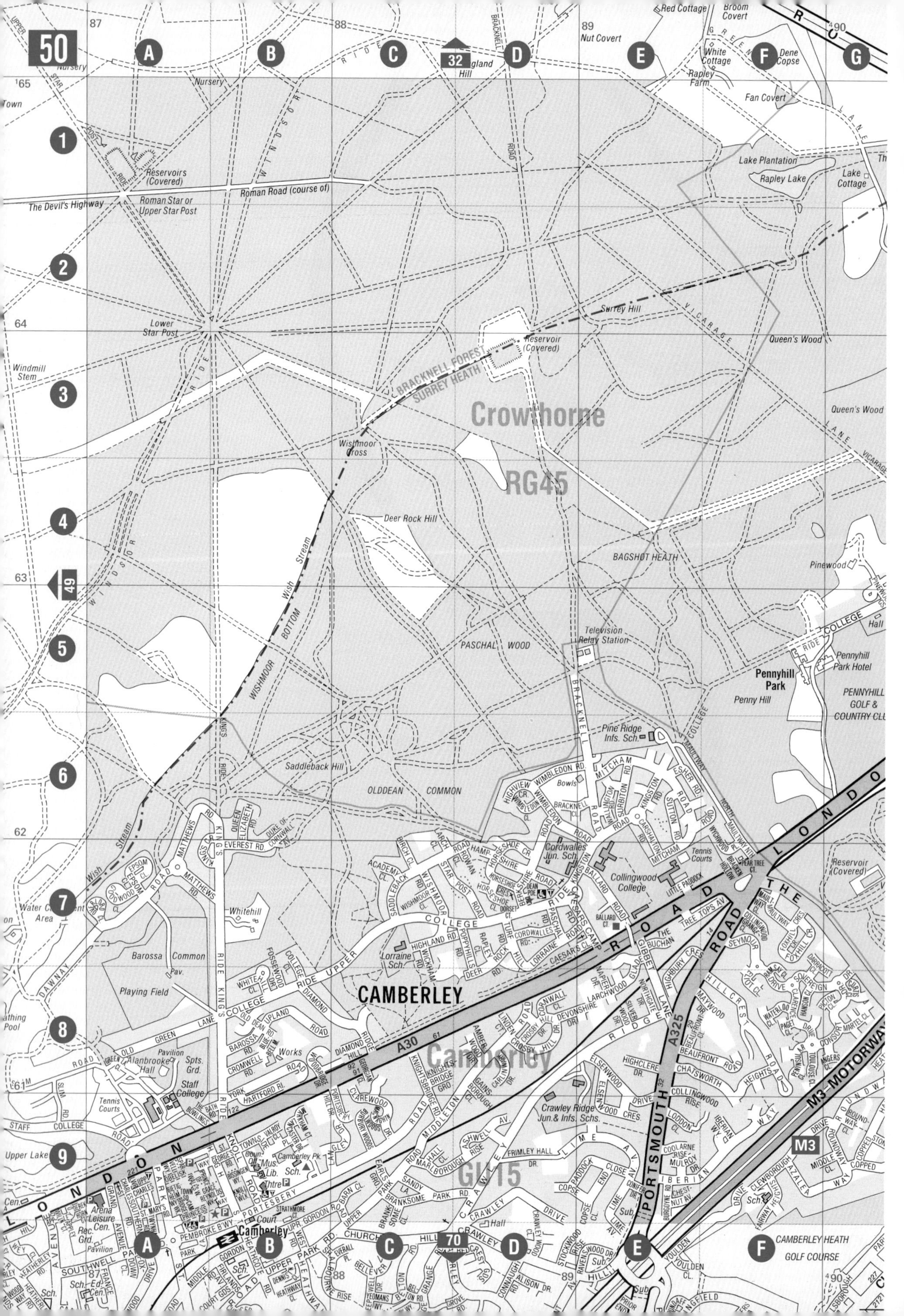

Crowthorne
RG45
CAMBERLEY
Camberley
GU15
The Devil's Highway
Roman Road (course of)
Roman Star or Upper Star Post
Reservoirs (Covered)
Lower Star Post
Windmill Stem
Wishmoor Cross
Reservoir (Covered)
Surrey Hill
BRACKNELL FOREST
SURREY HEATH
Deer Rock Hill
BAGSHOT HEATH
Television Relay Station
PASCHAL WOOD
Saddleback Hill
OLDDEAN COMMON
WISHMOOR BOTTOM
Wish Stream
Nut Covert
Red Cottage
Broom Covert
White Cottage
Rapley Farm
Dene Copse
Fan Covert
Lake Plantation
Rapley Lake
Lake Cottage
Queen's Wood
Pinewood
Pennyhill Park
Pennyhill Park Hotel
Penny Hill
PENNYHILL GOLF & COUNTRY CLUB
Pine Ridge Infs. Sch.
Cordwalles Jun. Sch.
Collingwood College
Lorraine Sch.
Whitehill
Barossa Common
Playing Field
Alanbrooke Hall
Staff College
Tennis Courts
Upper Lake
Water Catchment Area
Arena Leisure Cen.
Camberley
Crawley Ridge Jun. & Infs. Schs.
CAMBERLEY HEATH GOLF COURSE
Reservoir (Covered)
LONDON ROAD
A30
A325
PORTSMOUTH ROAD
M3 MOTORWAY
M3
COLLEGE RIDE
KING'S RIDE
UPPER COLLEGE RIDE
BRACKNELL ROAD
VICARAGE LANE

32
49
70

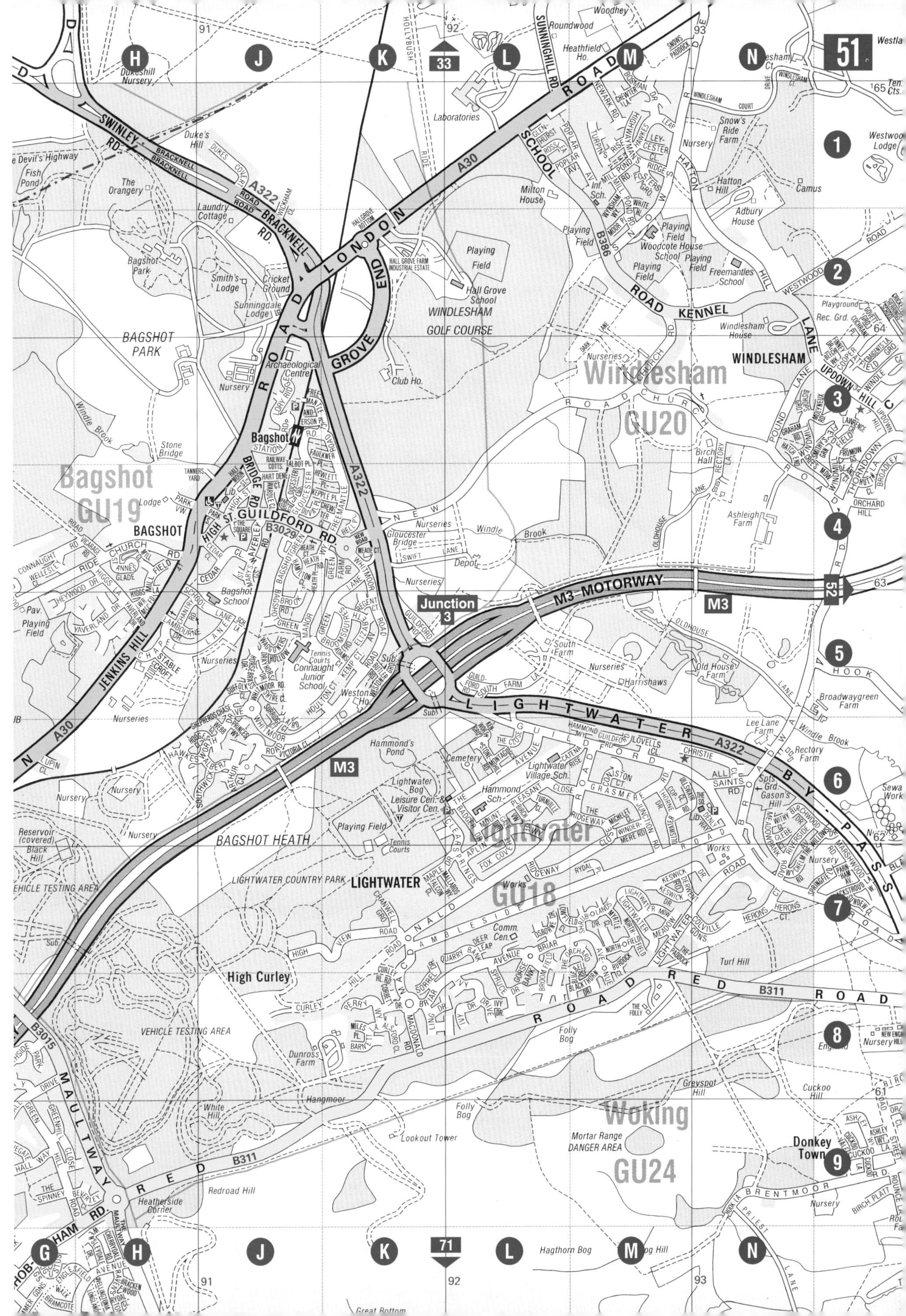

51
33
71
Bagshot GU19
BAGSHOT
Windlesham GU20
WINDLESHAM
Lightwater
LIGHTWATER
GU18
Woking GU24
BAGSHOT PARK
BAGSHOT HEATH
LIGHTWATER COUNTRY PARK
WINDLESHAM GOLF COURSE
M3 MOTORWAY
Junction 3
A30
A322
B3029
B386
B311
B3015
LONDON ROAD
BRACKNELL ROAD
GUILDFORD RD.
LIGHTWATER BY-PASS
KENNEL LANE
RED ROAD
High Curley
Donkey Town
VEHICLE TESTING AREA
Mortar Range DANGER AREA

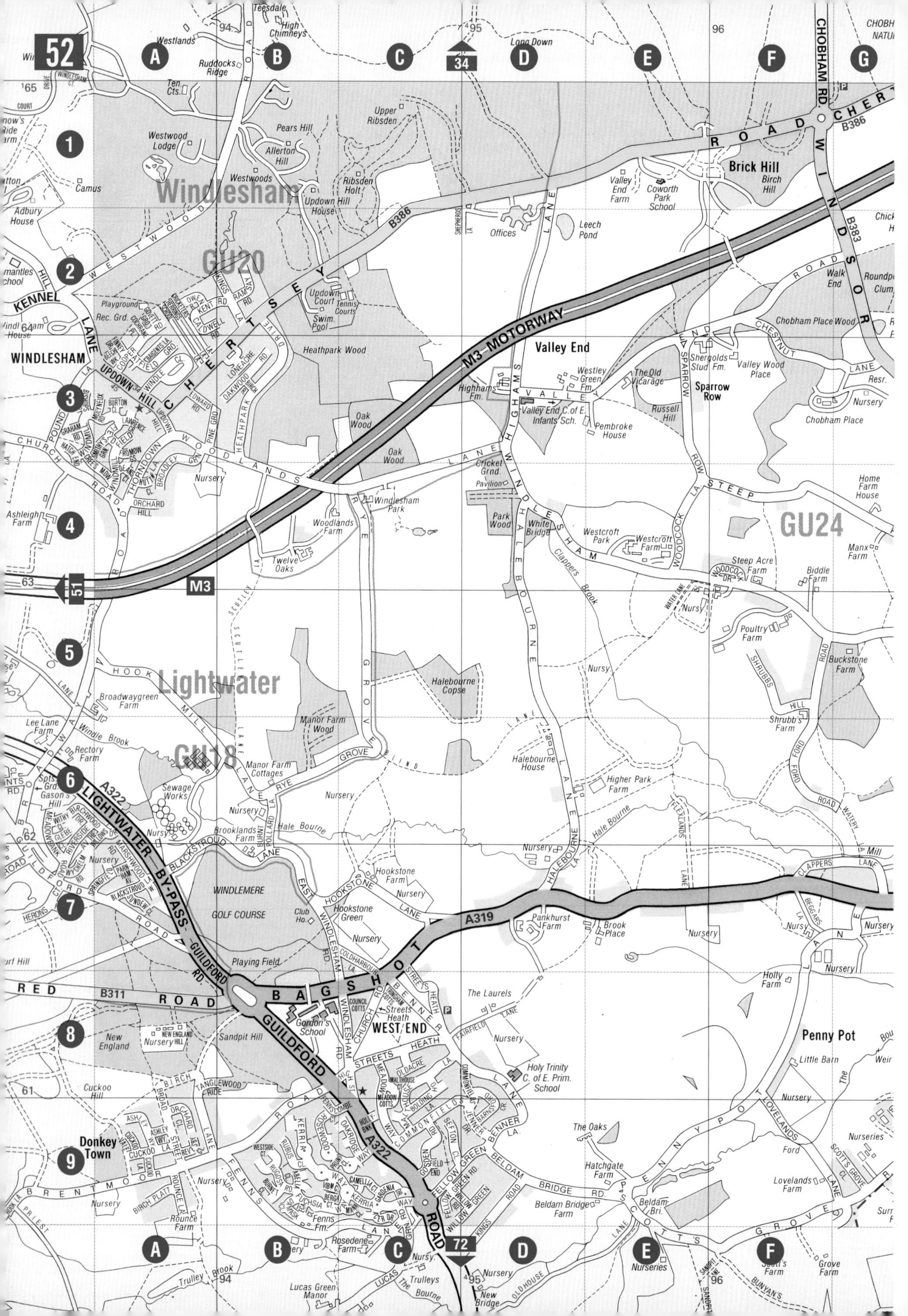

52
Windlesham
GU20
WINDLESHAM
Valley End
Brick Hill
Sparrow Row
GU24
Lightwater
GU18
WEST END
Donkey Town
Penny Pot
M3 MOTORWAY
A322
A319
B386
B383
B311
LIGHTWATER BY-PASS
GUILDFORD RD.
BAGSHOT RD.
CHERTSEY ROAD
WINDSOR ROAD
WINDLEMERE GOLF COURSE
Heathpark Wood
Oak Wood
Halebourne Copse
Manor Farm Wood
Park Wood
Chobham Place Wood
Gordon's School
Holy Trinity C. of E. Prim. School
Valley End C. of E. Infants Sch.
Coworth Park School
34
51
72

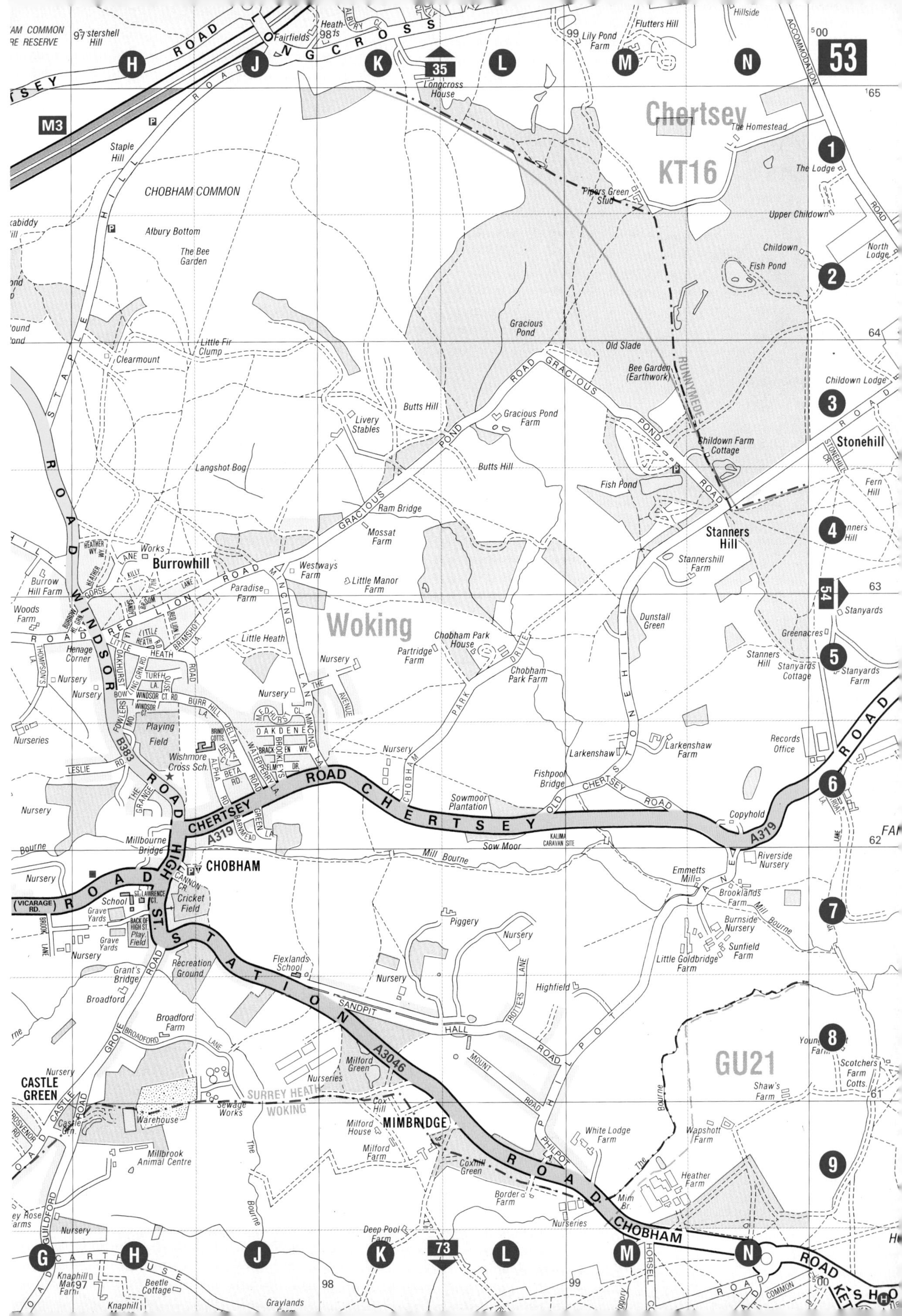
CHOBHAM COMMON
Chertsey
KT16
Woking
GU21
CHOBHAM
Burrowhill
Stonehill
Stanners Hill
MIMBRIDGE
CASTLE GREEN
M3
35
54
73
A319
A3046
B383
LONGCROSS
WINDSOR ROAD
CHERTSEY ROAD
STATION ROAD
GRACIOUS POND ROAD
STAPLE HILL
STONEHILL ROAD
CHOBHAM PARK DRIVE
CHOBHAM ROAD
SANDPIT HALL ROAD
PHILPOT LANE
RED LION ROAD
HIGH ST.
GUILDFORD ROAD
CASTLE GROVE ROAD
CARTHOUSE
Longcross House
Fairfields
Heathfields
Lily Pond Farm
Flutters Hill
Hillside
The Homestead
The Lodge
Upper Childown
Childown
North Lodge
Fish Pond
Pipers Green Stud
Staple Hill
Albury Bottom
The Bee Garden
Gracious Pond
Old Slade
Bee Garden (Earthwork)
Childown Lodge
Clearmount
Little Fir Clump
Livery Stables
Butts Hill
Gracious Pond Farm
Childown Farm Cottage
Langshot Bog
Ram Bridge
Mossat Farm
Westways Farm
Little Manor Farm
Paradise Farm
Stannershill Farm
Dunstall Green
Stanyards
Greenacres
Stanyards Cottage
Stanyards Farm
Little Heath
Chobham Park House
Partridge Farm
Chobham Park Farm
Burrow Hill Farm
Woods Farm
Henage Corner
Nursery
Nurseries
Playing Field
Wishmore Cross Sch.
Larkenshaw
Larkenshaw Farm
Records Office
Fishpool Bridge
Sowmoor Plantation
Sow Moor
Copyhold
Millbourne Bridge
Mill Bourne
Riverside Nursery
Emmetts Mill
Brooklands Farm
Burnside Nursery
Sunfield Farm
Little Goldbridge Farm
Cricket Field
School
Grave Yards
Play Field
Piggery
Highfield
Recreation Ground
Flexlands School
Grant's Bridge
Broadford
Broadford Farm
Milford Green
Cox Hill
Sewage Works
Warehouse
Milford House
Milford Farm
Millbrook Animal Centre
Coxhill Green
Border Farm
White Lodge Farm
Wapshott Farm
Heather Farm
Shaw's Farm
Scotchers Farm Cotts
Deep Pool Farm
Beetle Cottage
Knaphill Manor Farm
Graylands Farm
SURREY HEATH
WOKING
RUNNYMEDE
KALIMA CARAVAN SITE
H J K L M N
G H J K L M N
1 2 3 4 5 6 7 8 9
97 98 99 500
65 64 63 62 61

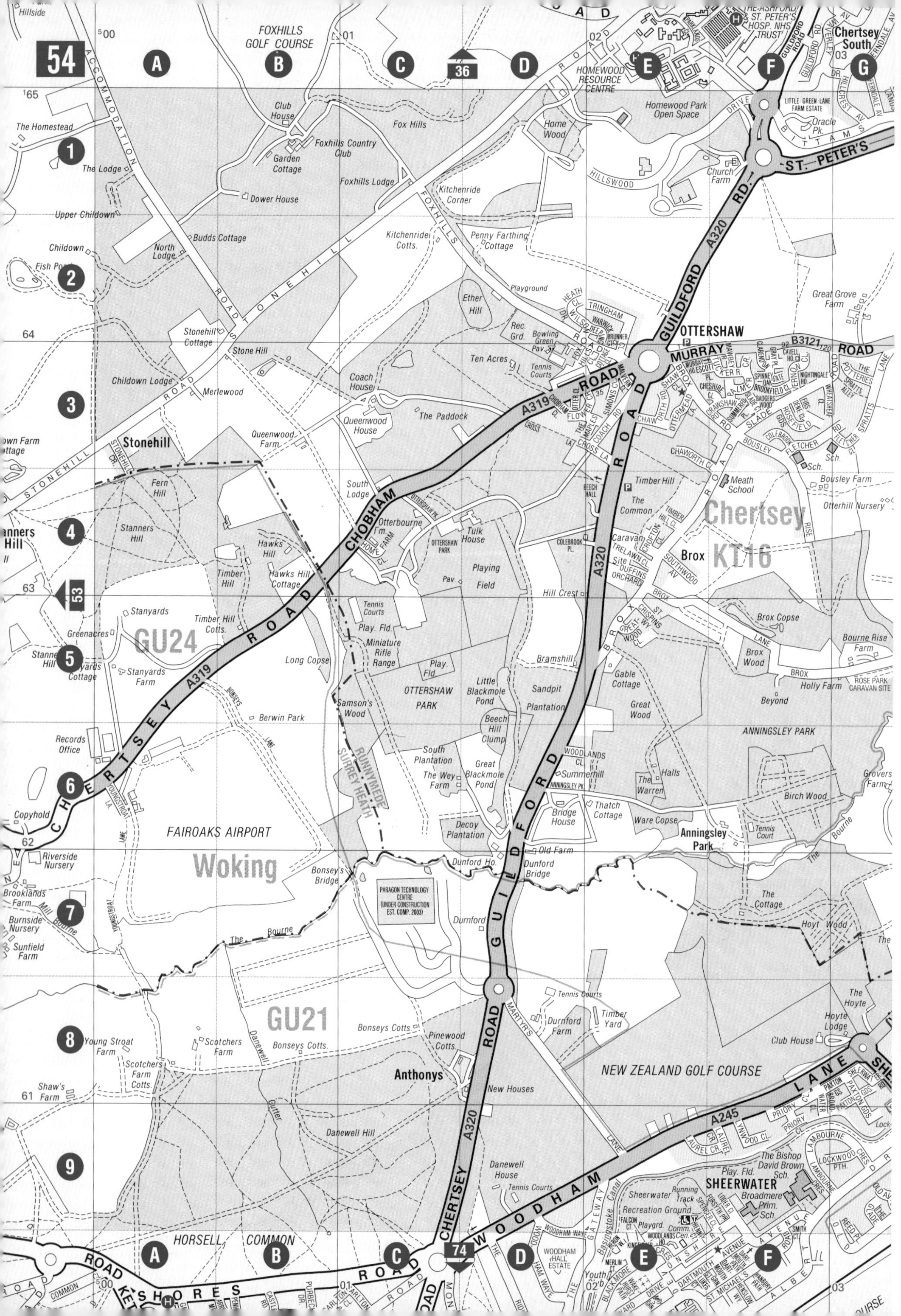
FOXHILLS GOLF COURSE
A
B
C
D
E
F
G
36
HOMEWOOD RESOURCE CENTRE
THE ASHFORD & ST. PETER'S HOSP. NHS TRUST
Chertsey South
Club House
Foxhills Country Club
Garden Cottage
Fox Hills
Foxhills Lodge
Homewood Park Open Space
Home Wood
Little Green Lane Farm Estate
Oracle Pk.
ST. PETER'S
Church Farm
The Homestead
The Lodge
Dower House
Upper Childown
Childown
Fish Pond
Budds Cottage
North Lodge
Kitchenride Corner
Kitchenride Cotts.
Penny Farthing Cottage
Ether Hill
Playground
Great Grove Farm
Stonehill Cottage
Stone Hill
Childown Lodge
Merlewood
Coach House
Ten Acres
Rec. Grd.
Bowling Green Pav.
Tennis Courts
OTTERSHAW
MURRAY ROAD
B3121
GUILDFORD ROAD
A320
A319 ROAD
Queenwood House
The Paddock
Queenwood Farm
Stonehill
Fern Hill
Stanners Hill
South Lodge
CHOBHAM
Otterbourne Fm.
Tulk House
Timber Hill
The Common
Meath School
Chertsey KT16
Brox
Bousley Farm
Otterhill Nursery
Caravan Site
Hawks Hill
Hawks Hill Cottage
Timber Hill
Playing Field
Hill Crest
Brox Copse
Bourne Rise Farm
Stanyards
Greenacres
GU24
Timber Hill Cotts.
Tennis Courts
Play. Fld.
Miniature Rifle Range
Brox Wood
Holly Farm
Rose Park Caravan Site
Stanyards Cottage
Stanyards Farm
Long Copse
Bramshill
Gable Cottage
Beyond
Samson's Wood
OTTERSHAW PARK
Little Blackmole Pond
Sandpit Plantation
Great Wood
Berwin Park
Beech Hill Clump
ANNINGSLEY PARK
Records Office
South Plantation
The Wey Farm
Great Blackmole Pond
Summerhill
The Warren
Halls
Grovers Farm
Birch Wood
RUNNYMEDE
SURREY HEATH
Copyhold
FAIROAKS AIRPORT
Bridge House
Thatch Cottage
Ware Copse
Anningsley Park
Decoy Plantation
Riverside Nursery
Woking
Bonsey's Bridge
Dunford Ho.
Old Farm
Dunford Bridge
Brooklands Farm
Burnside Nursery
Sunfield Farm
PARAGON TECHNOLOGY CENTRE (UNDER CONSTRUCTION EST. COMP. 2003)
Durnford
The Cottage
Hoyt Wood
The Bourne
Tennis Courts
Timber Yard
Durnford Farm
The Hoyte
Hoyte Lodge
GU21
Young Stroat Farm
Scotchers Farm
Bonseys Cotts
Bonseys Cotts.
Pinewood Cotts.
Club House
Scotchers Farm Cotts.
Anthonys
NEW ZEALAND GOLF COURSE
Shaw's Farm
New Houses
Danewell Hill
A245
WOODHAM LANE
Danewell House
Tennis Courts
The Bishop David Brown Sch.
SHEERWATER
Broadmere Prim. Sch.
Sheerwater Recreation Ground
Running Track
Play. Fld.
HORSELL COMMON
SHORES ROAD
WOODHAM HALL ESTATE
74
53

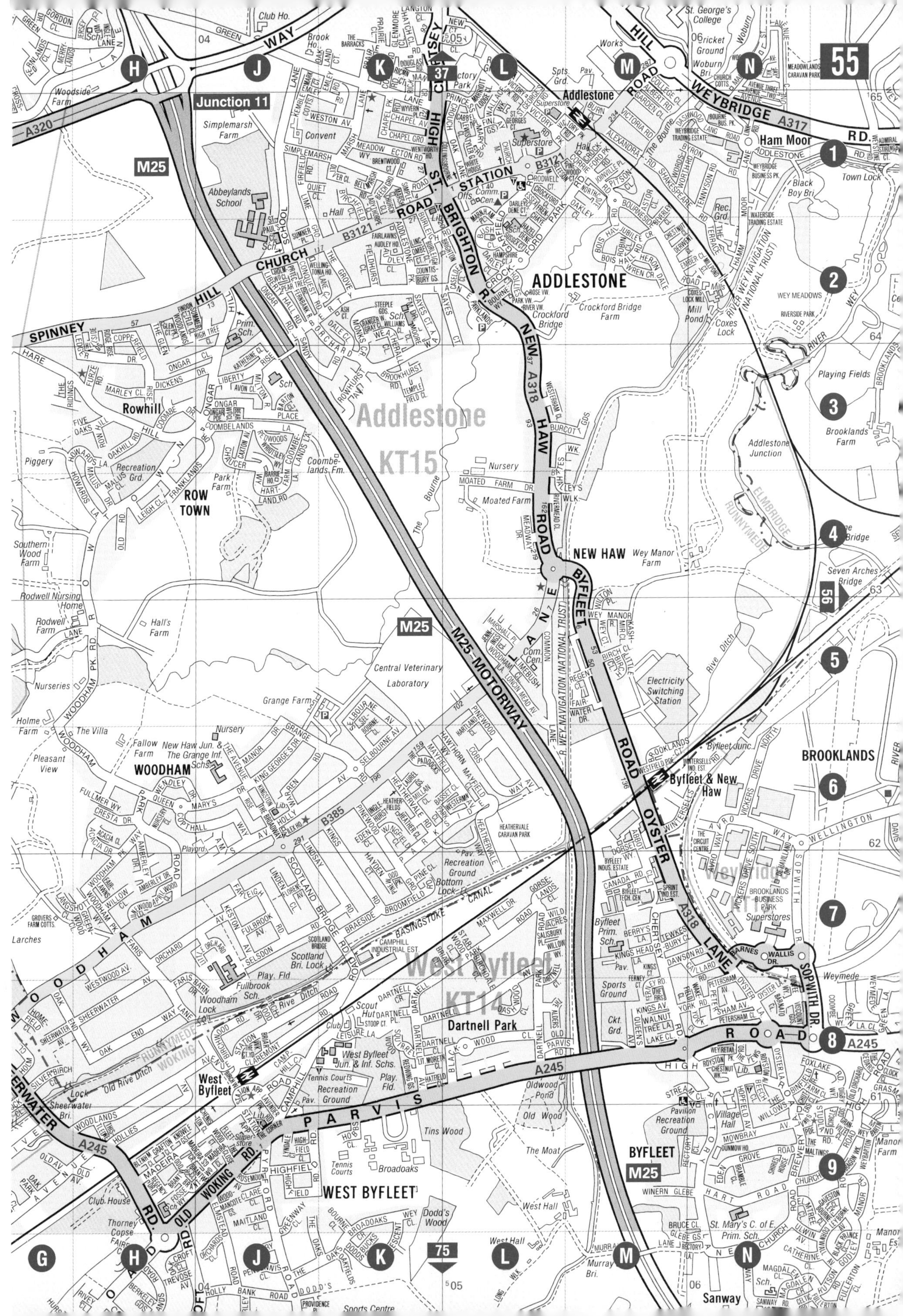
55
Junction 11
M25
A320
GREEN WAY
Woodside Farm
Simplemarsh Farm
Abbeylands School
Convent
WESTON AV.
SIMPLEMARSH
CHAPEL AV.
CHAPEL GRO.
HIGH ST.
CHERTSEY
STATION
ROAD
B3121
CHURCH
HILL
SPINNEY
BRIGHTON R.
Superstore
Addlestone
Works
St. George's College
Cricket Ground
Woburn
WEYBRIDGE A317
RD.
Ham Moor
ADDLESTONE
Town Lock
Black Boy Bri.
Rec. Grd.
WATERSIDE TRADING ESTATE
RIVER WEY NAVIGATION (NATIONAL TRUST)
ADDLESTONE
Crockford Bridge
Crockford Bridge Farm
Mill Pond
Coxes Lock
WEY MEADOWS
RIVERSIDE PARK
RIVER WEY
Playing Fields
Brooklands Farm
Addlestone Junction
ELMBRIDGE
RUNNYMEDE
Rowhill
Piggery
Recreation Grd.
Park Farm
ROW TOWN
Southern Wood Farm
Rodwell Nursing Home
Rodwell Farm
Coombelands Fm.
Addlestone
KT15
NEW HAW
A318
ROAD
Nursery
MOATED FARM DR.
Moated Farm
NEW HAW
Wey Manor Farm
Seven Arches Bridge
56
BYFLEET
Hall's Farm
M25
M25 MOTORWAY
Central Veterinary Laboratory
Electricity Switching Station
Rive Ditch
Nurseries
Holme Farm
The Villa
Grange Farm
Nursery
Fallow Farm
New Haw Jun. & The Grange Inf. Schs.
Pleasant View
WOODHAM
B385
HEATHERVALE CARAVAN PARK
Recreation Ground
Bottom Lock
Byfleet Junc.
Byfleet & New Haw
BROOKLANDS
VICKERS DRIVE NORTH
WELLINGTON WAY
BYFLEET INDUS. ESTATE
BROOKLANDS BUSINESS PARK
Superstores
OYSTER
A318
LANE
Weymede
WOODHAM
BASINGSTOKE CANAL
CAMPHILL INDUSTRIAL EST.
Scotland Bri. Lock
Play. Fld
Fullbrook Sch.
Woodham Lock
West Byfleet
KT14
Dartnell Park
Byfleet Prim. Sch.
Sports Ground
Ckt. Grd.
ROAD
A245
West Byfleet Jun. & Inf. Schs.
Tennis Courts
Recreation Ground
Play. Fld.
Oldwood Pond
Old Wood
West Byfleet
Sheerwater Bri.
Old Rive Ditch
SHEERWATER
A245
PARVIS
Tins Wood
The Moat
Tennis Courts
Broadoaks
WEST BYFLEET
BYFLEET
M25
Pavilion
Recreation Ground
Village Hall
WINERN GLEBE
St. Mary's C. of E. Prim. Sch.
CHURCH
Manor Farm
Club House
Thorney Copse
West Hall
Dodd's Wood
West Hall
Murray Bri.
Sanway
Sports Centre
75
G H J K L M N
1 2 3 4 5 6 7 8 9
04 05 06
61 62 63 64 65

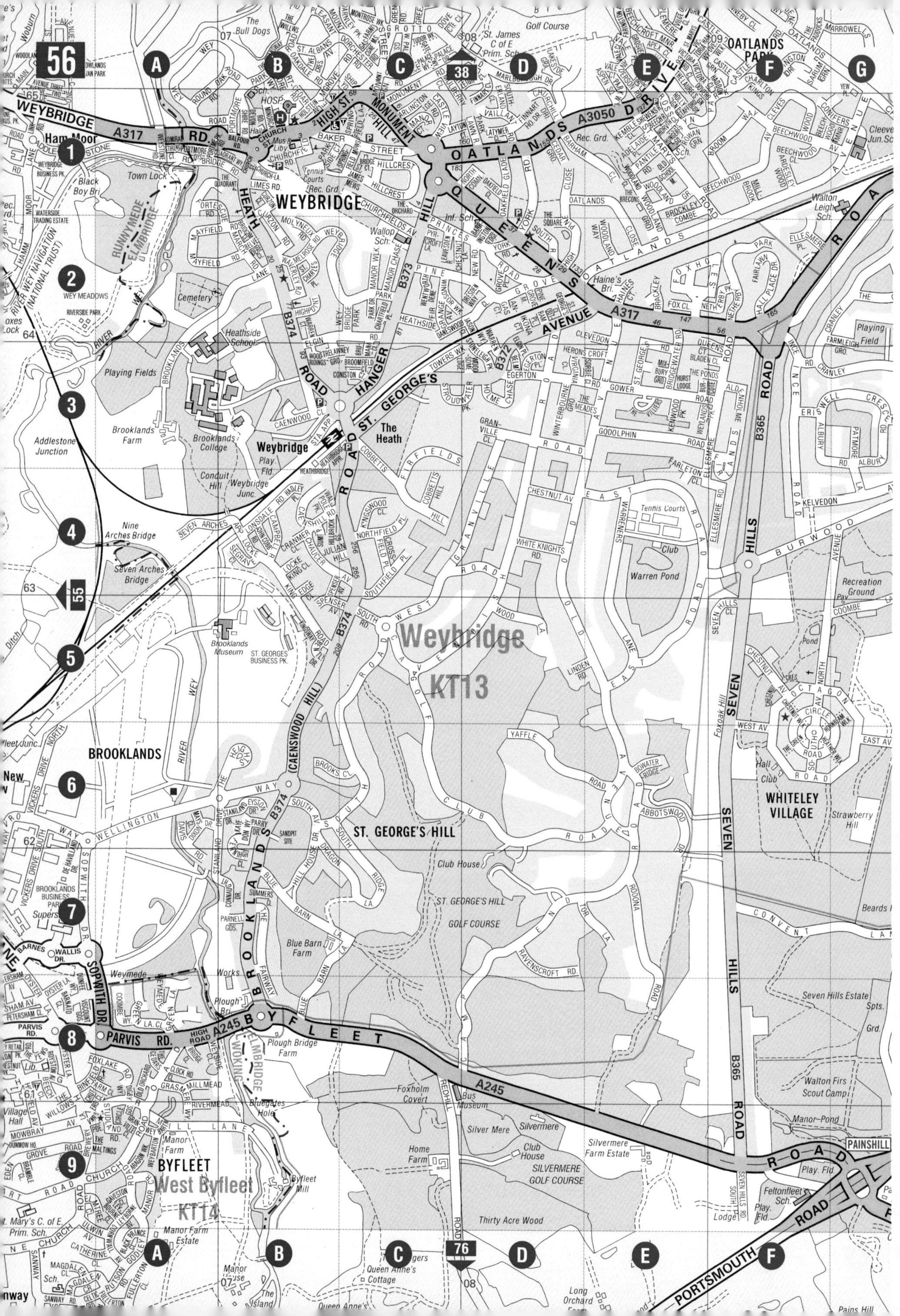

A
B
C
D
E
F
G
1
2
3
4
5
6
7
8
9
38
55
76
WEYBRIDGE
Weybridge
KT13
OATLANDS PARK
BROOKLANDS
ST. GEORGE'S HILL
WHITELEY VILLAGE
BYFLEET
West Byfleet
KT14
PAINSHILL
Ham Moor
Town Lock
Black Boy Bri
WEYBRIDGE BUSINESS PK.
WATERSIDE TRADING ESTATE
RIVER WEY NAVIGATION (NATIONAL TRUST)
RUNNYMEDE
ELMBRIDGE
WEY MEADOWS
RIVERSIDE PARK
Cemetery
Heathside School
Playing Fields
Addlestone Junction
Brooklands Farm
Brooklands College
Conduit Hill
Weybridge Junc.
The Heath
Play. Fld.
Nine Arches Bridge
Seven Arches Bridge
Brooklands Museum
ST. GEORGES BUSINESS PK.
SANDPIT SITE
Club House
ST. GEORGE'S HILL GOLF COURSE
Blue Barn Farm
Plough Bridge Farm
Foxholm Covert
Bus Museum
Silver Mere
Silvermere
Club House
SILVERMERE GOLF COURSE
Silvermere Farm Estate
Home Farm
Thirty Acre Wood
Byfleet Mill
Bluegates Hole
Manor Farm
Manor Farm Estate
Queen Anne's Cottage
Long Orchard
Tennis Courts
Club
Warren Pond
Recreation Ground
Strawberry Hill
Seven Hills Estate
Walton Firs Scout Camp
Manor Pond
Feltonfleet Sch.
Play. Fld.
Lodge
Beards Hill
Pains Hill
The Bull Dogs
St. James C of E Prim. Sch.
Golf Course
Cleeve Jun. Sch.
Walton Leigh Sch.
Haine's Bri.
Playing Field
Rec. Grd.
Tennis Courts
Wallop Sch.
Inf. Sch.
Weymede
Works
Plough Bri.
St. Mary's C. of E. Prim. Sch.
Village Hall
Foxoak Hill
WEYBRIDGE A317 RD.
HIGH ST.
MONUMENT HILL
OATLANDS DRIVE A3050
QUEENS ROAD
A317
ST. GEORGE'S AVENUE B372
HEATH ROAD B374
HANGER HILL B373
BROOKLANDS ROAD
CAENSWOOD HILL
SEVEN HILLS ROAD B365
BYFLEET ROAD A245
PARVIS RD.
SOPWITH DR.
WELLINGTON WAY
PORTSMOUTH ROAD
BURWOOD ROAD
CONVENT LANE
OCTAGON ROAD

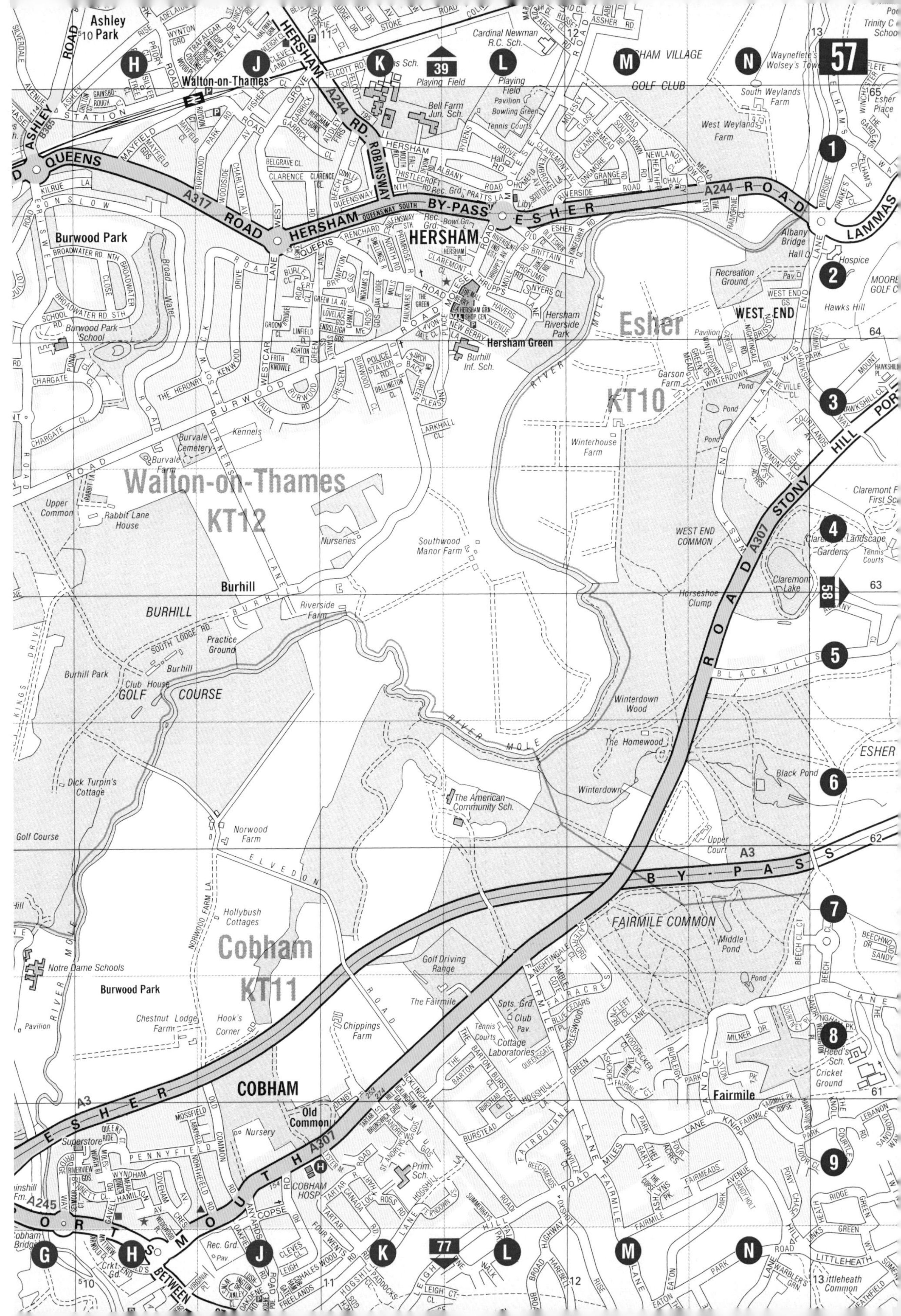
Ashley Park
Walton-on-Thames
Cardinal Newman R.C. Sch.
Playing Field
HERSHAM VILLAGE
GOLF CLUB
Wayneflete's Wolsey's Tower
South Weylands Farm
West Weylands Farm
Bell Farm Jun. Sch.
Pavilion
Bowling Green
Tennis Courts
QUEENS ROAD
A317
HERSHAM ROAD
HERSHAM BY-PASS
ESHER ROAD
A244
ROBINSWAY
HERSHAM
Burwood Park
Burwood Park School
Hersham Riverside Park
Hersham Green
Burhill Inf. Sch.
Esher
KT10
WEST END
Recreation Ground
Albany Bridge
Hospice
Hawks Hill
LAMMAS
Garson Farm
Winterhouse Farm
WEST END COMMON
Claremont Landscape Gardens
Claremont Lake
Horseshoe Clump
STONY HILL
A307
BLACKHILLS
Burvale Cemetery
Burvale Farm
Kennels
Walton-on-Thames
KT12
Upper Common
Rabbit Lane House
Nurseries
Southwood Manor Farm
Burhill
BURHILL
Riverside Farm
Practice Ground
Burhill Park
Club House
GOLF COURSE
RIVER MOLE
Winterdown Wood
The Homewood
Winterdown
Black Pond
ESHER
Dick Turpin's Cottage
Norwood Farm
The American Community Sch.
Golf Course
Upper Court
A3
ESHER BY-PASS
ELVEDON ROAD
FAIRMILE COMMON
Middle Pond
Hollybush Cottages
Cobham
KT11
Notre Dame Schools
Burwood Park
Golf Driving Range
The Fairmile
Chestnut Lodge Farm
Hook's Corner
Chippings Farm
Spts. Grd.
Club Pav.
Cottage Laboratories
Reed's Sch.
Cricket Ground
Fairmile
COBHAM
Old Common
Nursery
Superstore
Prim. Sch.
COBHAM HOSP
PORTSMOUTH ROAD
A245
BETWEEN STREETS
Rec. Grd.
Cobham Bridge
Crkt. Gd.
Littleheath Common
LITTLEHEATH
39
58
77
62
63
64
65
61
10
11
12
13

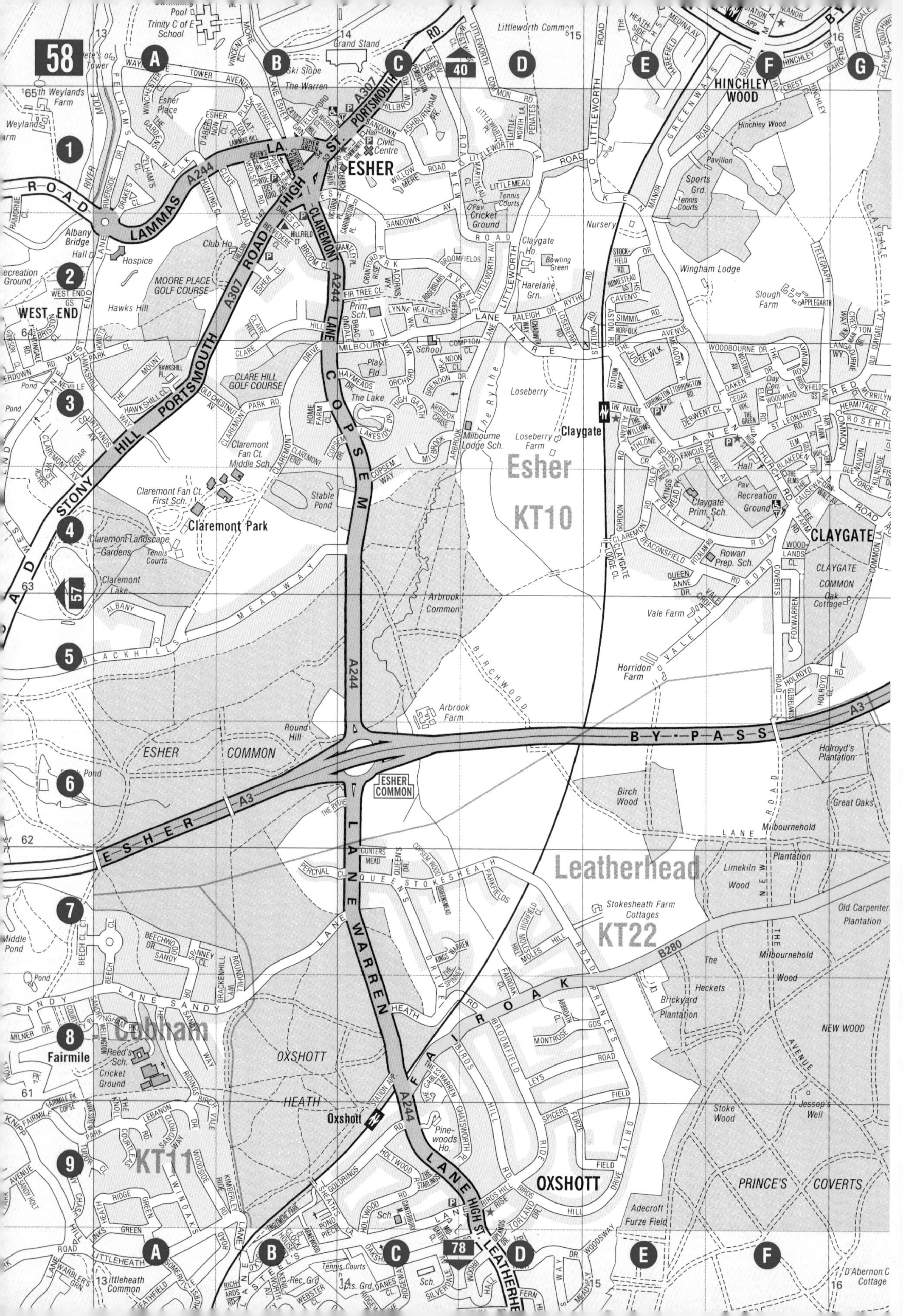
58
ESHER
Esher
KT10
CLAYGATE
Claygate
HINCHLEY WOOD
WEST END
Cobham
Fairmile
KT11
OXSHOTT
Oxshott
Leatherhead
KT22
ESHER COMMON
OXSHOTT HEATH
PRINCE'S COVERTS
Claremont Park
Claremont Landscape Gardens
Claremont Lake
Claremont Fan Ct. First Sch.
Claremont Fan Ct. Middle Sch.
MOORE PLACE GOLF COURSE
CLARE HILL GOLF COURSE
Esher Place
Hawks Hill
Hospice
Albany Bridge
Trinity C of E School
Grand Stand
Ski Slope
The Warren
Civic Centre
Littleworth Common
Cricket Ground
Claygate Ho.
Bowling Green
Harelane Grn.
Loseberry
Loseberry Farm
Milbourne Lodge Sch.
Nursery
Wingham Lodge
Slough Farm
Hinchley Wood
Sports Grd.
Tennis Courts
Pavilion
Claygate Prim. Sch.
Rowan Prep. Sch.
Recreation Ground
CLAYGATE COMMON
Oak Cottage
Vale Farm
Horridon Farm
Arbrook Common
Arbrook Farm
Round Hill
Stable Pond
The Lake
Play Fld.
Birch Wood
Holroyd's Plantation
Great Oaks
Milbournehold Plantation
Limekiln Wood
Old Carpenter Plantation
The Milbournehold Wood
The Heckets
Brickyard Plantation
NEW WOOD
Stoke Wood
Jessop's Well
Adecroft Furze Field
D'Abernon Cottage
Stokesheath Farm Cottages
Reed's Sch.
Cricket Ground
Pine-woods Ho.
Middle Pond
Littleheath Common
A3 ESHER BY-PASS
A244
A307
A244 LAMMAS LA.
B280
PORTSMOUTH ROAD
STONY HILL
HIGH ST.
CLAREMONT LANE
COPSEM LANE
WARREN LANE
FAIROAK LANE
BLACKHILLS
MEADWAY
MILBOURNE LANE
LITTLEWORTH ROAD
OAKEN LANE
HARE LANE
CHURCH RD.
SANDY LANE
HIGH ST. LEATHERHEAD
40
57
78

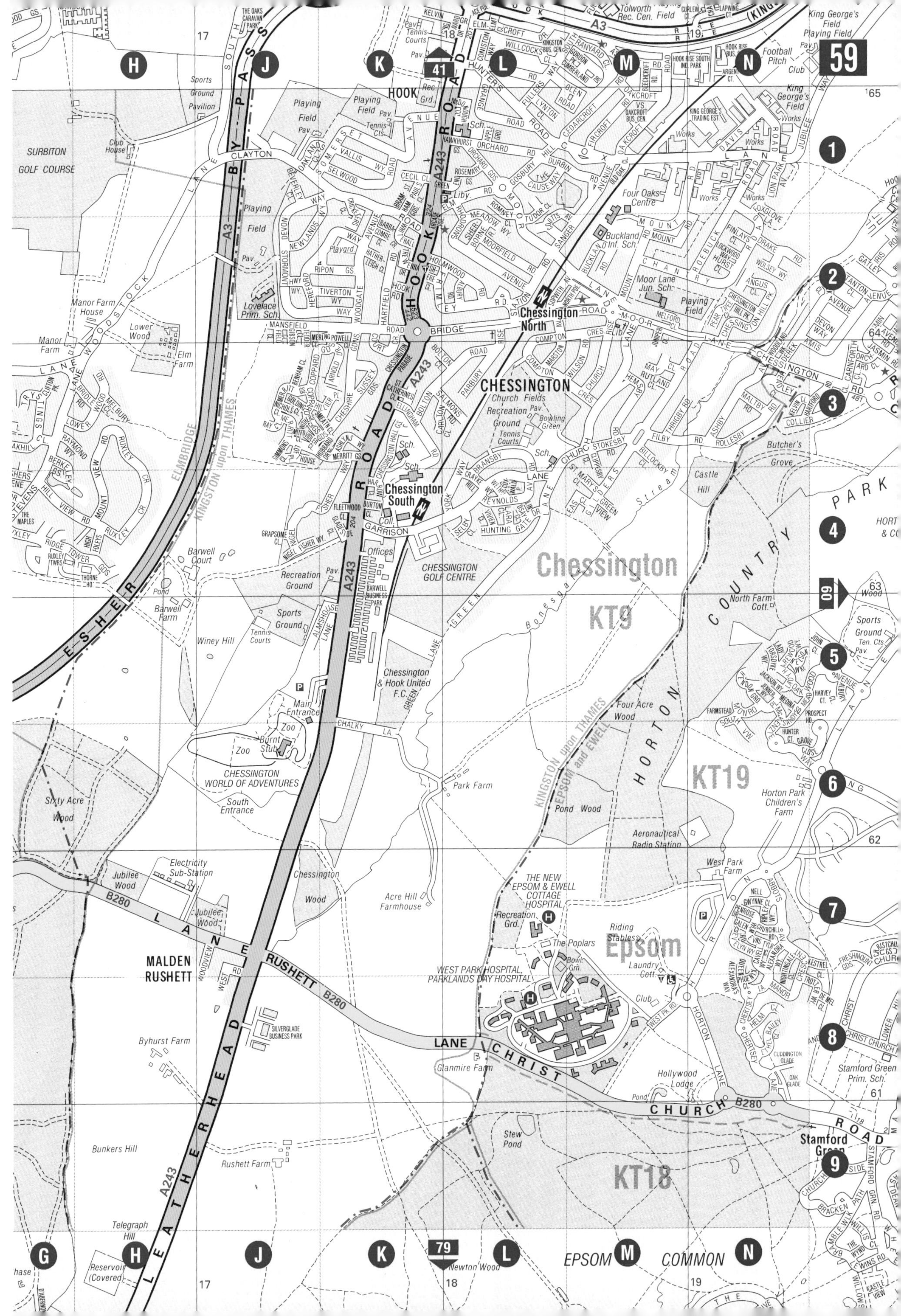
SURBITON GOLF COURSE
HOOK
CHESSINGTON
Chessington North
Chessington South
Chessington
KT9
KT19
KT18
Epsom
EPSOM COMMON
MALDEN RUSHETT
ESHER BY-PASS
A3
A243
HOOK ROAD
LEATHERHEAD ROAD
B280
RUSHETT LANE
CHRIST CHURCH ROAD
HORTON LANE
HORTON COUNTRY PARK
CHESSINGTON WORLD OF ADVENTURES
Zoo
Main Entrance
South Entrance
CHESSINGTON GOLF CENTRE
Chessington & Hook United F.C.
Church Fields Recreation Ground
Four Oaks Centre
Buckland Inf. Sch.
Moor Lane Jun. Sch.
Lovelace Prim. Sch.
Barwell Court
Barwell Farm
Winey Hill
Sixty Acre Wood
Jubilee Wood
Electricity Sub-Station
Chessington Wood
Acre Hill Farmhouse
Park Farm
Four Acre Wood
Pond Wood
Aeronautical Radio Station
West Park Farm
THE NEW EPSOM & EWELL COTTAGE HOSPITAL
WEST PARK HOSPITAL, PARKLANDS DAY HOSPITAL
Riding Stables
Horton Park Children's Farm
Glanmire Farm
Hollywood Lodge
Stew Pond
Bunkers Hill
Rushett Farm
Byhurst Farm
SILVERGLADE BUSINESS PARK
Telegraph Hill
Reservoir (Covered)
Newton Wood
Stamford Green
Stamford Green Prim. Sch.
King George's Field
King George's Field Playing Field
Football Pitch
Tolworth Rec. Cen. Field
Manor Farm House
Manor Farm
Lower Wood
Elm Farm
Castle Hill
Butcher's Grove
North Farm Cott.
Sports Ground
Recreation Ground
KINGSTON upon THAMES
EPSOM and EWELL
ELMBRIDGE
41
60
79
17
18
19
65
64
63
62
61

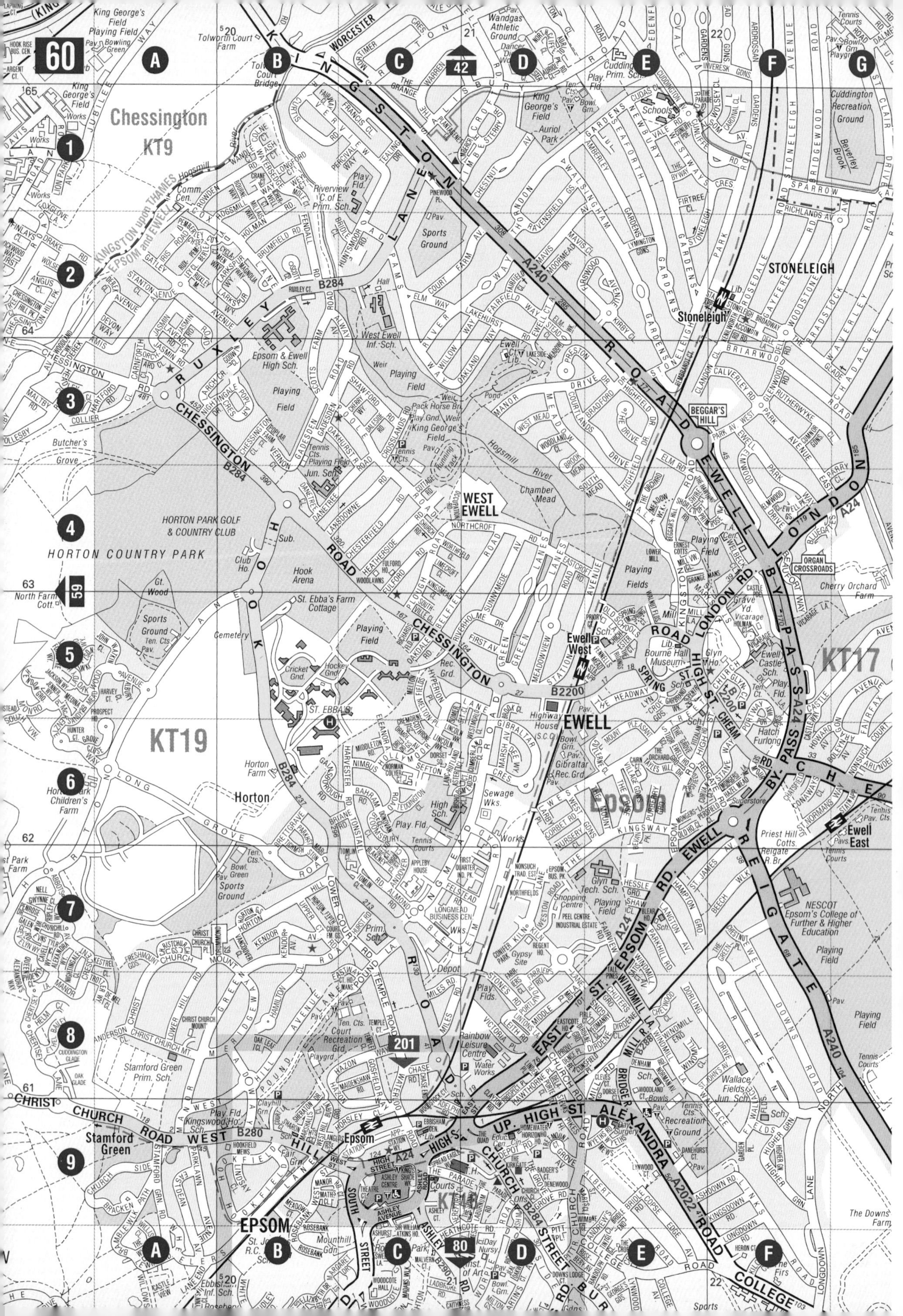

60
42
59
201
80
A
B
C
D
E
F
G
1
2
3
4
5
6
7
8
9
Chessington
KT9
KT19
KT17
STONELEIGH
Stoneleigh
WEST EWELL
EWELL
Epsom
EPSOM
Horton
HORTON COUNTRY PARK
HORTON PARK GOLF & COUNTRY CLUB
Stamford Green
KINGSTON upon THAMES
EPSOM and EWELL
King George's Field Playing Field
Tolworth Court Farm
Tolworth Court Bridge
Wandgas Athletic Ground
Cuddington Recreation Ground
Beverley Brook
Auriol Park
Riverview C. of E. Prim. Sch.
Sports Ground
West Ewell Inf. Sch.
Epsom & Ewell High Sch.
Hogsmill River
Chamber Mead
Butcher's Grove
Hook Arena
St. Ebba's Farm Cottage
Cemetery
North Farm Cott.
Horton Park Children's Farm
Bourne Hall Museum
Ewell West
Ewell East
Ewell Castle Sch.
Hatch Furlong
Cherry Orchard Farm
ORGAN CROSSROADS
BEGGAR'S HILL
Priest Hill Cotts.
NESCOT Epsom's College of Further & Higher Education
Glyn Tech. Sch.
Gibraltar Rec. Grd.
Highway House (S.C.C.)
Sewage Wks.
Rainbow Leisure Centre
Court Recreation Grd.
Stamford Green Prim. Sch.
Kingswood Ho. Sch.
Wallace Fields Jun. Sch.
The Downs Farm
Ashley Centre
Longmead Business Cen.
Gypsy Site
KINGSTON ROAD
A240
A24
B284
B2200
B280
A2022
CHESSINGTON ROAD
RUXLEY LANE
HOOK ROAD
LONG GROVE ROAD
CHRIST CHURCH ROAD WEST
EWELL BY-PASS
LONDON RD.
REIGATE ROAD
EPSOM RD.
EAST ST.
ALEXANDRA ROAD
COLLEGE

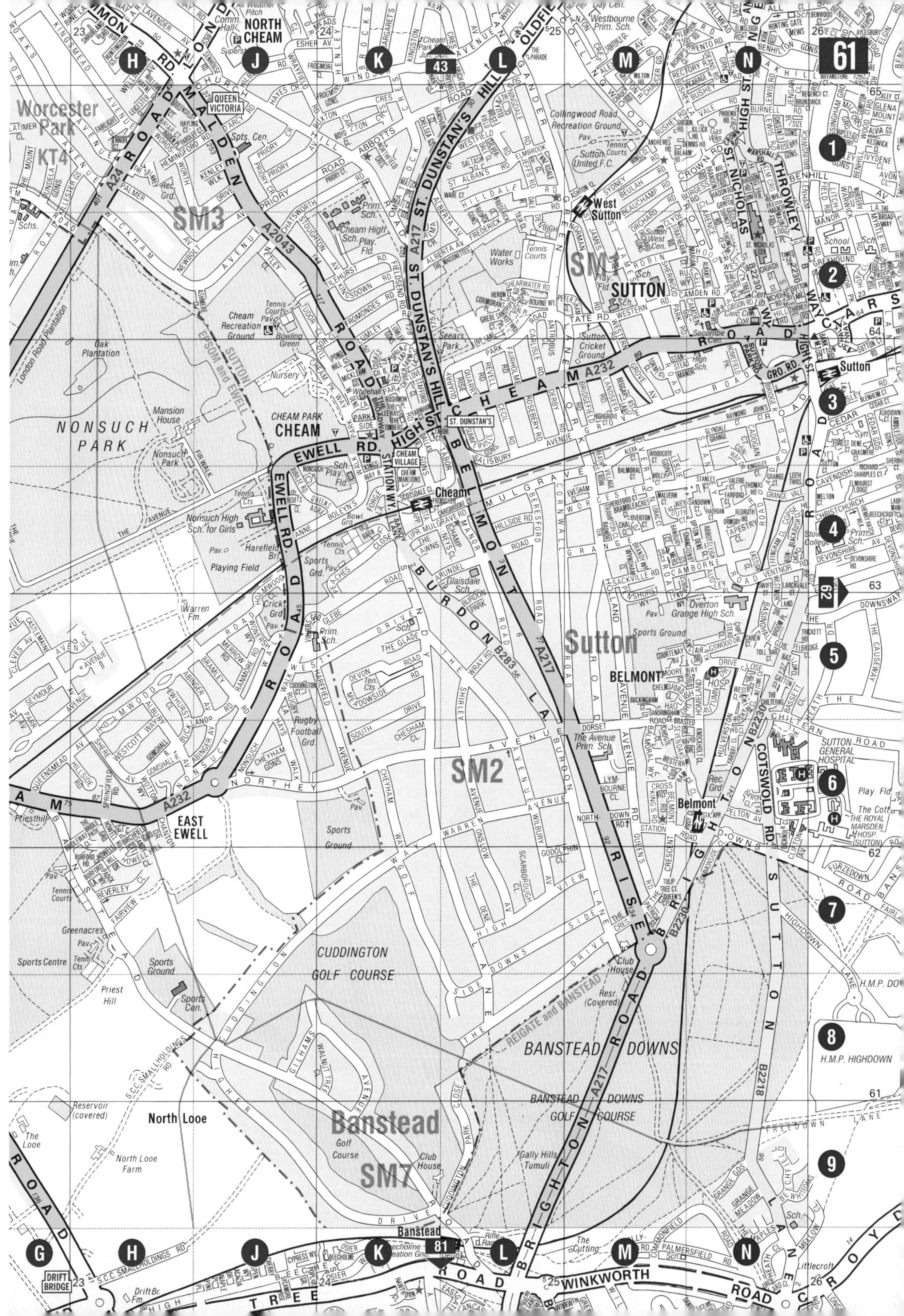

61
43
62
63
81
H
J
K
L
M
N
G
1
2
3
4
5
6
7
8
9
23
24
25
26
NORTH CHEAM
Worcester Park
KT4
SM3
SM1
SM2
SM7
QUEEN VICTORIA
West Sutton
SUTTON
Sutton
CHEAM
Cheam
ST. DUNSTAN'S
CHEAM VILLAGE
BELMONT
Belmont
EAST EWELL
NONSUCH PARK
Nonsuch Park
Mansion House
Oak Plantation
London Road Plantation
Nonsuch High Sch. for Girls
Cheam Recreation Ground
Collingwood Road Recreation Ground
Sutton United F.C.
Sutton Cricket Ground
Water Works
Cheam High Sch.
The Avenue Prim. Sch.
Overton Grange High Sch.
Sports Ground
SUTTON GENERAL HOSPITAL
THE ROYAL MARSDEN HOSP. (SUTTON)
H.M.P. HIGHDOWN
CUDDINGTON GOLF COURSE
BANSTEAD DOWNS
BANSTEAD DOWNS GOLF COURSE
Banstead
Golf Course
Gally Hills Tumuli
North Looe
North Looe Farm
The Looe
Priest Hill
Warren Fm.
Rugby Football Grd.
Sports Centre
Greenacres
Reservoir (covered)
Resr. (Covered)
Club House
DRIFT BRIDGE
Littlecroft
A24 ROAD
MALDEN ROAD
A2043
A217 ST. DUNSTAN'S HILL
CHEAM A232
HIGH ST.
EWELL RD.
ST. NICHOLAS WAY
THROWLEY WAY
CARSHALTON ROAD
BRIGHTON ROAD
B2230
B2218
COTSWOLD RD.
SUTTON LANE
BELMONT RISE
BURDON LANE
B283
MULGRAVE ROAD
NORTHEY AVENUE
CUDDINGTON WAY
REIGATE and BANSTEAD
EPSOM and EWELL
SUTTON
WINKWORTH ROAD
HIGH TREE
S.C.C. SMALLHOLDINGS RD.

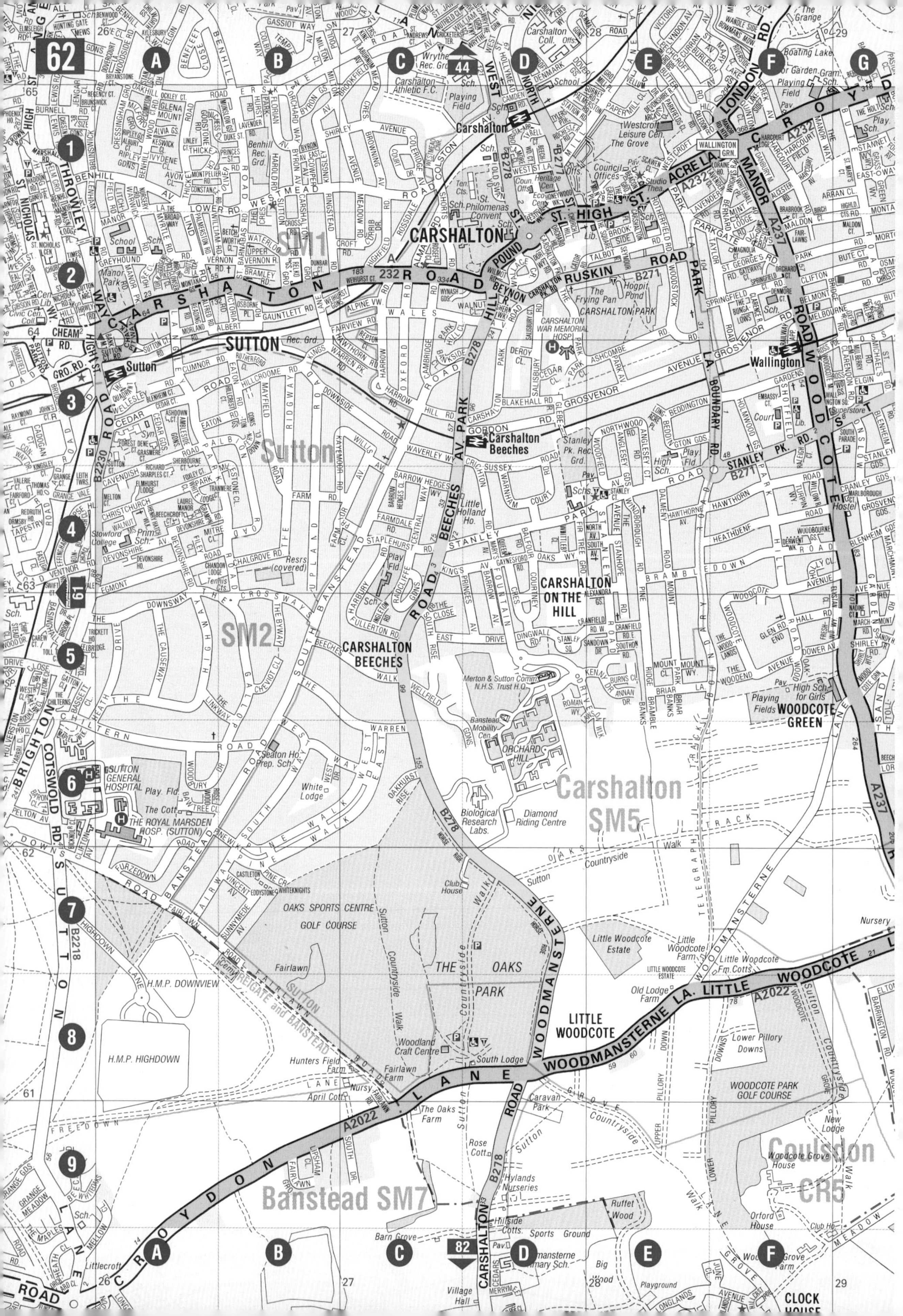

44
A
B
C
D
E
F
G
1
2
3
4
5
6
7
8
9
26
27
28
29
65
64
63
62
61
CARSHALTON
SM1
Sutton
SUTTON
SM2
CARSHALTON BEECHES
Carshalton Beeches
CARSHALTON ON THE HILL
Carshalton
SM5
WOODCOTE GREEN
LITTLE WOODCOTE
Banstead SM7
Coulsdon
CR5
THE OAKS PARK
OAKS SPORTS CENTRE GOLF COURSE
WOODCOTE PARK GOLF COURSE
H.M.P. HIGHDOWN
H.M.P. DOWNVIEW
SUTTON GENERAL HOSPITAL
THE ROYAL MARSDEN HOSP. (SUTTON)
CARSHALTON WAR MEMORIAL HOSP.
Merton & Sutton Comm. N.H.S. Trust H.Q.
ORCHARD HILL
Biological Research Labs.
Diamond Riding Centre
Little Woodcote Estate
Carshalton Athletic F.C.
Westcroft Leisure Cen.
The Grove
CARSHALTON PARK
The Frying Pan
Hogpit Pond
Wallington
Sutton
Carshalton
CARSHALTON ROAD
CROYDON ROAD
WOODMANSTERNE ROAD
WOODMANSTERNE LA.
LITTLE WOODCOTE LA.
BRIGHTON ROAD
COTSWOLD RD.
SUTTON LANE
MANOR ROAD
WOODCOTE ROAD
LONDON RD.
BOUNDARY RD.
LA. PARK
BANSTEAD ROAD
BEECHES AV.
A232
A237
A2022
B278
B271
B2230
B2218
61
82
CLOCK HOUSE

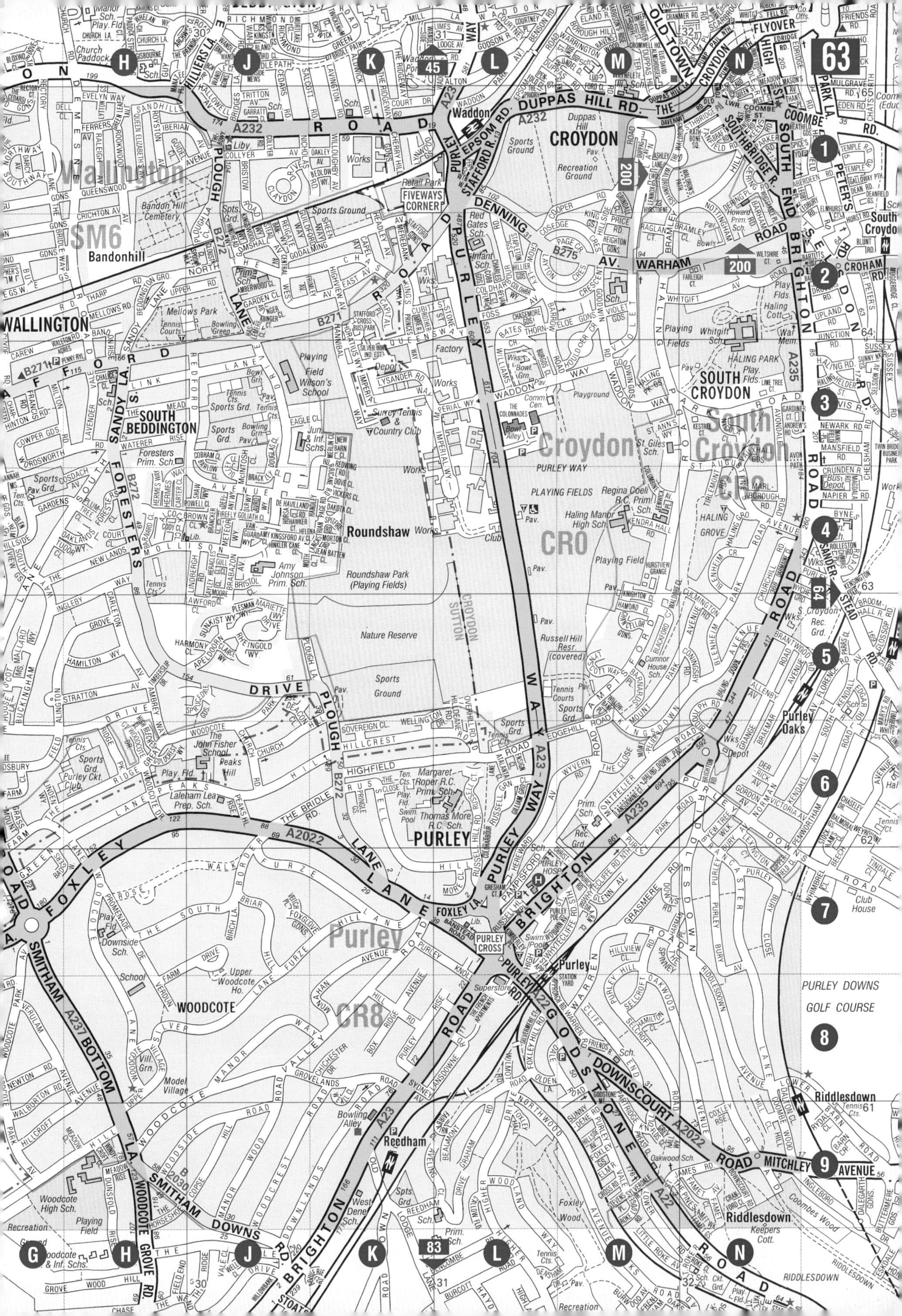

63
H
J
K
L
M
N
45
Church Paddock
DUPPAS HILL RD.
FLYOVER
OLD TOWN
CROYDON
Duppas Hill
Sports Ground
Recreation Ground
Waddon
A232
ROAD
Wallington
SM6
Bandon Hill Cemetery
Bandonhill
Retail Park
FIVEWAYS CORNER
PURLEY
DENNING AV.
Red Gates Sch.
WARHAM
200
South Croydon
CROHAM RD.
COOMBE RD.
SOUTH END
BRIGHTON
1
2
3
4
5
6
7
8
9
WALLINGTON
Mellows Park
Playing Field Wilson's School
Surrey Tennis & Country Club
SOUTH BEDDINGTON
Foresters Prim. Sch.
Roundshaw
Roundshaw Park (Playing Fields)
Amy Johnson Prim. Sch.
Nature Reserve
Sports Ground
CROYDON
SUTTON
Croydon
PURLEY WAY
PLAYING FIELDS
CR0
CR2
CR8
Haling Manor High Sch.
Playing Field
Whitgift Sch.
HALING PARK
SOUTH CROYDON
Playing Fields
Regina Coeli R.C. Prim. Sch.
Russell Hill Resr. (covered)
HALING GROVE
Croydon Rec. Grd.
Purley Oaks
DRIVE
PLOUGH
The John Fisher School
Peaks Hill
Laleham Lea Prep. Sch.
Margaret Roper R.C. Prim. Sch.
Thomas More R.C. Sch.
PURLEY
A23
A235
A2022
FOXLEY
LANE
Purley
PURLEY CROSS
Downside Sch.
Upper Woodcote Ho.
WOODCOTE
School
Model Village
A237 BOTTOM
SMITHAM
Woodcote High Sch.
Playing Field
Recreation Ground
Woodcote Jun. & Inf. Schs.
G
SMITHAM DOWNS RD.
Reedham
Bowling Alley
West Dene Sch.
83
Foxley Wood
GODSTONE
A22
DOWNSCOURT
Oakwood Sch.
MITCHLEY AVENUE
Riddlesdown
Keepers Cott.
Coombes Wood
PURLEY DOWNS GOLF COURSE
RIDDLESDOWN
Club House

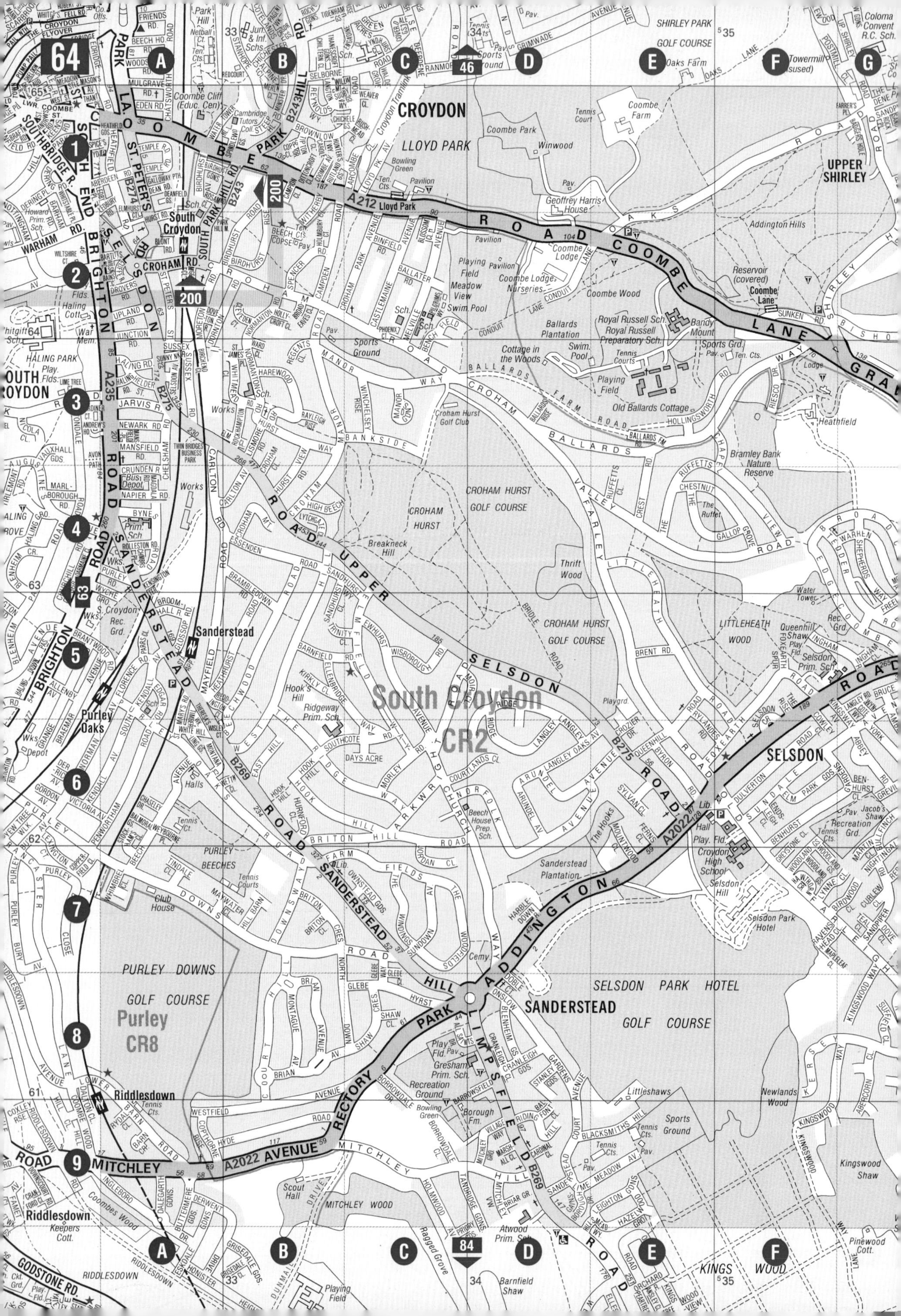

A
B
C
D
E
F
G
1
2
3
4
5
6
7
8
9
46
63
84
200
CROYDON
LLOYD PARK
SHIRLEY PARK GOLF COURSE
Oaks Farm
Coombe Farm
Coombe Park
Winwood
UPPER SHIRLEY
Coloma Convent R.C. Sch.
Addington Hills
Reservoir (covered)
Coombe Lane
COOMBE ROAD
COOMBE LANE
Geoffrey Harris House
Coombe Lodge
Coombe Lodge Nurseries
Coombe Wood
Ballards Plantation
Royal Russell Sch.
Royal Russell Preparatory Sch.
Bandy Mount
Sports Grd.
Cottage in the Woods
Swim. Pool
Playing Field
Old Ballards Cottage
Heathfield
Bramley Bank Nature Reserve
The Ruffet
Croham Hurst Golf Club
CROHAM HURST
CROHAM HURST GOLF COURSE
Breakneck Hill
Thrift Wood
LITTLEHEATH WOOD
Water Tower
Queenhill Shaw
Selsdon Prim. Sch.
SELSDON
South Croydon
CR2
SELSDON ROAD
UPPER SELSDON ROAD
ADDINGTON ROAD
A2022
A212
A235
B275
B269
B243
South Croydon
Sanderstead
Purley Oaks
Riddlesdown
SOUTH CROYDON
HALING PARK
Hook's Hill
Ridgeway Prim. Sch.
DAYS ACRE
Beech House Prep. Sch.
Sanderstead Plantation
The Hooks
Croydon High School
Selsdon Hill
Selsdon Park Hotel
SELSDON PARK HOTEL GOLF COURSE
SANDERSTEAD
PURLEY BEECHES
PURLEY DOWNS GOLF COURSE
Purley
CR8
Club House
Gresham Prim. Sch.
Recreation Ground
Borough Fm.
Littleshaws
Sports Ground
Newlands Wood
Kingswood Shaw
MITCHLEY WOOD
Scout Hall
Coombes Wood
Keepers Cott.
Atwood Prim. Sch.
Barnfield Shaw
Ragged Grove
KINGS WOOD
Pinewood Cott.
Playing Field
GODSTONE RD.
RIDDLESDOWN
RECTORY PARK
MITCHLEY AVENUE
LIMPSFIELD ROAD
SANDERSTEAD ROAD
SANDERSTEAD HILL
BRIGHTON ROAD

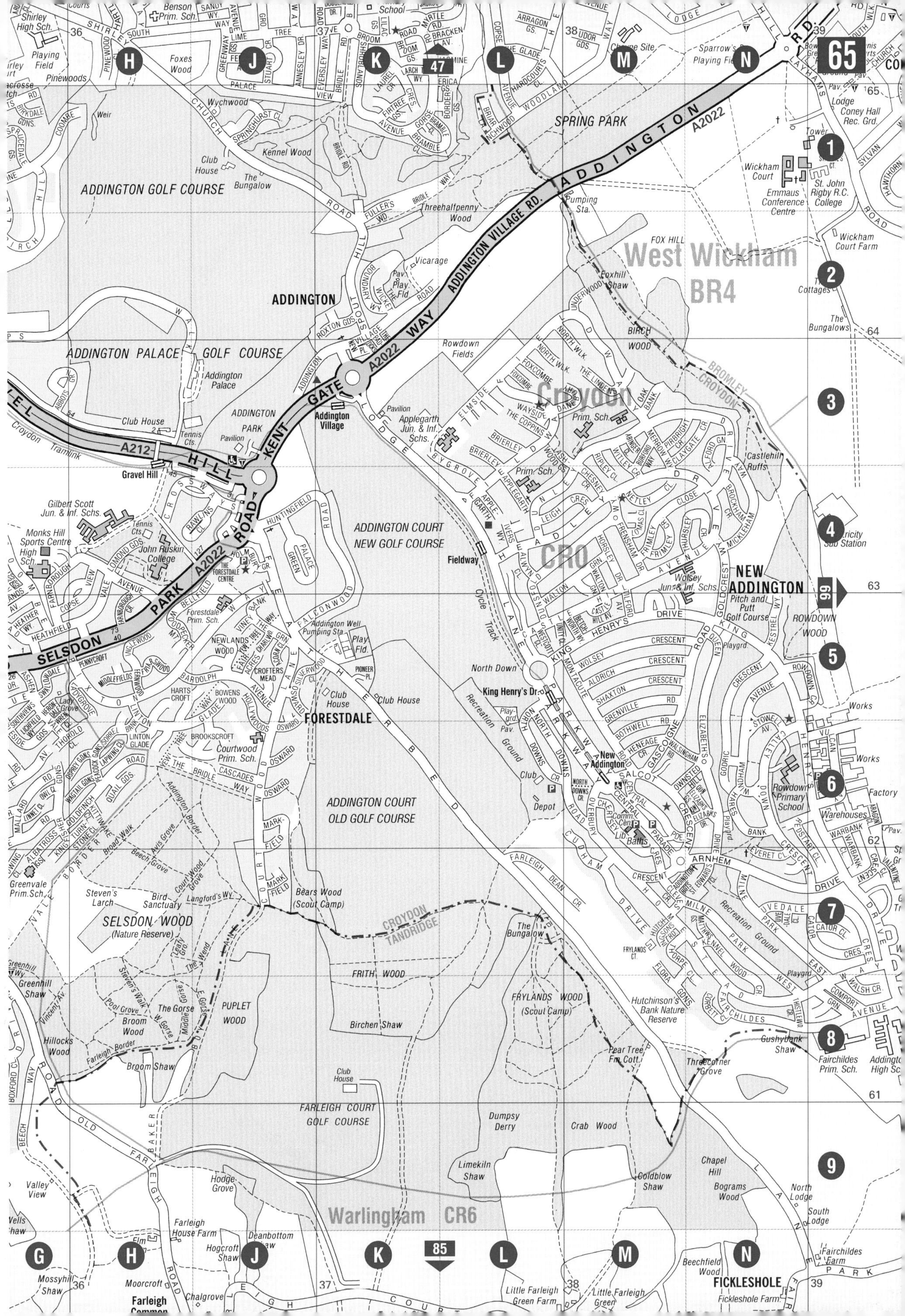

Shirley High Sch.
Playing Field
Pinewoods
Foxes Wood
Benson Prim. Sch.
Wychwood
Kennel Wood
Club House
The Bungalow
ADDINGTON GOLF COURSE
SPRING PARK
ADDINGTON
A2022
Pumping Sta.
Fox Hill
West Wickham
BR4
Foxhill Shaw
Birch Wood
Wickham Court
Emmaus Conference Centre
St. John Rigby R.C. College
Wickham Court Farm
Coney Hall Rec. Grd.
Tower
The Cottages
The Bungalows
Threehalfpenny Wood
Vicarage
Pav. & Play. Fld
ADDINGTON VILLAGE RD.
ADDINGTON PALACE GOLF COURSE
Addington Palace
Club House
Croydon Tramlink
A212
HILL
KENT GATE
Addington Village
ADDINGTON PARK
Pavilion
Tennis Cts.
Gravel Hill
Rowdown Fields
Applegarth Jun. & Inf. Schs.
Croydon
Prim. Sch.
Castlehill Ruffs
BROMLEY
CROYDON
Gilbert Scott Jun. & Inf. Schs.
Monks Hill Sports Centre
High Sch.
John Ruskin College
THE FORESTDALE CENTRE
ROAD
PARK
A2022
SELSDON
ADDINGTON COURT NEW GOLF COURSE
Fieldway
CR0
Cycle Track
Electricity Sub Station
NEW ADDINGTON
Wolsey Jun. & Inf. Schs.
Pitch and Putt Golf Course
ROWDOWN WOOD
Forestdale Prim. Sch.
Addington Well Pumping Sta.
Play. Fld.
North Down
King Henry's Dr.
KING HENRY'S DRIVE
Works
Newlands Wood
Crofters Mead
Club House
FORESTDALE
Bowens Wood
Harts Croft
Courtwood Prim. Sch.
Recreation Ground
New Addington
Club
Depot
Comm. Cen.
Lib.
Baths
Rowdown Primary School
Factory
Warehouses
ADDINGTON COURT OLD GOLF COURSE
Greenvale Prim. Sch.
Steven's Larch
Bird Sanctuary
Bears Wood (Scout Camp)
SELSDON WOOD (Nature Reserve)
CROYDON TANDRIDGE
The Bungalow
ARNHEM DRIVE
Recreation Ground
FRITH WOOD
FRYLANDS WOOD (Scout Camp)
PUPLET WOOD
Birchen Shaw
Greenhill Shaw
Hutchinson's Bank Nature Reserve
Broom Wood
The Gorse
Hillocks Wood
Broom Shaw
Pear Tree Fm. Cott.
Threecorner Grove
Gushybank Shaw
Fairchildes Prim. Sch.
Addington High Sch.
Club House
FARLEIGH COURT GOLF COURSE
Dumpsy Derry
Crab Wood
Limekiln Shaw
Coldblow Shaw
Chapel Hill
Bograms Wood
North Lodge
South Lodge
Valley View
Hodge Grove
Warlingham CR6
Farleigh House Farm
Deanbottom Shaw
Hogcroft Shaw
Mossyhill Shaw
Moorcroft
Farleigh Common
Chalgrove
Little Farleigh Green Farm
Little Farleigh Green
Beechfield Wood
FICKLESHOLE
Fickleshole Farm
Fairchildes Farm
47
66
85

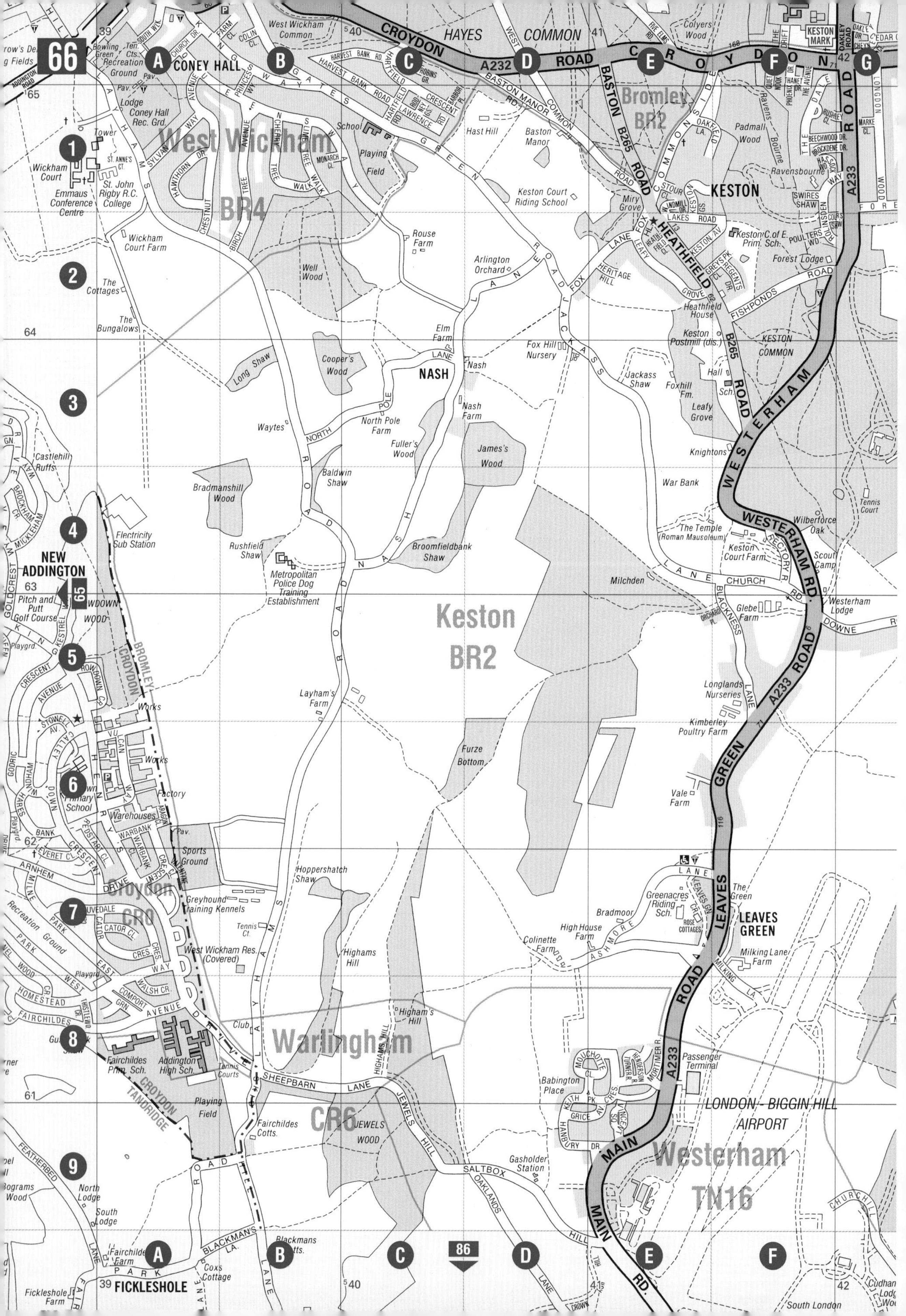
CONEY HALL
West Wickham
BR4
West Wickham Common
HAYES COMMON
CROYDON ROAD
A232
BASTON MANOR RD.
Bromley BR2
KESTON
Baston Manor
Hast Hill
Keston Court Riding School
Wickham Court
Emmaus Conference Centre
St. John Rigby R.C. College
Wickham Court Farm
Coney Hall Rec. Grd.
Rouse Farm
Arlington Orchard
Well Wood
The Cottages
The Bungalows
Long Shaw
Cooper's Wood
Elm Farm
NASH
Nash Farm
North Pole Farm
Waytes
Fuller's Wood
James's Wood
Baldwin Shaw
Bradmanshill Wood
Electricity Sub Station
NEW ADDINGTON
Pitch and Putt Golf Course
Rushfield Shaw
Metropolitan Police Dog Training Establishment
Broomfieldbank Shaw
Keston BR2
Fox Hill Nursery
Jackass Shaw
Keston Postmill (dis.)
Heathfield House
KESTON COMMON
Foxhill Fm.
Leafy Grove
Knightons
War Bank
WESTERHAM ROAD
A233
The Temple (Roman Mausoleum)
Keston Court Farm
Wilberforce Oak
Milchden
Glebe Farm
Westerham Lodge
Layham's Farm
Longlands Nurseries
Kimberley Poultry Farm
Furze Bottom
Vale Farm
Croydon CR0
Sports Ground
Greyhound Training Kennels
West Wickham Res. (Covered)
Hoppershatch Shaw
Highams Hill
Higham's Hill
LEAVES GREEN
Greenacres Riding Sch.
Bradmoor
High House Farm
Colinette Farm
Milking Lane Farm
Warlingham
CR6
JEWELS WOOD
SHEEPBARN LANE
Addington High Sch.
Fairchildes Prim. Sch.
Playing Field
Fairchildes Cotts.
Gasholder Station
Babington Place
Passenger Terminal
LONDON - BIGGIN HILL AIRPORT
Westerham TN16
MAIN RD.
North Lodge
South Lodge
Fairchildes Farm
Coxs Cottage
Blackmans Cotts.
FICKLESHOLE
Fickleshole Farm
65
86

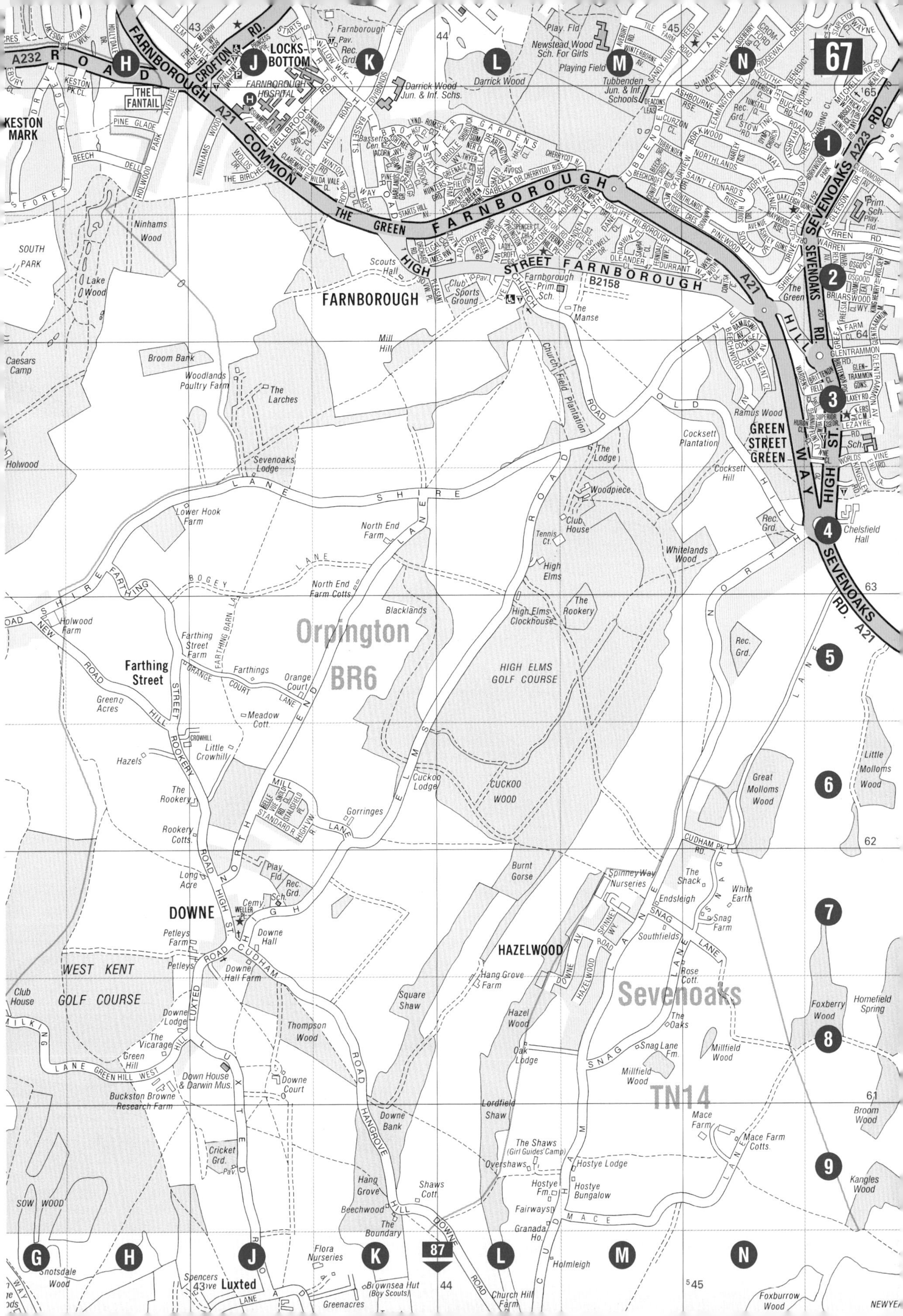

FARNBOROUGH
LOCKS-BOTTOM
FARNBOROUGH HOSPITAL
KESTON MARK
FARNBOROUGH COMMON
THE FANTAIL
THE GREEN
HIGH STREET FARNBOROUGH
B2158
A21
A232
A223
SEVENOAKS RD.
SEVENOAKS HIGH ST.
HILL WAY
GREEN STREET GREEN
Orpington
BR6
Sevenoaks
TN14
DOWNE
HAZELWOOD
Farthing Street
HIGH ELMS GOLF COURSE
WEST KENT GOLF COURSE
CUCKOO WOOD
Darrick Wood
Tubbenden Jun. & Inf. Schools
Newstead Wood Sch. For Girls
Darrick Wood Jun. & Inf. Schs.
Ninhams Wood
Lake Wood
SOUTH PARK
Caesars Camp
Broom Bank
Woodlands Poultry Farm
The Larches
Sevenoaks Lodge
SHIRE LANE
Lower Hook Farm
North End Farm
North End Farm Cotts
Blacklands
High Elms Clockhouse
The Rookery
Woodpiece
Club House
Cocksett Plantation
Cocksett Hill
Ramus Wood
Whitelands Wood
Chelsfield Hall
Church Field Plantation
Mill Hill
Scouts Hall
Club Sports Ground
Farnborough Prim. Sch.
The Manse
Holwood
Holwood Farm
Farthing Street Farm
Farthings
Orange Court
Meadow Cott.
Green Acres
Hazels
Little Crowhill
The Rookery
Rookery Cotts.
Cuckoo Lodge
Gorringes
Long Acre
Petleys Farm
Downe Hall
Downe Hall Farm
Downe Lodge
The Vicarage
Green Hill
Down House & Darwin Mus.
Downe Court
Buckston Browne Research Farm
Cricket Grd.
Thompson Wood
Square Shaw
Hang Grove Farm
Burnt Gorse
Spinney Way Nurseries
The Shack
White Earth
Endsleigh
Snag Farm
Southfields
Rose Cott.
The Oaks
Snag Lane Fm.
Millfield Wood
Hazel Wood
Oak Lodge
Lordfield Shaw
The Shaws (Girl Guides' Camp)
Overshaws
Hostye Lodge
Hostye Fm.
Hostye Bungalow
Fairways
Granada Ho.
Holmleigh
Mace Farm
Mace Farm Cotts.
Great Mollems Wood
Little Mollems Wood
Foxberry Wood
Homefield Spring
Broom Wood
Kangles Wood
Downe Bank
Hang Grove
Beechwood
The Boundary
Shaws Cott.
Flora Nurseries
Brownsea Hut (Boy Scouts)
Church Hill Farm
Greenacres
Luxted
Snotsdale Wood
SOW WOOD
Foxburrow Wood
87
H J K L M N G
43 44 45 61 62 63 64 65

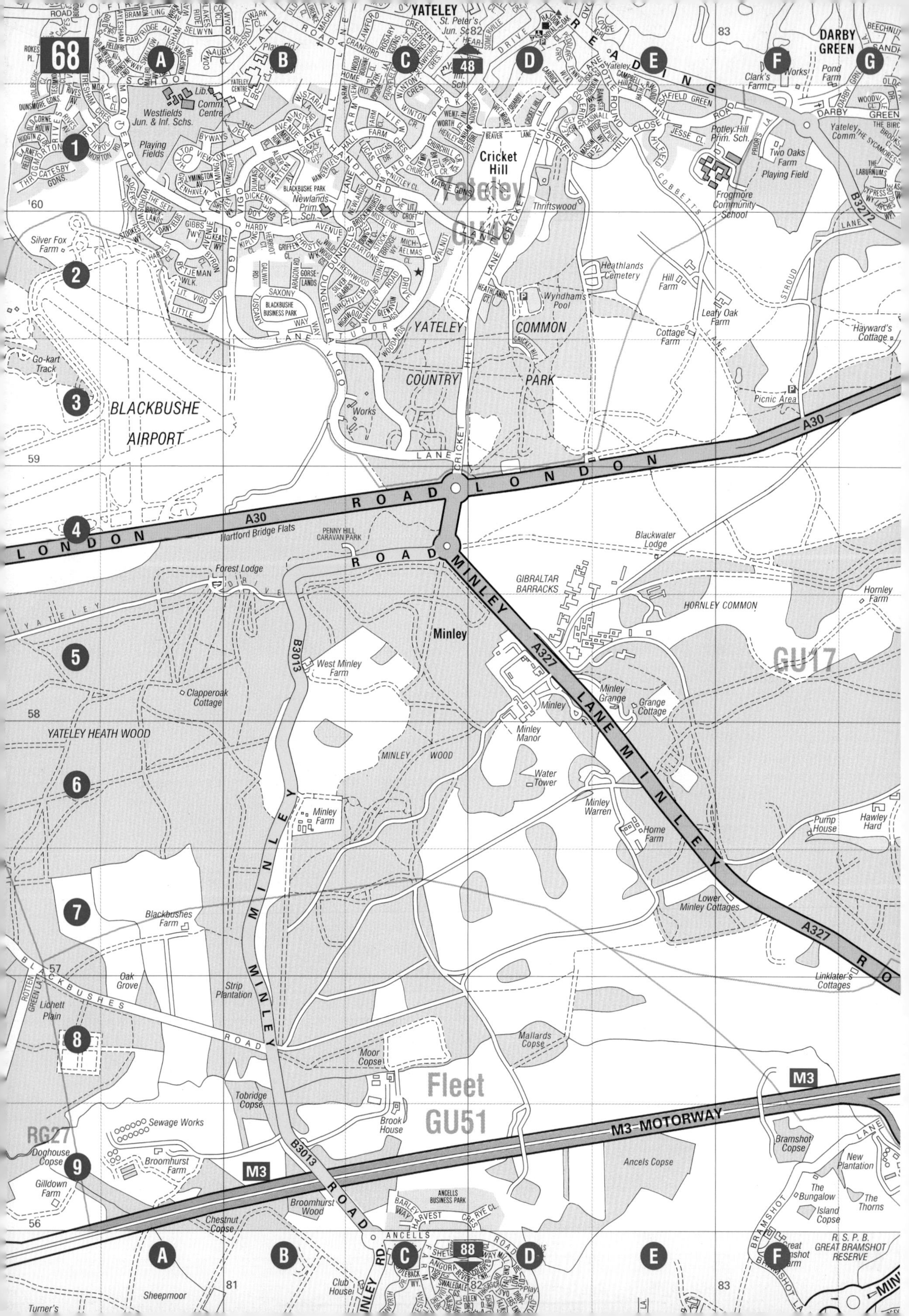

68
YATELEY
DARBY GREEN
48
88
A
B
C
D
E
F
G
1
2
3
4
5
6
7
8
9
Westfields Jun. & Inf. Schs.
Playing Fields
Lib.
Comm. Centre
Play Fld.
Newlands Prim. Sch.
BLACKBUSHE BUSINESS PARK
St. Peter's Jun. Sch.
Cricket Hill
Yateley GU46
Thriftswood
Frogmore Community School
Potley Hill Prim. Sch.
Two Oaks Farm
Playing Field
Clark's Farm
Works
Pond Farm
Yateley Comm.
Silver Fox Farm
Go-kart Track
BLACKBUSHE AIRPORT
Heathlands Cemetery
Wyndham's Pool
YATELEY COMMON
COUNTRY PARK
Hill Farm
Leafy Oak Farm
Cottage Farm
Hayward's Cottage
Picnic Area
Works
A30
LONDON ROAD
Illartford Bridge Flats
PENNY HILL CARAVAN PARK
Forest Lodge
Blackwater Lodge
GIBRALTAR BARRACKS
HORNLEY COMMON
Hornley Farm
Minley
West Minley Farm
A327
MINLEY LANE
B3013
Clapperoak Cottage
YATELEY HEATH WOOD
GU17
Minley Grange
Grange Cottage
Minley Manor
MINLEY WOOD
Water Tower
Minley Warren
Minley Farm
Home Farm
Pump House
Hawley Hard
Lower Minley Cottages
Blackbushes Farm
BLACKBUSHES ROAD
Oak Grove
Strip Plantation
Lichett Plain
Linklater's Cottages
Mallards Copse
Moor Copse
Fleet GU51
Tobridge Copse
Brook House
Sewage Works
RG27
Doghouse Copse
Broomhurst Farm
Gilldown Farm
M3
M3-MOTORWAY
Ancels Copse
Bramshot Copse
New Plantation
The Bungalow
The Thorns
Island Copse
Broomhurst Wood
Chestnut Copse
ANCELLS BUSINESS PARK
R. S. P. B. GREAT BRAMSHOT RESERVE
Club House
Sheepmoor
Turner's
59
58
57
56
60
81
82
83

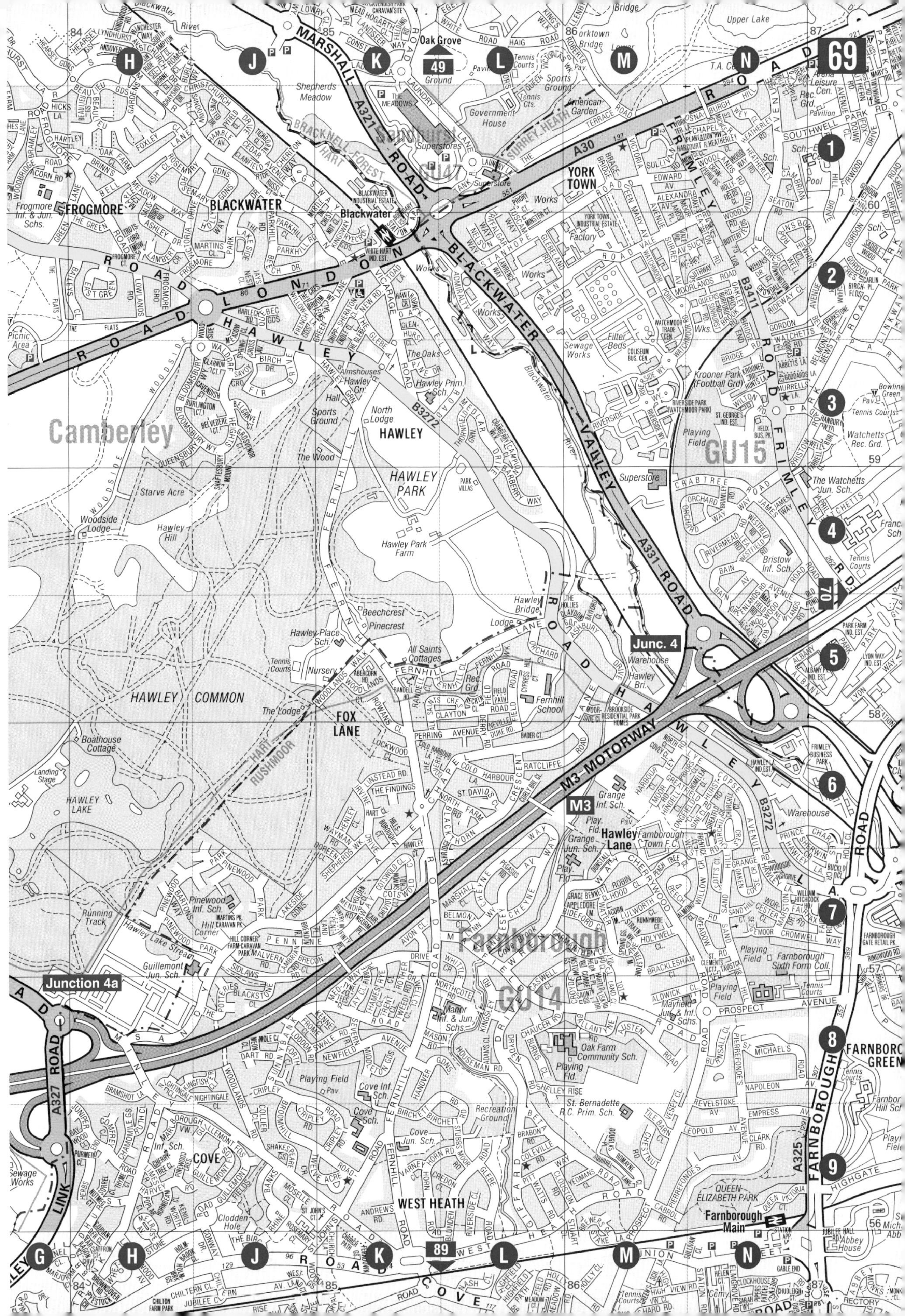
H
J
K
L
M
N
G
1
2
3
4
5
6
7
8
9
49
70
89
Oak Grove
Upper Lake
Yorktown Bridge
Sandhurst
Shepherds Meadow
The Meadows
Government House
American Garden
Sports Ground
Tennis Courts
Arena Leisure Cen.
YORK TOWN
FROGMORE
BLACKWATER
Blackwater
Blackwater River
Frogmore Inf. & Jun. Schs.
Picnic Area
Camberley
HAWLEY
HAWLEY PARK
Hawley Park Farm
Hawley Prim. Sch.
Hawley Place Sch.
Hawley Hill
Hawley Bridge
HAWLEY COMMON
HAWLEY LAKE
Hawley Lake Stream
Starve Acre
Woodside Lodge
Boathouse Cottage
Landing Stage
Running Track
North Lodge
Sports Ground
The Wood
Almshouses
The Oaks
Beechcrest
Pinecrest
All Saints Cottages
FOX LANE
The Lodge
Fernhill School
Sewage Works
Filter Beds
Superstore
Krooner Park (Football Grd)
Playing Field
GU15
GU14
GU47
The Watchetts Jun. Sch.
Watchetts Rec. Grd.
Bristow Inf. Sch.
Junc. 4
Warehouse
Hawley Bri.
M3 MOTORWAY
Grange Inf. Sch.
Grange Jun. Sch.
Hawley Lane
Farnborough Town F.C.
Farnborough
Farnborough Sixth Form Coll.
Mayfield Jun. & Inf. Schs.
Oak Farm Community Sch.
Manor Inf. & Jun. Schs.
Cove Inf. Sch.
Cove Sch.
Cove Jun. Sch.
Recreation Ground
St. Bernadette R.C. Prim. Sch.
Pinewood Inf. Sch.
Guillemont Jun. Sch.
Junction 4a
COVE
WEST HEATH
Clodden Hole
QUEEN ELIZABETH PARK
Farnborough Main
FARNBOROUGH GREEN
Abbey House
Sewage Works
A30
A321
A331
A325
A327
B3272
B3411
MARSHALL ROAD
LONDON ROAD
HAWLEY ROAD
BLACKWATER VALLEY ROAD
FRIMLEY ROAD
FARNBOROUGH ROAD
LINK ROAD
PROSPECT AVENUE
WEST HEATH ROAD
COVE ROAD
84
85
86
87
60
59
58
57
56

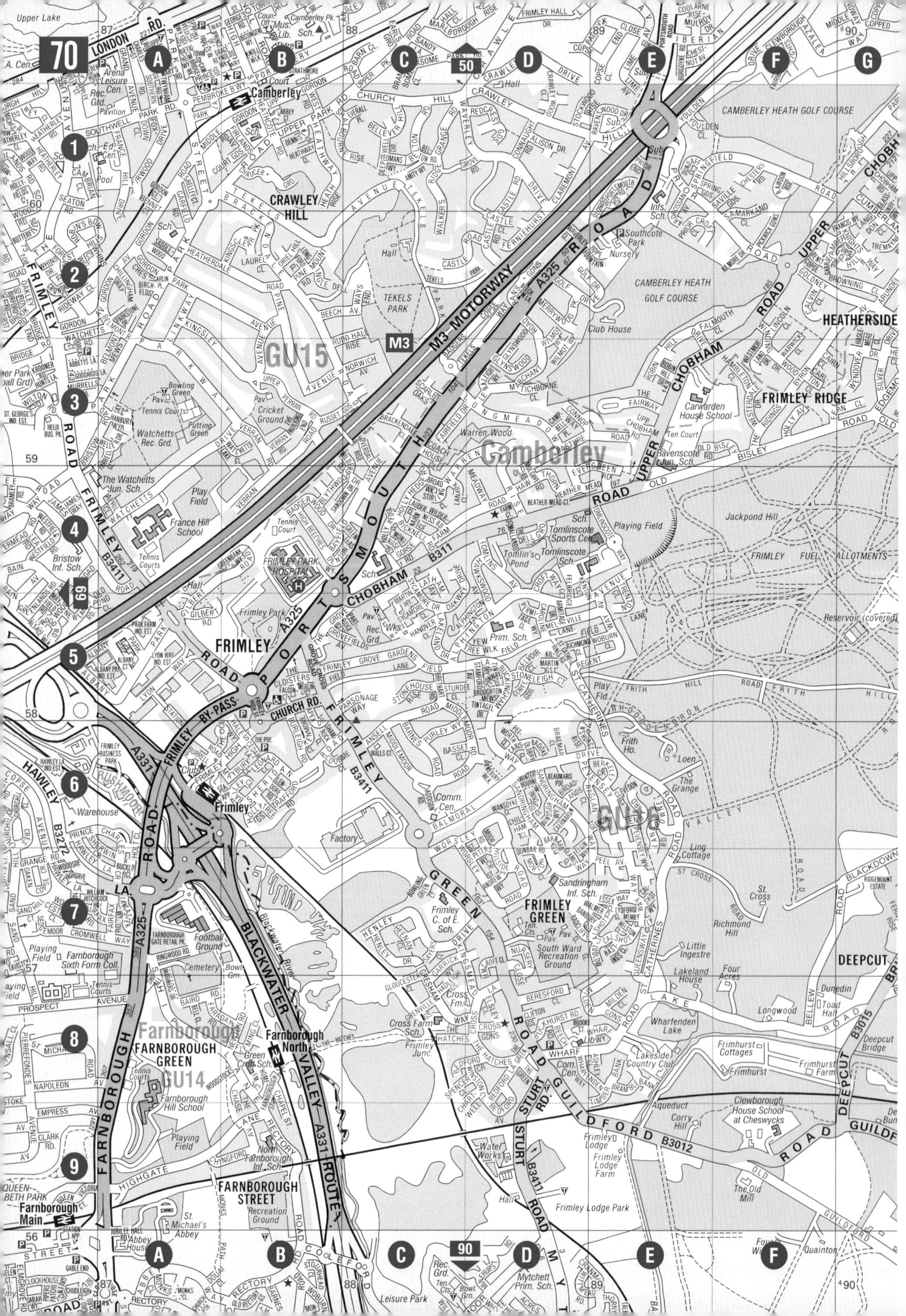

70
A
B
C
D
E
F
G
1
2
3
4
5
6
7
8
9
50
90
69
87
88
89
90
56
57
58
59
60
Upper Lake
LONDON RD.
Camberley
Arena Leisure Cen.
Rec. Grd.
Pavilion
CAMBERLEY HEATH GOLF COURSE
CRAWLEY HILL
TEKELS PARK
GU15
M3
M3 MOTORWAY
A325
PORTSMOUTH ROAD
Southcote Park
Nursery
Club House
CHOBHAM ROAD
UPPER CHOBHAM ROAD
HEATHERSIDE
FRIMLEY RIDGE
Carwarden House School
Ravenscote Jun. Sch.
Warren Wood
Camberley
OLD BISLEY ROAD
Playing Field
Jackpond Hill
FRIMLEY FUEL ALLOTMENTS
Reservoir (covered)
Tomlinscote Sports Cen.
Tomlinscote Sch.
Tomlin's Pond
Bowling Green
Tennis Courts
Putting Green
Watchetts Rec. Grd.
Cricket Ground
The Watchetts Jun. Sch.
Play Field
France Hill School
Bristow Inf. Sch.
FRIMLEY
FRIMLEY ROAD
B3411
FRIMLEY PARK HOSPITAL
CHOBHAM B311
Frimley Park
Hall
FRIMLEY BY-PASS
CHURCH RD.
A331
HAWLEY
B3272
RUSHMOOR
Warehouse
Frimley
FRIMLEY BUSINESS PARK
Factory
Comm. Cen.
FRITH HILL ROAD
Frith Ho.
Loen
The Grange
Ling Cottage
St. Cross
Richmond Hill
Little Ingestre
Lakeland House
Four Acres
DEEPCUT
Dunedin
Longwood
Toad Hall
Wharfenden Lake
Lakeside Country Club
Frimhurst Cottages
Frimhurst
Frimhurst Farm
Deepcut Bridge
Clewborough House School at Cheswycks
Aqueduct
Corry Hill
GUILDFORD B3012 ROAD
Frimley Lodge
Frimley Lodge Farm
Frimley Lodge Park
The Old Mill
Quainton
Sandringham Inf. Sch.
FRIMLEY GREEN
South Ward Recreation Ground
GREEN
Frimley C. of E. Sch.
Cross Farm Sch.
Frimley Junc.
STURT ROAD
B3411
Water Works
BLACKWATER VALLEY A331 ROUTE
Blackwater River
Farnborough North
Football Ground
Cemetery
FARNBOROUGH GATE RETAIL PK.
Farnborough
FARNBOROUGH GREEN
GU14
Farnborough Hill School
Playing Field
FARNBOROUGH ROAD
A325
Farnborough Sixth Form Coll.
North Farnborough Inf. Sch.
FARNBOROUGH STREET
Recreation Ground
St. Michael's Abbey
Abbey House
Farnborough Main
Leisure Park
Rec. Grd.
Mytchett Prim. Sch.
PROSPECT AVENUE
NAPOLEON
EMPRESS
HIGHGATE

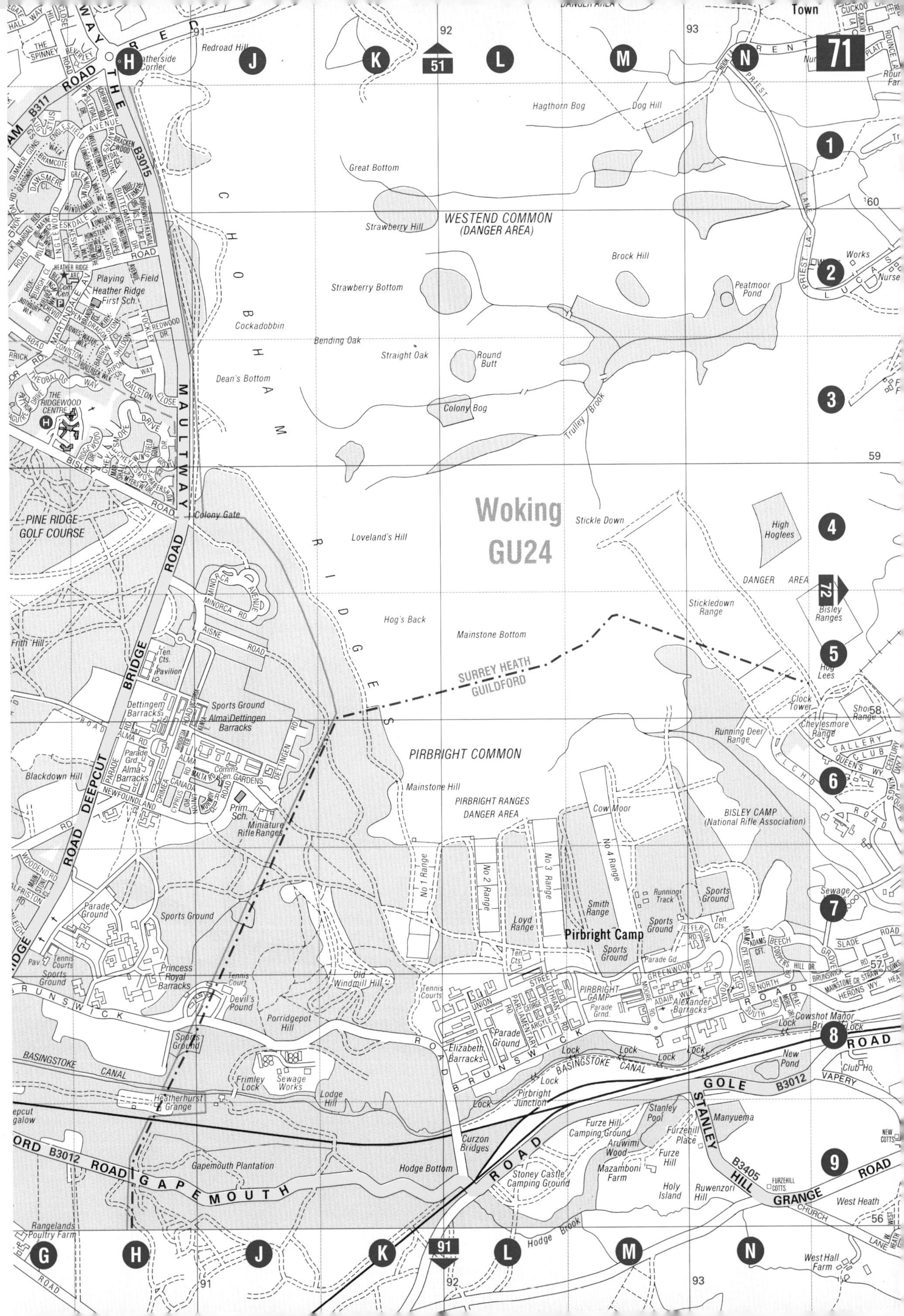

71
Woking
GU24
WESTEND COMMON
(DANGER AREA)
PIRBRIGHT COMMON
PIRBRIGHT RANGES
DANGER AREA
SURREY HEATH
GUILDFORD
CHOBHAM RIDGES
Pirbright Camp
BISLEY CAMP
(National Rifle Association)
Hagthorn Bog
Dog Hill
Great Bottom
Strawberry Hill
Brock Hill
Peatmoor Pond
Strawberry Bottom
Cockadobbin
Bending Oak
Straight Oak
Round Butt
Dean's Bottom
Colony Bog
Trulley Brook
Stickle Down
High Hoglees
DANGER AREA
Loveland's Hill
Hog's Back
Mainstone Bottom
Stickledown Range
Bisley Ranges
Hog Lees
Clock Tower
Short Range
Cheylesmore Range
Running Deer Range
Mainstone Hill
Cow Moor
No 1 Range
No 2 Range
No 3 Range
No 4 Range
Smith Range
Loyd Range
Running Track
Sports Ground
Redroad Hill
Heatherside Corner
Playing Field
Heather Ridge First Sch.
THE RIDGEWOOD CENTRE
PINE RIDGE GOLF COURSE
Colony Gate
MAULTWAY
DEEPCUT BRIDGE ROAD
Frith Hill
Dettingen Barracks
Alma Dettingen Barracks
Alma Barracks
Parade Grd
Blackdown Hill
Prim. Sch.
Miniature Rifle Ranges
Parade Ground
Princess Royal Barracks
Devil's Pound
Old Windmill Hill
Porridgepot Hill
Elizabeth Barracks
Alexander Barracks
BRUNSWICK ROAD
BASINGSTOKE CANAL
Frimley Lock
Sewage Works
Lodge Hill
Heatherhurst Grange
Pirbright Junction
Curzon Bridges
Hodge Bottom
Gapemouth Plantation
GAPEMOUTH ROAD
B3012
Rangelands Poultry Farm
Furze Hill Camping Ground
Stanley Pool
Furzehill Place
Manyuema
Aruwimi Wood
Mazamboni Farm
Stoney Castle Camping Ground
Furze Hill
Holy Island
Ruwenzori Hill
STANLEY HILL
B3405
GOLE ROAD
GRANGE ROAD
West Heath
West Hall Farm
Hodge Brook
Cowshot Manor
New Pond
Club Ho.
VAPERY
Sewage Wks
PRIEST LANE
LUCAS
Works
Nurse
51
72
91
92
93

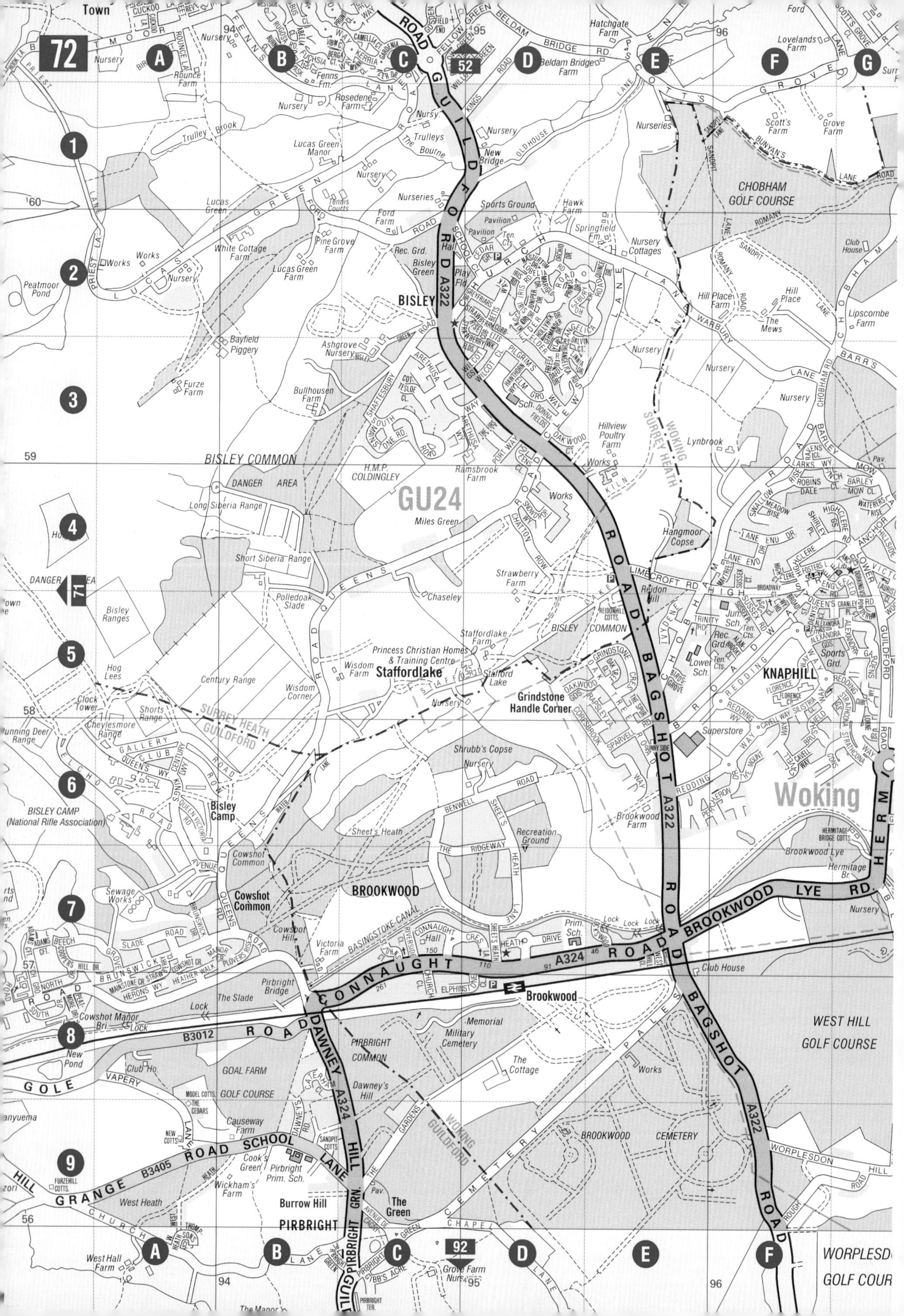
BISLEY
BISLEY COMMON
H.M.P. COLDINGLEY
GU24
Staffordlake
Grindstone Handle Corner
KNAPHILL
Woking
BISLEY CAMP (National Rifle Association)
Bisley Camp
Cowshot Common
BROOKWOOD
Brookwood
BROOKWOOD CEMETERY
Military Cemetery
WEST HILL GOLF COURSE
CHOBHAM GOLF COURSE
PIRBRIGHT
Burrow Hill
The Green
PIRBRIGHT COMMON
GOAL FARM GOLF COURSE
Lucas Green
Lucas Green Manor
Beldam Bridge Farm
Hatchgate Farm
Lovelands Farm
Scott's Farm
Grove Farm
Sports Ground
Hawk Farm
Springfield Fm.
Nursery Cottages
Hill Place Farm
Lipscombe Farm
Bayfield Piggery
Furze Farm
Bullhousen Farm
Ashgrove Nursery
Ramsbrook Farm
Hillview Poultry Farm
Miles Green
Hangmoor Copse
Strawberry Farm
Chaseley
Polledoak Slade
Princess Christian Homes & Training Centre
Wisdom Farm
Wisdom Corner
Stafford Lake
Shrubb's Copse
Sheet's Heath
Brookwood Farm
Brookwood Lye
Hermitage Br.
Long Siberia Range
Short Siberia Range
Century Range
Bisley Ranges
Shorts Range
Cheylesmore Range
Running Deer Range
DANGER AREA
SURREY HEATH
GUILDFORD
WOKING
GUILDFORD ROAD A322
BAGSHOT ROAD A322
CONNAUGHT ROAD A324
BROOKWOOD LYE RD
DAWNEY HILL A324
B3012 ROAD
GRANGE ROAD B3405
SCHOOL LANE
CEMETERY PALES
QUEENS ROAD
LUCAS GREEN ROAD
Peatmoor Pond
New Pond
Cowshot Manor Bri.
Pirbright Bridge
The Slade
Victoria Farm
Causeway Farm
Cook's Green
Pirbright Prim. Sch.
Wickham's Farm
West Heath
West Hall Farm
Dawney's Hill
The Cottage
Memorial
52
71
92
94
95
96
60
59
58
57
56

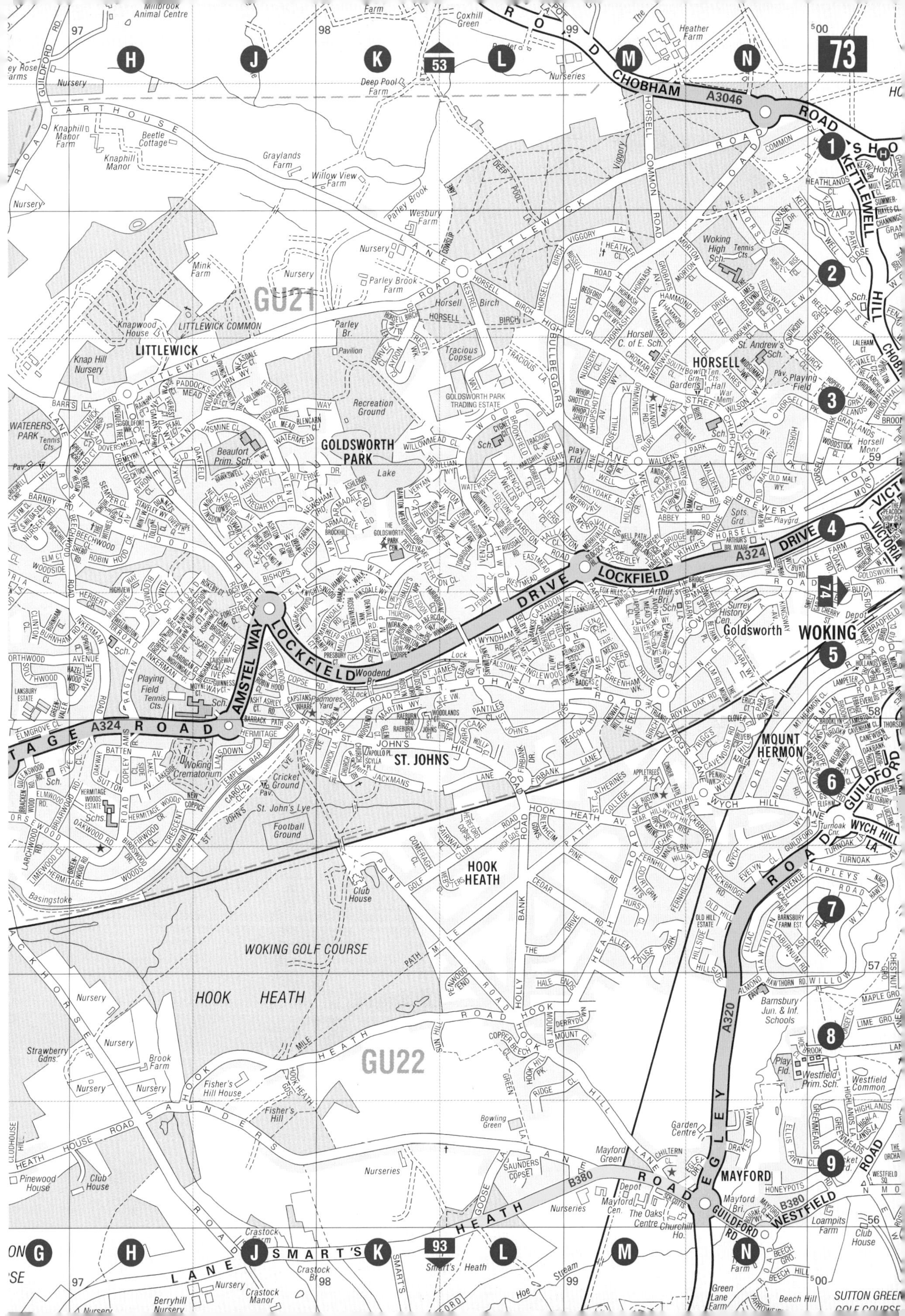

53
74
93
GU21
GU22
LITTLEWICK
LITTLEWICK COMMON
Knap Hill Nursery
Knapwood House
Knaphill Manor Farm
Knaphill Manor
Beetle Cottage
Graylands Farm
Willow View Farm
Wesbury Farm
Parley Brook
Parley Brook Farm
Mink Farm
Deep Pool Farm
Coxhill Green
Heather Farm
Millbrook Animal Centre
CHOBHAM ROAD
A3046
HORSELL COMMON ROAD
CARTHOUSE LANE
GUILDFORD RD.
LITTLEWICK ROAD
HORSELL BIRCH
HIGH BULLBEGGARS
GOLDSWORTH PARK TRADING ESTATE
Tracious Copse
Recreation Ground
GOLDSWORTH PARK
Lake
Beaufort Prim. Sch.
WATERERS PARK
HORSELL
Woking High Sch.
Horsell C. of E. Sch.
St. Andrew's Sch.
Playing Field
Horsell Moor
KETTLEWELL HILL
WOKING
Goldsworth
Surrey History Cen.
LOCKFIELD DRIVE
A324
AMSTEL WAY
HERMITAGE ROAD
Woking Crematorium
Playing Field
Tennis Cts.
ST. JOHNS
St. John's Lye
Cricket Ground
Football Ground
Club House
MOUNT HERMON
HOOK HEATH
WOKING GOLF COURSE
HOOK HEATH
HOOK HEATH ROAD
Strawberry Gdns.
Brook Farm
Fisher's Hill House
Fisher's Hill
Bowling Green
Nurseries
SAUNDERS LANE
HEATH HOUSE ROAD
Pinewood House
Club House
Crastock Farm
Crastock Manor
Berryhill Nursery
SMART'S HEATH ROAD
Smart's Heath
B380
MAYFORD
Mayford Green
Mayford Cen.
The Oaks Centre
Churchill Ho.
Garden Centre
EGLEY ROAD
A320
GUILDFORD ROAD
WESTFIELD ROAD
Barnsbury Jun. & Inf. Schools
Westfield Prim. Sch.
Westfield Common
Loampits Farm
Club House
SUTTON GREEN GOLF COURSE
Beech Hill
Green Lane Farm
Basingstoke Canal
H J K L M N G
1 2 3 4 5 6 7 8 9
97 98 99 500
59 58 57 56

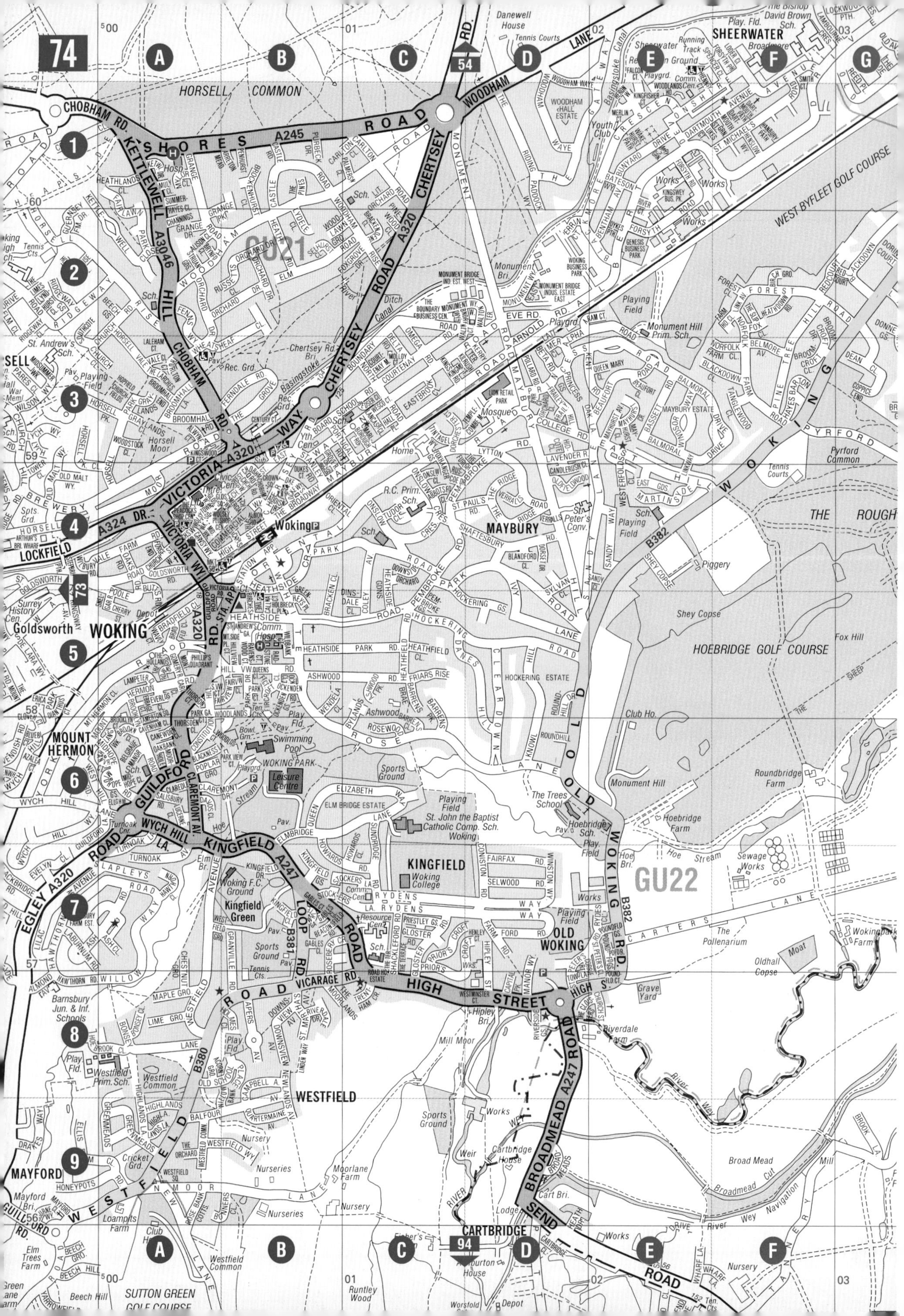

HORSELL COMMON
CHOBHAM RD.
SHORES ROAD
A245
CHERTSEY ROAD
A320
WOODHAM LANE
54
SHEERWATER
GU21
KETTLEWELL HILL
A3046
CHOBHAM RD
Basingstoke Canal
WEST BYFLEET GOLF COURSE
Monument Hill Prim. Sch.
MAYBURY ESTATE
VICTORIA WAY
A320
A324 DR.
LOCKFIELD
73
Goldsworth
WOKING
Woking
MAYBURY
THE ROUGH
Pyrford Common
B382
HOEBRIDGE GOLF COURSE
Fox Hill
Shey Copse
Piggery
HOCKERING ESTATE
MOUNT HERMON
WOKING PARK
Swimming Pool
Leisure Centre
ELM BRIDGE ESTATE
St. John the Baptist Catholic Comp. Sch. Woking
KINGFIELD
Woking College
Woking F.C. Ground
Kingfield Green
KINGFIELD A247
GUILDFORD ROAD
EGLEY A320
OLD WOKING
OLD WOKING RD.
HIGH STREET
GU22
Hoebridge Farm
Roundbridge Farm
Sewage Works
CARTERS LANE
The Pollenarium
Oldhall Copse
Wokingpark Farm
Moat
Riverdale Farm
River Wey
BROADMEAD A247 ROAD
Broad Mead
Broadmead Cut
Wey Navigation
WESTFIELD
Westfield Common
B380
MAYFORD
WESTFIELD
Moorlane Farm
CARTBRIDGE
94
Fisher's
Aldburton House
Loampits Farm
Elm Trees Farm
SUTTON GREEN GOLF COURSE
Beech Hill
Runtley Wood
SEND ROAD
A
B
C
D
E
F
G
1
2
3
4
5
6
7
8
9

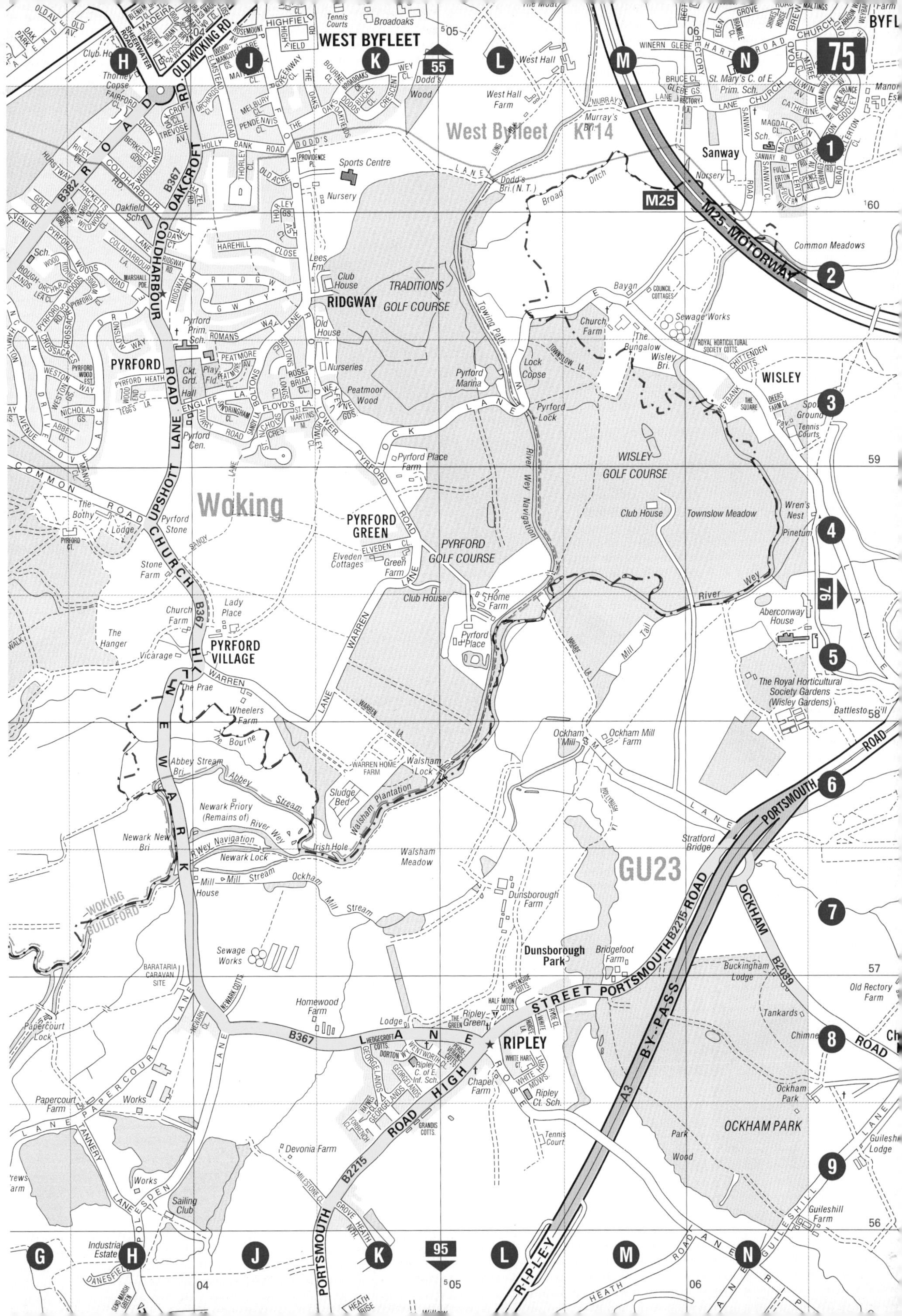

75
WEST BYFLEET
West Byfleet KT14
Sanway
WISLEY
RIDGWAY
PYRFORD
Woking
PYRFORD GREEN
PYRFORD VILLAGE
TRADITIONS GOLF COURSE
WISLEY GOLF COURSE
PYRFORD GOLF COURSE
The Royal Horticultural Society Gardens (Wisley Gardens)
GU23
Dunsborough Park
RIPLEY
OCKHAM PARK
M25 MOTORWAY
A3 BY-PASS
PORTSMOUTH ROAD
RIPLEY LANE
OCKHAM ROAD
Newark Priory (Remains of)
River Wey
Wey Navigation
55
76
95

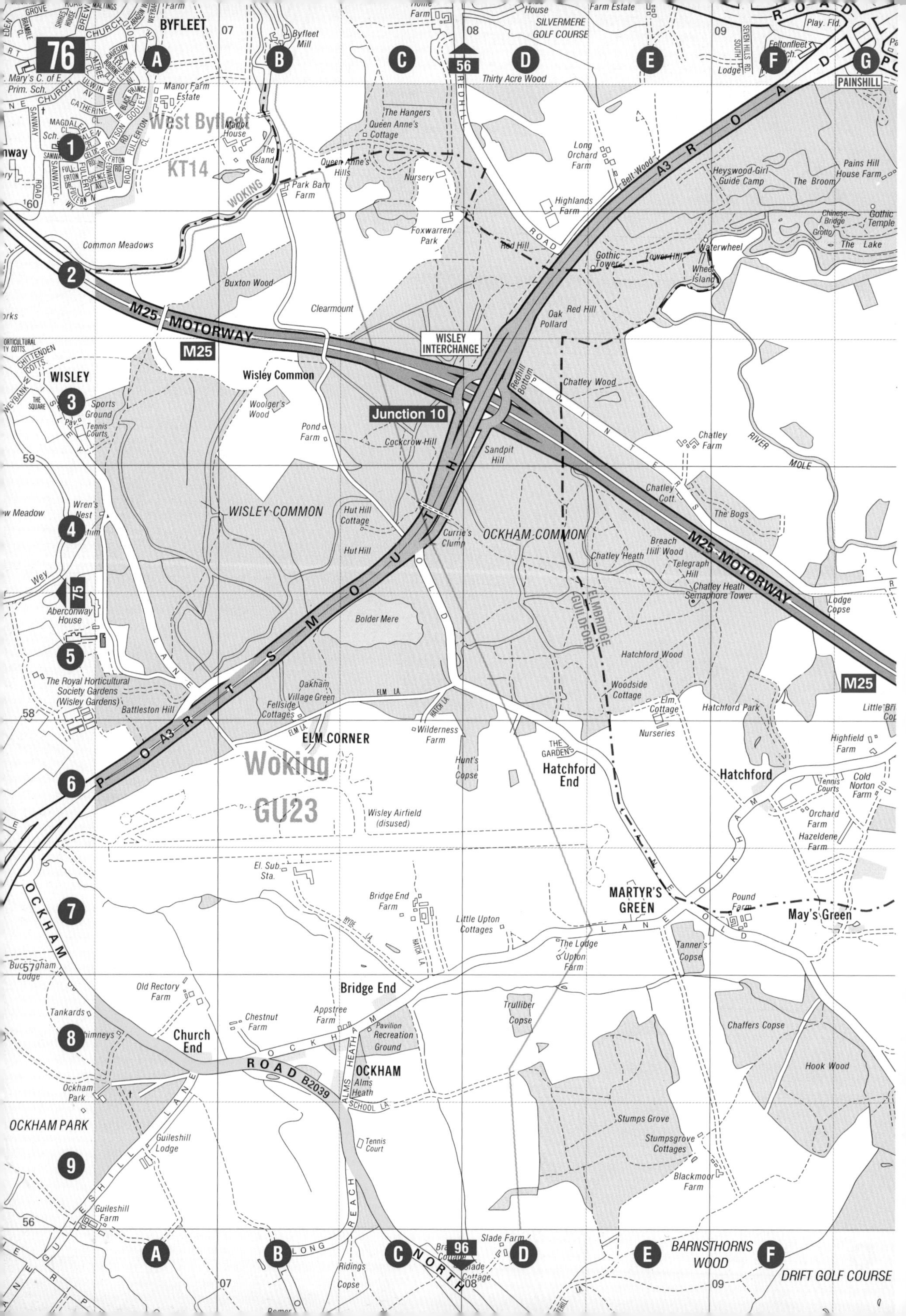
BYFLEET
West Byfleet
KT14
WOKING
Byfleet Mill
Manor Farm Estate
Manor House
The Island
Queen Anne's Hills
Park Barn Farm
The Hangers
Queen Anne's Cottage
Nursery
Foxwarren Park
Red Hill
SILVERMERE GOLF COURSE
Thirty Acre Wood
Farm Estate
Long Orchard Farm
Highlands Farm
Belt Wood
Gothic Tower
Tower Hill
Waterwheel
Wheel Island
Heyswood Girl Guide Camp
The Broom
Pains Hill House Farm
Chinese Bridge
Grotto
Gothic Temple
The Lake
PAINSHILL
Play. Fld.
Feltonfleet Sch.
Lodge
Common Meadows
Buxton Wood
Clearmount
M25 MOTORWAY
M25
WISLEY INTERCHANGE
Oak Pollard
Red Hill
Junction 10
Redhill Bottom
WISLEY
Wisley Common
Woolger's Wood
Sports Ground
Tennis Courts
Pond Farm
Cockcrow Hill
Sandpit Hill
Chatley Wood
Chatley Farm
RIVER MOLE
Chatley Cott.
The Bogs
Wren's Nest
WISLEY COMMON
Hut Hill Cottage
Hut Hill
Currie's Clump
OCKHAM COMMON
Breach Hill Wood
Chatley Heath
Telegraph Hill
Chatley Heath Semaphore Tower
Lodge Copse
Wey
Aberconway House
Bolder Mere
ELMBRIDGE
GUILDFORD
Hatchford Wood
The Royal Horticultural Society Gardens (Wisley Gardens)
Battleston Hill
Oakham Village Green
Fellside Cottages
ELM LA
ELM CORNER
Wilderness Farm
Hunt's Copse
Woodside Cottage
Elm Cottage
Nurseries
Hatchford Park
Highfield Farm
THE GARDENS
Hatchford End
Hatchford
Tennis Courts
Cold Norton Farm
Orchard Farm
Hazeldene Farm
Woking
GU23
Wisley Airfield (disused)
El. Sub. Sta.
Bridge End Farm
MARTYR'S GREEN
Pound Farm
May's Green
Little Upton Cottages
The Lodge
Upton Farm
Tanner's Copse
HYDE LA
HATCH LA
Old Rectory Farm
Bridge End
Trulliber Copse
Chaffers Copse
Hook Wood
Tankards
Chestnut Farm
Appstree Farm
Pavilion Recreation Ground
Church End
ROAD B2039
OCKHAM
Alms Heath
SCHOOL LA
Ockham Park
OCKHAM PARK
Stumps Grove
Stumpsgrove Cottages
Guileshill Lodge
Tennis Court
Blackmoor Farm
Guileshill Farm
Slade Farm
Slade Cottage
LONG REACH
Ridings Copse
BARNSTHORNS WOOD
DRIFT GOLF COURSE
A3 PORTSMOUTH ROAD
OCKHAM LANE
GUILESHILL LANE
OLD LANE
56
75
96

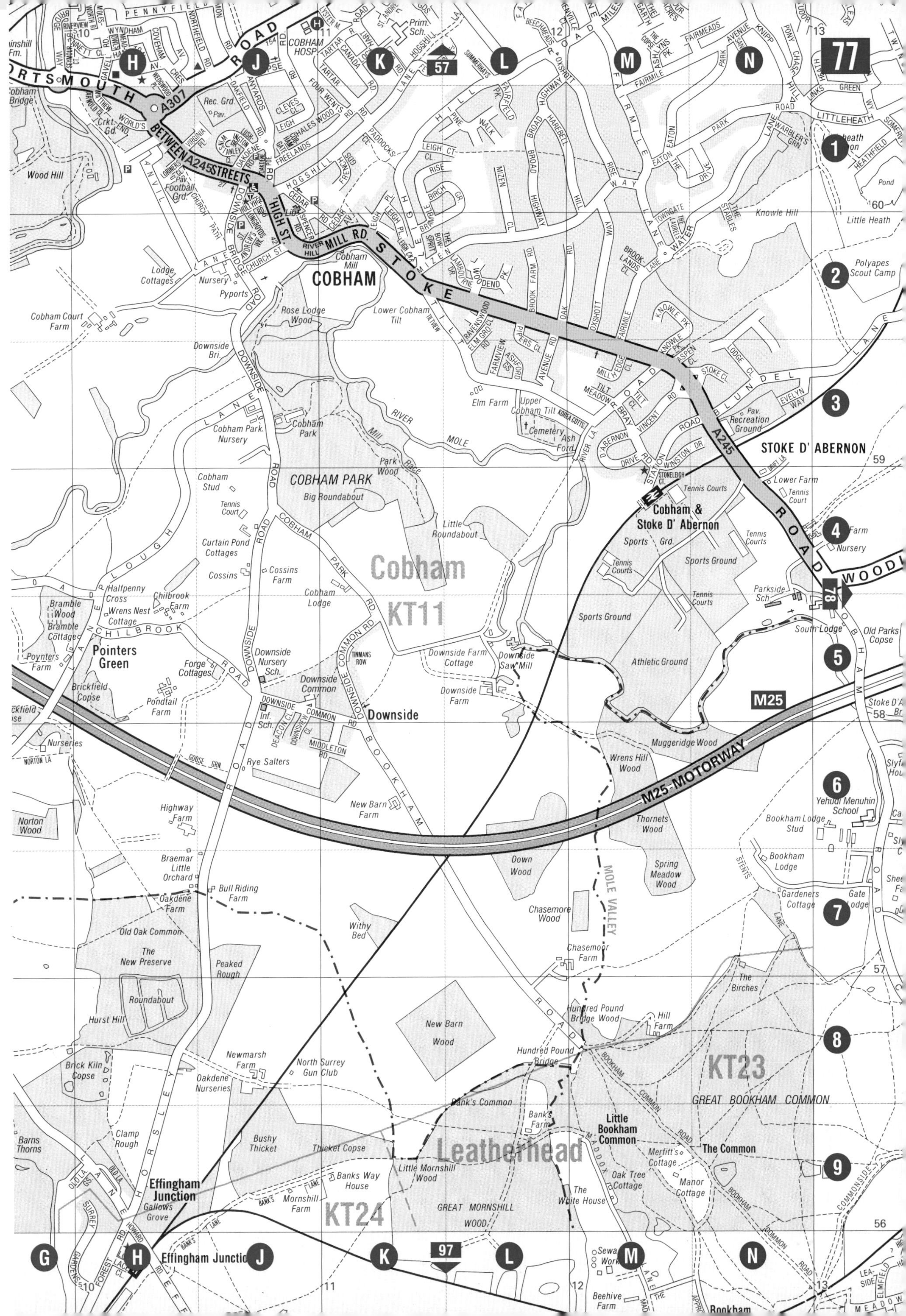
77
57
78
97
H
J
K
L
M
N
G
1
2
3
4
5
6
7
8
9
10
11
12
13
56
57
58
59
60
PORTSMOUTH ROAD
A307
BETWEEN STREETS
A245
HIGH ST.
MILL RD.
STOKE ROAD
A245
COBHAM
Cobham Mill
Cobham Bridge
COBHAM HOSP.
Rec. Grd.
Pav.
Football Grd.
Crkt. Gd.
Wood Hill
Lodge Cottages
Nursery
Pyports
Cobham Court Farm
Rose Lodge Wood
Lower Cobham Tilt
Downside Bri.
DOWNSIDE ROAD
DOWNSIDE BRIDGE ROAD
PLOUGH LANE
Cobham Park Nursery
Cobham Park
COBHAM PARK
Big Roundabout
Cobham Stud
Tennis Court
Curtain Pond Cottages
Cossins
Cossins Farm
Cobham Lodge
Halfpenny Cross
Wrens Nest Cottage
Chilbrook Farm
CHILBROOK ROAD
Bramble Wood
Bramble Cottages
Poynters Farm
Pointers Green
Forge Cottages
Brickfield Copse
Pondtail Farm
Nurseries
NORTON LA.
GOOSE GRN.
Downside Nursery Sch.
Downside Common
Inf. Sch.
DOWNSIDE COMMON RD.
Downside
MIDDLETON RD.
DEACON CL.
Rye Salters
Highway Farm
Norton Wood
Braemar Little Orchard
Bull Riding Farm
Oakdene Farm
Old Oak Common
The New Preserve
Peaked Rough
Roundabout
Hurst Hill
Brick Kiln Copse
Newmarsh Farm
North Surrey Gun Club
Oakdene Nurseries
Barns Thorns
Clamp Rough
Bushy Thicket
Thicket Copse
Effingham Junction
Gallows Grove
Effingham Junction
HORSLEY ROAD
BANKS LANE
FOREST RD.
HOWARD RD.
Banks Way House
Mornshill Farm
KT24
Little Mornshill Wood
GREAT MORNSHILL WOOD
Bank's Common
Bank's Farm
Leatherhead
Hundred Pound Bridge
Hundred Pound Bridge Wood
Hill Farm
Little Bookham Common
MADDOX LANE
Merfitt's Cottage
Oak Tree Cottage
The White House
Manor Cottage
The Common
GREAT BOOKHAM COMMON
KT23
BOOKHAM COMMON ROAD
COMMONSIDE
The Birches
Sewage Works
Beehive Farm
Bookham
New Barn Wood
Chasemoor Farm
Chasemore Wood
Withy Bed
Down Wood
Spring Meadow Wood
Thornets Wood
MOLE VALLEY
Wrens Hill Wood
Muggeridge Wood
M25
M25-MOTORWAY
New Barn Farm
BOOKHAM ROAD
Downside Farm
Downside Farm Cottage
Downside Saw Mill
Cobham
KT11
Little Roundabout
Park Wood
Mill Race
RIVER MOLE
Elm Farm
Upper Cobham Tilt
Cemetery
Ash Ford
Cobham & Stoke D'Abernon
Sports Grd.
Sports Ground
Tennis Courts
Athletic Ground
Parkside Sch.
South Lodge
Old Parks Copse
STOKE D'ABERNON
Lower Farm
Tennis Court
Farm
Nursery
Recreation Ground
Pav.
BLUNDEL LANE
EVELYN WAY
Polyapes Scout Camp
Knowle Hill
Little Heath
Littleheath
Pond
LITTLEHEATH
WARBLER'S GRN.
EATON PARK
THE DRIVE
THE STABLES
FAIRMILE LANE
FAIRMILE PK.
FAIRMEADS
OXSHOTT
BROAD HIGHWAY
HAREBELL HILL
MIZEN WAY
LEIGH CT. CL.
BIRCH GR.
PINE WALK
FAIRFIELD
HOGSHILL LANE
PADDOCKS WAY
FRENCH GDS.
FREELANDS
LEIGH RD.
FOUR WENTS
TARTAR RD.
Prim. Sch.
Lib.
Yehudi Menuhin School
Bookham Lodge Stud
Bookham Lodge
Gardeners Cottage
Gate Lodge
STENTS LANE
Stoke D'Abernon
Slyfield House

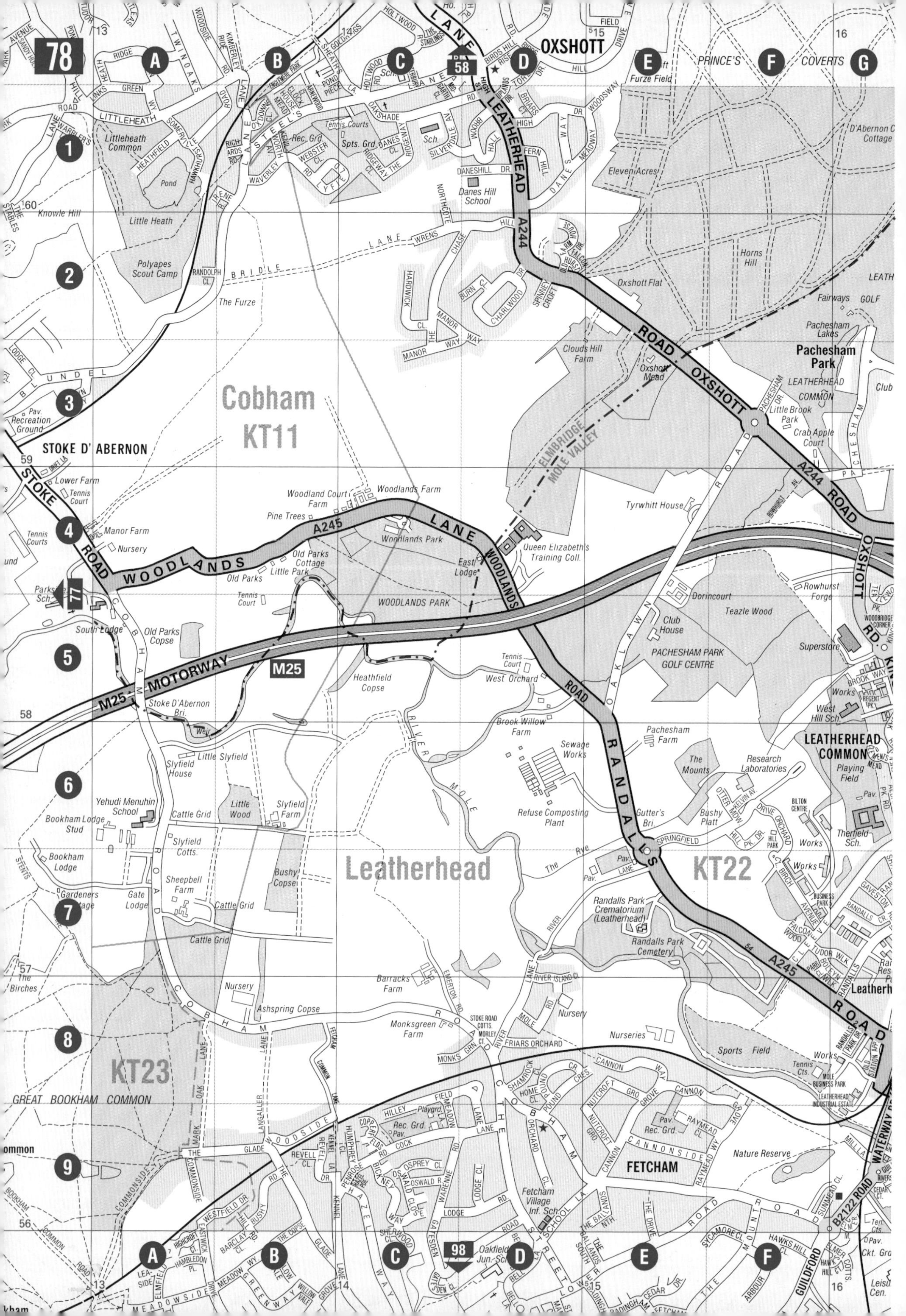
OXSHOTT
Cobham
KT11
Leatherhead
KT22
KT23
FETCHAM
STOKE D' ABERNON
LEATHERHEAD COMMON
Pachesham Park
PRINCE'S COVERTS
GREAT BOOKHAM COMMON
Littleheath Common
Little Heath
Polyapes Scout Camp
Knowle Hill
The Furze
Danes Hill School
Eleven Acres
Horns Hill
Oxshott Flat
Clouds Hill Farm
Woodlands Farm
Woodlands Park
Queen Elizabeth's Training Coll.
Tyrwhitt House
Old Parks
Little Park
Lower Farm
Manor Farm
Heathfield Copse
West Orchard
Brook Willow Farm
Sewage Works
Pachesham Farm
Refuse Composting Plant
PACHESHAM PARK GOLF CENTRE
Teazle Wood
Yehudi Menuhin School
Bookham Lodge Stud
Slyfield House
Little Slyfield
Little Wood
Slyfield Farm
Sheepbell Farm
Bushy Copse
Randalls Park Crematorium (Leatherhead)
Randalls Park Cemetery
Barracks Farm
Monksgreen Farm
Ashspring Copse
Nursery
Nature Reserve
Sports Field
Fetcham Village Inf. Sch.
M25 MOTORWAY
A244 OXSHOTT ROAD
A245 WOODLANDS LANE
RANDALLS ROAD
COBHAM ROAD
LEATHERHEAD ROAD
B2122 ROAD
ELMBRIDGE
MOLE VALLEY
RIVER MOLE

58
77
98

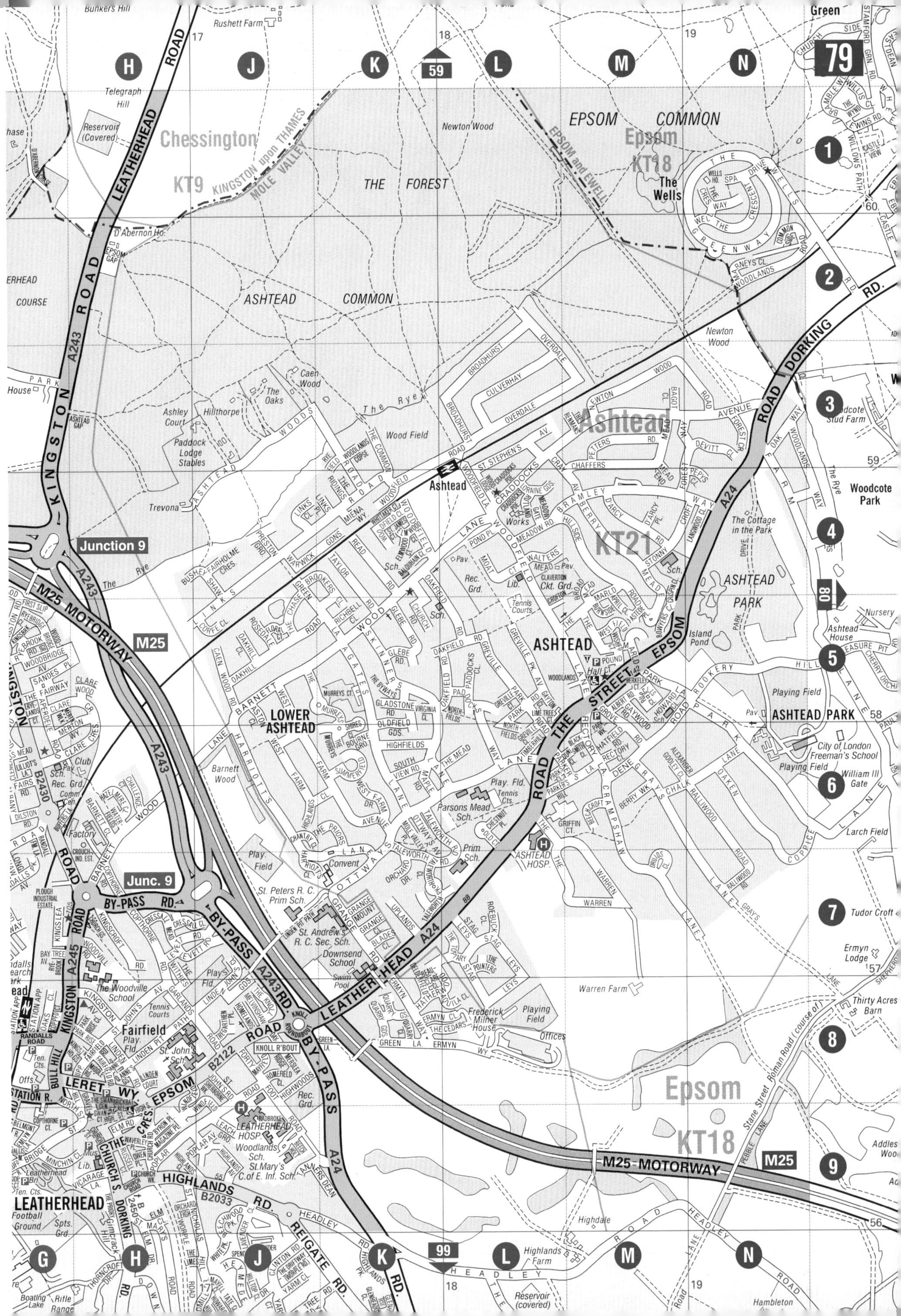
Bunkers Hill
Rushett Farm
Telegraph Hill
Reservoir (Covered)
Chessington
KT9
KINGSTON upon THAMES
MOLE VALLEY
EPSOM and EWELL
Newton Wood
EPSOM COMMON
Epsom
KT18
The Wells
THE FOREST
D'Abernon Ho.
ASHTEAD COMMON
KINGSTON ROAD
LEATHERHEAD ROAD
A243
Caen Wood
The Oaks
Ashley Court
Hillthorpe
Paddock Lodge Stables
Wood Field
Trevona
The Rye
Ashtead
KT21
Newton Wood
Woodcote Stud Farm
Woodcote Park
The Cottage in the Park
ASHTEAD PARK
Island Pond
Ashtead House
Junction 9
M25 MOTORWAY
M25
ASHTEAD
LOWER ASHTEAD
Barnett Wood
Parsons Mead Sch.
ASHTEAD HOSP.
Convent
St. Peters R. C. Prim Sch.
St. Andrew's R. C. Sec. Sch.
Downsend School
Junc. 9
BY-PASS RD.
The Woodville School
Fairfield
Tennis Courts
KNOLL R'BOUT
LEATHERHEAD HOSP.
Woodlands Sch.
St. Mary's C. of E. Inf. Sch.
Frederick Milner House
Playing Field
Offices
Warren Farm
City of London Freeman's School
William III Gate
Larch Field
Tudor Croft
Ermyn Lodge
Thirty Acres Barn
Stane Street, Roman Road (course of)
Addles Wood
Epsom
KT18
M25-MOTORWAY
EPSOM ROAD
DORKING RD.
THE STREET
LEATHERHEAD
HIGHLANDS RD.
REIGATE RD.
HEADLEY ROAD
Highdale
Highlands Farm
Reservoir (covered)
Hambleton
Football Ground
Boating Lake
Rifle Range
59
99
80

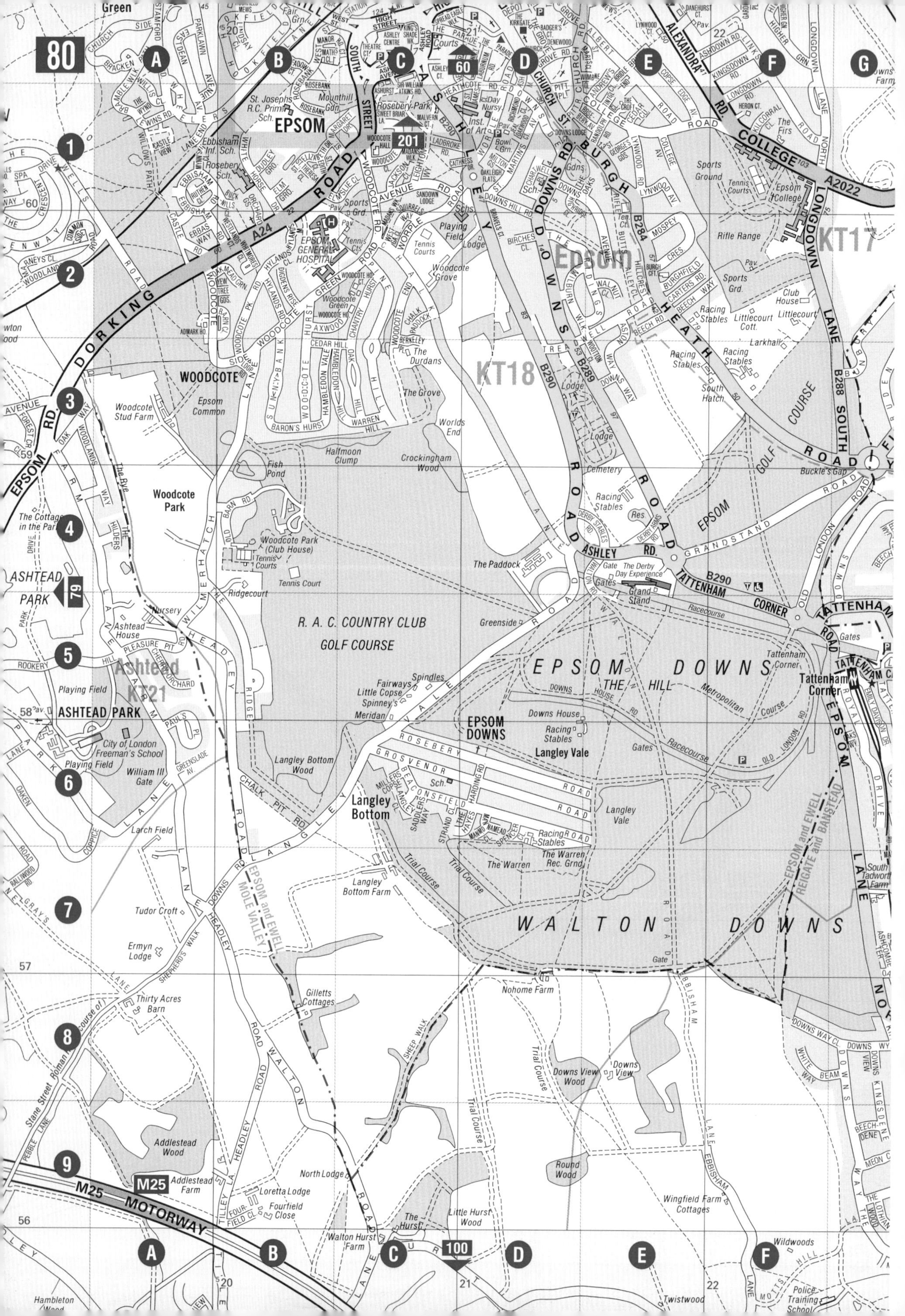
EPSOM
Epsom
KT18
KT17
KT21
WOODCOTE
Woodcote Park
Epsom Common
Woodcote Stud Farm
The Cottage in the Park
ASHTEAD PARK
Ashtead
Ashtead House
City of London Freeman's School
Playing Field
William III Gate
Larch Field
Tudor Croft
Ermyn Lodge
Thirty Acres Barn
Addlestead Wood
Addlestead Farm
Loretta Lodge
Fourfield Close
North Lodge
Walton Hurst Farm
The Hurst
Little Hurst Wood
Gilletts Cottages
Nohome Farm
Downs View Wood
Downs View
Round Wood
Wingfield Farm Cottages
Twistwood
Wildwoods
Police Training School
R. A. C. COUNTRY CLUB GOLF COURSE
Woodcote Park (Club House)
Tennis Courts
Tennis Court
Ridgecourt
Nursery
Fish Pond
Halfmoon Clump
Crockingham Wood
Worlds End
The Grove
The Durdans
Woodcote Grove
Playing Field
EPSOM GENERAL HOSPITAL
Sports Grd.
Rosebery Park
Mounthill Gdn.
St. Josephs R.C. Prim. Sch.
Ebbisham Inf. Sch.
Rosebery Sch.
Inst. of Art
Day Nursy.
Bowl. Grn.
Cemetery
Racing Stables
The Paddock
Gate
The Derby Day Experience
Gates
Grand Stand
Greenside
Racecourse
TATTENHAM CORNER
Tattenham Corner
EPSOM DOWNS
THE HILL
Downs House
Langley Vale
Langley Bottom
Langley Bottom Wood
Langley Bottom Farm
Fairways
Spindles
Little Copse
Spinney's
Meridan
The Warren
The Warren Rec. Grnd.
Trial Course
Metropolitan Course
WALTON DOWNS
Sports Ground
Tennis Courts
Epsom College
Rifle Range
Sports Grd.
Club House
Littlecourt
Littlecourt Cott.
Larkhall
South Hatch
GOLF COURSE
Buckle's Gap
South Tadworth Farm
EPSOM and EWELL MOLE VALLEY
EPSOM and EWELL REIGATE and BANSTEAD
DORKING ROAD
EPSOM RD.
COLLEGE ROAD
ASHLEY RD.
GRANDSTAND ROAD
TATTENHAM CORNER
DOWNS ROAD
BURGH HEATH ROAD
HEADLEY ROAD
WALTON ROAD
LANGLEY VALE
ROSEBERY ROAD
GROSVENOR ROAD
BEACONSFIELD ROAD
M25 MOTORWAY
A24
A2022
B290
B289
B284
B288
SOUTH STREET
WOODCOTE RD.
WORPLE RD.
CHURCH ST.
LONGDOWN LANE SOUTH
ALEXANDRA RD.
Stane Street Roman Course of
A B C D E F G
1 2 3 4 5 6 7 8 9
20 21 22
56 57 58 59 60
60
201
79
100

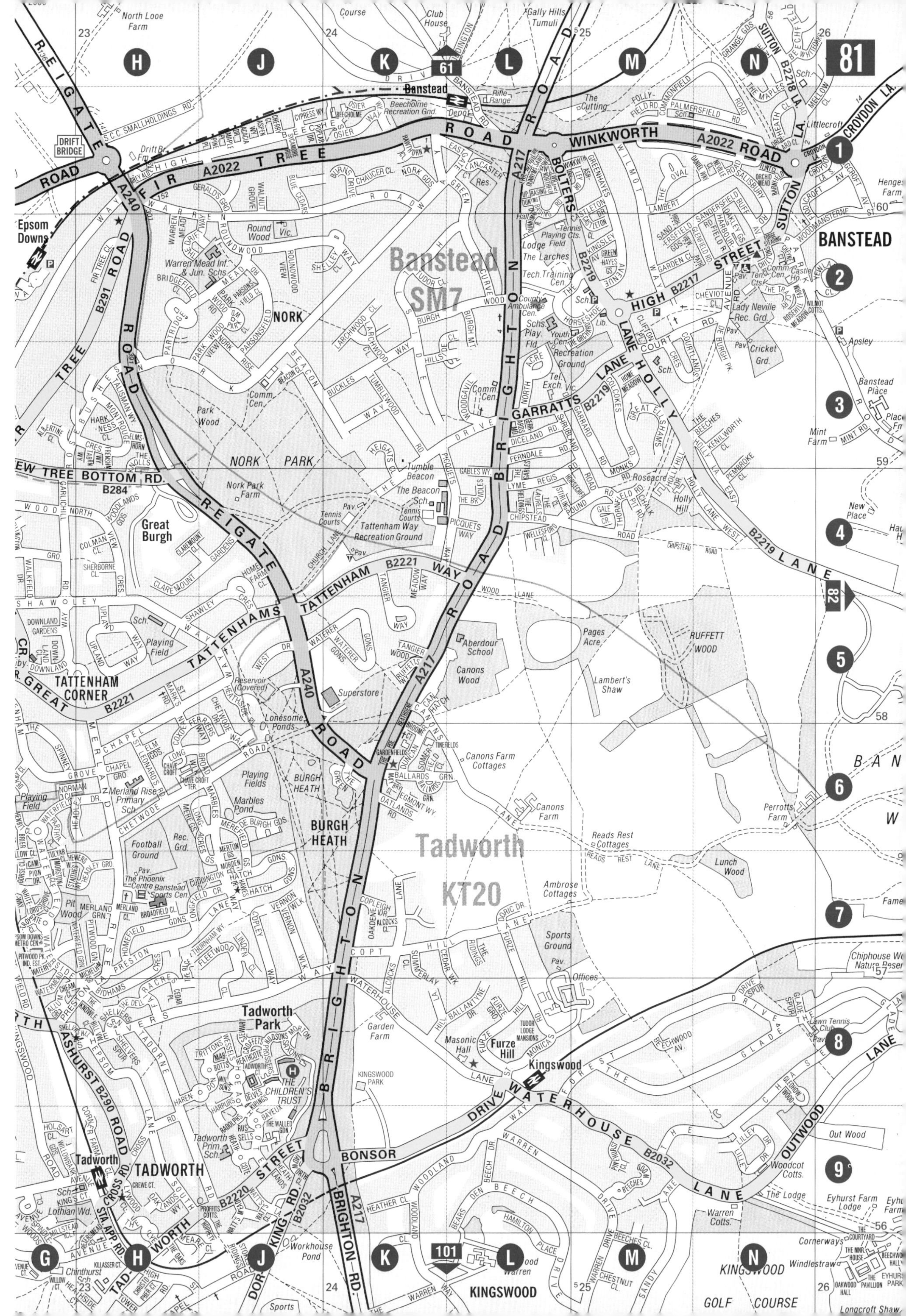

81
61
82
101
H
J
K
L
M
N
G
1
2
3
4
5
6
7
8
9
23
24
25
26
56
57
58
59
60
North Looe Farm
Course
Club House
Gally Hills Tumuli
Banstead
Beecholme Recreation Gnd.
Rifle Range
Depot
The Cutting
S.C.C. SMALLHOLDINGS RD.
DRIFT BRIDGE
Drift Br.
Epsom Downs
REIGATE ROAD
FIR TREE ROAD
A2022
A240
A217
WINKWORTH ROAD
Littlecroft
CROYDON LA.
Henges Farm
BANSTEAD
Banstead SM7
Round Wood
Warren Mead Inf. & Jun. Schs.
NORK
Lodge
The Larches
Tennis
Playing Cts. Field
Tech.Training Cen.
County Ambulance Cen.
Schs. Play. Fld.
Youth Cen.
Recreation Ground
Tel. Exch.
Comm. Cen.
HIGH STREET
B2217
B2219
BOLTERS LANE
GARRATTS LANE
HOLLY LANE
Lady Neville Rec. Grd.
Cricket Grd.
Apsley
Banstead Place
Mint Farm
Park Wood
NORK PARK
NEW TREE BOTTOM RD.
B284
Nork Park Farm
Great Burgh
Tumble Beacon
The Beacon Sch.
Tennis Courts
Tattenham Way Recreation Ground
BRIGHTON ROAD
Roseacre
Holly Hill
CHIPSTEAD ROAD
New Place
TATTENHAM WAY
B2221
Pages Acre
RUFFETT WOOD
Aberdour School
Canons Wood
Lambert's Shaw
TATTENHAM CORNER
TATTENHAMS WAY
GREAT TATTENHAM
Playing Field
Reservoir (Covered)
Superstore
Lonesome Ponds
Canons Farm Cottages
Playing Fields
BURGH HEATH
Merland Rise Primary Sch.
Marbles Pond
Canons Farm
Perrotts Farm
Reads Rest Cottages
Tadworth KT20
Football Ground
Rec. Grd.
Lunch Wood
The Phoenix Centre
Banstead Sports Cen.
Ambrose Cottages
Pit Wood
Sports Ground
Pav.
Offices
Chiphouse Wood Nature Reserve
Tadworth Park
Garden Farm
Masonic Hall
Furze Hill
Kingswood
Lawn Tennis Club
THE CHILDREN'S TRUST
KINGSWOOD PARK
WATERHOUSE LANE
B2032
OUTWOOD LANE
Out Wood
Woodcot Cotts.
Tadworth Prim. Sch.
Tadworth
TADWORTH
ASHURST ROAD
B290
BONSOR DRIVE
B2220
TADWORTH STREET
Lothian Wd.
The Lodge
Eyhurst Farm Lodge
Warren Cotts.
Workhouse Pond
KINGSWOOD
KINGSWOOD GOLF COURSE
Cornerways
Windlestraw
Chinthurst
Sports
Longcroft Shaw

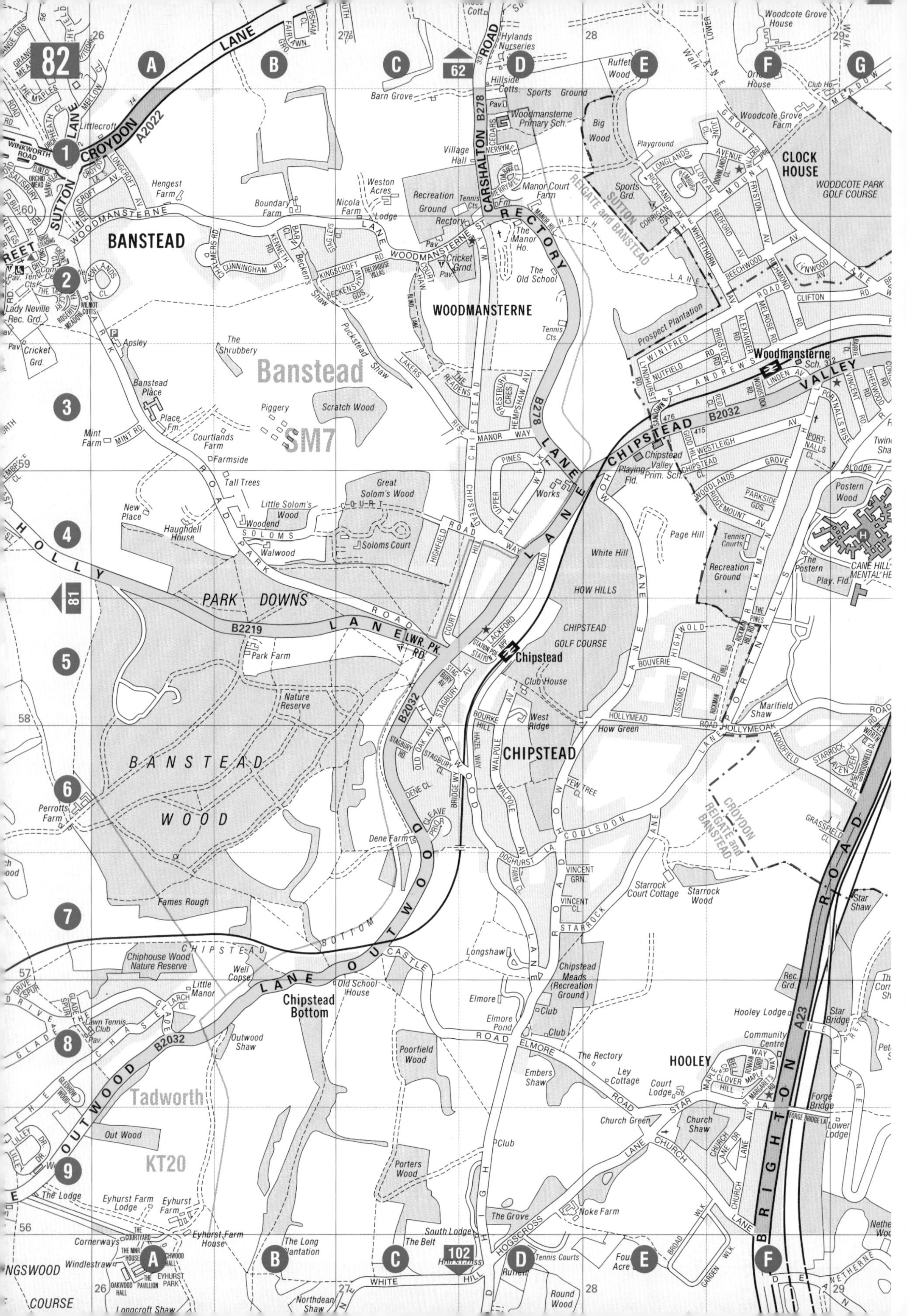
BANSTEAD
WOODMANSTERNE
CHIPSTEAD
HOOLEY
CLOCK HOUSE
WOODCOTE PARK GOLF COURSE
Banstead
SM7
Tadworth
KT20
PARK DOWNS
BANSTEAD WOOD
CHIPSTEAD GOLF COURSE
CANE HILL MENTAL HOSPITAL
Chipstead Bottom
Woodmansterne Primary Sch.
Chipstead Valley Prim. Sch.
Chipstead
Woodmansterne
CROYDON LANE A2022
CARSHALTON ROAD B278
RECTORY LANE B278
CHIPSTEAD VALLEY ROAD B2032
HOLLY LANE B2219
OUTWOOD LANE B2032
BRIGHTON ROAD A23
REIGATE and BANSTEAD
SUTTON
CROYDON

62
81
102

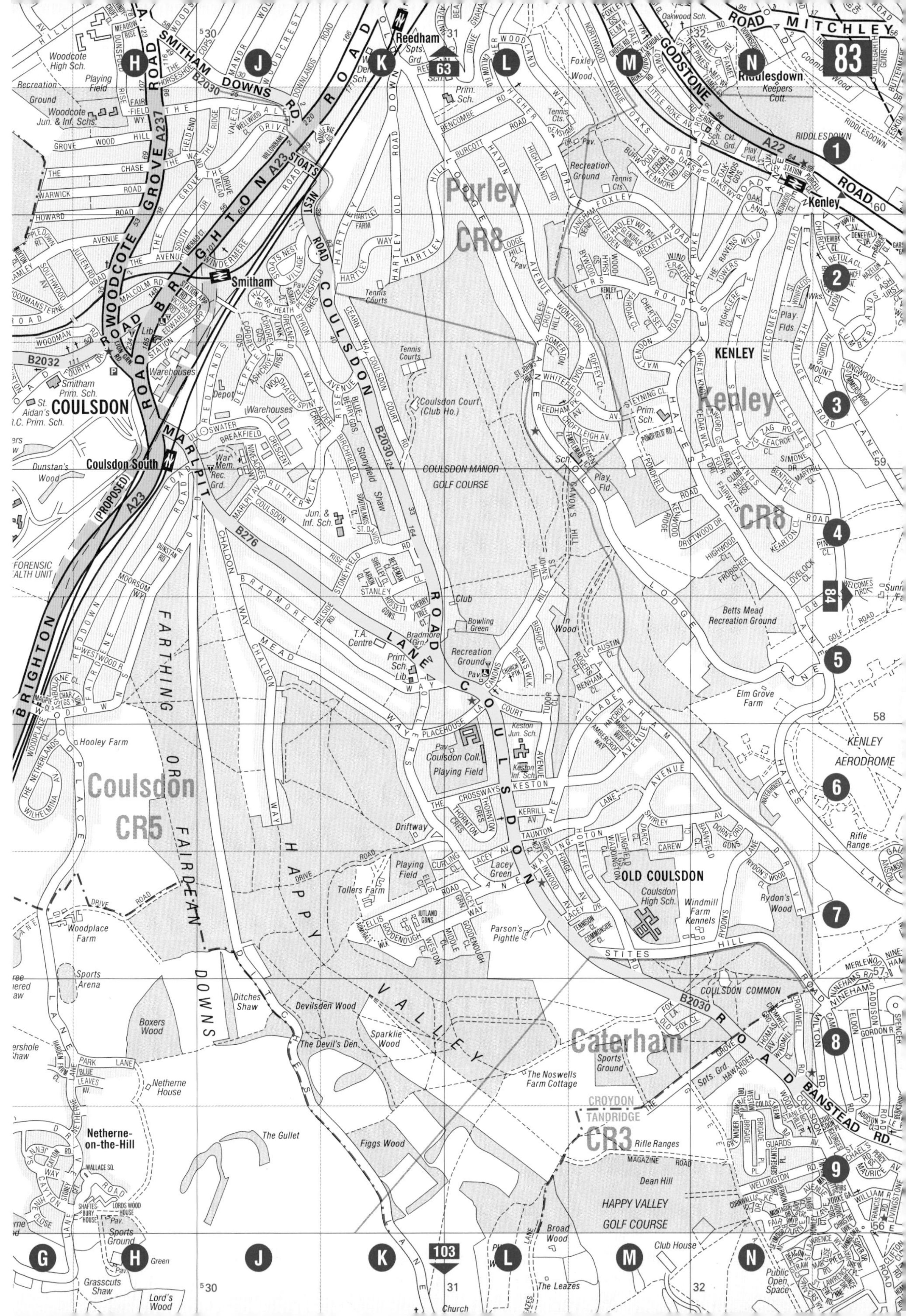

83
Reedham
63
Riddlesdown
MITCHLEY
GODSTONE ROAD
Woodcote High Sch.
Playing Field
Recreation Ground
Woodcote Jun. & Inf. Schs.
SMITHAM DOWNS RD.
B2030
WOODCOTE GROVE ROAD
A237
BRIGHTON ROAD
A23
STOATS NEST ROAD
Smitham
COULSDON
B2032
Smitham Prim. Sch.
St. Aidan's R.C. Prim. Sch.
Coulsdon South
MARLPIT
Dunstan's Wood
(PROPOSED)
FORENSIC HEALTH UNIT
Warehouses
Depot
War Mem.
Rec. Grd.
B276
CHALDON WAY
BRADMORE WAY
FARTHING DOWNS
FARTHING OR FAIRDEAN DOWNS
Purley
CR8
Foxley Wood
Recreation Ground
Tennis Cts.
Kenley
KENLEY
Keepers Cott.
Riddlesdown
Play. Flds.
Tennis Courts
Coulsdon Court (Club Ho.)
COULSDON MANOR GOLF COURSE
Stoneyfield Shaw
Jun. & Inf. Sch.
COULSDON ROAD
B2030
Prim. Sch.
Play. Fld.
Betts Mead Recreation Ground
Elm Grove Farm
KENLEY AERODROME
Rifle Range
Rydon's Wood
Club
Bowling Green
T.A. Centre
Recreation Ground
Coulsdon Coll. Playing Field
Keston Jun. Sch.
Keston Inf. Sch.
Driftway
Playing Field
Tollers Farm
Lacey Green
OLD COULSDON
Coulsdon High Sch.
Windmill Farm Kennels
Parson's Pightle
STITES HILL
COULSDON COMMON
Hooley Farm
Coulsdon
CR5
HAPPY VALLEY
Woodplace Farm
Sports Arena
Boxers Wood
Ditches Shaw
Devilsden Wood
The Devil's Den
Sparklie Wood
Caterham
Sports Ground
The Noswells Farm Cottage
CROYDON
TANDRIDGE
CR3
Rifle Ranges
MAGAZINE ROAD
Dean Hill
HAPPY VALLEY GOLF COURSE
Netherne House
Netherne-on-the-Hill
The Gullet
Figgs Wood
Broad Wood
Club House
Public Open Space
Sports Ground
Grasscuts Shaw
Lord's Wood
The Leazes
Church
103
84
BANSTEAD RD.
G H J K L M N
1 2 3 4 5 6 7 8 9
30 31 32
56 57 58 59 60

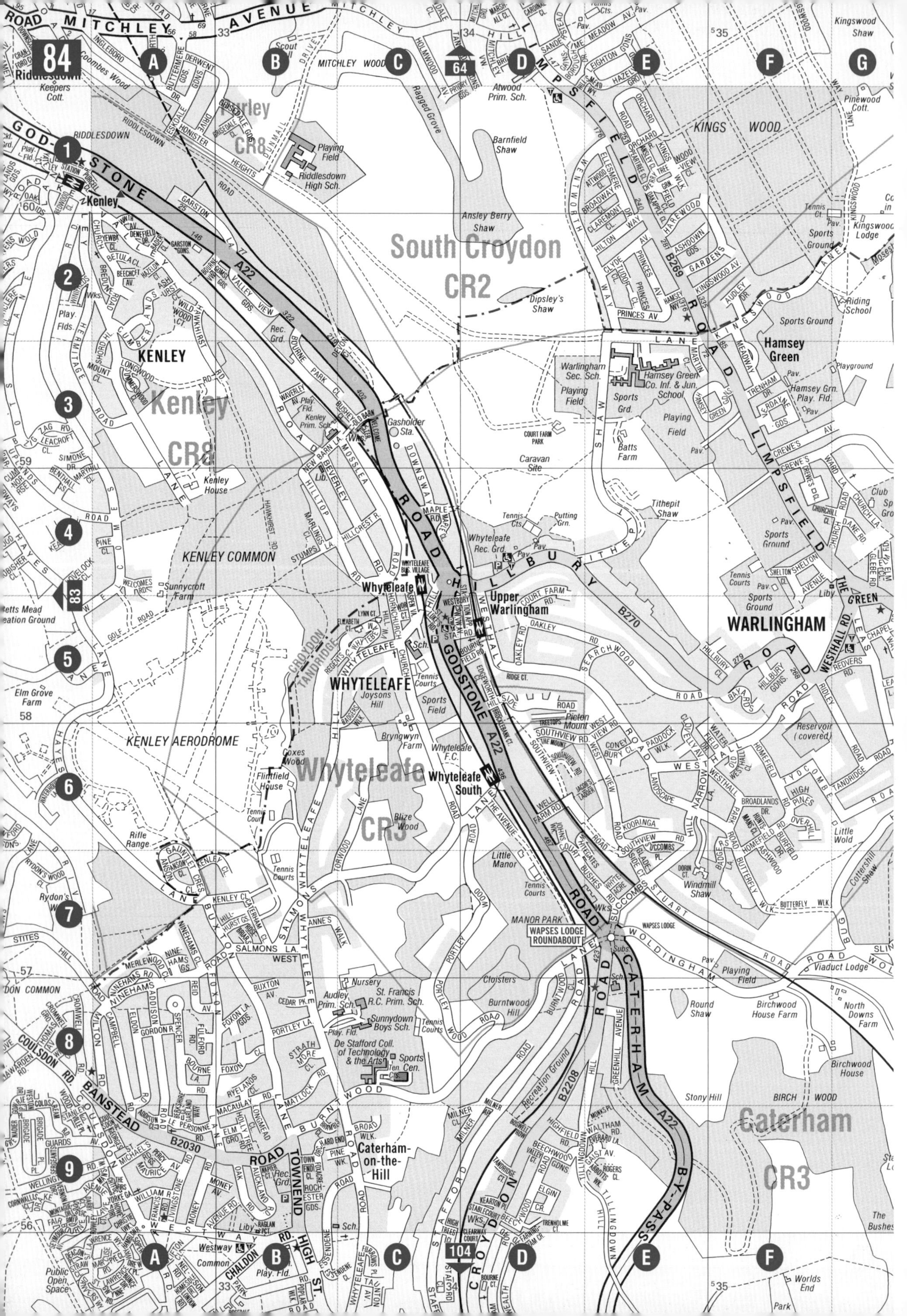
MITCHLEY AVENUE
Riddlesdown
Keepers Cott.
Coombes Wood
MITCHLEY WOOD
Ragged Grove
Atwood Prim. Sch.
KINGS WOOD
Kingswood Shaw
Pinewood Cott.
RIDDLESDOWN
Purley
CR8
Playing Field
Riddlesdown High Sch.
Barnfield Shaw
Kenley
GODSTONE ROAD
A22
Ansley Berry Shaw
South Croydon
CR2
Dipsley's Shaw
LIMPSFIELD ROAD
B269
PRINCES AV
KINGSWOOD LANE
Sports Ground
Riding School
Kingswood Lodge
Hamsey Green
KENLEY
Kenley
CR8
Kenley Prim. Sch.
Gasholder Sta.
Warlingham Sec. Sch.
Hamsey Green Co. Inf. & Jun. School
Playing Field
Batts Farm
Caravan Site
Tithepit Shaw
Kenley House
KENLEY COMMON
Whyteleafe Rec. Grd.
HILLBURY ROAD
B270
Whyteleafe
Upper Warlingham
WARLINGHAM
Sunnycroft Farm
WHYTELEAFE
Joysons Hill
Sports Field
Picton Mount
Reservoir (covered)
Elm Grove Farm
KENLEY AERODROME
Coxes Wood
Flintfield House
Bryngwyn Farm
Whyteleafe F.C.
Whyteleafe South
Whyteleafe
CR3
Blize Wood
Rifle Range
Little Manor
Little Wold
Rydon's Wood
Windmill Shaw
Cottershill Shaw
MANOR PARK
WAPSES LODGE ROUNDABOUT
WOLDINGHAM ROAD
Viaduct Lodge
Cloisters
Burntwood Hill
St. Francis R.C. Prim. Sch.
Audley Prim. Sch.
Sunnydown Boys Sch.
De Stafford Coll. of Technology & the Arts
Round Shaw
Birchwood House Farm
North Downs Farm
Birchwood House
Stony Hill
BIRCH WOOD
CATERHAM BY-PASS
Caterham
CR3
Caterham-on-the-Hill
BANSTEAD ROAD
B2030
COULSDON RD.
B2208
CROYDON ROAD
WESTWAY
Westway Common
Public Open Space
HIGH ST.
TOWNEND
Recreation Ground
The Bushes
Worlds End
Park
83
64
104

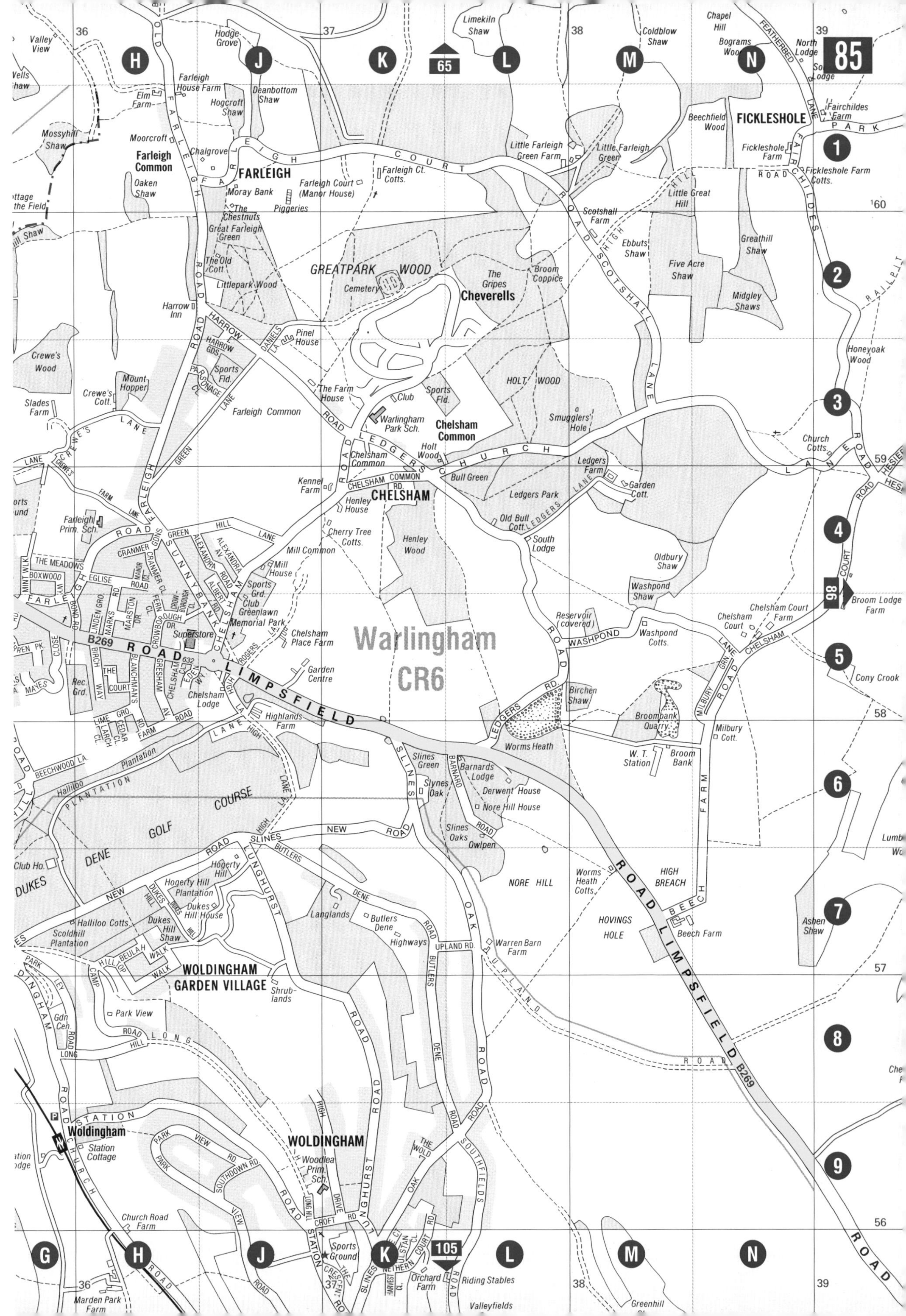

85
65
105
98
H
J
K
L
M
N
G
1
2
3
4
5
6
7
8
9
36
37
38
39
60
59
58
57
56
Valley View
Hodge Grove
Limekiln Shaw
Coldblow Shaw
Chapel Hill
Bograms Wood
North Lodge
South Lodge
FEATHERBED LANE
Farleigh House Farm
Deanbottom Shaw
Elm Farm
Hogcroft Shaw
Moorcroft
Mossyhill Shaw
Farleigh Common
Chalgrove
FARLEIGH
FARLEIGH COURT ROAD
Farleigh Ct. Cotts.
Farleigh Court (Manor House)
Moray Bank
The Chestnuts
Piggeries
Oaken Shaw
Great Farleigh Green
The Old Cott.
Littlepark Wood
GREATPARK WOOD
Cemetery
Cheverells
The Gripes
Broom Coppice
Little Farleigh Green Farm
Little Farleigh Green
Scotshall Farm
Ebbuts Shaw
SCOTSHALL LANE
Beechfield Wood
FICKLESHOLE
Fairchildes Farm
PARK
Fickleshole Farm
Fickleshole Farm Cotts.
FAIRCHILDES ROAD
Little Great Hill
Greathill Shaw
Five Acre Shaw
Midgley Shaws
Honeyoak Wood
Harrow Inn
HARROW ROAD
HARROW GDS.
DANIELS LA.
Pinel House
Crewe's Wood
Mount Hopper
Crewe's Cott.
Slades Farm
CREWE'S LANE
Sports Fld.
PARSONAGE CL.
Farleigh Common
The Farm House
Club
Warlingham Park Sch.
Chelsham Common
HOLT WOOD
Smugglers' Hole
Holt Wood
CHURCH LANE
Church Cotts.
LEDGERS ROAD
Chelsham Common
Bull Green
Ledgers Farm
Garden Cott.
Ledgers Park
LEDGERS LANE
Old Bull Cott.
South Lodge
Kennel Farm
CHELSHAM COMMON RD.
CHELSHAM
Henley House
Henley Wood
Cherry Tree Cotts.
Mill Common
Mill House
Oldbury Shaw
Washpond Shaw
Broom Lodge Farm
CHELSHAM COURT ROAD
Chelsham Court Farm
Chelsham Court
Reservoir (covered)
WASHPOND LANE
Washpond Cotts.
Cony Crook
FARLEIGH ROAD
GREEN HILL LANE
FARM LANE
Farleigh Prim. Sch.
CRANMER GDNS.
THE MEADOWS
BOXWOOD WY.
EGLISE RD.
MANOR CL.
CRANMER CL.
SUNNYBANK
ALEXANDRA AV.
ALEXANDRA RD.
ALBERT RD.
CHELSHAM RD.
Sports Grd.
Club
Greenlawn Memorial Park
LINDEN GRO.
MARKS RD.
MARSTON DR.
FERN CL.
CROWBOROUGH DR.
CROWBOROUGH CL.
Superstore
ROGERS
Chelsham Place Farm
Garden Centre
Warlingham
CR6
B269 ROAD
LIMPSFIELD
632
BIRCH WAY
THE COURT
BLANCHMANS RD.
GRESHAM AV.
CHELSHAM CL.
EDEN WY.
Chelsham Lodge
HIGH ST.
Rec. Grd.
MAYES CLOSE
LIME GRO.
CEDAR CL.
LARCH CL.
FARM ROAD
Highlands Farm
HIGHLANDS LANE
BEECHWOOD LA.
Plantation
Halliloo PLANTATION
COURSE
GOLF
DENE
DUKES
Club Ho.
Birchen Shaw
LEDGERS RD.
Worms Heath
Broombank Quarry
MILBURY GRN.
Milbury Cott.
W. T. Station
Broom Bank
FARM
Slines Green
SLINES
Barnards Lodge
BARNARD
Slynes Oak
Derwent House
Nore Hill House
Slines Oaks
Owlpen
HIGH LA.
SLINES NEW ROAD
BUTLERS
NORE HILL
Worms Heath Cotts.
HIGH BREACH
BEECH FARM ROAD
Beech Farm
HOVINGS HOLE
Hogerty Hill
Hogerty Hill Plantation
DUKES HILL
Dukes Hill House
Halliloo Cotts.
Dukes Hill Shaw
Scoldhill Plantation
LUNGHURST
Langlands
DENE
Butlers Dene
Highways
UPLAND RD.
Warren Barn Farm
BEULAH WALK
HILLTOP WALK
CAMP
WOLDINGHAM GARDEN VILLAGE
Shrublands
Park View
Gdn Cen.
LONG HILL ROAD
STATION ROAD
Woldingham
Station Cottage
PARK VIEW RD
SOUTHDOWN RD
WOLDINGHAM
Woodlea Prim. Sch.
CHURCH ROAD
Church Road Farm
CROFT RD
Sports Ground
THE WOLD
SOUTHFIELDS
OAK ROAD
NETHERN COURT RD
Orchard Farm
Riding Stables
Valleyfields
Greenhill
Marden Park Farm
Ashen Shaw
B269

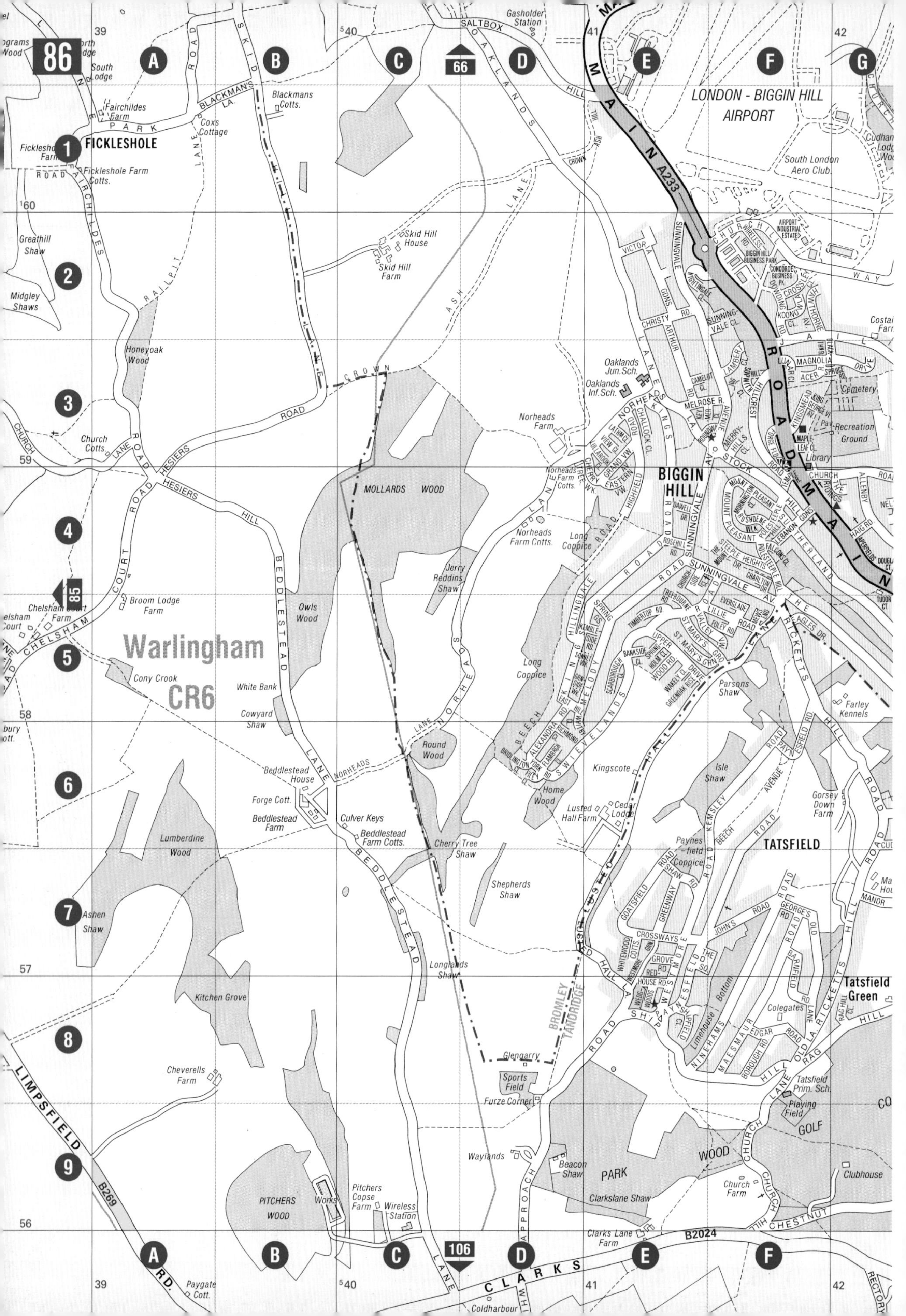

86
A
B
C
D
E
F
G
66
85
106
39
40
41
42
60
59
58
57
56
1
2
3
4
5
6
7
8
9
FICKLESHOLE
Fickleshole Farm
Fickleshole Farm Cotts.
Fairchildes Farm
South Lodge
Coxs Cottage
Blackmans Cotts.
BLACKMAN'S LA.
PARK LANE
FAIRCHILDES ROAD
SKID HILL LANE
Skid Hill House
Skid Hill Farm
SALTBOX HILL
Gasholder Station
OAKLANDS LANE
LONDON - BIGGIN HILL AIRPORT
South London Aero Club
MAIN ROAD
A233
Greathill Shaw
Midgley Shaws
RAILPIT
Honeyoak Wood
CROWN ASH LANE
CROWN ROAD
HESIERS ROAD
HESIERS HILL
CHURCH LANE
Church Cotts.
COURT ROAD
CHELSHAM
Chelsham Court Farm
Broom Lodge Farm
Warlingham
CR6
Cony Crook
White Bank
Cowyard Shaw
Owls Wood
MOLLARDS WOOD
Jerry Reddins Shaw
BEDDLESTEAD LANE
Beddlestead House
Forge Cott.
Beddlestead Farm
Culver Keys
Beddlestead Farm Cotts.
NORHEADS LANE
Round Wood
Norheads Farm
Norheads Farm Cotts.
Oaklands Jun.Sch.
Oaklands Inf.Sch.
BIGGIN HILL
Long Coppice
Home Wood
Kingscote
Lusted Hall Farm
Cedar Lodge
Cherry Tree Shaw
Shepherds Shaw
Lumberdine Wood
Ashen Shaw
Kitchen Grove
Longlands Shaw
Cheverells Farm
LIMPSFIELD RD.
B269
PITCHERS WOOD
Works
Pitchers Copse Farm
Wireless Station
Paygate Cott.
Glengarry
Sports Field
Furze Corner
Waylands
Beacon Shaw
PARK
WOOD
Clarkslane Shaw
Clarks Lane Farm
CLARKS LANE
B2024
Coldharbour
APPROACH
BROMLEY
TANDRIDGE
TATSFIELD
Tatsfield Green
Isle Shaw
Gorsey Down Farm
Paynesfield Coppice
Parsons Shaw
Farley Kennels
Colegates
Tatsfield Prim. Sch.
Playing Field
GOLF
Clubhouse
Church Farm
CHESTNUT
Recreation Ground
Cemetery
Library
AIRPORT INDUSTRIAL ESTATE
BIGGIN HILL BUSINESS PARK
CONCORDE BUSINESS PK.
SUNNINGVALE AVENUE
SUNNINGVALE ROAD
HILLCREST
MELROSE R.
ROSEHILL RD.
MOUNT PLEASANT
STEEPLE HEIGHTS DR.
RICKETTS HILL
EAGLES DR.
PAYNESFIELD AVENUE
KEMSLEY ROAD
BEECH ROAD
LUSTED HALL LA.
HILLINGDALE
KINGS LA.
MELODY
SWIEVELANDS
CROSSWAYS
GOATSFIELD ROAD
GREENWAY
WESTMORE
SHIP HILL
NINEHAMS
MAESMAUR
EDGAR ROAD
BOROUGH RD.
BARNFIELD
GEORGE'S ROAD
JOHN'S ROAD
OLD LA.
RAG HILL
MANOR
CHURCH LANE
VICTOR
CHRISTY RD.
ARTHUR
MAGNOLIA DRIVE
ACER
KOONOWLA
CHURCH ROAD
ALLENBY
HAIG RD.
TUDOR CT.

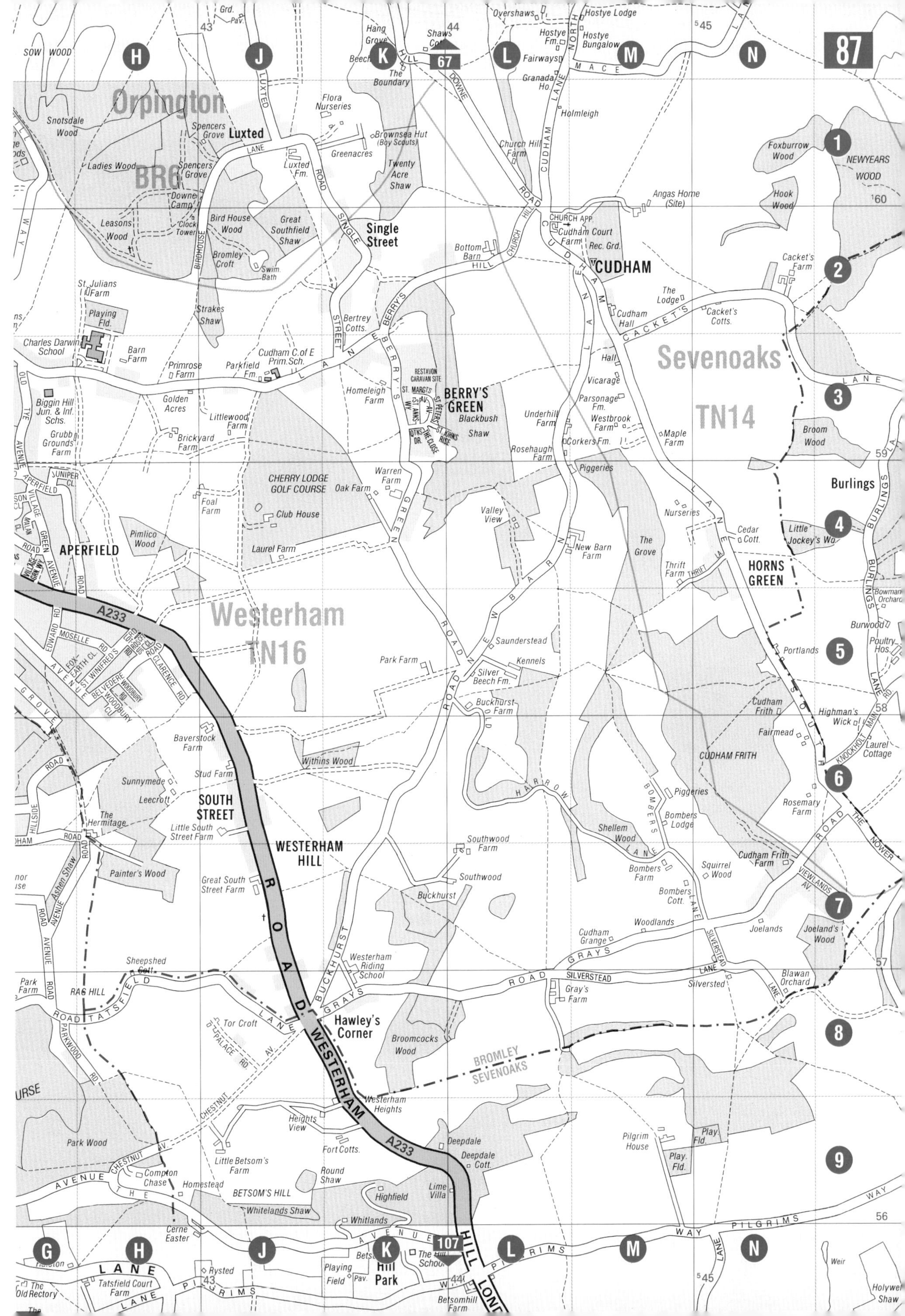
Orpington
BR6
Luxted
Single Street
CUDHAM
Sevenoaks
TN14
BERRY'S GREEN
Westerham
TN16
APERFIELD
HORNS GREEN
Burlings
SOUTH STREET
WESTERHAM HILL
Hawley's Corner
RAG HILL
Hill Park
CHERRY LODGE GOLF COURSE
CUDHAM FRITH
BROMLEY
SEVENOAKS
A233
WESTERHAM ROAD
PILGRIMS WAY
Snotsdale Wood
Ladies Wood
Leasons Wood
Bird House Wood
Great Southfield Shaw
Bromley Croft
Strakes Shaw
Charles Darwin School
Biggin Hill Jun. & Inf. Schs.
Cudham C.of E Prim.Sch.
Foxburrow Wood
NEWYEARS WOOD
Hook Wood
Broom Wood
Little Jockey's Wood
Blackbush Shaw
Pimlico Wood
Withins Wood
Shellem Wood
Squirrel Wood
Joeland's Wood
Painter's Wood
Broomcocks Wood
Park Wood
Round Shaw
Whitelands Shaw
Twenty Acre Shaw
Holywell Shaw
67
107

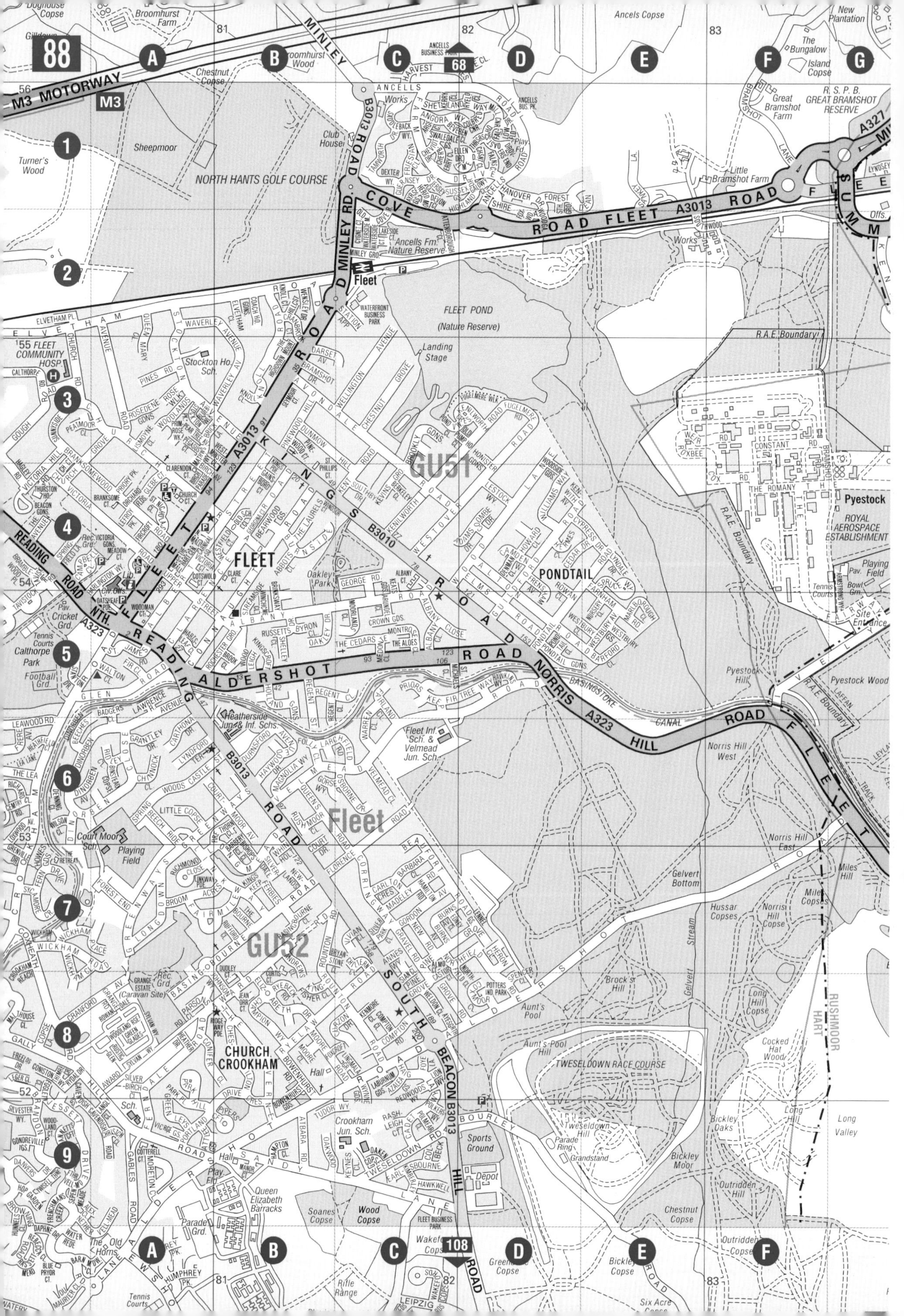

88
M3 MOTORWAY
M3
Broomhurst Farm
Broomhurst Wood
Chestnut Copse
Ancels Copse
ANCELLS BUSINESS PARK
68
New Plantation
The Bungalow
Island Copse
Great Bramshot Farm
R. S. P. B. GREAT BRAMSHOT RESERVE
Turner's Wood
Sheepmoor
NORTH HANTS GOLF COURSE
Club House
Little Bramshot Farm
COVE ROAD FLEET A3013 ROAD
Ancells Fm. Nature Reserve
Fleet
FLEET POND (Nature Reserve)
Landing Stage
R.A.E. Boundary
55 FLEET COMMUNITY HOSP.
GU51
FLEET
PONDTAIL
Pyestock
ROYAL AEROSPACE ESTABLISHMENT
KINGS ROAD B3010
A3013
READING ROAD NTH. A323
Pav. Cricket Grd.
Calthorpe Park
Football Grd.
ALDERSHOT ROAD
NORRIS HILL ROAD A323
BASINGSTOKE CANAL
Pyestock Hill
Pyestock Wood
Norris Hill West
Norris Hill East
Heatherside Jun. & Inf. Schs.
Fleet Inf. Sch. & Velmead Jun. Sch.
Fleet
Court Moor Sch.
Playing Field
Gelvert Bottom
Miles Hill
Hussar Copses
Norris Hill Copse
GU52
B3013 ROAD
SOUTH
Grange Estate (Caravan Site)
Brock's Hill
Aunt's Pool
Aunt's Pool Hill
Long Hill Copse
Cocked Hat Wood
RUSHMOOR
HART
CHURCH CROOKHAM
TWESELDOWN RACE COURSE
BEACON HILL B3013
Crookham Jun. Sch.
Sports Ground
Depot
Tweseldown Hill
Parade Ring
Grandstand
Bickley Oaks
Long Hill
Long Valley
Bickley Moor
Outridden Hill
Queen Elizabeth Barracks
Parade Grd.
Soanes Copse
Wood Copse
FLEET BUSINESS PARK
Chestnut Copse
Wakefield Copse
108
The Old Horns
Greenacre Copse
Bickley Copse
Outridden Copse
Rifle Range
Tennis Courts
Six Acre Copse
A B C D E F G
1 2 3 4 5 6 7 8 9
81 82 83
56 55 54 53 52

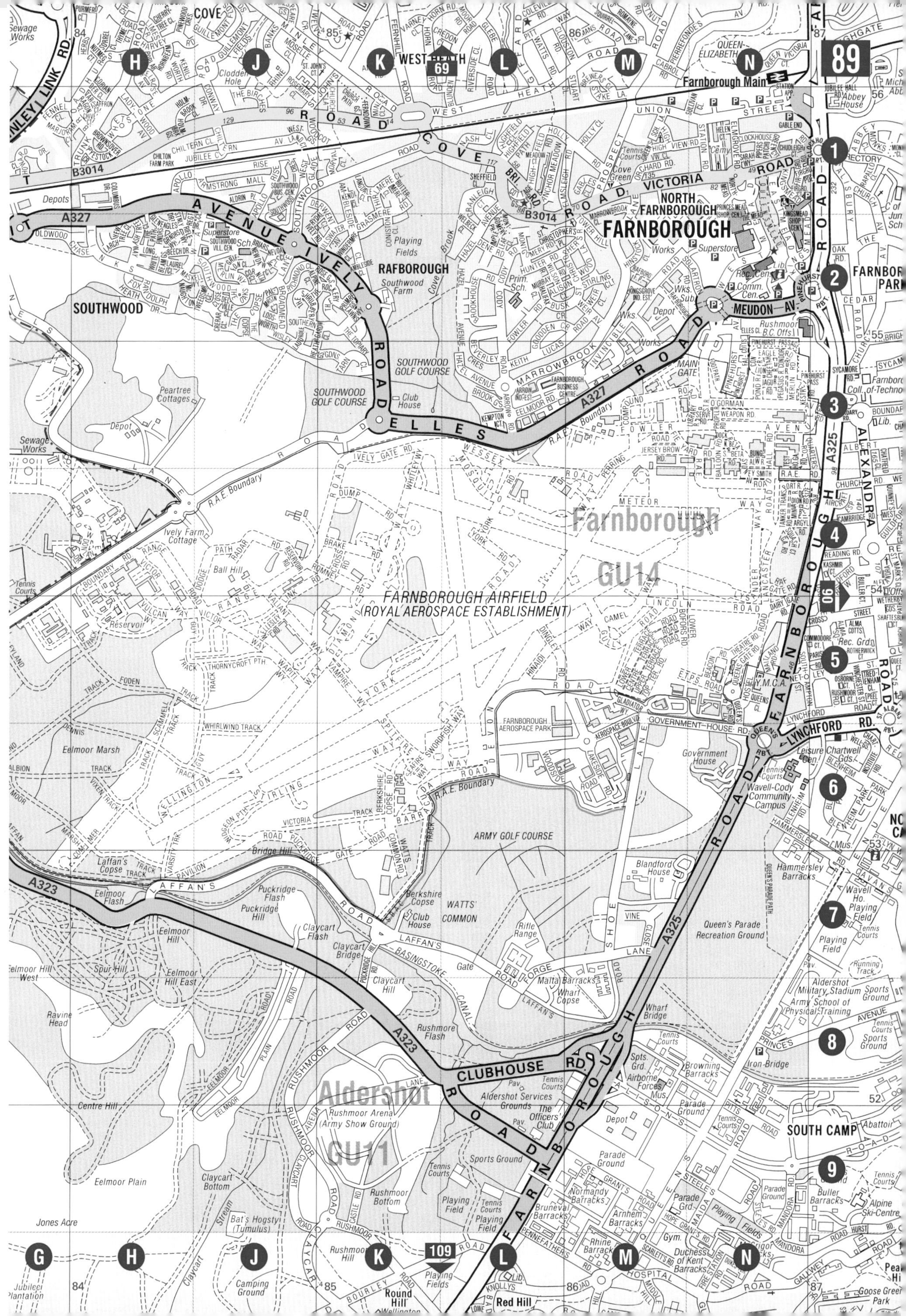
COVE
WEST HEATH
69
Farnborough Main
QUEEN ELIZABETH
NORTH FARNBOROUGH
FARNBOROUGH
RAFBOROUGH
SOUTHWOOD
Southwood Farm
SOUTHWOOD GOLF COURSE
Playing Fields
Peartree Cottages
Sewage Works
Depots
Depot
Ively Farm Cottage
Ball Hill
Reservoir
Farnborough
GU14
FARNBOROUGH AIRFIELD
(ROYAL AEROSPACE ESTABLISHMENT)
R.A.E. Boundary
FARNBOROUGH AEROSPACE PARK
FARNBOROUGH BUSINESS CENTRE
Government House
Eelmoor Marsh
Eelmoor Flash
Laffan's Copse
Bridge Hill
Puckridge Flash
Puckridge Hill
Claycart Flash
Claycart Bridge
Claycart Hill
Berkshire Copse
WATTS' COMMON
ARMY GOLF COURSE
Rifle Range
Malta Barracks
Wharf Copse
Wharf Bridge
Blandford House
Queen's Parade Recreation Ground
Wavell-Cody Community Campus
Hammersley Barracks
Aldershot Military Stadium
Army School of Physical Training
Sports Ground
Iron Bridge
SOUTH CAMP
Abattoir
Buller Barracks
Alpine Ski Centre
Browning Barracks
Airborne Forces Mus.
Parade Ground
Aldershot Services Grounds
The Officers' Club
Rushmore Flash
Aldershot
GU11
Rushmoor Arena (Army Show Ground)
Rushmoor Bottom
Rushmoor Hill
Normandy Barracks
Bruneval Barracks
Arnhem Barracks
Rhine Barracks
Duchess of Kent Barracks
Eelmoor Hill
Eelmoor Hill West
Eelmoor Hill East
Spur Hill
Ravine Head
Centre Hill
Eelmoor Plain
Claycart Bottom
Bat's Hogsty (Tumulus)
Jones Acre
Camping Ground
Jubilee Plantation
Round Hill
Red Hill
Goose Green Park
109
90
A327
A325
A323
B3014
IVELY ROAD
ELLES ROAD
VICTORIA ROAD
MEUDON AV.
LYNCHFORD RD.
CLUBHOUSE RD.
FARNBOROUGH ROAD
ALEXANDRA ROAD
UNION STREET
COVE ROAD
AVENUE
G H J K L M N
1 2 3 4 5 6 7 8 9
84 85 86 87
52 53 54 55 56

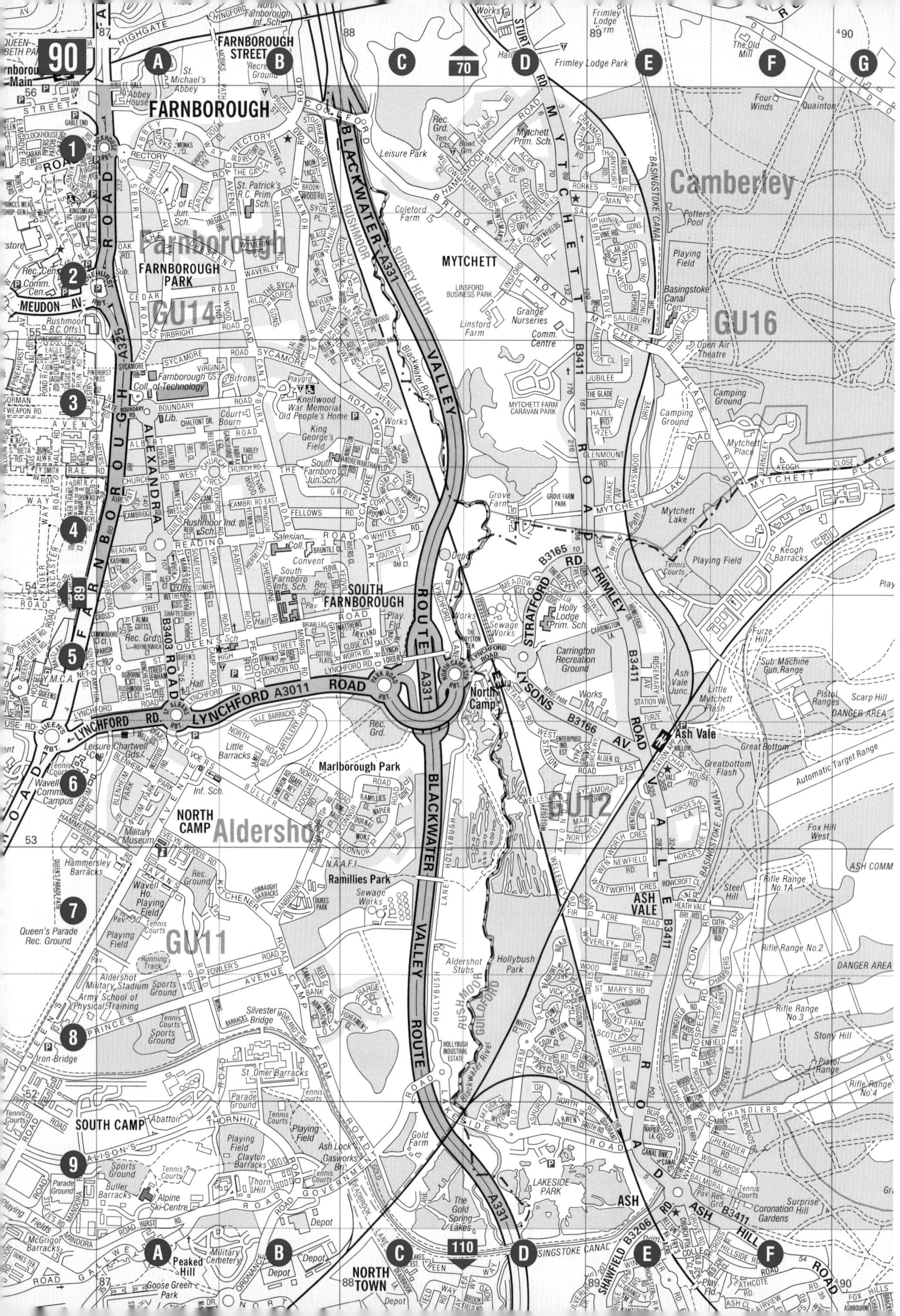
90
70
110
89
A
B
C
D
E
F
G
1
2
3
4
5
6
7
8
9
FARNBOROUGH
FARNBOROUGH STREET
Farnborough
FARNBOROUGH PARK
GU14
GU16
GU12
GU11
Camberley
MYTCHETT
SOUTH FARNBOROUGH
NORTH CAMP
Aldershot
ASH VALE
ASH
SOUTH CAMP
NORTH TOWN
St. Michael's Abbey
Abbey House
HIGHGATE
Leisure Park
Coleford Farm
Frimley Lodge Park
Frimley Lodge Farm
The Old Mill
Four Winds
Quainton
Potters Pool
Playing Field
Basingstoke Canal Cen.
Open Air Theatre
Camping Ground
Mytchett Place
Mytchett Lake
Keogh Barracks
Tennis Courts
Furze Hill
Sub-Machine Gun Range
Pistol Ranges
Scarp Hill
DANGER AREA
Great Bottom
Automatic Target Range
Greatbottom Flash
Little Mytchett Flash
Fox Hill West
ASH COMM
Rifle Range No.1A
Steel Hill
Rifle Range No.2
Rifle Range No.3
Stony Hill
Pistol Range
Rifle Range No.4
Surprise Hill
Coronation Hill Gardens
Ash Vale Junc.
Ash Vale
St. Patrick's R.C. Prim. Sch.
Mytchett Prim. Sch.
Linsford Business Park
Linsford Farm
Grange Nurseries
Comm. Centre
Mytchett Farm Caravan Park
Grove Farm
Grove Farm Park
Farnborough G.S.
Coll. of Technology
Knellwood War Memorial Old People's Home
King George's Field
South Farnboro Jun. Sch.
Rushmoor Ind. Sch.
Salesian Coll.
Convent
South Farnboro Infs. Sch.
Holly Lodge Prim. Sch.
Carrington Recreation Ground
Sewage Works
Works
North Camp
Marlborough Park
Ramillies Park
Hollybush Park
Aldershot Stubs
Hollybush Industrial Estate
Rushmoor B.C. Offs.
Military Museum
Wavell Comm. Campus
Hammersley Barracks
Queen's Parade Rec. Ground
Wavell Ho. Playing Field
Running Track
Aldershot Military Stadium
Army School of Physical Training
Sports Ground
Silvester Bridge
St. Omer Barracks
Parade Ground
Abattoir
Clayton Barracks
Ash Lock Gasworks Br.
Buller Barracks
Alpine Ski-Centre
Playing Fields
McGrigor Barracks
Peaked Hill
Military Cemetery
Goose Green Park
Depot
Gold Farm
The Gold Spring Lakes
LAKESIDE PARK
Iron Bridge
Leisure Cen.
Little Barracks
Blackwater River
BLACKWATER VALLEY ROUTE A331
SURREY HEATH
RUSHMOOR
GUILDFORD
FARNBOROUGH ROAD A325
LYNCHFORD A3011 ROAD
MYTCHETT ROAD B3411
FRIMLEY ROAD B3411
LYSONS B3166 AV.
STRATFORD RD. B3165
ASH HILL B3411 ROAD
SHAWFIELD B3206 RD.
BASINGSTOKE CANAL
MEUDON AV.
ALEXANDRA ROAD
SALISBURY ROAD
SYCAMORE ROAD
BOUNDARY ROAD
PRINCE'S AVENUE
QUEEN'S AVENUE
GOVERNMENT ROAD
CHANDLERS

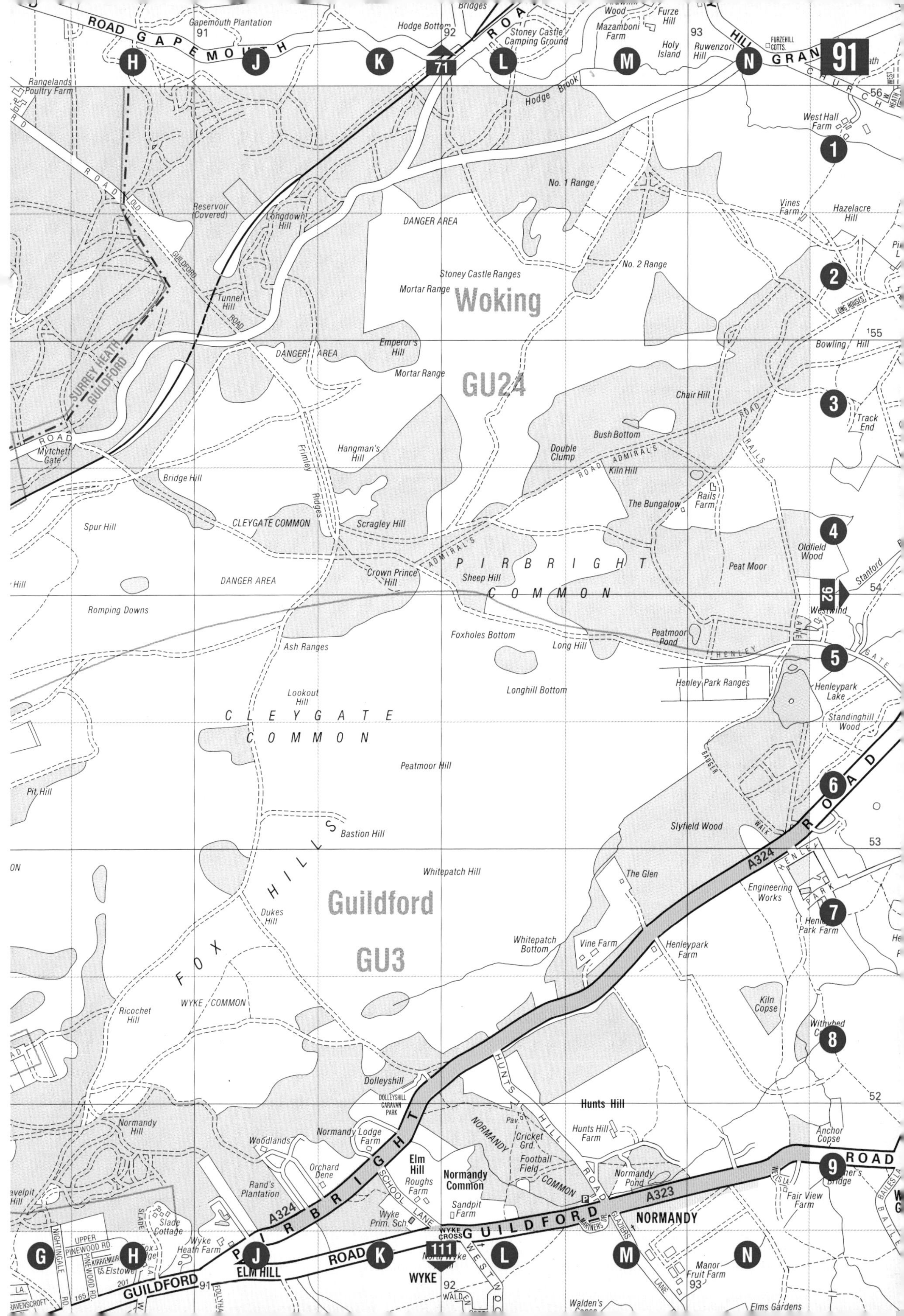

GAPEMOUTH ROAD
Gapemouth Plantation
Hodge Bottom
Stoney Castle Camping Ground
Mazamboni Farm
Furze Hill
Holy Island
Ruwenzori Hill
FURZEHILL COTTS.
GRANGE
Rangelands Poultry Farm
Hodge Brook
West Hall Farm
No. 1 Range
Reservoir (Covered)
Longdown Hill
DANGER AREA
Vines Farm
Hazelacre Hill
No. 2 Range
Stoney Castle Ranges
Mortar Range
Woking
Tunnel Hill
GUILDFORD ROAD
OLD GUILDFORD ROAD
LONG HOUSES
DANGER AREA
Emperor's Hill
Bowling Hill
Mortar Range
GU24
SURREY HEATH
GUILDFORD
Chair Hill
Track End
Mytchett Gate
Hangman's Hill
Bush Bottom
Double Clump
ADMIRALS ROAD
RAILS ROAD
Kiln Hill
Bridge Hill
Frimley Ridges
The Bungalow
Rails Farm
Spur Hill
CLEYGATE COMMON
Scragley Hill
Oldfield Wood
PIRBRIGHT COMMON
Peat Moor
Stanford
Crown Prince Hill
Sheep Hill
DANGER AREA
Romping Downs
92
Westwind
Foxholes Bottom
Long Hill
Peatmoor Pond
HENLEY
LANE
GATE
Ash Ranges
Longhill Bottom
Henley Park Ranges
Henleypark Lake
Lookout Hill
Standinghill Wood
CLEYGATE COMMON
Peatmoor Hill
BADGER WALK
Pit Hill
ROAD
Bastion Hill
Slyfield Wood
FOX HILLS
Whitepatch Hill
A324
The Glen
HENLEY PARK
Engineering Works
Guildford
Dukes Hill
Henley Park Farm
GU3
Whitepatch Bottom
Vine Farm
Henleypark Farm
Ricochet Hill
WYKE COMMON
Kiln Copse
Withybed Copse
HUNTS HILL ROAD
Dolleyshill
DOLLEYSHILL CARAVAN PARK
Hunts Hill
Normandy Hill
NORMANDY COMMON
Pav
Hunts Hill Farm
Anchor Copse
Woodlands
Normandy Lodge Farm
Cricket Grd.
Football Field
Orchard Dene
Elm Hill
Normandy Common
Normandy Pond
ROAD
Rand's Plantation
Roughs Farm
SCHOOL LANE
Sandpit Farm
A323
Fair View Farm
PIRBRIGHT
A324
Wyke Prim. Sch.
GUILDFORD ROAD
MARINERS DR
GLAZIERS LANE
NORMANDY
Slade Cottage
WYKE CROSS
NIGHTINGALE RD
UPPER PINEWOOD RD
PINEWOOD RD
KIRRIEMUIR
Elstowe
Wyke Heath Farm
Manor Fruit Farm
ELM HILL
ROAD
WYKE
WEST
GUILDFORD
RAVENSCROFT
Walden's
Elms Gardens
71
111
Rand
54
53
52
155
56

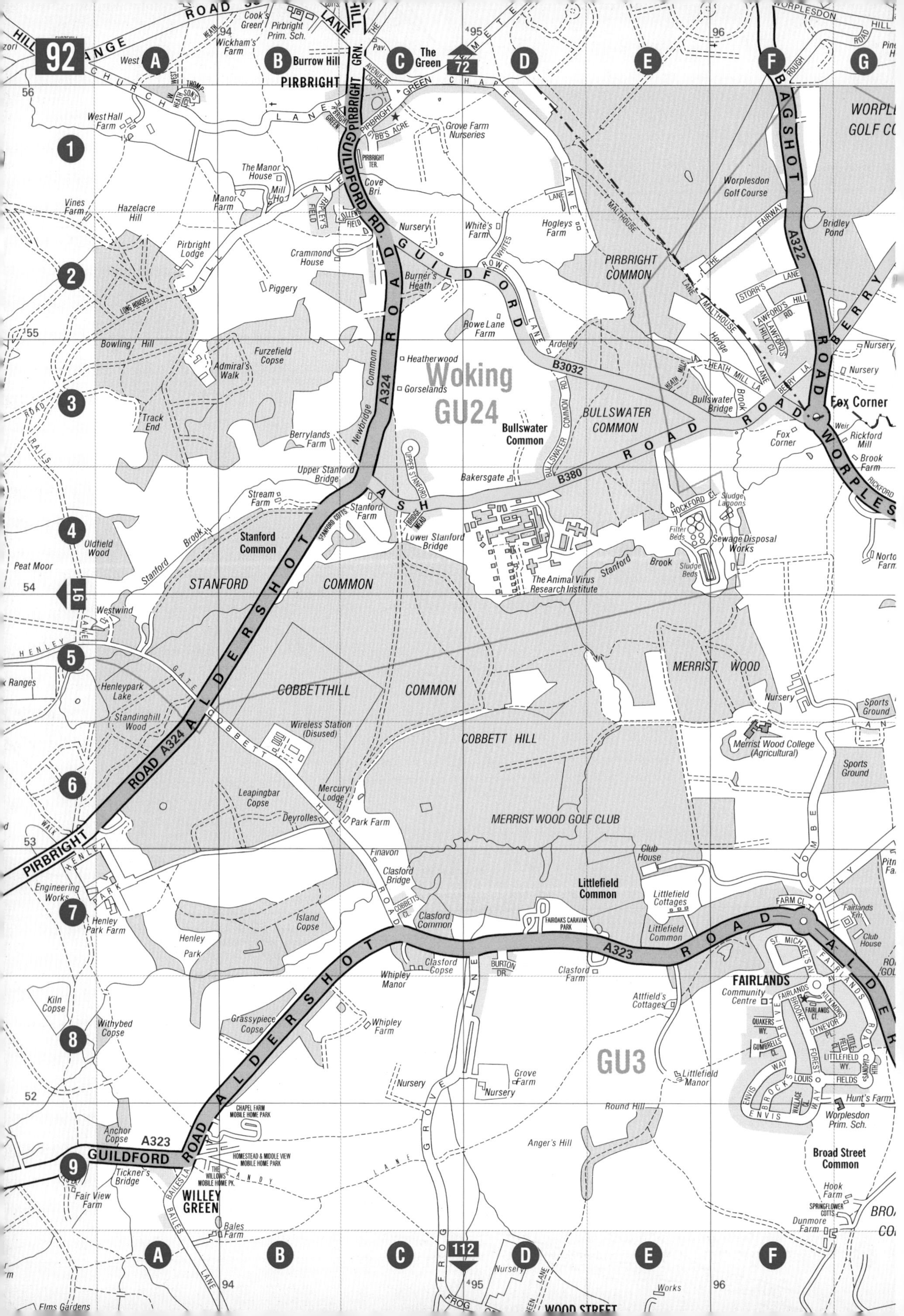
A
B
C
D
E
F
G
1
2
3
4
5
6
7
8
9
72
91
112
94
95
96
56
55
54
53
52
Burrow Hill
The Green
PIRBRIGHT
West
Cook's Green
Pirbright Prim. Sch.
Wickham's Farm
West Hall Farm
Grove Farm Nurseries
The Manor House
Mill Ho.
Manor Farm
Cove Bri.
Vines Farm
Hazelacre Hill
Pirbright Lodge
Nursery
White's Farm
Hogleys Farm
Worplesdon Golf Course
WORPLESDON GOLF COURSE
Bridley Pond
Crammond House
Burner's Heath
Piggery
PIRBRIGHT COMMON
Rowe Lane Farm
Ardeley
Bowling Hill
Furzefield Copse
Admiral's Walk
Heatherwood
Gorselands
Woking
GU24
Track End
Berrylands Farm
Bullswater Common
BULLSWATER COMMON
Bullswater Bridge
Fox Corner
Weir
Rickford Mill
Brook Farm
Upper Stanford Bridge
Bakersgate
Stream Farm
Stanford Farm
Lower Stanford Bridge
Stanford Common
Oldfield Wood
Peat Moor
STANFORD COMMON
The Animal Virus Research Institute
Filter Beds
Sludge Lagoons
Sewage Disposal Works
Sludge Beds
Westwind
Ranges
Henleypark Lake
Standinghill Wood
COBBETTHILL COMMON
MERRIST WOOD
Nursery
Sports Ground
Wireless Station (Disused)
COBBETT HILL
Merrist Wood College (Agricultural)
Leapingbar Copse
Mercury Lodge
Deyrolles
Park Farm
MERRIST WOOD GOLF CLUB
Finavon
Clasford Bridge
Club House
Littlefield Common
Littlefield Cottages
Engineering Works
Henley Park Farm
Island Copse
Clasford Common
FAIROAKS CARAVAN PARK
Henley Park
Clasford Copse
Whipley Manor
Clasford Farm
FAIRLANDS
Community Centre
Attfield's Cottages
Kiln Copse
Withybed Copse
Grassypiece Copse
Whipley Farm
GU3
Nursery
Grove Farm
Littlefield Manor
Hunt's Farm
Worplesdon Prim. Sch.
Round Hill
Anger's Hill
Anchor Copse
CHAPEL FARM MOBILE HOME PARK
HOMESTEAD & MIDDLE VIEW MOBILE HOME PARK
THE WILLOWS MOBILE HOME PK.
Tickner's Bridge
Fair View Farm
WILLEY GREEN
Bales Farm
Broad Street Common
Hook Farm
SPRINGFLOWER COTTS.
Dunmore Farm
Works
Elms Gardens
WOOD STREET
A324
A322
A323
B3032
B380
GUILDFORD RD.
GUILDFORD ROAD
ALDERSHOT ROAD
PIRBRIGHT ROAD
GUILDFORD ROAD
BAGSHOT ROAD
WORPLESDON ROAD
BERRY LANE
CHAPEL LANE
CHURCH LANE
MILL LANE
ASH ROAD
COBBETT HILL ROAD
GATE
HENLEY PARK
SANDY LANE
GROVE LANE
FROG GROVE LANE
BURTON DR.
BAILES LANE
FAIRLANDS AV.
ST. MICHAEL'S AV.
DYNEVOR PL.
LITTLEFIELD WY.
LOUIS FIELDS
ENVIS WAY
BROCKS DRIVE
FOREST RD.
QUAKERS WY.
GUMBRELLS CL.
WALLACE CL.
FARM CL.
HEATH MILL LA.
HOCKFORD CL.
MALTHOUSE LANE
STORR'S LANE
LAWFORD'S HILL RD.
THE FAIRWAY
PIRBRIGHT GRN.
AVENUE DE CAGNY
BB'S ACRE
PIRBRIGHT TER.
RAPLEY'S FIELD
LONG HOUSES
UPPER STANFORD
BRIDGE MEAD
STANFORD COTTS.
COBBETTS CL.
BULLSWATER COMMON RD.
ROWE LANE
WHITES
Newbridge Commom

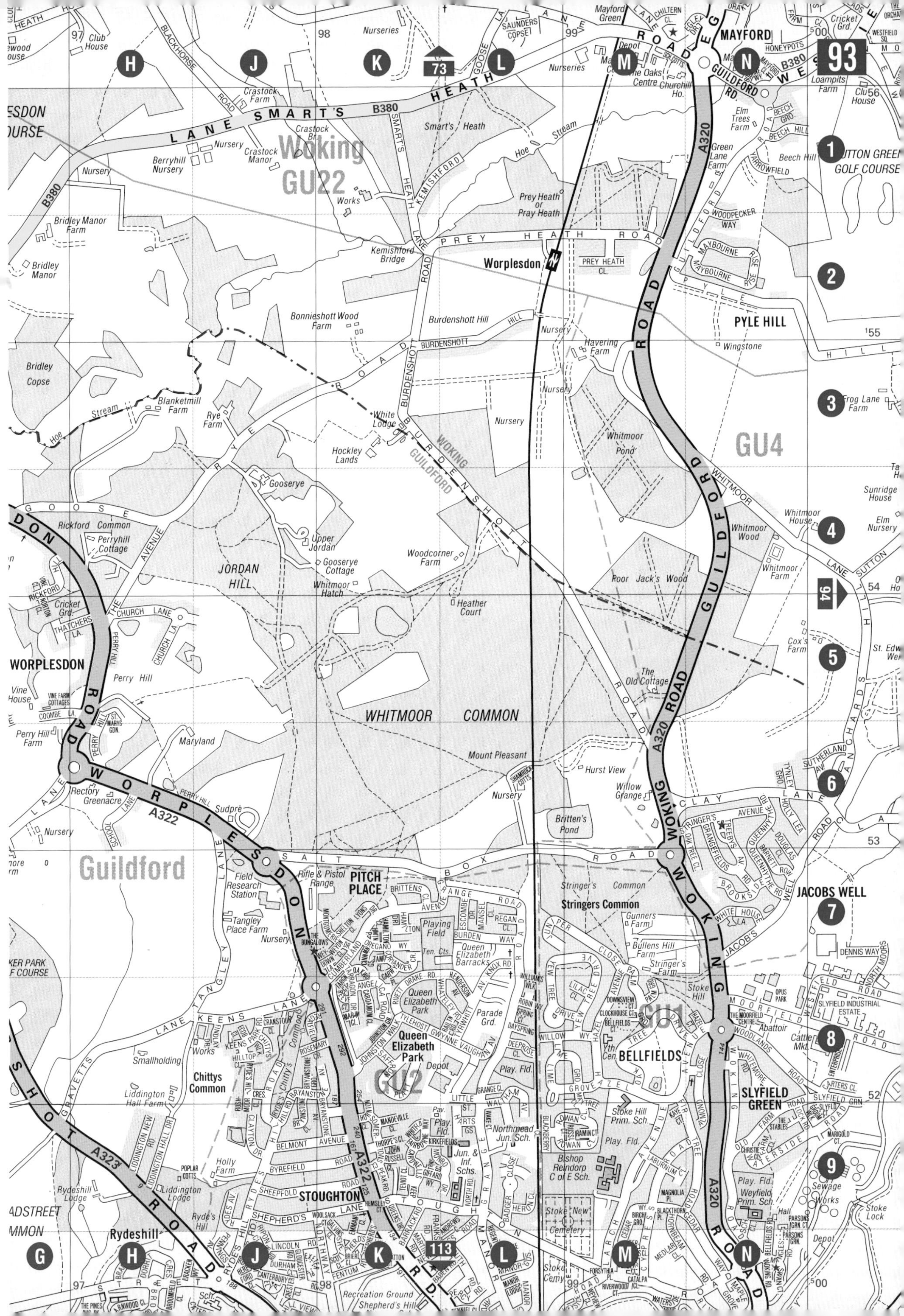

MAYFORD
Mayford Green
Nurseries
Club House
Crastock Farm
SMART'S HEATH LANE B380
Smart's Heath
Crastock Br.
Crastock Manor
Berryhill Nursery
Woking GU22
Works
Hoe Stream
Prey Heath or Pray Heath
PREY HEATH ROAD
Kemishford Bridge
Worplesdon
PREY HEATH CL.
Bridley Manor Farm
Bridley Manor
Bridley Copse
Bonnieshott Wood Farm
Burdenshott Hill
BURDENSHOTT ROAD
Nursery
Havering Farm
PYLE HILL
Wingstone
Blanketmill Farm
Rye Farm
White Lodge
Hockley Lands
Frog Lane Farm
GU4
WOKING
GUILDFORD
Whitmoor Pond
Gooserye
GOOSE RYE ROAD
Rickford Common
Perryhill Cottage
Upper Jordan
Gooserye Cottage
Whitmoor Hatch
JORDAN HILL
Woodcorner Farm
Heather Court
Whitmoor Wood
Whitmoor House
Whitmoor Farm
Sunridge House
Elm Nursery
Roor Jack's Wood
SUTTON HILL LANE
Cox's Farm
WORPLESDON
Perry Hill
Vine House
Perry Hill Farm
Maryland
CHURCH LANE
THATCHERS LA.
Cricket Grd.
The Old Cottage
WHITMOOR COMMON
Mount Pleasant
Hurst View
Willow Grange
Nursery
Britten's Pond
Rectory
Greenacre
Sudpré
WORPLESDON ROAD A322
Guildford
SALT BOX ROAD
Field Research Station
Rifle & Pistol Range
PITCH PLACE
Stringer's Common
Stringers Common
Gunners Farm
Bullens Hill Farm
Stringer's Farm
JACOBS WELL
DENNIS WAY
Tangley Place Farm
Nursery
Playing Field
Queen Elizabeth Barracks
Queen Elizabeth Park
Stoke Hill
Abattoir
Cattle Mkt.
SLYFIELD INDUSTRIAL ESTATE
KEENS LANE
Smallholding
Chittys Common
Liddington Hall Farm
Depot
Parade Grd.
Play. Fld.
BELLFIELDS
GU1
GU2
SLYFIELD GREEN
Holly Farm
Rydeshill Lodge
Liddington Lodge
Northmead Jun. Sch.
Jun. & Inf. Schs.
Stoke Hill Prim. Sch.
Bishop Reindorp C of E Sch.
Stoke "New" Cemetery
Weyfield Prim. Sch.
Sewage Works
Stoke Lock
STOUGHTON
Rydeshill
Ryde's Hill
Recreation Ground
Shepherd's Hill
A320
A322
A323
B380
WOKING ROAD
GUILDFORD ROAD
SUTTON GREEN GOLF COURSE
73
94
113

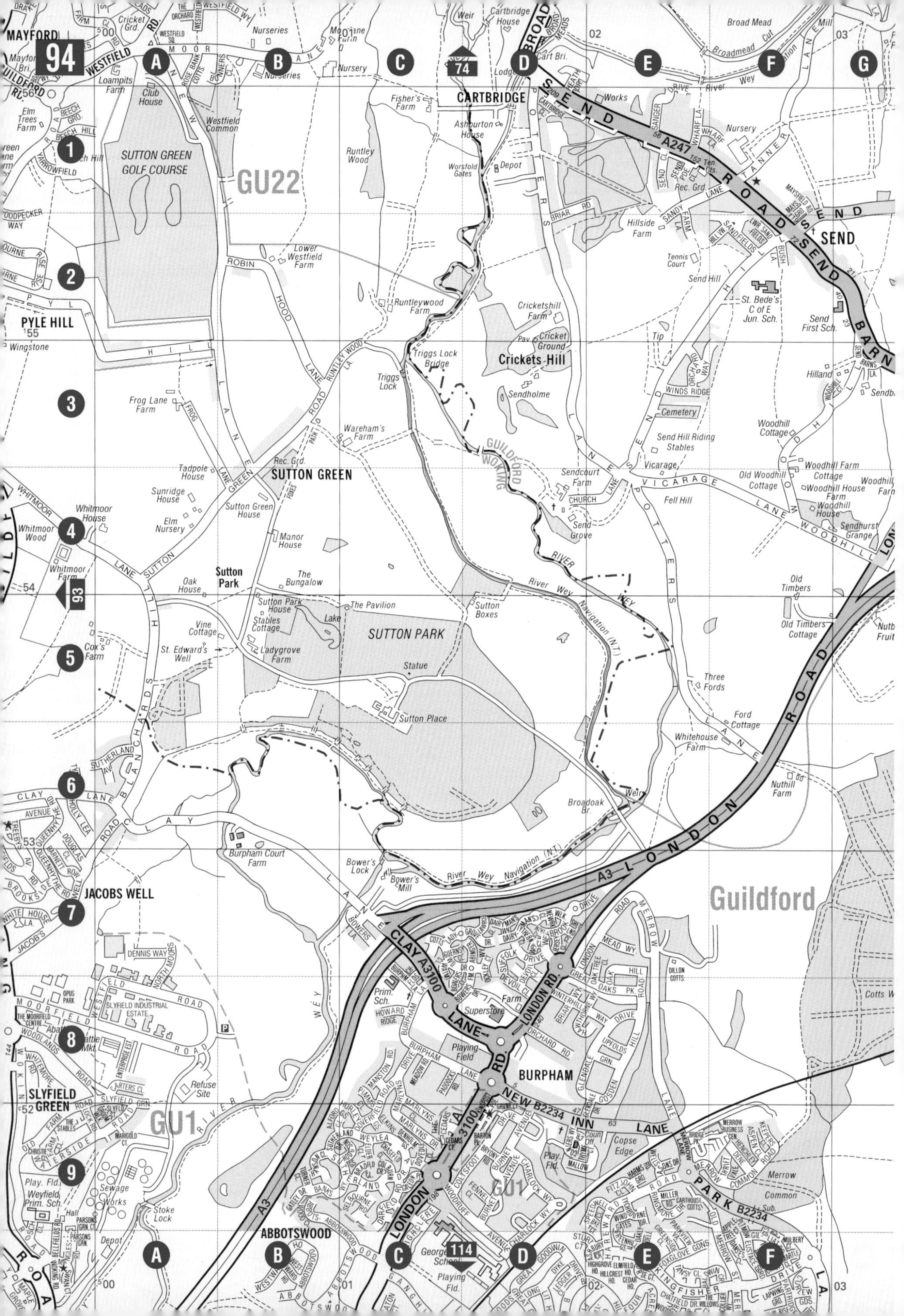
MAYFORD
WESTFIELD RD.
MOOR LANE
SUTTON GREEN GOLF COURSE
GU22
CARTBRIDGE
SEND ROAD
A247
SEND
PYLE HILL
Runtley Wood
Lower Westfield Farm
Runtleywood Farm
Triggs Lock
Crickets Hill
Sendholme
SUTTON GREEN
Sutton Park
SUTTON PARK
Sutton Place
Whitmoor House
Whitmoor Wood
Whitmoor Farm
Cox's Farm
Ladygrove Farm
St. Edward's Well
Burpham Court Farm
Bower's Lock
Bower's Mill
River Wey Navigation (N.T.)
JACOBS WELL
SLYFIELD INDUSTRIAL ESTATE
SLYFIELD GREEN
GU1
Sewage Works
Stoke Lock
ABBOTSWOOD
A3 LONDON ROAD
CLAY LANE
A3100
LONDON RD.
BURPHAM
NEW INN LANE
B2234
Guildford
MERROW
PARK LANE
Merrow Common
Sendcourt Farm
Send Grove
VICARAGE LANE
WOODHILL
Woodhill Farm Cottage
Old Timbers
Nuthill Farm
Three Fords
Ford Cottage
Whitehouse Farm
Broadoak Br.
Cemetery
St. Bede's C of E Jun. Sch.
Send First Sch.
Broad Mead
74
93
114

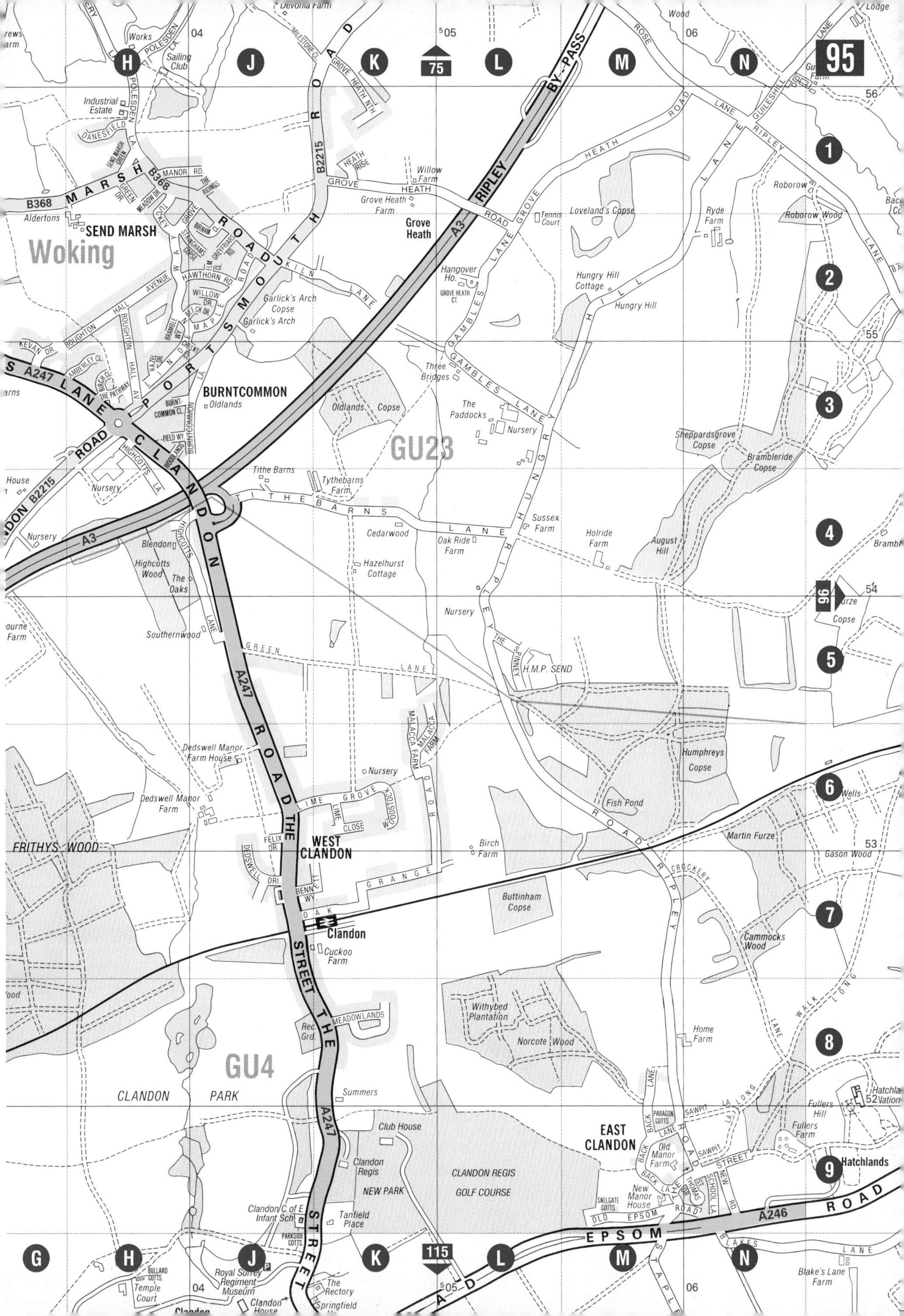
SEND MARSH
Woking
BURNTCOMMON
Grove Heath
GU23
WEST CLANDON
Clandon
GU4
CLANDON PARK
EAST CLANDON
Hatchlands
CLANDON REGIS GOLF COURSE
A3 RIPLEY BY-PASS
A247
A246
B2215
B368
75
96
115

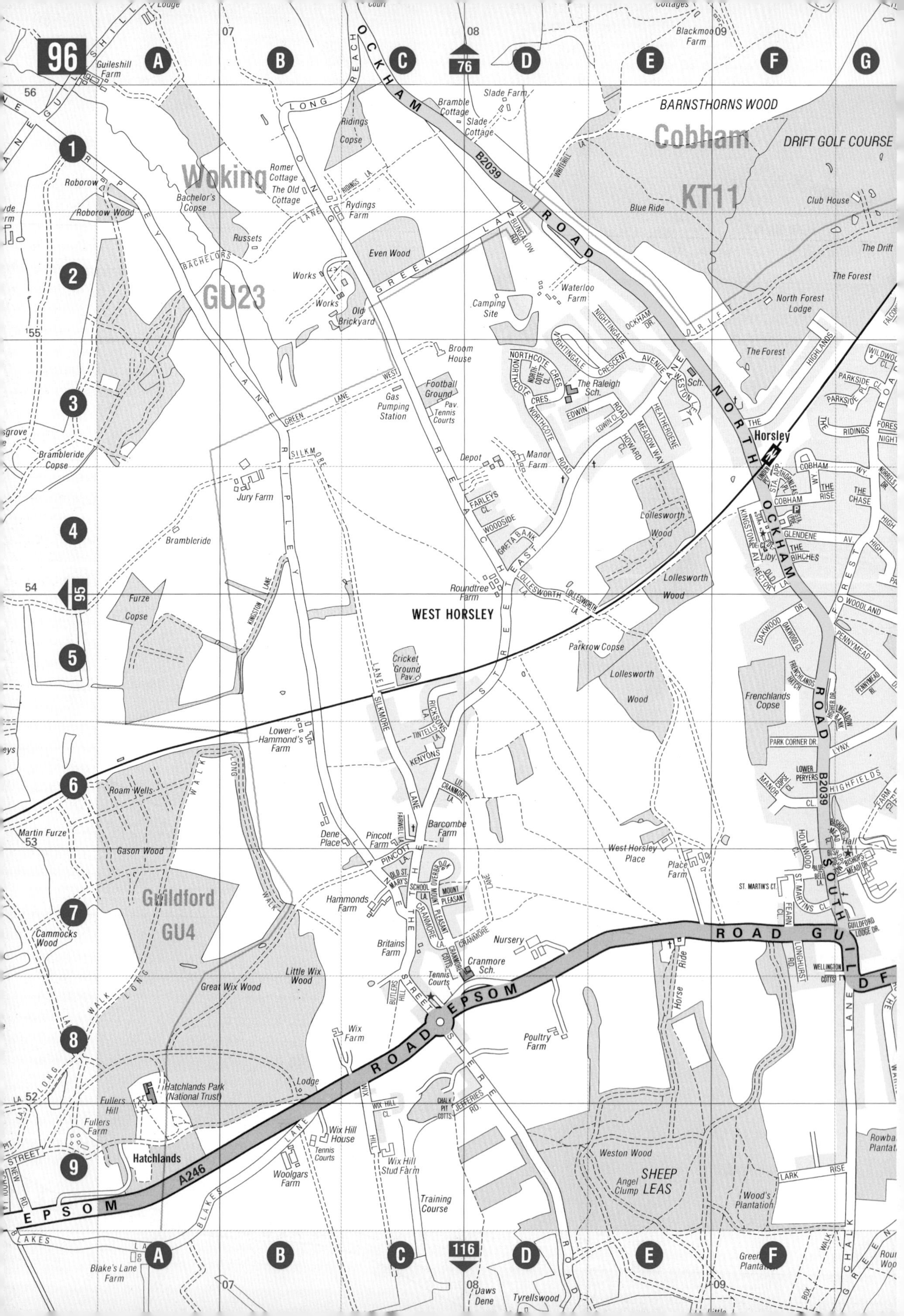
96
A
B
C
D
E
F
G
76
95
116
07
08
09
56
55
54
53
52
1
2
3
4
5
6
7
8
9
Guileshill Farm
Lodge
Blackmoor Farm
Slade Farm
Bramble Cottage
Slade Cottage
BARNSTHORNS WOOD
DRIFT GOLF COURSE
Cobham
KT11
Woking
GU23
Guildford
GU4
Romer Cottage
The Old Cottage
Rydings Farm
Ridings Copse
Roborow
Roborow Wood
Bachelor's Copse
Russets
Even Wood
Works
Old Brickyard
Camping Site
Waterloo Farm
Blue Ride
Club House
The Drift
The Forest
North Forest Lodge
The Forest
Broom House
Football Ground
Gas Pumping Station
Tennis Courts
The Raleigh Sch.
Sch.
Horsley
Depot
Manor Farm
Jury Farm
Brambleride Copse
Brambleride
Lollesworth Wood
Furze Copse
Roundtree Farm
WEST HORSLEY
Parkrow Copse
Frenchlands Copse
Cricket Ground
Lower Hammond's Farm
Roam Wells
Martin Furze
Gason Wood
Barcombe Farm
Pincott Farm
Dene Place
Hammonds Farm
West Horsley Place
Place Farm
Cammocks Wood
Britains Farm
Nursery
Cranmore Sch.
Little Wix Wood
Great Wix Wood
Wix Farm
Poultry Farm
Lodge
Hatchlands Park (National Trust)
Fullers Hill
Fullers Farm
Hatchlands
Wix Hill House
Tennis Courts
Woolgars Farm
Wix Hill Stud Farm
Training Course
Weston Wood
SHEEP LEAS
Angel Clump
Wood's Plantation
Blake's Lane Farm
Daws Dene
Tyrellswood
Green Plantation
OCKHAM ROAD NORTH
B2039
OCKHAM ROAD SOUTH
LONG REACH
RIPLEY LANE
GREEN LANE
GREEN LANE WEST
SILKMORE LANE
KINGSTON LANE
THE STREET
EAST LANE
LOLLESWORTH LA.
EPSOM ROAD
A246
GUILDFORD ROAD
LONG WALK
BLAKES LANE
SHERE ROAD
WIX HILL
CHALK LANE
HIGHLANDS
NIGHTINGALE CRESCENT
NORTHCOTE RD.
EDWIN ROAD
OCKHAM DR.
WESTON LEA
HEATHERDENE
MEADOW WAY
HOWARD CL.
FARLEYS CL.
WOODSIDE
GRETA BANK
RICKSONS LA.
TINTELLS LA.
KENYONS
CRANMORE LA.
PINCOTT LA.
MOUNT PLEASANT
PARK CORNER DR.
LOWER PERYERS
HIGHFIELDS
PENNYMEAD
WOODLAND
OAKWOOD DR.
FRENCHLANDS HATCH
COBHAM WY.
THE RISE
THE CHASE
GLENDENE AV.
THE BIRCHES
RECTORY LA.
RIDINGS
ST. MARTINS CT.
FEARN CL.
LONGHURST RD.
WELLINGTON COTTS.
LARK RISE
JEFFERIES RD.
BUTLERS HILL
Horse Ride

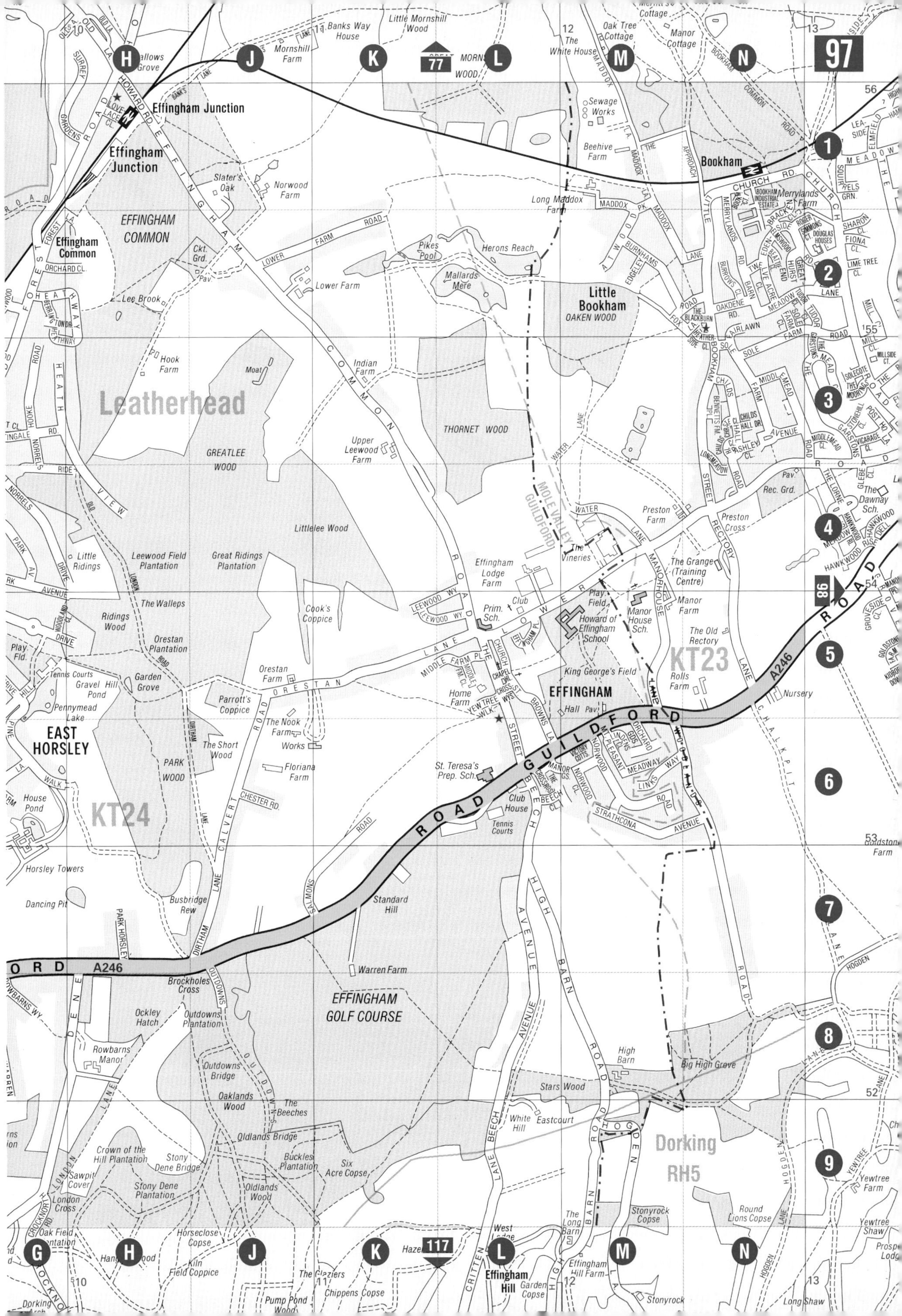
77
117
86
Effingham Junction
Effingham Common
EFFINGHAM COMMON
Leatherhead
GREATLEE WOOD
Littlelee Wood
THORNET WOOD
Little Bookham
OAKEN WOOD
Bookham
EFFINGHAM
KT23
KT24
EAST HORSLEY
Dorking
RH5
EFFINGHAM GOLF COURSE
MOLE VALLEY
GUILDFORD
A246
GUILDFORD ROAD
Little Mornshill Wood
Banks Way House
Mornshill Farm
Oak Tree Cottage
Manor Cottage
The White House
Sewage Works
Beehive Farm
Slater's Oak
Norwood Farm
Long Maddox Farm
Merrylands Farm
Bookham Industrial Estate
Pikes Pool
Herons Reach
Mallards Mere
Lower Farm
Lee Brook
Hook Farm
Indian Farm
Upper Leewood Farm
Preston Farm
Preston Cross
The Vineries
Effingham Lodge Farm
The Grange (Training Centre)
Manor Farm
Howard of Effingham School
Manor House Sch.
The Old Rectory
Rolls Farm
Nursery
King George's Field
Prim. Sch.
Cook's Coppice
Orestan Farm
Parrott's Coppice
The Nook Farm
Works
Floriana Farm
St. Teresa's Prep. Sch.
Club House
Tennis Courts
Home Farm
Little Ridings
Leewood Field Plantation
Great Ridings Plantation
The Walleps
Ridings Wood
Orestan Plantation
Garden Grove
Gravel Hill Pond
Pennymead Lake
The Short Wood
PARK WOOD
House Pond
Horsley Towers
Dancing Pit
Busbridge Rew
Standard Hill
Warren Farm
Brockholes Cross
Ockley Hatch
Outdowns Plantation
Rowbarns Manor
Outdowns Bridge
Oaklands Wood
The Beeches
Oldlands Bridge
Crown of the Hill Plantation
Stony Dene Bridge
Stony Dene Plantation
Sawpit Cover
London Cross
Oak Field Plantation
Buckles Plantation
Six Acre Copse
Oldlands Wood
Horseclose Copse
Kiln Field Coppice
The Glaziers
Chippens Copse
Pump Pond Wood
West Lodge
Effingham Hill
Garden Copse
Effingham Hill Farm
The Long Barn
Stonyrock Copse
Stonyrock
Round Lions Copse
High Barn
Big High Grove
Stars Wood
White Hill
Eastcourt
Yewtree Farm
Yewtree Shaw
Long Shaw
Goldstone Farm
The Dawnay Sch.
Rec. Grd.
Ckt. Grd.
Play Fld.
Tennis Courts
Hall
Pav.
Club
H J K L M N
G H J K L M N
1 2 3 4 5 6 7 8 9
10 11 12 13
52 53 54 55 56
HOWARD RD
EFFINGHAM COMMON ROAD
LOWER FARM ROAD
ORCHARD CL.
FOREST LA
HEATHWAY
NORRELS RD.
NORRELS RIDE
OLD LONDON VIEW
PARK AV
WOODLAND DRIVE
LEEWOOD WY
LOWER ROAD
ORESTAN LANE
CHURCH STREET
BROWNS LA
CALVERT ROAD
DIRTHAM LANE
CHESTER RD.
SALMONS ROAD
BEECH AVENUE
HIGH BARN ROAD
CRITTEN LANE
HOGDEN LANE
ORCHARD GDNS
NORWOOD
MEADWAY
LINKS WAY
STRATHCONA AVENUE
MANORHOUSE LANE
RECTORY LANE
CHALKPIT LANE
WATER LANE
MADDOX LA
ATWOOD
BURNHAMS
EDGELEY
LITTLE BOOKHAM STREET
CHURCH RD.
MERRYLANDS
SOLE FARM ROAD
MIDDLE MEAD
CHILDS HALL DR.
ASHLEY AVENUE
FAIRLAWN
OAKDENE RD.
BOOKHAM COMMON ROAD
DENE LANE
ROWBARNS WY
PARK HORSLEY
OUTDOWNS
CROCKNORTH RD.

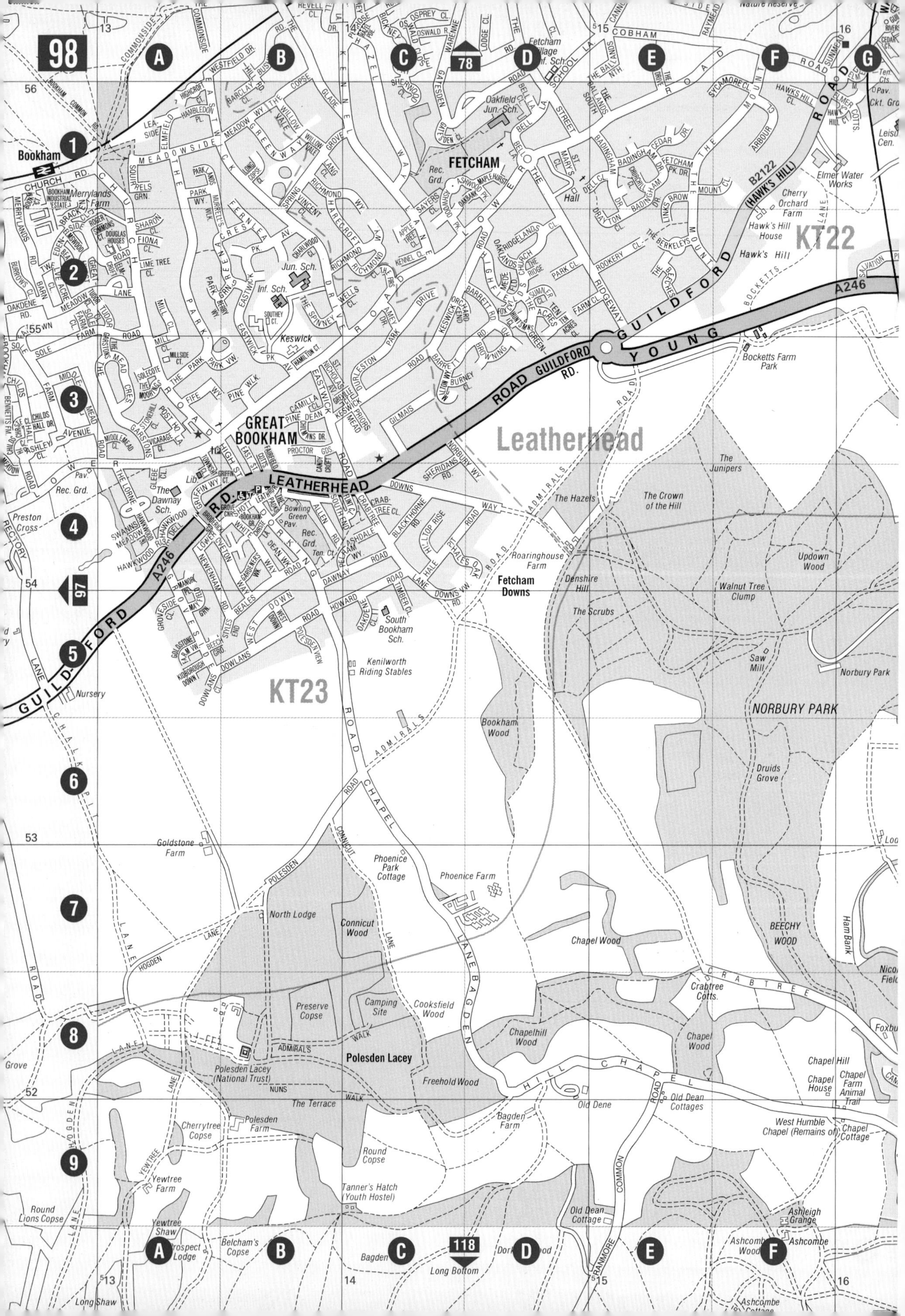

A B C D E F G
1 2 3 4 5 6 7 8 9
78
97
118
Bookham
FETCHAM
GREAT BOOKHAM
Leatherhead
KT22
KT23
Fetcham Downs
NORBURY PARK
Polesden Lacey
Polesden Lacey (National Trust)
Bookham Wood
Connicut Wood
Chapel Wood
Chapelhill Wood
Freehold Wood
Preserve Copse
Camping Site
Cooksfield Wood
The Terrace
Cherrytree Copse
Polesden Farm
Round Copse
Tanner's Hatch (Youth Hostel)
Yewtree Farm
Yewtree Shaw
Round Lions Copse
Prospect Lodge
Belcham's Copse
Bagden
Long Bottom
Long Shaw
Bagden Farm
Old Dene
Old Dean Cottages
Old Dean Cottage
Crabtree Cotts.
Chapel Hill
Chapel House
Chapel Farm Animal Trail
West Humble Chapel (Remains of)
Chapel Cottage
Ashleigh Grange
Ashcombe
Ashcombe Wood
BEECHY WOOD
Ham Bank
Druids Grove
Saw Mill
Norbury Park
Walnut Tree Clump
Updown Wood
The Crown of the Hill
The Junipers
The Hazels
Roaringhouse Farm
Denshire Hill
The Scrubs
Phoenice Farm
Phoenice Park Cottage
North Lodge
Goldstone Farm
Kenilworth Riding Stables
South Bookham Sch.
Nursery
Preston Cross
Rec. Grd.
Bocketts Farm Park
Hawk's Hill
Hawk's Hill House
Cherry Orchard Farm
Elmer Water Works
Leisure Cen.
Oakfield Jun. Sch.
Fetcham Village Inf. Sch.
St. Mary's Hall
Jun. Sch.
Inf. Sch.
Keswick
The Dawnay Sch.
Lib.
Bowling Green Pav.
Merrylands Farm
Bookham Industrial Estate
GUILDFORD ROAD
A246
B2122 (HAWK'S HILL)
YOUNG
COBHAM ROAD
LEATHERHEAD RD.
DORKING ROAD
CHAPEL LANE
BAGDEN LANE
CHAPEL HILL
CRABTREE
RANMORE COMMON ROAD
POLESDEN LANE
HOGDEN LANE
CHALK PIT LANE
RECTORY LANE
ADMIRALS ROAD
ADMIRALS WALK
NUNS WALK
LOWER ROAD
CHURCH ROAD
HIGH ST.
SOLE FARM
MIDDLE FARM
DAWNAY ROAD
HOWARD ROAD
BEALES
DOWNS WAY
THE RIDGEWAY

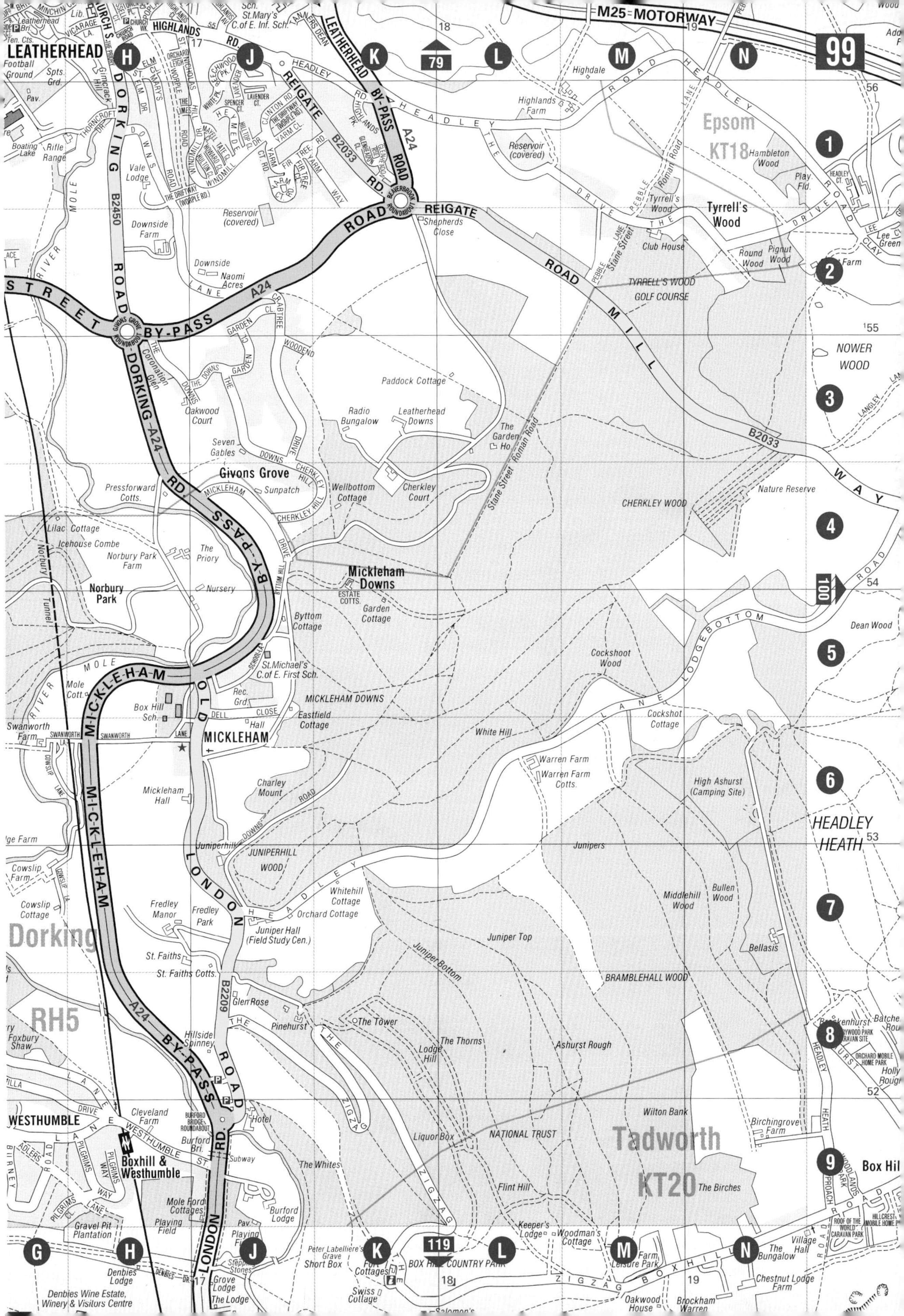

LEATHERHEAD
M25 MOTORWAY
79
Highdale
Highlands Farm
Epsom KT18
Hambleton Wood
Tyrrell's Wood
Club House
Round Wood
Pignut Wood
TYRRELL'S WOOD GOLF COURSE
NOWER WOOD
Reservoir (covered)
Shepherds Close
Vale Lodge
Downside Farm
Downside
Naomi Acres
Paddock Cottage
Radio Bungalow
Leatherhead Downs
The Garden Ho
Oakwood Court
Seven Gables
Givons Grove
Sunpatch
Wellbottom Cottage
Cherkley Court
CHERKLEY WOOD
Nature Reserve
Pressforward Cotts.
Lilac Cottage
Icehouse Combe
Norbury Park Farm
The Priory
Norbury Park
Nursery
Mickleham Downs
Garden Cottage
Byttom Cottage
100
Dean Wood
Cockshoot Wood
St.Michael's C.of E. First Sch.
Mole Cott.
Box Hill Sch.
MICKLEHAM DOWNS
Eastfield Cottage
Cockshot Cottage
White Hill
Swanworth Farm
MICKLEHAM
Warren Farm
Warren Farm Cotts.
High Ashurst (Camping Site)
Charley Mount
Mickleham Hall
HEADLEY HEATH
Juniperhill
JUNIPERHILL WOOD
Junipers
Cowslip Farm
Cowslip Cottage
Whitehill Cottage
Orchard Cottage
Middlehill Wood
Bullen Wood
Fredley Manor
Fredley Park
Juniper Hall (Field Study Cen.)
Juniper Top
Bellasis
Dorking
St. Faiths
St. Faiths Cotts.
BRAMBLEHALL WOOD
RH5
Glen Rose
Pinehurst
The Tower
The Thorns
Lodge Hill
Ashurst Rough
Foxbury Shaw
Hillside Spinney
Wilton Bank
WESTHUMBLE
Cleveland Farm
Hotel
Liquor Box
NATIONAL TRUST
Tadworth KT20
Birchingrove Farm
Boxhill & Westhumble
Subway
The Whites
Box Hill
Flint Hill
The Birches
Mole Ford Cottages
Burford Lodge
Gravel Pit Plantation
Playing Field
Keeper's Lodge
Woodman's Cottage
Village Hall
The Bungalow
Peter Labelliere's Grave
Short Box
Fort Cottages
119
BOX HILL COUNTRY PARK
Farm Leisure Park
Denbies Lodge
Stepping Stones
Grove Lodge
The Lodge
Swiss Cottage
Oakwood House
Brockham Warren
Chestnut Lodge Farm
Denbies Wine Estate, Winery & Visitors Centre

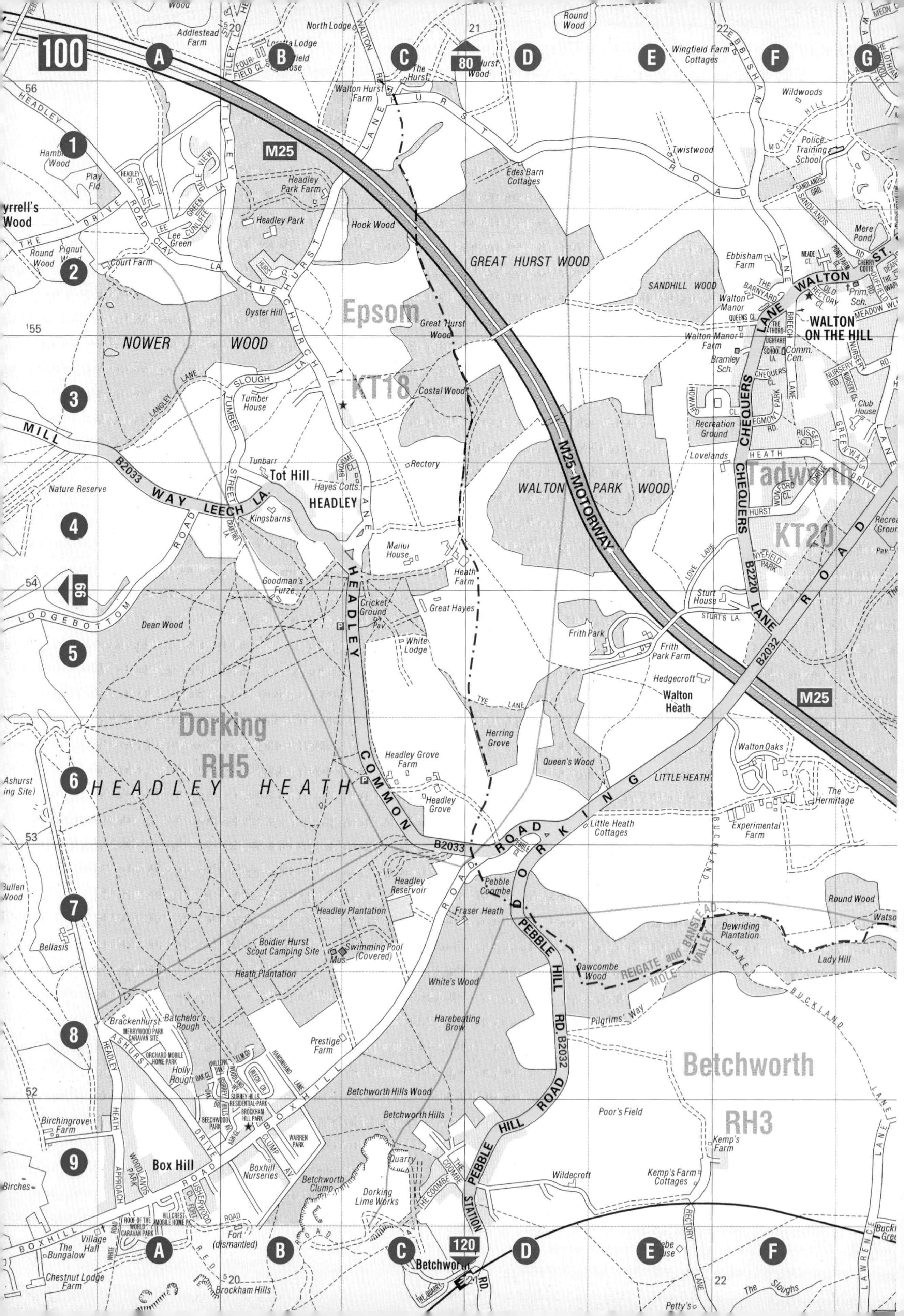

100
A
B
C
D
E
F
G
80
99
120
M25
M25 MOTORWAY
Addlestead Farm
North Lodge
Round Wood
Wingfield Farm Cottages
The Hurst
Hurst Wood
Walton Hurst Farm
Hambledon Wood
Play Fld.
Tyrrell's Wood
Round Wood
Pignut Wood
Court Farm
Headley Park Farm
Headley Park
Hook Wood
Edes Barn Cottages
Twistwood
Wildwoods
Police Training School
Mere Pond
Ebbisham Farm
GREAT HURST WOOD
SANDHILL WOOD
Walton Manor
Walton Manor Farm
Bramley Sch.
WALTON ON THE HILL
Prim. Sch.
Comm. Cen.
Club House
Oyster Hill
Epsom
Great Hurst Wood
NOWER WOOD
KT18
Costal Wood
Tumber House
Recreation Ground
Lovelands
Tadworth
Rectory
Tunbarr
Tot Hill
Hayes Cotts.
HEADLEY
WALTON PARK WOOD
Nature Reserve
Kingsbarns
Manor House
Heath Farm
KT20
Goodman's Furze
Cricket Ground
Pav.
Great Hayes
Sturt House
Frith Park
Frith Park Farm
Dean Wood
White Lodge
Hedgecroft
Walton Heath
Dorking
RH5
Herring Grove
Headley Grove Farm
Queen's Wood
Walton Oaks
LITTLE HEATH
HEADLEY HEATH
Ashurst (Camping Site)
Headley Grove
The Hermitage
Little Heath Cottages
Experimental Farm
Bullen Wood
Headley Reservoir
Pebble Coombe
Fraser Heath
Round Wood
Headley Plantation
Dewriding Plantation
Bellasis
Boidier Hurst Scout Camping Site
Swimming Pool (Covered)
Mus.
Heath Plantation
Dawcombe Wood
REIGATE and BANSTEAD
MOLE VALLEY
Lady Hill
White's Wood
Brackenhurst
Batchelor's Rough
MERRYWOOD PARK CARAVAN SITE
ORCHARD MOBILE HOME PARK
Harebeating Brow
Pilgrims' Way
Prestige Farm
Holly Rough
SURREY HILLS RESIDENTIAL PARK
BROCKHAM HILL PARK
Betchworth
Betchworth Hills Wood
Betchworth Hills
Poor's Field
RH3
Birchingrove Farm
WARREN PARK
Box Hill
Boxhill Nurseries
Quarry
Betchworth Clump
Dorking Lime Works
Wildecroft
Kemp's Farm
Kemp's Farm Cottages
Birches
ROOF OF THE WORLD CARAVAN PARK
HILLCREST MOBILE HOME PK
Fort (dismantled)
Village Hall
The Bungalow
Chestnut Lodge Farm
Brockham Hills
Betchworth
Petty's
The Sloughs
HEADLEY ROAD
THE DRIVE
CLAY LA.
LEE GREEN LA.
Lee Green
HURST LANE
CHURCH LA.
SLOUGH LA.
LANGLEY LANE
TUMBER STREET
MILL WAY
B2033
LEECH LA.
HEADLEY LANE
LODGEBOTTOM ROAD
HEADLEY COMMON
TYE LANE
DORKING ROAD
PEBBLE HILL RD. B2032
PEBBLE HILL ROAD
STATION RD.
BOX HILL ROAD
BOXHILL RD
ASHURST DRIVE
HEADLEY HEATH APPROACH
WOODLANDS PARK
CHEQUERS LANE
B2220
B2032
WALTON ST.
EBBISHAM LANE
MOTTS HILL
BUCKLAND LANE
RECTORY LANE
LAWRENCE LANE
STURT'S LA.
LOVE LANE
NYEFIELD PARK
HEATH DRIVE
GREENWAYS
HURST DR.
WONFORD CL.
EGMONT RD.
CHEQUERS CL.
HOWARD CL.
THE COOMBE
THE QUARRY
USHERWOOD CL.
SANDLANDS GRO.
NURSERY RD.
52
53
54
55
56
20
21
22
1
2
3
4
5
6
7
8
9

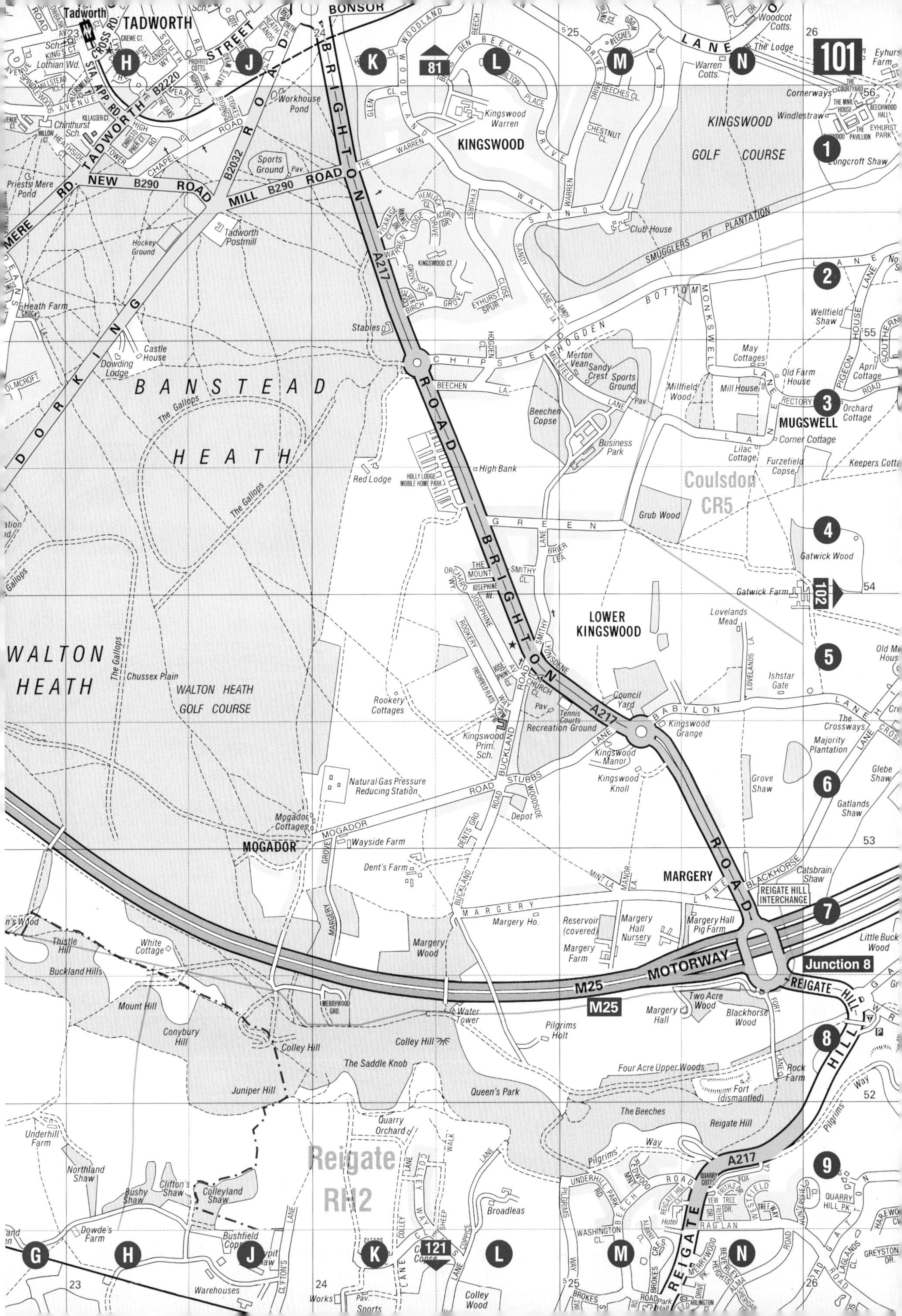

TADWORTH
Tadworth
KINGSWOOD
KINGSWOOD GOLF COURSE
BANSTEAD HEATH
WALTON HEATH
WALTON HEATH GOLF COURSE
LOWER KINGSWOOD
MUGSWELL
Coulsdon CR5
MOGADOR
MARGERY
Reigate RH2
BRIGHTON ROAD
A217
M25 MOTORWAY
Junction 8
REIGATE HILL INTERCHANGE
REIGATE HILL
DORKING ROAD
NEW B290 ROAD
MILL B290 ROAD
B2032
B2220
TADWORTH STREET
CHIPSTEAD
HOGDEN BOTTOM
SMUGGLERS PIT PLANTATION
SANDY LANE
WARREN DRIVE
BEECHES DRIVE
DEN BEECH
WOODLAND
THE WARREN
KINGSWOOD LANE
Kingswood Warren
Tadworth Postmill
Hockey Ground
Sports Ground
Workhouse Pond
Priests Mere Pond
Heath Farm
Castle House
Dowding Lodge
The Gallops
Chussex Plain
Stables
Red Lodge
HOLLY LODGE MOBILE HOME PARK
High Bank
Merton Vean
Sandy Crest
Beechen Copse
Business Park
Millfield Wood
Mill House
May Cottages
Old Farm House
Orchard Cottage
Corner Cottage
Lilac Cottage
Furzefield Copse
Keepers Cottage
Grub Wood
Gatwick Wood
Gatwick Farm
Lovelands Mead
Ishstar Gate
Council Yard
Kingswood Grange
Kingswood Manor
Kingswood Knoll
The Crossways
Majority Plantation
Glebe Shaw
Grove Shaw
Gatlands Shaw
Catsbrain Shaw
Recreation Ground
Tennis Courts
Kingswood Prim. Sch.
Rookery Cottages
Natural Gas Pressure Reducing Station
Mogador Cottages
Wayside Farm
Dent's Farm
Depot
Margery Ho.
Reservoir (covered)
Margery Hall Nursery
Margery Hall Pig Farm
Margery Farm
Margery Wood
Little Buck Wood
Thistle Hill
White Cottage
Buckland Hills
Mount Hill
Conybury Hill
Colley Hill
The Saddle Knob
Juniper Hill
Queen's Park
Water Tower
Pilgrims Holt
Margery Hall
Two Acre Wood
Blackhorse Wood
Four Acre Upper Woods
Rock Farm
Fort (dismantled)
The Beeches
Reigate Hill
Pilgrims Way
Underhill Farm
Northland Shaw
Bushy Shaw
Clifton's Shaw
Colleyland Shaw
Dowde's Farm
Bushfield Copse
Quarry Orchard
Broadleas
Warehouses
Works
Colley Wood
Hotel
Wellfield Shaw
April Cottage
Longcroft Shaw
Cornerways
Windlestraw
Warren Cotts.
Woodcot Cotts.
The Lodge
Club House
KINGSWOOD CT.
Eyhurst Farm
Old Manor House
Lothian Wd.
Chinthurst Sch.
81
102
121
H J K L M N
G H J K L M N
1 2 3 4 5 6 7 8 9
23 24 25 26
52 53 54 55 56

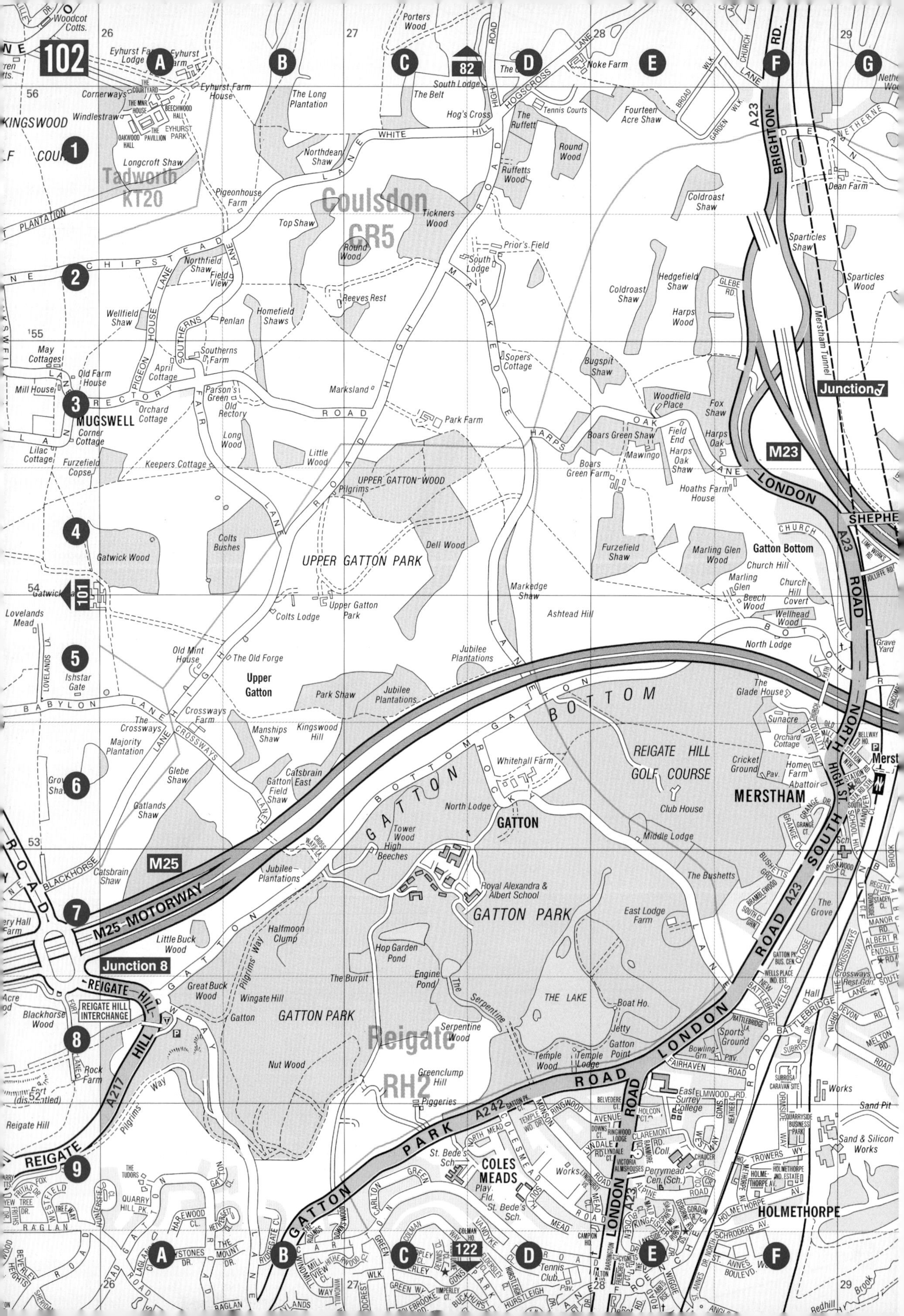

A
B
C
D
E
F
G
1
2
3
4
5
6
7
8
9
26
27
28
29
56
55
54
53
52
82
101
122
Woodcot Cotts.
Porters Wood
Eyhurst Farm Lodge
Eyhurst Farm
Cornerways
THE COURTYARD
THE MNR. HOUSE
BEECHWOOD HALL
Eyhurst Farm House
KINGSWOOD
Windlestraw
OAKWOOD HALL
THE PAVILLION
EYHURST PARK
Longcroft Shaw
Tadworth KT20
PLANTATION
The Long Plantation
The Belt
South Lodge
Hog's Cross
HOGSCROSS LANE
Noke Farm
Tennis Courts
The Ruffett
Fourteen Acre Shaw
BROAD WLK.
GARDEN WLK.
CHURCH LANE
BRIGHTON RD.
A23
DEAN LANE
NETHERNE
Dean Farm
WHITE HILL LANE
Northdean Shaw
Round Wood
Ruffetts Wood
Coldroast Shaw
Pigeonhouse Farm
Coulsdon CR5
Top Shaw
Tickners Wood
Round Wood
Prior's Field
Sparticles Shaw
Sparticles Wood
CHIPSTEAD LANE
Northfield Shaw
Field View
South Lodge
Coldroast Shaw
Hedgefield Shaw
GLEBE RD.
Harps Wood
Reeves Rest
Wellfield Shaw
Homefield Shaws
Penlan
SOUTHERNS LANE
PIGEON HOUSE LANE
Southerns Farm
Sopers Cottage
Bugspit Shaw
Mersham Tunnel
May Cottages
April Cottage
Old Farm House
Mill House
Parson's Green
Marksland
Woodfield Place
Fox Shaw
Junction 7
RECTORY ROAD
Orchard Cottage
Old Rectory
MUGSWELL
Park Farm
HARPS OAK LANE
Boars Green Shaw
Field End
Harps Oak
Corner Cottage
Long Wood
Mawingo
Harps Oak Shaw
M23
Lilac Cottage
Furzefield Copse
Keepers Cottage
Little Wood
Boars Green Farm
UPPER GATTON WOOD
Pilgrims
Hoaths Farm House
LONDON ROAD
SHEPHE
CHURCH
Colts Bushes
Dell Wood
Furzefield Shaw
Marling Glen Wood
Gatton Bottom
Gatwick Wood
UPPER GATTON PARK
Church Hill
LIME WORKS RD.
JOLLIFFE RD.
Marling Glen
Beech Wood
Church Hill Covert
Gatwick
Markedge Shaw
Upper Gatton Park
Colts Lodge
Wellhead Wood
Lovelands Mead
Ashtead Hill
BOTTOM
North Lodge
Grave Yard
LOVELANDS LA.
Old Mint House
The Old Forge
Jubilee Plantations
Ishstar Gate
Upper Gatton
The Glade House
BABYLON LANE
Park Shaw
Jubilee Plantations
GATTON BOTTOM
Crossways Farm
The Crossways
Manships Shaw
Kingswood Hill
Sunacre
Orchard Cottage
BELLWAY HO.
Majority Plantation
CROSSWAYS
REIGATE HILL GOLF COURSE
Whitehall Farm
Cricket Ground
Home Farm
Abattoir
Merst
Catsbrain East
Gatton Field Shaw
Glebe Shaw
Club House
MERSTHAM
Gatlands Shaw
North Lodge
GATTON
Tower Wood
High Beeches
Middle Lodge
GRANGE DR.
M25
Catsbrain Shaw
Jubilee Plantations
Royal Alexandra & Albert School
The Bushetts
BUSHETTS GRO.
BRAMBLEWOOD
M25 MOTORWAY
GATTON PARK
East Lodge Farm
The Grove
SOUTH CL.
Little Buck Wood
Halfmoon Clump
Hop Garden Pond
GATTON PK BUS. CEN.
Junction 8
Engine Pond
The Burpit
WELLS PLACE IND. EST.
REIGATE HILL
REIGATE HILL INTERCHANGE
Great Buck Wood
Wingate Hill
The Serpentine
THE LAKE
Boat Ho.
BATTLEBRIDGE LANE
Blackhorse Wood
Gatton
GATTON PARK
Jetty
Sports Ground
A217
Serpentine Wood
Gatton Point
Reigate RH2
Temple Wood
Temple Lodge
Bowling Grn.
Rock Farm
Nut Wood
FAIRHAVEN ROAD
Fort (dismantled)
Greenclump Hill
East Surrey College
ELMWOOD RD.
Works
Piggeries
Sand Pit
Reigate Hill
A242
GATTON PARK ROAD
QUARRYSIDE BUSINESS PARK
Sand & Silicon Works
REIGATE
St. Bede's Sch.
COLES MEADS
Works
Perrymead Cen. (Sch.)
TROWERS WY.
Play. Fld.
HOLMETHORPE IND. ESTATE
HOLMETHORPE AV.
St. Bede's Sch.
HOLMETHORPE
QUARRY HILL PK.
RAGLAN
HAREWOOD CL.
CAMPION HO.
SCHRODERS AV.
ST. ANNES BOULEVD.
Tennis Club
Pav.
Redhill Brook

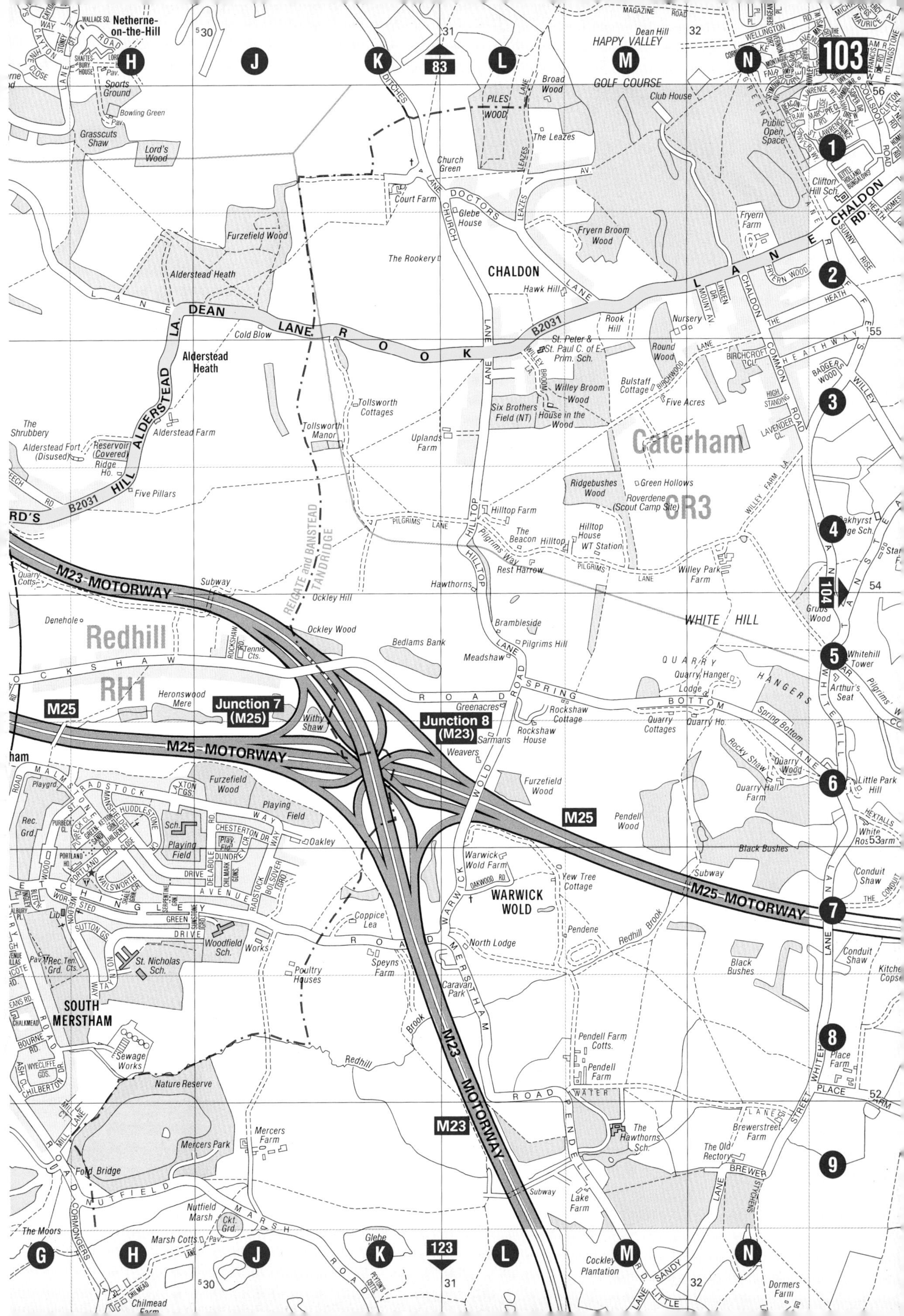

Netherne-on-the-Hill
Sports Ground
Bowling Green
Grasscuts Shaw
Lord's Wood
Furzefield Wood
Alderstead Heath
DEAN LANE
ROOK LANE
B2031
ALDERSTEAD HILL
Cold Blow
Alderstead Farm
The Shrubbery
Alderstead Fort (Disused)
Reservoir (Covered)
Ridge Ho.
Five Pillars
Church Green
Court Farm
Glebe House
The Rookery
CHALDON
Hawk Hill
PILES WOOD
Broad Wood
The Leazes
HAPPY VALLEY
Dean Hill
GOLF COURSE
Club House
Public Open Space
Clifton Hill Sch.
Fryern Farm
Fryern Broom Wood
CHALDON RD.
Rook Hill
Nursery
Round Wood
Bulstaff Cottage
Five Acres
St. Peter & St. Paul C. of E. Prim. Sch.
Willey Broom Wood
Six Brothers Field (NT)
House in the Wood
Tollsworth Cottages
Tollsworth Manor
Uplands Farm
Caterham
CR3
Ridgebushes Wood
Green Hollows
Roverdene (Scout Camp Site)
Hilltop Farm
The Beacon
Hilltop House
WT Station
Rest Harrow
Willey Park Farm
PILGRIMS LANE
REIGATE and BANSTEAD
TANDRIDGE
M23 MOTORWAY
Subway
Ockley Hill
Ockley Wood
Hawthorns
Brambleside
Pilgrims Hill
Denehole
Redhill
RH1
Bedlams Bank
Meadshaw
WHITE HILL
Grubs Wood
Whitehill Tower
Arthur's Seat
QUARRY HANGERS
Quarry Hanger Lodge
SPRING BOTTOM ROAD
Rockshaw Cottage
Rockshaw House
Greenacres
Quarry Cottages
Quarry Ho.
Heronswood Mere
Junction 7 (M25)
Withy Shaw
Junction 8 (M23)
Sarmans
Weavers
M25
M25 MOTORWAY
Furzefield Wood
Rocky Shaw
Quarry Wood
Quarry Hall Farm
Little Park Hill
Pendell Wood
Black Bushes
Conduit Shaw
Playing Field
Oakley
Warwick Wold Farm
WARWICK WOLD
Yew Tree Cottage
Pendene
Redhill Brook
Coppice Lea
Speyns Farm
North Lodge
Caravan Park
Poultry Houses
Woodfield Sch.
St. Nicholas Sch.
SOUTH MERSTHAM
Sewage Works
Nature Reserve
Mercers Park
Ford Bridge
Mercers Farm
Nutfield Marsh
Ckt. Grd.
Marsh Cotts.
The Moors
Glebe
Pendell Farm Cotts.
Pendell Farm
The Hawthorns Sch.
Brewerstreet Farm
The Old Rectory
Place Farm
Lake Farm
Cockley Plantation
Dormers Farm
Chilmead Farm
83
104
123

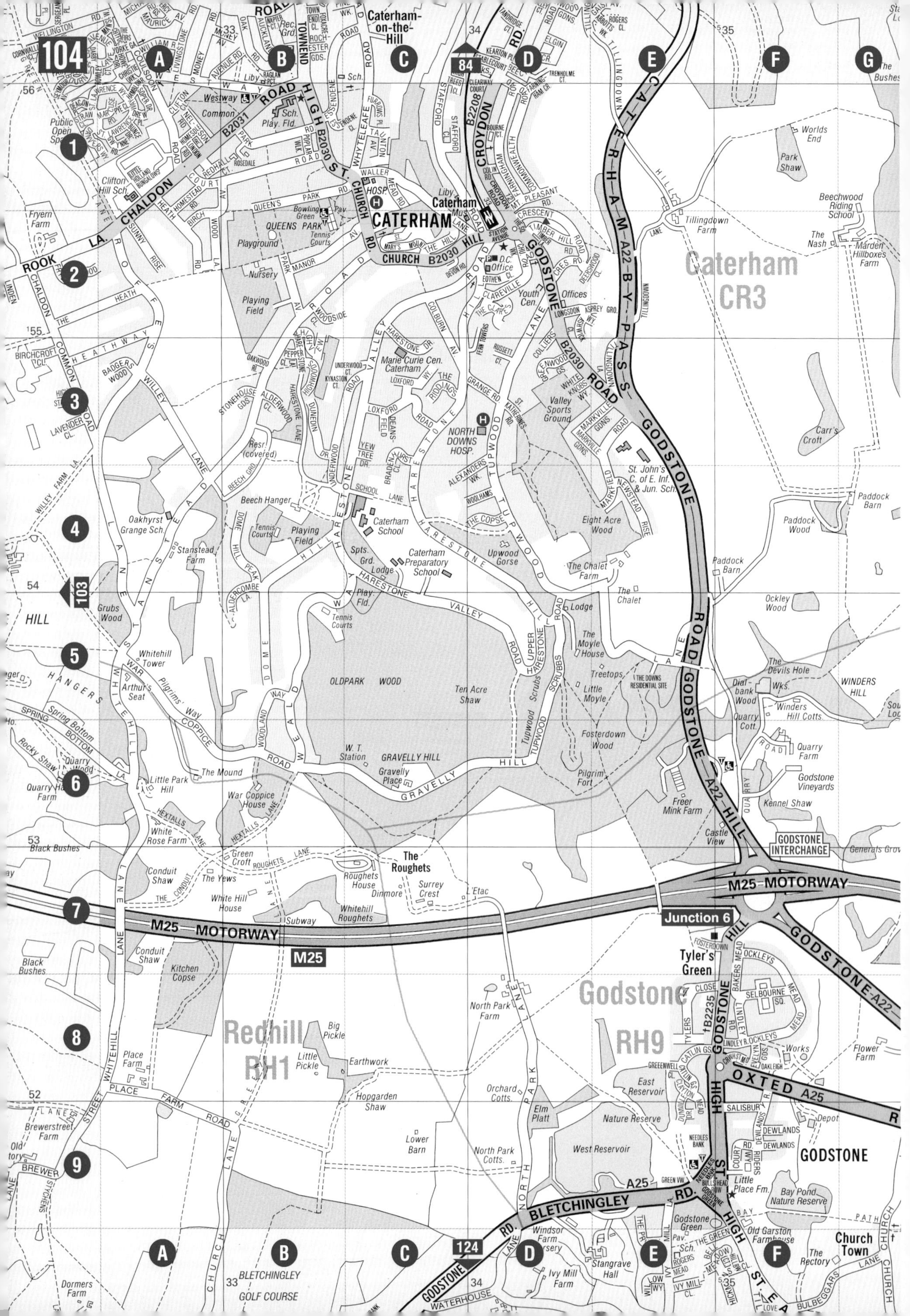

CATERHAM
Caterham-on-the-Hill
Caterham CR3
Godstone RH9
Redhill RH1
GODSTONE
Tyler's Green
Church Town
84
103
124
M25 MOTORWAY
M25
Junction 6
GODSTONE INTERCHANGE
CATERHAM BY-PASS A22
GODSTONE ROAD B2030
GODSTONE HILL A22
OXTED A25
BLETCHINGLEY RD.
A25
CROYDON ROAD B2208
CHALDON ROAD B2031
HIGH ST.
CHURCH HILL B2030
WHITEHILL LANE
WAR COPPICE ROAD
GRAVELLY HILL
HARESTONE VALLEY ROAD
HARESTONE HILL
UPPER HARESTONE
TUPWOOD LANE
NORTH PARK LANE
PLACE FARM ROAD
CHURCH LANE
BREWER STREET
STANSTEAD ROAD
ROOK LA.
WILLEY LANE
Westway Common
Queens Park
Playground
Playing Field
Nursery
Fryern Farm
Clifton Hill Sch.
Marie Curie Cen. Caterham
North Downs Hosp.
Caterham School
Caterham Preparatory School
Oakhyrst Grange Sch.
Stanstead Farm
Grubs Wood
Beech Hanger
Oldpark Wood
Ten Acre Shaw
W. T. Station
Gravelly Hill
Gravelly Place
Upwood Gorse
Eight Acre Wood
The Chalet Farm
Valley Sports Ground
St. John's C. of E. Inf. & Jun. Sch.
Tillingdown Farm
Worlds End
Park Shaw
Beechwood Riding School
The Nash
Marden Hillboxes Farm
Carr's Croft
Paddock Barn
Paddock Wood
Ockley Wood
The Devils Hole
Winders Hill
Winders Hill Cotts.
Quarry Farm
Godstone Vineyards
Kennel Shaw
Castle View
Freer Mink Farm
Pilgrim Fort
Fosterdown Wood
The Moyle House
Little Moyle
Treetops
The Downs Residential Site
Whitehill Tower
Arthur's Seat
Pilgrims' Way
Little Park Hill
The Mound
War Coppice House
White Rose Farm
Black Bushes
Quarry Hangers Farm
Rocky Shaw
Spring Bottom
Conduit Shaw
The Yews
Green Croft
The Roughets
Roughets House
Dinmore
Surrey Crest
L'Etac
White Hill House
Whitehill Roughets
Subway
Kitchen Copse
North Park Farm
Big Pickle
Little Pickle
Earthwork
Hopgarden Shaw
Place Farm
Brewerstreet Farm
Lower Barn
Orchard Cotts.
Elm Platt
North Park Cotts.
East Reservoir
Nature Reserve
West Reservoir
Little Place Fm.
Bay Pond Nature Reserve
Flower Farm
Old Garston Farmhouse
The Rectory
Godstone Green
Windsor Farm Nursery
Stangrave Hall
Ivy Mill Farm
Bletchingley Golf Course
Dormers Farm
A B C D E F G
1 2 3 4 5 6 7 8 9
33 34 35
52 53 54 55 56

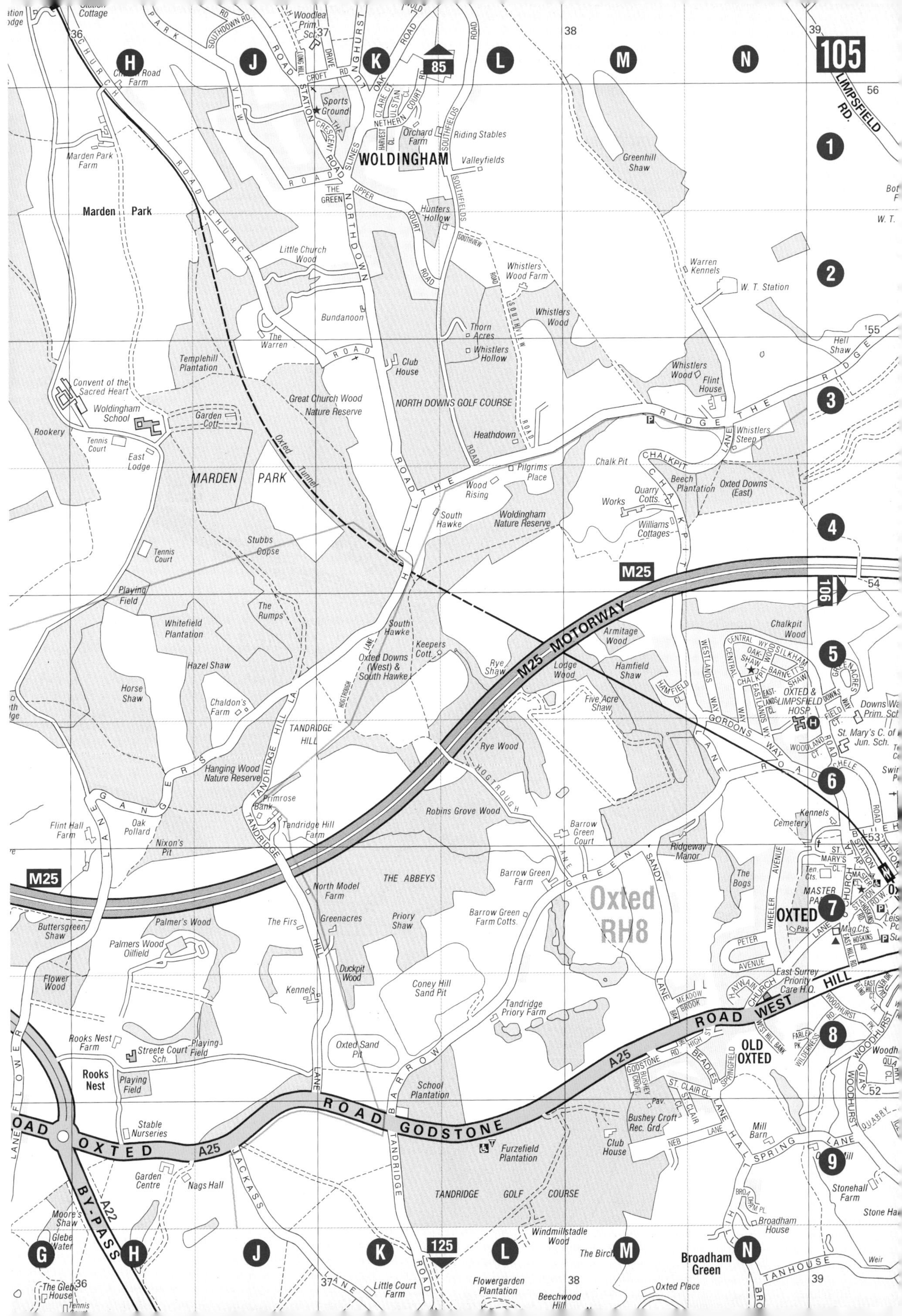
WOLDINGHAM
Marden Park
MARDEN PARK
Oxted RH8
OXTED
OLD OXTED
Broadham Green
Rooks Nest
M25 MOTORWAY
M25
A25
A22
BY-PASS
OXTED ROAD
GODSTONE ROAD
ROAD WEST HILL
Woodlea Prim. Sch.
Sports Ground
Orchard Farm
Riding Stables
Valleyfields
Hunters Hollow
Church Road Farm
Marden Park Farm
Little Church Wood
Bundanoon
The Warren
Club House
Great Church Wood Nature Reserve
NORTH DOWNS GOLF COURSE
Heathdown
Whistlers Wood Farm
Whistlers Wood
Thorn Acres
Whistlers Hollow
Templehill Plantation
Convent of the Sacred Heart
Woldingham School
Garden Cott.
Rookery
Tennis Court
East Lodge
Oxted Tunnel
Greenhill Shaw
Warren Kennels
W. T. Station
Hell Shaw
Flint House
THE RIDGE
Whistlers Steep
Chalk Pit
CHALKPIT LANE
Beech Plantation
Oxted Downs (East)
Quarry Cotts.
Works
Williams Cottages
Pilgrims Place
Wood Rising
South Hawke
Woldingham Nature Reserve
Stubbs Copse
Playing Field
Whitefield Plantation
The Rumps
Hazel Shaw
Horse Shaw
Chaldon's Farm
Keepers Cott.
Oxted Downs (West) & South Hawke
Rye Shaw
Lodge Wood
Armitage Wood
Hamfield Shaw
Five Acre Shaw
Chalkpit Wood
OXTED & LIMPSFIELD HOSP.
St. Mary's C. of E. Jun. Sch.
Downs Way Prim. Sch.
TANDRIDGE HILL
Rye Wood
Hanging Wood Nature Reserve
Primrose Bank
Tandridge Hill Farm
Robins Grove Wood
Barrow Green Court
Ridgeway Manor
Cemetery
Kennels
The Bogs
Flint Hall Farm
Oak Pollard
Nixon's Pit
Barrow Green Farm
North Model Farm
THE ABBEYS
Barrow Green Farm Cotts.
Buttersgreen Shaw
Palmer's Wood
Palmers Wood Oilfield
The Firs
Greenacres
Priory Shaw
Duckpit Wood
Coney Hill Sand Pit
Flower Wood
Kennels
Tandridge Priory Farm
East Surrey Priority Care H.Q.
Rooks Nest Farm
Streete Court Sch.
Playing Field
Oxted Sand Pit
School Plantation
Bushey Croft Rec. Grd.
Club House
Mill Barn
Stable Nurseries
Furzefield Plantation
Garden Centre
Nags Hall
Moore's Shaw
Glebe Water
TANDRIDGE GOLF COURSE
Windmillstadle Wood
The Birch
Stonehall Farm
Broadham House
Little Court Farm
Flowergarden Plantation
Beechwood Hill
Oxted Place
The Glebe House
LIMPSFIELD RD.
85
106
125

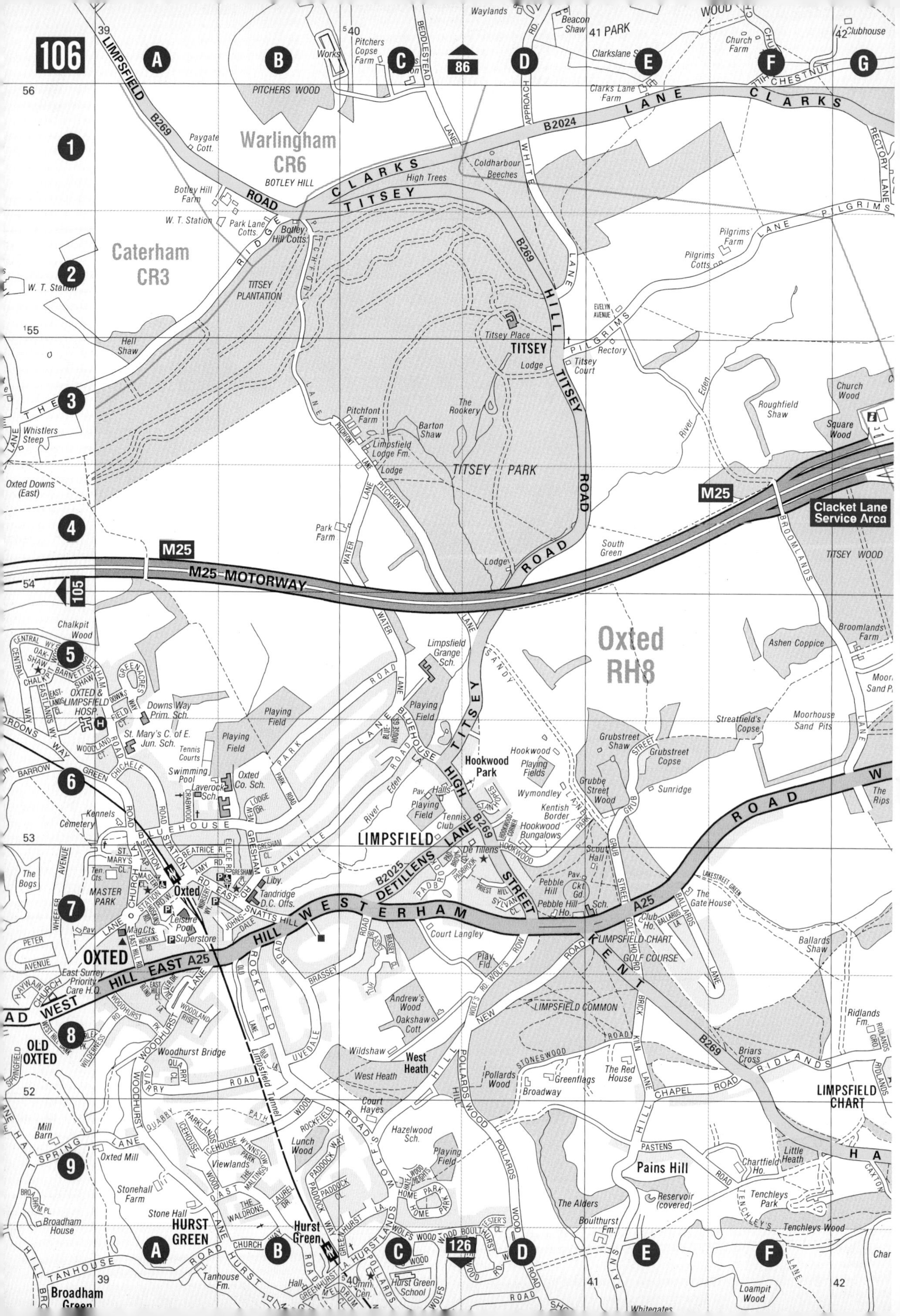

Warlingham CR6
Caterham CR3
Oxted RH8
PITCHERS WOOD
BOTLEY HILL
TITSEY PLANTATION
TITSEY PARK
TITSEY
Titsey Place
M25 MOTORWAY
Clacket Lane Service Area
TITSEY WOOD
LIMPSFIELD
Hookwood Park
OXTED
OLD OXTED
HURST GREEN
Hurst Green
LIMPSFIELD CHART
LIMPSFIELD CHART GOLF COURSE
LIMPSFIELD COMMON
West Heath
Pains Hill
Broadham Green
CLARKS LANE
TITSEY HILL
TITSEY ROAD
PILGRIMS LANE
WESTERHAM ROAD
WESTERHAM HILL
EAST HILL
WEST HILL
DETILLENS LANE
HIGH STREET
KENT HATCH ROAD
Tenchleys Wood
Loampit Wood
Ashen Coppice
Grubstreet Shaw
Pollards Wood
Andrew's Wood
Chalkpit Wood
Hell Shaw
Oxted Downs (East)

86
105
126

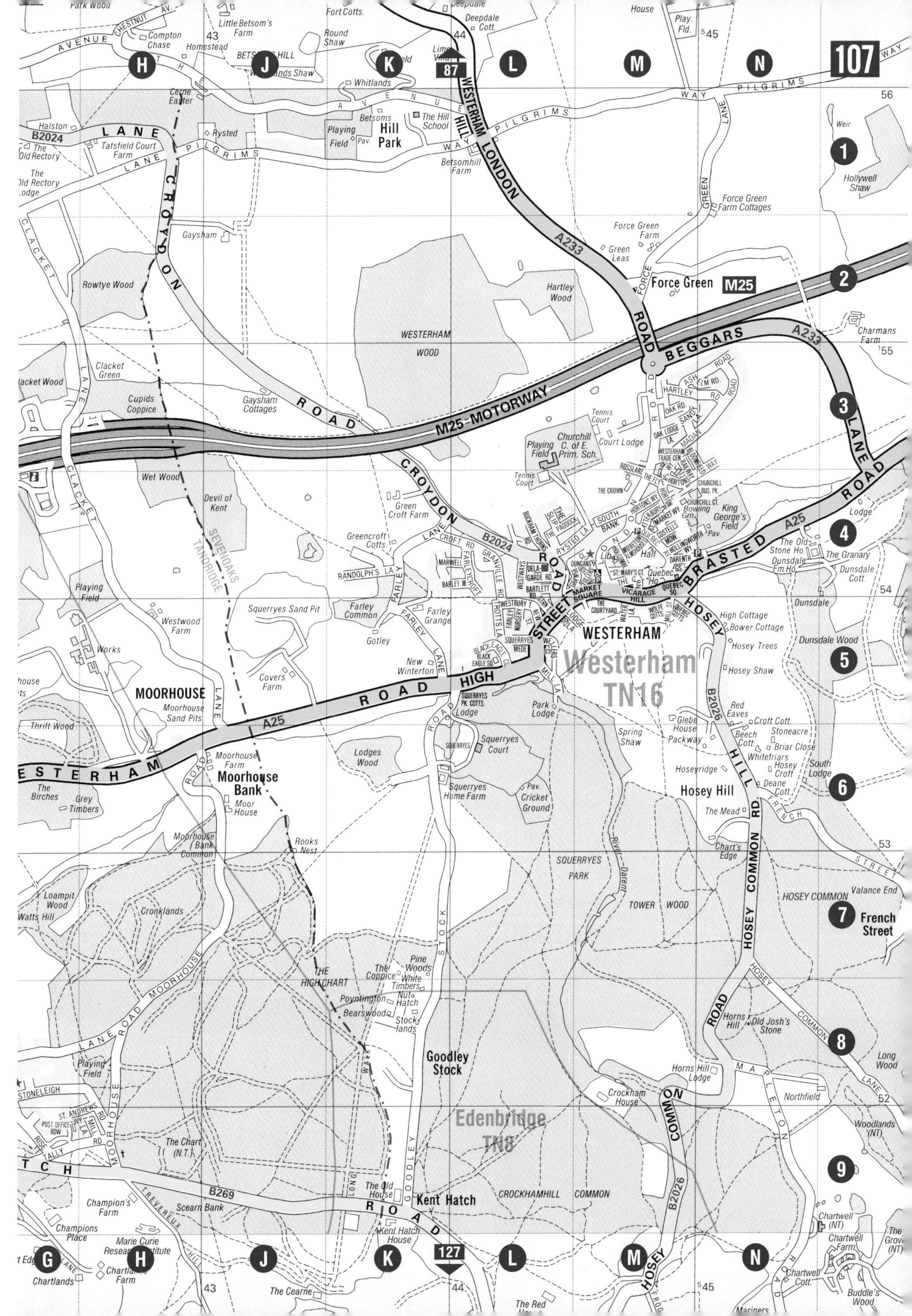
Park Wood
Chestnut Av.
Avenue
Compton Chase
Little Betsom's Farm
Homestead
Betsoms Hill
Fort Cotts.
Round Shaw
Deepdale Cott.
House
Play. Fld.
Whitlands Shaw
Whitlands
87
Westerham Hill
London
Pilgrims Way
Cerne Easter
Halston
B2024
Lane
The Old Rectory
Tatsfield Court Farm
Rysted
Betsoms
Playing Field
Pav.
Hill Park
The Hill School
Betsomhill Farm
The Old Rectory Lodge
Croydon
Clacket
Gaysham
A233
Green Lane
Force Green Farm Cottages
Force Green Farm
Green Leas
Weir
Hollywell Shaw
Rowtye Wood
Hartley Wood
Force Green
M25
Westerham Wood
Beggars
Charmans Farm
Clacket Green
Clacket Wood
Cupids Coppice
Gaysham Cottages
Road
M25-Motorway
Ash
Elm Rd.
Hartley Rd
Oak Rd.
Sandy La.
Tennis Court
Court Lodge
Playing Field
Churchill C. of E. Prim. Sch.
Oak Lodge La.
Madan
Westerham Trade Cen.
Rosslare Cl.
The Crown
Churchill Bus. Pk.
Hortons Wy.
Tennis Court
Wet Wood
Devil of Kent
Sevenoaks
Tandridge
Green Croft Farm
Greencroft Cotts.
Croft Rd
Marwell
Farleycroft
Granville Rd
Randolph's La
Farley Lane
Barley M.
The Slip
The Paddock
Rysted La.
South Bank
Bowling Grn.
King George's Field
Pav.
Lodge
The Old Stone Ho.
The Granary
Dunsdale Fm.Ho.
Dunsdale Cott.
Brasted Road
A25
Lib.
Hall
Darenth
Quebec Ho.
Quebec Sq.
Vicarage Hill
Market Square
The Courtyard
Westbury T.
Farley Nursery
Trotts La.
Squerryes Mede
Black Eagle Cl.
Black Eagle Sq.
Westerham
Playing Field
Squerryes Sand Pit
Farley Common
Farley Grange
Gotley
Westwood Farm
Works
New Winterton
Covers Farm
Hosey
High Cottage
Bower Cottage
Hosey Trees
Dunsdale
Dunsdale Wood
Hosey Shaw
Westerham TN16
Moorhouse
Moorhouse Sand Pits
Thrift Wood
Westerham
High Road
Squerryes Pk. Cotts.
Lodge
Park Lodge
Mill La.
B2026
Red Eaves
Croft Cott.
Glebe House
Packway
Spring Shaw
Beech Cott.
Stoneacre
Briar Close
Whitefriars
Hosey Croft
South Lodge
Deane Cott.
Hoseyridge
Lodges Wood
Squerryes Court
Squerryes Home Farm
Pav.
Cricket Ground
Moorhouse Farm
Moorhouse Bank
Moor House
The Birches
Grey Timbers
Hosey Hill
The Mead
French Street
Moorhouse Bank Common
Rooks Nest
Chart's Edge
Squerryes Park
River Darent
Tower Wood
Hosey Common
Valance End
French Street
Loampit Wood
Watts Hill
Cronklands
Hosey Common Rd.
Stock
The High Chart
The Coppice
Pine Woods
White Timbers
Poyntington
Nut Hatch
Bearswood
Stock lands
Horns Hill
Old Josh's Stone
Hosey Common
Lane
Road
Moorhouse
Playing Field
Stoneleigh
Goodley Stock
Horns Hill Lodge
Mapleton
Long Wood
Northfield
Crockham House
St. Andrews Rd.
Post Office Row
Mill La.
Tally Rise
The Chart (N.T.)
Edenbridge TN8
Common
Woodlands (NT)
Walk
Long
Goodley
B2026
B269
Champion's Farm
Trevereux
Scearn Bank
The Old House
Kent Hatch
Crockhamhill Common
Champions Place
Marie Curie Research Institute
Kent Hatch House
127
Chartwell (NT)
Chartwell Farm
The Grove (NT)
Chartlands Farm
Chartlands
The Cearne
The Red
Hosey
Road
Chartwell Cott.
Buddle's Wood
Mariners
G H J K L M N
1 2 3 4 5 6 7 8 9
43 44 45
56 55 54 53 52

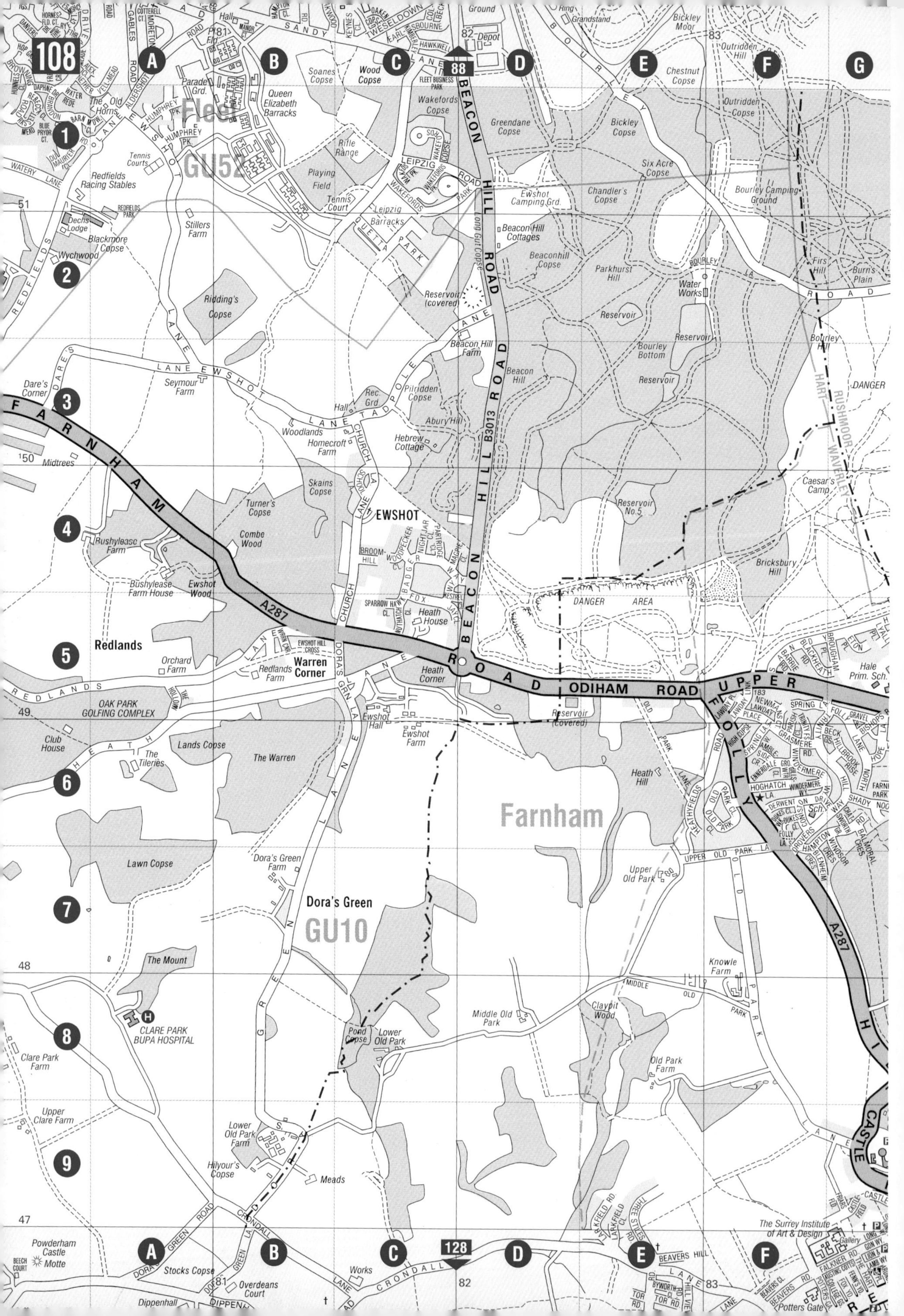

108
A
B
C
D
E
F
G
88
1
2
3
4
5
6
7
8
9
51
50
49
48
47
81
82
83
Fleet
GU52
Farnham
GU10
Soanes Copse
Wood Copse
Queen Elizabeth Barracks
Parade Grd.
Fleet Business Park
Wakefords Copse
Greendane Copse
Bickley Copse
Chestnut Copse
Outridden Copse
Outridden Hill
Bickley Moor
Grandstand
Depot
Ground
Hall
Sandy
Tweseldown
Hawkwell
Beacon Hill Road
Rifle Range
Playing Field
Tennis Court
Tennis Courts
Redfields Racing Stables
Redfields Park
Dechs Lodge
Blackmore Copse
Wychwood
Redfields Lane
Watery Lane
Ewshot Lane
Stillers Farm
Ridding's Copse
Leipzig Road
Leipzig Barracks
Quetta Park
Wakefords Park
Ewshot Camping Grd.
Beacon Hill Cottages
Beaconhill Copse
Long Gut Copse
Reservoir (covered)
Six Acre Copse
Chandler's Copse
Parkhurst Hill
Water Works
Reservoir
Bourley Bottom
Bourley Camping Ground
Bourley Road
Firs Hill
Burn's Plain
Bourley Hill
Danger
Hart
Rushmoor
Waverley
Caesar's Camp
Reservoir No.5
Bricksbury Hill
Danger Area
Beacon Hill Farm
Beacon Hill
Abury Hill
Pilridden Copse
Hebrew Cottage
Tadpole Lane
Rec. Grd.
Hall
Woodlands
Homecroft Farm
Church Lane
Ewshot
Skains Copse
Turner's Copse
Combe Wood
Broom-Hill
Woodpecker
Nightjar Cl.
Partridge Cl.
Magpie Cl.
Badger Way
Fox Way
Kestrel
Sparrow Hawk Cl.
Nuthatch Cl.
Heath House
B3013
Dare's Corner
Dare's Lane
Ewshot Lane
Seymour Farm
Farnham Road
Midtrees
Rushylease Farm
Bushylease Farm House
Ewshot Wood
A287
Redlands
Orchard Farm
Ewshot Hill Cross
Redlands Farm
Warren Corner
Heath Corner
Odiham Road
Upper Old Park Lane
Folly Hill
Reservoir (covered)
Ewshot Hall
Ewshot Farm
Redlands Lane
The Hollow
Oak Park Golfing Complex
Club House
Heath Lane
The Tileries
Lands Copse
The Warren
Heath Hill
Heathyfields
Old Park Cl.
Hale Prim. Sch.
Lawn Copse
Dora's Green Farm
Dora's Green
Dora's Green Lane
Upper Old Park
Knowle Farm
Middle Old Park
Claypit Wood
The Mount
Clare Park BUPA Hospital
Clare Park Farm
Upper Clare Farm
Pond Copse
Lower Old Park
Old Park Farm
Lower Old Park Farm
Hilyour's Copse
Meads
Castle
The Surrey Institute of Art & Design
Gallery
128
Powderham Castle Motte
Beech Court
Stocks Copse
Dora's Green Road
Green Lane
Crondall Lane
Overdeans Court
Works
Dippenhall
Larkfield Rd.
Three Stiles Rd.
Beavers Hill
Beavers Rd.
Tor Rd.
Byworth Rd.
Potters Gate

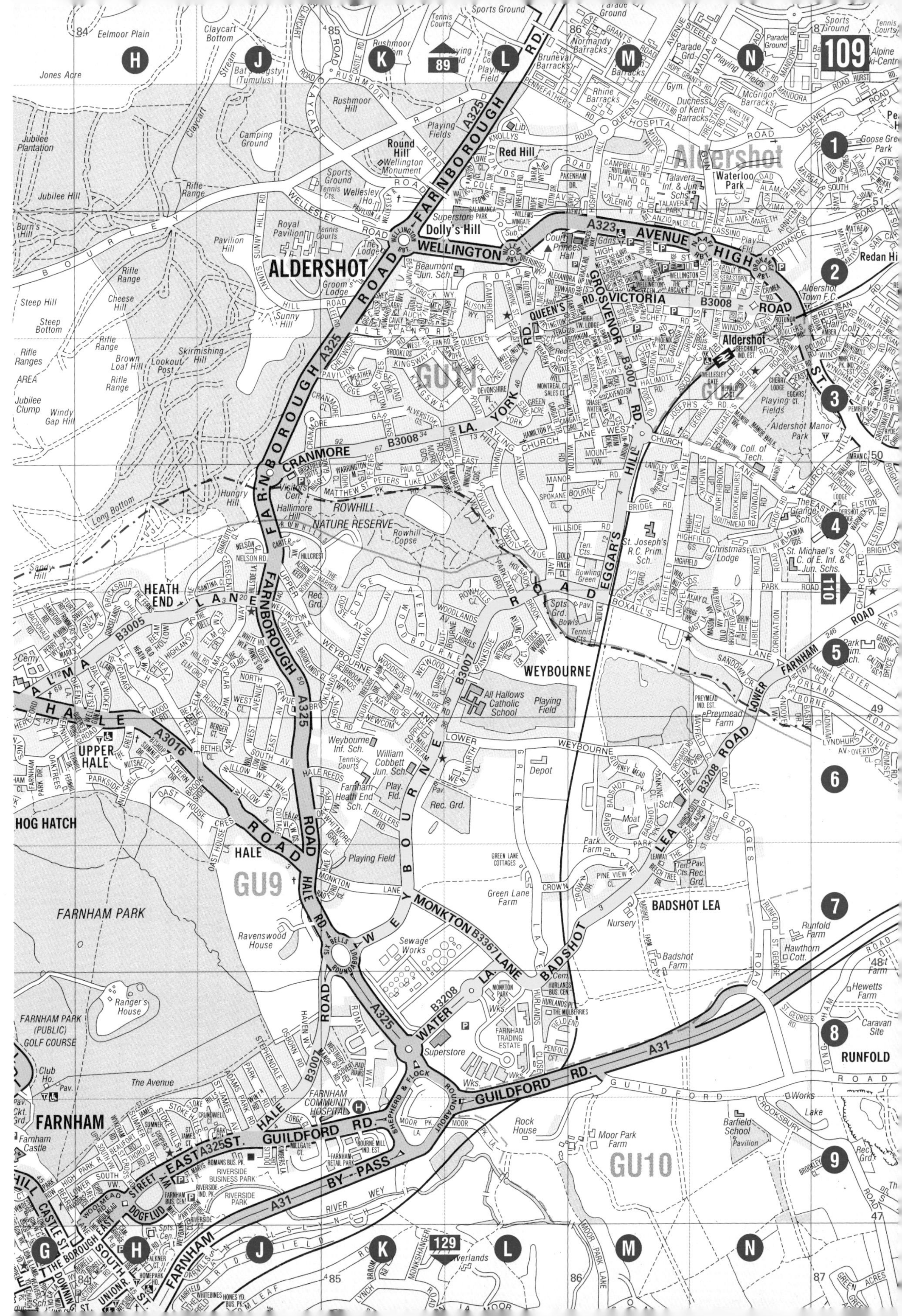

H
J
K
L
M
N
84
85
86
87
89
Eelmoor Plain
Claycart Bottom
Jones Acre
Sports Ground
Tennis Courts
Rushmoor Arena
Parade Ground
Normandy Barracks
Bruneval Barracks
Barracks
Parade Grd.
Playing Fields
Gym.
McGrigor Barracks
Duchess of Kent Barracks
Rhine Barracks
Sports Ground
Alpine Ski-Centre
Bat's Hogsty (Tumulus)
Rushmoor Hill
Jubilee Plantation
Camping Ground
Playing Fields
Round Hill
Wellington Monument
Red Hill
Aldershot
Talavera Inf. & Jun. Schs.
Waterloo Park
Goose Green Park
Rifle Range
Jubilee Hill
Sports Ground
Wellesley Ho.
Superstore
Dolly's Hill
Royal Pavilion
Pavilion Hill
Burn's Hill
ALDERSHOT
Princes Hall
Redan Hill
Aldershot Town F.C.
Rifle Range
Cheese Hill
Groom's Lodge
Beaumont Jun. Sch.
Steep Hill
Steep Bottom
Sunny Hill
Rifle Ranges
Rifle Range
Brown Loaf Hill
Lookout Post
Skirmishing Hill
AREA
Rifle Range
Jubilee Clump
Windy Gap Hill
GU11
GU12
Aldershot Manor Park
Playing Fields
Coll. of Tech.
Hungry Hill
Long Bottom
Hallimore Hill
Visitors Cen.
ROWHILL NATURE RESERVE
Rowhill Copse
Sandy Hill
The Grange Sch.
St. Joseph's R.C. Prim. Sch.
Christmas Lodge
St. Michael's C. of E. Inf. & Jun. Schs.
HEATH END
Rec. Grd.
Spts. Grd.
Bowling Green
110
Cemy.
WEYBOURNE
Park Prim. Sch.
All Hallows Catholic School
Playing Field
Preymead Farm
UPPER HALE
Weybourne Inf. Sch.
William Cobbett Jun. Sch.
Farnham Heath End Sch.
Play. Fld.
Depot
Rec. Grd.
Moat
HOG HATCH
HALE
Playing Field
Park Farm
Green Lane Cottages
GU9
Green Lane Farm
BADSHOT LEA
FARNHAM PARK
Ravenswood House
Sewage Works
Nursery
Runfold Farm
Hawthorn Cott.
Badshot Farm
Hewetts Farm
Ranger's House
FARNHAM PARK (PUBLIC) GOLF COURSE
Farnham Trading Estate
Superstore
Caravan Site
RUNFOLD
Club Ho.
The Avenue
FARNHAM COMMUNITY HOSPITAL
Works
Lake
FARNHAM
Rock House
Moor Park Farm
Barfield School
Pavilion
Farnham Castle
GU10
Riverside Business Park
Riverside Park
River Wey
129
Waverlands
G
A325 FARNBOROUGH ROAD
A323 HIGH ST.
WELLINGTON AVENUE
B3008 VICTORIA ROAD
GROSVENOR RD.
B3007 EGGAR'S HILL
B3008 CRANMORE LA.
B3005 HEATH END LANE
A3016 HALE ROAD
WEYBOURNE ROAD
LOWER WEYBOURNE LANE
B3208 LOWER FARNHAM ROAD
B3367 MONKTON LANE
BADSHOT LANE
B3208 WATER LA.
A325 HALE RD.
A31 GUILDFORD RD.
A31 FARNHAM BY-PASS
A325 EAST ST.
SIX BELLS ROUNDABOUT
SHEPHERD & FLOCK ROUNDABOUT
ST. GEORGES ROAD
THE BOROUGH
CASTLE ST.
SOUTH ST.

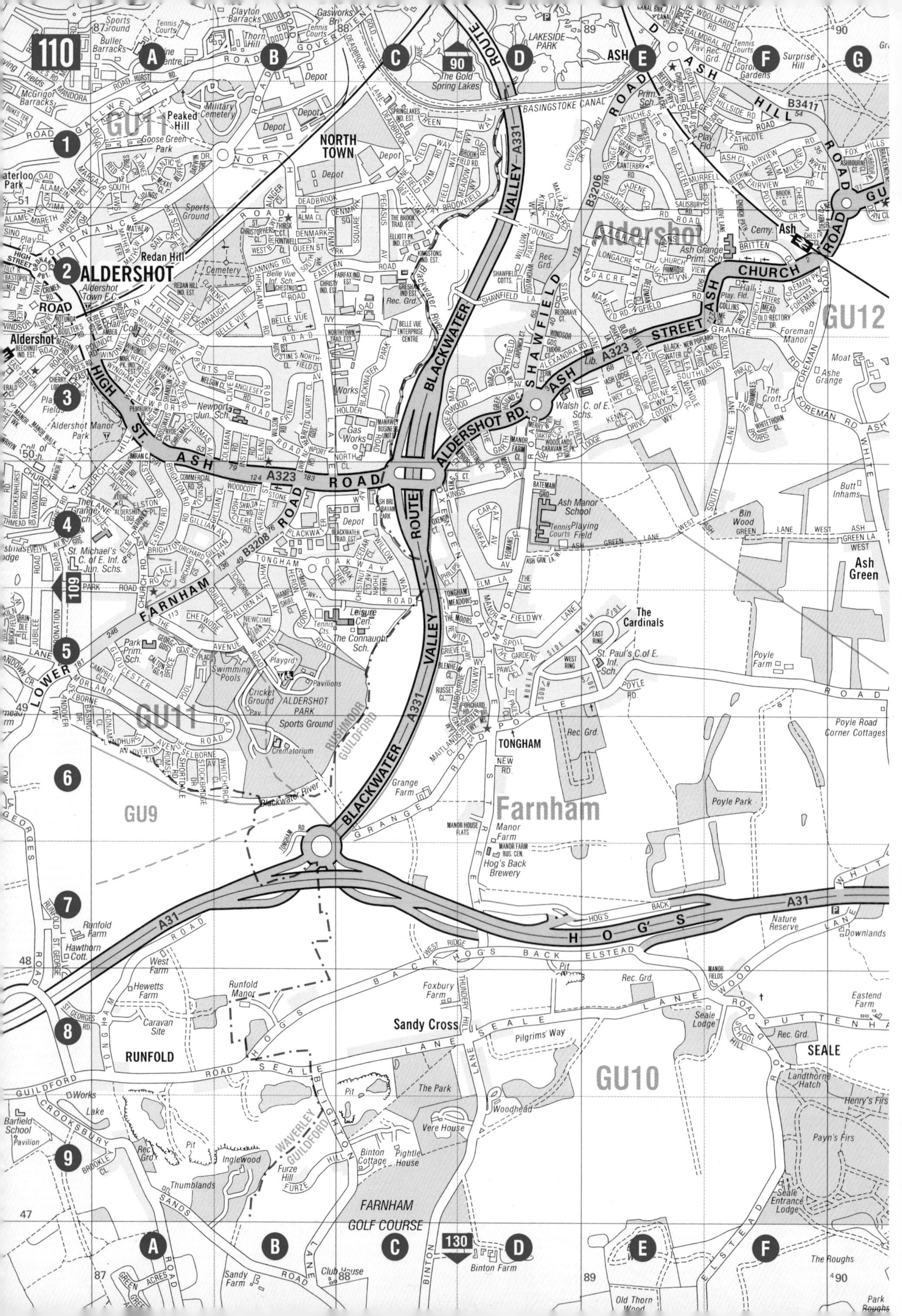

110
ALDERSHOT
Aldershot
NORTH TOWN
Redan Hill
Peaked Hill
Military Cemetery
Goose Green Park
Sports Ground
Buller Barracks
Clayton Barracks
McGrigor Barracks
Aldershot Town F.C.
Aldershot Manor Park
Newport Jun. Sch.
Belle Vue Inf. Sch.
Cemetery
GU11
GU12
GU9
GU10
The Gold Spring Lakes
Lakeside Park
BASINGSTOKE CANAL
ASH
Ash Grange Prim. Sch.
Walsh C. of E. Schs.
Ash Manor School
Ash Green
The Cardinals
St. Paul's C. of E. Inf. Sch.
TONGHAM
Farnham
Manor Farm
Hog's Back Brewery
Poyle Farm
Poyle Park
Poyle Road Corner Cottages
ALDERSHOT PARK
Crematorium
Leisure Cen.
The Connaught Sch.
Park Prim. Sch.
Swimming Pools
St. Michael's C. of E. Inf. & Jun. Schs.
Grange Farm
Runfold Farm
Hawthorn Cott.
West Farm
Hewetts Farm
Runfold Manor
Caravan Site
RUNFOLD
Sandy Cross
Foxbury Farm
Pilgrims' Way
Seale Lodge
SEALE
Landthorne Hatch
Henry's Firs
Payn's Firs
Seale Entrance Lodge
The Roughs
Eastend Farm
Downlands
Nature Reserve
The Park
Vere House
Woodhead
Binton Cottage
Pightle House
Furze Hill
Inglewood
Thumblands
Barfield School
FARNHAM GOLF COURSE
Club House
Binton Farm
Sandy Farm
Old Thorn Wood
Moat
Ashe Grange
The Croft
Foreman Manor
Butt Inhams
Bin Wood
Surprise Hill
BLACKWATER VALLEY ROUTE
A331
A323
A31
B3208
B3206
B3417
HOG'S BACK
ASH STREET
CHURCH ROAD
HIGH STREET
ALDERSHOT RD.
FARNHAM ROAD
ASH ROAD
ASH HILL ROAD
GUILDFORD ROAD
SEALE LANE
ELSTEAD ROAD
PUTTENHAM
RUSHMOOR
GUILDFORD
WAVERLEY
Blackwater River
90
109
130

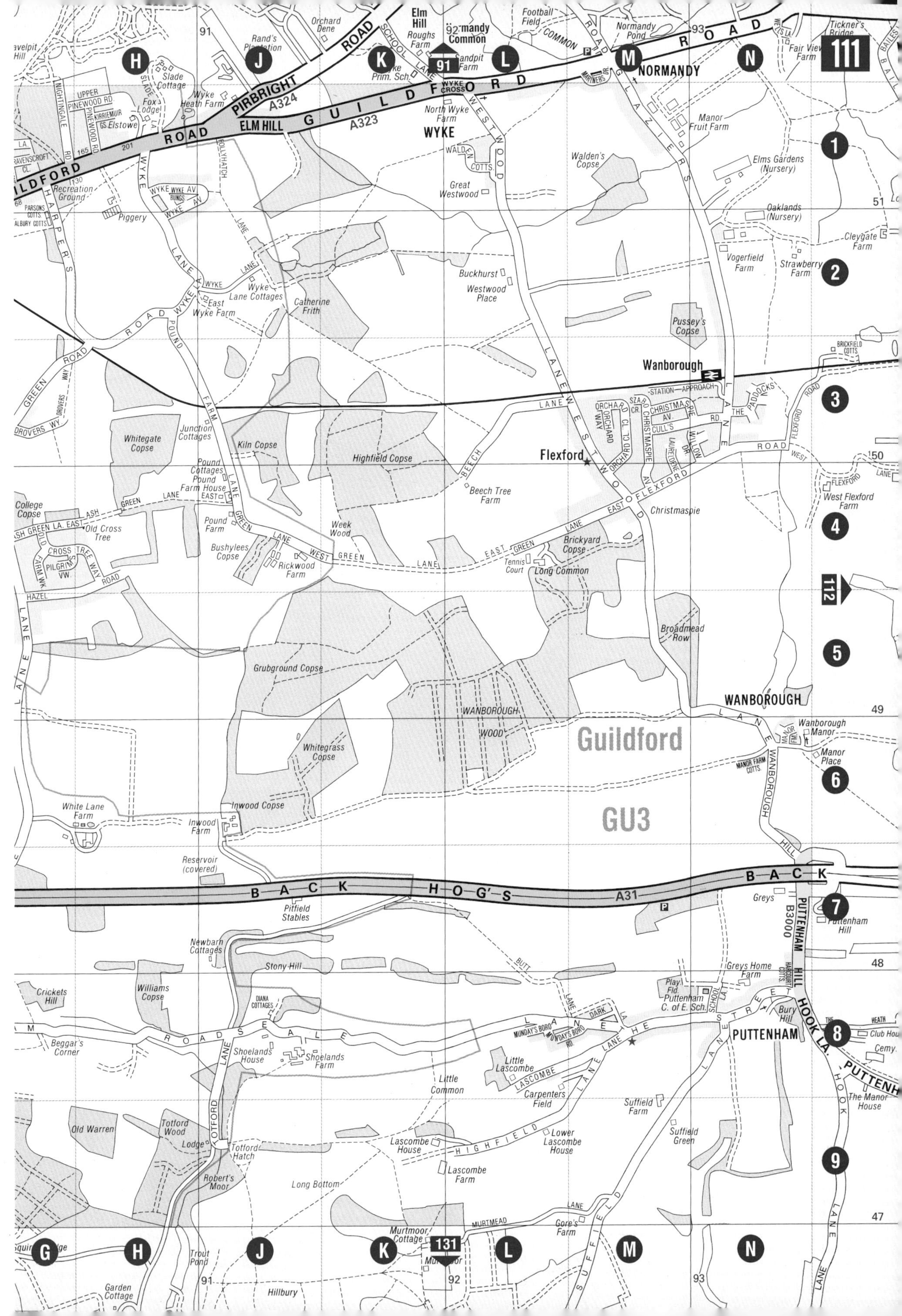
111
112
131
91
92
93
H
J
K
L
M
N
G
1
2
3
4
5
6
7
8
9
51
50
49
48
47
NORMANDY
Normandy Common
Normandy Pond
Elm Hill
Roughs Farm
Orchard Dene
Rand's Plantation
Football Field
Sandpit Farm
Fair View Farm
Tickner's Bridge
Slade Cottage
Fox Lodge
Elstowe
Wyke Heath Farm
PIRBRIGHT ROAD
A324
GUILDFORD ROAD
A323
ELM HILL
WYKE
North Wyke Farm
WYKE CROSS
Manor Fruit Farm
Walden's Copse
Elms Gardens (Nursery)
Oaklands (Nursery)
Cleygate Farm
Vogerfield Farm
Strawberry Farm
Great Westwood
Recreation Ground
Piggery
Buckhurst
Westwood Place
Wyke Lane Cottages
East Wyke Farm
Catherine Frith
Pussey's Copse
Wanborough
BRICKFIELD COTTS
THE PADDOCKS
STATION APPROACH
CHRISTMASPIE AV.
CULL'S RD.
Whitegate Copse
Junction Cottages
Kiln Copse
Highfield Copse
Flexford
Beech Tree Farm
Christmaspie
West Flexford Farm
Pound Cottages
Pound Farm House
Pound Farm
College Copse
Old Cross Tree
Bushylees Copse
Rickwood Farm
Week Wood
Brickyard Copse
Tennis Court
Long Common
Broadmead Row
Grubground Copse
WANBOROUGH WOOD
WANBOROUGH
Wanborough Manor
Manor Place
MANOR FARM COTTS
Guildford
GU3
Whitegrass Copse
White Lane Farm
Inwood Copse
Inwood Farm
Reservoir (covered)
HOG'S BACK
A31
Pitfield Stables
Greys
Puttenham Hill
B3000
PUTTENHAM HILL
Newbarn Cottages
Stony Hill
Greys Home Farm
Crickets Hill
Williams Copse
DIANA COTTAGES
Play Fld.
Puttenham C. of E. Sch.
Bury Hill
PUTTENHAM
HOOK LA.
THE HEATH
Club House
Cemy.
SEALE ROAD
Beggar's Corner
Shoelands House
Shoelands Farm
MUNDAY'S BORO
Little Lascombe
LASCOMBE LANE
Little Common
Carpenters Field
Suffield Farm
The Manor House
Old Warren
Totford Wood
Lodge
Totford Hatch
Robert's Moor
Lascombe House
Lower Lascombe House
Suffield Green
HIGHFIELD LANE
Lascombe Farm
Long Bottom
Murtmoor Cottage
MURTMEAD LANE
Gore's Farm
SUFFIELD LANE
Trout Pond
Garden Cottage
Hillbury

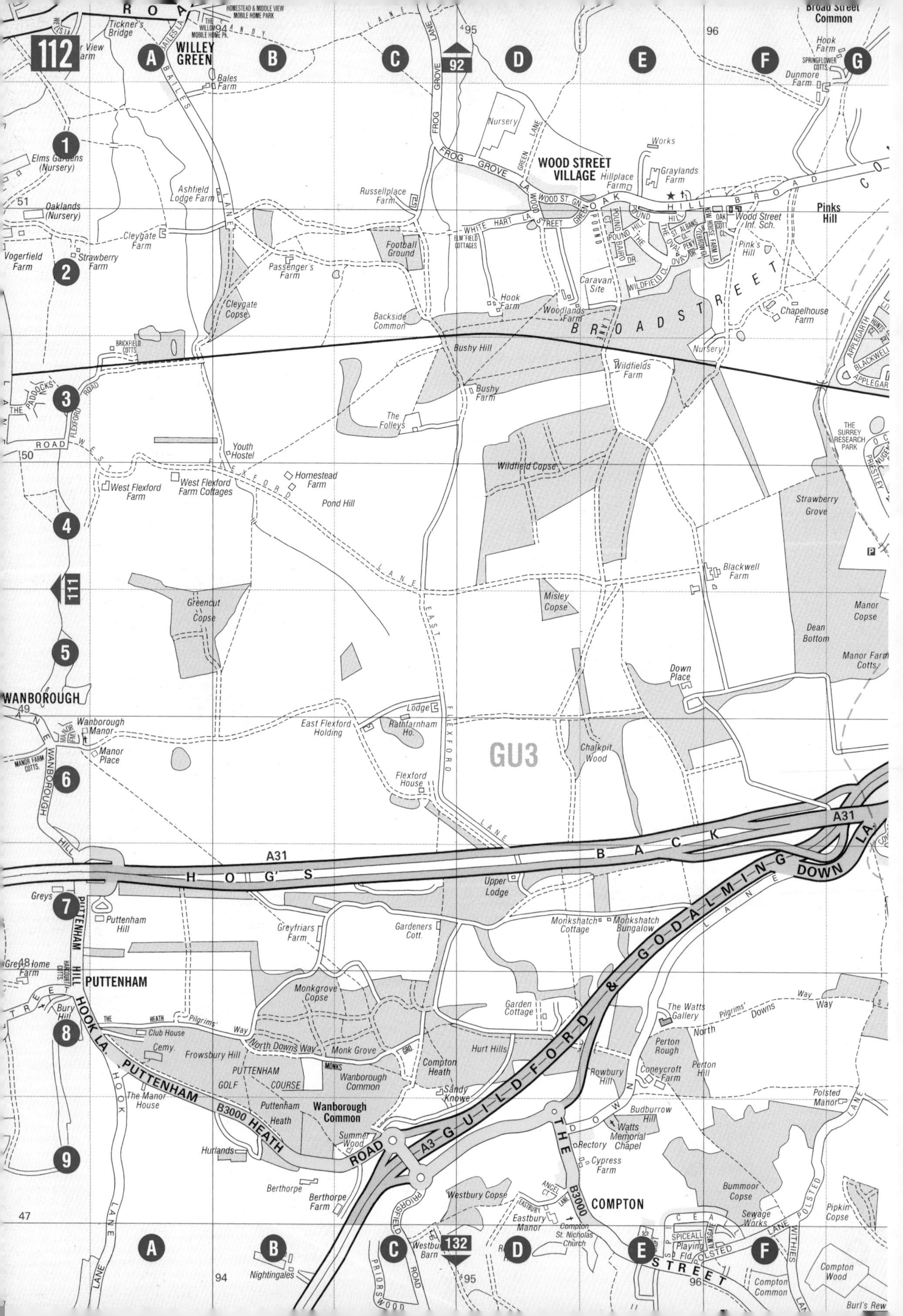
WILLEY GREEN
Tickner's Bridge
Bales Farm
Elms Gardens (Nursery)
Oaklands (Nursery)
Ashfield Lodge Farm
Cleygate Farm
Vogerfield Farm
Strawberry Farm
Passenger's Farm
Cleygate Copse
Russellplace Farm
Football Ground
Backside Common
Nursery
WOOD STREET VILLAGE
Hillplace Farm
Graylands Farm
Works
Wood Street Inf. Sch.
Pink's Hill
Pinks Hill
Hook Farm
Woodlands Farm
Caravan Site
BROADSTREET
Chapelhouse Farm
Bushy Hill
Bushy Farm
Wildfields Farm
The Folleys
Youth Hostel
West Flexford Farm
West Flexford Farm Cottages
Homestead Farm
Pond Hill
Wildfield Copse
THE SURREY RESEARCH PARK
Strawberry Grove
Blackwell Farm
Greencut Copse
Misley Copse
Manor Copse
Dean Bottom
Manor Farm Cotts
Down Place
WANBOROUGH
Wanborough Manor
Manor Place
East Flexford Holding
Lodge
Rathfarnham Ho.
GU3
Chalkpit Wood
Flexford House
A31
HOG'S BACK
Greys
Puttenham Hill
Upper Lodge
Greyfriars Farm
Gardeners Cott.
Monkshatch Cottage
Monkshatch Bungalow
PUTTENHAM
Monkgrove Copse
Garden Cottage
The Watts Gallery
Club House
Cemy.
Frowsbury Hill
Monk Grove
North Downs Way
Pilgrims' Way
Compton Heath
Hurt Hills
Perton Rough
Perton Hill
PUTTENHAM GOLF COURSE
Wanborough Common
Rowbury Hill
Coneycroft Farm
The Manor House
Puttenham Heath
Sandy Knowe
Polsted Manor
B3000 HEATH ROAD
A3 GUILDFORD & GODALMING
Summer Wood
Budburrow Hill
Watts Memorial Chapel
Hurlands
Rectory
Cypress Farm
Berthorpe
Berthorpe Farm
Westbury Copse
Eastbury Manor
COMPTON
Compton St. Nicholas Church
Bummoor Copse
Sewage Works
Pipkin Copse
Westbury Barn
Nightingales
Compton Common
Compton Wood
Burl's Rew
Broad Street Common
Hook Farm
Dunmore Farm

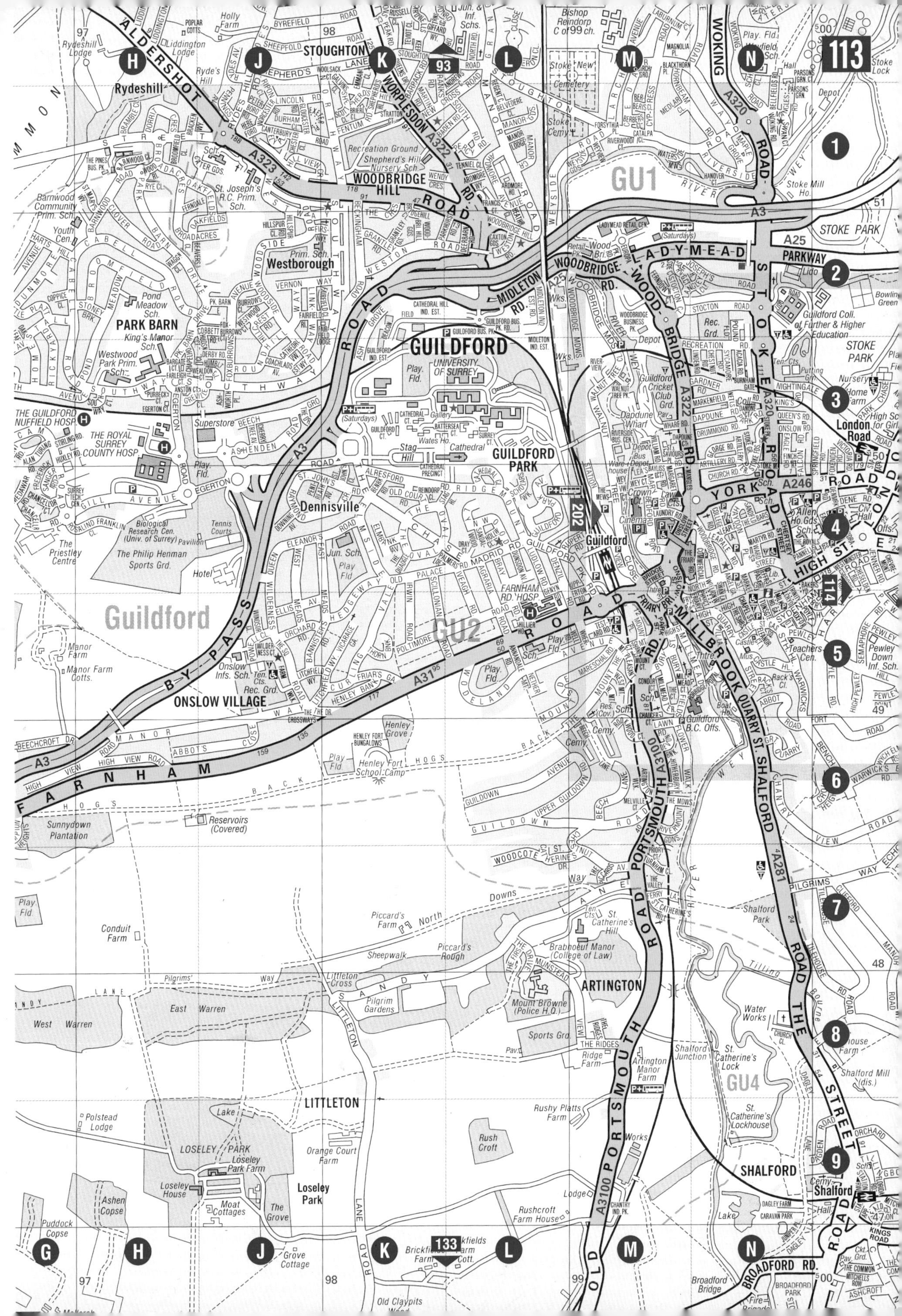

H
J
K
L
M
N
93
STOUGHTON
Rydeshill
Rydeshill Lodge
Liddington Lodge
Holly Farm
Bishop Reindorp C of 99 ch.
Stoke New Cemetery
Stoke Cemy.
Stoke Lock
Stoke Mill Ho.
ALDERSHOT
A323
WOODBRIDGE HILL
WORPLESDON
A322
Recreation Ground
Shepherd's Hill Nursery Sch.
St. Joseph's R.C. Prim. Sch.
Westborough
Barnwood Community Prim. Sch.
Youth Cen.
PARK BARN
Pond Meadow Sch.
King's Manor Sch.
Westwood Park Prim. Sch.
THE GUILDFORD NUFFIELD HOSP.
THE ROYAL SURREY COUNTY HOSP.
GU1
WOKING ROAD
A320
A3
A25
STOKE PARK
PARKWAY
LADYMEAD
WOODBRIDGE RD.
MIDLETON RD.
Guildford Coll. of Further & Higher Education
STOKE PARK
Lido
GUILDFORD
UNIVERSITY OF SURREY
Cathedral
Stag Hill
GUILDFORD PARK
Guildford Cricket Club Grd.
Dapdune Wharf
Superstore
Biological Research Cen. (Univ. of Surrey)
The Philip Henman Sports Grd.
The Priestley Centre
Dennisville
Guildford
202
YORK ROAD
A246
London Road
HIGH ST
114
Civ. Hall
Teachers Cen.
Pewley Down Inf. Sch.
GU2
FARNHAM RD. HOSP.
Guildford
ONSLOW VILLAGE
Onslow Infs. Sch.
Manor Farm
Manor Farm Cotts.
BY PASS
A31
FARNHAM
HOGS BACK
Henley Grove
Henley Fort School Camp
Sunnydown Plantation
Reservoirs (Covered)
GUILDOWN
MILLBROOK
QUARRY ST.
SHALFORD ROAD
A281
PORTSMOUTH ROAD
A3100
Guildford B.C. Offs.
Piccard's Farm
North Downs Way
Piccard's Rough
Sheepwalk
Pilgrims' Way
Conduit Farm
West Warren
East Warren
Littleton Cross
Pilgrim Gardens
St. Catherine's Hill
Brabœuf Manor (College of Law)
ARTINGTON
Mount Browne (Police H.Q.)
Sports Grd.
Ridge Farm
Artington Manor Farm
Shalford Park
Water Works
Shalford Junction
St. Catherine's Lock
GU4
St. Catherine's Lockhouse
Shalford Mill (dis.)
LITTLETON
Polstead Lodge
Lake
LOSELEY PARK
Loseley Park Farm
Loseley House
Moat Cottages
The Grove
Loseley Park
Orange Court Farm
Rushy Platts Farm
Rush Croft
Rushcroft Farm House
SHALFORD
Shalford
THE STREET
Puddock Copse
Ashen Copse
Grove Cottage
133
Brickfields Farm
Old Claypits
Broadford Bridge
BROADFORD RD.
OLD PORTSMOUTH ROAD
G
97
98
99
1
2
3
4
5
6
7
8
9
51
49
48
47

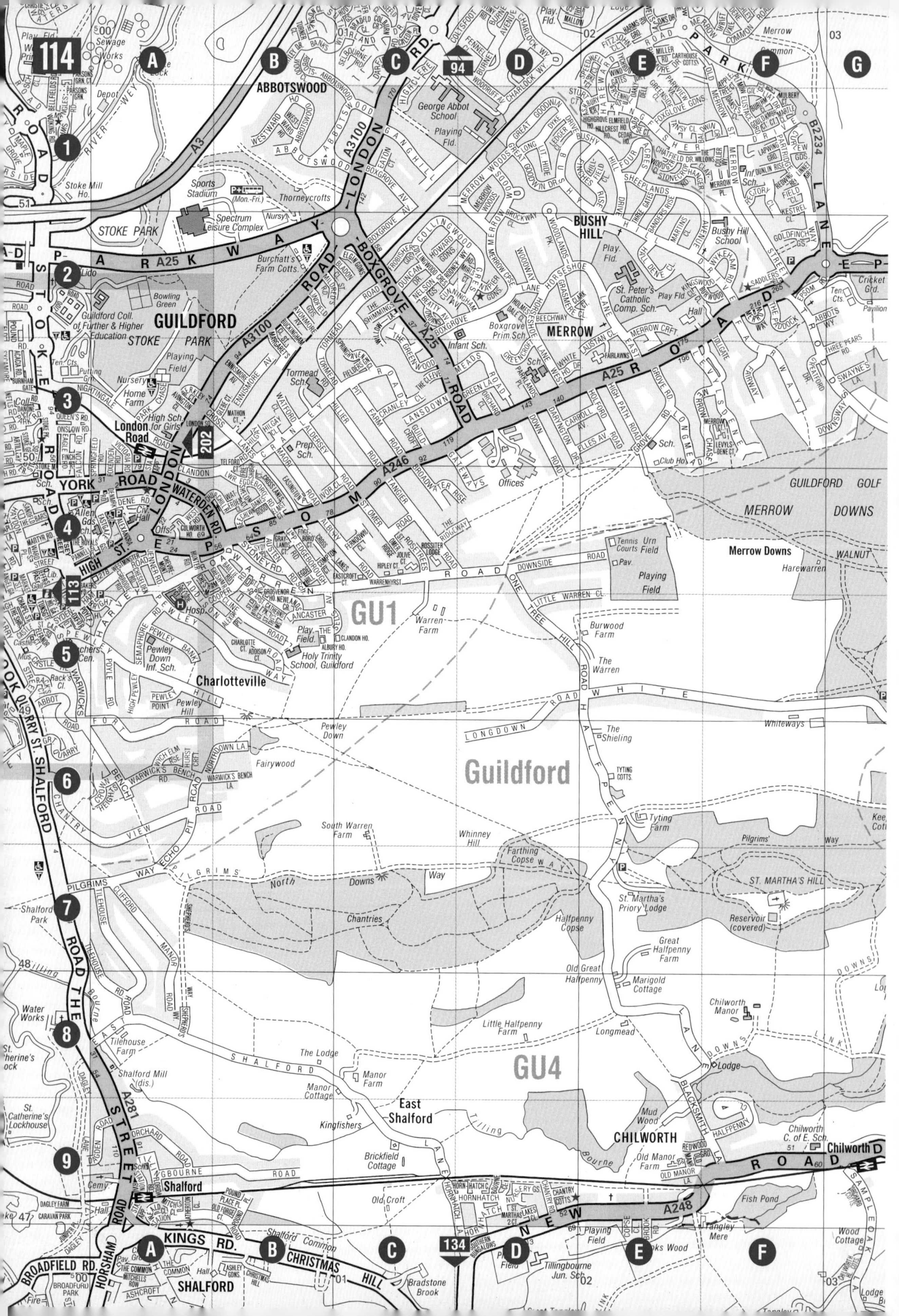
A
B
C
D
E
F
G
1
2
3
4
5
6
7
8
9
94
202
113
134
ABBOTSWOOD
Sewage Works
Depot
George Abbot School
Playing Fld.
Stoke Mill Ho.
Sports Stadium
Thorneycrofts
Spectrum Leisure Complex
STOKE PARK
PARKWAY
A25
A3
A3100
LONDON ROAD
BOXGROVE ROAD
Burchatt's Farm Cotts.
Lido
Bowling Green
Guildford Coll. of Further & Higher Education
GUILDFORD
STOKE PARK
Playing Field
Nursery
Home Farm
High Sch. for Girls
London Road
YORK ROAD
HIGH ST.
EPSOM ROAD
Civ. Hall
Hosp.
Tormead Sch.
Prep. Sch.
Infant Sch.
Boxgrove Prim.Sch.
MERROW
BUSHY HILL
Bushy Hill School
St. Peter's Catholic Comp. Sch.
Play Fld.
Hall
Cricket Grd.
Pavilion
Offices
A246
A25
B2234
MERROW LANE
GUILDFORD GOLF
MERROW DOWNS
Merrow Downs
Harewarren
WALNUT
Merrow Common
Tennis Courts
Urn Field
Playing Field
DOWNSIDE ROAD
WARREN ROAD
GU1
Warren Farm
Burwood Farm
The Warren
Holy Trinity School, Guildford
Charlotteville
Pewley Down Inf. Sch.
Pewley Hill
FORT ROAD
WHITE LANE
LONGDOWN
The Shieling
Whiteways
Pewley Down
Fairywood
Guildford
TYTING COTTS.
Tyting Farm
South Warren Farm
Whinney Hill
Farthing Copse
PILGRIMS WAY
North Downs Way
Pilgrims' Way
ST. MARTHA'S HILL
St. Martha's Priory Lodge
Reservoir (covered)
Chantries
Halfpenny Copse
Great Halfpenny Farm
Old Great Halfpenny
Marigold Cottage
Chilworth Manor
Shalford Park
Water Works
St. Catherine's Lock
Tilehouse Farm
Shalford Mill (dis.)
St. Catherine's Lockhouse
Little Halfpenny Farm
Longmead
GU4
The Lodge
Manor Farm
Manor Cottage
East Shalford
Kingfishers
Brickfield Cottage
Mud Wood
CHILWORTH
Old Manor Farm
Chilworth C. of E. Sch.
Chilworth
Lodge
SHALFORD ROAD
DOWNS LINK
BLACKSMITH LANE
HALFPENNY LANE
Tilling Bourne
THE STREET
A281
SHALFORD
Shalford
Cemy.
Old Croft
HORNHATCH
NEW ROAD
A248
Fish Pond
Tangley Mere
Playing Field
Tillingbourne Jun. Sch.
Wood Cottage
KINGS RD.
CHRISTMAS HILL
Shalford Common
Bradstone Brook
BROADFIELD RD.
HORSHAM ROAD
THE COMMON
Hall
Fire

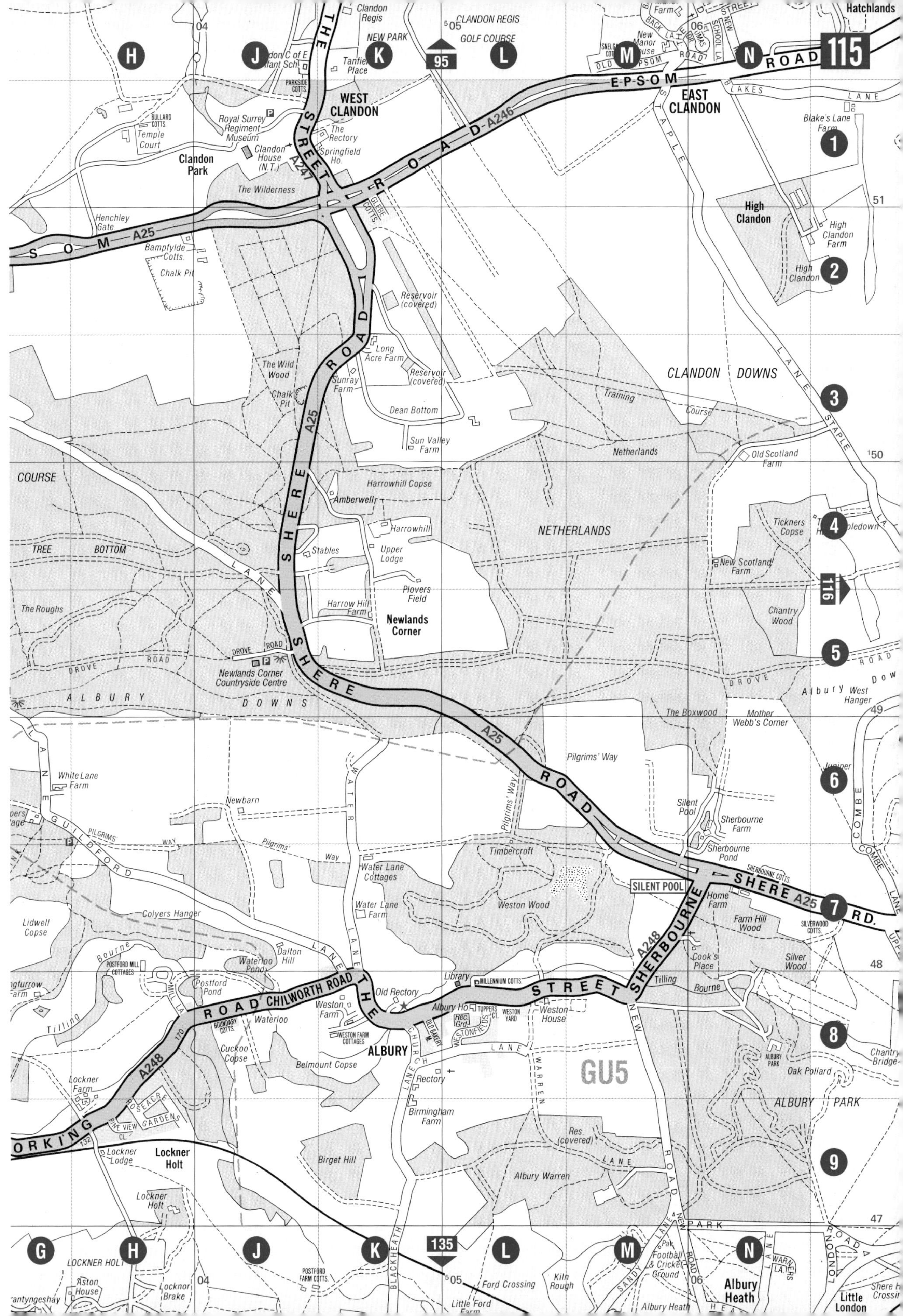
Hatchlands
Clandon Regis
CLANDON REGIS
GOLF COURSE
NEW PARK
95
Tanfield Place
WEST CLANDON
EAST CLANDON
New Manor House
EPSOM ROAD
A246
Royal Surrey Regiment Museum
Temple Court
Clandon Park
Clandon House (N.T.)
The Rectory
Springfield Ho.
The Wilderness
THE STREET
A247
Blake's Lane Farm
High Clandon
High Clandon Farm
Henchley Gate
Bampfylde Cotts.
Chalk Pit
A25
Reservoir (covered)
Long Acre Farm
Sunray Farm
The Wild Wood
Dean Bottom
Sun Valley Farm
CLANDON DOWNS
Training Course
Netherlands
Old Scotland Farm
STAPLE LANE
COURSE
Harrowhill Copse
Amberwell
Harrowhill
NETHERLANDS
Tickners Copse
TREE BOTTOM
Stables
Upper Lodge
New Scotland Farm
116
Plovers Field
Harrow Hill Farm
Newlands Corner
Chantry Wood
The Roughs
DROVE ROAD
Newlands Corner Countryside Centre
SHERE ROAD
ALBURY DOWNS
Albury West Hanger
The Boxwood
Mother Webb's Corner
Pilgrims' Way
White Lane Farm
Newbarn
Silent Pool
Sherbourne Farm
Sherbourne Pond
GUILDFORD
Timbercroft
Water Lane Cottages
SILENT POOL
SHERE A25 RD.
Lidwell Copse
Colyers Hanger
Water Lane Farm
Weston Wood
Home Farm
Farm Hill Wood
SILVERWOOD COTTS.
Dalton Hill
Waterloo Pond
Postford Pond
Cook's Place
Silver Wood
Bourne
POSTFORD MILL COTTAGES
CHILWORTH ROAD
Old Rectory
Library
MILLENNIUM COTTS.
STREET
SHERBOURNE
A248
Tilling
Weston Farm
Albury Ho.
Weston House
Waterloo
WESTON FARM COTTAGES
ALBURY
Belmount Copse
Cuckoo Copse
WESTONFIELDS
Rectory
GU5
ALBURY PARK
Oak Pollard
Chantry Bridge
Lockner Farm
Birmingham Farm
Res. (covered)
DORKING
Lockner Lodge
Lockner Holt
Birget Hill
Albury Warren
Lockner Holt
WARREN LANE
NEW ROAD
PARK
G
H
J
K
L
M
N
135
LOCKNER HOLT
Aston House
Locknor Brake
POSTFORD FARM COTTS.
BLACKHEATH
Ford Crossing
Kiln Rough
SANDY LANE
Football & Cricket Ground
Albury Heath
WARNERS LA.
LONDON ROAD
Little London
Little Ford Farm
Albury Heath
1
2
3
4
5
6
7
8
9

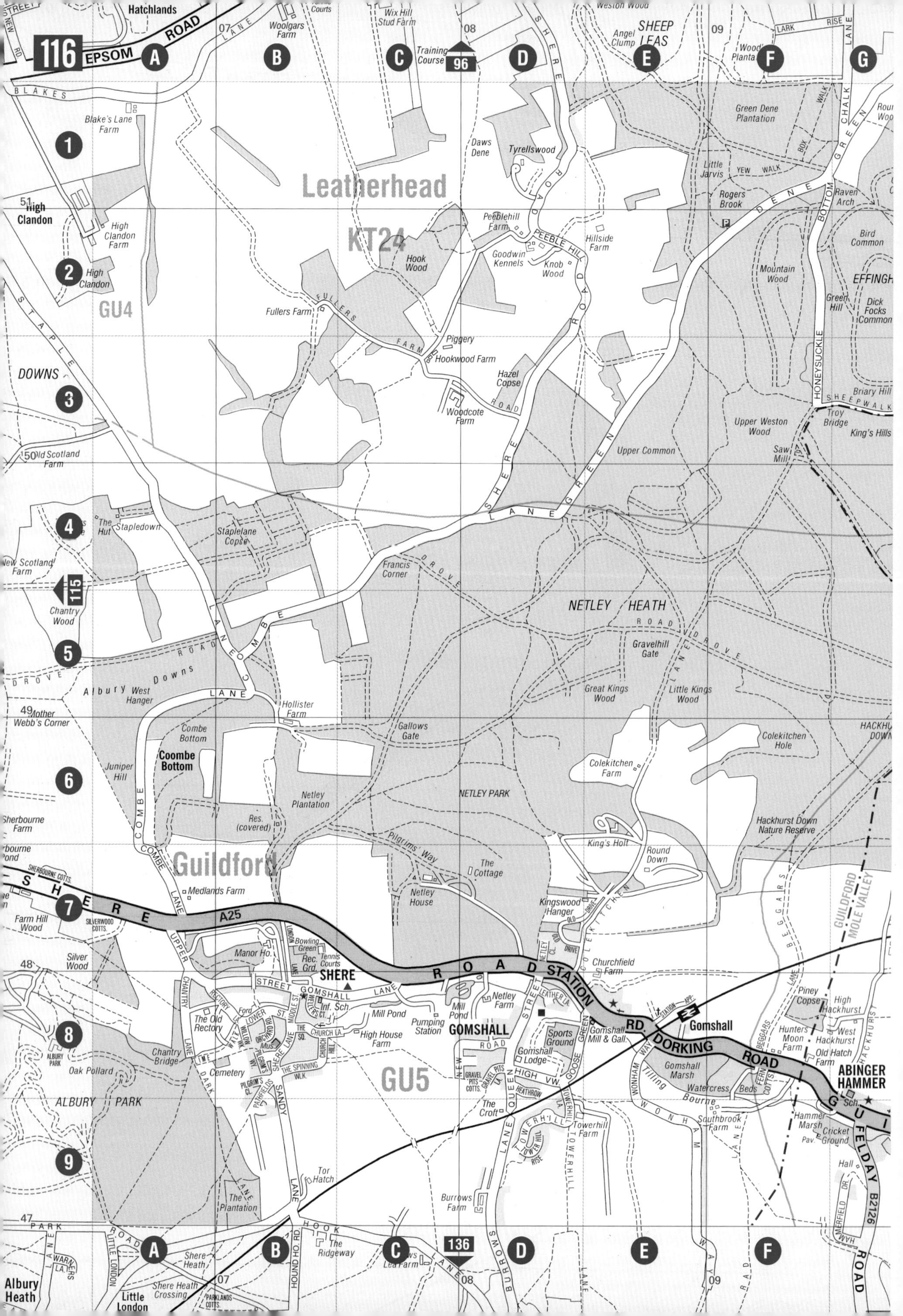
Hatchlands
EPSOM ROAD
Woolgars Farm
Wix Hill Stud Farm
Training Course
96
Angel Clump
SHEEP LEAS
Weston Wood
LARK RISE
Blakes Lane Farm
High Clandon
High Clandon Farm
Leatherhead
KT24
Daws Dene
Tyrellswood
Green Dene Plantation
Little Jarvis
YEW WALK
Rogers Brook
Raven Arch
Bird Common
Peeblehill Farm
PEEBLE HILL
Goodwin Kennels
Knob Wood
Hillside Farm
Hook Wood
Mountain Wood
EFFINGH
Green Hill
Dick Focks Common
GU4
Fullers Farm
FULLERS FARM
Piggery
Hookwood Farm
Hazel Copse
Woodcote Farm
STAPLE
DOWNS
HONEYSUCKLE
SHEEPWALK
Briary Hill
Troy Bridge
King's Hills
Upper Weston Wood
Upper Common
Saw Mill
Old Scotland Farm
SHERE LANE
GREEN
The Hut
Stapledown
Staplelane Copse
New Scotland Farm
115
Chantry Wood
Francis Corner
DROVE
NETLEY HEATH
ROAD
Gravelhill Gate
Albury Downs
West Hanger
COMBE LANE
Hollister Farm
Great Kings Wood
Little Kings Wood
Mother Webb's Corner
Combe Bottom
Coombe Bottom
Gallows Gate
Colekitchen Hole
HACKHU DOWN
Juniper Hill
Colekitchen Farm
NETLEY PARK
Netley Plantation
Res. (covered)
Sherbourne Pond
Sherbourne Farm
Hackhurst Down Nature Reserve
King's Holt
Round Down
Pilgrims' Way
The Cottage
Guildford
Medlands Farm
Netley House
SHERBOURNE COTTS.
SHERE ROAD
A25
Farm Hill Wood
SILVERWOOD COTTS.
Kingswood Hanger
OLD DRIVE
COLEKITCHEN
GUILDFORD MOLE VALLEY
BEGGARS LANE
UPPER CHANTRY LANE
Manor Ho.
Bowling Green
Rec. Grd.
Tennis Courts
SHERE
Silver Wood
ROAD STATION
Churchfield Farm
STREET GOMSHALL LANE
Netley Farm
Mill Pond
LEATHER LA.
Piney Copse
High Hackhurst
The Old Rectory
Ford
LOWER ST.
Mus.
Inf. Sch.
Pumping Station
GOMSHALL
RD.
STATION APP.
Gomshall
Gomshall Mill & Gall.
Sports Ground
Hunters Moon Farm
West Hackhurst
Old Hatch Farm
HACKHURST
ALBURY PARK
Chantry Bridge
Oak Pollard
Cemetery
THE SQ.
CHURCH LA.
High House Farm
Gomshall Lodge
DORKING ROAD
ABINGER HAMMER
Gomshall Marsh
Tilling Bourne
Watercress Beds
THE SPINNING WLK.
GU5
HIGH VW.
GOOSE GREEN
WONHAM WAY
Sch.
The Croft
GRAVEL PITS COTTS.
Towerhill Farm
TOWER HILL
Southbrook Farm
Hammer Marsh
Cricket Ground
Pav.
Tor Hatch
Hall
FELDAY B2126
Burrows Farm
The Plantation
SANDY LANE
QUEEN STREET
BURROWS LANE
MERFIELD DR.
PARK ROAD
HOOK
The Ridgeway
Lea Farm
HOUND HO. RD.
136
Shere Heath
Shere Heath Crossing
LITTLE LONDON
Albury Heath
Little London
PARKLANDS COTTS.
WARNERS LA.
47
48
49
50
51
07
08
09
A
B
C
D
E
F
G
1
2
3
4
5
6
7
8
9

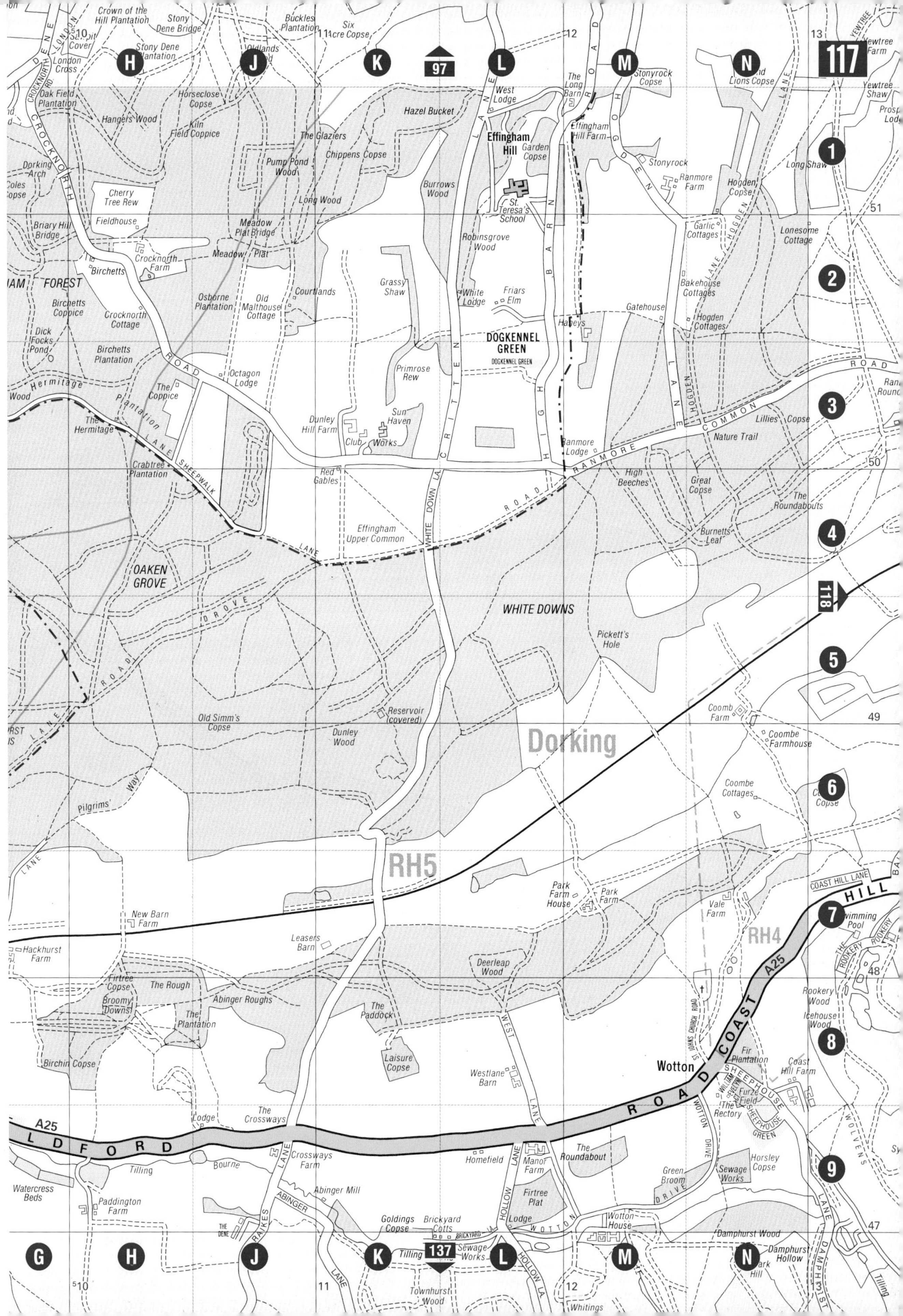

97
Effingham Hill
Dogkennel Green
White Downs
Dorking
Oaken Grove
RH5
RH4
Wotton
Ranmore Common Road
Guildford Road A25
Coast Hill
Crocknorth Road
White Down Lane
Critten Lane
High Barn Road
Hogden Lane
Sheepwalk Lane
Hermitage Road
Hollow Lane
West Lane
Raikes Lane
Abinger Lane
Wotton Drive
Damphurst Lane
Effingham Upper Common
St. Teresa's School
Crocknorth Farm
Birchetts
Dunley Hill Farm
Ranmore Lodge
Coombe Farmhouse
Park Farm
Leasers Barn
New Barn Farm
Hackhurst Farm
Abinger Roughs
Crossways Farm
Paddington Farm
Abinger Mill
Brickyard Cotts
Wotton House
Damphurst Wood
Sewage Works
Townhurst Wood
Whitings
Manor Farm
The Roundabout
Westlane Barn
Deerleap Wood
Dunley Wood
Old Simm's Copse
Pickett's Hole
Nature Trail
Lillies Copse
Great Copse
High Beeches
Burnetts Leaf
The Roundabouts
Hogden Cottages
Gatehouse
Bakehouse Cottages
Garlic Cottages
Stonyrock
Ranmore Farm
Hogden Copse
Lonesome Cottage
Long Shaw
Yewtree Farm
Yewtree Shaw
Rookery Wood
Icehouse Wood
Coast Hill Farm
Fir Plantation
Furze Field
The Rectory
Sheephouse Green
Horsley Copse
Green Broom Drive
Firtree Plat
Goldings Copse
Laisure Copse
The Paddock
Watercress Beds
Birchin Copse
Firtree Copse
Broomy Downs
The Rough
The Plantation
The Crossways
Pilgrims' Way
Reservoir (covered)
Coomb Farm
Coombe Cottages
Vale Farm
Swimming Pool
Hazel Bucket
The Glaziers
Chippens Copse
Pump Pond Wood
Long Wood
Burrows Wood
Robinsgrove Wood
Grassy Shaw
White Lodge
Friars Elm
Haweys
Primrose Rew
Sun Haven
Club
Works
Red Gables
Courtlands
Old Malthouse Cottage
Osborne Plantation
Octagon Lodge
The Coppice
The Hermitage
Crabtree Plantation
Birchetts Coppice
Crocknorth Cottage
Birchetts Plantation
Dick Focks Pond
Briary Hill Bridge
Fieldhouse
Cherry Tree Rew
Dorking Arch
Hangers Wood
Oak Field Plantation
London Cross
Stony Dene Plantation
Horseclose Copse
Kiln Field Coppice
Meadow Plat Bridge
Meadow Plat
Crown of the Hill Plantation
Stony Dene Bridge
Buckles Plantation
Six Acre Copse
Oldlands
West Lodge
Effingham Hill Farm
Garden Copse
The Long Barn
Stonyrock Copse
Lions Copse
Homefield
Tilling
Bourne
Lodge
137
118

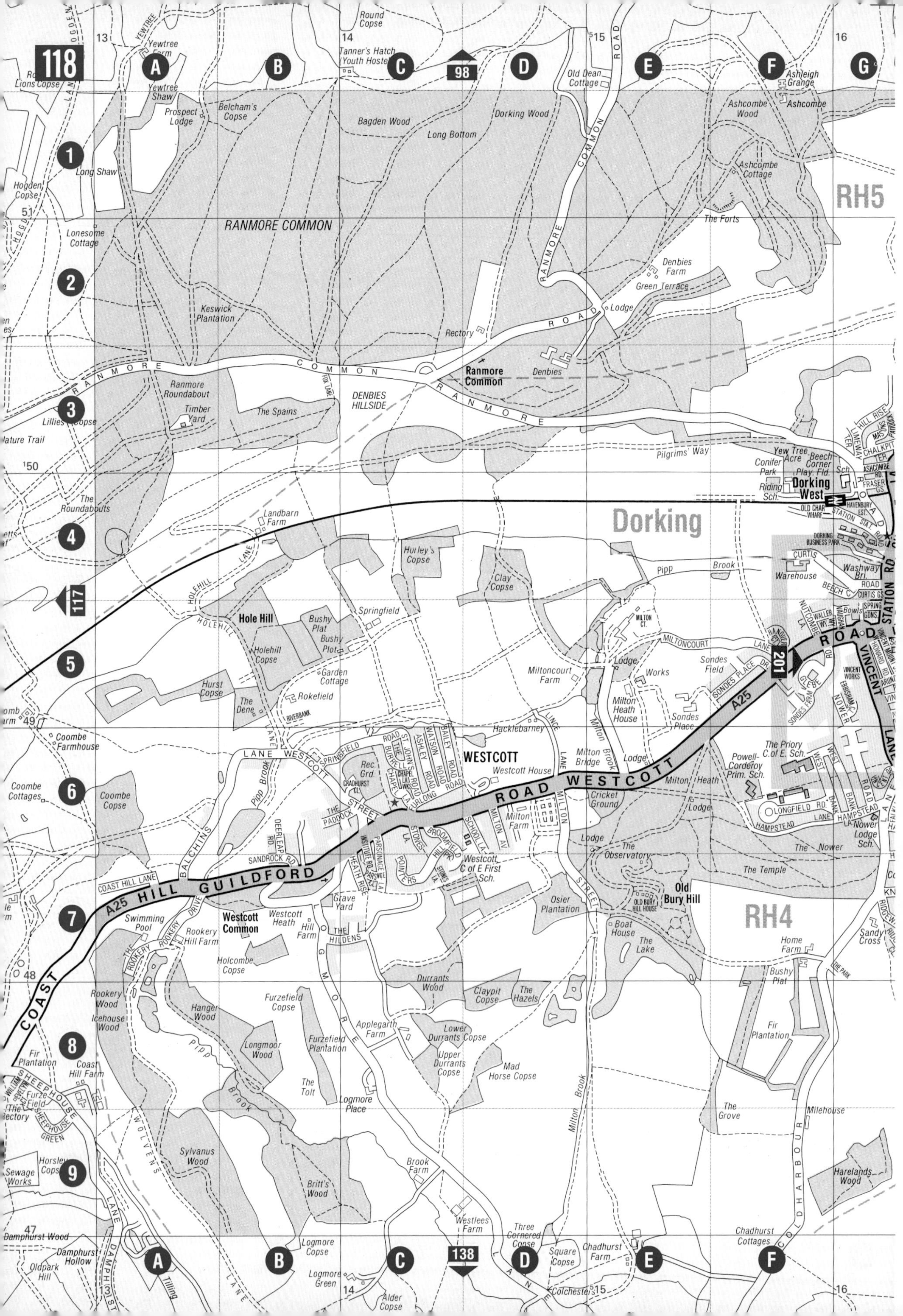

Ranmore Common
Ranmore Common Road
Round Copse
Tanner's Hatch (Youth Hostel)
98
Yewtree Farm
Yewtree Shaw
Prospect Lodge
Belcham's Copse
Bagden Wood
Long Bottom
Dorking Wood
Old Dean Cottage
Ashleigh Grange
Ashcombe
Ashcombe Wood
Ashcombe Cottage
RH5
Lions Copse
Long Shaw
Hogden Copse
Hogden Lane
Lonesome Cottage
The Forts
Denbies Farm
Green Terrace
Lodge
Keswick Plantation
Rectory
Denbies
Ranmore Roundabout
Timber Yard
Lillies Copse
Nature Trail
The Spains
Fox Lane
Denbies Hillside
Pilgrims' Way
Yew Tree Acre
Beech Corner Play. Fld.
Conifer Park
Riding Sch.
Dorking West
Hill Rise
Limeway
Chalkpit Ter.
Ashcombe Rd.
Fraser Gs.
Havenbury Est.
Old Char Wharf
Station Rd.
Dorking Business Park
Dorking
The Roundabouts
Landbarn Farm
Hurley's Copse
Clay Copse
Pipp Brook
Curtis Rd.
Warehouse
Washway Bri.
Beech Cl.
Curtis Gs.
117
Holehill Lane
Hole Hill
Bushy Plat
Bushy Plot
Springfield
Milton Ct.
Miltoncourt Lane
Holehill Copse
Sondes Field
Works
Milton Heath House
Sondes Place
Sondes Place Dr.
Nutcombe La.
Waller La.
Bowls
Spring Gdns.
Vaughan Way
Vincent Rd.
Howard Rd.
Vincent Works
Lane
201
A25
Glebe
Hurst Copse
The Dene
Garden Cottage
Rokefield
Riverbank
Miltoncourt Farm
Coomb Farm
Coombe Farmhouse
Hacklebarney
Lince Lane
Westcott Lane
Springfield Road
St. John's Road
Ashley Road
Watson Road
Bailey Road
Furlong Road
Westcott
Westcott House
Milton Bridge
Milton Brook
Lodge
Rec. Grd.
The Burrell
Chapel La.
Chapel La. Wks.
Cradhurst Cl.
The Paddock
Street
Westcott Road
Milton Heath
Powell-Corderoy Prim. Sch.
The Priory C. of E. Sch.
Longfield Rd.
Hampstead Lane
Hampstead Rd.
West Bank
Nower Lodge Sch.
Coombe Cottages
Coombe Copse
Pipp Brook
Deerleap Rd.
Sandrock Rd.
Institute Rd.
Parsonage La.
Stones La.
Broomfield
Hillpk.
School La.
Milton Av.
Milton Farm
Milton Lane
Cricket Ground
Lodge
The Observatory
The Nower
The Temple
Westcott C of E First Sch.
Heath Rise
Pointers
Balchins Lane
Guildford Road
Coast Hill Lane
A25 Hill
Swimming Pool
Westcott Common
Westcott Heath
Grave Yard
Hill Farm
The Hildens
Osier Plantation
Milton Street
Old Bury Hill
Old Bury Hill House
RH4
Boat House
The Lake
Sandy Cross
Ridgeway
Rookery Hill Farm
The Rookery
Rookery Drive
Holcombe Copse
Home Farm
The Park
Bushy Plat
Rookery Wood
Icehouse Wood
Hanger Wood
Furzefield Copse
Durrants Wood
Claypit Copse
The Hazels
Coast
Longmoor Wood
Applegarth Farm
Lower Durrants Copse
Fir Plantation
Fir Plantation
Coast Hill Farm
Furzefield Plantation
Upper Durrants Copse
Mad Horse Copse
Sheephouse
Sheephouse Green
Furze Field
The Rectory
The Tolt
Logmore Place
Logmore Lane
Milton Brook
The Grove
Milehouse
Sylvanus Wood
Brook
Wolvens Lane
Horsley Copse
Sewage Works
Brook Farm
Britt's Wood
Harelands Wood
Coldharbour Lane
Westlees Farm
Damphurst Wood
Damphurst Hollow
Damphurst Lane
Logmore Copse
Three Cornered Copse
Square Copse
Chadhurst Farm
Chadhurst Cottages
138
Oldpark Hill
Tilling
Logmore Green
Alder Copse
Colchester

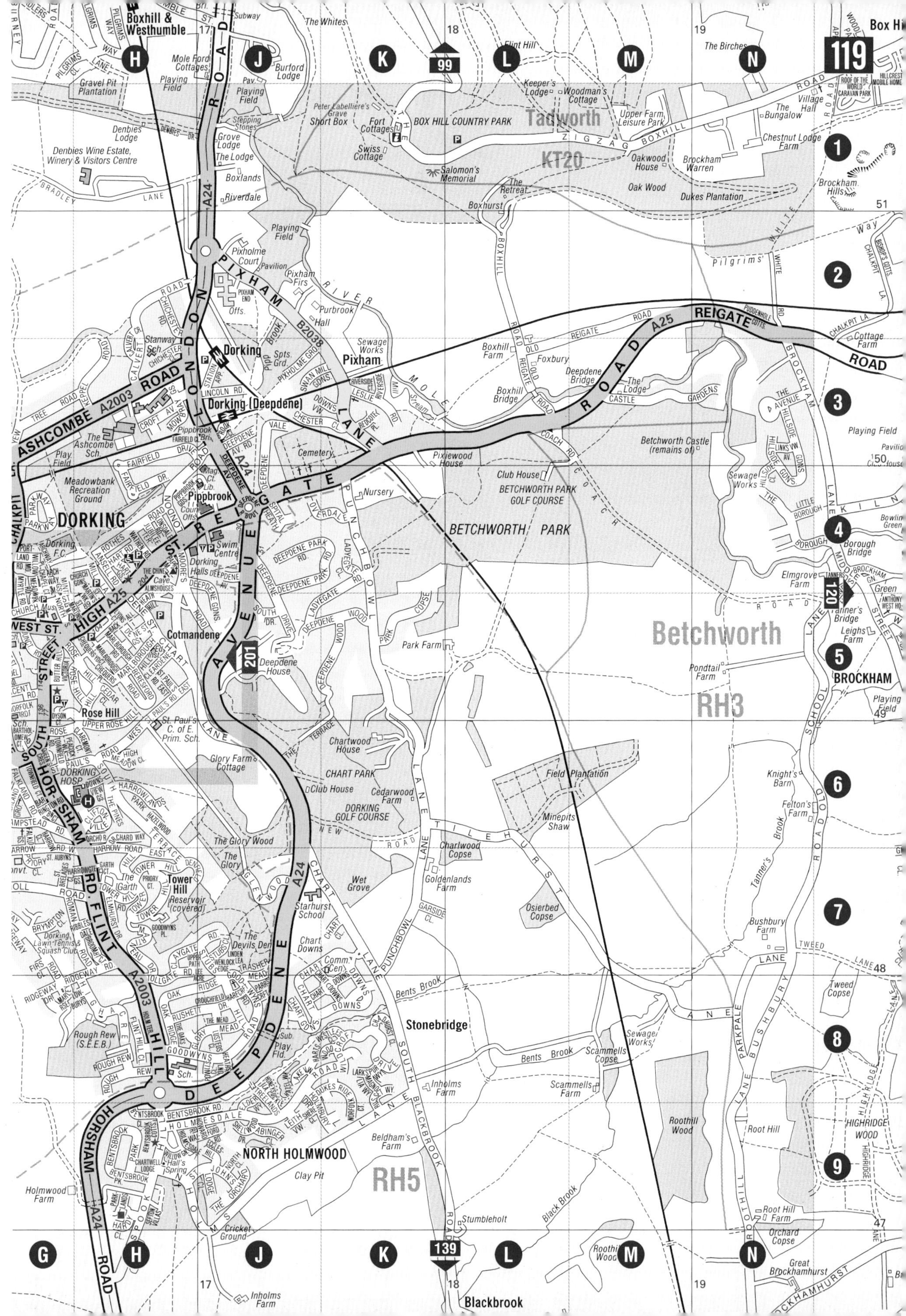

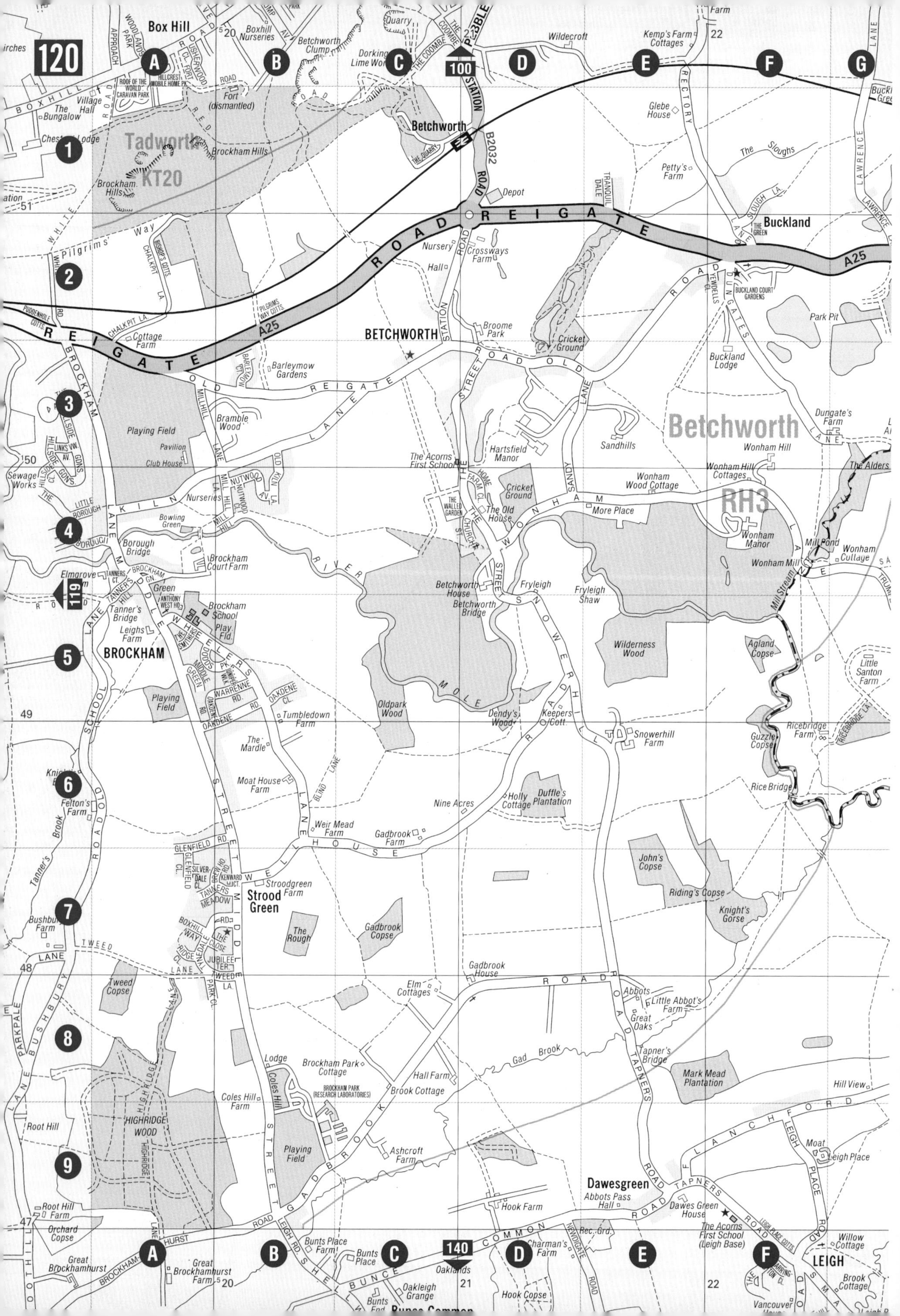

120
Box Hill
Boxhill Nurseries
Betchworth Clump
Quarry
Dorking Lime Works
Wildecroft
Kemp's Farm Cottages
Farm
20
22
A
B
C
D
E
F
G
100
PEBBLE
THE COOMBE
STATION
ROAD
WOODLANDS PARK
APPROACH
USHERWOOD
CL.
FORT
HILLCREST MOBILE HOME PK.
ROOF OF THE WORLD CARAVAN PARK
BOXHILL
Village Hall
The Bungalow
Chestnut Lodge
Fort (dismantled)
Tadworth
KT20
Brockham Hills
Betchworth
THE QUARRY
B2032
Depot
Glebe House
RECTORY
The Sloughs
Petty's Farm
TRANQUIL DALE
SLOUGH LA.
LAWRENCE LANE
Buckland
THE GREEN
1
2
3
4
5
6
7
8
9
51
50
49
48
47
WHITE HILL
Pilgrims' Way
BISHOP'S COTTS
CHALKPIT LA.
PUDDENHOLE COTTS.
PILGRIMS WAY COTTS
REIGATE ROAD
A25
Nursery
Crossways Farm
Hall
BUCKLAND COURT GARDENS
TENDELLS CL.
DUNGATES
Park Pit
Cottage Farm
BETCHWORTH
Broome Park
Cricket Ground
Buckland Lodge
BARLEYMOW CT.
Barleymow Gardens
OLD REIGATE LANE
OLD REIGATE ROAD
Dungate's Farm
Betchworth
Sandhills
BROCKHAM LANE
HILLSIDE
LINKS VW. AV.
GDNS.
Playing Field
Pavilion
Club House
Bramble Wood
MILLHILL
OLD KILN LA.
The Acorns First School
Hartsfield Manor
Wonham Hill
Wonham Hill Cottages
The Alders
Sewage Works
LITTLE BOROUGH
KILN LANE
Nurseries
MILL HILL
NUTWOOD AV.
NUTWOOD CL.
HOME FARM CL.
THE WALLED GARDEN
Cricket Ground
The Old House
THE STREET
CHURCH ST.
Wonham Wood Cottage
WONHAM
More Place
RH3
Wonham Manor
Mill Pond
Wonham Cottage
Wonham Mill
SANDY LANE
Bowling Green
BOROUGH
Borough Bridge
Brockham Court Farm
RIVER MOLE
Elmgrove Farm
TANNERS CT.
BROCKHAM GN.
Green
119
TANNERS HILL
ANTHONY WEST HO.
Brockham School
Play. Fld.
Betchworth House
Betchworth Bridge
Fryleigh
Fryleigh Shaw
Mill Stream
Tanner's Bridge
Leighs Farm
SMITHERS
BROCKHAM
WHEELERS
DOODS
MIDDLE GREEN
PK.
Wilderness Wood
Agland Copse
Little Santon Farm
SCHOOL
Playing Field
WARRENNE RD.
OAKDENE RD.
OAKDENE CL.
OAKDENE
Tumbledown Farm
Oldpark Wood
Dendy's Wood
Keepers Cott.
SNOWERHILL ROAD
Snowerhill Farm
Ricebridge Farm
RICEBRIDGE LA.
Guzzle Copse
The Mardle
BLIND LANE
Moat House Farm
Knights
Felton's Farm
OLD ROAD
Nine Acres
Holly Cottage
Duffle's Plantation
Rice Bridge
Weir Mead Farm
Gadbrook Farm
WELLHOUSE LANE
Tanner's Brook
GLENFIELD RD
GLENFIELD CL.
SILVERDALE CL.
KENWARD CT.
TANNERS MEADOW
Strood Green
Stroodgreen Farm
MIDDLE STREET
John's Copse
Riding's Copse
Knight's Gorse
Bushbury Farm
TWEED LANE
BOXHILL WAY
THE CLOSE
RIDGE CL.
JUBILEE TER.
TWEED LA.
PARK CL.
The Rough
Gadbrook Copse
Tweed Copse
Gadbrook House
Elm Cottages
ROAD
Abbots
Little Abbot's Farm
Great Oaks
BUSHBURY LANE
PARKPALE LANE
Lodge
Coles Hill
Brockham Park Cottage
BROCKHAM PARK (RESEARCH LABORATORIES)
Hall Farm
Brook Cottage
Gad Brook
Tapner's Bridge
Mark Mead Plantation
TAPNER'S ROAD
Hill View
FLANCHFORD ROAD
HIGHRIDGE
HIGHRIDGE WOOD
Coles Hill Farm
Root Hill
Ashcroft Farm
Playing Field
GADBROOK ROAD
LEIGH PLACE
Moat
Leigh Place
Dawesgreen
Abbots Pass Hall
Hook Farm
Dawes Green House
The Acorns First School (Leigh Base)
LEIGH PLACE COTTS
Root Hill Farm
Orchard Copse
HURST ROAD
LEIGH RD.
Bunts Place Farm
Bunts Place
140
COMMON
Charman's Farm
NEWDIGATE ROAD
Rec. Grd.
Willow Cottage
LEIGH
Great Brockhamhurst
Great Brockhamhurst Farm
BROCKHAM LANE
SHELLWOOD
BUNCE
Oakleigh Grange
Oaklands
21
Hook Copse
Bunce Common
Brook Cottage
Vancouver
THE HARRINGTON CL.

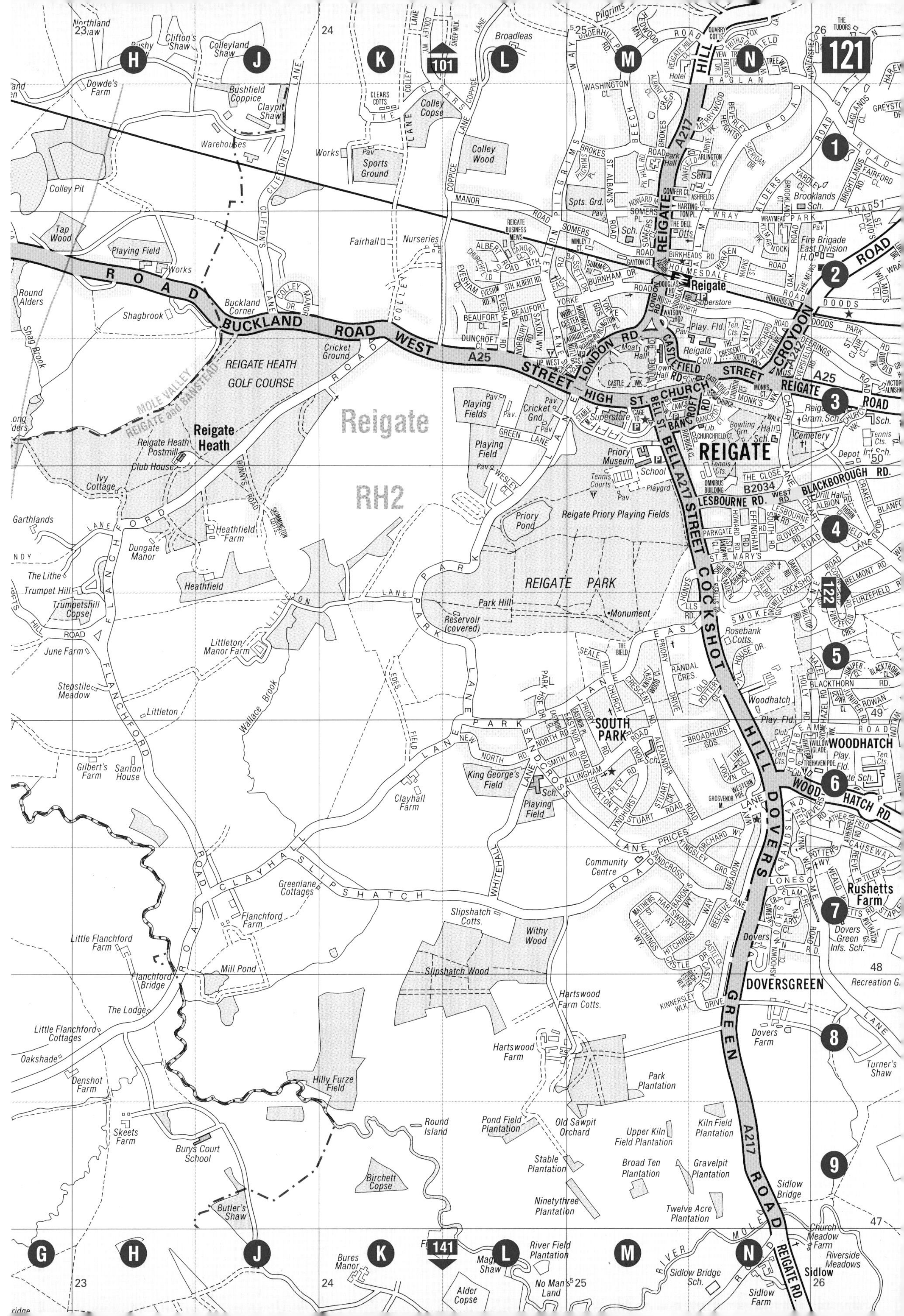

Reigate
RH2
REIGATE
Reigate Heath
REIGATE HEATH GOLF COURSE
REIGATE PARK
SOUTH PARK
WOODHATCH
DOVERSGREEN
Sidlow
BUCKLAND ROAD WEST
A25
HIGH ST.
LONDON RD.
CHURCH STREET
BELL ST. A217
COCKSHOT HILL
DOVERS GREEN
A217 REIGATE ROAD
REIGATE HILL
CROYDON RD. A242
BLACKBOROUGH RD.
LESBOURNE RD.
CLAYHALL LANE
SLIPSHATCH ROAD
FLANCHFORD ROAD
PARK LANE
Priory Museum
Reigate Priory Playing Fields
Priory Pond
Colley Wood
Colley Pit
Tap Wood
Withy Wood
Slipshatch Wood
Hartswood Farm
Dovers Farm
Littleton Manor Farm
Clayhall Farm
Flanchford Farm
Little Flanchford Farm
Bury's Court School
Butler's Shaw
Birchett Copse
Hilly Furze Field
Park Plantation
Sidlow Bridge
Rushetts Farm
Mole Valley
Reigate and Banstead
101
141
122

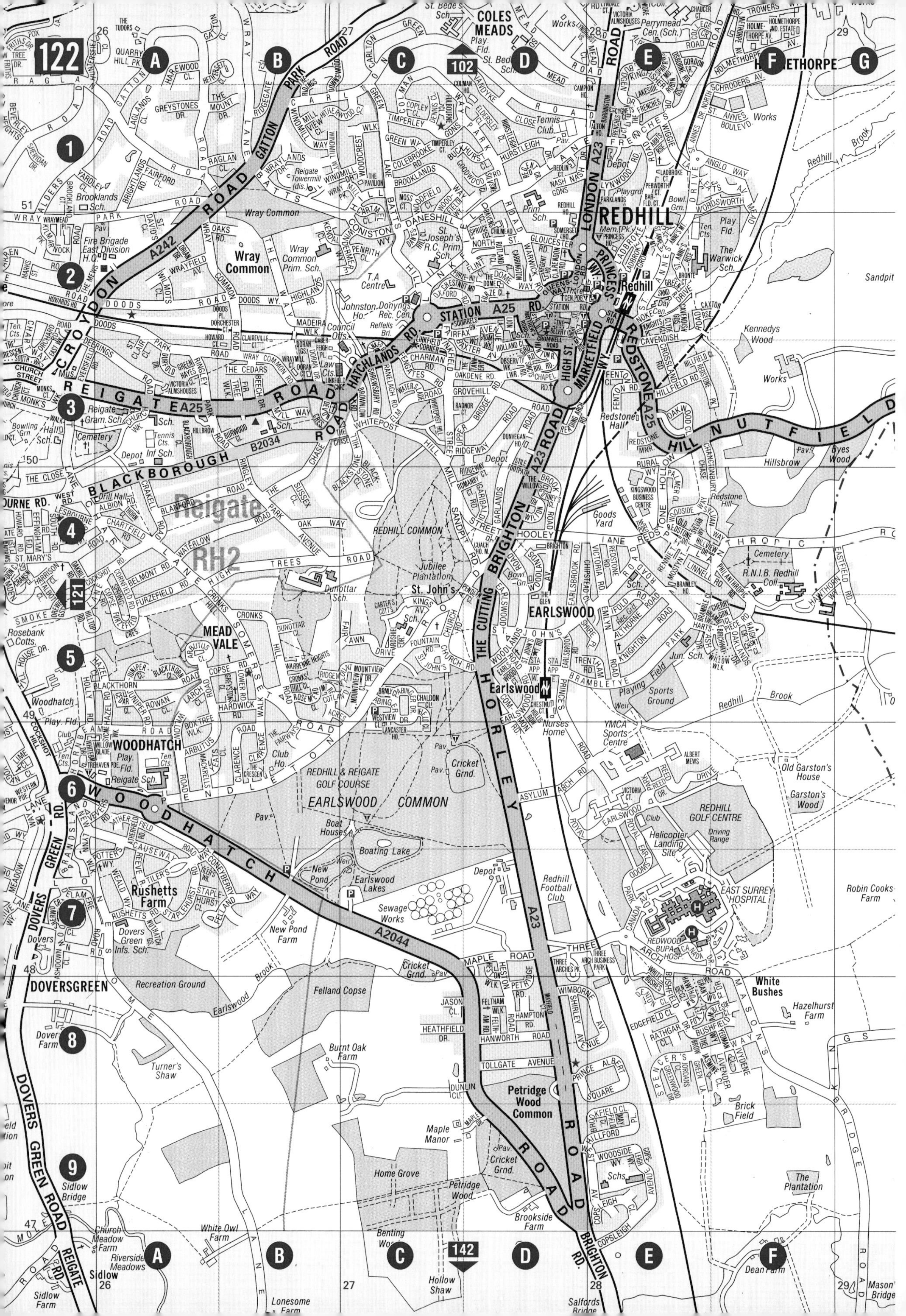

122
A
B
C
D
E
F
G
1
2
3
4
5
6
7
8
9
26
27
28
29
51
50
49
48
47
102
121
142
COLES MEADS
HOLMETHORPE
REDHILL
Redhill
Wray Common
Reigate
RH2
MEAD VALE
WOODHATCH
EARLSWOOD
Earlswood
St. John's
DOVERSGREEN
Rushetts Farm
Recreation Ground
Felland Copse
Earlswood Lakes
Boating Lake
New Pond
Sewage Works
New Pond Farm
REDHILL & REIGATE GOLF COURSE
EARLSWOOD COMMON
REDHILL COMMON
Jubilee Plantation
Dunottar Sch.
Redhill Football Club
REDHILL GOLF CENTRE
EAST SURREY HOSPITAL
Helicopter Landing Site
Driving Range
YMCA Sports Centre
Sports Ground
Playing Field
Nurses Home
Petridge Wood Common
Maple Manor
Home Grove
Petridge Wood
Brookside Farm
Burnt Oak Farm
Turner's Shaw
White Owl Farm
Church Meadow Farm
Riverside Meadows
Sidlow
Sidlow Bridge
Sidlow Farm
Lonesome Farm
Hollow Shaw
Benting Wood
Salfords Bridge
Dean Farm
Mason's Bridge
The Plantation
Brick Field
White Bushes
Hazelhurst Farm
Robin Cooks Farm
Garston's Wood
Old Garston's House
Cemetery
R.N.I.B. Redhill Coll.
Kennedys Wood
Hillsbrow
Byes Wood
Redstone Hill
Redstone Hall
Goods Yard
Sandpit
Works
Redhill Brook
Earlswood Brook
Dover's Farm
Woodhatch
Rosebank Cotts.
Reigate Gram. Sch.
Fire Brigade East Division H.Q.
Wray Common Prim. Sch.
T.A Centre
Johnston Donyngs Rec. Cen.
Council Offs.
Law Cts.
St. Joseph's R.C. Prim. Sch.
Reigate Towermill (dis.)
The Warwick Sch.
Brooklands Sch.
Dovers Green Infs. Sch.
Reigate Sch.
Redwood BUPA Hosp.
CROYDON ROAD
A242
GATTON PARK ROAD
REIGATE ROAD
A25
STATION ROAD
HATCHLANDS RD.
BLACKBOROUGH ROAD
B2034
LONDON ROAD
A23
BRIGHTON ROAD
THE CUTTING
HORLEY ROAD
WOODHATCH ROAD
A2044
DOVERS GREEN ROAD
NUTFIELD ROAD
HILL
REDSTONE HILL
MARKETFIELD WY.
HIGH ST.
PRINCESS WY.
HOOLEY LANE
PHILANTHROPIC ROAD
MAPLE ROAD
THREE ARCH ROAD
ASYLUM ARCH RD.
TOLLGATE AVENUE
HANWORTH ROAD

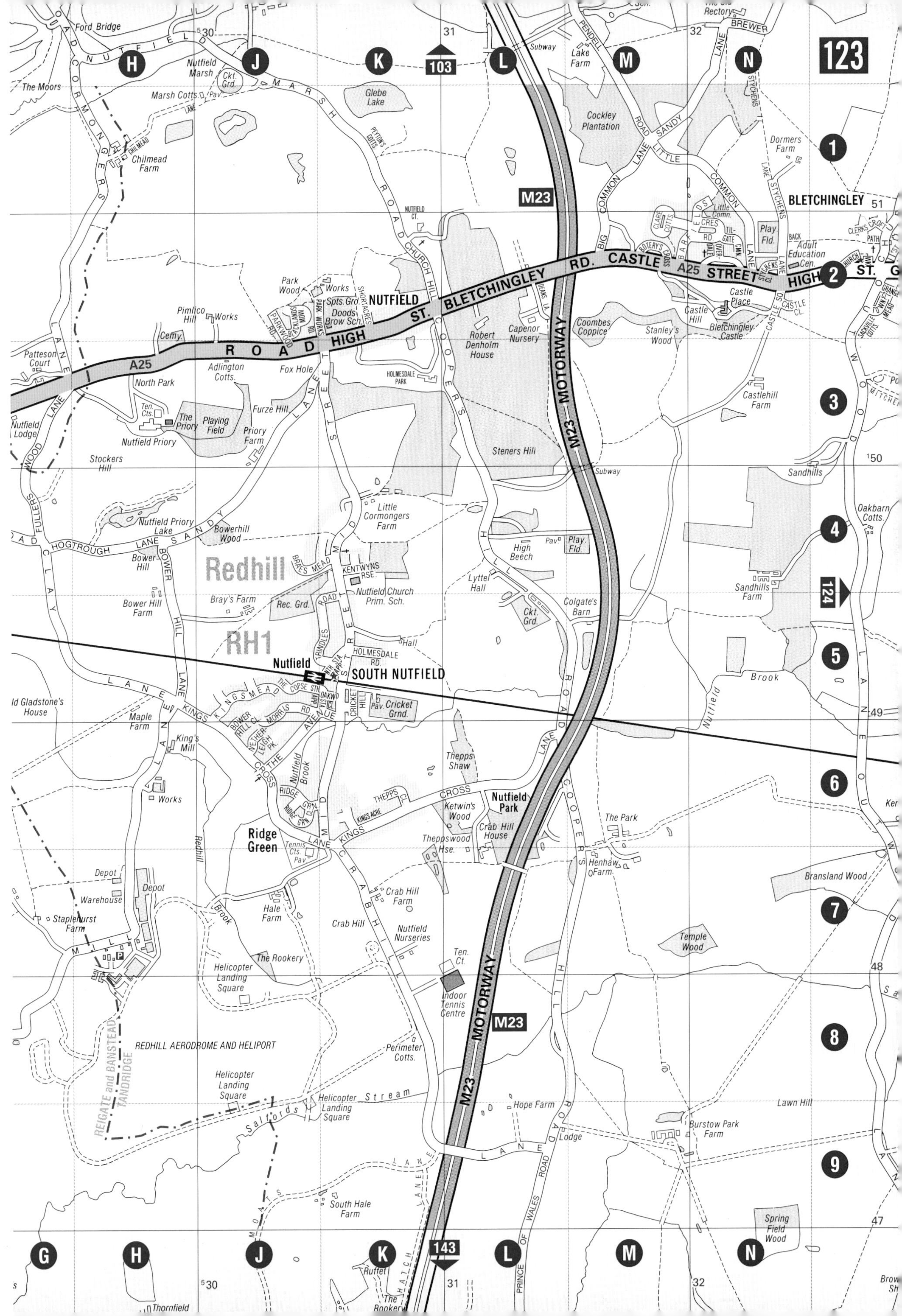

Ford Bridge
The Moors
Nutfield Marsh
Ckt. Grd.
Marsh Cotts.
Chilmead Farm
Glebe Lake
Cockley Plantation
Lake Farm
Dormers Farm
BLETCHINGLEY
M23
Play. Fld.
Adult Education Cen.
Park Wood
Works
NUTFIELD
Spts. Grd.
Doods Brow Sch.
Pimlico Hill
Works
Cemy.
A25
ROAD HIGH ST. BLETCHINGLEY RD. CASTLE A25 STREET HIGH ST.
Castle Place
Castle Hill
Bletchingley Castle
Coombes Coppice
Stanley's Wood
Robert Denholm House
Capenor Nursery
Patteson Court
Adlington Cotts.
Fox Hole
North Park
Holmesdale Park
Castlehill Farm
Nutfield Lodge
The Priory
Playing Field
Furze Hill
Priory Farm
Nutfield Priory
Stockers Hill
Steners Hill
M23 MOTORWAY
Subway
Sandhills
Little Cormongers Farm
Nutfield Priory Lake
Bowerhill Wood
Oakbarn Cotts.
Hogtrough Lane
Bower Hill
High Beech
Play. Fld.
Redhill
Kentwyns Rse.
Nutfield Church Prim. Sch.
Lyttel Hall
Sandhills Farm
Bray's Farm
Bower Hill Farm
Rec. Grd.
Ckt. Grd.
Colgate's Barn
RH1
Nutfield
SOUTH NUTFIELD
Brook
Old Gladstone's House
Maple Farm
King's Mill
Pav.
Cricket Grnd.
Thepps Shaw
Works
Nutfield Park
Ketwin's Wood
Crab Hill House
The Park
Ridge Green
Tennis Cts.
Theppswood Hse.
Henhaw Farm
Depot
Warehouse
Staplehurst Farm
Hale Farm
Crab Hill Farm
Bransland Wood
Crab Hill
Nutfield Nurseries
Temple Wood
The Rookery
Helicopter Landing Square
Ten. Ct.
Indoor Tennis Centre
REDHILL AERODROME AND HELIPORT
Perimeter Cotts.
REIGATE and BANSTEAD
TANDRIDGE
Helicopter Landing Square
Salfords Stream
Hope Farm
Lawn Hill
Burstow Park Farm
Lodge
South Hale Farm
Prince of Wales Road
Spring Field Wood
Ruffet
The Rookery
Thornfield
103
124
143
G H J K L M N
1 2 3 4 5 6 7 8 9
30 31 32
47 48 49 50 51

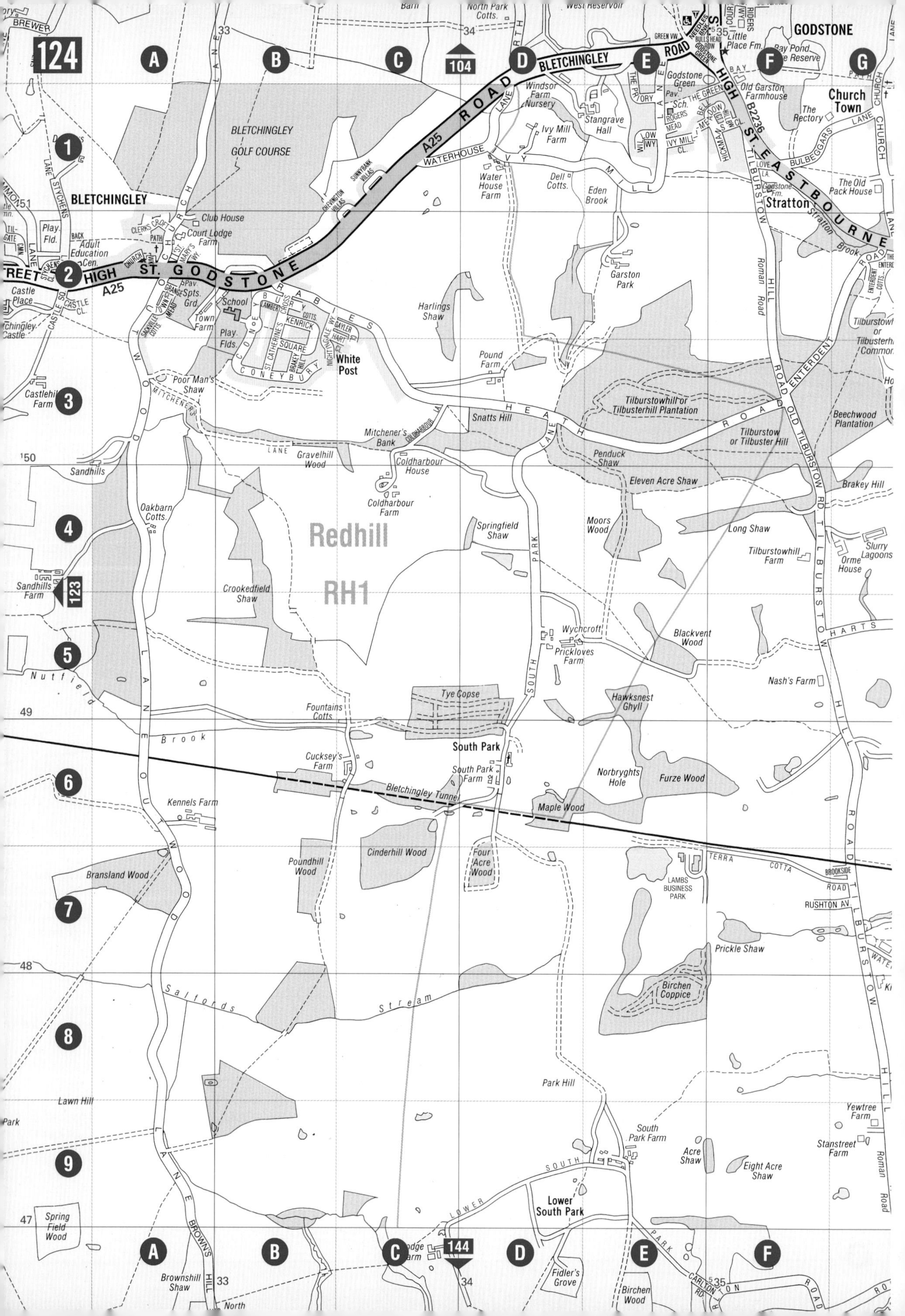

BLETCHINGLEY
BLETCHINGLEY GOLF COURSE
GODSTONE
Church Town
Stratton
Redhill
RH1
White Post
South Park
Lower South Park
HIGH ST. GODSTONE
A25
BLETCHINGLEY ROAD
B2236
HIGH ST. EASTBOURNE ROAD
Club House
Court Lodge Farm
Adult Education Cen.
School
Town Farm
Play. Flds.
Castle Place
Bletchingley Castle
Castlehill Farm
Poor Man's Shaw
Sandhills
Sandhills Farm
Oakbarn Cotts.
Windsor Farm Nursery
Stangrave Hall
Ivy Mill Farm
Water House Farm
Dell Cotts.
Eden Brook
Godstone Green
Old Garston Farmhouse
The Rectory
The Old Pack House
Little Place Fm.
Bay Pond Nature Reserve
Garston Park
Harlings Shaw
Pound Farm
Snatts Hill
Mitchener's Bank
Gravelhill Wood
Coldharbour House
Coldharbour Farm
Tilburstowhill or Tilbursterhill Plantation
Tilburstow or Tilbuster Hill
Tilburstow or Tilbusterhill Common
Beechwood Plantation
Penduck Shaw
Eleven Acre Shaw
Brakey Hill
Moors Wood
Long Shaw
Tilburstowhill Farm
Orme House
Slurry Lagoons
Springfield Shaw
Crookedfield Shaw
Wychcroft
Prickloves Farm
Blackvent Wood
Nash's Farm
Tye Copse
Hawksnest Ghyll
Fountains Cotts.
Cucksey's Farm
South Park Farm
Norbryghts Hole
Furze Wood
Maple Wood
Bletchingley Tunnel
Kennels Farm
Cinderhill Wood
Poundhill Wood
Four Acre Wood
Lambs Business Park
Terra Cotta Road
Rushton Av.
Prickle Shaw
Birchen Coppice
Bransland Wood
Salfords Stream
Nutfield Brook
Lawn Hill
Park Hill
South Park Farm
Acre Shaw
Eight Acre Shaw
Yewtree Farm
Stanstreet Farm
Roman Road
Spring Field Wood
Brownshill Shaw
Fidler's Grove
Birchen Wood
Lodge Farm
Outwood Lane
South Park Lane
Heath Road
Tilburstow Hill Road
Harts Lane
Brown's Hill
Carlton Road
Lower South Park
104
123
144

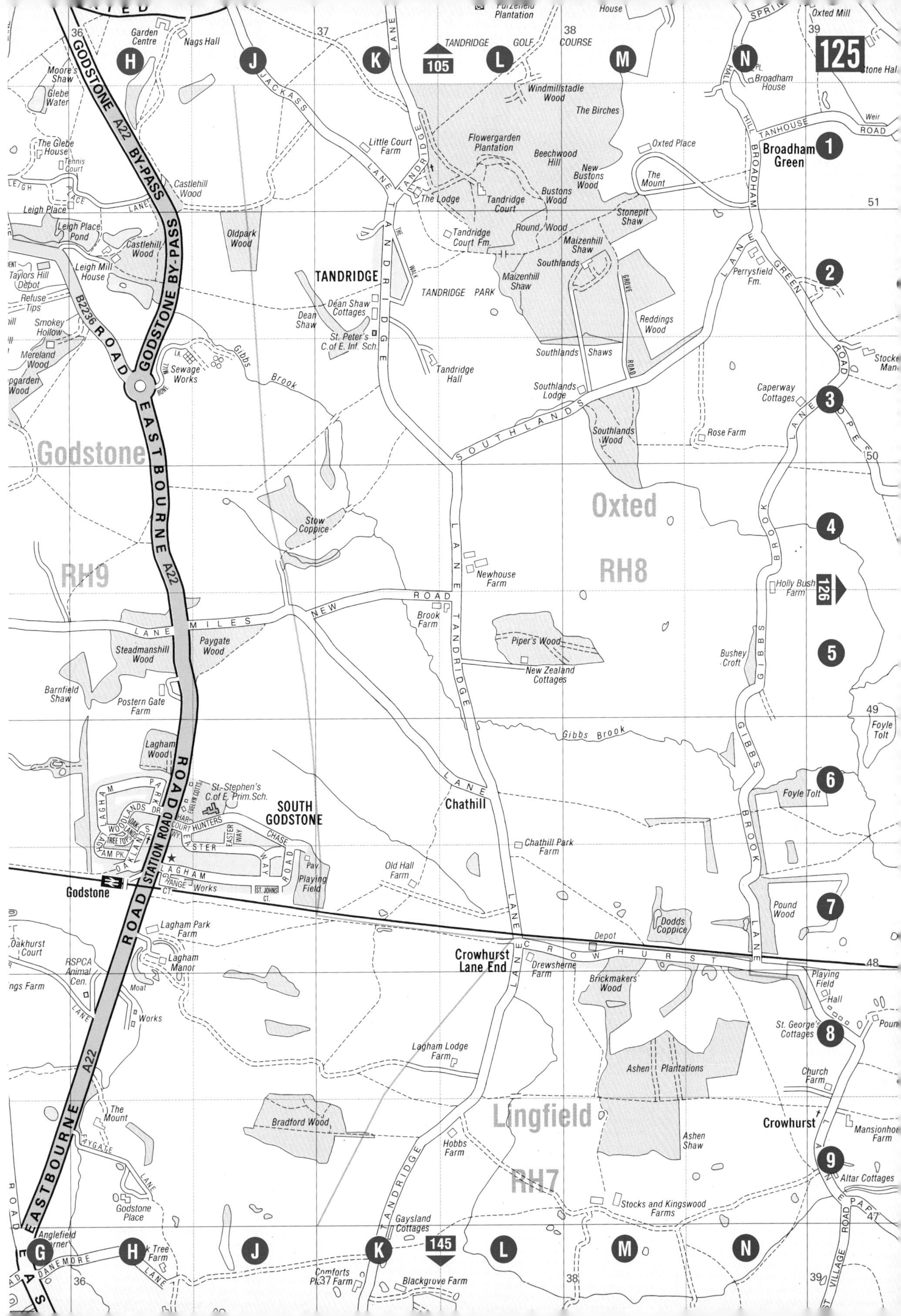

TANDRIDGE GOLF COURSE
105
Garden Centre
Nags Hall
Moore's Shaw
Glebe Water
The Glebe House
Tennis Court
Leigh Place
Leigh Place Pond
Castlehill Wood
Leigh Mill House
Taylors Hill Depot
Refuse Tips
Smokey Hollow
Mereland Wood
GODSTONE A22 BY-PASS
GODSTONE BY-PASS
B2236 ROAD
Sewage Works
Gibbs Brook
Oldpark Wood
JACKASS LANE
Little Court Farm
TANDRIDGE LANE
The Lodge
Tandridge Court
Tandridge Court Fm.
THE WALK
TANDRIDGE
Dean Shaw Cottages
Dean Shaw
St. Peter's C.of E. Inf. Sch.
Tandridge Hall
Windmillstadle Wood
The Birches
Flowergarden Plantation
Beechwood Hill
New Bustons Wood
Bustons Wood
Round Wood
Maizenhill Shaw
Stonepit Shaw
Southlands
Maizenhill Shaw
TANDRIDGE PARK
GROVE ROAD
Reddings Wood
Southlands Shaws
Southlands Lodge
SOUTHLANDS
Southlands Wood
Oxted Place
The Mount
Oxted Mill
Broadham House
HALL HILL
TANHOUSE ROAD
Weir
Broadham Green
BROADHAM GREEN
Perrysfield Fm.
Caperway Cottages
Rose Farm
HOPE LANE
Godstone
EASTBOURNE ROAD A22
Stow Coppice
Oxted
RH9
RH8
NEW ROAD
MILES LANE
Newhouse Farm
Brook Farm
Holly Bush Farm
126
Steadmanshill Wood
Paygate Wood
Piper's Wood
New Zealand Cottages
Bushey Croft
Barnfield Shaw
Postern Gate Farm
TANDRIDGE LANE
GIBBS BROOK LANE
Gibbs Brook
Foyle Tolt
Lagham Wood
St. Stephen's C.of E. Prim.Sch.
SOUTH GODSTONE
Chathill
Foyle Tolt
LAGHAM PARK
WOODLANDS
OAKLANDS
HUNTERS CHASE
EASTER WAY
STATION ROAD
Chathill Park Farm
Pav
Playing Field
Old Hall Farm
Godstone
LAGHAM GRANGE
Works
ST. JOHNS CT.
Pound Wood
Lagham Park Farm
Oakhurst Court
RSPCA Animal Cen.
Lagham Manor
Crowhurst Lane End
Depot
Dodds Coppice
CROWHURST
Drewsherne Farm
Brickmakers' Wood
Playing Field
Hall
St. George's Cottages
Moat
Works
Lagham Lodge Farm
Ashen Plantations
Church Farm
Crowhurst
Mansionhouse Farm
The Mount
Bradford Wood
Lingfield
Hobbs Farm
Ashen Shaw
FAYGATE LANE
RH7
Altar Cottages
Godstone Place
Stocks and Kingswood Farms
Gaysland Cottages
145
Anglefield Corner
DANEMORE LANE
Comforts Pl.
Blackgrove Farm
VILLAGE ROAD

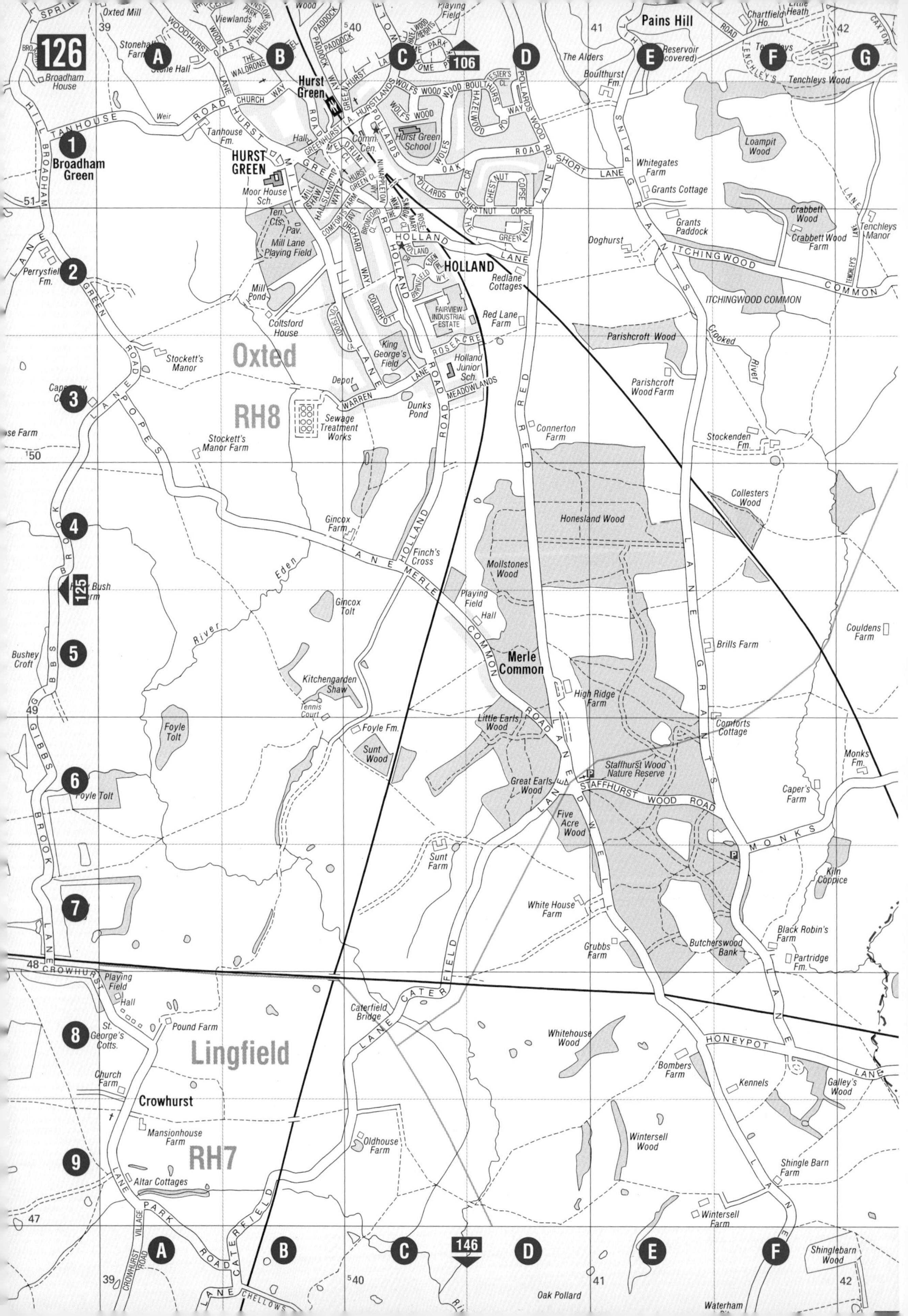

Oxted Mill
Viewlands
Stonehall Farm
Stone Hall
Broadham House
Hurst Green
Pains Hill
Chartfield Ho.
Little Heath
Reservoir (covered)
The Alders
Boulthurst Fm.
Tenchleys Wood
Tanhouse Fm.
Broadham Green
HURST GREEN
Moor House Sch.
Hurst Green School
Comm. Cen.
Whitegates Farm
Grants Cottage
Loampit Wood
Grants Paddock
Crabbett Wood
Crabbett Wood Farm
Tenchleys Manor
Doghurst
Mill Lane Playing Field
HOLLAND
Redlane Cottages
Perrysfield Fm.
Mill Pond
Coltsford House
FAIRVIEW INDUSTRIAL ESTATE
Red Lane Farm
ITCHINGWOOD COMMON
Parishcroft Wood
Stockett's Manor
Oxted
King George's Field
Holland Junior Sch.
Parishcroft Wood Farm
Depot
RH8
Sewage Treatment Works
Dunks Pond
Connerton Farm
Stockett's Manor Farm
Stockenden Fm.
Collesters Wood
Honesland Wood
Gincox Farm
Finch's Cross
Mollstones Wood
Playing Field
Hall
Gincox Tolt
Couldens Farm
Brills Farm
Bushey Croft
Merle Common
Kitchengarden Shaw
High Ridge Farm
Tennis Court
Foyle Fm.
Little Earls Wood
Comforts Cottage
Foyle Tolt
Sunt Wood
Monks Fm.
Staffhurst Wood Nature Reserve
Great Earls Wood
Foyle Tolt
Caper's Farm
Five Acre Wood
Sunt Farm
Kiln Coppice
White House Farm
Black Robin's Farm
Grubbs Farm
Butcherswood Bank
Partridge Fm.
Playing Field
Hall
Caterfield Bridge
Pound Farm
St. George's Cotts.
Lingfield
Whitehouse Wood
Bombers Farm
Kennels
Galley's Wood
Church Farm
Crowhurst
Mansionhouse Farm
Oldhouse Farm
Wintersell Wood
RH7
Shingle Barn Farm
Altar Cottages
Wintersell Farm
Shinglebarn Wood
Oak Pollard
Waterham

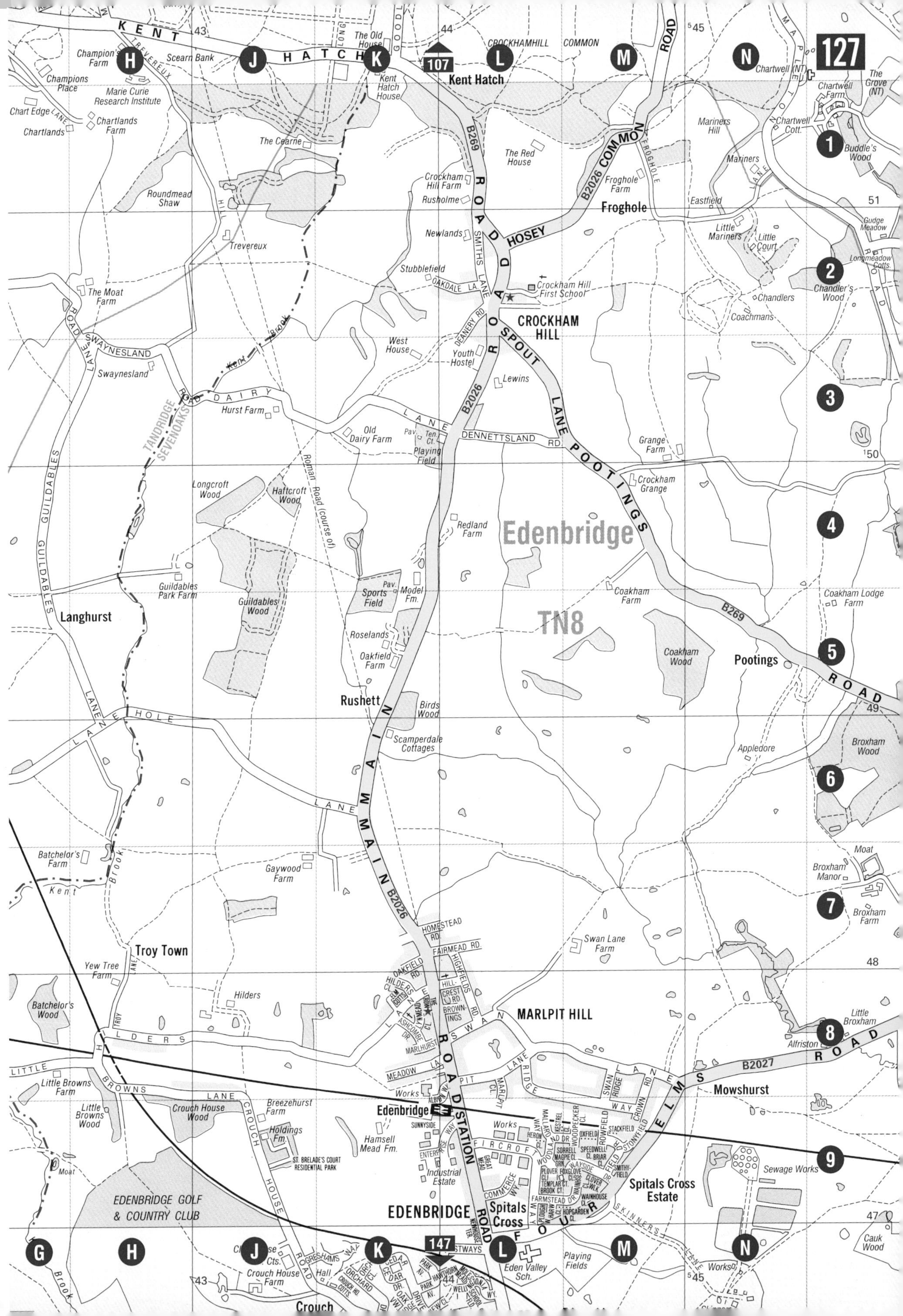
Kent Hatch
Crockhamhill Common
Champion's Farm
Champions Place
Marie Curie Research Institute
Chart Edge
Chartlands Farm
Chartlands
Scearn Bank
The Old House
Kent Hatch House
The Cearne
Roundmead Shaw
Trevereux
The Red House
Crockham Hill Farm
Rusholme
Newlands
Stubblefield
Froghole Farm
Froghole
Chartwell (NT)
The Grove (NT)
Chartwell Farm
Chartwell Cott.
Buddle's Wood
Mariners Hill
Mariners
Eastfield
Little Mariners
Little Court
Gudge Meadow
Longmeadow Cotts.
Chandler's Wood
Chandlers
Coachmans
Crockham Hill First School
CROCKHAM HILL
The Moat Farm
Swaynesland
West House
Youth Hostel
Lewins
Hurst Farm
Old Dairy Farm
Playing Field
Grange Farm
Crockham Grange
Longcroft Wood
Haftcroft Wood
Roman Road (course of)
Redland Farm
Edenbridge
Guildables Park Farm
Guildables Wood
Sports Field
Model Fm.
Langhurst
Coakham Farm
Coakham Lodge Farm
TN8
Roselands
Oakfield Farm
Coakham Wood
Pootings
Rushett
Birds Wood
Scamperdale Cottages
Appledore
Broxham Wood
Batchelor's Farm
Gaywood Farm
Moat
Broxham Manor
Broxham Farm
Troy Town
Swan Lane Farm
Yew Tree Farm
Hilders
Batchelor's Wood
MARLPIT HILL
Little Broxham
Alfriston
Little Browns Farm
Mowshurst
Little Browns Wood
Crouch House Wood
Breezehurst Farm
Holdings Fm.
St. Brelade's Court Residential Park
Edenbridge
Hamsell Mead Fm.
Works
Industrial Estate
Spitals Cross Estate
Sewage Works
EDENBRIDGE GOLF & COUNTRY CLUB
EDENBRIDGE
Spitals Cross
Eden Valley Sch.
Playing Fields
Crouch House Farm
Cauk Wood
Crouch
KENT HATCH
HOSEY COMMON ROAD
B2026
B269
ROAD
SMITHS LANE
OAKDALE LA.
DEANERY RD.
SPOUT LANE
POOTINGS
DENNETTSLAND RD.
DAIRY LANE
SWAYNESLAND ROAD
GUILDABLES LANE
HOLE LANE
MAIN ROAD
STATION ROAD
HILDERS LANE
LITTLE BROWNS LANE
CROUCH HOUSE ROAD
SWAN LANE
ELMS ROAD
B2027
FOUR ELMS
FIRCROFT WAY
SKINNERS LANE
COMMERCE WY.
HOMESTEAD RD.
FAIRMEAD RD.
HIGHFIELDS RD.
OAKFIELD RD.
MEADOW LA.
PIT LANE
RIDGE WAY
CROWN RD.
STONEYFIELD
TANDRIDGE
SEVENOAKS
Kent Brook
107
147
H J K L M N
G H J K L M N
1 2 3 4 5 6 7 8 9
43 44 45
51 50 49 48 47

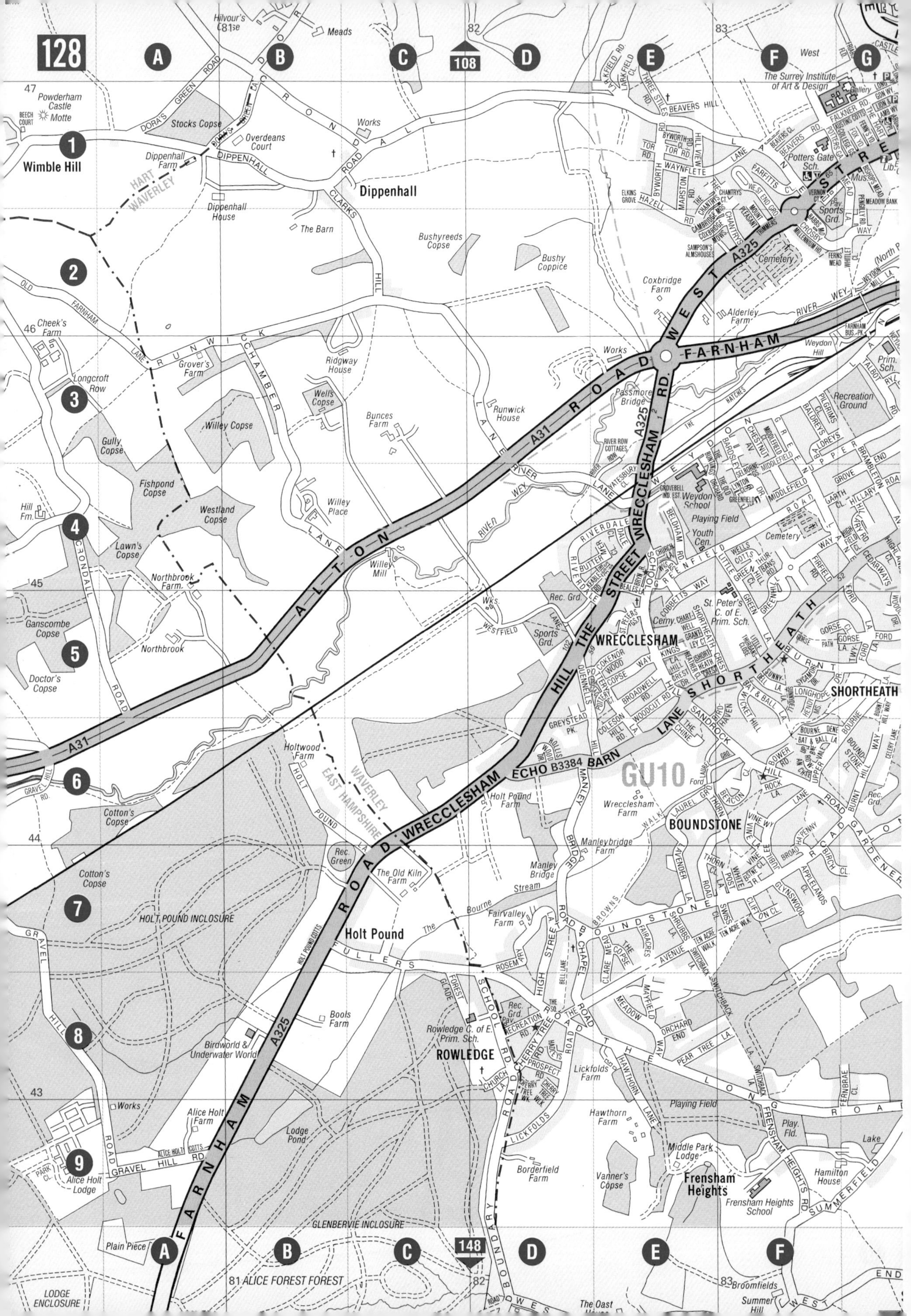
A
B
C
D
E
F
G
108
148
Hilvour's
Meads
West
The Surrey Institute of Art & Design
Powderham Castle
Motte
Wimble Hill
Stocks Copse
Overdeans Court
Works
Dippenhall Farm
Dippenhall
Dippenhall House
HART
WAVERLEY
The Barn
Bushyreeds Copse
Bushy Coppice
Coxbridge Farm
Alderley Farm
Potters Gate Sch.
Sports Grd.
Cemetery
RIVER WEY
Weydon Hill
Farnham Bus. Pk.
Prim. Sch.
Recreation Ground
Cheek's Farm
Longcroft Row
Grover's Farm
Ridgway House
Wells Copse
Bunces Farm
Runwick House
Works
Passmore Bridge
River Row Cottages
Willey Copse
Gully Copse
Fishpond Copse
Westland Copse
Hill Fm.
Lawn's Copse
Willey Place
Willey Mill
Weydon School
Playing Field
Youth Cen.
Cemetery
Northbrook Farm
Northbrook
Ganscombe Copse
Doctor's Copse
Rec. Grd.
Sports Grd.
St. Peter's C. of E. Prim. Sch.
Cemy.
WRECCLESHAM
SHORTHEATH
Holtwood Farm
WAVERLEY
EAST HAMPSHIRE
Holt Pound Farm
GU10
Wrecclesham Farm
BOUNDSTONE
Manleybridge Farm
Manley Bridge
Cotton's Copse
Cotton's Copse
Rec. Green
The Old Kiln Farm
Fairvalley Farm
HOLT POUND INCLOSURE
Holt Pound
Bools Farm
Birdworld & Underwater World
Rowledge C. of E. Prim. Sch.
ROWLEDGE
Lickfolds Farm
Hawthorn Farm
Playing Field
Play. Fld.
Lake
Middle Park Lodge
Frensham Heights
Frensham Heights School
Hamilton House
Works
Alice Holt Farm
Lodge Pond
Alice Holt Lodge
Borderfield Farm
Vanner's Copse
GLENBERVIE INCLOSURE
Plain Piece
ALICE HOLT FOREST
LODGE ENCLOSURE
Broomfields
Summer Hill
The Oast
A31
A325
ALTON ROAD
FARNHAM ROAD
WEST ST.
WRECCLESHAM HILL
WRECCLESHAM ROAD
THE STREET
ECHO BARN LANE
SHORTHEATH ROAD
FARNHAM ROAD
FULLERS ROAD
GRAVEL HILL ROAD
BOUNDARY ROAD
CRONDALL ROAD
RUNWICK LANE
CHAMBER LANE
DORA'S GREEN ROAD
CRONDALL ROAD
CLARKS HILL
THE LONG ROAD
FRENSHAM HEIGHTS RD
BOUNDSTONE ROAD
BURNT HILL ROAD
MANLEY BRIDGE ROAD
SCHOOL HILL
SCHOOL RD.
HIGH STREET
CHAPEL ROAD
LICKFOLDS
SWITCHBACK LA.
BEAVERS HILL
WEYDON LANE
UPPER WEYBOURNE LA.
SUMMERFIELD
GRAVEL RD.
47
46
45
44
43
81
82
83
1
2
3
4
5
6
7
8
9

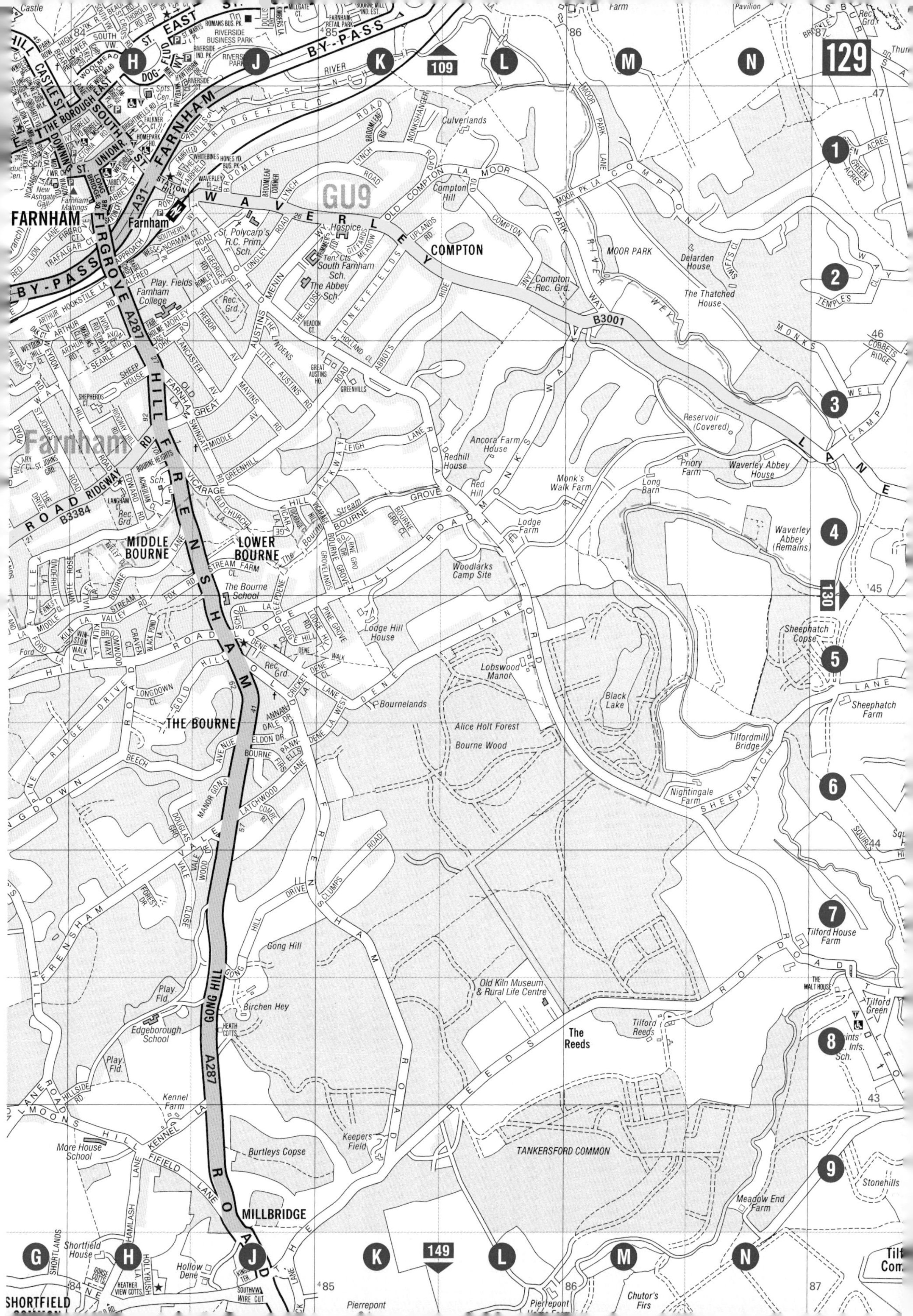
FARNHAM
Farnham
COMPTON
MIDDLE BOURNE
LOWER BOURNE
THE BOURNE
MILLBRIDGE
SHORTFIELD
GU9
MOOR PARK
Moor Park
Waverley Abbey (Remains)
Waverley Abbey House
Alice Holt Forest
Bourne Wood
TANKERSFORD COMMON
Old Kiln Museum & Rural Life Centre
The Reeds
Tilford Reeds
Tilford House Farm
Tilford Green
Sheephatch Farm
Sheephatch Copse
Tilfordmill Bridge
Nightingale Farm
Black Lake
Lobswood Manor
Woodlarks Camp Site
Lodge Farm
Monk's Walk Farm
Priory Farm
Long Barn
Reservoir (Covered)
Delarden House
The Thatched House
Culverlands
Compton Hill
Ancora Farm House
Redhill House
Red Hill
Lodge Hill House
Bournelands
Gong Hill
Birchen Hey
Edgeborough School
Kennel Farm
More House School
Burtleys Copse
Keepers Field
Meadow End Farm
Stonehills
Chutor's Firs
Pierrepont
Hollow Dene
Shortfield House
Farnham College
The Bourne School
South Farnham Sch.
The Abbey Sch.
St. Polycarp's R.C. Prim. Sch.
Farnham Maltings
New Ashgate Gall.
FARNHAM BY-PASS
A31
A287
B3001
B3384
FIRGROVE HILL
FRENSHAM ROAD
WAVERLEY LANE
GONG HILL
REEDS ROAD
TILFORD ROAD
SHEEPHATCH LANE
MOOR PARK LANE
BOURNE GROVE
MONKS WALK
109
130
149
G H J K L M N
1 2 3 4 5 6 7 8 9
84 85 86 87
43 44 45 46 47

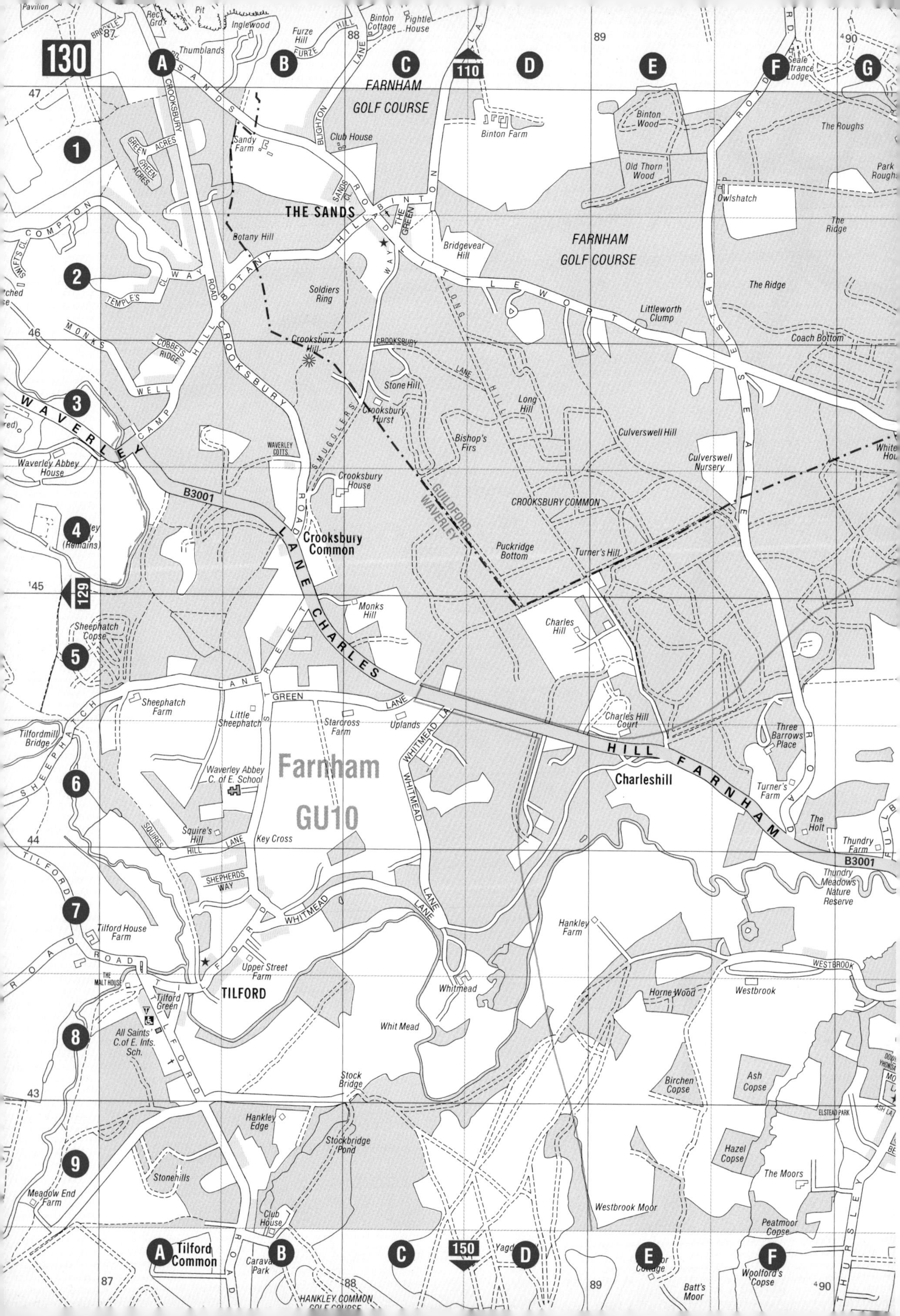
THE SANDS
FARNHAM GOLF COURSE
Crooksbury Common
Farnham
GU10
Charleshill
TILFORD
Tilford Common
B3001
WAVERLEY
CHARLES HILL
FARNHAM
LITTLEWORTH
Sandy Farm
Botany Hill
Soldiers Ring
Crooksbury Hill
Stone Hill
Crooksbury Hurst
Crooksbury House
Waverley Abbey House
Sheephatch Copse
Sheephatch Farm
Little Sheephatch
Starcross Farm
Uplands
Monks Hill
Waverley Abbey C. of E. School
Squire's Hill
Key Cross
Tilford House Farm
Upper Street Farm
Tilford Green
All Saints C.of E. Infs. Sch.
Whitmead
Whit Mead
Stock Bridge
Hankley Edge
Stockbridge Pond
Stonehills
Meadow End Farm
Club House
Caravan Park
HANKLEY COMMON GOLF COURSE
Bridgevear Hill
Binton Farm
Binton Wood
Old Thorn Wood
Owlshatch
The Roughs
Park Roughs
The Ridge
Littleworth Clump
Coach Bottom
Long Hill
Bishop's Firs
Culverswell Hill
Culverswell Nursery
CROOKSBURY COMMON
Puckridge Bottom
Turner's Hill
Charles Hill
Charles Hill Court
Three Barrows Place
Turner's Farm
The Holt
Thundry Farm
Thundry Meadows Nature Reserve
Hankley Farm
Horne Wood
Westbrook
Birchen Copse
Ash Copse
Hazel Copse
The Moors
Peatmoor Copse
Westbrook Moor
Woolford's Copse
Batt's Moor
Tilfordmill Bridge
Inglewood
Thumblands
Furze Hill
Binton Cottage
Pightle House
Seale Entrance Lodge
GUILDFORD
WAVERLEY
110
129
150

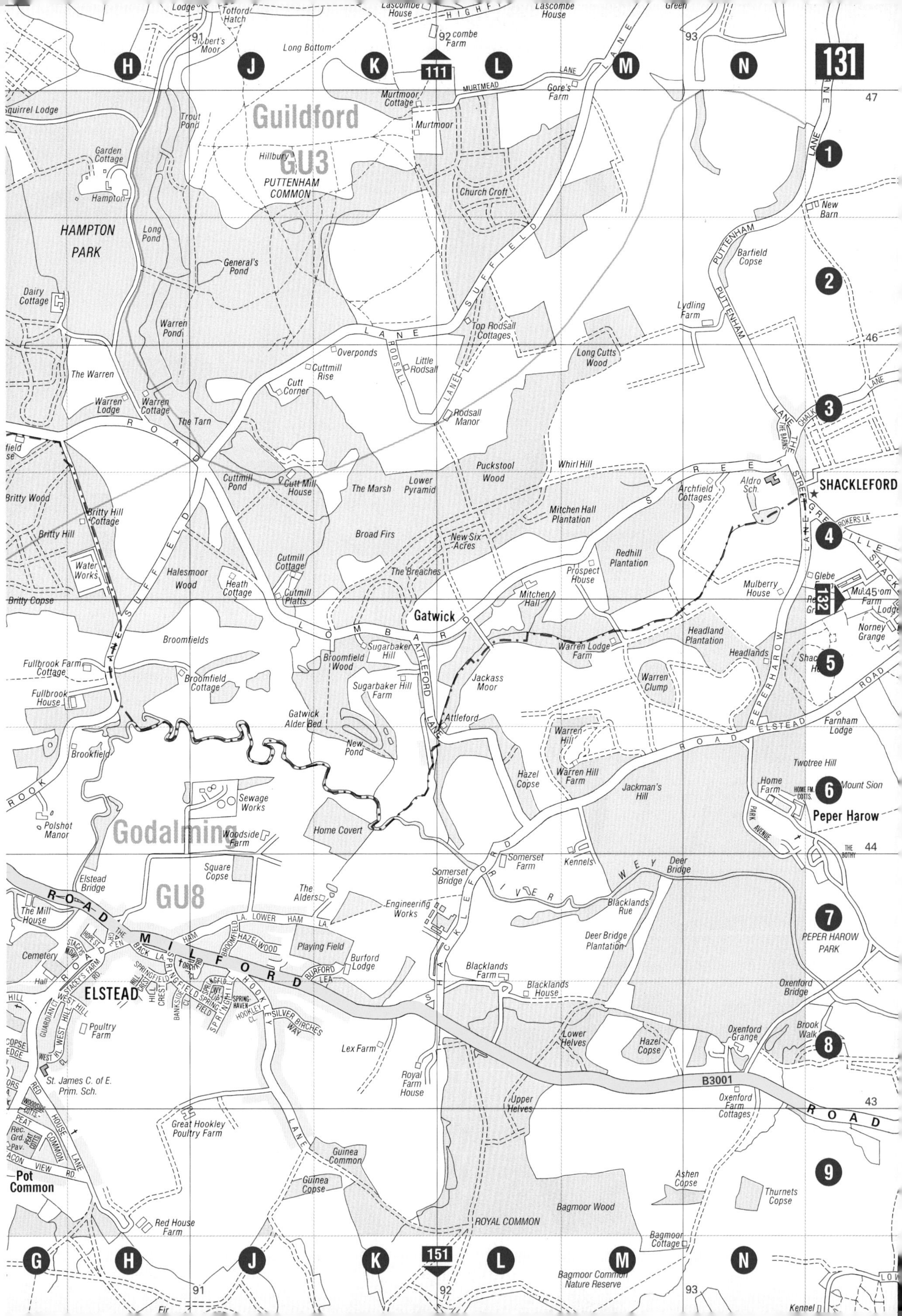
Guildford
GU3
PUTTENHAM COMMON
HAMPTON PARK
Godalming
GU8
ELSTEAD
SHACKLEFORD
Peper Harow
PEPER HAROW PARK
Gatwick
Pot Common
ROYAL COMMON
Bagmoor Wood
Bagmoor Common Nature Reserve
MILFORD ROAD
B3001
SUFFIELD LANE
LOMBARD ROAD
ELSTEAD ROAD
PUTTENHAM LANE
PEPERHAROW LANE
THE STREET
RIVER WEY
Murtmoor Cottage
Murtmoor
Gore's Farm
Church Croft
Hillbury
Trout Pond
Long Pond
General's Pond
Warren Pond
Garden Cottage
Hampton
Dairy Cottage
Squirrel Lodge
The Warren
Warren Lodge
Warren Cottage
The Tarn
Overponds
Cuttmill Rise
Cutt Corner
Little Rodsall
Rodsall Manor
Top Rodsall Cottages
Long Cutts Wood
Lydling Farm
Barfield Copse
New Barn
Cuttmill Pond
Cutt Mill House
The Marsh
Lower Pyramid
Puckstool Wood
Whirl Hill
Archfield Cottages
Aldro Sch.
Mitchen Hall Plantation
Broad Firs
New Six Acres
Redhill Plantation
Britty Wood
Britty Hill Cottage
Britty Hill
Water Works
Halesmoor Wood
Heath Cottage
Cutmill Cottage
Cutmill Platts
The Breaches
Prospect House
Mitchen Hall
Mulberry House
Glebe
Britty Copse
Broomfields
Sugarbaker Hill
Broomfield Wood
Sugarbaker Hill Farm
Warren Lodge Farm
Headland Plantation
Headlands
Norney Grange
Fullbrook Farm Cottage
Fullbrook House
Broomfield Cottage
Jackass Moor
Warren Clump
Gatwick Alder Bed
Attleford
New Pond
Brookfield
Warren Hill
Warren Hill Farm
Hazel Copse
Jackman's Hill
Farnham Lodge
Twotree Hill
Home Farm
Mount Sion
Sewage Works
Polshot Manor
Home Covert
Woodside Farm
Somerset Farm
Kennels
Deer Bridge
Elstead Bridge
Square Copse
Somerset Bridge
The Mill House
The Alders
Engineering Works
Blacklands Rue
Deer Bridge Plantation
Cemetery
Playing Field
Burford Lodge
Blacklands Farm
Blacklands House
Oxenford Bridge
Hall
Poultry Farm
Lex Farm
Lower Helves
Hazel Copse
Oxenford Grange
Brook Walk
St. James C. of E. Prim. Sch.
Royal Farm House
Oxenford Farm Cottages
Upper Helves
Great Hookley Poultry Farm
Guinea Common
Gunea Copse
Ashen Copse
Thurnets Copse
Red House Farm
Bagmoor Cottage
Kennel
111
151
132
H J K L M N G
1 2 3 4 5 6 7 8 9
91 92 93
47 46 45 44 43

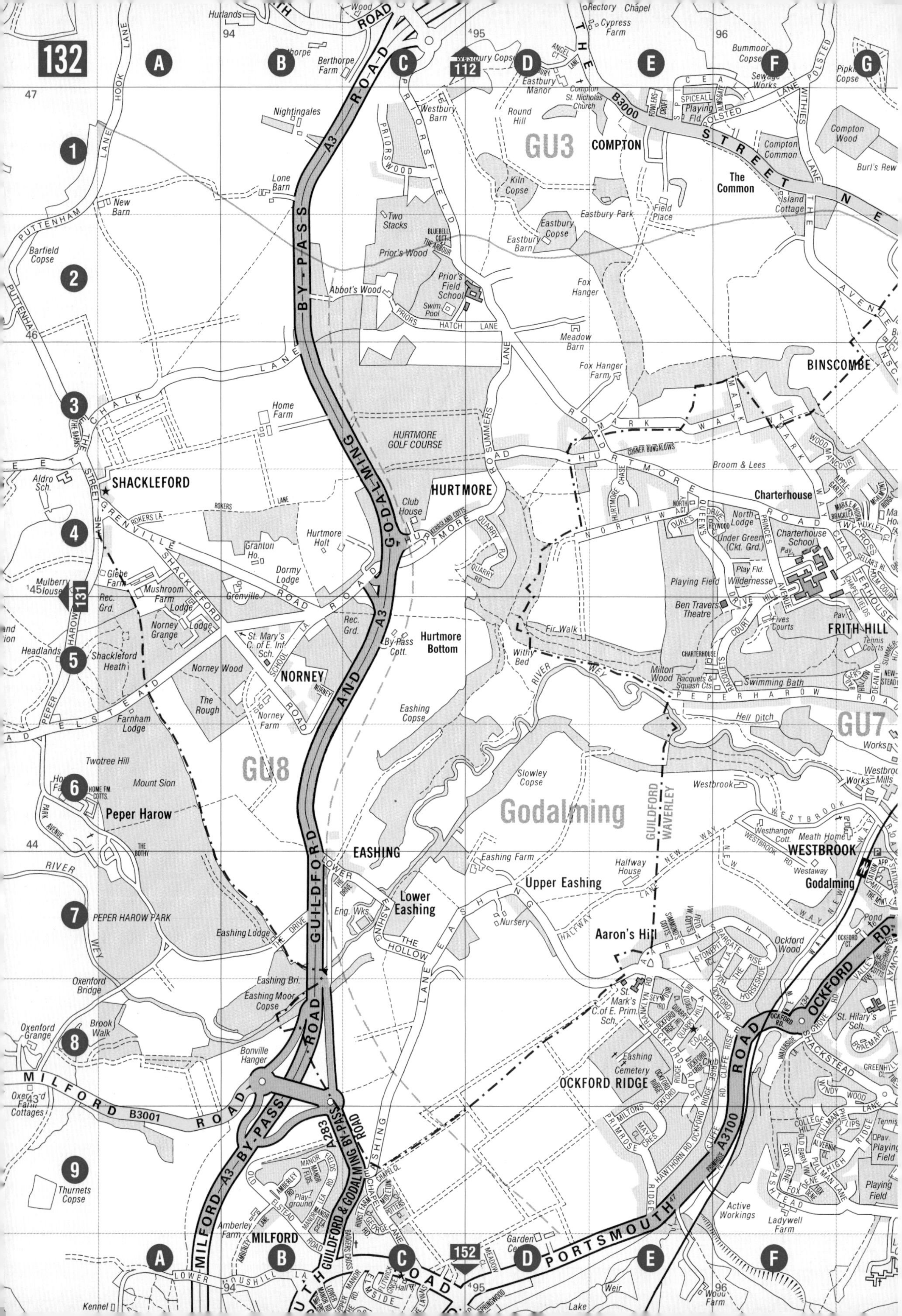

COMPTON
GU3
Compton Common
The Common
Compton Wood
Burl's Rew
Bummoor Copse
Sewage Works
Pipkin Copse
Rectory
Chapel
Cypress Farm
Eastbury Manor
Compton St. Nicholas Church
Round Hill
Westbury Copse
Westbury Barn
Berthorpe Farm
Berthorpe
Hurlands
Nightingales
Lone Barn
New Barn
Barfield Copse
Kiln Copse
Field Place
Island Cottage
Eastbury Park
Eastbury Copse
Eastbury Barn
Two Stacks
Prior's Wood
Prior's Field School
Swim. Pool
Abbot's Wood
Fox Hanger
Meadow Barn
Fox Hanger Farm
BINSCOMBE
Home Farm
HURTMORE GOLF COURSE
Club House
HURTMORE
Hurtmore Holt
Granton Ho.
Dormy Lodge
Grenville
SHACKLEFORD
Aldro Sch.
Glebe Farm
Mushroom Farm
Lodge
Norney Grange
Rec. Grd.
St. Mary's C. of E. Inf. Sch.
NORNEY
Norney Wood
The Rough
Norney Farm
Shackleford Heath
Headlands
Farnham Lodge
Twotree Hill
Mount Sion
Peper Harow
PEPER HAROW PARK
Eashing Lodge
Oxenford Bridge
Oxenford Grange
Brook Walk
Bonville Hanger
Eashing Bri.
Eashing Moor Copse
Thurnets Copse
Kennel
Amberley Farm
MILFORD
Hurtmore Bottom
By-Pass Cott.
Eashing Copse
GU8
Godalming
EASHING
Lower Eashing
Eng. Wks.
Eashing Farm
Upper Eashing
Nursery
Slowley Copse
Withy Bed
Fir Walk
Milton Wood
Racquets & Squash Cts.
Swimming Bath
Hell Ditch
GU7
Works
Westbrook Mills
Westbrook
Westhanger Cott.
Meath Home
WESTBROOK
Westaway
Godalming
Halfway House
Aaron's Hill
St. Mark's C. of E. Prim. Sch.
Eashing Cemetery
OCKFORD RIDGE
Ockford Wood
St. Hilary's Sch.
Pond
Playing Field
Active Workings
Ladywell Farm
Garden Cen.
Weir
Lake
Wood Farm
Broom & Lees
Charterhouse
North Lodge
Under Green (Ckt. Grd.)
Charterhouse School
Pav.
Play Fld.
Wilderness
Playing Field
Ben Travers Theatre
Fives Courts
FRITH HILL
Tennis Courts
A3
GUILDFORD BY-PASS
GODALMING BY-PASS
GUILDFORD AND GODALMING BY-PASS
MILFORD A3 BY-PASS
A283
A3100
B3000
B3001
STREET
MILFORD ROAD
PORTSMOUTH ROAD
OCKFORD RD.
PEPERHAROW ROAD
HURTMORE ROAD
SUMMERS ROAD
PRIORSFIELD ROAD
PRIORS HATCH LANE
CHALK LANE
PUTTENHAM LANE
HOOK LANE
SHACKLEFORD ROAD
GRENVILLE ROAD
ELSTEAD ROAD
SCHOOL LANE
NORNEY ROAD
THE STREET
THE DRIVE
THE HOLLOW
EASHING LANE
LOWER EASHING
HALFWAY LANE
NEW WAY
WESTBROOK RD.
MARK WAY
NORTHWAY
CHARTERHOUSE ROAD
FRITH HILL ROAD
GUILDFORD
WAVERLEY
RIVER WEY
POLSTED LANE
WITHIES LANE
THE AVENUE
ANGEL CT.
112
131
152
94
95
96
47
46
45
44
43
A
B
C
D
E
F
G
1
2
3
4
5
6
7
8
9

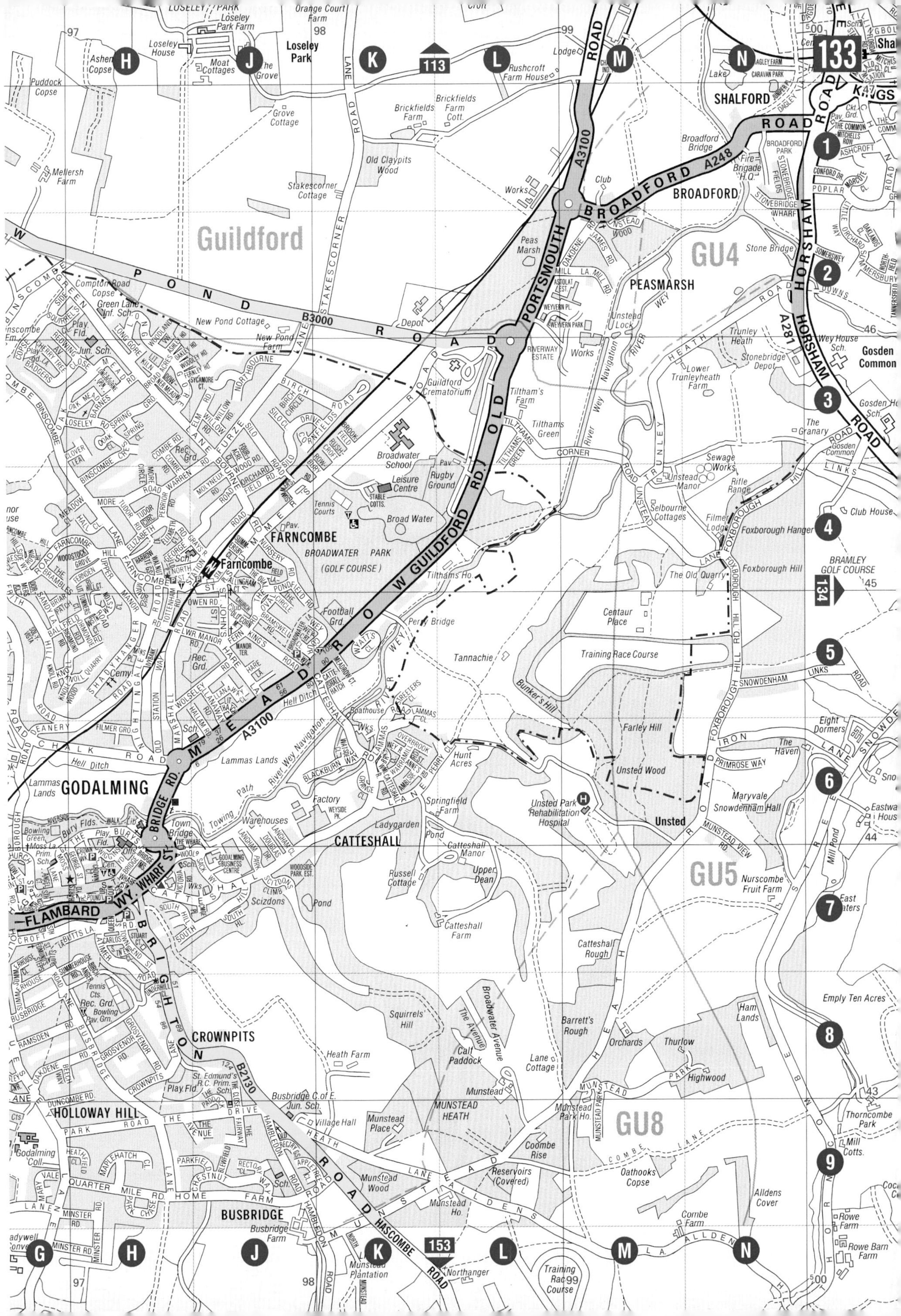

Loseley Park
Loseley House
Loseley Park Farm
Orange Court Farm
Moat Cottages
The Grove
Ashen Copse
Puddock Copse
113
Rushcroft Farm House
Lodge
Shalford
Brickfields Farm
Brickfields Farm Cott.
Grove Cottage
Old Claypits Wood
Stakescorner Cottage
Mellersh Farm
Guildford
Broadford Bridge
Broadford
Broadford Road A248
Portsmouth Road A3100
Peas Marsh
GU4
Peasmarsh
Stone Bridge
Horsham Road A281
Pond Road B3000
Compton Road Copse
Green Lane Inf. Sch.
New Pond Cottage
New Pond Farm
Depot
Unstead Lock
Trunley Heath
Wey House Sch.
Gosden Common
Stonebridge Depot
Lower Trunleyheath Farm
Guildford Crematorium
Tiltham's Farm
Tilthams Green
River Wey
Broadwater School
Leisure Centre
Rugby Ground
Sewage Works
Unstead Manor
Rifle Range
Selbourne Cottages
Filmer Lodge
Foxborough Hanger
Club House
Broad Water
Farncombe
Broadwater Park (Golf Course)
Tilthams Ho.
The Old Quarry
Foxborough Hill
Bramley Golf Course
134
Football Grd.
Perry Bridge
Centaur Place
Training Race Course
Tannachie
Snowdenham Links Road
Bunker's Hill
Farley Hill
Unsted Wood
Eight Dormers
The Haven
Primrose Way
Hell Ditch
Lammas Lands
Hunt Acres
Godalming
Unsted Park Rehabilitation Hospital
Unsted
Maryvale
Snowdenham Hall
Town Bridge
Factory
Warehouses
Springfield Farm
Ladygarden
Catteshall
Catteshall Manor
Upper Dean
Russell Cottage
Munstead View Rd.
GU5
Nurscombe Fruit Farm
Flambard Way
Wharf St.
Bridge Rd.
Meadrow
Scizdons
Pond
Catteshall Farm
Catteshall Rough
Brighton Road
Squirrels' Hill
Broadwater Avenue
Barrett's Rough
Ham Lands
Empty Ten Acres
Crownpits
Heath Farm
Calf Paddock
Orchards
Thurlow
Highwood
Lane Cottage
B2130
St. Edmund's R.C. Prim. Sch.
Busbridge C. of E. Jun. Sch.
Holloway Hill
Munstead
Munstead Heath
Munstead Park Ho.
GU8
Thorncombe Park
Village Hall
Munstead Place
Coombe Rise
Mill Cotts.
Godalming Coll.
Reservoirs (Covered)
Oathooks Copse
Munstead Wood
Alldens Cover
Quarter Mile Rd.
Home Farm
Munstead Ho.
Combe Farm
Rowe Farm
Rowe Barn Farm
Busbridge
Busbridge Farm
Hascombe Road
153
Munstead Plantation
Northanger
Training Race Course
Alldens La.

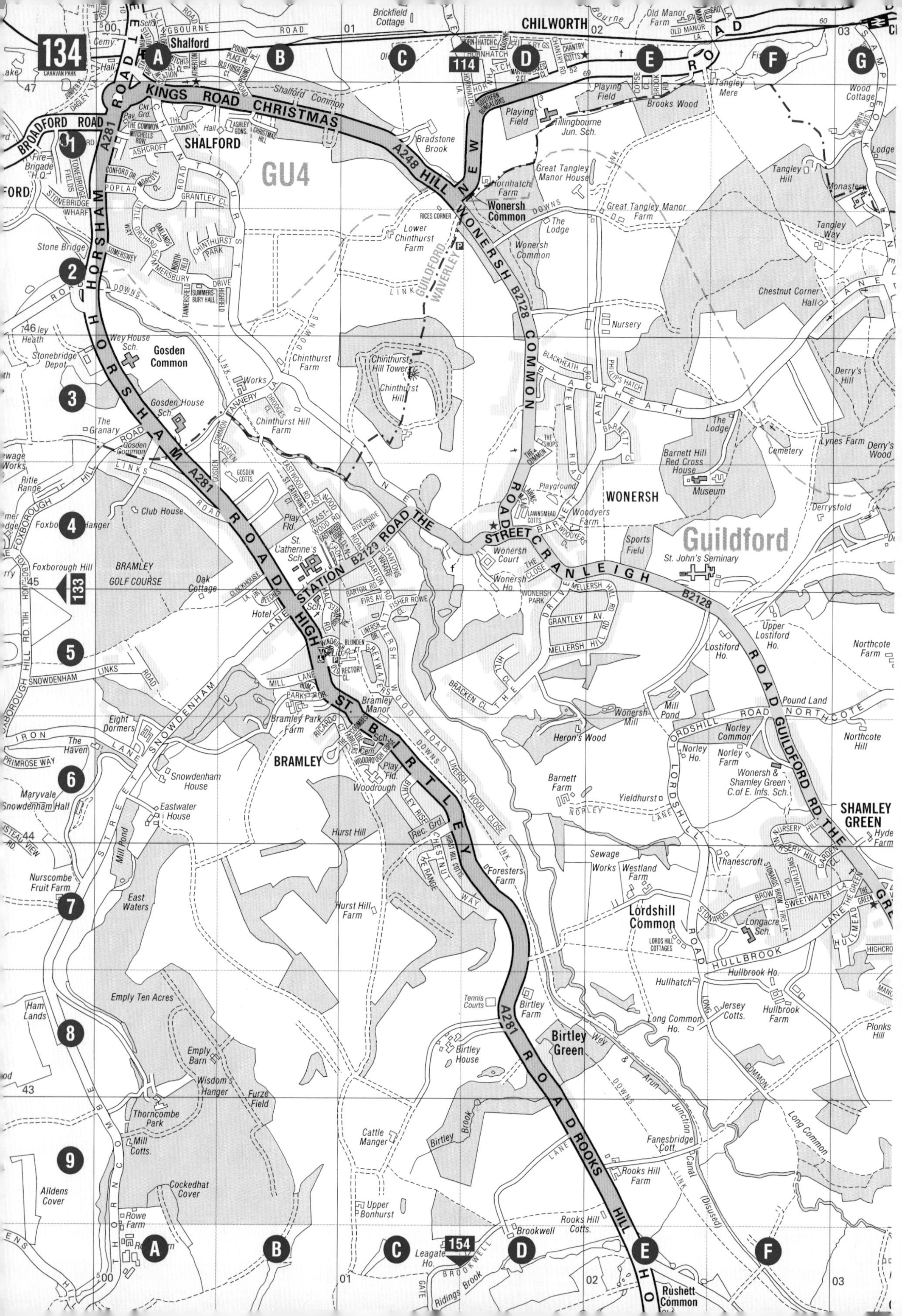
134
114
133
154
A
B
C
D
E
F
G
1
2
3
4
5
6
7
8
9
CHILWORTH
Shalford
SHALFORD
GU4
KINGS ROAD
CHRISTMAS HILL
A248
A281
HORSHAM ROAD
BROADFORD ROAD
WONERSH COMMON ROAD
B2128
Wonersh Common
WONERSH
Guildford
St. John's Seminary
CRANLEIGH ROAD
GUILDFORD RD.
SHAMLEY GREEN
Lordshill Common
Birtley Green
BRAMLEY
HIGH STREET
STATION ROAD
B2129
ST. BIRTLEY
ROOKS HILL
Rushett Common
Gosden Common
Chinthurst Hill
Chinthurst Hill Tower
Bramley Golf Course
Foxborough Hill
Snowdenham House
Snowdenham Hall
Hurst Hill
Hurst Hill Farm
Thorncombe Park
Empty Ten Acres
Alldens Cover
Cockedhat Cover
Rowe Farm
Cattle Manger
Upper Bonhurst
Brookwell
Leagate Ho.
Birtley House
Birtley Farm
Fanesbridge Cott.
Rooks Hill Farm
Long Common
Hullbrook Farm
Jersey Cotts.
Barnett Hill Red Cross House
Museum
Derry's Hill
Tangley Hill
Tangley Mere
Brooks Wood
Great Tangley Manor House
Tillingbourne Jun. Sch.
Lower Chinthurst Farm
Chinthurst Farm
Bradstone Brook
Shalford Common

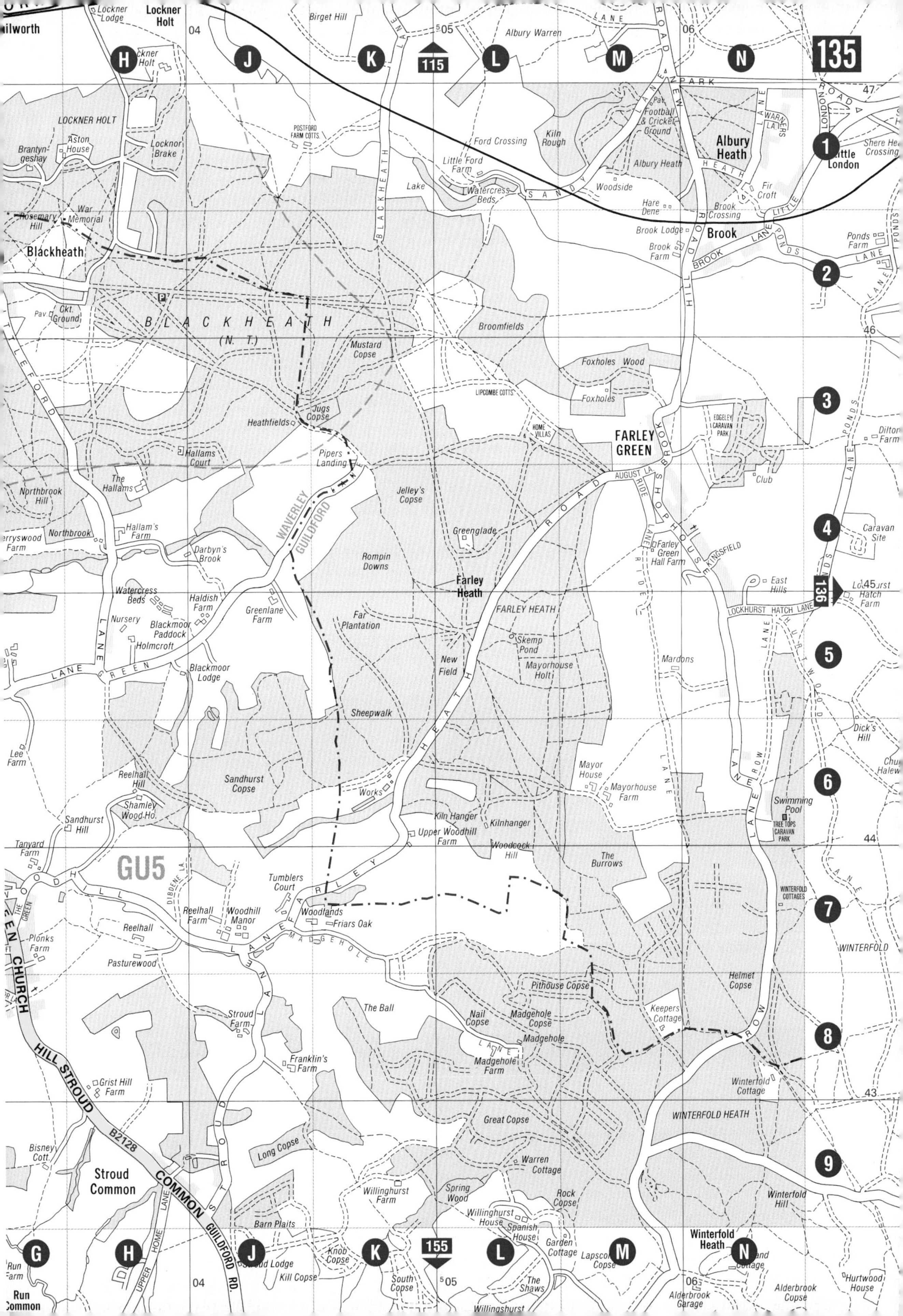

135
115
155
136
Lockner Holt
Lockner Lodge
LOCKNER HOLT
Birget Hill
Albury Warren
Aston House
Locknor Brake
Brantyngeshay
War Memorial
Rosemary Hill
Blackheath
POSTFORD FARM COTTS.
Ford Crossing
Kiln Rough
Little Ford Farm
Lake
Watercress Beds
Woodside
Football & Cricket Ground
Albury Heath
Hare Dene
Brook Crossing
Fir Croft
Little London
Shere Heath Crossing
Brook Lodge
Brook
Brook Farm
Ponds Farm
BLACKHEATH (N. T.)
Ckt. Ground
Broomfields
Mustard Copse
Foxholes Wood
Foxholes
LIPCOMBE COTTS.
Jugs Copse
Heathfields
HOME VILLAS
FARLEY GREEN
EDGELEY CARAVAN PARK
Hallams Court
Pipers Landing
The Hallams
Northbrook Hill
Jelley's Copse
Club
Ditton Farm
Caravan Site
Hallam's Farm
Northbrook
Greenglade
Darbyn's Brook
Farley Green Hall Farm
KINGSFIELD
Rompin Downs
Farley Heath
FARLEY HEATH
East Hills
Lockhurst Hatch Farm
LOCKHURST HATCH LANE
Watercress Beds
Haldish Farm
Greenlane Farm
Nursery
Blackmoor Paddock
Holmcroft
Far Plantation
Skemp Pond
Mayorhouse Holt
Mardons
New Field
Blackmoor Lodge
Sheepwalk
Dick's Hill
Lee Farm
Reelhall Hill
Sandhurst Copse
Mayor House
Mayorhouse Farm
Shamley Wood Ho.
Works
Swimming Pool
TREE TOPS CARAVAN PARK
Sandhurst Hill
Kiln Hanger
Kilnhanger
Upper Woodhill Farm
Tanyard Farm
Woodcock Hill
The Burrows
GU5
Tumblers Court
WINTERFOLD COTTAGES
Reelhall Farm
Woodhill Manor
Woodlands
Friars Oak
Reelhall
Plonks Farm
WINTERFOLD
Pasturewood
Pithouse Copse
Helmet Copse
The Ball
Stroud Farm
Nail Copse
Madgehole Copse
Keepers Cottage
Madgehole
Madgehole Farm
Franklin's Farm
Winterfold Cottage
Grist Hill Farm
Great Copse
WINTERFOLD HEATH
Bisney Cott.
Long Copse
Warren Cottage
Stroud Common
Spring Wood
Willinghurst Farm
Rock Copse
Winterfold Hill
Willinghurst House
Spanish House
Garden Cottage
Barn Plaits
Winterfold Heath
Lapscombe Copse
Knob Copse
Stroud Lodge
Kill Copse
South Copse
The Shaws
Run Farm
Run Common
Alderbrook Garage
Alderbrook Copse
Hurtwood House
Willingshurst
B2128
HILL STROUD COMMON GUILDFORD RD.
WAVERLEY GUILDFORD

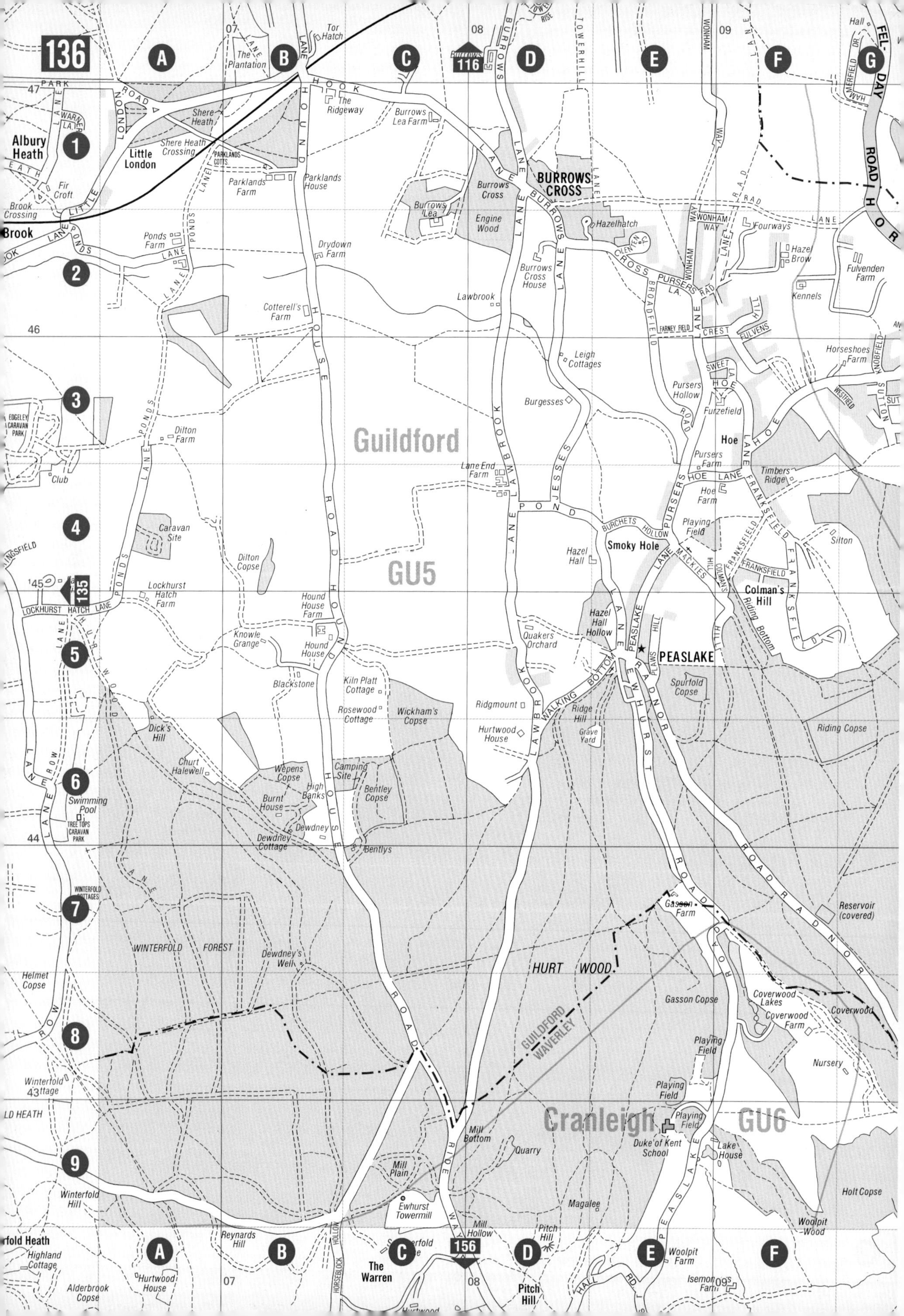
136
A
B
C
D
E
F
G
1
2
3
4
5
6
7
8
9
07
08
09
47
46
45
44
43
116
135
156
Albury Heath
Little London
Brook
Brook Crossing
Fir Croft
Shere Heath
Shere Heath Crossing
The Plantation
Tor Hatch
The Ridgeway
Burrows Lea Farm
Parklands Farm
Parklands House
Ponds Farm
Drydown Farm
Cotterell's Farm
Burrows Lea
Burrows Cross
Engine Wood
BURROWS CROSS
Hazelhatch
Burrows Cross House
Lawbrook
Leigh Cottages
Burgesses
Fourways
Hazel Brow
Fulvenden Farm
Kennels
Horseshoes Farm
Pursers Hollow
Furzefield
Hoe
Pursers Farm
Timbers Ridge
Hoe Farm
Playing Field
Silton
Smoky Hole
Hazel Hall
Colman's Hill
Riding Bottom
Hazel Hall Hollow
PEASLAKE
Quakers Orchard
Lane End Farm
Guildford
GU5
EDGELEY CARAVAN PARK
Dilton Farm
Club
Caravan Site
Dilton Copse
Lockhurst Hatch Farm
Hound House Farm
Knowle Grange
Hound House
Blackstone
Kiln Platt Cottage
Rosewood Cottage
Wickham's Copse
Ridgmount
Hurtwood House
Ridge Hill
Grave Yard
Spurfold Copse
Riding Copse
Dick's Hill
Churt Halewell
Wepens Copse
Camping Site
Bentley Copse
High Banks
Burnt House
Dewdney
Dewdney Cottage
Bentlys
Swimming Pool
TREE TOPS CARAVAN PARK
WINTERFOLD COTTAGES
WINTERFOLD FOREST
Dewdney's Well
HURT WOOD
Helmet Copse
Gasson Farm
Reservoir (covered)
Gasson Copse
Coverwood Lakes
Coverwood
Coverwood Farm
Nursery
GUILDFORD
WAVERLEY
Playing Field
Cranleigh
GU6
Duke of Kent School
Lake House
Mill Bottom
Quarry
Mill Plain
Ewhurst Towermill
Magalee
Holt Copse
Woolpit Wood
Winterfold Hill
Reynards Hill
Mill Hollow
Pitch Hill
Woolpit Farm
Isemore Farm
The Warren
Highland Cottage
Hurtwood House
Alderbrook Copse
HOOK LANE
HOUND HOUSE ROAD
LAWBROOK LANE
JESSES LANE
POND LANE
BURROWS LANE
PURSERS LANE
HOE LANE
FRANKSFIELD
PEASLAKE LANE
RADNOR ROAD
EWHURST ROAD
WALKING BOTTOM
PEASLAKE ROAD
HURTWOOD LANE
ROW LANE
PONDS LANE
LOCKHURST HATCH LANE
LONDON ROAD
LITTLE LONDON
HORSEBLOCK HOLLOW
RIDE WAY
HALL RD
WONHAM WAY
BROADFIELD ROAD
FELDAY ROAD
TOWERHILL LANE
CREST HILL
FULVENS
SWEET LA
MACKIES HILL
BURCHETS HOLLOW
SMITHWOOD COMMON ROAD

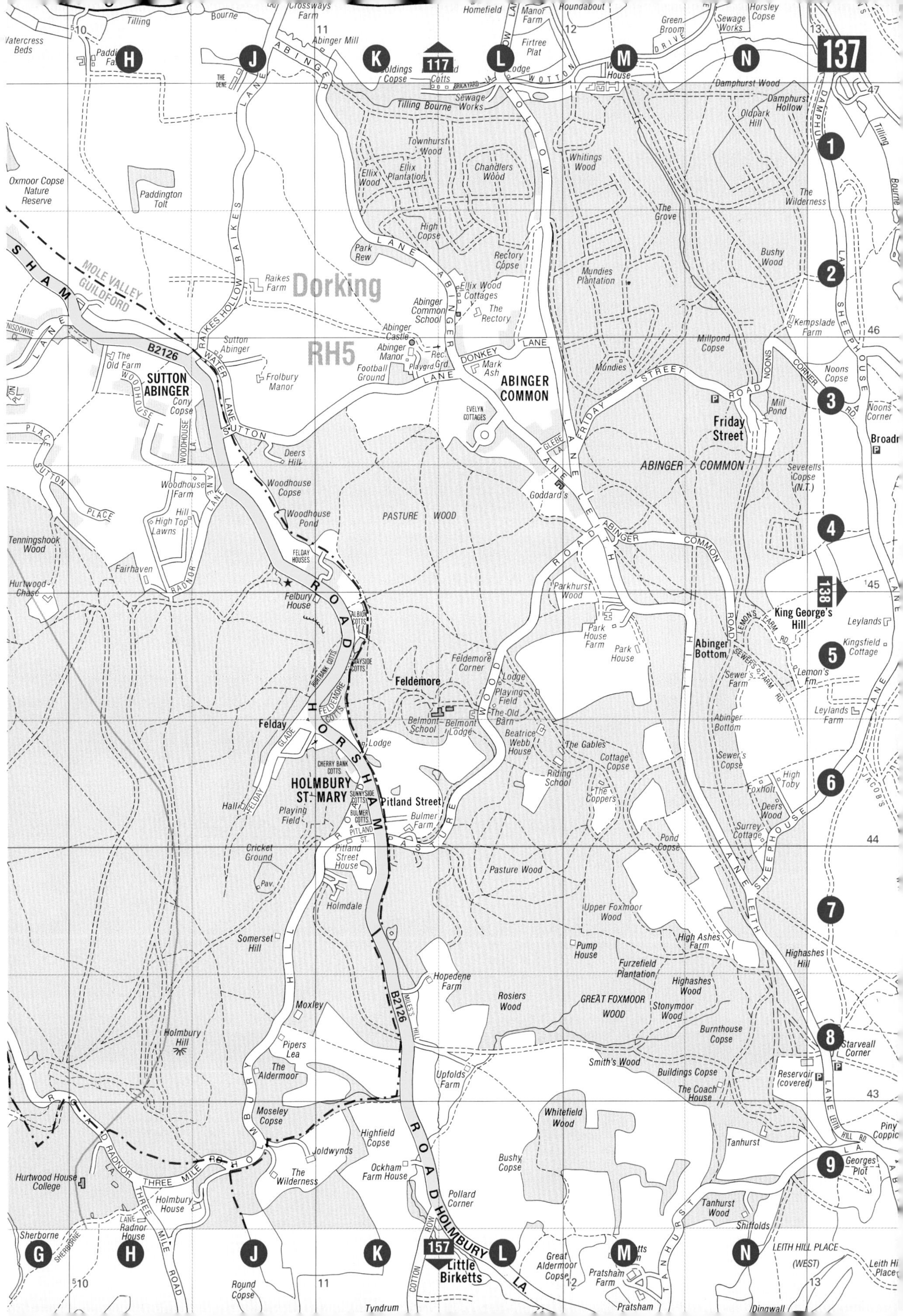

117
138
157
Dorking
RH5
ABINGER COMMON
SUTTON ABINGER
HOLMBURY ST. MARY
Friday Street
Abinger Bottom
Feldemore
Felday
Pitland Street
Little Birketts
King George's Hill
Abinger Mill
Tilling Bourne
Sewage Works
Townhurst Wood
Ellix Wood
Ellix Plantation
Chandlers Wood
High Copse
Park Rew
Rectory Copse
Ellix Wood Cottages
The Rectory
Abinger Common School
Abinger Castle
Abinger Manor
Football Ground
Mark Ash
Evelyn Cottages
Raikes Farm
Paddington Tolt
Oxmoor Copse Nature Reserve
Watercress Beds
MOLE VALLEY
GUILDFORD
B2126
The Old Farm
Cony Copse
Frolbury Manor
Sutton Abinger
Deers Hill
Woodhouse Farm
Woodhouse Copse
Woodhouse Pond
High Top Lawns
Tenningshook Wood
Hurtwood Chase
Fairhaven
Felbury House
PASTURE WOOD
Goddard's
Whitings Wood
Mundies Plantation
Mundies
The Grove
Damphurst Wood
Damphurst Hollow
Oldpark Hill
The Wilderness
Bushy Wood
Kempslade Farm
Millpond Copse
Noons Copse
Noons Corner
Mill Pond
Severells Copse (N.T.)
Parkhurst Wood
Park House Farm
Park House
Leylands
Kingsfield Cottage
Lemon's Fm.
Sewer's Farm
Leylands Farm
Sewer's Copse
High Toby
Foxholt
Deers Wood
Surrey Cottage
Feldemore Corner
Belmont School
Belmont Lodge
Playing Field
The Old Barn
Beatrice Webb House
The Gables
Cottage Copse
Riding School
The Coppers
Pond Copse
Pasture Wood
Upper Foxmoor Wood
High Ashes Farm
Highashes Hill
Pump House
Furzefield Plantation
Highashes Wood
GREAT FOXMOOR WOOD
Stonymoor Wood
Rosiers Wood
Burnthouse Copse
Starveall Corner
Smith's Wood
Buildings Copse
Reservoir (covered)
The Coach House
Whitefield Wood
Tanhurst
Piny Coppice
Georges Plot
Tanhurst Wood
Shiffolds
LEITH HILL PLACE (WEST)
Leith Hill Place
Great Aldermoor Copse
Pratsham Farm
Pratsham
Dingwall
Bushy Copse
Ockham Farm House
Pollard Corner
Highfield Copse
Joldwynds
The Wilderness
Upfolds Farm
Hopedene Farm
Moxley
Pipers Lea
The Aldermoor
Moseley Copse
Holmbury Hill
Somerset Hill
Holmdale
Pitland Street House
Cricket Ground
Pav.
Playing Field
Hall
Bulmer Farm
Hurtwood House College
Holmbury House
Radnor House
Sherborne
Round Copse
Tyndrum
Crossways Farm
Homefield
Manor Farm
Roundabout
Firtree Plat
Green Broom
Sewage Works
Horsley Copse
Tilling Bourne
Broadmoor
HORSHAM ROAD
HOLMBURY ROAD
RAIKES HOLLOW
RAIKES LANE
ABINGER LANE
HOLLOW LANE
WOTTON DRIVE
DONKEY LANE
SUTTON LANE
WATER LANE
SUTTON PLACE
WOODHOUSE LANE
RADNOR ROAD
FRIDAY STREET
NOONS CORNER ROAD
SHEEPHOUSE LANE
DAMPHURST LANE
ABINGER COMMON ROAD
LEITH HILL LANE
PASTURE WOOD ROAD
LEMON'S FARM RD
SEWER'S FARM RD
THREE MILE ROAD
HOLMBURY HILL
TANHURST LANE
COTTON ROW
MILES'S HILL
FELDAY GLADE
PITLAND ST.
HOLMBURY LA.

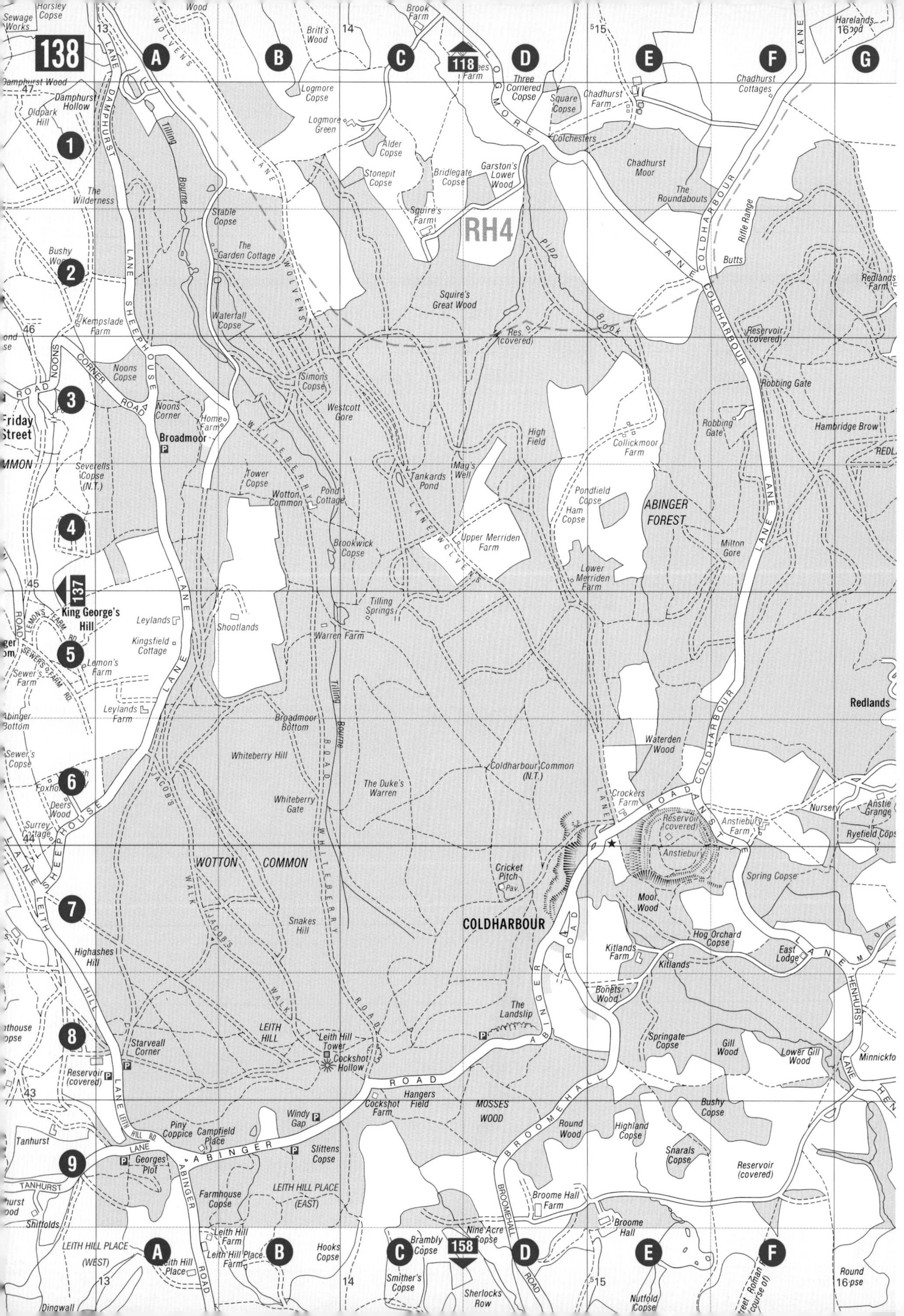
138
A
B
C
D
E
F
G
1
2
3
4
5
6
7
8
9
13
14
15
16
47
46
45
44
43
118
158
137
RH4
Sewage Works
Horsley Copse
Wood
Britt's Wood
Brook Farm
Three Cornered Copse
Harelands
Damphurst Wood
Damphurst Hollow
Oldpark Hill
DAMPHURST LANE
WOLVENS
Logmore Copse
Logmore Green
LOGMORE
Square Copse
Chadhurst Farm
Chadhurst Cottages
Tilling Bourne
Alder Copse
Colchesters
Stonepit Copse
Bridlegate Copse
Garston's Lower Wood
Chadhurst Moor
The Wilderness
The Roundabouts
Squire's Farm
Stable Copse
The Garden Cottage
Rifle Range
Bushy Wood
Butts
Pipp Brook
Redlands Farm
Squire's Great Wood
Kempslade Farm
Waterfall Copse
Res. (covered)
Reservoir (covered)
NOONS CORNER ROAD
Noons Copse
Simons Copse
Robbing Gate
Friday Street
Noons Corner
Home Farm
Westcott Gore
Broadmoor
High Field
Hambridge Brow
REDL
Collickmoor Farm
Severells Copse (N.T.)
Tower Copse
WHITEBERRY
Tankards Pond
Mag's Well
Wotton Common
Pond Cottage
Pondfield Copse
ABINGER FOREST
Ham Copse
Upper Merriden Farm
Brookwick Copse
Milton Gore
Lower Merriden Farm
King George's Hill
Leylands
Tilling Springs
Shootlands
Kingsfield Cottage
Warren Farm
LEMONS FARM RD
SEWER'S FARM RD
Lemon's Farm
Sewer's Farm
Leylands Farm
Abinger Bottom
Redlands
Broadmoor Bottom
Waterden Wood
Whiteberry Hill
Sewer's Copse
Coldharbour Common (N.T.)
The Duke's Warren
Foxhole
Deers Wood
Whiteberry Gate
Crockers Farm
Nursery
Anstie Grange
Surrey Cottage
Reservoir (covered)
Anstiebury Farm
Ryefield Copse
Anstiebury
WOTTON COMMON
Cricket Pitch
Pav.
Spring Copse
Moor Wood
COLDHARBOUR
Snakes Hill
JACOB'S WALK
Hog Orchard Copse
Highashes Hill
Kitlands Farm
Kitlands
East Lodge
Bonets Wood
The Landslip
LEITH HILL
Springate Copse
Gill Wood
Lower Gill Wood
Minnickfold
Leith Hill Tower
Cockshot Hollow
Starveall Corner
Reservoir (covered)
Hangers Field
MOSSES WOOD
Cockshot Farm
Windy Gap
Bushy Copse
Piny Coppice
Campfield Place
Round Wood
Highland Copse
Tanhurst
Slittens Copse
Snarals Copse
Reservoir (covered)
Georges Plot
LEITH HILL PLACE (EAST)
Farmhouse Copse
Broome Hall Farm
Broome Hall
Shiftolds
Leith Hill Farm
Nine Acre Copse
Brambly Copse
LEITH HILL PLACE (WEST)
Leith Hill Place Farm
Hooks Copse
Leith Hill Place
Smither's Copse
Sherlocks Row
Nutfold Copse
Round Copse
Dingwall
SHEEPHOUSE LANE
LEITH HILL LANE
LEITH HILL RD
ABINGER ROAD
ABINGER LANE
TANHURST
BROOMEHALL ROAD
WHITEBERRY ROAD
COLDHARBOUR LANE
ANSTIE LANE
MOOR LANE
HENHURST LANE
WOLVENS LANE

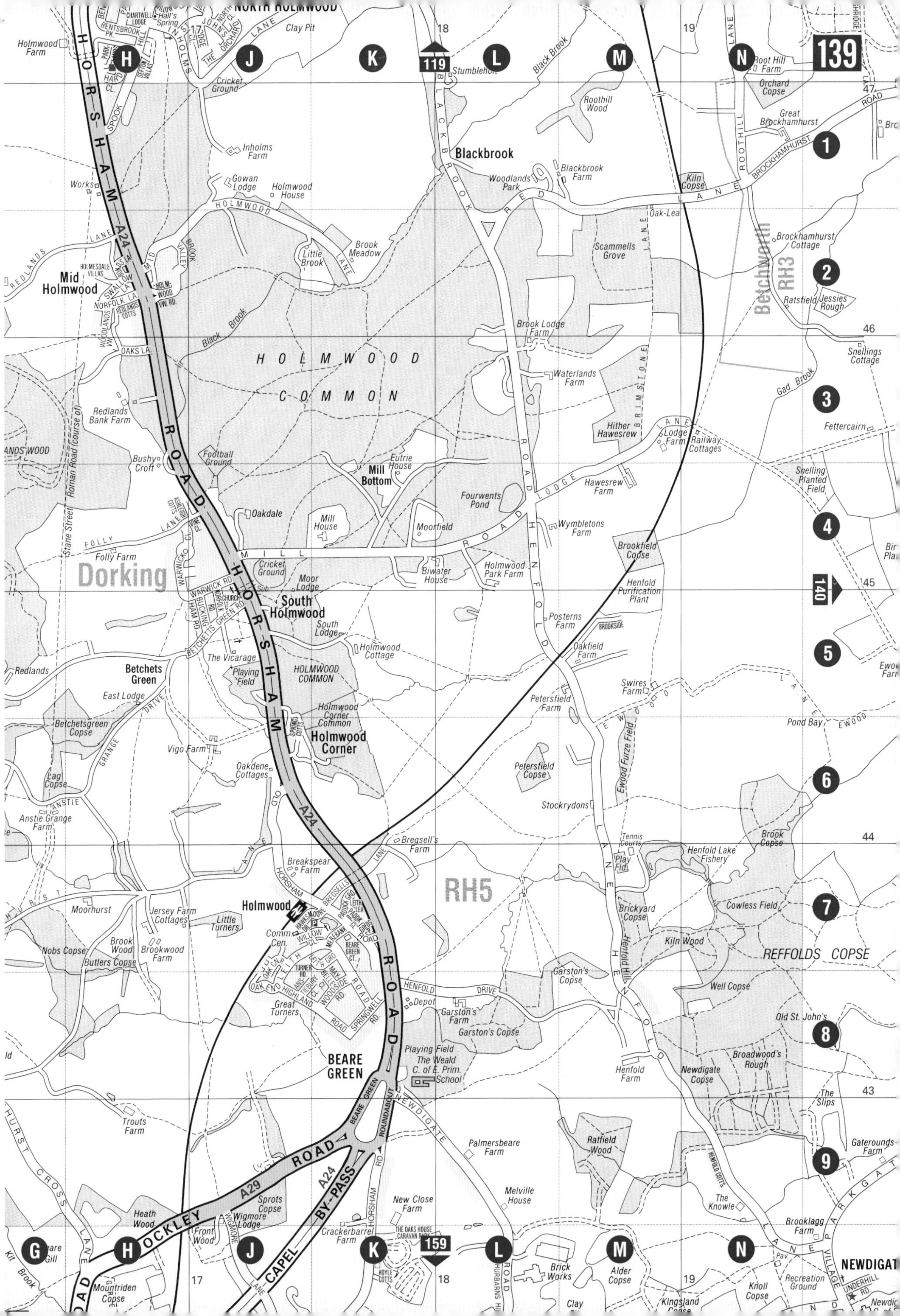

NORTH HOLMWOOD
Holmwood Farm
Clay Pit
Stumblehole
Black Brook
Root Hill Farm
Orchard Copse
Roothill Wood
Great Brockhamhurst
BROCKHAMHURST ROAD
Cricket Ground
Inholms Farm
Blackbrook
Blackbrook Farm
Woodlands Park
Kiln Copse
Works
Gowan Lodge
Holmwood House
REDLANDS LANE
Oak-Lea
Little Brook
Brook Meadow
Scammells Grove
Brockhamhurst Cottage
Betchworth
RH3
Mid Holmwood
Ratsfield
Jessies Rough
Brook Lodge Farm
Snellings Cottage
HOLMWOOD COMMON
Waterlands Farm
Gad Brook
Redlands Bank Farm
Hither Hawesrew
Lodge Farm
Railway Cottages
Fettercairn
Football Ground
Eutrie House
Mill Bottom
Bushy Croft
Hawesrew Farm
Snelling Planted Field
Fourwents Pond
Oakdale
Stane Street Roman Road (course of)
Mill House
Moorfield
Wymbletons Farm
FOLLY LANE
MILL ROAD
Folly Farm
Dorking
Cricket Ground
Brookfield Copse
Biwater House
Holmwood Park Farm
HORSHAM ROAD
Moor Lodge
Henfold Purification Plant
South Holmwood
Posterns Farm
South Lodge
Holmwood Cottage
Oakfield Farm
Redlands
Betchets Green
The Vicarage
Playing Field
HOLMWOOD COMMON
Swires Farm
East Lodge
Petersfield Farm
Holmwood Corner Common
Betchetsgreen Copse
Pond Bay
EWOOD LANE
Vigo Farm
Holmwood Corner
Petersfield Copse
Lag Copse
Oakdene Cottages
Ewood Furze Field
Stockrydons
Anstie Grange Farm
Bregsell's Farm
Brook Copse
Tennis Courts
Henfold Lake Fishery
Breakspear Farm
RH5
Play Fld.
Holmwood
Moorhurst
Jersey Farm Cottages
Little Turners
Cowless Field
Brickyard Copse
Comm. Cen.
Brook Wood
Brookwood Farm
Nobs Copse
Butlers Copse
Kiln Wood
REFFOLDS COPSE
Henfold Hill
Garston's Copse
HENFOLD DRIVE
Well Copse
Great Turners
Depot
Garston's Farm
Garston's Copse
Old St. John's
Playing Field
BEARE GREEN
The Weald C. of E. Prim. School
Broadwood's Rough
Henfold Farm
Newdigate Copse
Trouts Farm
The Slips
HURST CROSS LANE
NEWDIGATE ROAD
Palmersbeare Farm
Ratfield Wood
Gaterounds Farm
OCKLEY ROAD
A29
A24
CAPEL BY-PASS
Sprots Copse
Heath Wood
New Close Farm
Melville House
The Knowle
Wigmore Lodge
Front Wood
Crackerbarrel Farm
Brooklagg Farm
Brick Works
Alder Copse
NEWDIGATE
Kit Brook
Mountriden Copse
Knoll Copse
Recreation Ground
Kingsland Copse
Clay

119
140
159

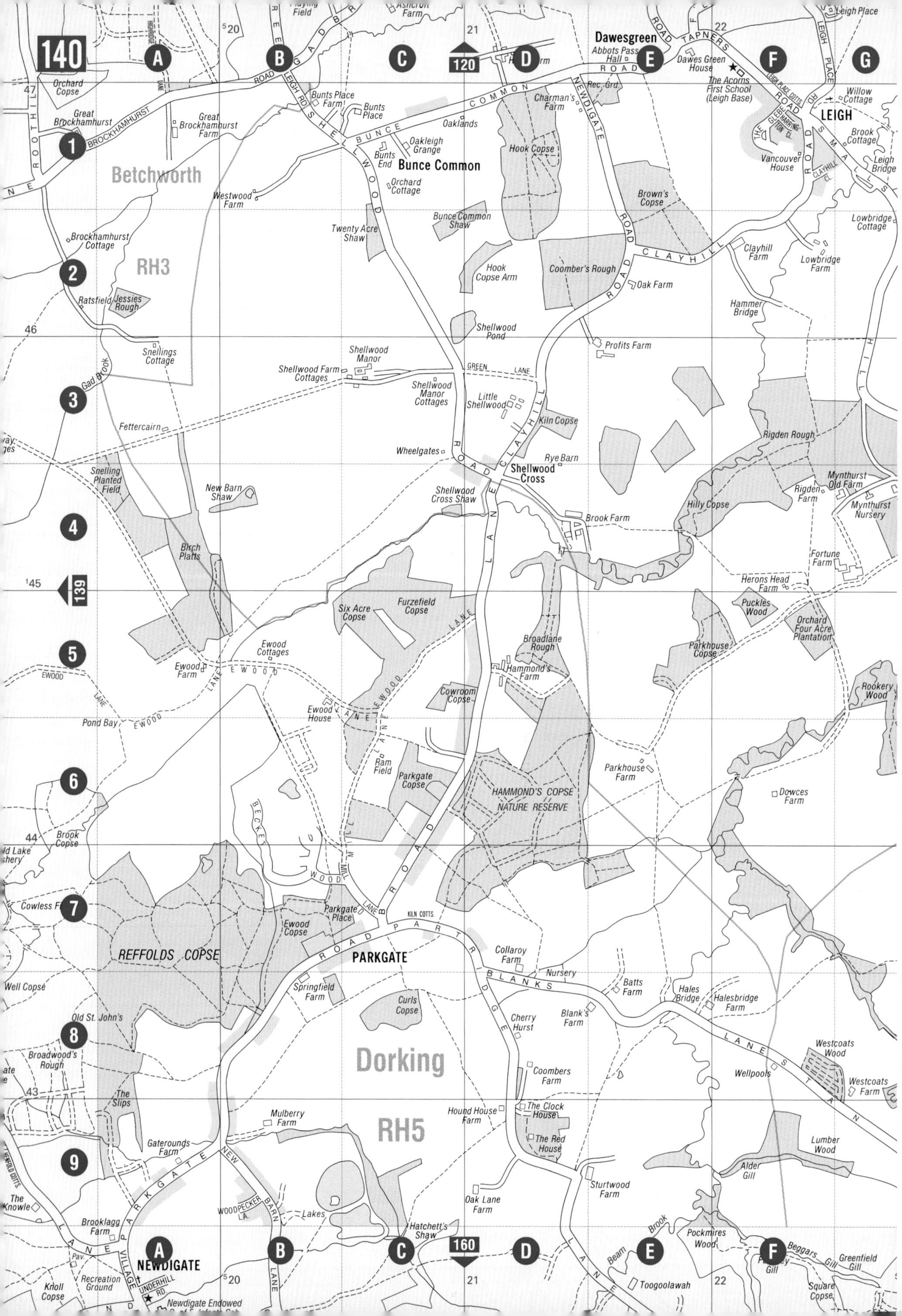

Betchworth
RH3
Bunce Common
Dawesgreen
LEIGH
Shellwood Cross
PARKGATE
Dorking
RH5
NEWDIGATE
Brockhamhurst Road
Bunce Common Road
Shellwood Road
Broad Lane
Clayhill Road
Newdigate Road
Tapners Road
Partridge Lane
Blanks Lane
Parkgate Road
Ewood Lane
Mill Lane
Green Lane
Great Brockhamhurst
Great Brockhamhurst Farm
Westwood Farm
Brockhamhurst Cottage
Ratsfield
Jessies Rough
Snellings Cottage
Gad Brook
Fettercairn
Snelling Planted Field
New Barn Shaw
Birch Platts
Ewood Farm
Ewood Cottages
Pond Bay
Brook Copse
Cowless Farm
Reffolds Copse
Well Copse
Old St. John's
Broadwood's Rough
The Slips
Gaterounds Farm
The Knowle
Brooklagg Farm
Recreation Ground
Knoll Copse
Newdigate Endowed
Bunts Place Farm
Bunts Place
Bunts End
Oakleigh Grange
Orchard Cottage
Oaklands
Twenty Acre Shaw
Bunce Common Shaw
Hook Copse Arm
Hook Copse
Charman's Farm
Abbots Pass Hall
Rec. Grd
Shellwood Pond
Shellwood Manor
Shellwood Farm Cottages
Shellwood Manor Cottages
Little Shellwood
Wheelgates
Shellwood Cross Shaw
Six Acre Copse
Furzefield Copse
Ewood House
Ram Field
Parkgate Copse
Cowroom Copse
Hammond's Farm
Broadlane Rough
Hammond's Copse Nature Reserve
Parkgate Place
Ewood Copse
Springfield Farm
Curls Copse
Collaroy Farm
Nursery
Cherry Hurst
Coombers Farm
Hound House Farm
The Clock House
The Red House
Mulberry Farm
Lakes
Hatchett's Shaw
Oak Lane Farm
Sturtwood Farm
Kiln Copse
Rye Barn
Brook Farm
Brown's Copse
Coomber's Rough
Oak Farm
Profits Farm
Dawes Green House
The Acorns First School (Leigh Base)
Willow Cottage
Brook Cottage
Leigh Bridge
Vancouver House
Lowbridge Cottage
Lowbridge Farm
Clayhill Farm
Hammer Bridge
Rigden Rough
Hilly Copse
Rigden Farm
Mynthurst Old Farm
Mynthurst Nursery
Fortune Farm
Herons Head Farm
Puckles Wood
Orchard Four Acre Plantation
Parkhouse Copse
Parkhouse Farm
Dowces Farm
Rookery Wood
Batts Farm
Blank's Farm
Hales Bridge
Halesbridge Farm
Wellpools
Westcoats Wood
Westcoats Farm
Lumber Wood
Alder Gill
Pockmires Wood
Beam Brook
Toogoolawah
Beggars Gill
Greenfield Gill
Square Copse
Leigh Place
Kiln Cotts.
Woodpecker La.
Underhill Rd

120
139
160

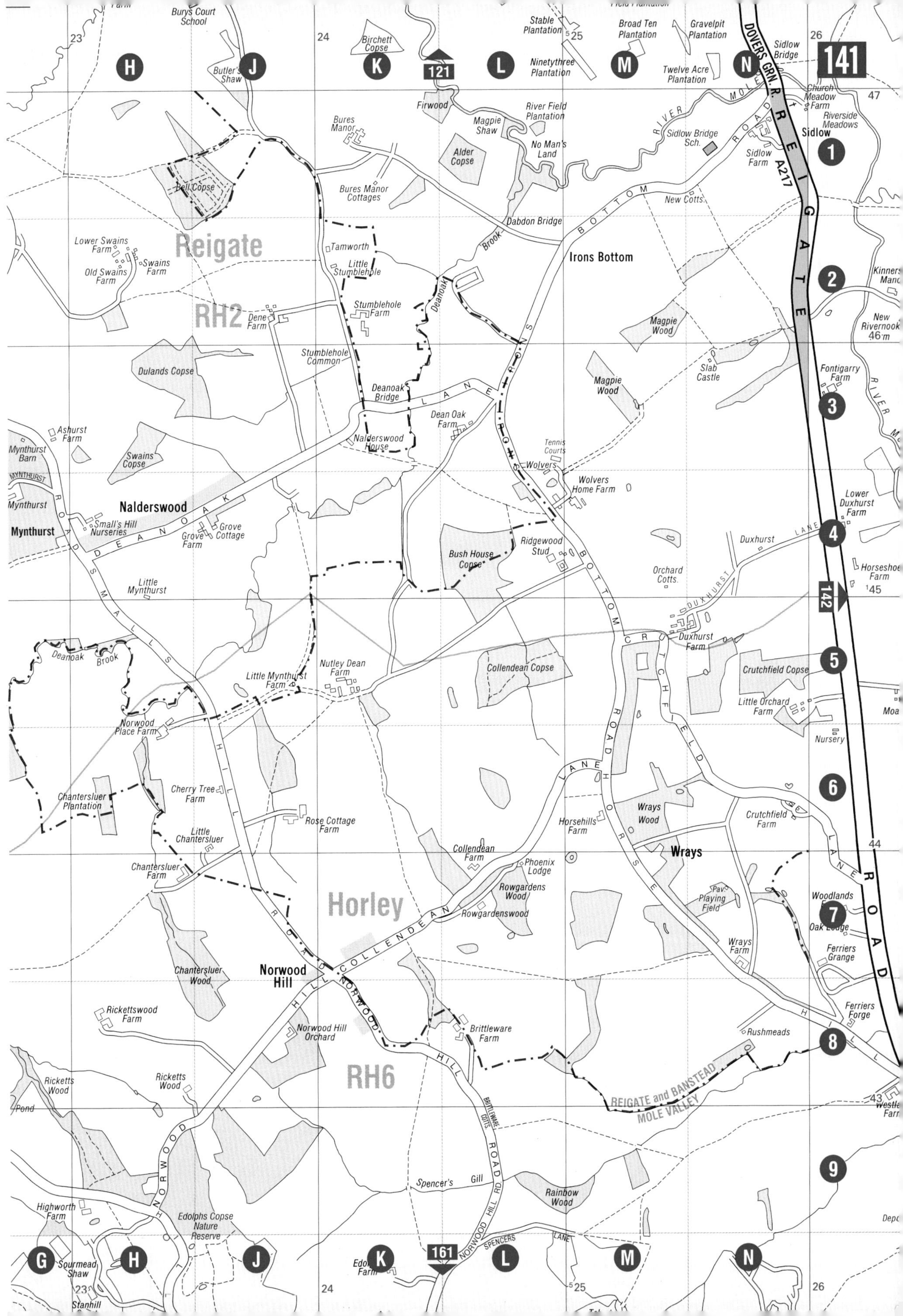
Burys Court School
Butler's Shaw
Birchett Copse
121
Stable Plantation
Broad Ten Plantation
Gravelpit Plantation
Ninetythree Plantation
Twelve Acre Plantation
DOVERS GRN. R.
Sidlow Bridge
Church Meadow Farm
Riverside Meadows
Sidlow
Firwood
Bures Manor
Magpie Shaw
River Field Plantation
No Man's Land
RIVER MOLE
Sidlow Bridge Sch.
Sidlow Farm
A217
Alder Copse
Bell Copse
Bures Manor Cottages
New Cotts.
Dabdon Bridge
BOTTOM
REIGATE ROAD
Reigate
Lower Swains Farm
Old Swains Farm
Swains Farm
Tamworth
Little Stumblehole
Brook
Irons Bottom
Kinners Manor
RH2
Dene Farm
Stumblehole Farm
Deanoak
IRONS
Magpie Wood
New Rivernook
Stumblehole Common
Dulands Copse
Slab Castle
Fontigarry Farm
Deanoak Bridge
LANE
Magpie Wood
Dean Oak Farm
Ashurst Farm
Mynthurst Barn
Swains Copse
Nalderswood House
Tennis Courts
Wolvers
Wolvers Home Farm
Lower Duxhurst Farm
MYNTHURST
Mynthurst
Nalderswood
DEANOAK
Mynthurst
Small's Hill Nurseries
Grove Farm
Grove Cottage
Ridgewood Stud
Duxhurst LANE
Bush House Copse
Orchard Cotts.
Horseshoe Farm
Little Mynthurst
DUXHURST
142
Duxhurst Farm
Deanoak Brook
Nutley Dean Farm
Collendean Copse
Crutchfield Copse
Little Mynthurst Farm
CROTCHFIELD
Little Orchard Farm
Norwood Place Farm
Nursery
HORSE HILL
ROAD
Chantersluer Plantation
Cherry Tree Farm
LANE
Wrays Wood
Crutchfield Farm
Rose Cottage Farm
Horsehills Farm
Little Chantersluer
Collendean Farm
Wrays
Chantersluer Farm
Phoenix Lodge
Rowgardens Wood
Pav.
Playing Field
Woodlands
Horley
Rowgardenswood
Oak Lodge
Ferriers Grange
COLLENDEAN
Wrays Farm
Chantersluer Wood
Norwood Hill
NORWOOD
Ferriers Forge
Rickettswood Farm
Norwood Hill Orchard
Brittleware Farm
Rushmeads
Ricketts Wood
Ricketts Wood
RH6
REIGATE and BANSTEAD
MOLE VALLEY
Westlee Farm
Pond
BRITTLEWARE COTTS.
Spencer's Gill
Rainbow Wood
Highworth Farm
Edolphs Copse Nature Reserve
NORWOOD HILL RD.
SPENCERS LANE
161
Sourmead Shaw
Edolphs Farm
Stanhill
Depot
23
24
25
26
47
46 m
145
44
43
1
2
3
4
5
6
7
8
9
G
H
J
K
L
M
N

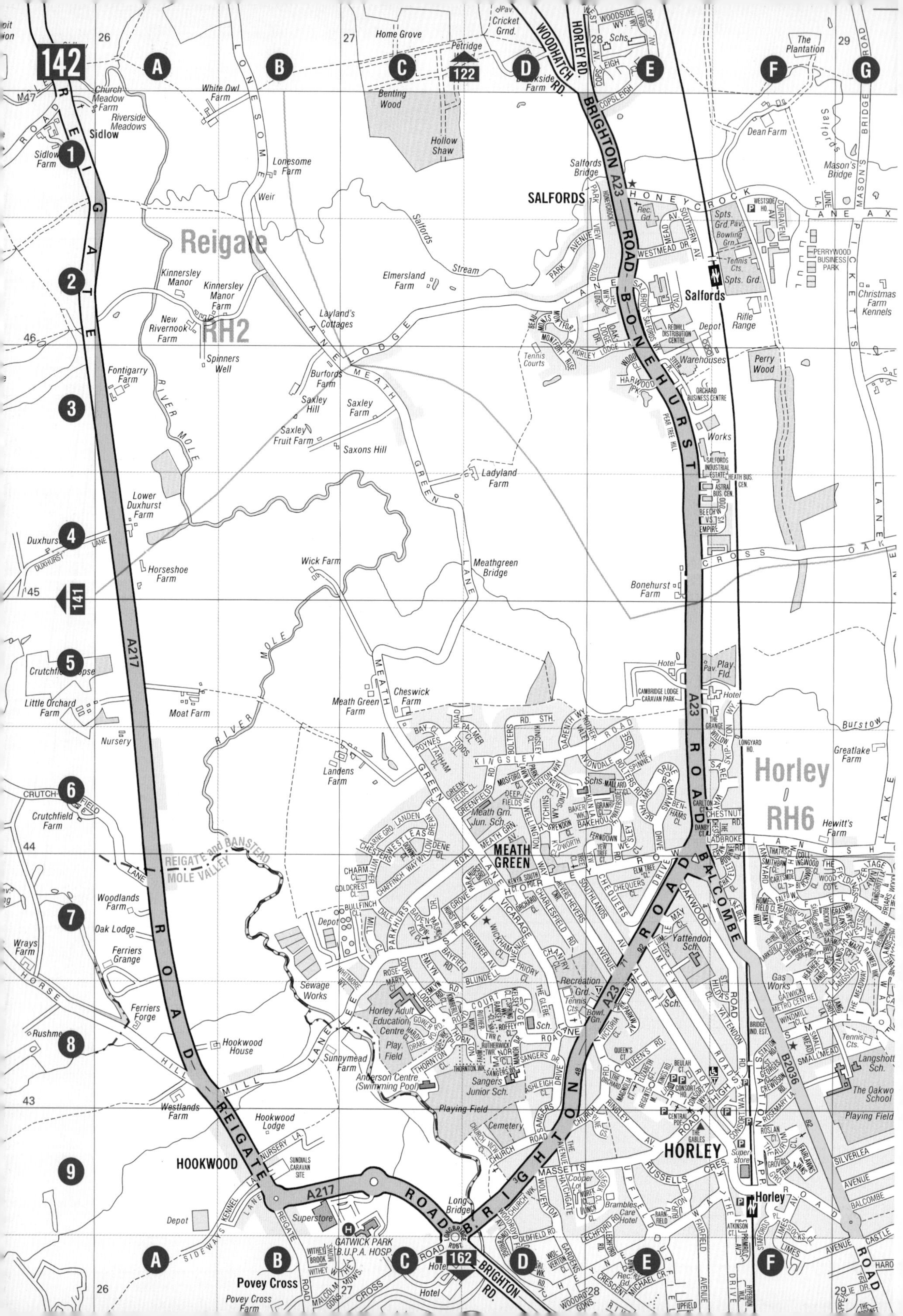

142
26
27
28
29
A
B
C
D
E
F
G
1
2
3
4
5
6
7
8
9
46
45
44
43
122
141
162
Sidlow
Sidlow Farm
Church Meadow Farm
Riverside Meadows
White Owl Farm
Home Grove
Petridge
Cricket Grnd.
Benting Wood
Hollow Shaw
Brookside Farm
Lonesome Farm
Weir
Reigate
Salfords Stream
Kinnersley Manor
Kinnersley Manor Farm
New Rivernook Farm
RH2
Spinners Well
Layland's Cottages
Elmersland Farm
Fontigarry Farm
Burfords Farm
Saxley Hill
Saxley Farm
Saxley Fruit Farm
Saxons Hill
Ladyland Farm
Lower Duxhurst Farm
Duxhurst
Horseshoe Farm
Wick Farm
Meathgreen Bridge
Meathgreen Lane
Crutchfield Copse
Little Orchard Farm
Moat Farm
Nursery
Meath Green Farm
Cheswick Farm
Landens Farm
Crutchfield Farm
Crutchfield Lane
Reigate and Banstead
Mole Valley
River Mole
Woodlands Farm
Oak Lodge
Wrays Farm
Ferriers Grange
Ferriers Forge
Horse Hill
Rushmere
Hookwood House
Westlands Farm
Hookwood Lodge
HOOKWOOD
Sundials Caravan Site
Nursery La.
Kennel Lane
Sideways Lane
Depot
Povey Cross
Povey Cross Farm
Superstore
Gatwick Park B.U.P.A. Hosp.
Hotel
Long Bridge
Longbridge Rdbt.
Brighton Rd.
A217
Reigate Road
A23
Brighton Road
Bonehurst Road
Balcombe Road
B2036
Lonesome Lane
Meath Green Lane
Lodge Lane
Woodhatch Rd.
Horley Rd.
SALFORDS
Salfords
Salfords Bridge
Honeycrock Lane
Rec. Gd.
Spts. Grd.
Tennis Cts.
Westmead Dr.
Park View Road
Redhill Distribution Centre
Warehouses
Depot
Tennis Courts
Horley Lodge La.
Orchard Business Centre
Works
Salfords Industrial Estate
Heath Bus. Cen.
Astra Bus. Cen.
Perrywood Business Park
Christmas Farm Kennels
Rifle Range
Perry Wood
Dean Farm
The Plantation
Salfords
Mason's Bridge
Mason's Bridge Road
Picketts Lane
Cross Oak Lane
Bonehurst Farm
Hotel
Play. Fld.
Cambridge Lodge Caravan Park
Longyard Ho.
Burstow
Greatlake Farm
Horley
RH6
Hewitt's Farm
Ladbroke Rd.
Chestnut Rd.
MEATH GREEN
Meath Grn. Jun. Sch.
Schs.
Kingsley Rd.
Avondale Close
Vicarage Lane
Wickham Cl.
Bayfield Rd.
Parkhurst Rd.
Depot
Sewage Works
Horley Adult Education Centre
Play. Field
Sunnymead Farm
Anderson Centre (Swimming Pool)
Sangers Junior Sch.
Playing Field
Cemetery
Church Road
Recreation Grd.
Bowl. Gn.
Yattendon Sch.
Yattendon Road
Oakwood Road
Victoria Road
Queen's Rd.
Massetts Road
Hatchgate
Brambles Care Hotel
Russells Cres.
HORLEY
The Gables
Superstore
Horley
Consort Way
High St.
Station App.
Rosemary La.
Bridge Ind. Est.
Gas Works
Gatwick Metro Centre
Windmill Cl.
Smallmead
Tennis Cts.
Langshott Sch.
The Oakwood School
Playing Field
Silverlea
Avenue
Balcombe
Castle
Limes Avenue
Oldfield Rd.
Lechford Rd.
Upfield
Fairfield Avenue
Michael Cres.
Woodroyd Gdns.
Malcolm Gdns.
Withey Brook
Withey Mdws.
Cross

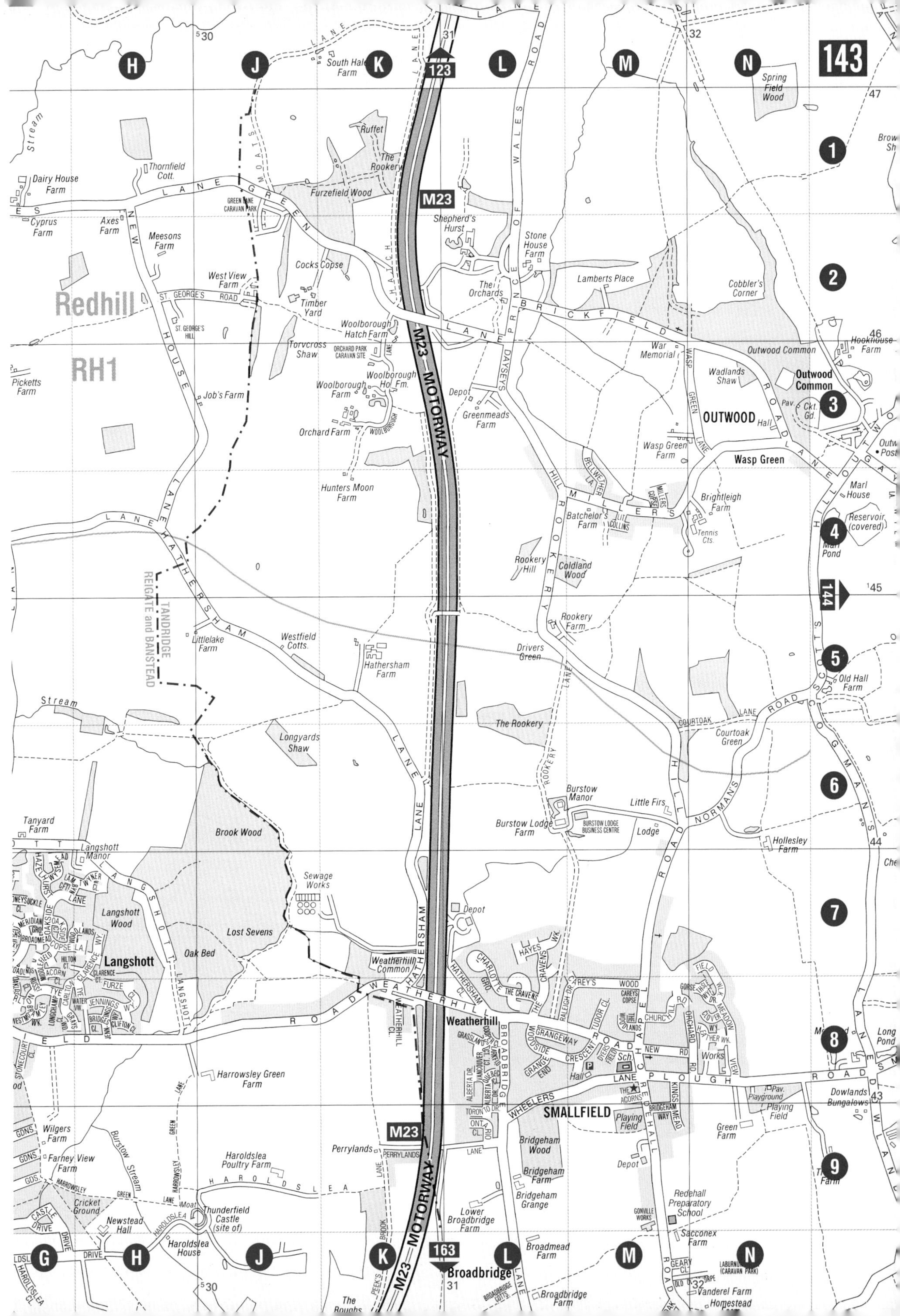
Redhill
RH1
OUTWOOD
Outwood Common
Wasp Green
SMALLFIELD
Weatherhill
Langshott
Broadbridge
M23 MOTORWAY
M23
123
144
163
South Hale Farm
Spring Field Wood
Ruffet
The Rookery
Furzefield Wood
Dairy House Farm
Thornfield Cott.
Cyprus Farm
Axes Farm
Meesons Farm
GREEN LANE CARAVAN PARK
Shepherd's Hurst
Stone House Farm
Cocks Copse
West View Farm
ST. GEORGE'S ROAD
ST. GEORGE'S HILL
Timber Yard
The Orchards
Lamberts Place
Cobbler's Corner
Woolborough Hatch Farm
BRICKFIELD LANE
Hookhouse Farm
Torvcross Shaw
ORCHARD PARK CARAVAN SITE
War Memorial
Wadlands Shaw
Picketts Farm
Woolborough Farm
Woolborough Ho. Fm.
Depot
Job's Farm
Greenmeads Farm
Orchard Farm
Wasp Green Farm
Hunters Moon Farm
Brightleigh Farm
Marl House
Batchelor's Farm
Reservoir (covered)
Marl Pond
Tennis Cts.
Rookery Hill
Coldland Wood
Rookery Farm
TANDRIDGE
REIGATE and BANSTEAD
Littlelake Farm
Westfield Cotts.
Hathersham Farm
Drivers Green
Old Hall Farm
Stream
The Rookery
COURTOAK LANE
Courtoak Green
Longyards Shaw
Burstow Manor
Little Firs
Burstow Lodge Farm
BURSTOW LODGE BUSINESS CENTRE
Lodge
Hollesley Farm
Tanyard Farm
Langshott Manor
Brook Wood
Sewage Works
Depot
Langshott Wood
Lost Sevens
Oak Bed
Weatherhill Common
HAYES WK.
THE CRAVENS
CAREY'S WOOD
GRANGEWAY
CHURCHILL RD.
Works
Sch.
Hall
PLOUGH LANE
WHEELERS LANE
Dowlands Bungalows
Playground
Playing Field
Harrowsley Green Farm
Green Farm
Wilgers Farm
Farney View Farm
Haroldslea Poultry Farm
Perrylands
Bridgeham Wood
Bridgeham Farm
Depot
Bridgeham Grange
Redehall Preparatory School
HAROLDSLEA
Cricket Ground
Newstead Hall
Thunderfield Castle (site of)
Haroldslea House
Lower Broadbridge Farm
GONVILLE WORKS
Sacconex Farm
Broadmead Farm
LABURNUMS (CARAVAN PARK)
The Boughs
Broadbridge Farm
Vanderel Farm
Homestead
Long Pond
Burstow Stream
PRINCE OF WALES ROAD
HATHERSHAM LANE
ROOKERY HILL
NORMAN'S ROAD
COGMAN'S LANE
WEATHERHILL ROAD
REDEHALL ROAD
Moat
Pav.
Ckt. Gd.
Post
H J K L M N
G H J K L M N
1 2 3 4 5 6 7 8 9
530
31
32
47
46
145
44
43

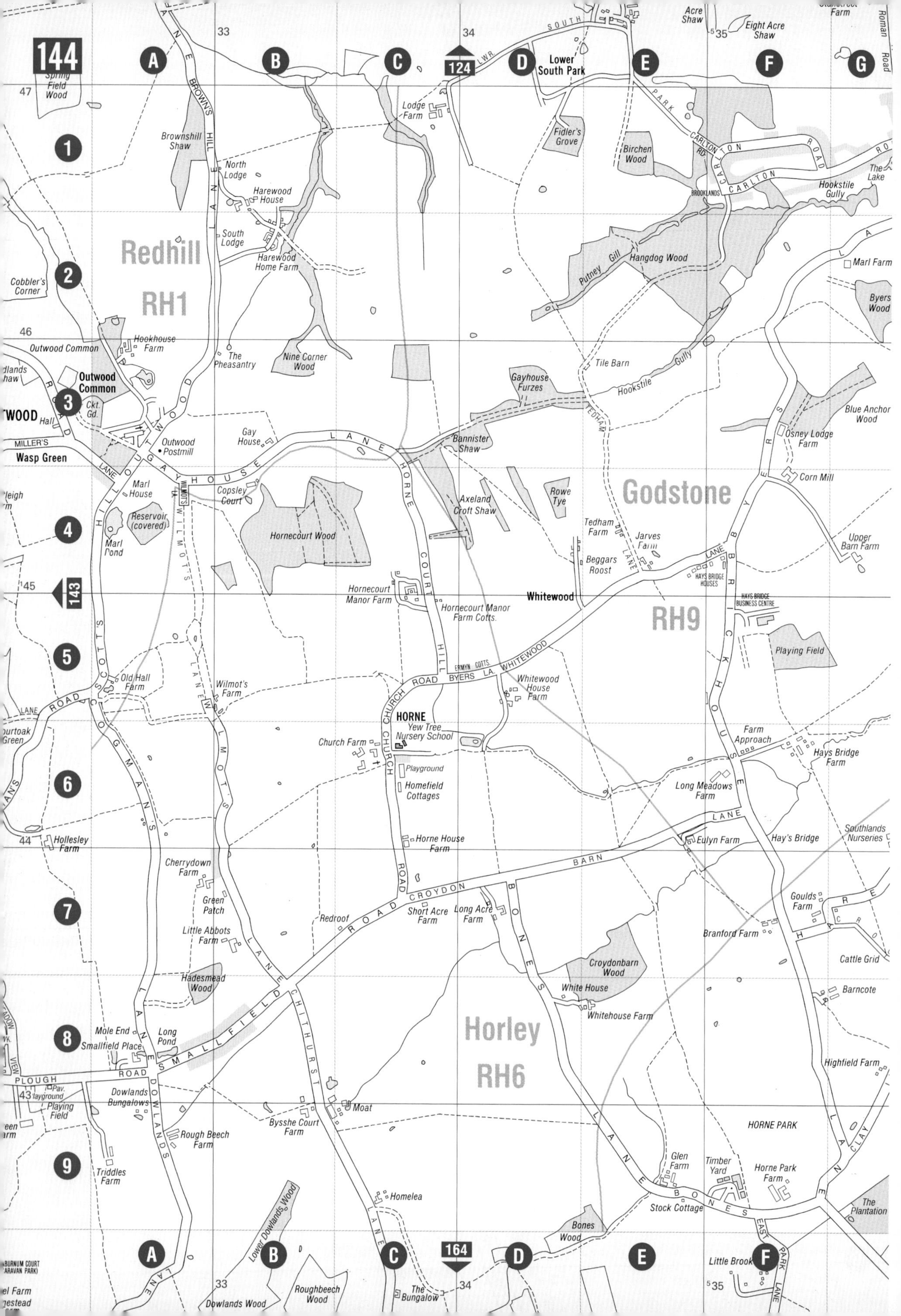
Redhill
RH1
Godstone
RH9
Horley
RH6
124
143
164
Spring Field Wood
Brownshill Shaw
North Lodge
Harewood House
South Lodge
Harewood Home Farm
Lodge Farm
Lower South Park
Fidler's Grove
Birchen Wood
Hookstile Gully
The Lake
Hangdog Wood
Putney Gill
Marl Farm
Byers Wood
Cobbler's Corner
Outwood Common
Hookhouse Farm
The Pheasantry
Nine Corner Wood
Tile Barn
Gayhouse Furzes
Blue Anchor Wood
Osney Lodge Farm
Corn Mill
Wasp Green
Outwood Postmill
Gay House
Bannister Shaw
Marl House
Reservoir (covered)
Marl Pond
Copsley Court
Hornecourt Wood
Axeland Croft Shaw
Rowe Tye
Tedham Farm
Jarves Farm
Beggars Roost
Upper Barn Farm
Hornecourt Manor Farm
Hornecourt Manor Farm Cotts.
Whitewood
Hays Bridge Houses
Hays Bridge Business Centre
Playing Field
Old Hall Farm
Wilmot's Farm
Whitewood House Farm
HORNE
Yew Tree Nursery School
Church Farm
Playground
Homefield Cottages
Farm Approach
Hays Bridge Farm
Long Meadows Farm
Hollesley Farm
Horne House Farm
Eulyn Farm
Hay's Bridge
Southlands Nurseries
Cherrydown Farm
Green Patch
Little Abbots Farm
Redroof
Short Acre Farm
Long Acre Farm
Goulds Farm
Branford Farm
Cattle Grid
Hadesmead Wood
Croydonbarn Wood
White House
Whitehouse Farm
Barncote
Mole End
Smallfield Place
Long Pond
Highfield Farm
Dowlands Bungalows
Playing Field
Moat
Bysshe Court Farm
Rough Beech Farm
HORNE PARK
Triddles Farm
Glen Farm
Timber Yard
Horne Park Farm
Homelea
Stock Cottage
The Plantation
Lower Dowlands Wood
Bones Wood
Little Brook
Roughbeech Wood
Dowlands Wood
The Bungalow
Acre Shaw
Eight Acre Shaw
SOUTH PARK LANE
CARLTON ROAD
BROWN'S HILL
OUTWOOD LANE
GAYHOUSE LANE
HORNE COURT HILL
TEDHAM LANE
BYERS LANE
BRICKHOUSE LANE
MILLER'S LANE
WILMOT'S LANE
CHURCH ROAD
CROYDON BARN LANE
CROYDON ROAD
SMALLFIELD ROAD
CHITHURST LANE
BONES LANE
DOWLANDS LANE
COGMAN'S LANE
SCOTT'S HILL
PLOUGH ROAD
HARE LANE
CLAY LANE
EAST PARK LANE
Roman Road
Ermyn Cotts.

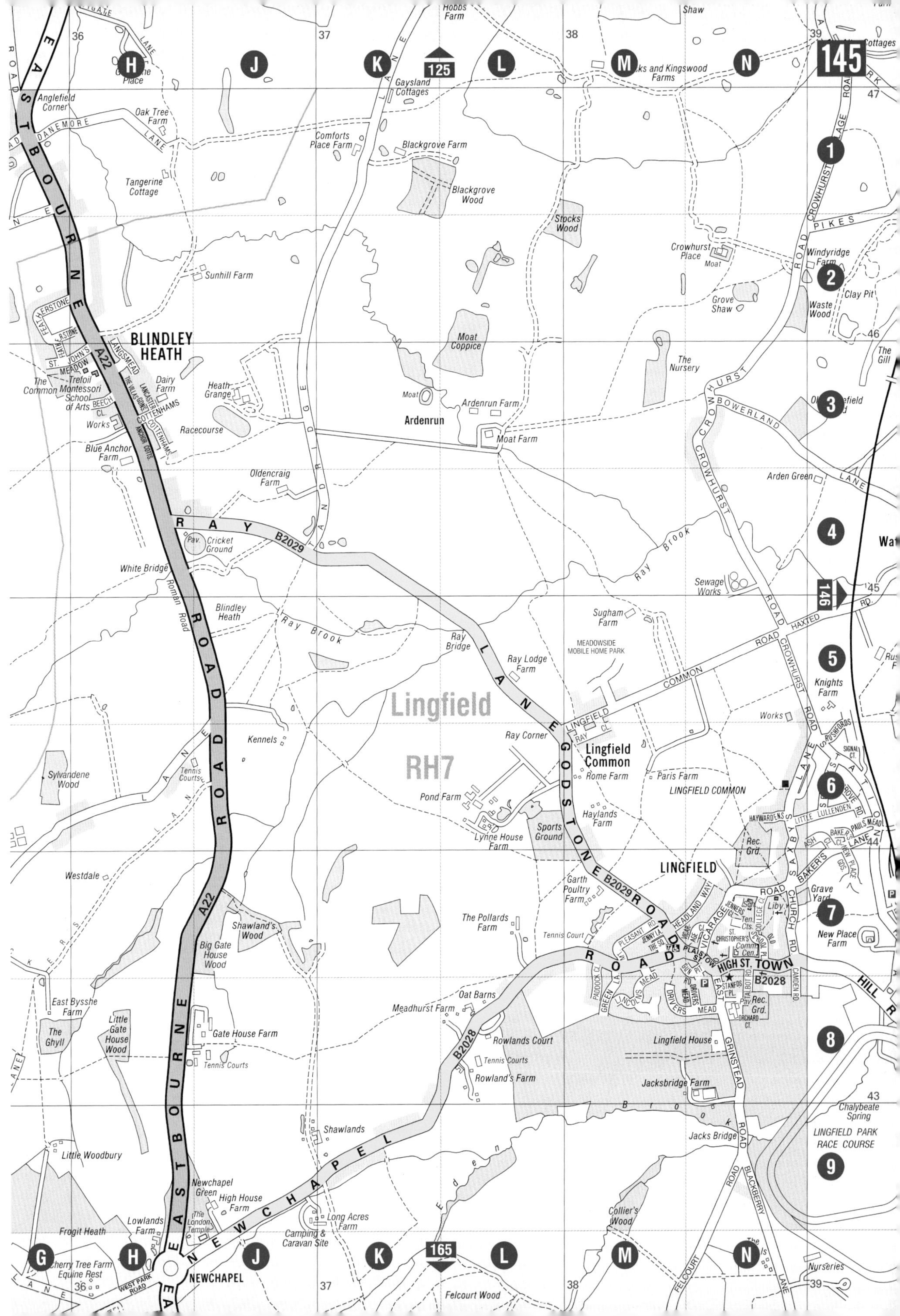
BLINDLEY HEATH
Lingfield
RH7
Lingfield Common
LINGFIELD COMMON
LINGFIELD
NEWCHAPEL
LINGFIELD PARK RACE COURSE
EASTBOURNE ROAD
A22
RAY LANE
B2029
GODSTONE ROAD
NEWCHAPEL ROAD
B2028
HIGH ST. TOWN
CROWHURST ROAD
CROWHURST LANE
COMMON ROAD
HAXTED RD.
BOWERLAND LANE
PIKES LANE
STANDRIDGE LANE
SAXBYS LANE
STATION RD.
BAKER'S LANE
CHURCH RD.
EAST GRINSTEAD ROAD
BLACKBERRY LANE
FELCOURT ROAD
DANEMORE LANE
Anglefield Corner
Oak Tree Farm
Tangerine Cottage
Sunhill Farm
Gaysland Cottages
Comforts Place Farm
Blackgrove Farm
Blackgrove Wood
Hobbs Farm
Stocks Wood
Crowhurst Place
Moat
Windyridge Farm
Clay Pit
Waste Wood
Grove Shaw
The Gill
Moat Coppice
The Nursery
Ardenrun
Ardenrun Farm
Moat Farm
Arden Green
Heath Grange
Dairy Farm
Racecourse
The Common
Trefoil Montessori School of Arts
Works
Blue Anchor Farm
Oldencraig Farm
Cricket Ground
White Bridge
Roman Road
Blindley Heath
Ray Brook
Ray Bridge
Ray Lodge Farm
Sugham Farm
MEADOWSIDE MOBILE HOME PARK
Sewage Works
Knights Farm
Kennels
Ray Corner
Rome Farm
Paris Farm
Sylvandene Wood
Tennis Courts
Pond Farm
Haylands Farm
Sports Ground
Lynne House Farm
Westdale
Rec. Grd.
Garth Poultry Farm
Grave Yard
The Pollards Farm
New Place Farm
Shawland's Wood
Big Gate House Wood
Tennis Court
East Bysshe Farm
Oat Barns
Meadhurst Farm
The Ghyll
Little Gate House Wood
Gate House Farm
Rowlands Court
Rowland's Farm
Lingfield House
Jacksbridge Farm
Brook
Jacks Bridge
Chalybeate Spring
Shawlands
Little Woodbury
Eden
Newchapel Green
High House Farm
The London Temple
Long Acres Farm
Camping & Caravan Site
Lowlands Farm
Frogit Heath
Cherry Tree Farm Equine Rest
Collier's Wood
Felcourt Wood
Nurseries
WEST PARK ROAD
125
165
146
36
37
38
39
47
46
45
44
43

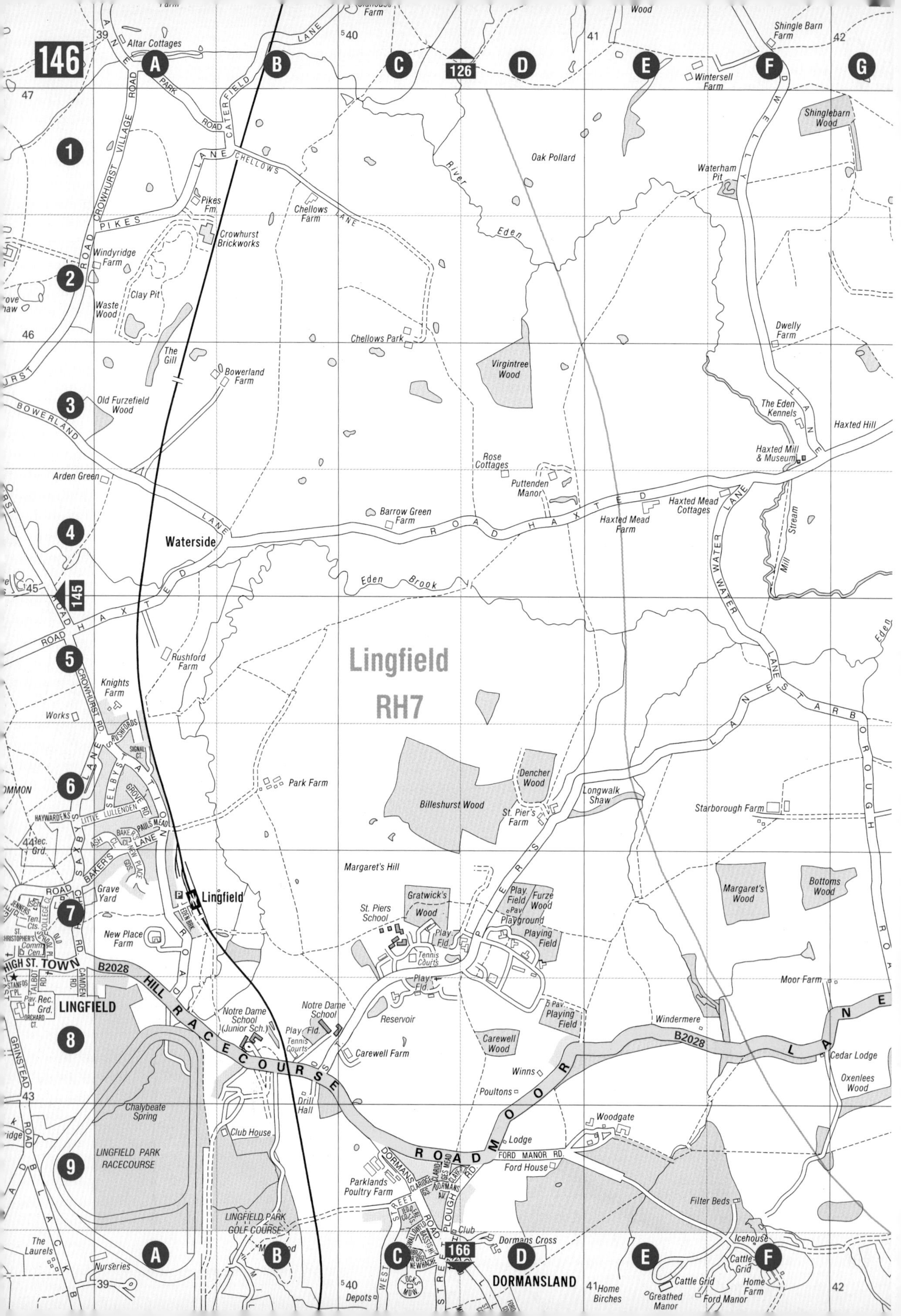
Altar Cottages
Crowhurst Village Road
Park Road
Caterfield Lane
Chellows Lane
Pikes Lane
Pikes Fm.
Crowhurst Brickworks
Chellows Farm
Windyridge Farm
Waste Wood
Clay Pit
River Eden
Oak Pollard
Wintersell Farm
Shingle Barn Farm
Shinglebarn Wood
Waterham Pit
Dwelly Lane
Dwelly Farm
Chellows Park
The Gill
Bowerland Farm
Bowerland Lane
Old Furzefield Wood
Virgintree Wood
The Eden Kennels
Haxted Hill
Haxted Mill & Museum
Rose Cottages
Puttenden Manor
Arden Green
Barrow Green Farm
Haxted Road
Haxted Mead Cottages
Haxted Mead Farm
Mill Stream
Waterside
Eden Brook
Water Lane
Rushford Farm
Lingfield
RH7
Knights Farm
Works
Crowhurst Rd.
Station Rd.
Starborough Road
Park Farm
Dencher Wood
Longwalk Shaw
Billeshurst Wood
St. Pier's Farm
Starborough Farm
Margaret's Hill
Margaret's Wood
Bottoms Wood
Lingfield
Gratwick's Wood
St. Piers School
Furze Wood
Playground
Playing Field
Tennis Courts
New Place Farm
High St.
Town Hill
B2028
Racecourse Road
Lingfield
Notre Dame School (Junior Sch.)
Notre Dame School
Reservoir
Carewell Farm
Carewell Wood
Windermere
Moor Farm
Cedar Lodge
Oxenlees Wood
Winns
Poultons
Drill Hall
Chalybeate Spring
Club House
Woodgate
Lodge
Moor Road
Ford Manor Rd.
Ford House
Lingfield Park Racecourse
Parklands Poultry Farm
Filter Beds
Lingfield Park Golf Course
Dormans Cross
Icehouse
Cattle Grid
Home Farm
Nurseries
The Laurels
Blackberry Road
Grinstead Road
Dormansland
Home Birches
Greathed Manor
Ford Manor
Depots
West Street
Plough Rd.
Club

126
145
166

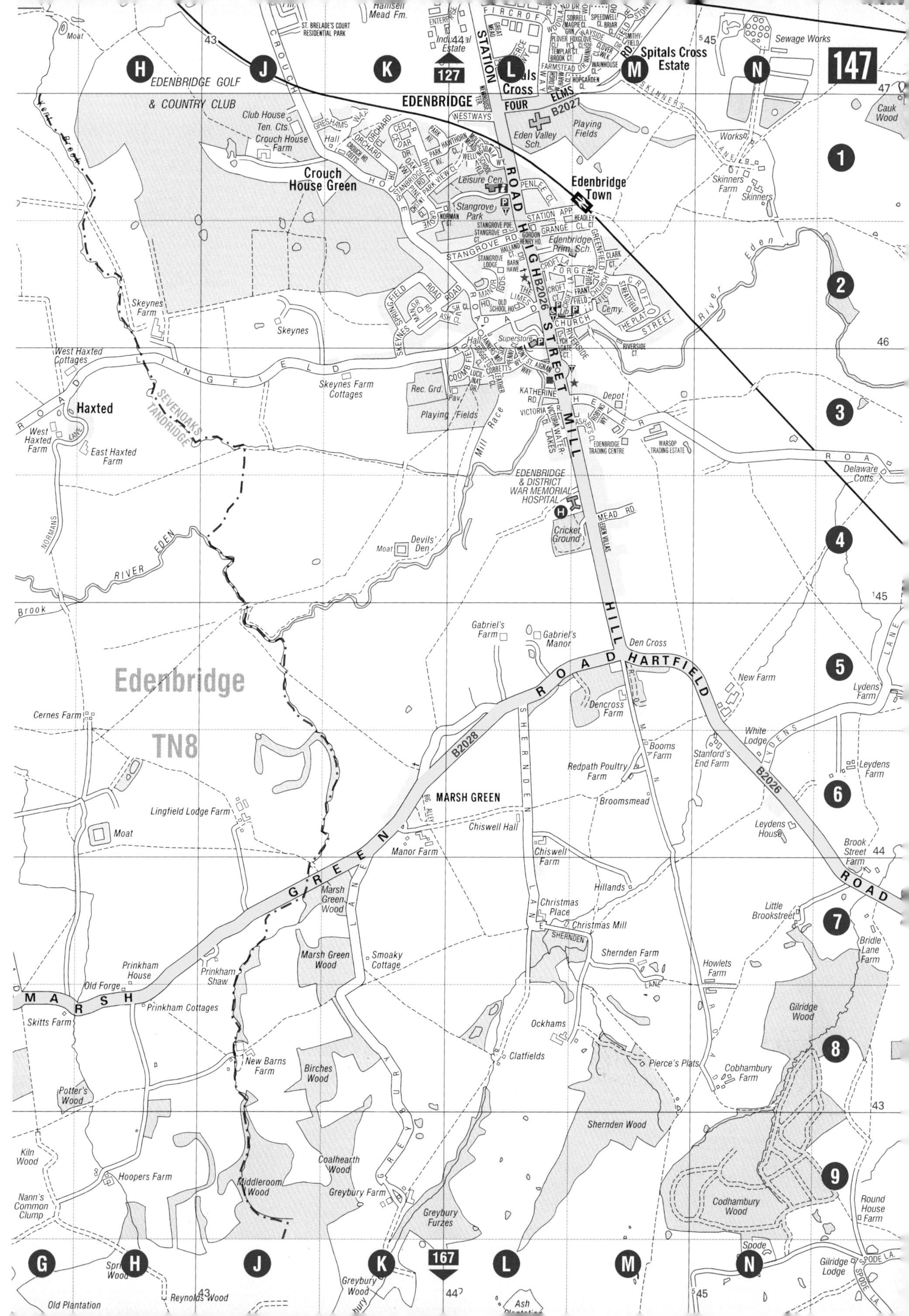
EDENBRIDGE GOLF
& COUNTRY CLUB
Club House
Ten. Cts.
Crouch House Farm
Crouch House Green
ST. BRELADE'S COURT RESIDENTIAL PARK
Hamsell Mead Fm.
Industrial Estate
127
EDENBRIDGE
Spitals Cross Estate
Sewage Works
Cauk Wood
Eden Valley Sch.
Playing Fields
FOUR ELMS
B2027
Edenbridge Town
Works
Skinners Farm
Skinners
Leisure Cen.
Stangrove Park
Edenbridge Prim. Sch.
STATION ROAD
HIGH STREET
B2026
Cemy.
THE PLAT
Superstore
Skeynes Farm
Skeynes
West Haxted Cottages
Haxted
West Haxted Farm
East Haxted Farm
Skeynes Farm Cottages
Rec. Grd.
Pav.
Playing Fields
Mill Race
SEVENOAKS
TANDRIDGE
Depot
EDENBRIDGE TRADING CENTRE
WARSOP TRADING ESTATE
Delaware Cotts.
EDENBRIDGE & DISTRICT WAR MEMORIAL HOSPITAL
Cricket Ground
MEAD RD
EDEN VILLAS
River Eden
RIVER EDEN
Moat
Devils' Den
Brook
NORMANS
Gabriel's Farm
Gabriel's Manor
Den Cross
HARTFIELD ROAD
HILL
New Farm
Lydens Farm
LANE
Edenbridge
TN8
Cernes Farm
Dencross Farm
B2028
Booms Farm
Stanford's End Farm
White Lodge
LYDENS
Leydens Farm
Redpath Poultry Farm
B2026
Broomsmead
MARSH GREEN
Lingfield Lodge Farm
Chiswell Hall
Moat
Leydens House
Manor Farm
Chiswell Farm
Brook Street Farm
ROAD
Hillands
Marsh Green Wood
Christmas Place
Christmas Mill
Little Brookstreet
SHERNDEN
Shernden Farm
Bridle Lane Farm
Prinkham House
Prinkham Shaw
Old Forge
Marsh Green Wood
Smoaky Cottage
Howlets Farm
Gilridge Wood
MARSH
Prinkham Cottages
Skitts Farm
Ockhams
Clatfields
New Barns Farm
Birches Wood
Pierce's Plats
Cobhambury Farm
Potter's Wood
Shernden Wood
Kiln Wood
Coalhearth Wood
Hoopers Farm
Middleroom Wood
Greybury Farm
Codhambury Wood
Nann's Common Clump
Greybury Furzes
Round House Farm
167
Spode
Gilridge Lodge
SPODE LA.
Greybury Wood
Old Plantation
Reynolds Wood
Ash
H
J
K
L
M
N
G
1
2
3
4
5
6
7
8
9
43
44
45
46
47

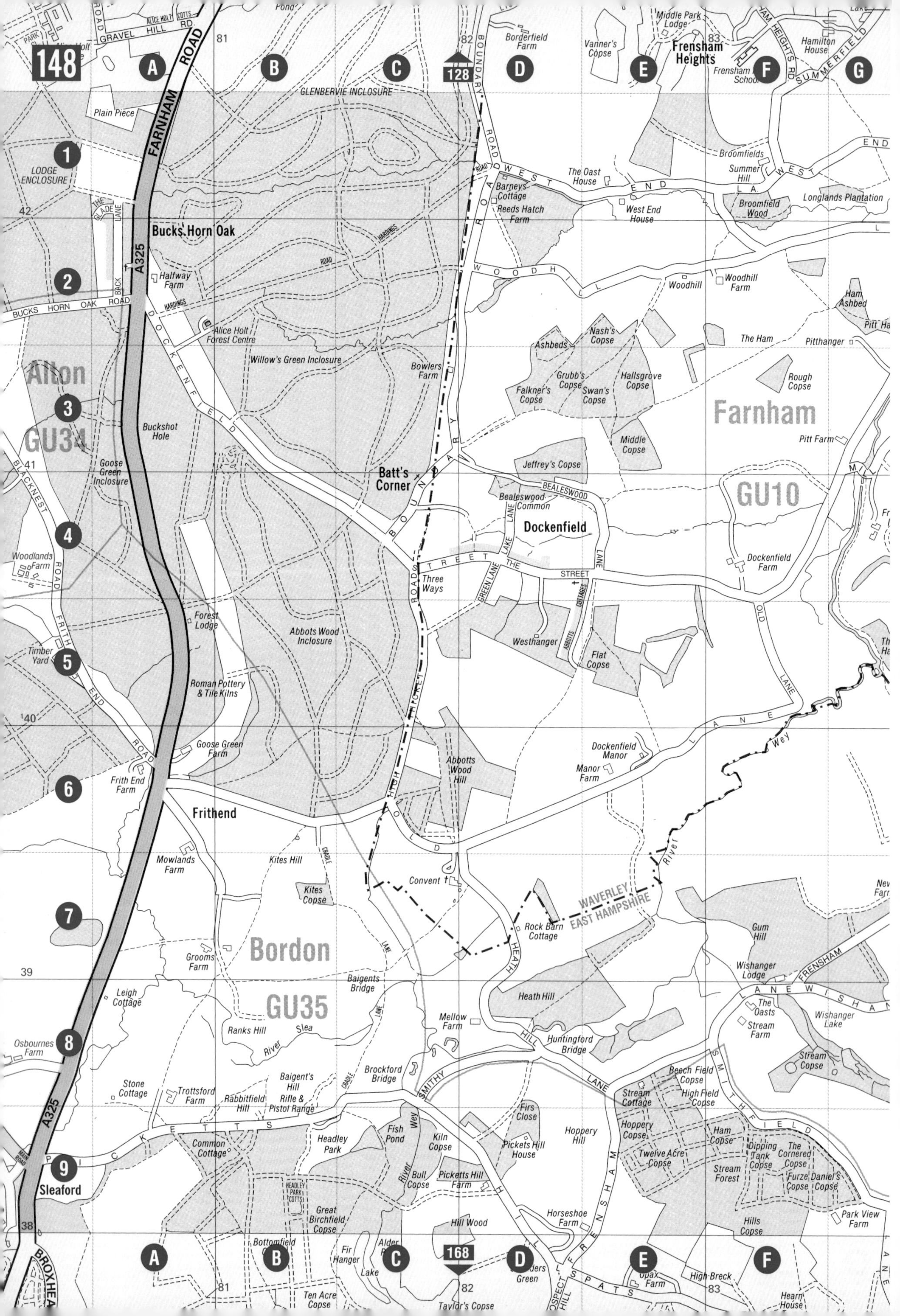

148
A
B
C
D
E
F
G
128
168
81
82
83
42
41
40
39
38
1
2
3
4
5
6
7
8
9
GRAVEL HILL RD.
ALICE HOLT COTTS
FARNHAM ROAD
GLENBERVIE INCLOSURE
Plain Piece
LODGE ENCLOSURE
THE GLADE
BACK LANE
Bucks Horn Oak
BUCKS HORN OAK ROAD
A325
Halfway Farm
HARDINGS ROAD
Alice Holt Forest Centre
Willow's Green Inclosure
DOCKENFIELD
Alton
GU34
Buckshot Hole
Goose Green Inclosure
BLACKNEST ROAD
Woodlands Farm
FRITH END ROAD
Timber Yard
Forest Lodge
Abbots Wood Inclosure
Roman Pottery & Tile Kilns
Goose Green Farm
Frith End Farm
Frithend
Mowlands Farm
Kites Hill
Kites Copse
CRADLE LANE
Convent
Bordon
GU35
Grooms Farm
Leigh Cottage
Baigents Bridge
Ranks Hill
River Slea
Mellow Farm
Osbournes Farm
Stone Cottage
Trottsford Farm
Rabbitfield Hill
Baigent's Hill
Rifle & Pistol Range
Brockford Bridge
SMITHY
PICKETTS
Common Cottage
Headley Park
Fish Pond
River Wey
Kiln Copse
Bull Copse
Picketts Hill Farm
HEADLEY PARK COTTS
Great Birchfield Copse
Sleaford
BROXHEAD
Bottomfield
Fir Hanger
Alder
Lake
Ten Acre Copse
Taylor's Copse
Hill Wood
Horseshoe Farm
Firs Close
Pickets Hill House
Hoppery Hill
Pond
Borderfield Farm
Vanner's Copse
Middle Park Lodge
Frensham Heights
Frensham School
HAM HEIGHTS RD.
Hamilton House
SUMMERFIELD
BOUNDARY ROAD
WEST END LA.
The Oast House
Barneys Cottage
Reeds Hatch Farm
West End House
Broomfields
Summer Hill
Broomfield Wood
Longlands Plantation
WOODHILL LA.
Woodhill
Woodhill Farm
Ham Ashbed
Pitt Ha
Ashbeds
Nash's Copse
The Ham
Pitthanger
Grubb's Copse
Hallsgrove Copse
Falkner's Copse
Swan's Copse
Bowlers Farm
Rough Copse
Farnham
Pitt Farm
Middle Copse
Jeffrey's Copse
Batt's Corner
BEALESWOOD LANE
Bealeswood Common
Dockenfield
GU10
MILL
LAKE LANE
THE STREET
Dockenfield Farm
GREEN LANE
Three Ways
HIGH THICKET ROAD
COTTAGES
ABBOTTS
Westhanger
Flat Copse
OLD LANE
Abbotts Wood Hill
Dockenfield Manor
Manor Farm
River Wey
WAVERLEY
EAST HAMPSHIRE
Rock Barn Cottage
HEATH HILL
Gum Hill
Wishanger Lodge
FRENSHAM LANE
WISHANGER
Heath Hill
The Oasts
Stream Farm
Wishanger Lake
Huntingford Bridge
Stream Copse
Beech Field Copse
High Field Copse
Stream Cottage
Hoppery Copse
Ham Copse
Dipping Tank Copse
The Cornered Copse
Twelve Acre Copse
Stream Forest
Furze Copse
Daniel's Copse
SMITHFIELD
Park View Farm
Hills Copse
FRENSHAM
SPATS
PROSPECT HILL
Opax Farm
High Breck
Hearn House
Green

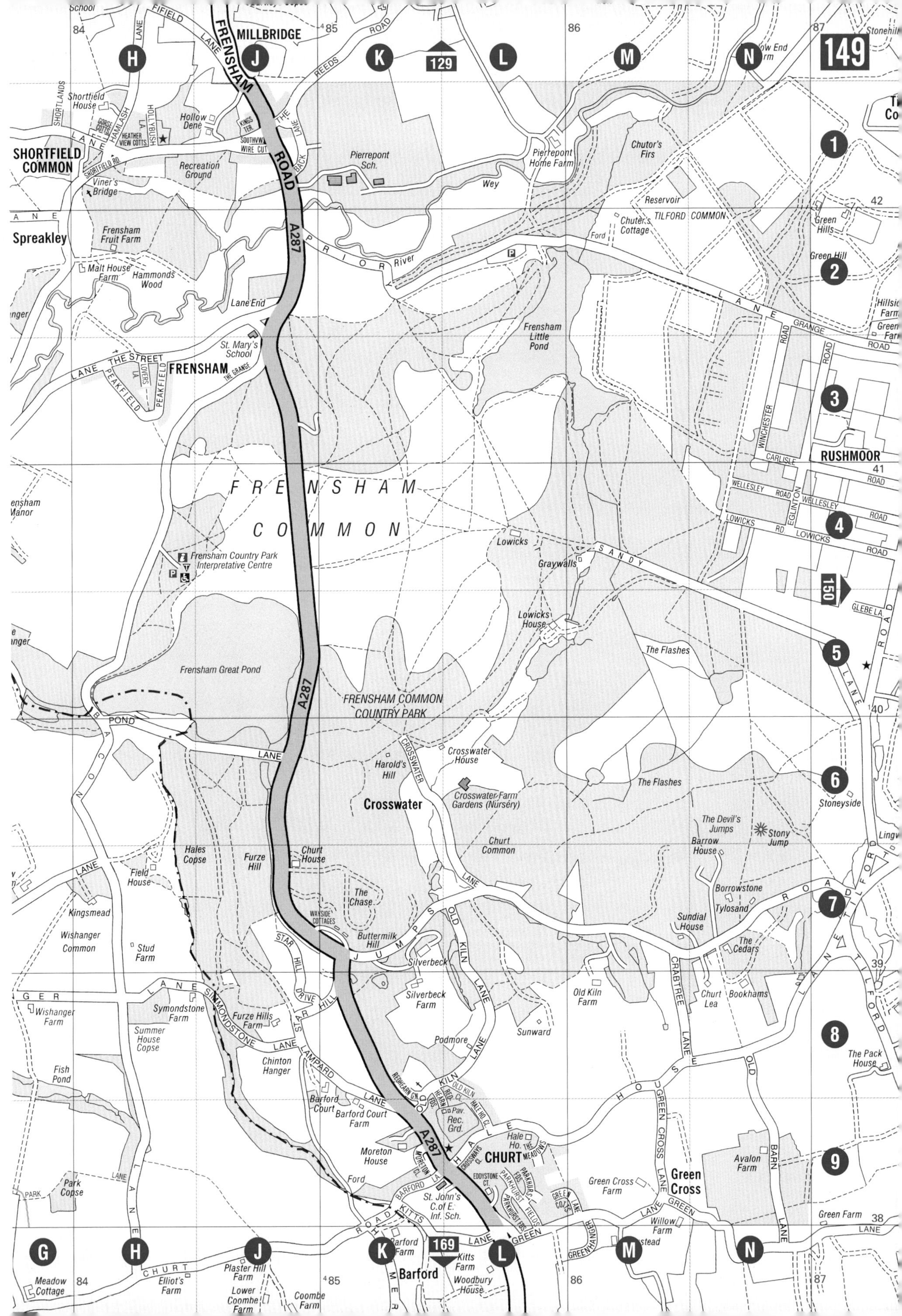
MILLBRIDGE
SHORTFIELD COMMON
Spreakley
Shortfield House
Hollow Dene
Recreation Ground
Viner's Bridge
Pierrepont Sch.
Pierrepont Home Farm
Chutor's Firs
Reservoir
TILFORD COMMON
Chuter's Cottage
Green Hills
Green Hill
Frensham Fruit Farm
Malt House Farm
Hammonds Wood
Lane End
St. Mary's School
FRENSHAM
Frensham Little Pond
RUSHMOOR
FRENSHAM COMMON
Frensham Manor
Frensham Country Park Interpretative Centre
Lowicks
Graywalls
Lowicks House
The Flashes
Frensham Great Pond
FRENSHAM COMMON COUNTRY PARK
Crosswater House
Harold's Hill
Crosswater
Crosswater Farm Gardens (Nursery)
Stoneyside
The Devil's Jumps
Barrow House
Stony Jump
Churt Common
Hales Copse
Furze Hill
Churt House
Field House
The Chase
Kingsmead
Wishanger Common
Stud Farm
Buttermilk Hill
Silverbeck
Borrowstone
Tylosand
Sundial House
The Cedars
Symondstone Farm
Wishanger Farm
Summer House Copse
Furze Hills Farm
Silverbeck Farm
Old Kiln Farm
Churt Lea
Bookhams
Sunward
Podmore
Chinton Hanger
Fish Pond
The Pack House
Barford Court
Barford Court Farm
Rec. Grd.
Hale Ho.
CHURT
Moreton House
Green Cross Farm
Green Cross
Avalon Farm
Park Copse
Ford
St. John's C.of E. Inf. Sch.
Green Farm
Willow Farm
Meadow Cottage
Elliot's Farm
Plaster Hill Farm
Barford Farm
Kitts Farm
Barford
Woodbury House
Lower Coombe Farm
Coombe Farm
FRENSHAM ROAD
A287
GRANGE ROAD
SANDY LANE
TILFORD ROAD
JUMPS ROAD
HALE HOUSE LANE
POND LANE
CHURT ROAD
129
150
169

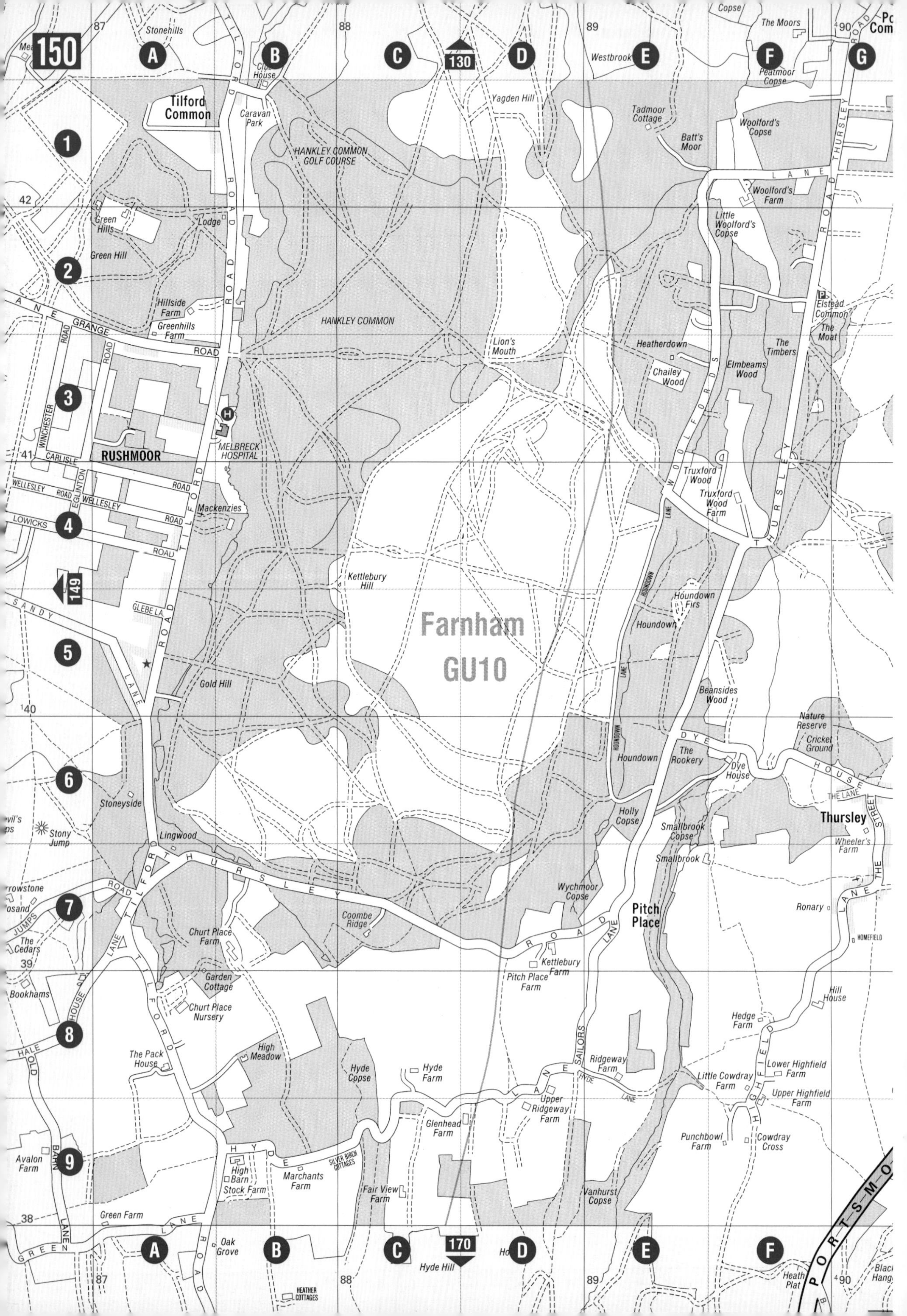
Tilford Common
Hankley Common Golf Course
Hankley Common
Rushmoor
Melbreck Hospital
Farnham
GU10
Kettlebury Hill
Gold Hill
Lion's Mouth
Yagden Hill
Westbrook
Tadmoor Cottage
Batt's Moor
Woolford's Copse
Woolford's Farm
Little Woolford's Copse
Elstead Common
The Moat
The Timbers
Elmbeams Wood
Heatherdown
Chailey Wood
Truxford Wood
Truxford Wood Farm
Houndown Firs
Houndown
Beansides Wood
Nature Reserve
Cricket Ground
The Rookery
Dye House
Thursley
Wheeler's Farm
Holly Copse
Smallbrook Copse
Smallbrook
Wychmoor Copse
Pitch Place
Ronary
Kettlebury Farm
Pitch Place Farm
Coombe Ridge
Churt Place Farm
Garden Cottage
Churt Place Nursery
Stoneyside
Stony Jump
Lingwood
Green Hills
Green Hill
Lodge
Hillside Farm
Greenhills Farm
Mackenzies
Caravan Park
Club House
Stonehills
The Moors
Peatmoor Copse
Copse
The Cedars
Bookhams
Avalon Farm
Green Farm
Oak Grove
The Pack House
High Meadow
Hyde Copse
Hyde Farm
Glenhead Farm
High Barn
Stock Farm
Marchants Farm
Silver Birch Cottages
Fair View Farm
Hyde Hill
Heather Cottages
Ridgeway Farm
Upper Ridgeway Farm
Vanhurst Copse
Hill House
Hedge Farm
Lower Highfield Farm
Upper Highfield Farm
Little Cowdray Farm
Punchbowl Farm
Cowdray Cross
Heath Plat
Homefield
Tilford Road
Grange Road
Winchester Road
Carlisle Road
Wellesley Road
Eglinton Road
Lowicks Road
Glebe La
Sandy Lane
Thursley Road
Jumps Road
House Lane
Hale Road
Old Barn Lane
Green Lane
Hyde Lane
Sailors Lane
Woolfords Lane
Houndown Lane
Dye House Road
The Lane
The Street
Highfield Lane
Thursley Road
Portsmouth Road
130
149
170

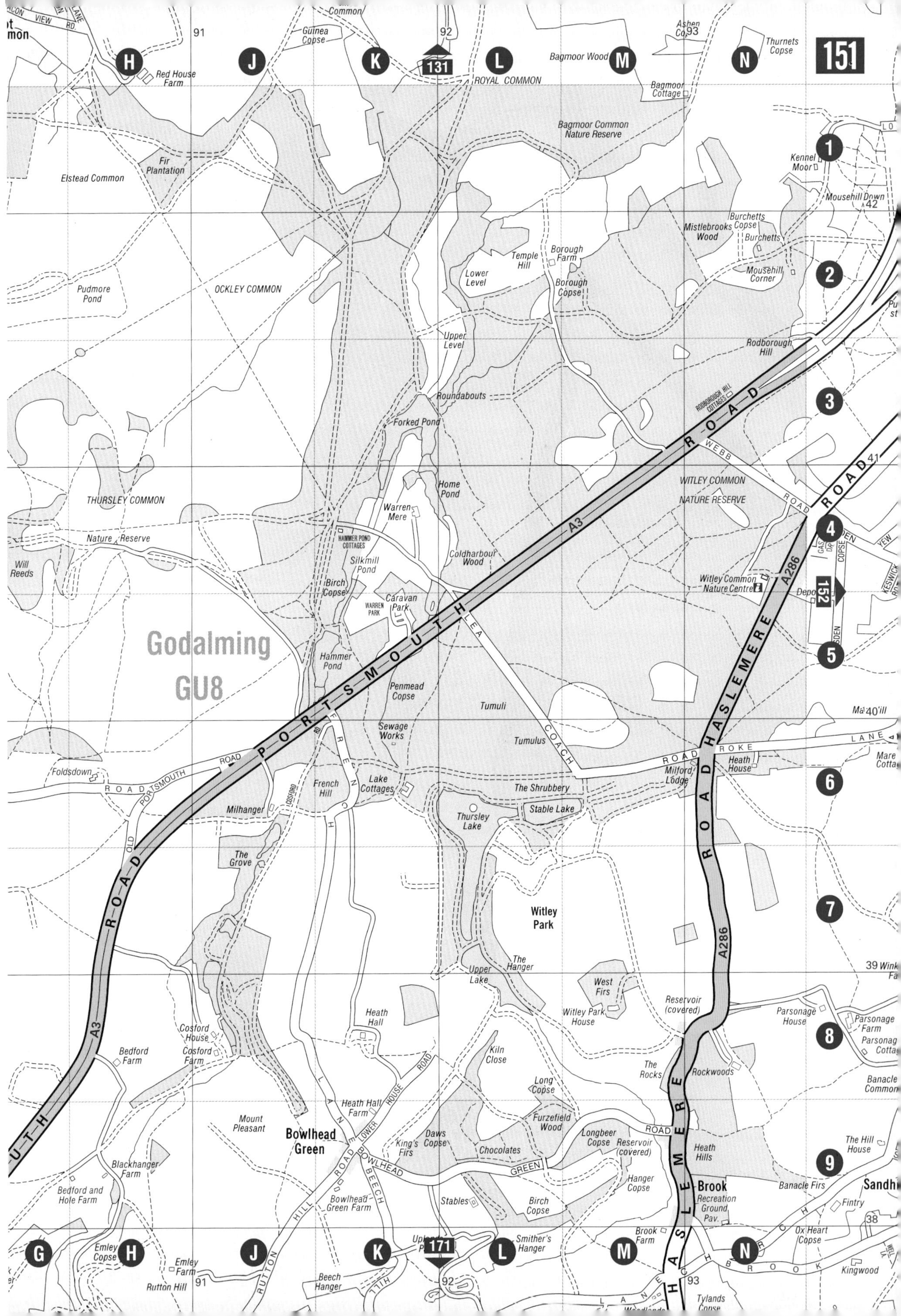
131
171
152
Godalming
GU8
Royal Common
Bagmoor Wood
Bagmoor Cottage
Bagmoor Common Nature Reserve
Thurnets Copse
Red House Farm
Guinea Copse
Fir Plantation
Elstead Common
Kennel Moor
Mousehill Down
Burchetts Copse
Burchetts
Mistlebrooks Wood
Temple Hill
Borough Farm
Borough Copse
Lower Level
Mousehill Corner
Pudmore Pond
Ockley Common
Upper Level
Rodborough Hill
Roundabouts
Rodborough Hill Cottages
Forked Pond
Portsmouth Road
Webb Road
Witley Common
Nature Reserve
Home Pond
Warren Mere
Thursley Common
Will Reeds
Hammer Pond Cottages
Silkmill Pond
Coldharbour Wood
Birch Copse
Warren Park
Caravan Park
Witley Common Nature Centre
Depot
Haslemere Road
A3
A286
Hammer Pond
Penmead Copse
Tumuli
Tumulus
Sewage Works
Coach Road
Roke Lane
Heath House
Milford Lodge
Foldsdown
Old Portsmouth Road
French Hill
Lake Cottages
The Shrubbery
Stable Lake
Thursley Lake
Milhanger
Cosford
The Grove
Witley Park
The Hanger
Upper Lake
West Firs
Witley Park House
Reservoir (covered)
Parsonage House
Parsonage Farm
Heath Hall
Cosford House
Cosford Farm
Bedford Farm
Kiln Close
Long Copse
The Rocks
Rockwoods
Banacle Common
Heath Hall Farm
Lower House Road
Mount Pleasant
Bowlhead Green
King's Firs
Daws Copse
Chocolates
Furzefield Wood
Longbeer Copse
Heath Hills
The Hill House
Blackhanger Farm
Bedford and Hole Farm
Bowlhead Green Farm
Stables
Birch Copse
Hanger Copse
Brook
Recreation Ground Pav.
Banacle Firs
Fintry
Brook Farm
Ox Heart Copse
Emley Copse
Emley Farm
Rutton Hill
Rutton Hill Road
Beech Hanger
Smither's Hanger
Brook Lane
Kingwood
Tylands Copse

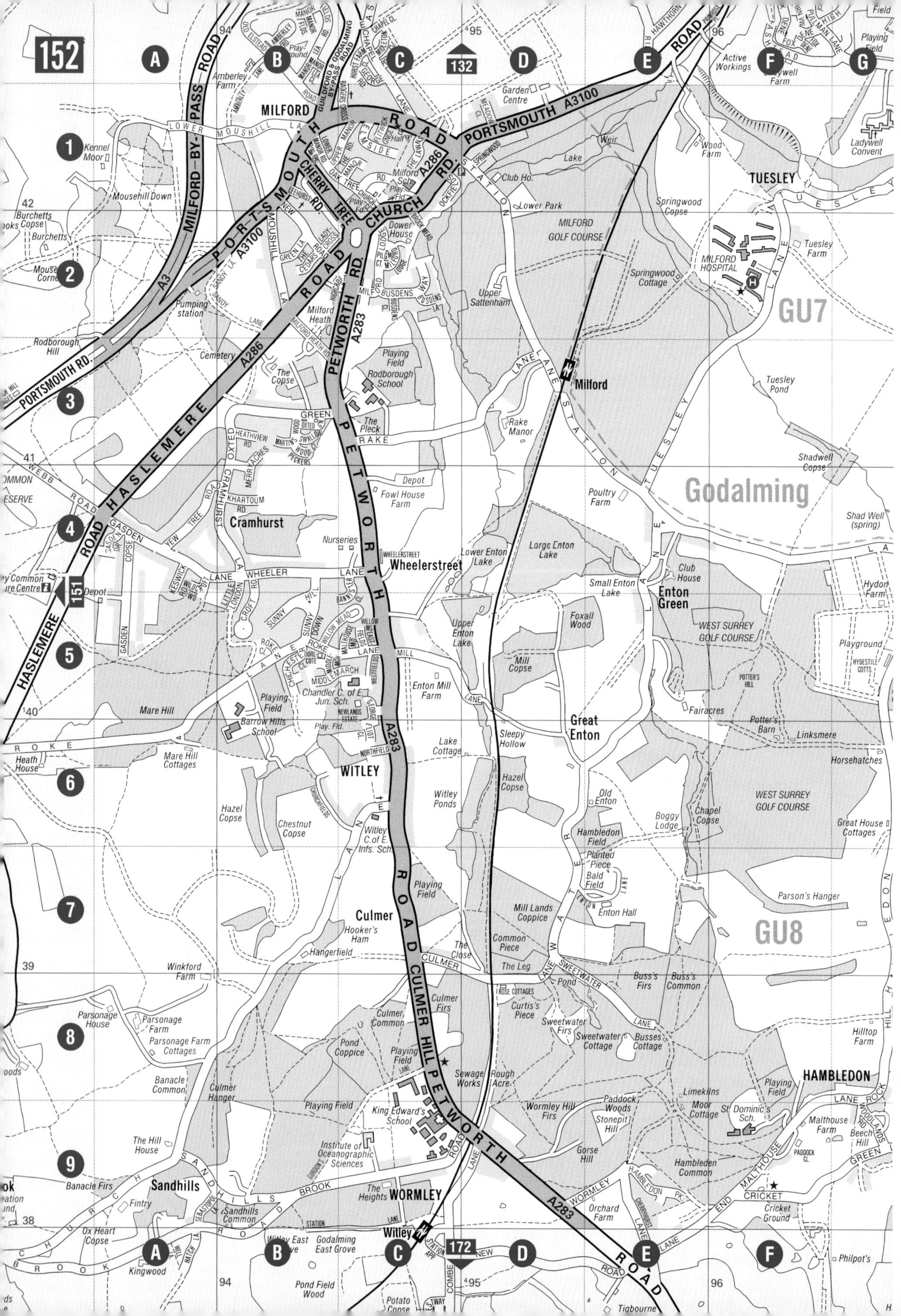

152
A
B
C
D
E
F
G
132
151
172
1
2
3
4
5
6
7
8
9
94
95
96
42
41
40
39
38
MILFORD
Amberley Farm
Kennel Moor
Mousehill Down
Burchetts Copse
Burchetts
Mouse Corner
Pumping station
Rodborough Hill
PORTSMOUTH RD.
MILFORD-BY-PASS ROAD
A3
PORTSMOUTH ROAD
A3100
PORTSMOUTH A3100
ROAD
CHURCH RD.
A286
HASLEMERE ROAD
A286
PETWORTH RD.
A283
LOWER MOUSHILL LA.
CHERRY TREE RD.
Milford Heath
Cemetery
The Copse
Playing Field
Rodborough School
The Pleck
RAKE
Depot
Fowl House Farm
Nurseries
Wheelerstreet
Cramhurst
GASDEN
WHEELER LANE
Depot
HASLEMERE
ROKE LANE
Mare Hill
Heath House
Mare Hill Cottages
Playing Field
Barrow Hills School
Chandler C. of E. Jun. Sch.
Play. Fld.
WITLEY
Hazel Copse
Chestnut Copse
Witley C. of E. Infs. Sch.
Culmer
Hooker's Ham
Hangerfield
Winkford Farm
Parsonage House
Parsonage Farm
Parsonage Farm Cottages
Banacle Common
Culmer Hanger
The Hill House
Banacle Firs
Sandhills
Fintry
Sandhills Common
Ox Heart Copse
Kingwood
Witley East Grove
Godalming East Grove
Pond Field Wood
Potato Copse
Playing Field
Pond Coppice
Culmer Common
Culmer Firs
Playing Field
King Edward's School
Institute of Oceanographic Sciences
The Heights
WORMLEY
Witley
PETWORTH ROAD
CULMER HILL
Sewage Works
Rough Acre
Wormley Hill Firs
Paddock Woods
Stonepit Hill
Gorse Hill
Hambleden Common
Orchard Farm
Tigbourne
Garden Centre
Weir
Lake
Club Ho.
Lower Park
MILFORD GOLF COURSE
Upper Sattenham
Milford
Rake Manor
Poultry Farm
Lower Enton Lake
Large Enton Lake
Small Enton Lake
Upper Enton Lake
Foxall Wood
Mill Copse
Enton Mill Farm
Sleepy Hollow
Great Enton
Lake Cottage
Witley Ponds
Hazel Copse
Old Enton
Hambledon Field
Planted Piece
Bald Field
Enton Hall
Mill Lands Coppice
Common Piece
The Close
The Leg
Curtis's Piece
Sweetwater Firs
Sweetwater Cottage
Busses Cottage
Buss's Firs
Buss's Common
Limekilns
Moor Cottage
St. Dominic's Sch.
Enton Green
Club House
WEST SURREY GOLF COURSE
Fairacres
Potter's Barn
Linksmere
Chapel Copse
Boggy Lodge
Active Workings
Ladywell Farm
Wood Farm
Ladywell Convent
TUESLEY
Springwood Copse
Springwood Cottage
MILFORD HOSPITAL
Tuesley Farm
GU7
Tuesley Pond
Shadwell Copse
Godalming
Shad Well (spring)
Hydon Farm
Playground
Horsehatches
WEST SURREY GOLF COURSE
Great House Cottages
Parson's Hanger
GU8
Hilltop Farm
HAMBLEDON
Playing Field
Malthouse Farm
Beech Hill
CRICKET
Cricket Ground
Philpot's

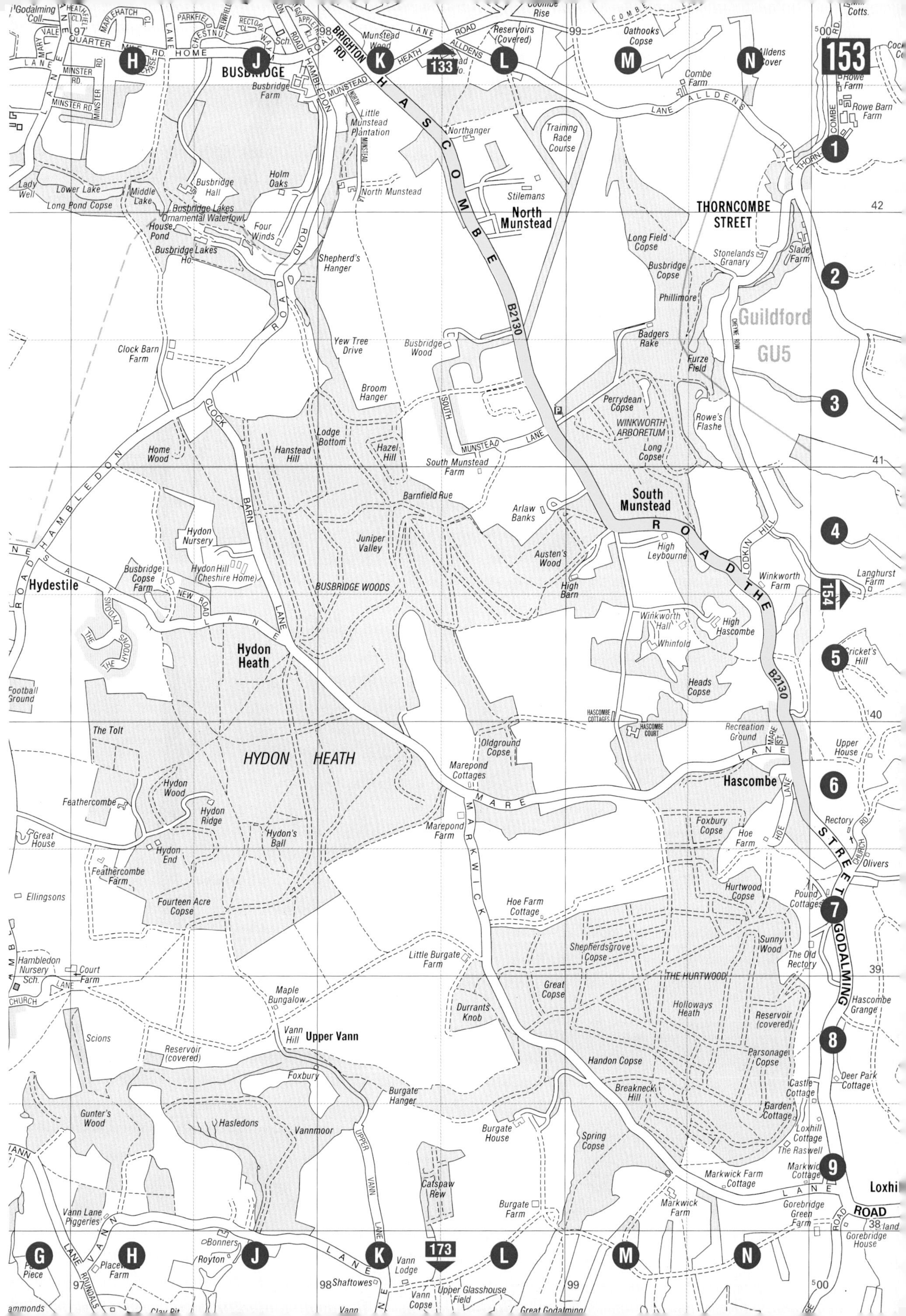
BUSBRIDGE
Busbridge Farm
Busbridge Hall
Holm Oaks
Lady Well
Lower Lake
Middle Lake
Long Pond Copse
Busbridge Lakes Ornamental Waterfowl
House Pond
Four Winds
Busbridge Lakes Ho.
Munstead Wood
Little Munstead Plantation
Northanger
North Munstead
Training Race Course
Stilemans
North Munstead
Reservoirs (Covered)
Oathooks Copse
Aldens Cover
Combe Farm
Rowe Farm
Rowe Barn Farm
THORNCOMBE STREET
Stonelands Granary
Slade Farm
Long Field Copse
Busbridge Copse
Phillimore
Guildford
GU5
Badgers Rake
Furze Field
Rowe's Flashe
Perrydean Copse
WINKWORTH ARBORETUM
Long Copse
Shepherd's Hanger
Clock Barn Farm
Yew Tree Drive
Busbridge Wood
Broom Hanger
Lodge Bottom
Hanstead Hill
Hazel Hill
South Munstead Farm
Barnfield Rue
Home Wood
South Munstead
Arlaw Banks
Austen's Wood
High Leybourne
High Barn
Winkworth Farm
Langhurst Farm
Hydon Nursery
Hydon Hill (Cheshire Home)
Busbridge Copse Farm
Hydestile
Juniper Valley
BUSBRIDGE WOODS
Winkworth Hall
High Hascombe
Whinfold
Heads Copse
Cricket's Hill
Hydon Heath
Football Ground
The Tolt
HYDON HEATH
Oldground Copse
Marepond Cottages
Hascombe Cottages
Hascombe Court
Recreation Ground
Upper House
Hascombe
Hydon Wood
Hydon Ridge
Feathercombe
Great House
Hydon End
Hydon's Ball
Marepond Farm
Foxbury Copse
Hoe Farm
Rectory
Olivers
Feathercombe Farm
Ellingsons
Fourteen Acre Copse
Hoe Farm Cottage
Hurtwood Copse
Pound Cottages
Shephердsgrove Copse
Sunny Wood
The Old Rectory
Hambledon Nursery Sch.
Court Farm
Little Burgate Farm
THE HURTWOOD
Great Copse
Maple Bungalow
Durrants Knob
Holloways Heath
Hascombe Grange
Reservoir (covered)
Scions
Vann Hill
Upper Vann
Reservoir (covered)
Handon Copse
Parsonage Copse
Foxbury
Burgate Hanger
Breakneck Hill
Deer Park Cottage
Castle Cottage
Gunter's Wood
Hasledons
Vannmoor
Garden Cottage
Burgate House
Spring Copse
Loxhill Cottage
The Raswell
Catspaw Rew
Markwick Farm Cottage
Markwick Cottage
Vann Lane Piggeries
Burgate Farm
Markwick Farm
Gorebridge Green Farm
Gorebridge House
Bonners
Royton
Placewell Farm
Vann Lodge
Shaftowes
Vann Copse
Upper Glasshouse Field
Great Godalming
B2130
HASCOMBE ROAD
THE ROAD
GODALMING STREET
HAMBLEDON ROAD
CLOCK BARN LANE
MARE LANE
MARKWICK LANE
VANN LANE
UPPER VANN LANE
LOXHILL ROAD
LODKIN HILL
SALT LANE
NEW ROAD
SOUTH MUNSTEAD LANE
ALDENS LANE
COMBE LANE ROAD
HEATH ROAD
BRIGHTON RD.
HOME RD.
QUARTER MILE RD.
MINSTER RD.
CHURCH LANE
HOE LANE
CHURCH RD
H J K L M N
G H J K L M N
1 2 3 4 5 6 7 8 9
133
154
173
42 41 40 39 38
97 98 99

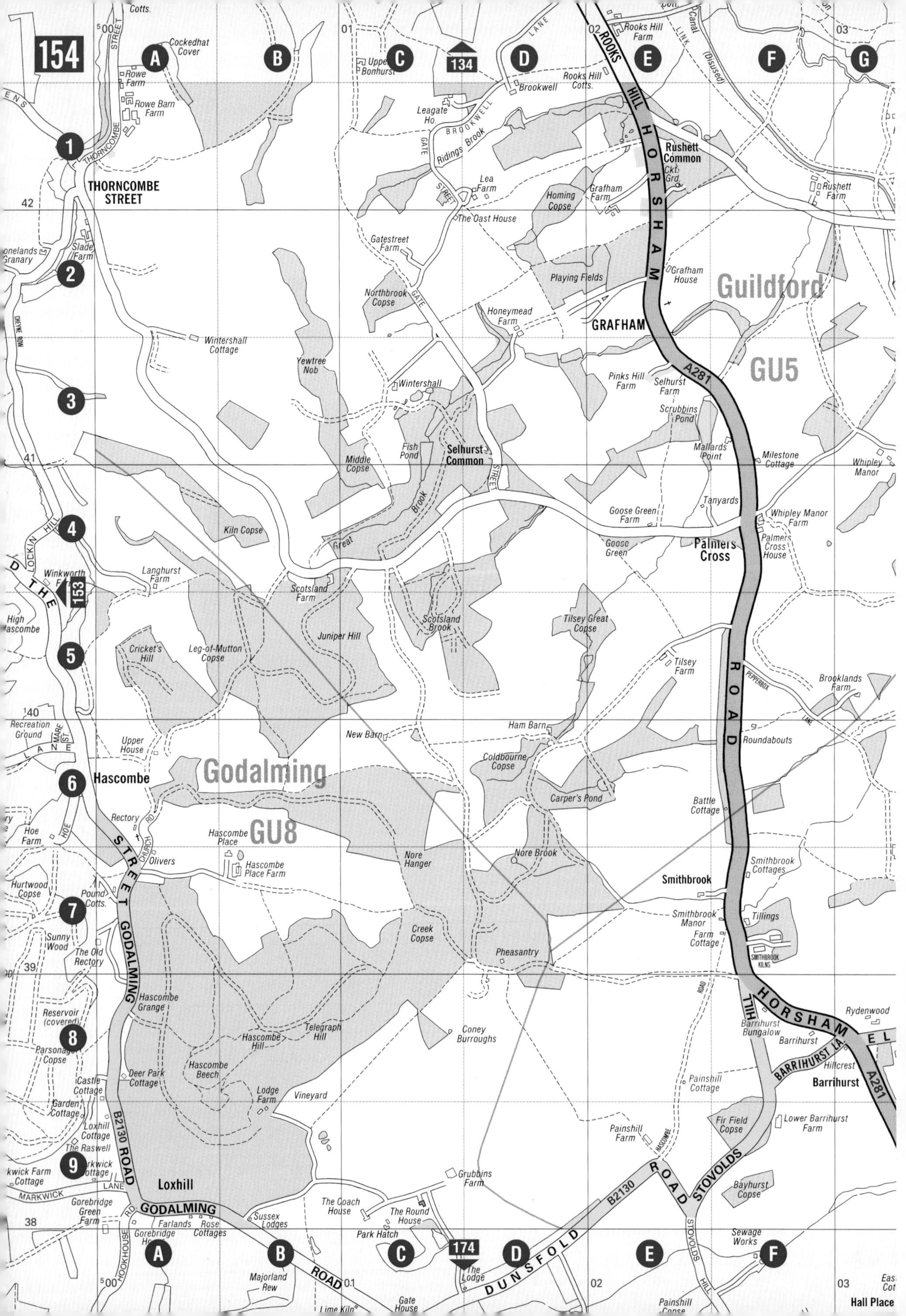
Thorncombe Street
Cockedhat Cover
Rowe Farm
Rowe Barn Farm
Upper Bonhurst
134
Brookwell
Rooks Hill Farm
Rooks Hill Cotts.
Canal (Disused)
Leagate Ho.
Ridings Brook
Rushett Common
Ckt. Grd.
Rushett Farm
Lea Farm
Homing Copse
Grafham Farm
The Oast House
Gatestreet Farm
Grafham House
Guildford
Playing Fields
Northbrook Copse
Honeymead Farm
GRAFHAM
Wintershall Cottage
Yewtree Nob
Wintershall
Pinks Hill Farm
Selhurst Farm
A281
GU5
Scrubbins Pond
Fish Pond
Selhurst Common
Middle Copse
Mallards Point
Milestone Cottage
Whipley Manor
Tanyards
Goose Green Farm
Whipley Manor Farm
Kiln Copse
Great Brook
Gooso Green
Palmers Cross
Palmers Cross House
Winkworth Farm
153
Langhurst Farm
Scotsland Farm
High Hascombe
Scotsland Brook
Tilsey Great Copse
Juniper Hill
Cricket's Hill
Leg-of-Mutton Copse
Tilsey Farm
Horsham Road
Pepperbox Lane
Brooklands Farm
Recreation Ground
Mare Lane
Upper House
New Barn
Ham Barn
Roundabouts
Coldbourne Copse
Godalming
Hascombe
Carper's Pond
Rectory
Church Rd
Battle Cottage
Hoe Farm
Hascombe Place
GU8
Nore Hanger
Nore Brook
Olivers
Hascombe Place Farm
Hurtwood Copse
Pound Cotts.
Smithbrook Cottages
Smithbrook
Smithbrook Manor
Tillings
Sunny Wood
Creek Copse
Farm Cottage
The Old Rectory
Pheasantry
Smithbrook Kilns
The Street
Godalming Road
Hascombe Grange
Reservoir (covered)
Telegraph Hill
Coney Burroughs
Rydenwood
Hascombe Hill
Barrihurst Bungalow
Barrihurst
Parsonage Copse
Hascombe Beech
Barrihurst La
Hillcrest
Castle Cottage
Deer Park Cottage
Lodge Farm
Vineyard
Painshill Cottage
Barrihurst
Garden Cottage
Loxhill Cottage
B2130 Road
Fir Field Copse
Lower Barrihurst Farm
The Raswell
Painshill Farm
Markwick Cottage
Markwick Farm Cottage
Grubbins Farm
Hascombe Road
Stovolds
Markwick Lane
Loxhill
Bayhurst Copse
Gorebridge Green Farm
The Coach House
The Round House
Sussex Lodges
Farlands
Rose Cottages
Park Hatch
Sewage Works
Gorebridge Ho
Hookhouse Rd
174
Dunsfold Road
Stovolds Hill
The Lodge
Majorland Rew
Gate House
Painshill Copse
Lime Kiln
Hall Place
Rooks Hill
Gate Street
Lockin Hill
Cheyne Row
Horsham Road
Hill

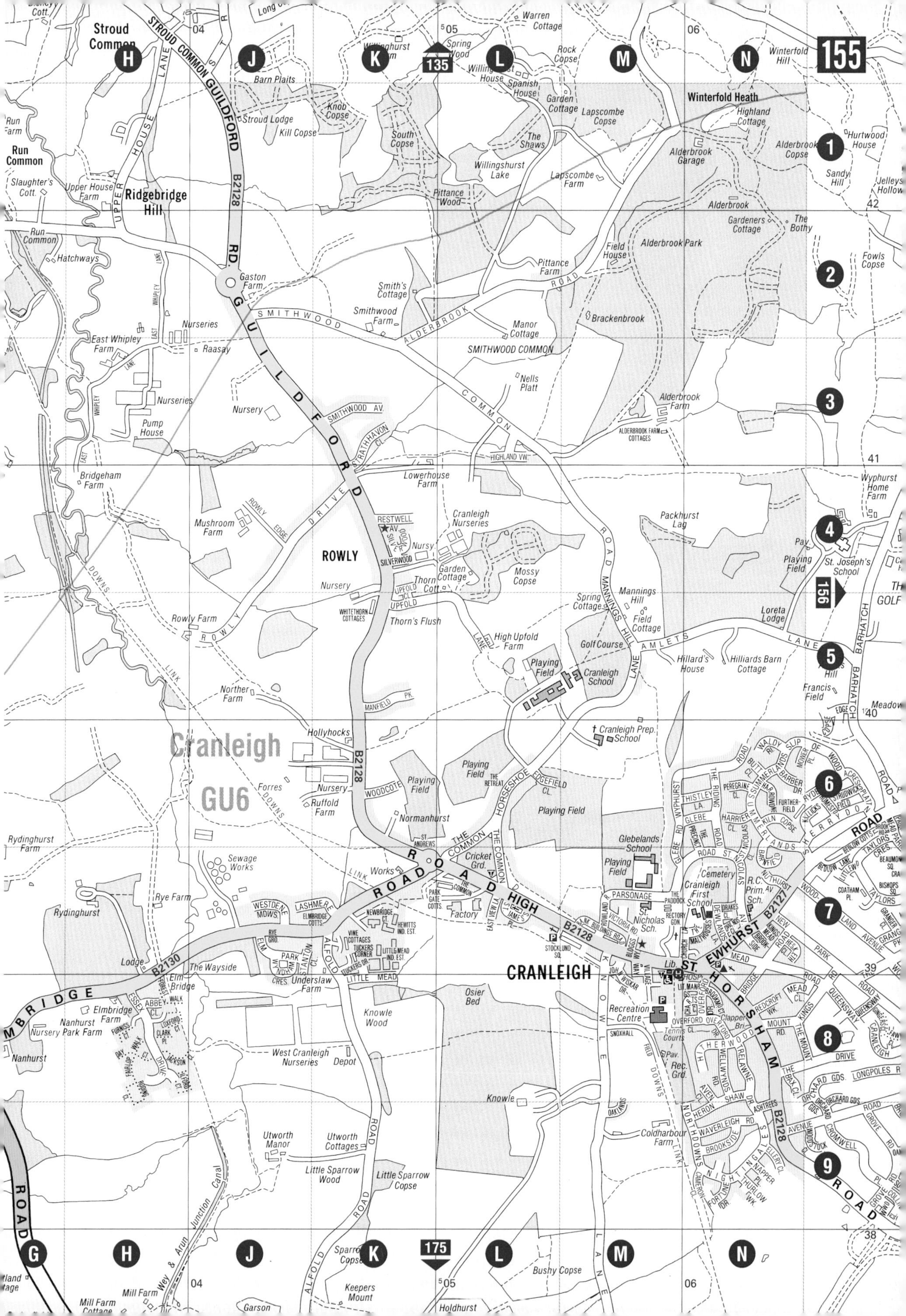
155
135
156
175
H
J
K
L
M
N
G
1
2
3
4
5
6
7
8
9
04
05
06
42
41
40
39
38
Stroud Common
Barn Plaits
Stroud Lodge
Kill Copse
Knob Copse
South Copse
Spring Wood
Warren Cottage
Rock Copse
Spanish House
Garden Cottage
Lapscombe Copse
The Shaws
Willingshurst Lake
Lapscombe Farm
Pittance Wood
Winterfold Hill
Winterfold Heath
Highland Cottage
Alderbrook Copse
Hurtwood House
Alderbrook Garage
Sandy Hill
Alderbrook
Gardeners Cottage
The Bothy
Alderbrook Park
Field House
Fowls Copse
Run Farm
Run Common
Slaughter's Cott.
Upper House Farm
Ridgebridge Hill
UPPER HOUSE LANE
STROUD COMMON
GUILDFORD RD.
B2128
Hatchways
Gaston Farm
WHIPLEY LANE
EAST WHIPLEY LANE
Smith's Cottage
Smithwood Farm
SMITHWOOD
ALDERBROOK ROAD
Pittance Farm
Brackenbrook
Manor Cottage
SMITHWOOD COMMON
Nurseries
East Whipley Farm
Raasay
Nurseries
Pump House
Nursery
SMITHWOOD AV.
STRATHHAVON CL.
Nells Platt
COMMON ROAD
Alderbrook Farm
ALDERBROOK FARM COTTAGES
HIGHLAND VW.
Bridgeham Farm
Lowerhouse Farm
Wyphurst Home Farm
Packhurst Lag
Mushroom Farm
ROWLY EDGE
ROWLY DRIVE
GUILDFORD
RESTWELL AV.
Cranleigh Nurseries
ROWLY
SILVERWOOD
Nursy
Garden Cottage
Mossy Copse
Thorn Cott.
Playing Field
St. Joseph's School
Pay
DOWNS LINK
Nursery
UPFOLD CL.
UPFOLD
WHITETHORN COTTAGES
Thorn's Flush
Spring Cottage
Mannings Hill
Field Cottage
MANNINGS HILL ROAD
Loreta Lodge
Rowly Farm
High Upfold Farm
UPFOLD LANE
Golf Course
AMLETS LANE
BARHATCH
Playing Field
Cranleigh School
Hillard's House
Hilliards Barn Cottage
Francis Field
Norther Farm
MANFIELD PK.
Cranleigh Prep. School
Hollyhocks
Cranleigh
GU6
Forres
Nursery
Ruffold Farm
WOODCOTE
Playing Field
Playing Field
THE RETREAT
HORSESHOE
EDGEFIELD CL.
Playing Field
Normanhurst
Rydinghurst Farm
Sewage Works
ST ANDREWS
THE COMMON
Cricket Grd.
Works
Glebelands School
Playing Field
WYPHURST
THE RIDING
THISTLEY LA.
GLEBE
GLEBE RD.
PEREGRINE CL.
HARRIER CL.
SUMMERLANDS
ST NICOLAS AV.
Cemetery
Cranleigh First School
R.C. Prim. Sch.
NUTHURST
B2127
Rye Farm
Rydinghurst
WESTDENE MDWS.
LASHMERE
ELMBRIDGE COTTS.
NEWBRIDGE CT.
HEWITTS IND. EST.
PARSONAGE
St. Nicholas Sch.
RECTORY GDN.
DEWLANDS
THE PADDOCK
Factory
HIGH
ROAD
B2128
STOCKLUND SQ.
VICTORIA RD.
EWHURST
ROAD
HORSHAM
Lib.
MEAD
PARK
BRIDGE
QUEENSWAY
B2130
The Wayside
Lodge
RYE GRO.
ELM
PARK
WYNDHAM
STANTON
ALFOLD
VINE COTTAGES
TUCKERS CORNER
LITTLEMEAD IND. EST.
Underslaw Farm
LITTLE MEAD
CRANLEIGH
KNOWLE
Elm Bridge
ABBEY CL.
Elmbridge Farm
Nanhurst Nursery Park Farm
Nanhurst
Osier Bed
Knowle Wood
Recreation Centre
Tennis Courts
OVERFORD CL.
Clapper Bri.
REDCROFT WK.
MOUNT RD.
THE MOUNT
KINGS
West Cranleigh Nurseries
Depot
SNOXHALL
FIELD DOWNS
Pav.
Rec. Grd.
HITHERWOOD
WELLWYNDS
TRELAWNE
DRIVE
THE BRK. CL.
ORCHARD GDS.
LONGPOLES
Knowle
HERON
SHAW DR.
ASHTREES
AVEN
WAVERLEIGH RD
BROOKSIDE
Coldharbour Farm
OAKLANDS
NORTHDOWNS
AVENUE
CROMWELL
GROVE
Utworth Manor
Utworth Cottages
Little Sparrow Wood
Little Sparrow Copse
ALFOLD ROAD
NIGHTINGALES
NAPPER PL.
THURLOW WK.
ROAD
Wey & Arun Junction Canal
ROAD
Sparrow Copse
Keepers Mount
Bushy Copse
Mill Farm
Mill Farm Cottage
Garson
Holdhurst
LANE

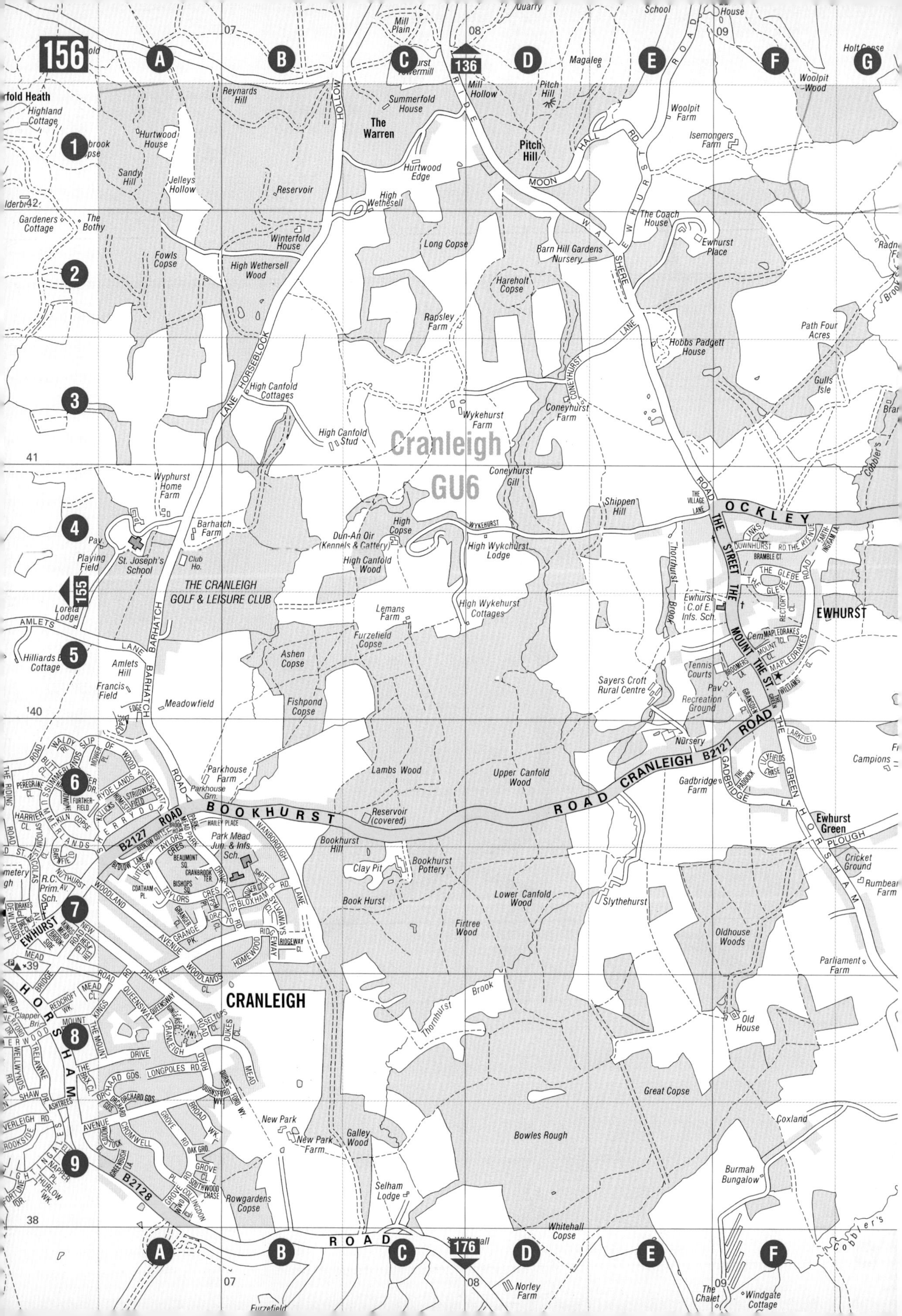
Cranleigh
GU6
CRANLEIGH
EWHURST
Ewhurst Green
Pitch Hill
The Warren
THE CRANLEIGH GOLF & LEISURE CLUB
BOOKHURST ROAD
CRANLEIGH ROAD
B2127
B2128
OCKLEY
HORSHAM
Reynards Hill
Summerfold House
Hurtwood House
Hurtwood Edge
High Wethersell
Winterfold House
High Wethersell Wood
Jelleys Hollow
Sandy Hill
Reservoir
Fowls Copse
Gardeners Cottage
The Bothy
Highland Cottage
Long Copse
Rapsley Farm
Hareholt Copse
Barn Hill Gardens Nursery
The Coach House
Ewhurst Place
Woolpit Farm
Isemongers Farm
Woolpit Wood
Holt Copse
Magalee
Mill Hollow
Mill Plain
Hobbs Padgett House
Path Four Acres
Gulls Isle
Coneyhurst Farm
Coneyhurst Gill
Wykehurst Farm
High Canfold Cottages
High Canfold Stud
Wyphurst Home Farm
Barhatch Farm
St. Joseph's School
Playing Field
Club Ho.
Loreta Lodge
Hilliards Cottage
Amlets Hill
Francis Field
Meadowfield
High Copse
Dun-An Oir (Kennels & Cattery)
High Canfold Wood
High Wykehurst Lodge
High Wykehurst Cottages
Lemans Farm
Furzefield Copse
Ashen Copse
Fishpond Copse
Shippen Hill
Thornhurst Brook
Ewhurst C.of E. Infs. Sch.
Tennis Courts
Recreation Ground
Sayers Croft Rural Centre
Nursery
Gadbridge Farm
Campions
Lambs Wood
Upper Canfold Wood
Parkhouse Farm
Reservoir (covered)
Park Mead Jun. & Infs. Sch.
Bookhurst Hill
Clay Pit
Bookhurst Pottery
Book Hurst
Lower Canfold Wood
Slythehurst
Firtree Wood
Oldhouse Woods
Cricket Ground
Rumbear Farm
Parliament Farm
Old House
Great Copse
Coxland
Bowles Rough
New Park
New Park Farm
Galley Wood
Selham Lodge
Burmah Bungalow
Rowgardens Copse
Whitehall Copse
Norley Farm
Furzefield
The Chalet
Windgate Cottage
Cobbler's
Clapper Bri.
R.C. Prim. Sch.
Cemetery

136
155
176

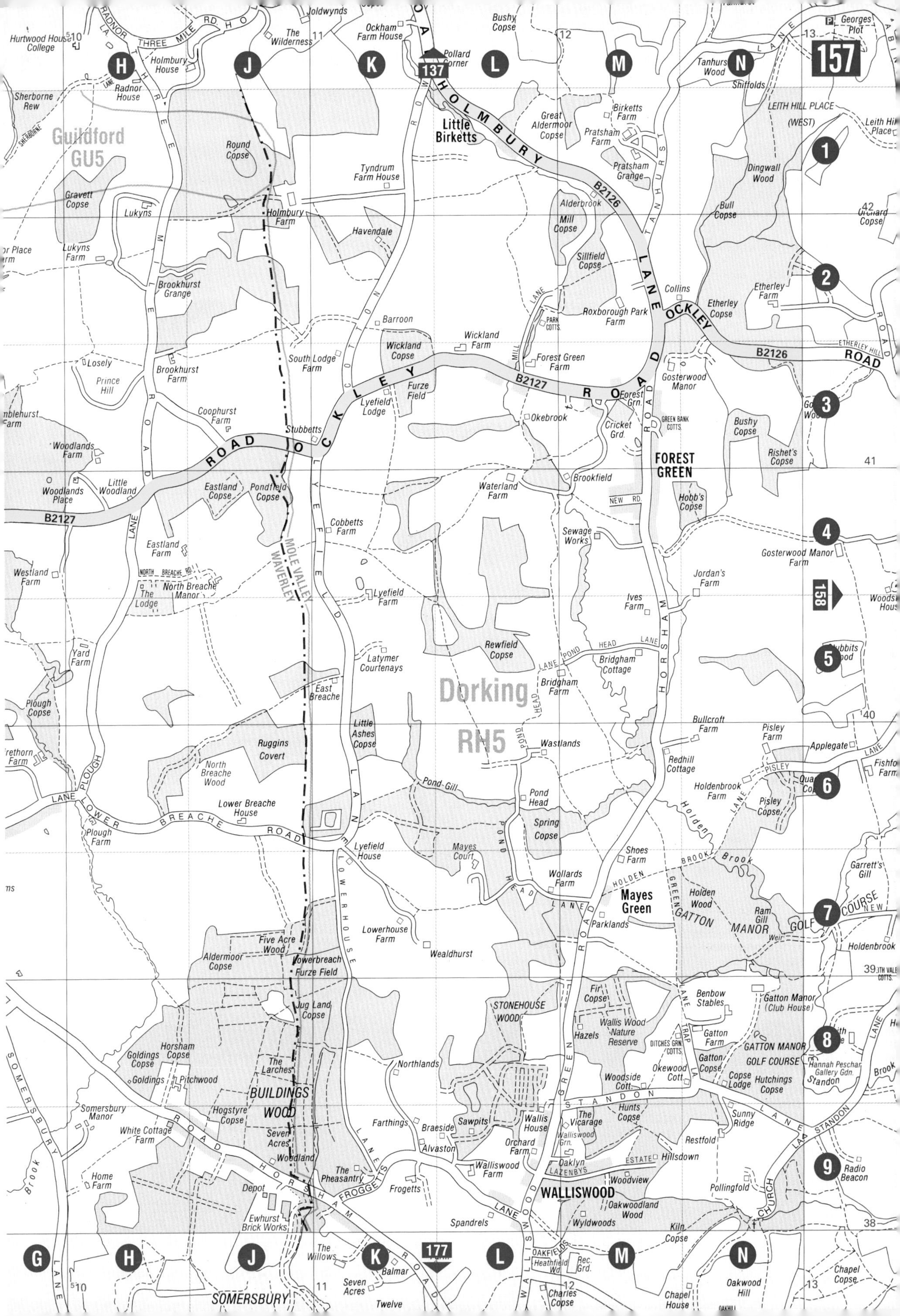
157
137
158
177
H
J
K
L
M
N
G
1
2
3
4
5
6
7
8
9
10
11
12
13
38
39
40
41
42
Guildford
GU5
Dorking
RH5
Hurtwood House College
Radnor Road
Three Mile Rd.
Holmbury House
Radnor House
Sherborne Rew
Joldwynds
The Wilderness
Ockham Farm House
Pollard Corner
Bushy Copse
Georges Plot
Tanhurst Wood
Shiffolds
Leith Hill Place (West)
Leith Hill Place
Little Birketts
Holmbury Road
B2126
Birketts Farm
Great Aldermoor Copse
Pratsham Farm
Pratsham Grange
Tanhurst Lane
Dingwall Wood
Bull Copse
Orchard Copse
Round Copse
Gravett Copse
Lukyns
Holmbury Farm
Tyndrum Farm House
Havendale
Alderbrook
Mill Copse
Sillfield Copse
Lukyns Farm
Brookhurst Grange
Three Mile Road
Barroon
Mill Lane
Park Cotts.
Roxborough Park Farm
Collins
Etherley Copse
Etherley Farm
Etherley Hill
Ockley Road
Losely
Prince Hill
South Lodge Farm
Wickland Copse
Wickland Farm
Forest Green Farm
Brookhurst Farm
Coopers Farm
Lyefield Lodge
Furze Field
B2127
Ockley Road
Forest Grn.
Gosterwood Manor
Okebrook
Cricket Grd.
Green Bank Cotts.
Bushy Copse
Rishet's Copse
Woodlands Farm
Stubbetts
Woodlands Place
Little Woodland
Eastland Copse
Pondfield Copse
Waterland Farm
Brookfield
Forest Green
New Rd.
Hobb's Copse
Cobbetts Farm
Sewage Works
Eastland Farm
Mole Valley
Waverley
Gosterwood Manor Farm
Westland Farm
North Breache Rd.
North Breache Manor
The Lodge
Lyefield Farm
Jordan's Farm
Ives Farm
Lyefield Lane
Horsham Road
Rewfield Copse
Pond Head Lane
Bridgham Cottage
Bridgham Farm
Yard Farm
Latymer Courtenays
East Breache
Plough Copse
Little Ashes Copse
Bullcroft Farm
Pisley Farm
Applegate
Wastlands
Ruggins Covert
North Breache Wood
Redhill Cottage
Pisley Lane
Holdenbrook Farm
Pisley Copse
Pond Gill
Plough Lane
Lower Breache House
Lower Breache Road
Pond Head
Spring Copse
Holden Brook
Plough Farm
Lyefield House
Mayes Court
Shoes Farm
Wollards Farm
Garrett's Gill
Holden Lane
Mayes Green
Green Lane
Holden Wood
Gatton Manor
Ram Gill
Golf Course
New
Holdenbrook
Weir
Parklands
Five Acre Wood
Lowerhouse Farm
Lowerhouse Lane
Wealdhurst
Aldermoor Copse
Lowerbreach Furze Field
Stonehouse Wood
Fir Copse
Benbow Stables
Gatton Manor (Club House)
Jug Land Copse
Wallis Wood Nature Reserve
Hazels
Trap Lane
Gatton Farm
Gatton Manor Golf Course
Horsham Copse
Goldings Copse
Goldings
Pitchwood
The Larches
Northlands
Ditches Grn Cotts.
Okewood Cott.
Gatton Copse
Copse Lodge
Hutchings Copse
Hannah Peschar Gallery Gdn.
Standon
Brook
Buildings Wood
Woodside Cott.
Somersbury Manor
Hogstyre Copse
Farthings
Braeside
Sawpits
Wallis House
The Vicarage
Hunts Copse
Standon Lane
Sunny Ridge
White Cottage Farm
Seven Acres
Alvaston
Orchard Farm
Walliswood Grn.
Restfold
Hillsdown
Somersbury Lane
Woodland
The Pheasantry
Froggetts Lane
Frogetts
Walliswood Farm
Oaklyn
Lazenbys Estate
Church Lane
Radio Beacon
Home Farm
Depot
Horsham Road
Walliswood
Woodview
Pollingfold
Ewhurst Brick Works
Spandrels
Oakwoodland Wood
Wyldwoods
Kiln Copse
The Willows
Oakfields
Heathfield Wd
Rec. Grd.
Balmar
Chapel Copse
Seven Acres
Oakwood Hill
Somersbury
Twelve
Charles Copse
Chapel House
Walliswood Green Road

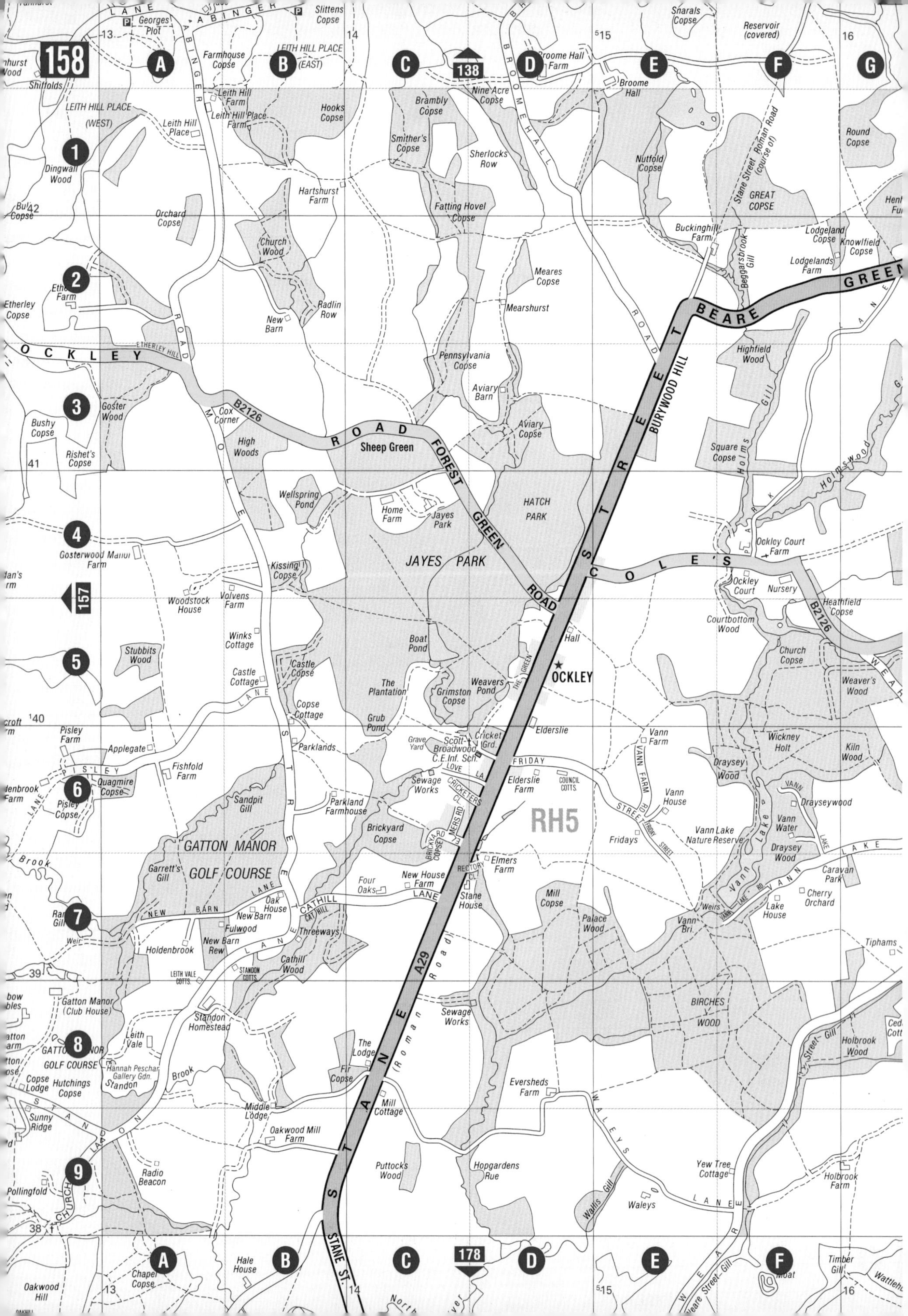

OCKLEY
RH5
JAYES PARK
HATCH PARK
GATTON MANOR GOLF COURSE
BIRCHES WOOD
GREAT COPSE
STANE STREET
BURYWOOD HILL
BEARE GREEN
COLE'S
FOREST GREEN ROAD
OCKLEY ROAD
B2126
A29
MOLE STREET
Sheep Green
Leith Hill Place (East)
Leith Hill Place (West)
Broome Hall Farm
Broome Hall
Ockley Court Farm
Ockley Court
Vann Lake Nature Reserve
Gatton Manor (Club House)
Hannah Peschar Gallery Gdn.
Standon
Radio Beacon
Pollingfold
138
157
178

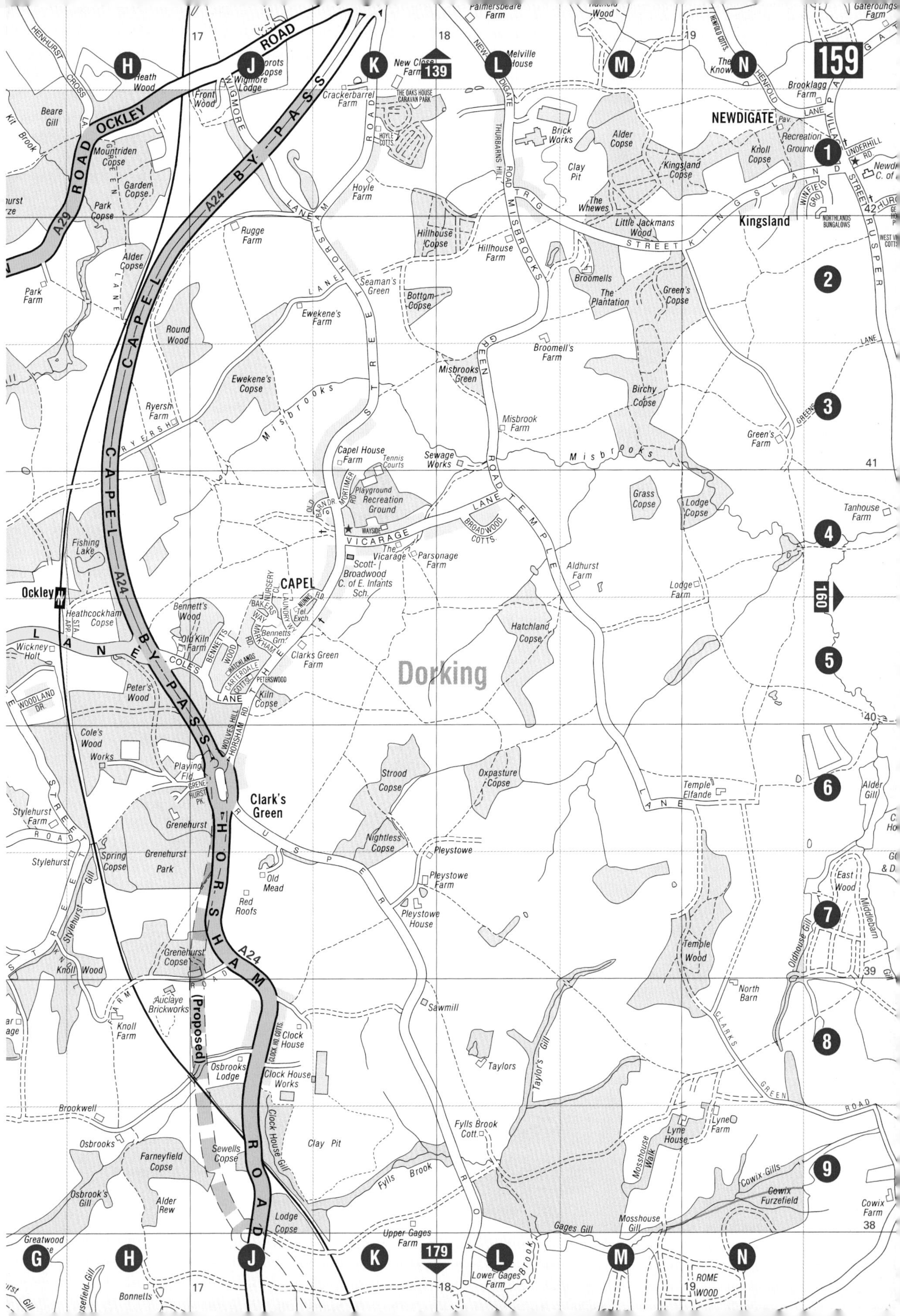
159
139
160
179
Dorking
NEWDIGATE
Kingsland
CAPEL
Clark's Green
Ockley
OCKLEY ROAD
A29
CAPEL BY-PASS
A24
HORSHAM ROAD
(Proposed)
RUSPER ROAD
TEMPLE LANE
MISBROOKS GREEN ROAD
VICARAGE LANE
KINGSLAND STREET
COLES LANE
HENHURST CROSS LANE
WIGMORE LANE
RUSPER STREET
CLARKS GREEN ROAD
STREET ROAD
NEWDIGATE ROAD
HENFOLD LANE
Palmersbeare Farm
Melville House
The Knowl
Brooklagg Farm
Gaterounds Farm
Heath Wood
Sprots Copse
Wigmore Lodge
Front Wood
New Close Farm
Crackerbarrel Farm
THE OAKS HOUSE CARAVAN PARK
HOYLE COTTS.
Hoyle Farm
Beare Gill
Kit Brook
Mountriden Copse
Garden Copse
Park Copse
Alder Copse
Park Farm
Rugge Farm
Hillhouse Copse
Hillhouse Farm
Brick Works
Clay Pit
Alder Copse
Kingsland Copse
Knoll Copse
Recreation Ground
Pav.
The Whewes
Little Jackmans Wood
Broomells
The Plantation
Green's Copse
Seaman's Green
Bottom Copse
Ewekene's Farm
Round Wood
Ewekene's Copse
Broomell's Farm
Misbrooks Green
Birchy Copse
Misbrook Farm
Green's Farm
Ryersh Farm
Misbrooks
Capel House Farm
Tennis Courts
Sewage Works
Playground
Recreation Ground
Grass Copse
Lodge Copse
Tanhouse Farm
Fishing Lake
The Vicarage
Parsonage Farm
Scott-Broadwood C. of E. Infants Sch.
Aldhurst Farm
Lodge Farm
Heathcockham Copse
Bennett's Wood
Old Kiln Farm
Tel. Exch.
Hatchland Copse
Wickney Holt
WOODLAND DR.
Peter's Wood
Clarks Green Farm
Kiln Copse
Cole's Wood
Works
Playing Fld
Strood Copse
Oxpasture Copse
Temple Elfande
Alder Gill
Stylehurst Farm
Grenehurst
Nightless Copse
Pleystowe
Pleystowe Farm
Stylehurst
Spring Copse
Grenehurst Park
Old Mead
Red Roofs
Pleystowe House
East Wood
Middlebarn
Oldhouse Gill
Stylehurst Gill
Grenehurst Copse
Knoll Wood
Temple Wood
North Barn
Auclaye Brickworks
Sawmill
Knoll Farm
Clock House
Taylors
Taylor's Gill
Osbrooks Lodge
Clock House Works
Brookwell
Fylls Brook Cott.
Lyne House
Lyne Farm
Mosshouse Walk
Osbrooks
Farneyfield Copse
Sewells Copse
Clay Pit
Clock House Gill
Fylls Brook
Cowix Gills
Cowix Furzefield
Cowix Farm
Osbrook's Gill
Alder Rew
Lodge Copse
Upper Gages Farm
Mosshouse Gill
Gages Gill
Greatwood
Lower Gages Farm
Bonnells
ROME WOOD
17
18
19
38
39
40
41
42

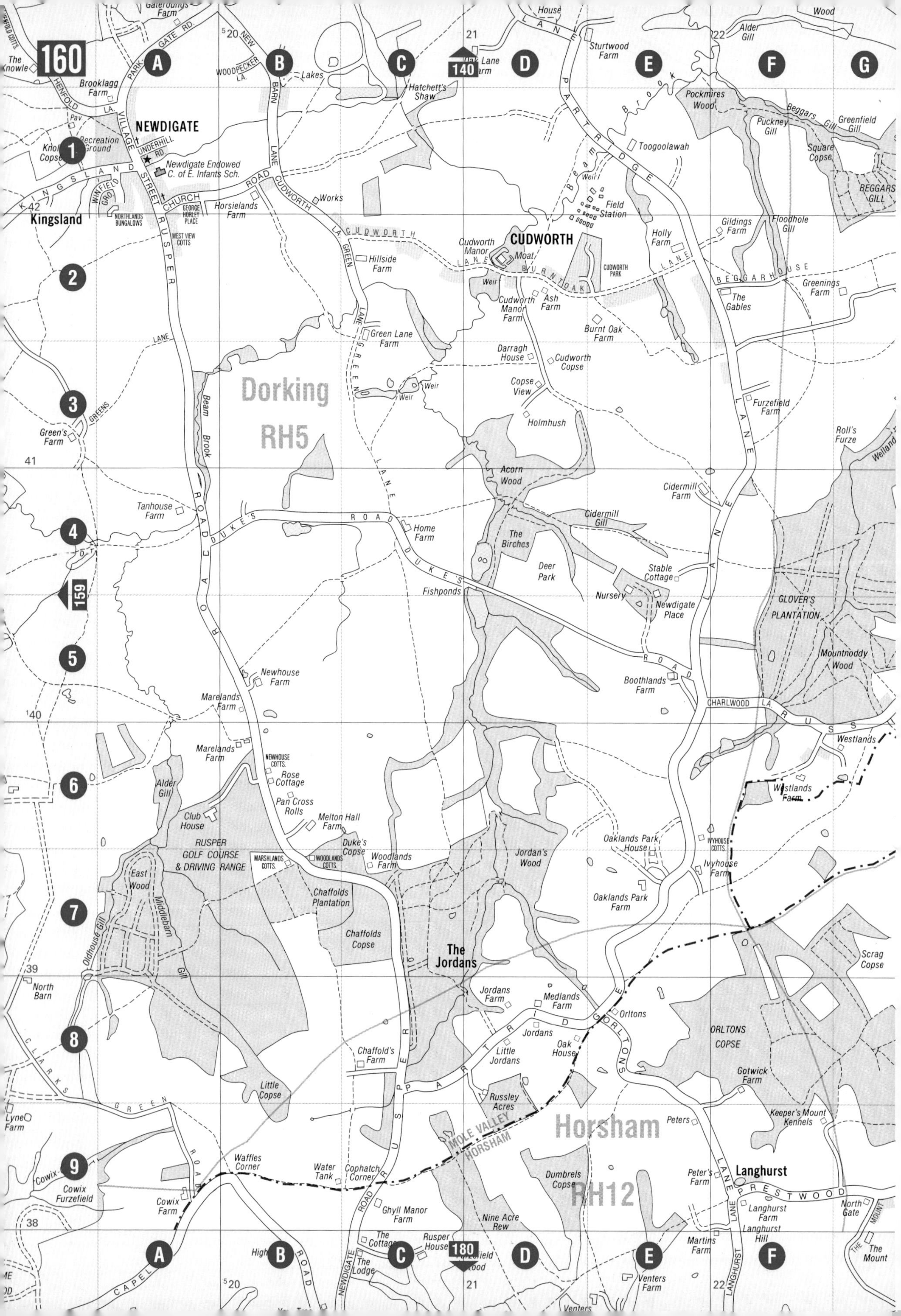

160
NEWDIGATE
Kingsland
CUDWORTH
Dorking
RH5
Horsham
RH12
Langhurst
The Jordans
140
159
180
Gatefounds Farm
The Knowle
Brooklagg Farm
Recreation Ground
Knoll Copse
Newdigate Endowed C. of E. Infants Sch.
Horsielands Farm
Works
Lakes
Hatchett's Shaw
Oak Lane Farm
Sturtwood Farm
Alder Gill
Pockmires Wood
Puckney Gill
Greenfield Gill
Square Copse
BEGGARS GILL
Toogoolawah
Field Station
Cudworth Manor
Moat
Weir
CUDWORTH PARK
Holly Farm
Gildings Farm
Floodhole Gill
Hillside Farm
Cudworth Manor Farm
Ash Farm
Burnt Oak Farm
Greenings Farm
The Gables
Green Lane Farm
Darragh House
Cudworth Copse
Copse View
Holmhush
Furzefield Farm
Roll's Furze
Green's Farm
Beam Brook
Tanhouse Farm
Acorn Wood
Cidermill Farm
Cidermill Gill
The Birches
Home Farm
Deer Park
Stable Cottage
Nursery
Newdigate Place
Fishponds
GLOVER'S PLANTATION
Mountnoddy Wood
Newhouse Farm
Boothlands Farm
Marelands Farm
Westlands
Westlands Farm
Alder Gill
Rose Cottage
Pan Cross Rolls
Club House
RUSPER GOLF COURSE & DRIVING RANGE
Melton Hall Farm
Duke's Copse
Woodlands Farm
Oaklands Park House
Jordan's Wood
Ivyhouse Farm
East Wood
Middlebarn Gill
Chaffolds Plantation
Chaffolds Copse
Oaklands Park Farm
Scrag Copse
North Barn
Jordans Farm
Medlands Farm
Orltons
ORLTONS COPSE
Jordans
Oak House
Little Jordans
Chaffold's Farm
Little Copse
Gotwick Farm
Russley Acres
Lyne Farm
Peters
Keeper's Mount Kennels
MOLE VALLEY
HORSHAM
Waffles Corner
Water Tank
Cophatch Corner
Dumbrels Copse
Peter's Farm
Cowix Furzefield
Cowix Farm
Ghyll Manor Farm
Nine Acre Rew
Langhurst Farm
Langhurst Hill
North Gate
The Cottage
Rusper House
Martins Farm
The Mount
The Lodge
Venters Farm
KINGSLAND
CHURCH ROAD
CUDWORTH LANE
BURNTOAK LANE
BEGGARHOUSE LANE
PARTRIDGE LANE
DUKE'S ROAD
RUSPER ROAD
CHARLWOOD LANE
ORLTONS LANE
PRESTWOOD LANE
CLARKS GREEN
CAPEL ROAD
NEWDIGATE ROAD
LANGHURST LANE

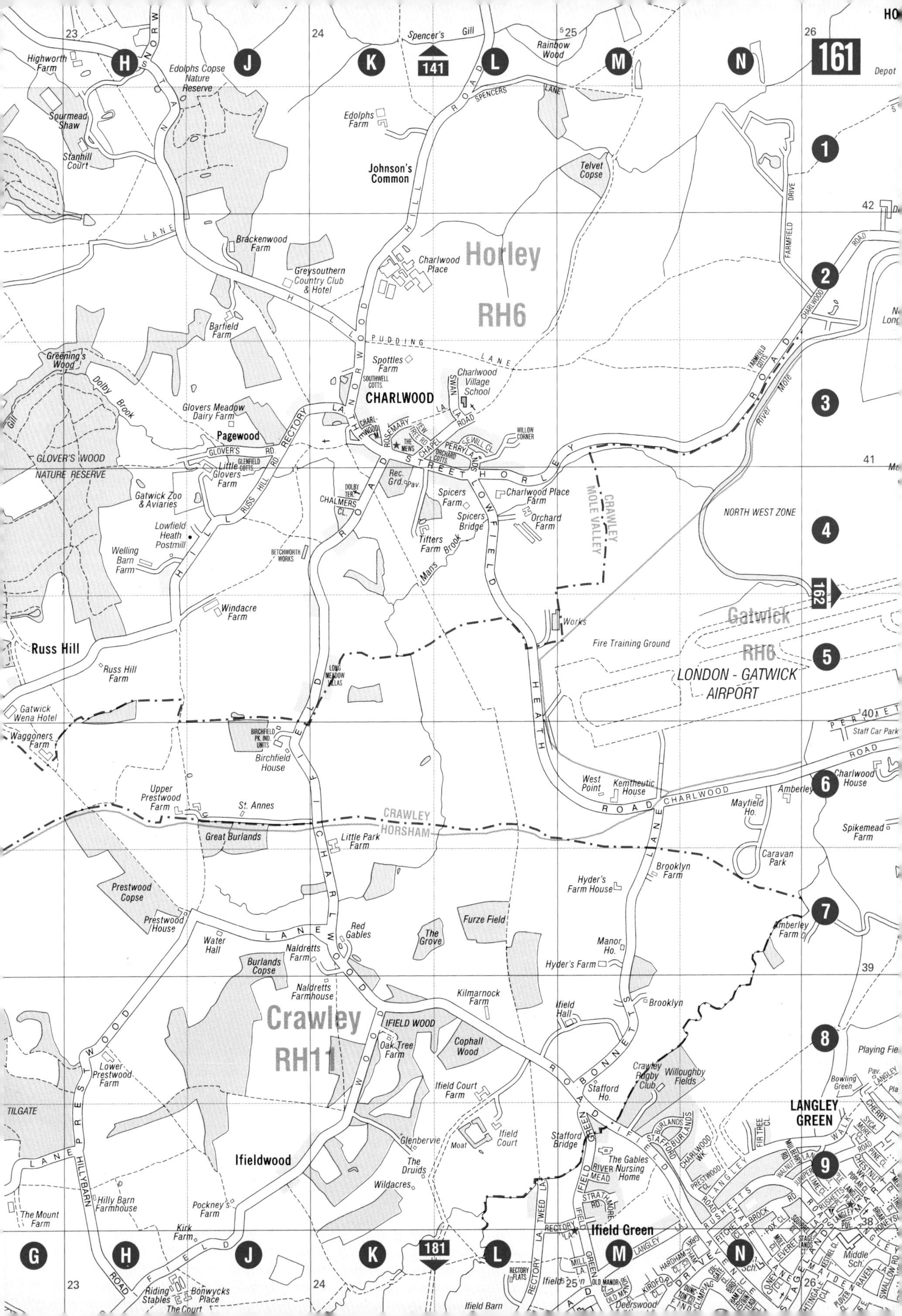
Horley
RH6
CHARLWOOD
Johnson's Common
Pagewood
Russ Hill
Gatwick
RH6
LONDON - GATWICK AIRPORT
NORTH WEST ZONE
Fire Training Ground
Crawley
RH11
Ifieldwood
Ifield Green
LANGLEY GREEN
CRAWLEY
MOLE VALLEY
CRAWLEY
HORSHAM
Highworth Farm
Sourmead Shaw
Stanhill Court
Edolphs Copse Nature Reserve
Spencer's Gill
Rainbow Wood
Edolphs Farm
Telvet Copse
Brackenwood Farm
Greysouthern Country Club & Hotel
Charlwood Place
Barfield Farm
Greening's Wood
Dolby Brook
Spottles Farm
Charlwood Village School
Glovers Meadow Dairy Farm
GLOVER'S WOOD NATURE RESERVE
Little Glovers Farm
Gatwick Zoo & Aviaries
Lowfield Heath Postmill
Welling Barn Farm
Rec. Grd.
Spicers Farm
Charlwood Place Farm
Orchard Farm
Spicers Bridge
Tifters Farm
Mans Brook
Windacre Farm
Works
Russ Hill Farm
Gatwick Wena Hotel
Waggoners Farm
Birchfield House
Upper Prestwood Farm
St. Annes
Great Burlands
Little Park Farm
West Point
Kemtheutic House
Mayfield Ho.
Amberley
Charlwood House
Spikemead Farm
Caravan Park
Brooklyn Farm
Hyder's Farm House
Prestwood Copse
Prestwood House
Water Hall
Red Gables
Furze Field
The Grove
Naldretts Farm
Manor Ho.
Hyder's Farm
Amberley Farm
Burlands Copse
Naldretts Farmhouse
Kilmarnock Farm
Ifield Hall
Brooklyn
IFIELD WOOD
Oak Tree Farm
Cophall Wood
Lower Prestwood Farm
Ifield Court Farm
Crawley Rugby Club
Willoughby Fields
Stafford Ho.
Playing Fields
Bowling Green
TILGATE
Glenbervie
Moat
Ifield Court
Stafford Bridge
The Gables Nursing Home
The Druids
Wildacres
Hilly Barn Farmhouse
Pockney's Farm
The Mount Farm
Kirk Farm
Riding Stables
Bonwycks Place
The Court
Ifield Barn
Deerswood
Middle Sch.
Depot
Staff Car Park
LANE
ROAD
HILL
NORWOOD HILL ROAD
SPENCERS LANE
PUDDING LANE
RECTORY LA.
GLOVER'S RD.
RUSS HILL RD.
STREET
HORLEY
LOWFIELD HEATH
CHARLWOOD ROAD
FARMFIELD DRIVE
RIVER MOLE
PERIMETER
IFIELD WOOD
CHARLWOOD LANE
BONNETTS LANE
PRESTWOOD LANE
HILLYBARN
IFIELD ROAD
RUSHETTS ROAD
LANGLEY LANE
STAFFORD RD.
141
162
181
23
24
25
26
42
41
40
39
38
G
H
J
K
L
M
N
1
2
3
4
5
6
7
8
9

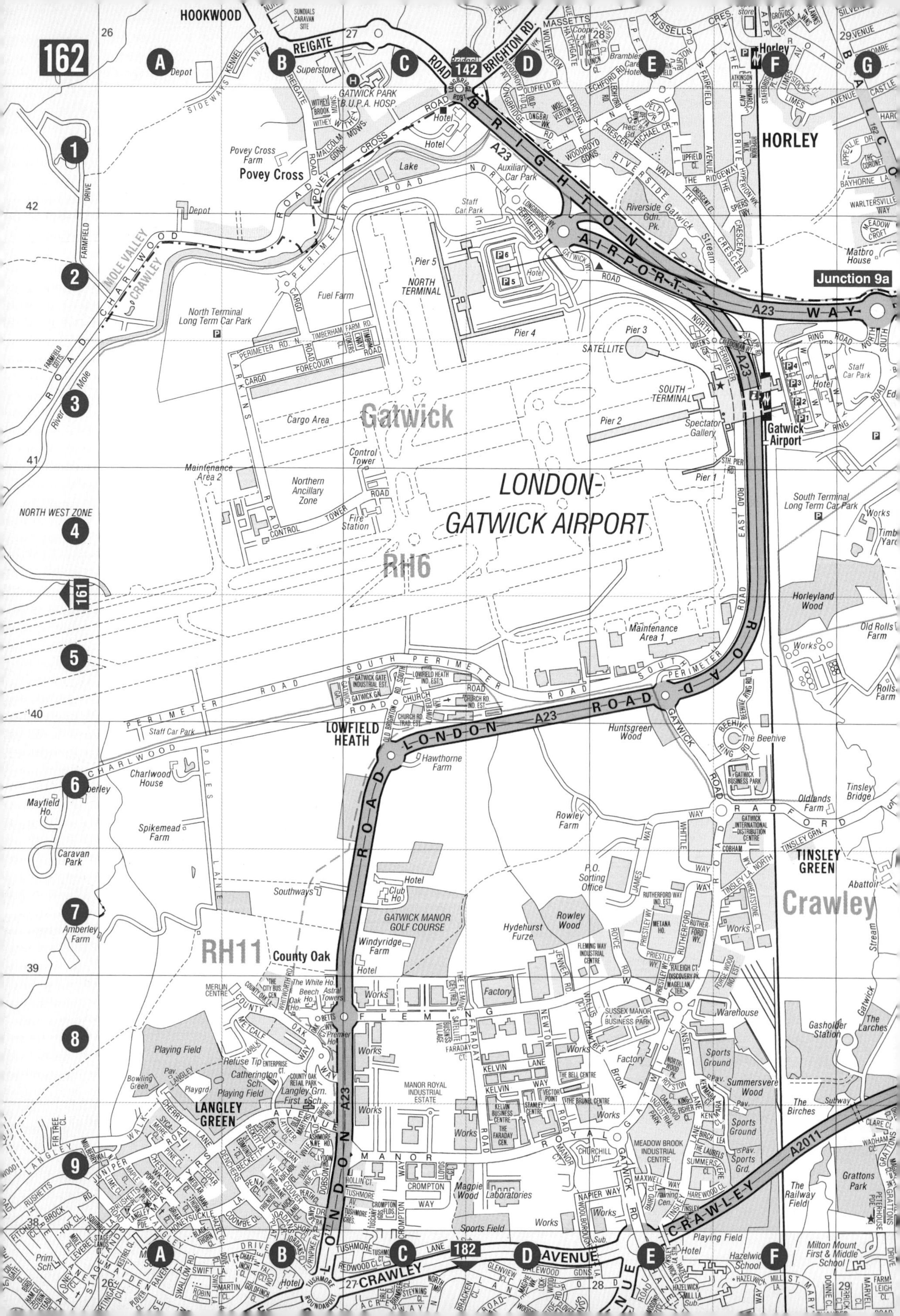
HOOKWOOD
Sundials Caravan Site
Reigate Road
Depot
Superstore
Kennel Lane
Sideways Lane
Gatwick Park B.U.P.A. Hosp.
Withey Brook
Withey Mdws.
Malcolm Gdns.
Hotel
Povey Cross Farm
Povey Cross
Povey Cross Road
Lake
Brighton Rd.
Longbridge Rdbt.
142
Massetts
Wolverton
Hatchgate
Russells Cres.
Horley
Bramble
Oldfield Rd.
Lechford Rd.
Woodroyd Av.
Woodroyd Gdns.
Longbridge Rd.
Longbridge Wk.
Michael Cr.
Upfield
Riverside
Fairfield
Avenue
Drive
The Ridgeway
The Crescent
Riverside Gdn. Pk.
Gatwick Stream
Hyperion Wk.
Spiers Wy.
HORLEY
Limes Avenue
Castle
Bayhorne La.
Waltersville
Meadow Croft
Matbro House
Junction 9a
A23
North Perimeter Road
Auxiliary Car Park
Staff Car Park
Longbridge Wy.
Airport Way
Gatwick Rd.
Pier 5
North Terminal
Hotel
Pier 4
Farmfield Drive
Depot
Mole Valley
Crawley
Charlwood Road
Cargo
Fuel Farm
North Terminal Long Term Car Park
Timberham Farm Rd.
Perimeter Rd. N.
Cargo Forecourt Road
Larkins Road
River Mole
Pier 3
Satellite
North Perimeter Rd.
Ring Road North
Staff Car Park
South Terminal
Pier 2
Spectator Gallery
Gatwick Airport
Hotel
Cargo Area
Gatwick
Control Tower
Maintenance Area 2
Northern Ancillary Zone
Control Tower Road
Fire Station
LONDON-GATWICK AIRPORT
North West Zone
Pier 1
Sth. Pier Rd.
East Road
South Terminal Long Term Car Park
Works
Timber Yard
RH6
161
Horleyland Wood
Old Rolls Farm
Maintenance Area 1
South Perimeter Road
Gatwick Gate Industrial Est.
Lowfield Heath Ind. Est.
Church Road
Church Rd. Ind. Est.
Church Rd. Trad. Est.
Perimeter Road
Staff Car Park
LOWFIELD HEATH
London Road
Gatwick Road
Beehive Ring Rd.
The Beehive
Huntsgreen Wood
Hawthorne Farm
Charlwood
Charlwood House
Poles Lane
Amberley
Mayfield Ho.
Spikemead Farm
Caravan Park
Rowley Farm
Gatwick Business Park
Radford Road
Oldlands Farm
Tinsley Bridge
Gatwick International Distribution Centre
Cobham
Tinsley Grn.
TINSLEY GREEN
Watt Way
Whittle Way
P.O. Sorting Office
James Way
Rutherford Way Ind. Est.
Tinsley La. North
Wheatstone Cl.
Abattoir
Crawley
Southways
Hotel
Club Ho.
Gatwick Manor Golf Course
Rowley Wood
Hydehurst Furze
Metana Ho.
Priestley Wy.
Works
Stream
Amberley Farm
RH11
County Oak
Windyridge Farm
Hotel
Fleming Way Industrial Centre
Jenner Rd.
Royce Rd.
Raleigh Ct.
Discovery Pk.
Magellan Ter.
Forge Wood Ind. Est.
Merlin Centre
The City Bus. Cen.
The White Ho.
Beech Ho.
Oak Ho.
Astral Towers
Works
Factory
Fleming Way
Sussex Manor Business Park
Warehouse
Gatwick
The Larches
Gasholder Station
Metcalf Way
County Oak Way
Premier Ho.
Betts Way
Playing Field
Refuse Tip
Enterprise Ct.
Catherington Sch.
Playing Field
County Oak Retail Park
Langley Grn. First Sch.
Bowling Green
Pav.
Playgrd.
Manor Royal Industrial Estate
Works
Faraday Rd.
Newton Rd.
Kelvin Lane
Kelvin Way
The Bell Centre
Vector Point
The Brunel Centre
Kelvin Business Centre
Stanley Centre
The Faraday Cen.
Works
Factory
Brook
Sports Ground
Summersvere Wood
The Birches
Subway
Langley Green
Langley Walk
Avenue
Cherry Lane
Fir Tree Cl.
Langley Lane
London Road
A23
Manor Royal
Churchill Ct.
Meadow Brook Industrial Centre
Sports Ground
Sports Grd.
A2011
Crawley Avenue
Gratton Park
The Railway Field
Gattons
Juniper
Dobson Rd.
Hollin Ct.
Tushmore
Crompton Way
Lloyds Ct.
Magpie Wood
Laboratories
Napier Way
Woolborough
Gatwick Rd.
Maxwell Way
Tinsley Lane
Training Cen.
Harewood Cl.
Rushetts Rd.
Brock
Fox Cl.
Leveret
Stagelands
Prim. Sch.
Coombe Cl.
Honeysuckle
Works
Sports Field
Playing Field
Hotel
Hazelwick School
Milton Mount First & Middle School
Peterhouse Pde.
Drive
Swift La.
Hotel
Martin
Robin
Goldfinch
Tushmore Roundabout
Crawley
Redwood Cl.
Lane
182
Avenue
Glenview
Dalewood Gdns.
Hazelwick Mill La.
Sub.
St. Mary
Donne Cl.
Marvell
Farm Leigh
26
27
28
29
42
41
40
39
38
A
B
C
D
E
F
G
1
2
3
4
5
6
7
8
9

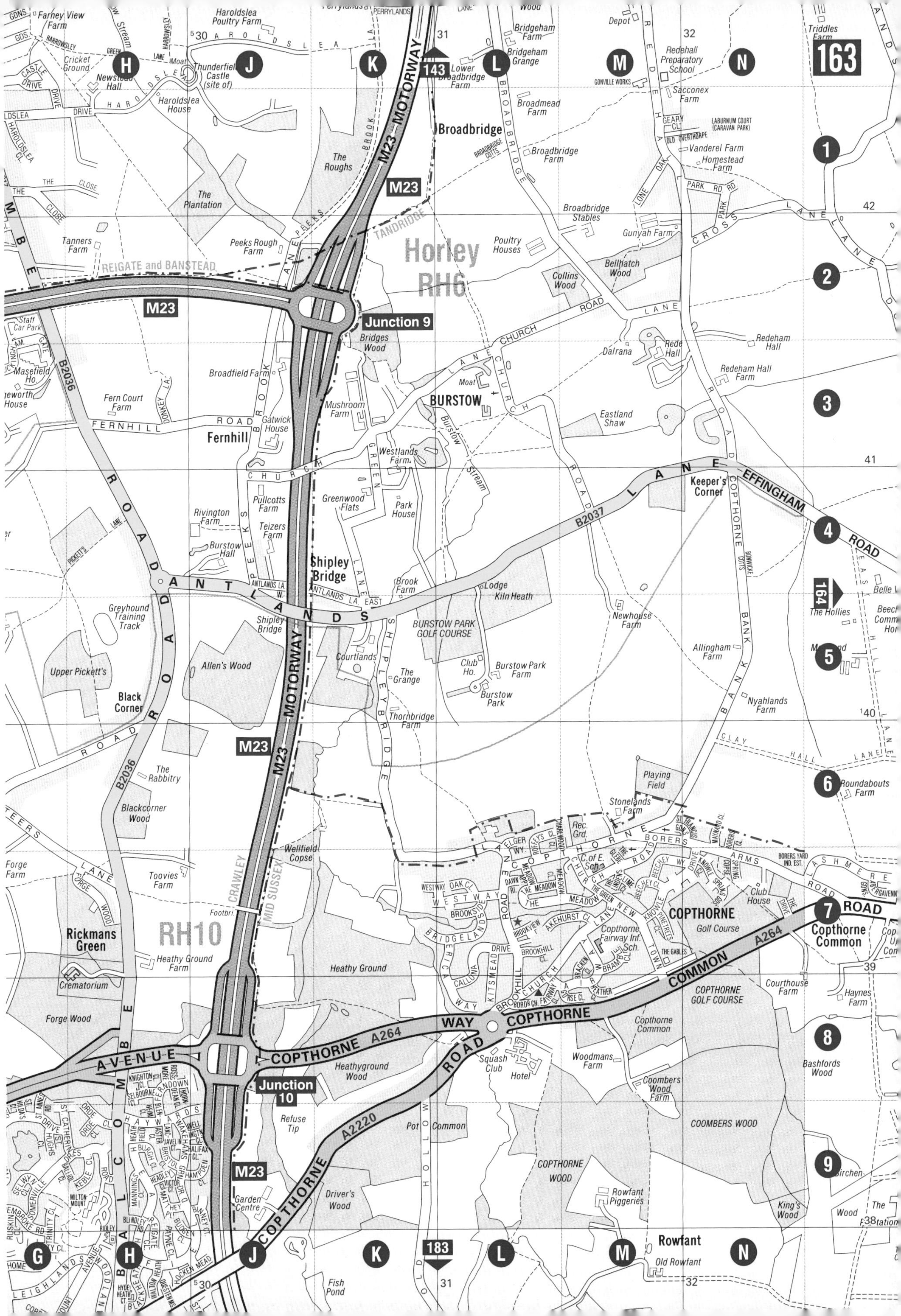
Horley
RH6
Broadbridge
BURSTOW
Fernhill
Shipley Bridge
Black Corner
Rickmans Green
RH10
COPTHORNE
Copthorne Common
Rowfant
M23
M23 MOTORWAY
Junction 9
Junction 10
B2036
B2037
A264
A2220
ANTLANDS
EFFINGHAM ROAD
COPTHORNE WAY
COPTHORNE COMMON
COPTHORNE BANK
BALCOMBE ROAD
ANTLANDS LANE
CHURCH LANE
CHURCH ROAD
BROADBRIDGE LANE
REDEHALL ROAD
SHIPLEY BRIDGE LANE
PEEKS BROOK LANE
FERNHILL ROAD
HAROLDSLEA DRIVE
CROSS LANE
CLAY HALL LANE
OLD HOLLOW
REIGATE and BANSTEAD
TANDRIDGE
CRAWLEY
MID SUSSEX
Burstow Park Golf Course
Copthorne Golf Course
Coombers Wood
Copthorne Wood
Allen's Wood
Heathy Ground
Forge Wood
Crematorium
Greyhound Training Track
The Roughs
The Plantation
143
164
183
30
31
32
38
39
40
41
42

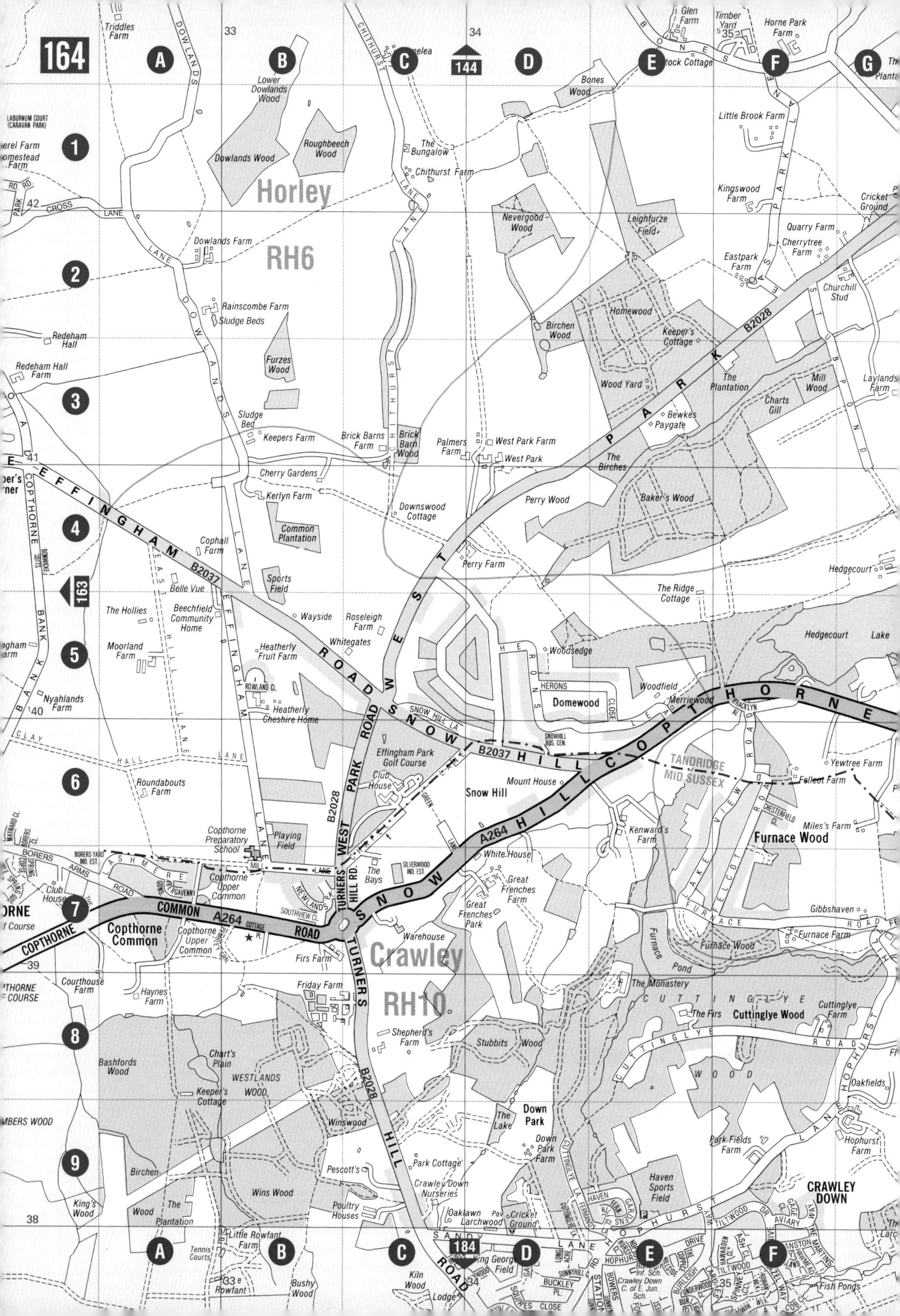

Horley
RH6
Crawley
RH10
CRAWLEY DOWN
Copthorne Common
Furnace Wood
Cuttinglye Wood
Snow Hill
Domewood
Down Park
Dowlands Wood
Roughbeech Wood
Lower Dowlands Wood
Nevergood Wood
Leighfurze Field
Homewood
Birchen Wood
Perry Wood
Baker's Wood
Effingham Park Golf Course
Hedgecourt Lake
Furnace Pond
The Monastery
Stubbits Wood
Bashfords Wood
Wins Wood
Westlands Wood
Haven Sports Field
EFFINGHAM ROAD B2037
SNOW HILL B2037
COPTHORNE COMMON ROAD A264
SNOW HILL A264
WEST PARK ROAD B2028
TURNERS HILL B2028
COPTHORNE BANK
DOWLANDS LANE
CHITHURST LANE
EAST PARK LANE
HOPHURST LANE
CUTTINGLYE ROAD
FURNACE ROAD
SANDY LANE
TANDRIDGE
MID SUSSEX
144
163
184

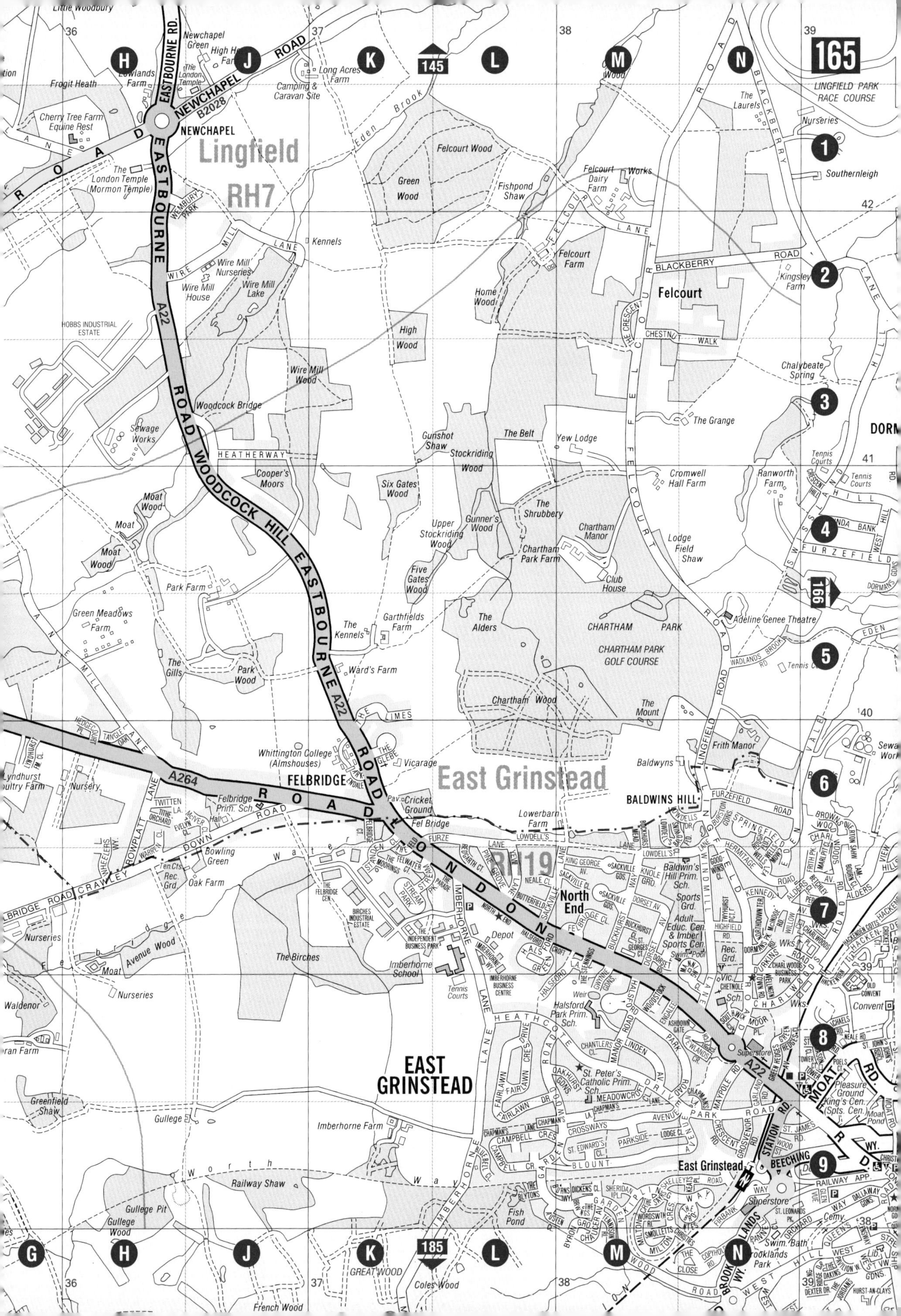
Lingfield
RH7
NEWCHAPEL
Newchapel Green
NEWCHAPEL ROAD
B2028
EASTBOURNE RD.
EASTBOURNE ROAD
A22
WOODCOCK HILL
Frogit Heath
Lowlands Farm
Cherry Tree Farm Equine Rest
The London Temple (Mormon Temple)
Long Acres Farm
Camping & Caravan Site
Eden Brook
Felcourt Wood
Green Wood
Fishpond Shaw
Felcourt Dairy Farm
Works
LINGFIELD PARK RACE COURSE
The Laurels
Nurseries
Southernleigh
BLACKBERRY ROAD
Kennels
Wire Mill Nurseries
Wire Mill House
Wire Mill Lake
WIRE MILL LANE
Felcourt Farm
Kingsley Farm
Felcourt
Home Wood
High Wood
HOBBS INDUSTRIAL ESTATE
Wire Mill Wood
CHESTNUT WALK
THE CRESCENT
FELCOURT ROAD
Chalybeate Spring
Woodcock Bridge
Sewage Works
The Grange
Gunshot Shaw
The Belt
Yew Lodge
Stockriding Wood
HEATHERWAY
Cooper's Moors
Six Gates Wood
Cromwell Hall Farm
Ranworth Farm
Tennis Courts
Moat Wood
Moat
The Shrubbery
Upper Stockriding Wood
Gunner's Wood
Chartham Manor
Chartham Park Farm
Lodge Field Shaw
FURZEFIELD
Five Gates Wood
Club House
Park Farm
Green Meadows Farm
The Kennels
Garthfields Farm
The Alders
CHARTHAM PARK
CHARTHAM PARK GOLF COURSE
Adeline Genee Theatre
The Gills
Park Wood
Ward's Farm
WADLANDS BROOK RD
Chartham Wood
The Mount
THE LIMES
THE GLEBE
Whittington College (Almshouses)
Vicarage
Frith Manor
Baldwyns
East Grinstead
FELBRIDGE
A264
Lyndhurst Poultry Farm
Nursery
Felbridge Prim. Sch.
Cricket Ground
BALDWINS HILL
FURZEFIELD ROAD
Lowerbarn Farm
Fel Bridge
LONDON ROAD
COPTHORNE ROAD
Bowling Green
Oak Farm
Ten.Cts. Rec. Grd.
CRAWLEY DOWN ROAD
RH19
North End
Baldwin's Hill Prim. Sch.
Sports Grd.
Adult Educ. Cen. & Imber Sports Cen.
Swim. Pool
Rec. Grd.
THE FELBRIDGE CEN
BIRCHES INDUSTRIAL ESTATE
THE INDEPENDENT BUSINESS PARK
Nurseries
Avenue Wood
The Birches
Imberhorne School
Depot
IMBERHORNE BUSINESS CENTRE
Tennis Courts
Moat
Nurseries
Waldenor
Weir
Halsford Park Prim. Sch.
Superstore
Convent
EAST GRINSTEAD
St. Peter's Catholic Prim. Sch.
Greenfield Shaw
Gullege
Imberhorne Farm
Pleasure Ground
King's Cen. (Spts. Cen.)
Moat Pond
East Grinstead
Railway Shaw
Worth Way
Fish Pond
Superstore
Gullege Pit
Gullege Wood
Swim. Bath
Brooklands Park
GREAT WOOD
Coles Wood
French Wood
145
166
185
G H J K L M N
1 2 3 4 5 6 7 8 9
36 37 38 39
38 39 40 41 42

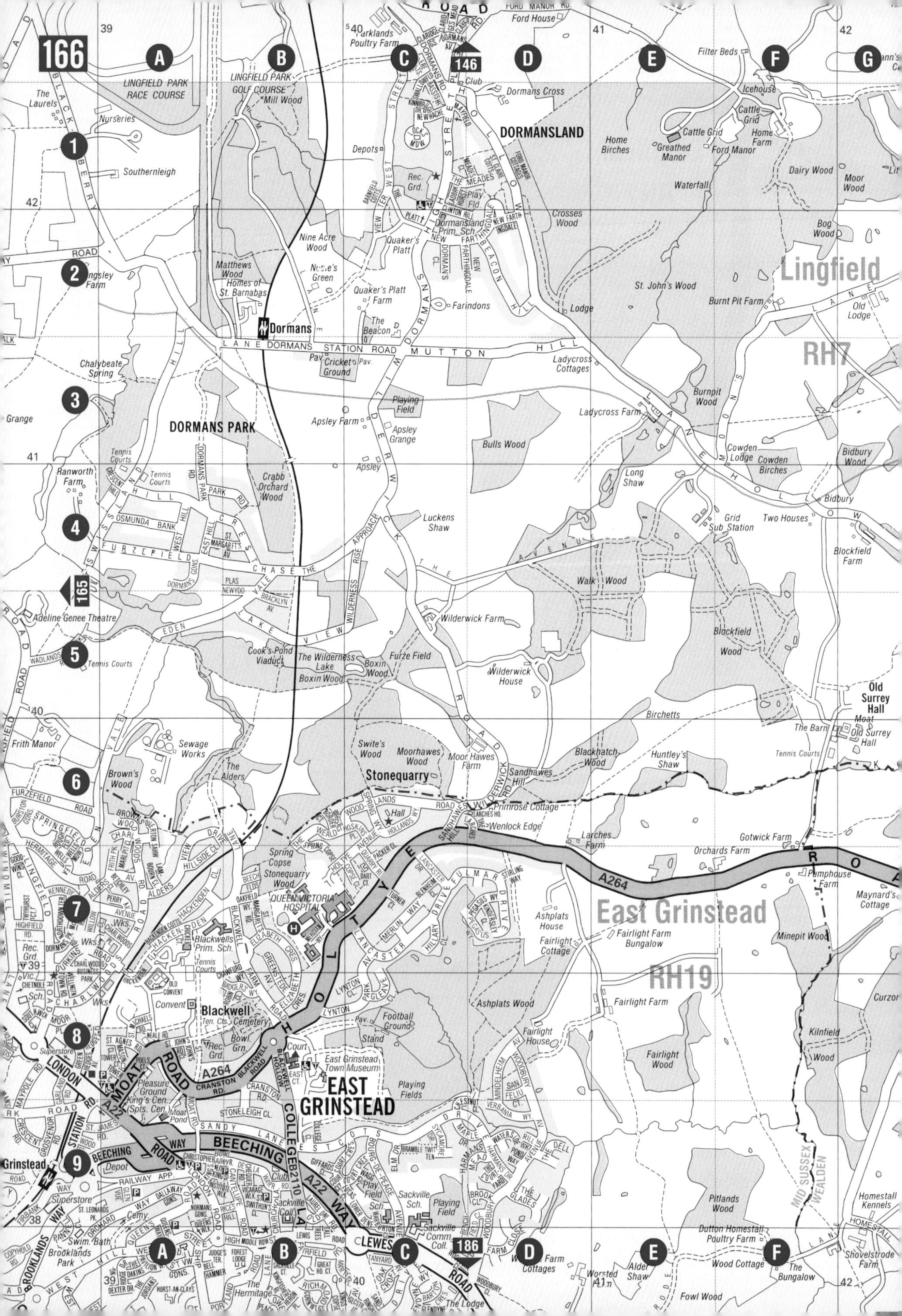

LINGFIELD PARK RACE COURSE
LINGFIELD PARK GOLF COURSE
Parklands Poultry Farm
Ford House
Filter Beds
146
The Laurels
Nurseries
Mill Wood
Dormans Cross
Icehouse
Cattle Grid
Home Farm
DORMANSLAND
Home Birches
Greathed Manor
Ford Manor
Southernleigh
Depots
Dairy Wood
Moor Wood
Rec. Grd.
Waterfall
Crosses Wood
Bog Wood
Nine Acre Wood
Quaker's Platt
Dormansland Prim. Sch.
Lingfield
Matthews Wood
Homes of St. Barnabas
Quaker's Platt Farm
The Beacon
Farindons
St. John's Wood
Burnt Pit Farm
Old Lodge
Lodge
Dormans
DORMANS STATION ROAD
MUTTON HILL
Chalybeate Spring
Cricket Ground
Ladycross Cottages
RH7
Playing Field
Grange
Apsley Farm
Apsley Grange
Ladycross Farm
Burnpit Wood
DORMANS PARK
Bulls Wood
Apsley
Cowden Lodge
Cowden Birches
Bidbury Wood
Ranworth Farm
Tennis Courts
Crabb Orchard Wood
Long Shaw
Bidbury
Luckens Shaw
Grid Sub Station
Two Houses
Blockfield Farm
THE CHASE
THE AVENUE
Walk Wood
165
Adeline Genee Theatre
Wilderwick Farm
Blockfield Wood
Cook's Pond Viaduct
The Wilderness Lake
Boxin Wood
Furze Field
Wilderwick House
Old Surrey Hall
Birchetts
The Barn
Moat
Frith Manor
Sewage Works
Switе's Wood
Moorhawes Wood
Moor Hawes Farm
Blackhatch Wood
Huntley's Shaw
Brown's Wood
The Alders
Stonequarry
Sandhawes Hill
Primrose Cottage
Wenlock Edge
Larches Farm
Gotwick Farm
Orchards Farm
Pumphouse Farm
Spring Copse
Stonequarry Wood
QUEEN VICTORIA HOSPITAL
A264
Maynard's Cottage
Ashplats House
East Grinstead
Fairlight Farm Bungalow
Fairlight Cottage
Minepit Wood
Blackwells Prim. Sch.
RH19
Fairlight Farm
Curzon
Convent
Blackwell
Cemetery
Football Ground
Ashplats Wood
Kilnfield Wood
Fairlight House
Superstore
Court
East Grinstead Town Museum
Fairlight Wood
Pleasure Ground
King's Cen. (Spts. Cen.)
EAST GRINSTEAD
Playing Fields
Moat Pond
BEECHING WAY
Grinstead
Depot
A22
Sackville Sch.
Playing Field
MID SUSSEX
WEALDEN
Homestall Kennels
Brooklands Park
Swim. Bath
Sackville Comm. Coll.
Pitlands Wood
Dutton Homestall Poultry Farm
Shovelstrode Farm
186
Farm Cottages
Alder Shaw
Wood Cottage
The Bungalow
The Hermitage
Fowl Wood
The Lodge

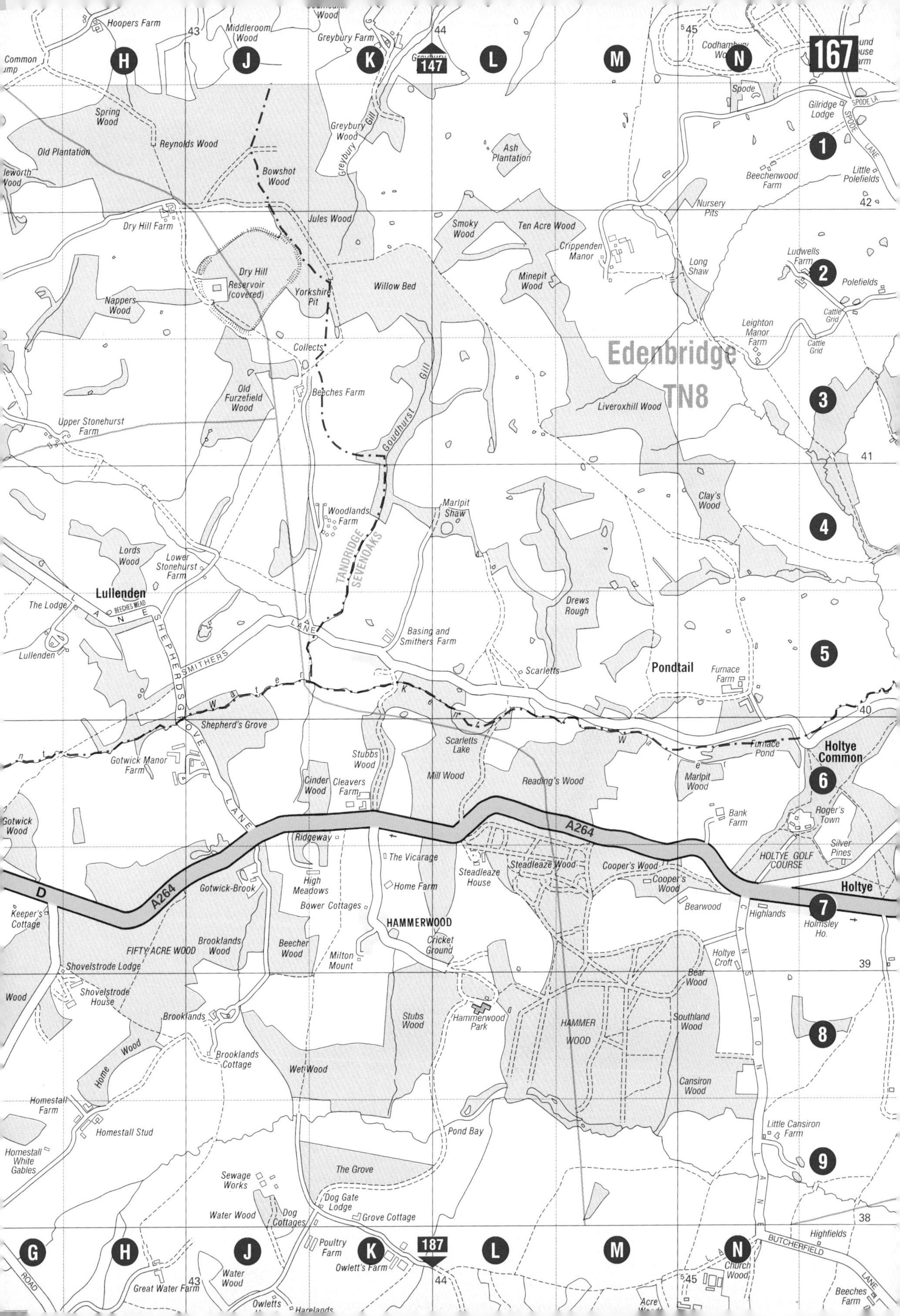
Hoopers Farm
Middleroom Wood
Greybury Farm
147
Codhambury Wood
Spode
Gilridge Lodge
SPODE LANE
Spring Wood
Reynolds Wood
Old Plantation
Greybury Wood
Greybury Gill
Ash Plantation
Bowshot Wood
Beechenwood Farm
Little Polefields
Nursery Pits
Dry Hill Farm
Jules Wood
Smoky Wood
Ten Acre Wood
Crippenden Manor
Ludwells Farm
Polefields
Long Shaw
Dry Hill Reservoir (covered)
Yorkshire Pit
Willow Bed
Minepit Wood
Nappers Wood
Cattle Grid
Leighton Manor Farm
Collects
Edenbridge TN8
Beeches Farm
Old Furzefield Wood
Liveroxhill Wood
Goudhurst Gill
Upper Stonehurst Farm
Woodlands Farm
Marlpit Shaw
Clay's Wood
TANDRIDGE
SEVENOAKS
Lords Wood
Lower Stonehurst Farm
Lullenden
The Lodge
BEECHES MEAD
LANE
Drews Rough
Lullenden
SHEPHERDSGROVE
SMITHERS
LANE
Basing and Smithers Farm
Scarletts
Pondtail
Furnace Farm
Wealdway
Shepherd's Grove
Scarletts Lake
Furnace Pond
Holtye Common
Gotwick Manor Farm
Stubbs Wood
Cinder Wood
Cleavers Farm
Mill Wood
Reading's Wood
Marlpit Wood
Roger's Town
Gotwick Wood
Bank Farm
A264
Ridgeway
The Vicarage
Silver Pines
HOLTYE GOLF COURSE
High Meadows
Steadleaze House
Steadleaze Wood
Cooper's Wood
Holtye
Home Farm
Gotwick-Brook
Keeper's Cottage
Bower Cottages
Bearwood
Highlands
Holmsley Ho.
HAMMERWOOD
FIFTY ACRE WOOD
Brooklands Wood
Beecher Wood
Milton Mount
Cricket Ground
Holtye Croft
Shovelstrode Lodge
Bear Wood
Wood
Shovelstrode House
Stubs Wood
Hammerwood Park
HAMMER WOOD
Southland Wood
Brooklands
Home Wood
Brooklands Cottage
Wet Wood
Cansiron Wood
CANSIRON LANE
Homestall Farm
Homestall Stud
Pond Bay
Little Cansiron Farm
Homestall White Gables
The Grove
Sewage Works
Dog Gate Lodge
Water Wood
Dog Cottages
Grove Cottage
Highfields
Poultry Farm
187
BUTCHERFIELD LANE
Owlett's Farm
Church Wood
ROAD
Water Wood
Great Water Farm
Owletts
Beeches Farm
H J K L M N
G H J K L M N
1 2 3 4 5 6 7 8 9
43 44 45
42 41 40 39 38

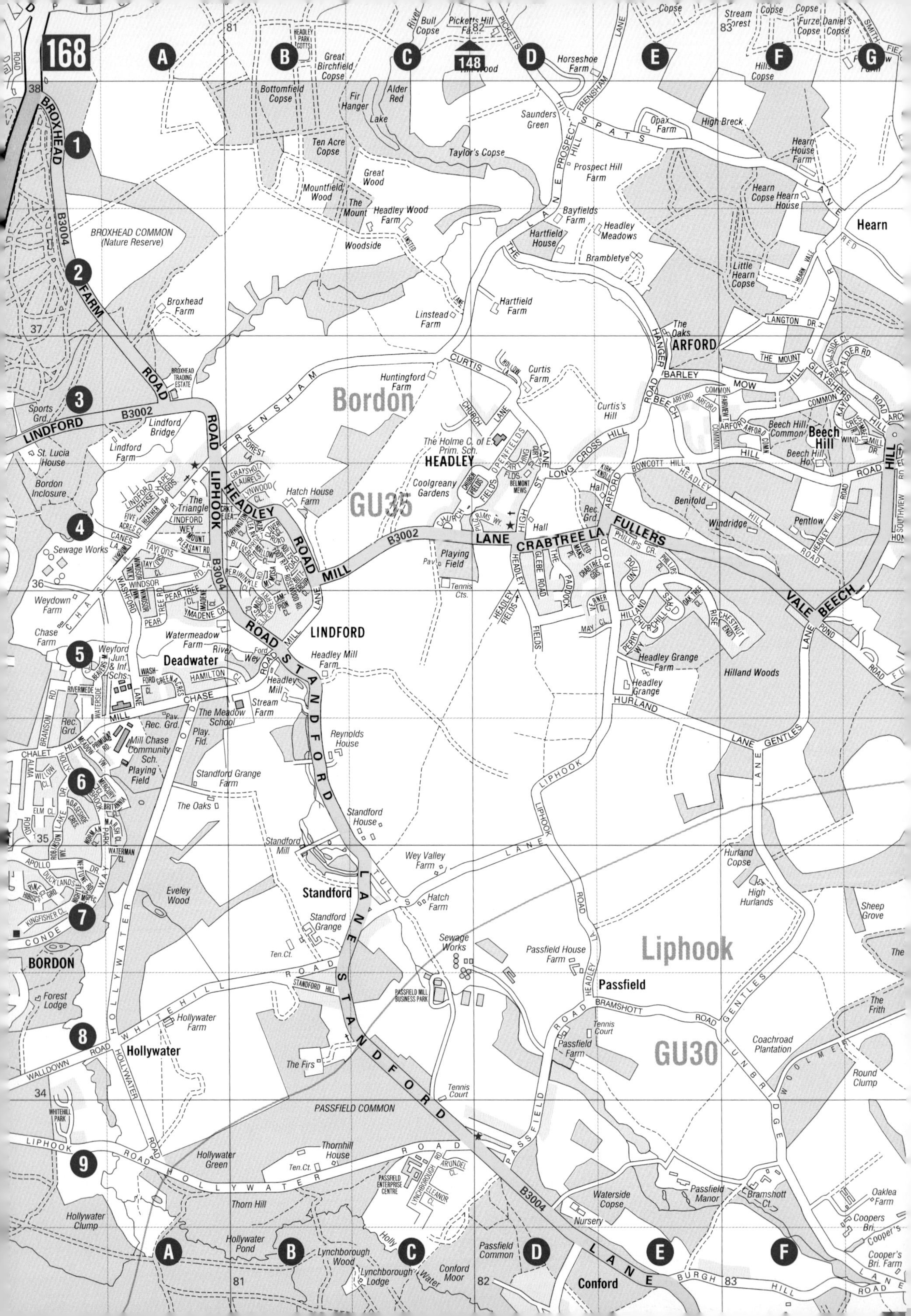
168
148
Bordon
GU35
HEADLEY
LINDFORD
Deadwater
BORDON
Hollywater
Standford
ARFORD
Beech Hill
Hearn
Liphook
GU30
Passfield
Conford
BROXHEAD COMMON
(Nature Reserve)
Broxhead Farm
Sports Grd.
St. Lucia House
Bordon Inclosure
Lindford Farm
Lindford Bridge
Sewage Works
Weydown Farm
Chase Farm
Weyford Jun. & Inf. Schs.
Watermeadow Farm
Mill Chase Community Sch.
Playing Field
The Meadow School
Stream Farm
Headley Mill
Headley Mill Farm
Reynolds House
Standford Grange Farm
The Oaks
Standford House
Standford Mill
Eveley Wood
Standford Grange
Hollywater Farm
The Firs
PASSFIELD COMMON
Hollywater Green
Thornhill House
Thorn Hill
Hollywater Clump
Hollywater Pond
Lynchborough Wood
Lynchborough Lodge
Conford Moor
Passfield Common
PASSFIELD ENTERPRISE CENTRE
PASSFIELD MILL BUSINESS PARK
Wey Valley Farm
Hatch Farm
Passfield House Farm
Passfield Farm
Waterside Copse
Nursery
Passfield Manor
Bramshott Ct.
Coachroad Plantation
Round Clump
The Frith
Oaklea Farm
Coopers Bri.
Cooper's Bri. Farm
Sheep Grove
Hurland Copse
High Hurlands
Hilland Woods
Headley Grange Farm
Headley Grange
Benifold
Windridge
Pentlow
Beech Hill Common
Beech Hill Ho.
Curtis Farm
Curtis's Hill
Huntingford Farm
The Holme C. of E. Prim. Sch.
Coolgreany Gardens
Hatch House Farm
Playing Field
Linstead Farm
Hartfield Farm
Hartfield House
Bayfields Farm
Headley Meadows
Brambletye
Prospect Hill Farm
Saunders Green
Horseshoe Farm
Opax Farm
High Breck
Hearn House Farm
Hearn Copse
Hearn House
Little Hearn Copse
Headley Wood Farm
Woodside
Great Wood
Mountfield Wood
The Mount
Ten Acre Copse
Taylor's Copse
Bottomfield Copse
Great Birchfield Copse
Fir Hanger
Alder Red
Lake
Bull Copse
Picketts Hill Fa.
Stream Forest
Furze Copse
Daniel's Copse
Hills Copse
BROXHEAD FARM ROAD
B3004
B3002
LINDFORD
LIPHOOK ROAD
HEADLEY ROAD
MILL LANE
FRENSHAM LANE
CURTIS LANE
CRABTREE LA.
FULLERS VALE
BEECH HILL
LONG CROSS HILL
ARFORD ROAD
HANGER ROAD
BARLEY MOW HILL
PROSPECT HILL
SPATS LANE
HEADLEY FIELDS
HURLAND LANE
GENTLES LANE
STANDFORD LANE
STANDFORD HILL
WHITEHILL ROAD
WALLDOWN ROAD
HOLLYWATER ROAD
LIPHOOK ROAD
BRAMSHOTT ROAD
TUNBRIDGE LANE
WOOLMER
PASSFIELD
BURGH HILL ROAD
CONDE WAY
MILL CHASE ROAD

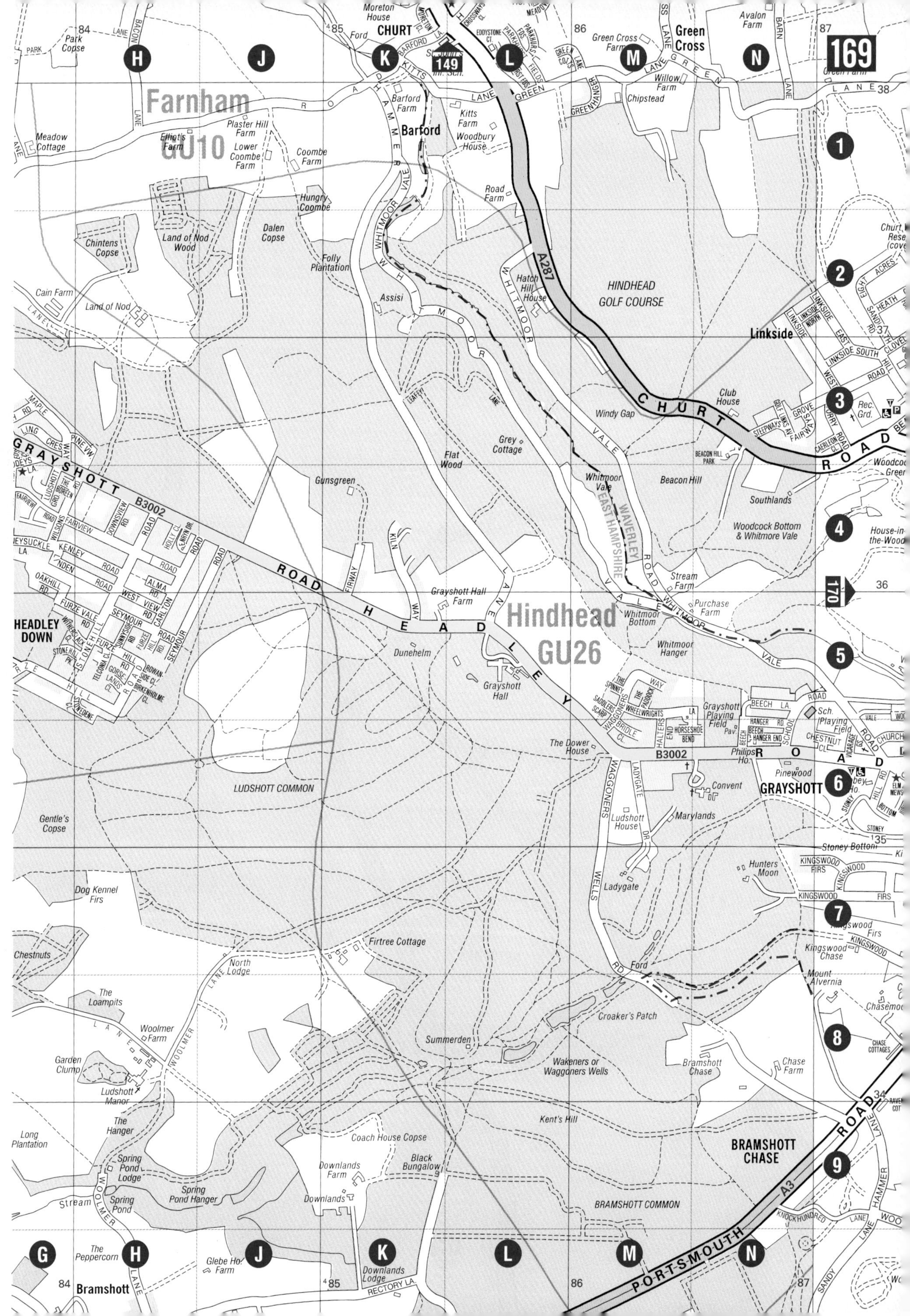
Moreton House
CHURT
Green Cross
Avalon Farm
Farnham GU10
Park Copse
Meadow Cottage
Elliot's Farm
Plaster Hill Farm
Lower Coombe Farm
Coombe Farm
Barford Farm
Barford
Kitts Farm
Woodbury House
Green Cross Farm
Willow Farm
Chipstead
Green Farm
Road Farm
Hungry Coombe
Land of Nod Wood
Dalen Copse
Chintens Copse
Folly Plantation
Cain Farm
Land of Nod
Assisi
Hatch Hill House
HINDHEAD GOLF COURSE
Linkside
Club House
Windy Gap
Grey Cottage
Flat Wood
Gunsgreen
Whitmoor Vale
Beacon Hill
Southlands
Woodcock Bottom & Whitmore Vale
House-in-the-Wood
Stream Farm
Purchase Farm
Whitmoor Bottom
Whitmoor Hanger
Grayshott Hall Farm
Hindhead GU26
Dunehelm
Grayshott Hall
HEADLEY DOWN
GRAYSHOTT ROAD
HEADLEY ROAD
B3002
CHURT ROAD
A287
EAST HAMPSHIRE
WAVERLEY
The Dower House
Grayshott Playing Field
Philips Ho.
Convent
Pinewood
GRAYSHOTT
LUDSHOTT COMMON
Gentle's Copse
Ludshott House
Marylands
Hunters Moon
Ladygate
Dog Kennel Firs
Kingswood Firs
Kingswood Chase
Mount Alvernia
Chestnuts
Firtree Cottage
North Lodge
Ford
The Loampits
Woolmer Farm
Croaker's Patch
Garden Clump
Summerden
Wakeners or Waggoners Wells
Bramshott Chase
Chase Farm
Ludshott Manor
The Hanger
Kent's Hill
Long Plantation
Coach House Copse
BRAMSHOTT CHASE
Spring Pond Lodge
Downlands Farm
Black Bungalow
Spring Pond Hanger
Spring Pond
Downlands
BRAMSHOTT COMMON
The Peppercorn
Glebe Ho. Farm
Downlands Lodge
Bramshott
PORTSMOUTH ROAD
A3
170

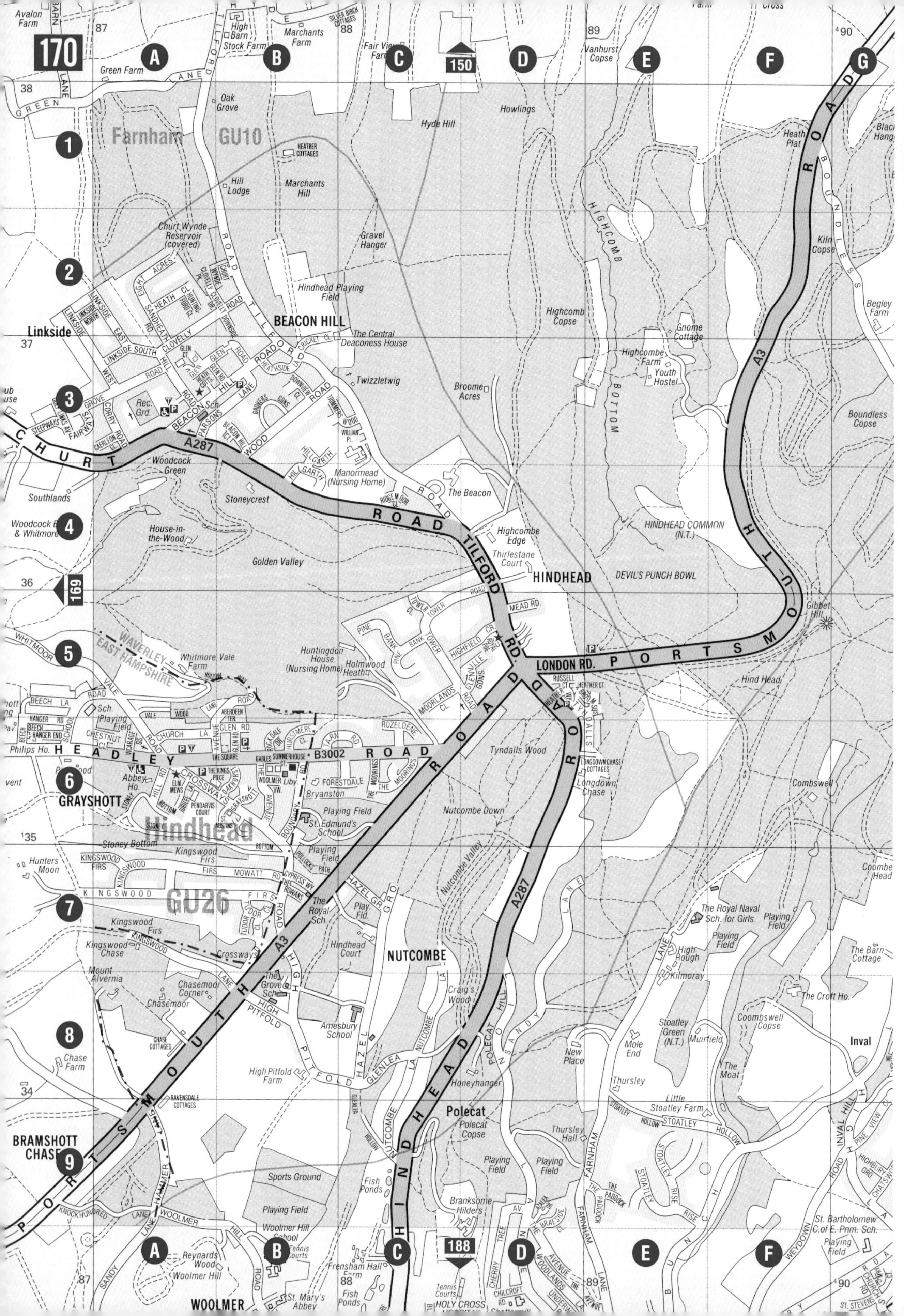

Farnham GU10
BEACON HILL
Linkside
HINDHEAD
DEVIL'S PUNCH BOWL
HINDHEAD COMMON (N.T.)
GRAYSHOTT
Hindhead
GU26
NUTCOMBE
Polecat
BRAMSHOTT CHASE
WOOLMER
Inval
Hyde Hill
Howlings
Highcomb Copse
Golden Valley
Tyndalls Wood
Nutcombe Down
Gibbet Hill
Hind Head
Combswell
Stoatley Green (N.T.)
The Royal Naval Sch. for Girls
St. Bartholomew C.of E. Prim. Sch.
Woolmer Hill School
The Royal Sch.
St. Edmund's School
Amesbury School
The Grove Sch.
The Central Deaconess House
Manormead (Nursing Home)
Huntingdon House (Nursing Home)
PORTSMOUTH ROAD A3
TILFORD ROAD A287
CHURT ROAD
HINDHEAD ROAD A287
HEADLEY ROAD B3002
LONDON RD.
WAVERLEY
EAST HAMPSHIRE
150
169
188

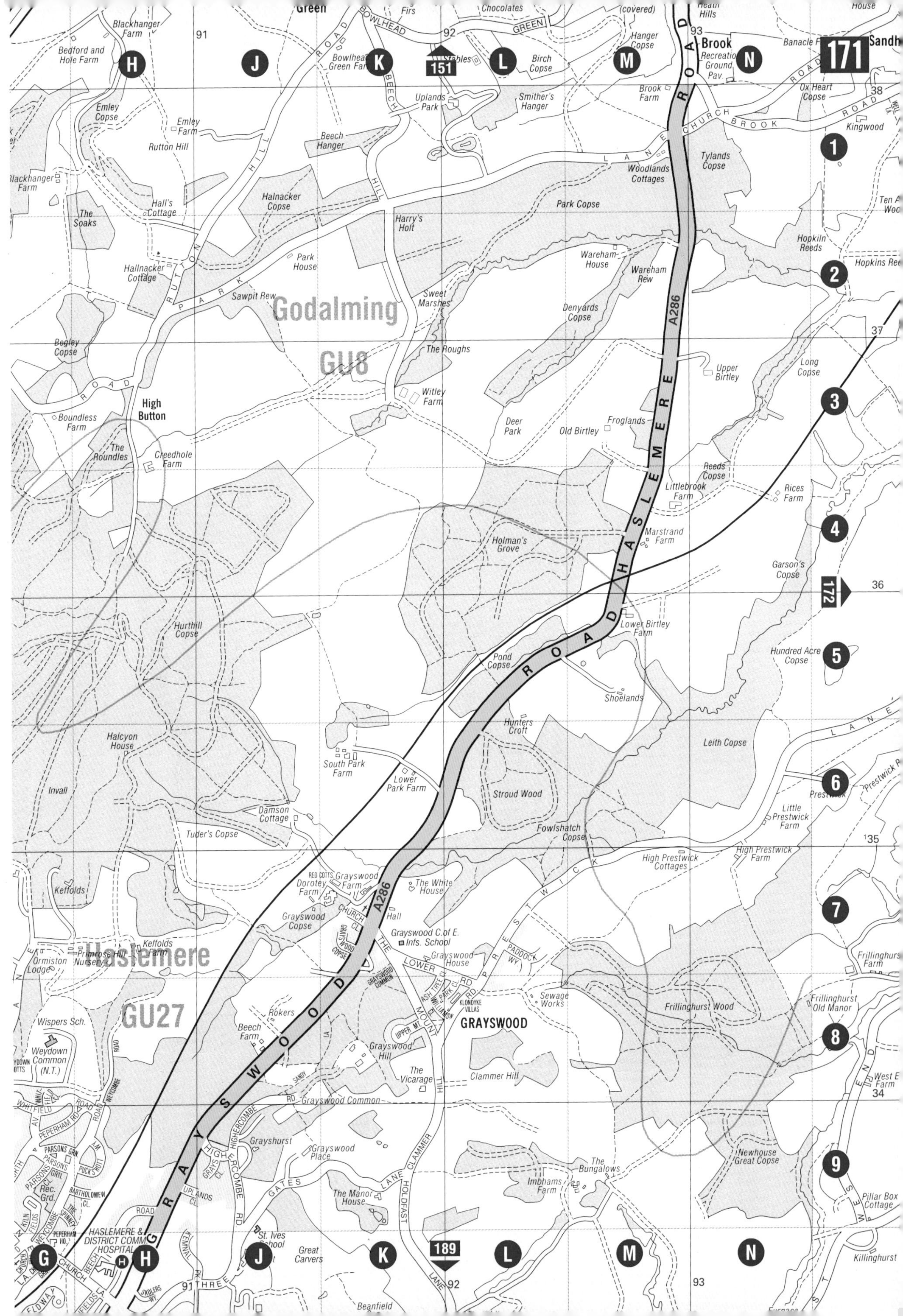

Godalming
GU8
Haslemere
GU27
GRAYSWOOD
High Button
Brook
HASLEMERE ROAD
GRAYSWOOD ROAD
A286
Blackhanger Farm
Bedford and Hole Farm
Bowlhead Green Farm
Birch Copse
Hanger Copse
Brook Farm
Ox Heart Copse
Kingwood
Emley Copse
Emley Farm
Rutton Hill
Beech Hanger
Uplands Park
Smither's Hanger
Tylands Copse
Woodlands Cottages
Hall's Cottage
The Soaks
Halnacker Copse
Harry's Holt
Park Copse
Hopkiln Reeds
Hallnacker Cottage
Park House
Sawpit Rew
Wareham House
Wareham Rew
Sweet Marshes
Denyards Copse
Begley Copse
The Roughs
Upper Birtley
Long Copse
Witley Farm
Boundless Farm
The Roundles
Creedhole Farm
Deer Park
Old Birtley
Froglands
Reeds Copse
Littlebrook Farm
Rices Farm
Holman's Grove
Marstrand Farm
Garson's Copse
Hurthill Copse
Lower Birtley Farm
Pond Copse
Hundred Acre Copse
Shoelands
Hunters Croft
Halcyon House
Leith Copse
South Park Farm
Lower Park Farm
Stroud Wood
Invall
Damson Cottage
Little Prestwick Farm
Tuder's Copse
Fowlshatch Copse
High Prestwick Cottages
High Prestwick Farm
Keffolds
Dorotey Farm
Grayswood Farm
The White House
Grayswood Copse
Hall
Grayswood C. of E. Infs. School
Grayswood House
Keffolds Farm
Primrose Hill Nursery
Ormiston Lodge
Sewage Works
Frillinghurst Wood
Frillinghurst Farm
Frillinghurst Old Manor
Wispers Sch.
Rokers
Beech Farm
Grayswood Hill
Weydown Common (N.T.)
The Vicarage
Clammer Hill
West End Farm
Grayswood Common
Grayshurst
Grayswood Place
The Bungalows
Imbhams Farm
Newhouse Great Copse
The Manor House
Pillar Box Cottage
HASLEMERE & DISTRICT COMM HOSPITAL
St. Ives School
Great Carvers
Killinghurst
Beanfield
Chocolates
Firs
BOWLHEAD GREEN
RUTTON HILL
PARK ROAD
BEECH HILL
CHURCH LANE
BROOK ROAD
PRESTWICK LANE
LOWER RD
THE MOUNT
HIGHERCOMBE RD
GATES LANE
HOLDFAST LANE
CLAMMER HILL
WEYCOMBE ROAD
PEPERHAM RD
WEST END
151
172
189
91
92
93
34
35
36
37
38

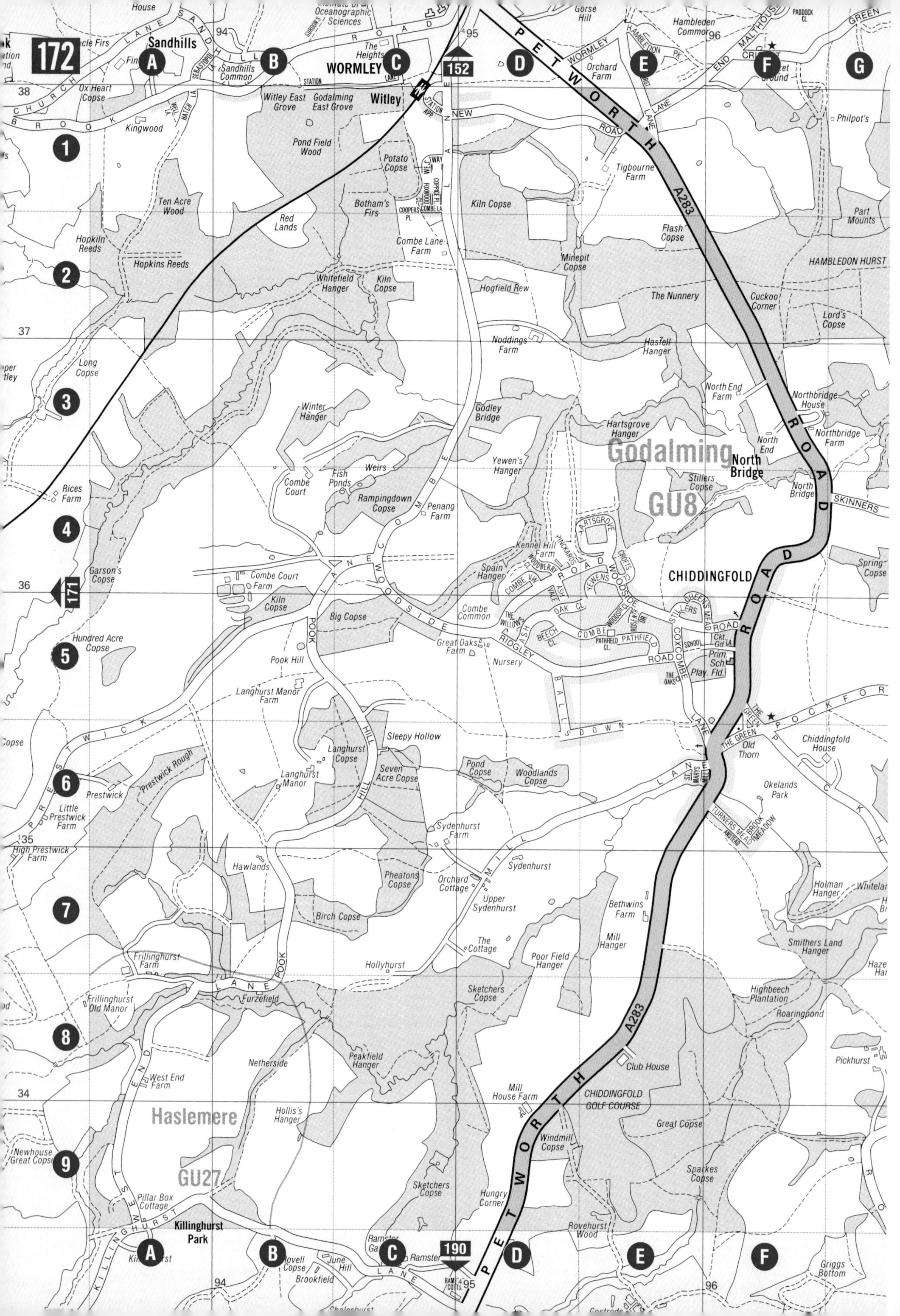

Sandhills
WORMLEY
Witley
Sandhills Common
Ox Heart Copse
Kingwood
Witley East Grove
Godalming East Grove
Pond Field Wood
Potato Copse
Botham's Firs
Red Lands
Ten Acre Wood
Hopkiln Reeds
Hopkins Reeds
Whitefield Hanger
Kiln Copse
Combe Lane Farm
Kiln Copse
Hogfield Rew
Orchard Farm
Tigbourne Farm
Flash Copse
Minepit Copse
The Nunnery
Hambleden Common
Philpot's
Part Mounts
HAMBLEDON HURST
Cuckoo Corner
Lord's Copse
Noddings Farm
Hasfell Hanger
North End Farm
Northbridge House
Northbridge Farm
North End
Hartsgrove Hanger
Godalming
North Bridge
GU8
Stillers Copse
Long Copse
Rices Farm
Garson's Copse
Winter Hanger
Godley Bridge
Yewen's Hanger
Fish Ponds
Weirs
Combe Court
Rampingdown Copse
Penang Farm
Kennel Hill Farm
Spain Hanger
CHIDDINGFOLD
Spring Copse
Combe Court Farm
Kiln Copse
Big Copse
Combe Common
Great Oaks Farm
Nursery
Hundred Acre Copse
Pook Hill
Langhurst Manor Farm
Sleepy Hollow
Langhurst Copse
Langhurst Manor
Seven Acre Copse
Pond Copse
Woodlands Copse
Chiddingfold House
Old Thorn
Okelands Park
Prestwick Rough
Prestwick
Little Prestwick Farm
High Prestwick Farm
Sydenhurst Farm
Sydenhurst
Hawlands
Pheatons Copse
Orchard Cottage
Upper Sydenhurst
Birch Copse
Bethwins Farm
Mill Hanger
Holman Hanger
Smithers Land Hanger
The Cottage
Frillinghurst Farm
Hollyhurst
Poor Field Hanger
Furzefield
Sketchers Copse
Frillinghurst Old Manor
Highbeech Plantation
Roaringpond
Netherside
Peakfield Hanger
Club House
Pickhurst
West End Farm
Mill House Farm
CHIDDINGFOLD GOLF COURSE
Great Copse
Haslemere
Hollis's Hanger
Windmill Copse
Newhouse Great Copse
GU27
Sparkes Copse
Sketchers Copse
Hungry Corner
Pillar Box Cottage
Killinghurst Park
Rovehurst Wood
Ramster
Dovell Copse
June Hill
Brookfield
Griggs Bottom
PETWORTH ROAD
A283
WOODSIDE
RIDGLEY ROAD
COXCOMBE LANE
PRESTWICK LANE
POOK HILL
POOK LANE
MILL LANE
SKINNERS
POCKFORD
BROOK
CHURCH LANE
NEW ROAD
WORMLEY
COMBE LANE
PATHFIELD
BEECH CL.
OAK CL.
YEWENS
QUEEN'S MEAD
THE GREEN
TURNERS MEAD
BROOK MEADOW
152
171
190
A B C D E F G
1 2 3 4 5 6 7 8 9
37 36 35 34 38
94 95 96

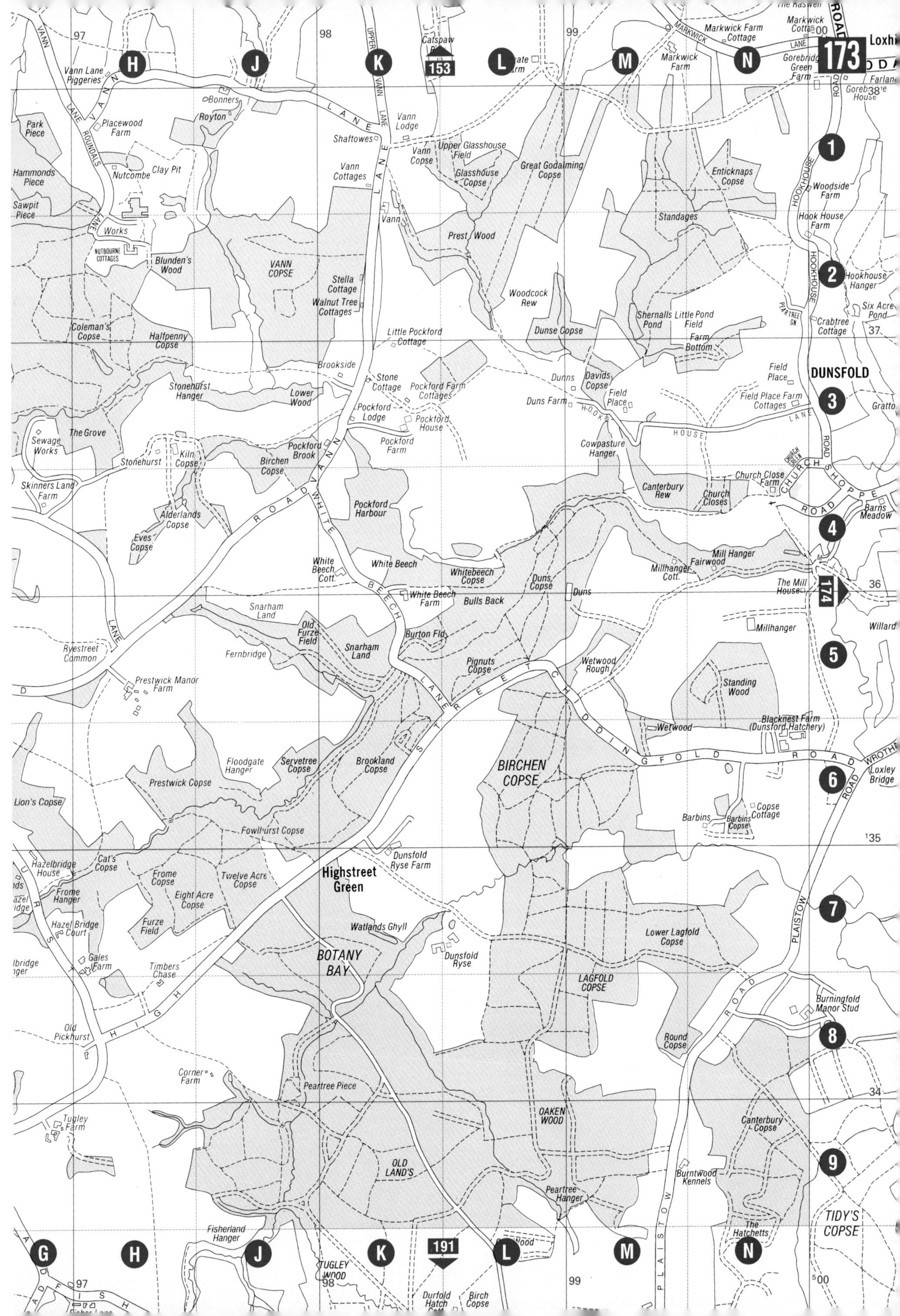
173
153
174
191
H
J
K
L
M
N
G
1
2
3
4
5
6
7
8
9
97
98
99
500
38
37
36
35
34
Loxhi
Vann Lane Piggeries
Bonners
Royton
Placewood Farm
Park Piece
Hammonds Piece
Sawpit Piece
Nutcombe
Clay Pit
Works
NUTBOURNE COTTAGES
Blunden's Wood
VANN COPSE
Catspaw
Vann Lodge
Shaftowes
Vann Copse
Upper Glasshouse Field
Glasshouse Copse
Vann Cottages
Vann
Great Godalming Copse
Prest Wood
Markwick Farm Cottage
Markwick Farm
Markwick Cotts
Gorebridge Green Farm
Gorebridge House
Farlane
Enticknaps Copse
Standages
Woodside Farm
Hook House Farm
Hookhouse Hanger
Six Acre Pond
Crabtree Cottage
Woodcock Rew
Shernalls Pond
Little Pond Field
Farm Bottom
Dunse Copse
Stella Cottage
Walnut Tree Cottages
Coleman's Copse
Halfpenny Copse
Little Pockford Cottage
Brookside
Stone Cottage
Pockford Farm Cottages
Stonehurst Hanger
Lower Wood
Pockford Lodge
Pockford House
Pockford Farm
Dunns
Davids Copse
Duns Farm
Field Place
DUNSFOLD
Field Place Farm Cottages
Gratto
The Grove
Sewage Works
Stonehurst
Kiln Copse
Pockford Brook
Birchen Copse
Cowpasture Hanger
Church Close Farm
Canterbury Rew
Church Closes
Barns Meadow
Skinners Land Farm
Alderlands Copse
Eves Copse
Pockford Harbour
White Beech Cott.
White Beech
Whitebeech Copse
Duns Copse
Duns
Mill Hanger
Fairwood
Millhanger Cott.
The Mill House
Willard
Snarham Land
Old Furze Field
White Beech Farm
Bulls Back
Millhanger
Ryestreet Common
Fernbridge
Burton Fld
Pignuts Copse
Wetwood Rough
Standing Wood
Prestwick Manor Farm
Wetwood
Blacknest Farm (Dunsford Hatchery)
Floodgate Hanger
Servetree Copse
Brookland Copse
BIRCHEN COPSE
Loxley Bridge
Prestwick Copse
Lion's Copse
Barbins
Barbins Copse
Copse Cottage
Fowlhurst Copse
Hazelbridge House
Cat's Copse
Dunsfold Ryse Farm
Highstreet Green
Frome Copse
Twelve Acre Copse
Frome Hanger
Eight Acre Copse
Hazel Bridge Court
Furze Field
Watlands Ghyll
Lower Lagfold Copse
Gales Farm
Timbers Chase
BOTANY BAY
Dunsfold Ryse
LAGFOLD COPSE
Burningfold Manor Stud
Old Pickhurst
Round Copse
Corner Farm
Peartree Piece
OAKEN WOOD
Canterbury Copse
Tugley Farm
OLD LAND'S
Burntwood Kennels
Peartree Hanger
TIDY'S COPSE
Fisherland Hanger
The Hatchetts
TUGLEY WOOD
Durfold Hatch
Birch Copse
VANN LANE
ROUNDALS LANE
UPPER VANN LANE
MARKWICK LANE
HOOKHOUSE ROAD
HOOK HOUSE LANE
CHURCH GREEN
SHOPPE ROAD
VANN ROAD
WHITE BEECH LANE
STREET
CHIDDINGFOLD ROAD
WROTHAM ROAD
PLAISTOW ROAD
HIGH STREET
PLAISTOW

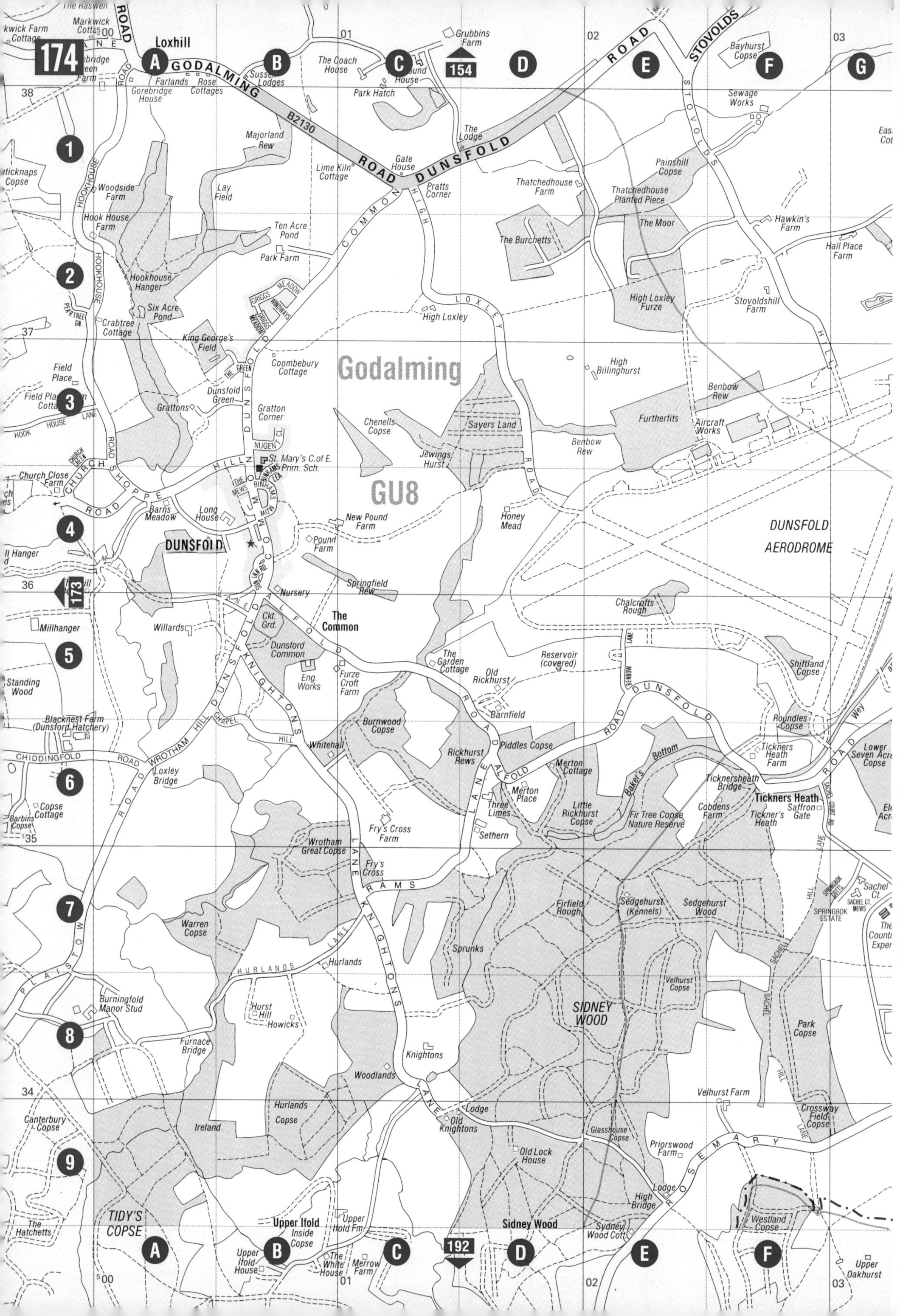
Loxhill
GODALMING ROAD
B2130
DUNSFOLD ROAD
STOVOLDS ROAD
154
173
192
Grubbins Farm
The Coach House
Compound House
Park Hatch
Sussex Lodges
Farlands
Rose Cottages
Gorebridge House
Bayhurst Copse
Sewage Works
Majorland Rew
The Lodge
Gate House
Lime Kiln Cottage
Pratts Corner
Lay Field
Woodside Farm
Hook House Farm
Ten Acre Pond
Park Farm
Thatchedhouse Farm
Painshill Copse
Thatchedhouse Planted Piece
The Moor
The Burchetts
Hawkin's Farm
Hall Place Farm
Hookhouse Hanger
Six Acre Pond
Crabtree Cottage
King George's Field
High Loxley
High Loxley Furze
Stovoldshill Farm
Coombebury Cottage
Godalming
High Billinghurst
Field Place
Dunsfold Green
Grattons
Gratton Corner
Chenells Copse
Sayers Land
Benbow Rew
Furtherfits
Aircraft Works
St. Mary's C.of E. Prim. Sch.
Church Close Farm
Jewings Hurst
GU8
Barns Meadow
Long House
New Pound Farm
Honey Mead
DUNSFOLD AERODROME
DUNSFOLD
Pound Farm
Springfield Rew
Nursery
Millhanger
Willards
Ckt. Grd.
The Common
Chalcrofts Rough
Dunsford Common
The Garden Cottage
Reservoir (covered)
Old Rickhurst
Shiftland Copse
Standing Wood
Eng. Works
Furze Croft Farm
Barnfield
Blacknest Farm (Dunsford Hatchery)
Burnwood Copse
Whitehall
Rickhurst Rews
Piddles Copse
Roundles Copse
Tickners Heath Farm
Lower Seven Acre Copse
CHIDDINGFOLD ROAD
WROTHAM HILL
Loxley Bridge
Merton Cottage
Merton Place
Three Limes
Little Rickhurst Copse
Baker's Bottom
Fir Tree Copse Nature Reserve
Ticknersheath Bridge
Tickners Heath
Cobdens Farm
Tickner's Heath
Saffron Gate
Copse Cottage
Fry's Cross Farm
Sethern
Wrotham Great Copse
Fry's Cross
RAMS LANE
Firfield Rough
Sedgehurst (Kennels)
Sedgehurst Wood
Sachel Ct.
SPRINGBOK ESTATE
Warren Copse
Sprunks
Hurlands
HURLANDS LANE
Velhurst Copse
Burningfold Manor Stud
Hurst Hill
Howicks
SIDNEY WOOD
Park Copse
Furnace Bridge
Knightons
Woodlands
Velhurst Farm
Hurlands Copse
Lodge
Old Knightons
Canterbury Copse
Ireland
Glasshouse Copse
Crossway Field Copse
Old Lock House
Priorswood Farm
ROSEMARY LANE
Lodge
High Bridge
TIDY'S COPSE
The Hatchetts
Upper Ifold
Inside Copse
Upper Ifold Fm.
Sidney Wood
Sydney Wood Cott.
Westland Copse
Upper Ifold House
The White House
Merrow Farm
Upper Oakhurst

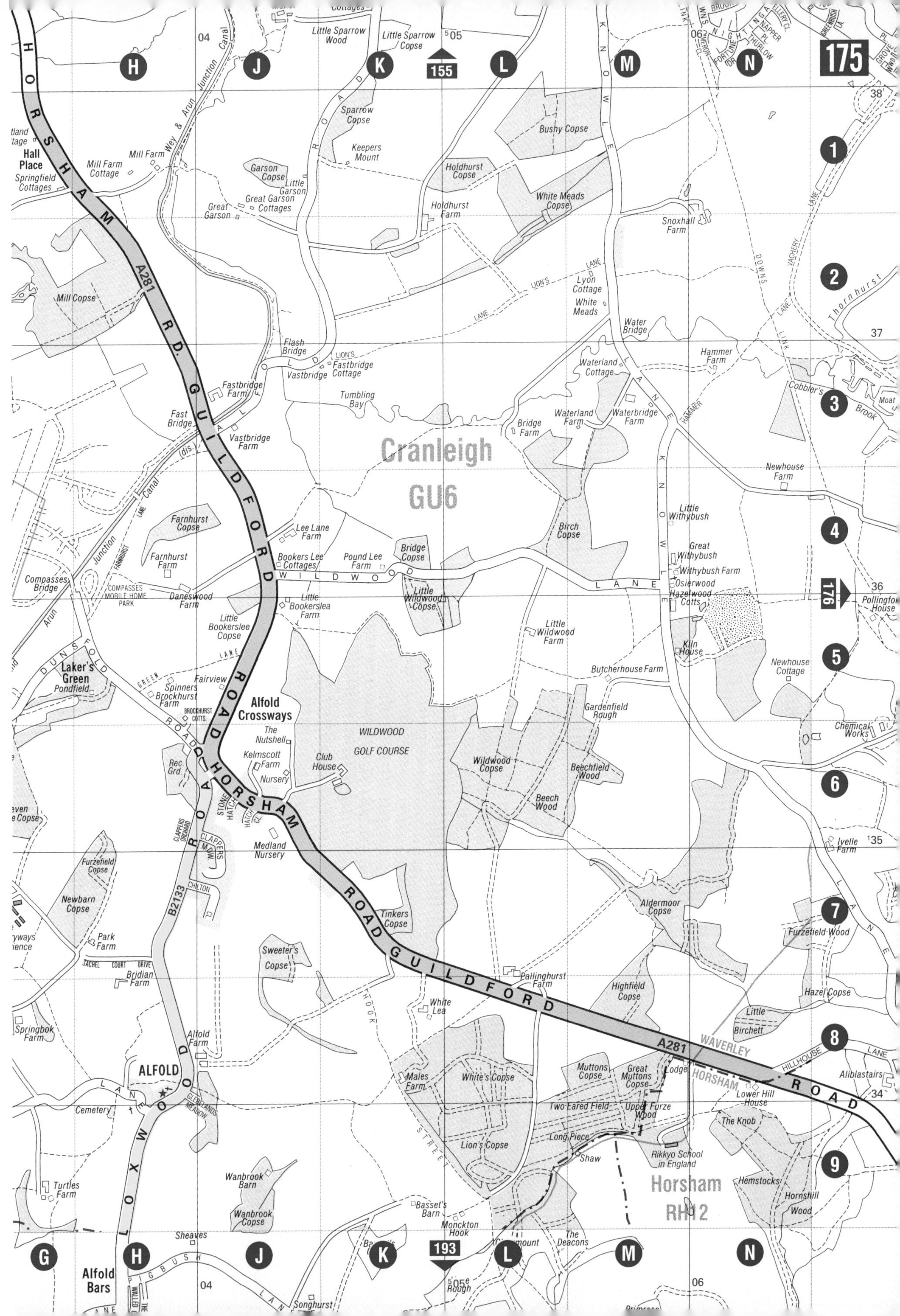
Cranleigh
GU6
Horsham
RH12
Alfold Crossways
ALFOLD
Alfold Bars
Laker's Green
Hall Place
HORSHAM ROAD
GUILDFORD RD.
GUILDFORD ROAD
HORSHAM ROAD
A281
B2133
WILDWOOD LANE
KNOWLE LANE
LOXWOOD ROAD
DUNSFOLD ROAD
Wey & Arun Junction Canal
WILDWOOD GOLF COURSE
Little Sparrow Wood
Little Sparrow Copse
Sparrow Copse
Keepers Mount
Bushy Copse
Holdhurst Copse
Holdhurst Farm
White Meads Copse
Snoxhall Farm
Garson Copse
Little Garson
Great Garson Cottages
Great Garson
Mill Farm
Mill Farm Cottage
Springfield Cottages
Mill Copse
Lyon Cottage
White Meads
Water Bridge
Flash Bridge
Fastbridge Cottage
Vastbridge
Tumbling Bay
Fastbridge Farm
Fast Bridge
Vastbridge Farm
Hammer Farm
Waterland Cottage
Waterland Farm
Waterbridge Farm
Bridge Farm
Cobbler's Brook
Moat
Newhouse Farm
Farnhurst Copse
Farnhurst Farm
Lee Lane Farm
Bookers Lee Cottages
Pound Lee Farm
Bridge Copse
Birch Copse
Little Withybush
Great Withybush
Withybush Farm
Osierwood
Hazelwood Cotts
Compasses Bridge
Compasses Mobile Home Park
Daneswood Farm
Little Bookerslee Farm
Little Bookerslee Copse
Little Wildwood Copse
Little Wildwood Farm
Kiln House
Pollingford House
Newhouse Cottage
Butcherhouse Farm
Gardenfield Rough
Chemical Works
Pondfield
Spinners
Brockhurst Farm
Brockhurst Cotts.
Fairview
The Nutshell
Kelmscott Farm
Nursery
Club House
Rec. Grd.
Wildwood Copse
Beechfield Wood
Beech Wood
Medland Nursery
Ivelle Farm
Furzefield Copse
Newbarn Copse
Tinkers Copse
Aldermoor Copse
Furzefield Wood
Park Farm
Sachel Court Drive
Bridian Farm
Sweeter's Copse
Pallinghurst Farm
Highfield Copse
Hazel Copse
Little Birchett
White Lea
Springbok Farm
Alfold Farm
Males Farm
White's Copse
Muttons Copse
Great Muttons Copse
Lodge
Lower Hill House
Aliblastairs
Hillhouse Lane
Waverley
Horsham
Cemetery
Glebelands Meadow
Two Eared Field
Upper Furze Wood
The Knob
Long Piece
Shaw
Lion's Copse
Rikkyo School in England
Hemstocks
Hornshill Wood
Turtles Farm
Wanbrook Barn
Wanbrook Copse
Basset's Barn
Monckton Hook
The Deacons
Sheaves
Songhurst
Thornhurst
Vachery Lane
Downs Link
Hook Street
Lion's Lane
Stone Hatch
Clappers Orchard
Clappers Mdw.
Chilton Cl.
Pigbush Lane
155
176
193
04
05
06
34
35
36
37
38

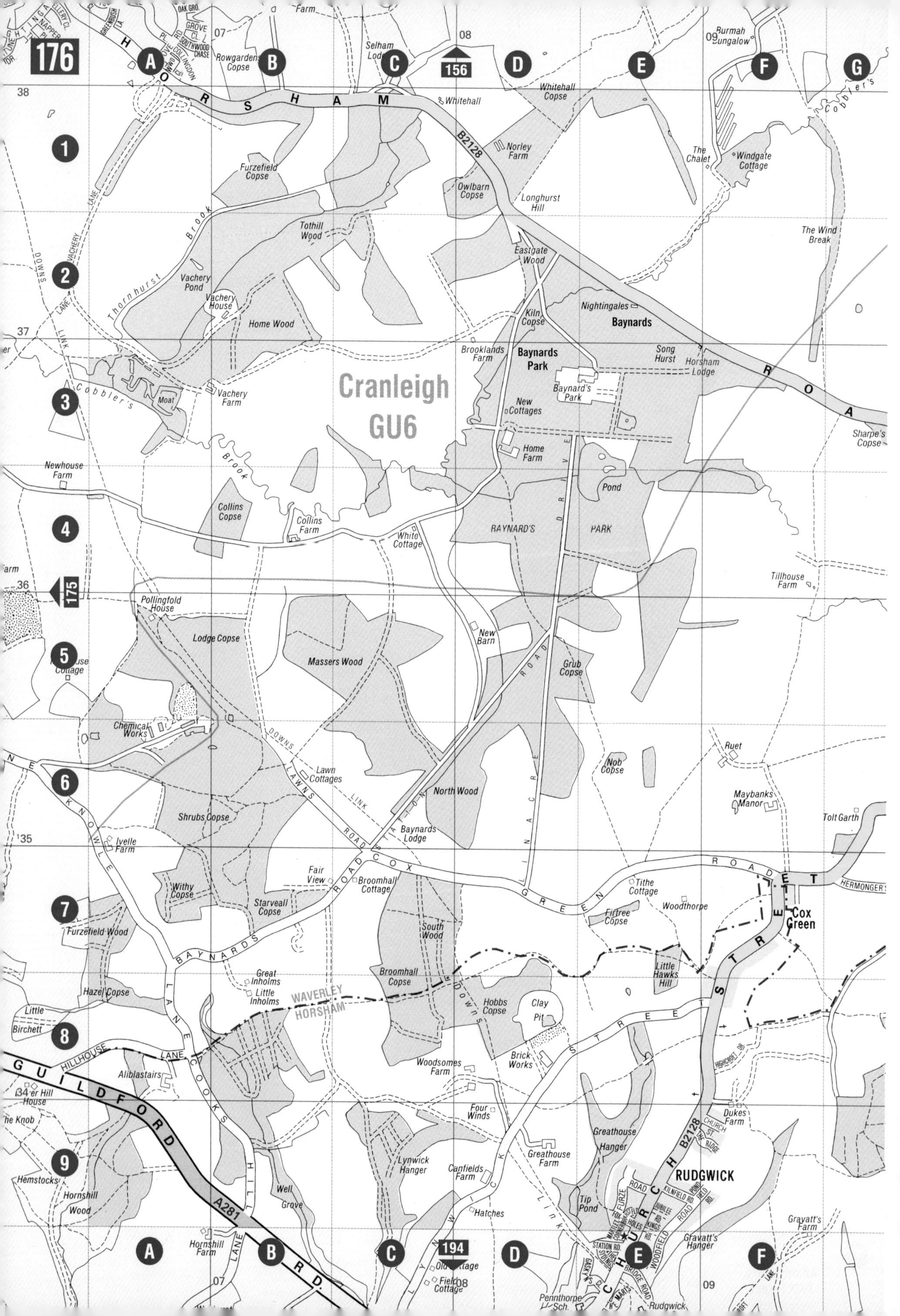
Cranleigh
GU6
HORSHAM ROAD
B2128
156
175
194
Rowgardens Copse
Selham Lodge
Whitehall
Whitehall Copse
Norley Farm
Burmah Bungalow
Cobbler's
The Chalet
Windgate Cottage
Furzefield Copse
Owlbarn Copse
Longhurst Hill
Tothill Wood
The Wind Break
Eastgate Wood
Vachery Pond
Vachery House
Home Wood
Thornhurst Brook
Nightingales
Baynards
Kiln Copse
Brooklands Farm
Baynards Park
Baynard's Park
Song Hurst
Horsham Lodge
Vachery Farm
Moat
New Cottages
Home Farm
Sharpe's Copse
Newhouse Farm
Collins Copse
Collins Farm
White Cottage
Pond
RAYNARD'S PARK
Tillhouse Farm
Pollingfold House
Lodge Copse
Massers Wood
New Barn
Grub Copse
Chemical Works
Lawn Cottages
DOWNS LINK
LAWNS ROAD
North Wood
Nob Copse
Ruet
Maybanks Manor
Tolt Garth
Shrubs Copse
Baynards Lodge
Ivelle Farm
Fair View
Broomhall Cottage
COX GREEN ROAD
Tithe Cottage
Woodthorpe
HERMONGER'S
Cox Green
Withy Copse
Starveall Copse
Furzefield Wood
South Wood
Firtree Copse
BAYNARDS LANE
Great Inholms
Little Inholms
Broomhall Copse
Little Hawks Hill
WAVERLEY
HORSHAM
Hazel Copse
Hobbs Copse
Clay Pit
Little Birchett
HILLHOUSE LANE
Brick Works
Aliblastairs
Woodsomes Farm
GUILDFORD RD.
A281
Four Winds
Dukes Farm
Hemstocks
Hornshill Wood
Well Grove
Lynwick Hanger
Canfields Farm
Greathouse Hanger
Greathouse Farm
RUDGWICK
Tip Pond
Hatches
Gravatt's Hanger
Gravatt's Farm
Hornshill Farm
Field Cottage
Pennthorpe Sch.
Rudgwick
CHURCH ST
B2128
KILNFIELD RD
JUBILEE RD
WOODFIELD
BRIDGE ROAD
STATION RD.
The Knob
Rudgwick

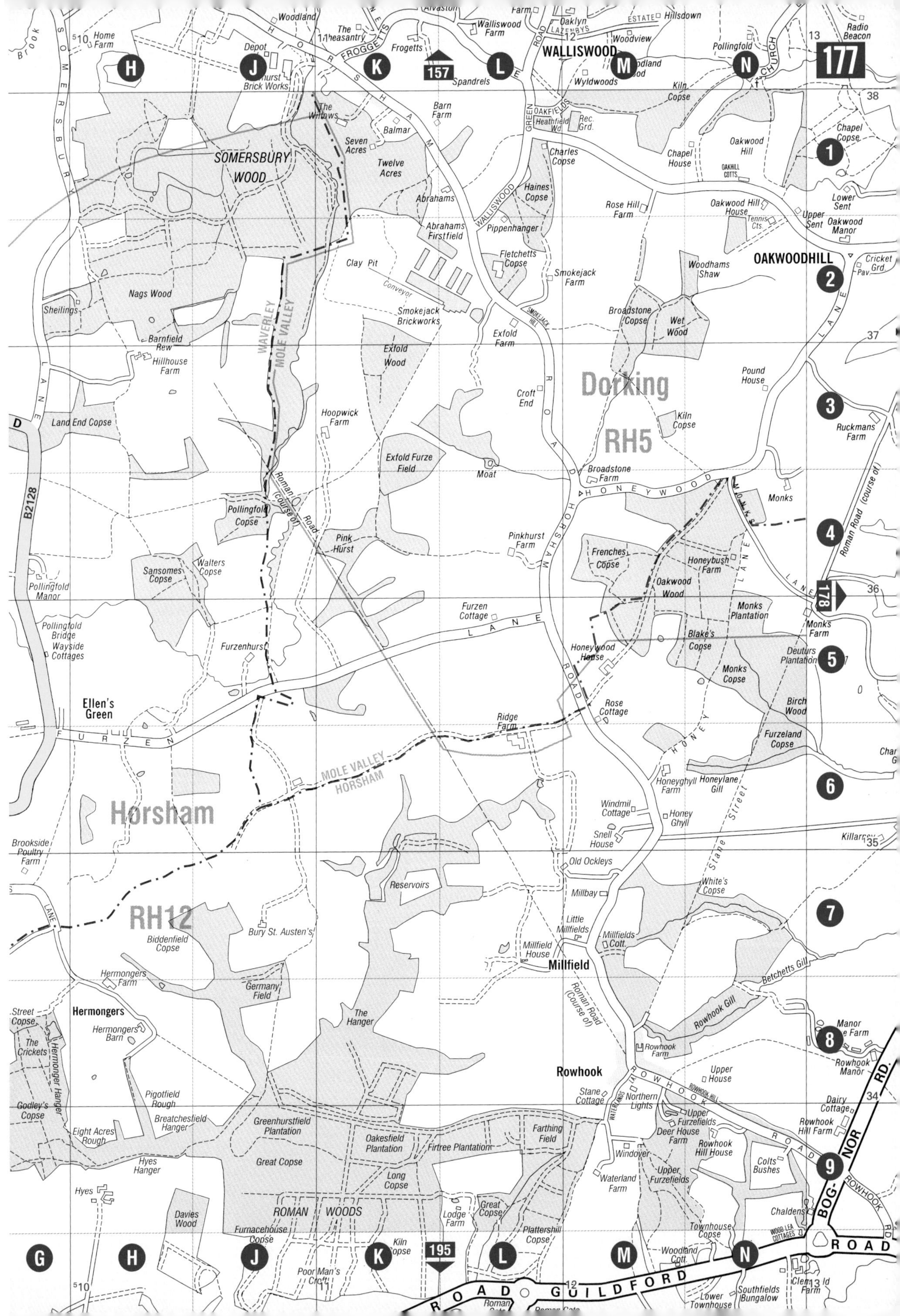
SOMERSBURY WOOD
WALLISWOOD
OAKWOODHILL
Dorking
RH5
Horsham
RH12
Ellen's Green
Hermongers
Millfield
Rowhook
ROMAN WOODS
Nags Wood
Exfold Wood
Oakwood Hill
Oakwood Wood
Clay Pit
Smokejack Brickworks
Reservoirs
MOLE VALLEY
HORSHAM
WAVERLEY
FURZEN LANE
HONEYWOOD LANE
HORSHAM ROAD
GUILDFORD ROAD
BOG-NOR RD.
B2128
Roman Road (course of)
Stane Street
157
195
178

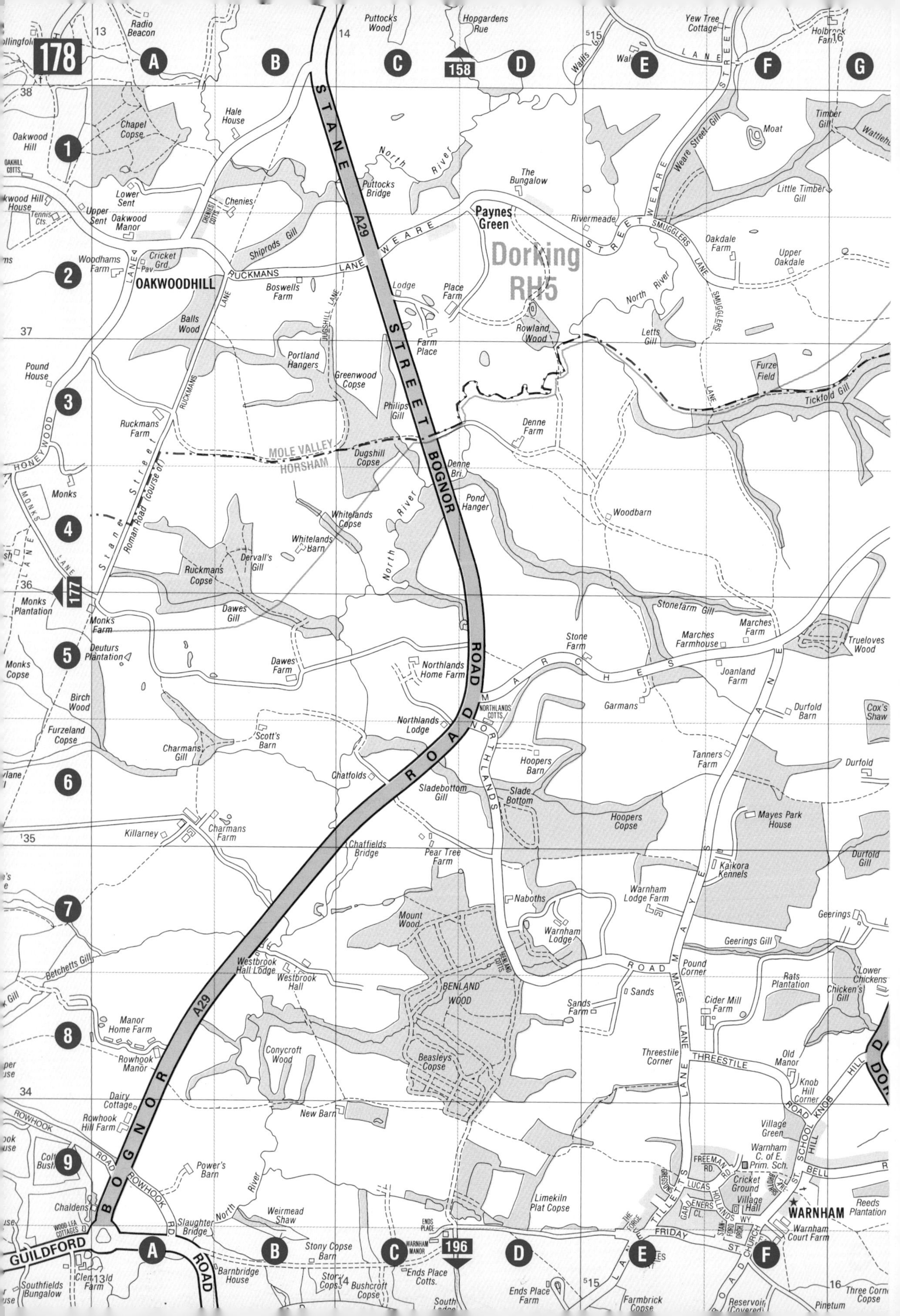
178
Radio Beacon
Puttocks Wood
Hopgardens Rue
158
Walls Gill
Yew Tree Cottage
Holbrook Farm
Hale House
Chapel Copse
Oakwood Hill
Oakhill Cotts
Lower Sent
Upper Sent
Oakwood Manor
Chenies
North River
Puttocks Bridge
The Bungalow
Moat
Timber Gill
Weare Street Gill
Little Timber Gill
Paynes Green
Rivermeade
Dorking RH5
Shiprods Gill
Woodhams Farm
Cricket Grd.
Pav.
OAKWOODHILL
RUCKMANS LANE
WEARE STREET
STANE STREET
A29
Boswells Farm
Dugshill Lane
Lodge
Place Farm
Oakdale Farm
Upper Oakdale
SMUGGLERS LANE
Balls Wood
Farm Place
Rowland Wood
Letts Gill
Pound House
Portland Hangers
Greenwood Copse
Furze Field
Tickfold Gill
Ruckmans Farm
Philips Gill
Denne Farm
MOLE VALLEY
HORSHAM
Dugshill Copse
Denne Bri.
HONEYWOOD
MONKS LANE
Monks
Stane Street
Roman Road (course of)
BOGNOR ROAD
Pond Hanger
Woodbarn
Whitelands Copse
Whitelands Barn
Dervall's Gill
Ruckmans Copse
177
Monks Plantation
Monks Farm
Dawes Gill
Stonefarm Gill
Marches Farm
Marches Farmhouse
Trueloves Wood
Stone Farm
Deuturs Plantation
Monks Copse
Dawes Farm
Northlands Home Farm
MARCHES ROAD
Joanland Farm
Birch Wood
Garmans
Durfold Barn
Cox's Shaw
Northlands Cotts
Northlands Lodge
Furzeland Copse
Scott's Barn
Charmans Gill
Hoopers Barn
Tanners Farm
Durfold
Chatfolds
Sladebottom Gill
Slade Bottom
NORTHLANDS
Hoopers Copse
Mayes Park House
Killarney
Charmans Farm
Chaffields Bridge
Pear Tree Farm
Durfold Gill
Kaikora Kennels
Warnham Lodge Farm
Naboths
Mount Wood
Warnham Lodge
Geerings
Geerings Gill
Betchetts Gill
Westbrook Hall Lodge
Westbrook Hall
Benland Cotts
BENLAND WOOD
ROAD
MAYES LANE
Pound Corner
Rats Plantation
Lower Chickens
Chicken's Gill
Sands
Sands Farm
Cider Mill Farm
Manor Home Farm
Conycroft Wood
Rowhook Manor
Beasleys Copse
Threestile Corner
THREESTILE
Old Manor
Knob Hill Corner
Dairy Cottage
New Barn
SCHOOL HILL
KNOB HILL
ROWHOOK
Rowhook Hill Farm
Village Green
Warnham C. of E. Prim. Sch.
Colt Bush
Power's Barn
FREEMAN RD.
LUCAS
Cricket Ground
Village Hall
BELL
Chaldens
Weirmead Shaw
Limekiln Plat Copse
GARDENERS CL.
HOLLANDS WY.
WARNHAM
Reeds Plantation
Wood-Lea Cottages
Slaughter Bridge
Ends Place
THE FORGE
TILLETTS LANE
FRIDAY ST.
CHURCH ROAD
Warnham Court Farm
GUILDFORD ROAD
ROWHOOK RD.
Stony Copse Barn
Warnham Manor
196
Barnbridge House
Ends Place Cotts.
Southfields Bungalow
Clen Farm
Stony Copse
Bushcroft Copse
Ends Place Farm
Farmbrick Copse
Reservoir (Covered)
Pinetum
Three Corner Copse
A B C D E F G
1 2 3 4 5 6 7 8 9
13 14 15 16
38 37 36 35 34

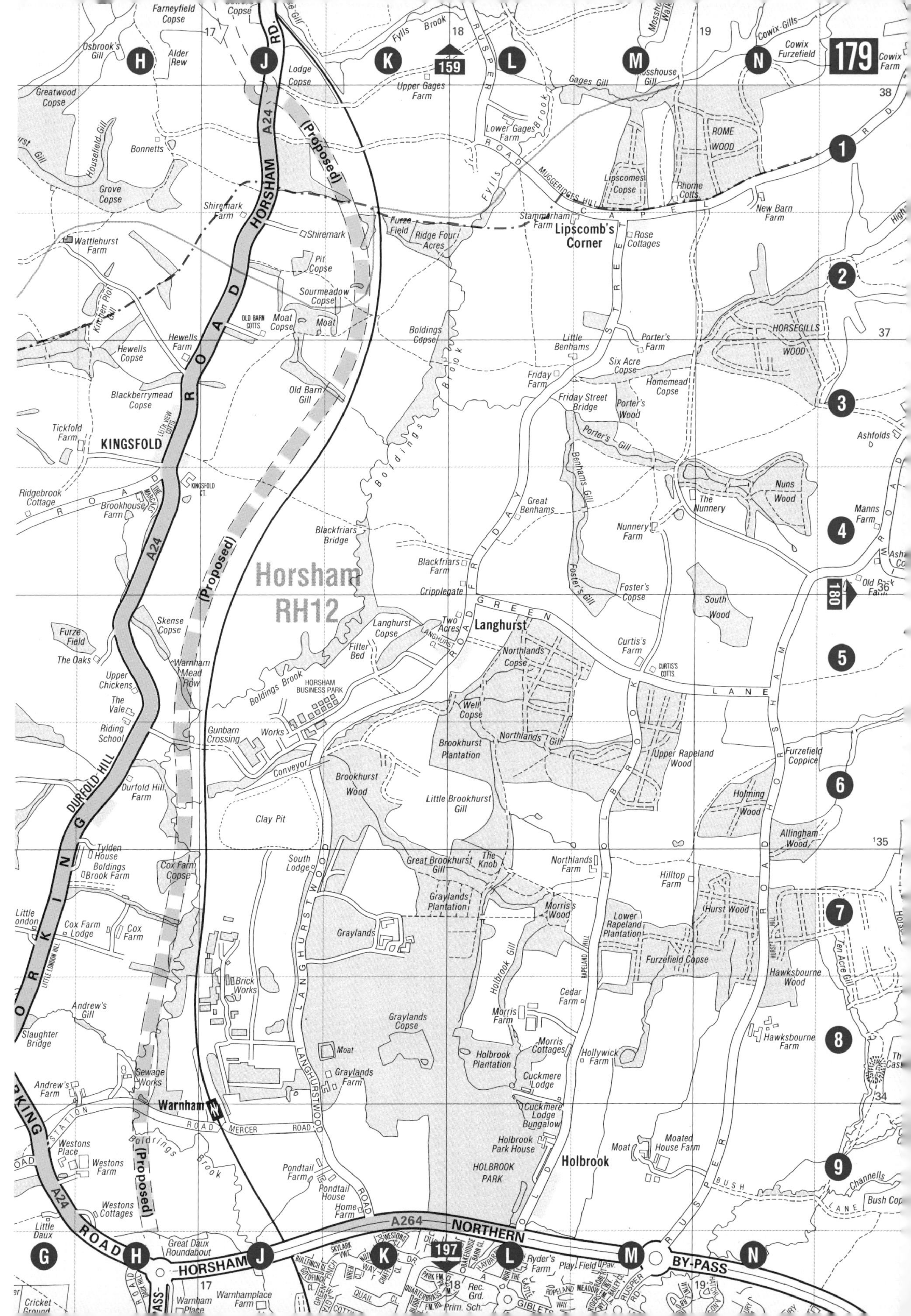
Farneyfield Copse
Osbrook's Gill
Alder Rew
Lodge Copse
Fylls Brook
159
Upper Gages Farm
Gages Gill
Mosshouse Gill
Cowix-Gills
Cowix Furzefield
Cowix Farm
Greatwood Copse
Housefield Gill
Bonnetts
Lower Gages Farm
ROME WOOD
Grove Copse
Lipscombes Copse
Rhome Cotts.
MUGGERIDGES HILL
New Barn Farm
Shiremark Farm
Wattlehurst Farm
Shiremark
Furze Field
Ridge Four Acres
Stammerham Farm
Lipscomb's Corner
Rose Cottages
Pit Copse
Sourmeadow Copse
Kitchen Plot Gill
OLD BARN COTTS.
Moat Copse
Moat
Boldings Copse
Little Benhams
Porter's Farm
HORSEGILLS WOOD
Hewells Farm
Hewells Copse
Six Acre Copse
Friday Farm
Homemead Copse
Blackberrymead Copse
Old Barn Gill
Friday Street Bridge
Porter's Wood
Porter's Gill
Ashfolds
Tickfold Farm
KINGSFOLD
Benhams Gill
Ridgebrook Cottage
KINGSFOLD CT.
Brookhouse Farm
Great Benhams
Nuns Wood
The Nunnery
Manns Farm
Nunnery Farm
Blackfriars Bridge
Blackfriars Farm
Horsham RH12
Cripplegate
Foster's Gill
Foster's Copse
South Wood
180
Old Park Farm
Furze Field
Skense Copse
Langhurst Copse
Two Acres
Langhurst
The Oaks
Filter Bed
Northlands Copse
Curtis's Farm
CURTIS'S COTTS.
Upper Chickens
Warnham Mead Row
HORSHAM BUSINESS PARK
Boldings Brook
The Vale
Well Copse
Riding School
Gunbarn Crossing
Works
Brookhurst Plantation
Northlands Gill
Upper Rapeland Wood
Furzefield Coppice
Conveyor
Brookhurst Wood
Durfold Hill Farm
Holming Wood
Little Brookhurst Gill
Clay Pit
Allingham Wood
Tylden House
South Lodge
Great Brookhurst Gill
The Knob
Northlands Farm
Boldings Brook Farm
Cox Farm Copse
Hilltop Farm
Graylands Plantation
Morris's Wood
Hurst Wood
Little London
Cox Farm Lodge
Cox Farm
Graylands
Lower Rapeland Plantation
Furzefield Copse
Ten Acre Gill
Hawksbourne Wood
Brick Works
Holbrook Gill
Cedar Farm
Andrew's Gill
Graylands Copse
Morris Farm
Hawksbourne Farm
Slaughter Bridge
Moat
Morris Cottages
Holbrook Plantation
Hollywick Farm
Sewage Works
Graylands Farm
Cuckmere Lodge
Andrew's Farm
Warnham
Cuckmere Lodge Bungalow
Westons Place
Holbrook Park House
Moat
Moated House Farm
Westons Farm
Boldrings Brook
HOLBROOK PARK
Holbrook
Pondtail Farm
Pondtail House
Channells
Bush Copse
Home Farm
Westons Cottages
Little Daux
Great Daux Roundabout
Ryder's Farm
Play Field
Pav.
Rec. Grd.
Prim. Sch.
Warnham Place
Warnhamplace Farm
Cricket Ground
HORSHAM ROAD
A24
A264
NORTHERN BY-PASS
DURFOLD HILL
DORKING
FRIDAY STREET
LANGHURSTWOOD
GREEN LANE
RUSPER ROAD
HOLBROOK
OLD HOLBROOK
MERCER ROAD
STATION ROAD
(Proposed)
197
H J K L M N G
1 2 3 4 5 6 7 8 9
17 18 19
38 37 36 135 34

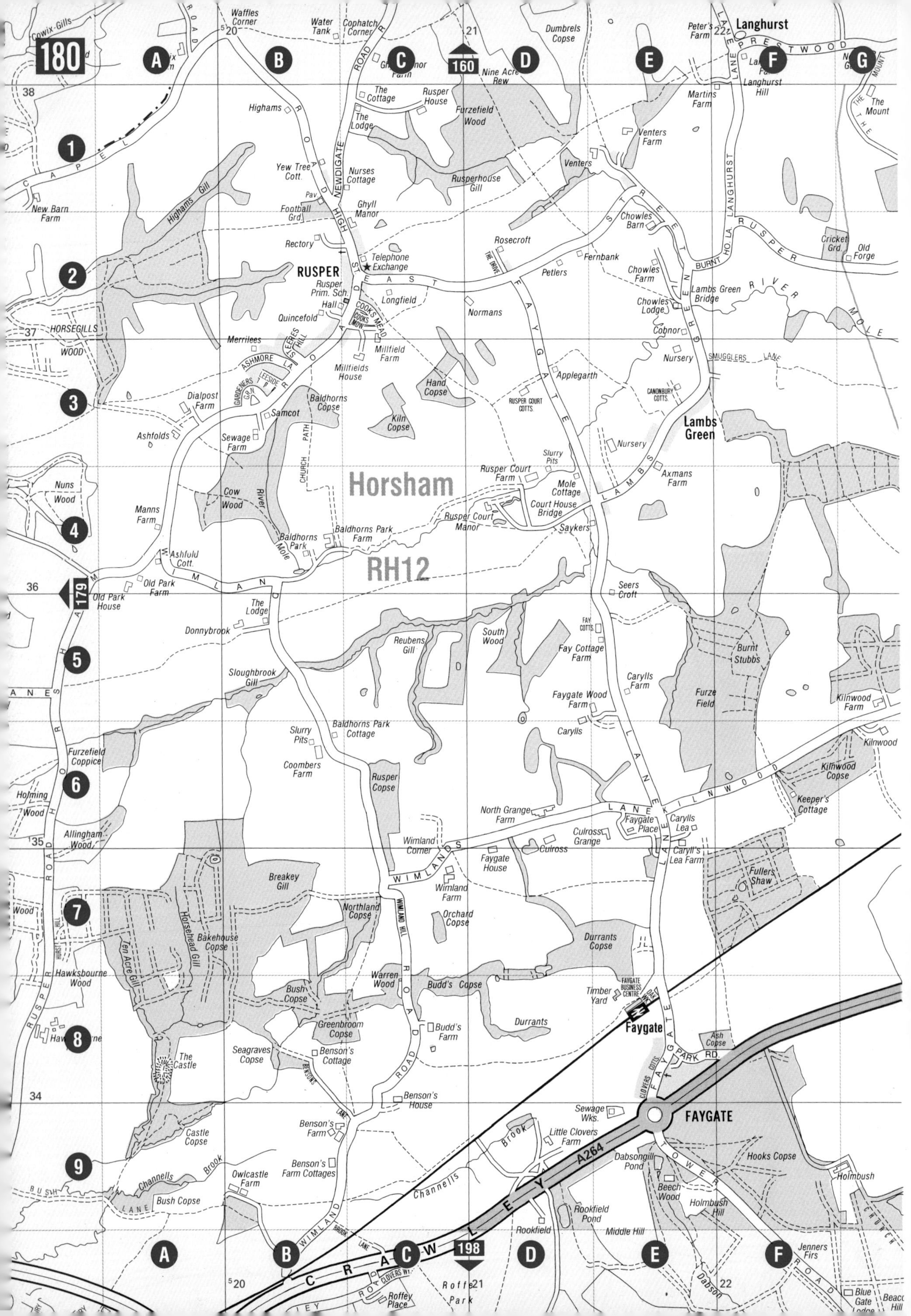
Langhurst
Waffles Corner
Water Tank
Cophatch Corner
Dumbrels Copse
Peter's Farm
Nine Acre Rew
Furzefield Wood
Rusper House
The Cottage
The Lodge
Highams
Martins Farm
Langhurst Hill
The Mount
Venters Farm
Venters
Rusperhouse Gill
Higham's Gill
Yew Tree Cott.
Nurses Cottage
Ghyll Manor
New Barn Farm
Football Grd.
Rectory
Telephone Exchange
RUSPER
Rusper Prim. Sch.
Hall
Quincefold
Longfield
Normans
Rosecroft
Fernbank
Petlers
Chowles Barn
Chowles Farm
Chowles Lodge
Cobnor
Lambs Green Bridge
Cricket Grd.
Old Forge
RIVER MOLE
HORSEGILLS WOOD
Merrilees
Millfield Farm
Millfields House
Baldhorns Copse
Hand Copse
Kiln Copse
Applegarth
Nursery
Canonbury Cotts.
Smugglers Lane
Lambs Green
Dialpost Farm
Ashfolds
Samcot
Sewage Farm
Rusper Court Cotts.
Slurry Pits
Rusper Court Farm
Mole Cottage
Court House Bridge
Axmans Farm
Horsham
Nuns Wood
Cow Wood
River Mole
Manns Farm
Rusper Court Manor
Saykers
Baldhorns Park Farm
Baldhorns Park
Ashfold Cott.
RH12
Old Park Farm
Old Park House
The Lodge
Donnybrook
Seers Croft
Reubens Gill
South Wood
Fay Cotts.
Fay Cottage Farm
Burnt Stubbs
Sloughbrook Gill
Carylls Farm
Faygate Wood Farm
Carylls
Furze Field
Kilnwood Farm
Kilnwood
Slurry Pits
Baldhorns Park Cottage
Coombers Farm
Rusper Copse
Furzefield Coppice
Holming Wood
North Grange Farm
Faygate Place
Carylls Lea
Kilnwood Copse
Keeper's Cottage
Allingham Wood
Wimland Corner
Culross Grange
Culross
Faygate House
Caryll's Lea Farm
Fullers Shaw
Breakey Gill
Wimland Farm
Northland Copse
Orchard Copse
Horsehead Gill
Bakehouse Copse
Ten Acre Gill
Durrants Copse
Hawksbourne Wood
Warren Wood
Budd's Copse
Timber Yard
Faygate Business Centre
Bush Copse
Greenbroom Copse
Budd's Farm
Durrants
Faygate
Ash Copse
The Castle
Seagraves Copse
Benson's Cottage
Benson's House
Sewage Wks.
FAYGATE
Benson's Farm
Little Clovers Farm
Castle Copse
Benson's Farm Cottages
Dabsongill Pond
Hooks Copse
Holmbush
Owlcastle Farm
Channells Brook
Bush Copse
Beech Wood
Holmbush Hill
Rookfield Pond
Rookfield
Middle Hill
Jenners Firs
Roffey Park
Roffey Place
Blue Gate Lodge
Capel Road
Newdigate Road
High Street
East Street
Faygate Lane
Lambs Green
Langhurst Lane
Prestwood Lane
Rusper Road
Burnt Ho. La.
Wimland Lane
Wimland Hill
Wimland Road
Kilnwood Lane
Wimlands Lane
Faygate Park Rd.
Crawley Road
A264
Tower Road
Channells Lane
Bush Lane
Brook Lane
Benson's Lane
Dabson
Church Road
160
179
198

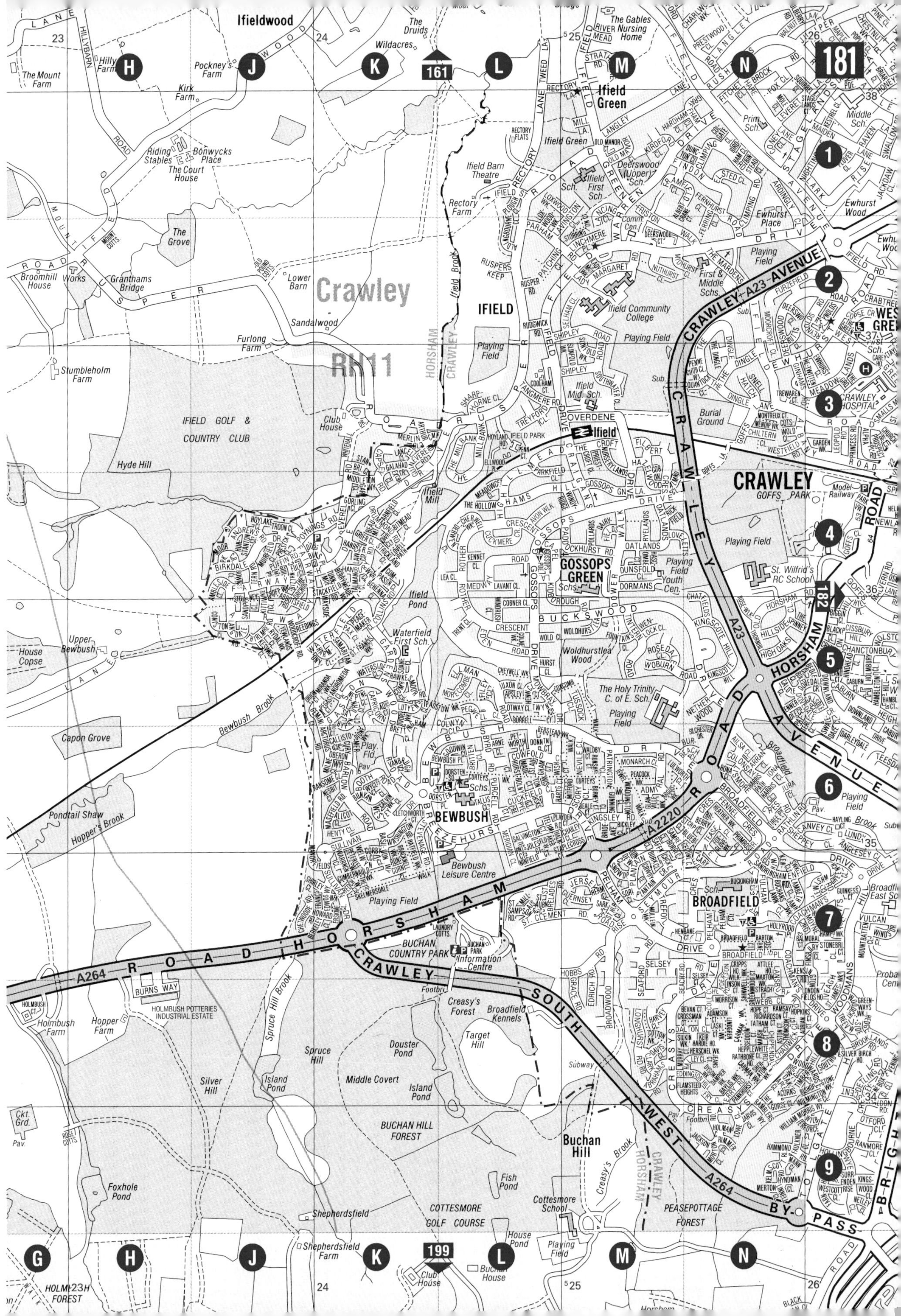
Ifieldwood
The Druids
Wildacres
161
The Gables Nursing Home
The Mount Farm
Hillybarn Farm
Pockney's Farm
Kirk Farm
Ifield Green
Riding Stables
Bonwycks Place
The Court House
Ifield Barn Theatre
Rectory Farm
The Grove
Broomhill House
Works
Granthams Bridge
Lower Barn
Crawley
Ruspers Keep
IFIELD
Sandalwood
Furlong Farm
RH11
Stumbleholm Farm
Playing Field
Ifield First Sch.
Deerswood (Upper) Sch.
Ewhurst Place
Ewhurst Wood
Ifield Community College
First & Middle Schs.
Ifield Mid. Sch.
IFIELD GOLF & COUNTRY CLUB
Club House
Hyde Hill
Ifield Mill
Burial Ground
CRAWLEY HOSPITAL
CRAWLEY
GOFFS PARK
Model Railway
GOSSOPS GREEN
Youth Cen.
St. Wilfrid's RC School
182
Ifield Pond
Waterfield First Sch.
Woldhurstlea Wood
The Holy Trinity C. of E. Sch.
Upper Bewbush
House Copse
Bewbush Brook
Capon Grove
BEWBUSH
Bewbush Leisure Centre
Pondtail Shaw
Hopper's Brook
BROADFIELD
A2220
A23
CRAWLEY AVENUE
A264 ROAD HORSHAM
CRAWLEY SOUTH WEST BY-PASS
BUCHAN COUNTRY PARK
Information Centre
BURNS WAY
HOLMBUSH POTTERIES INDUSTRIAL ESTATE
Holmbush Farm
Hopper Farm
Creasy's Forest
Broadfield Kennels
Target Hill
Douster Pond
Spruce Hill
Silver Hill
Island Pond
Middle Covert
BUCHAN HILL FOREST
Buchan Hill
Creasy's Brook
Ckt. Grd.
Foxhole Pond
Fish Pond
Shepherdsfield
COTTESMORE GOLF COURSE
Cottesmore School
PEASEPOTTAGE FOREST
House Pond
Shepherdsfield Farm
199
Club House
Buchan House
HOLMBUSH FOREST
HORSHAM
CRAWLEY
G H J K L M N
1 2 3 4 5 6 7 8 9
23 24 25 26

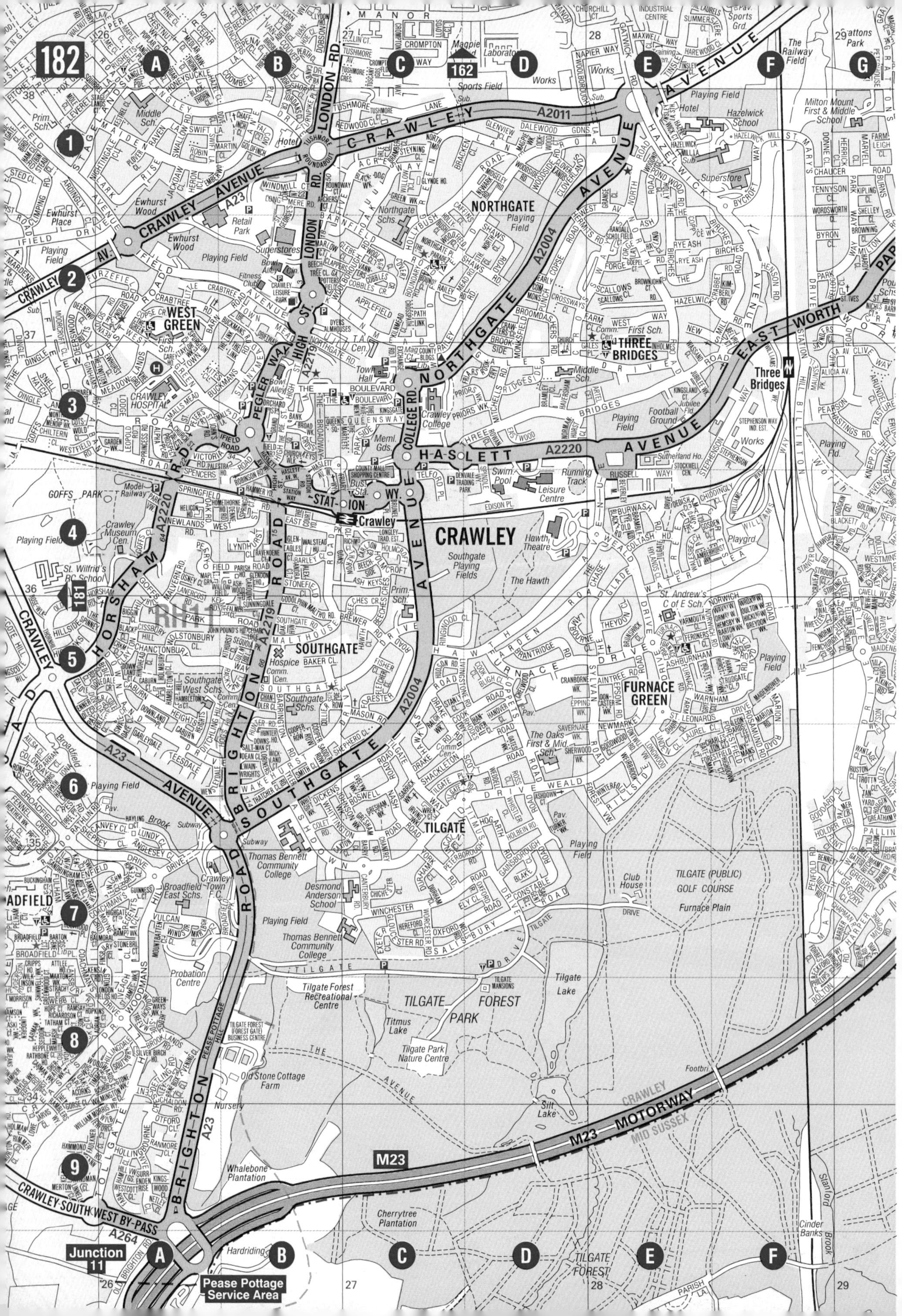
A
B
C
D
E
F
G
1
2
3
4
5
6
7
8
9
26
27
28
29
38
37
36
135
34
162
181
MANOR
CROMPTON WAY
Magpie
Laboratory
Works
Sports Field
INDUSTRIAL CENTRE
Sports Grd.
The Railway Field
Gattons Park
Playing Field
Hotel
Hazelwick School
Milton Mount First & Middle School
Superstore
CRAWLEY AVENUE
A2011
TUSHMORE ROUNDABOUT
LONDON RD.
Middle Sch.
Prim. Sch.
Ewhurst Wood
Ewhurst Place
Retail Park
Superstores
NORTHGATE
Northgate Schs.
Playing Field
A23
A2004
NORTHGATE AVENUE
HAZELWICK AVENUE
WEST GREEN
CRAWLEY HOSPITAL
Fitness Club
Bowl Alley
HIGH ST.
A2219
PEGLER WAY
Town Hall
THE BOULEVARD
QUEENSWAY
Crawley College
COLLEGE RD.
THREE BRIDGES
First Sch.
Middle Sch.
HASLETT AVENUE
A2220
EAST WORTH
Three Bridges
Football Ground
Playing Field
Works
Playing Fld.
Swim. Pool
Leisure Centre
Running Track
STATION WY.
Crawley
Bus Stn.
GOFFS PARK
Model Railway
Playing Field
Crawley Museum Cen.
St. Wilfrid's RC School
CRAWLEY
Hawth Theatre
Southgate Playing Fields
The Hawth
HORSHAM RD.
BRIGHTON ROAD
RH11
SOUTHGATE
Hospice
Southgate West Schs.
Southgate Schs.
SOUTHGATE AVENUE
St. Andrew's C of E Sch.
FURNACE GREEN
Playing Field
The Oaks First & Mid. Sch.
TILGATE
Broadfield
Playing Field
Subway
Thomas Bennett Community College
Crawley Town F.C.
Broadfield East Schs.
Desmond Anderson School
Playing Field
Club House
TILGATE (PUBLIC) GOLF COURSE
Furnace Plain
Probation Centre
Tilgate Forest Recreational Centre
TILGATE FOREST PARK
Tilgate Lake
Titmus Lake
Tilgate Park Nature Centre
Old Stone Cottage Farm
Nursery
Silt Lake
CRAWLEY
MID SUSSEX
M23 MOTORWAY
M23
Whalebone Plantation
Cherrytree Plantation
CRAWLEY-SOUTH WEST BY-PASS
A264
Junction 11
Hardriding
Pease Pottage Service Area
TILGATE FOREST
Cinder Banks
Stanford Brook
PARISH LA.

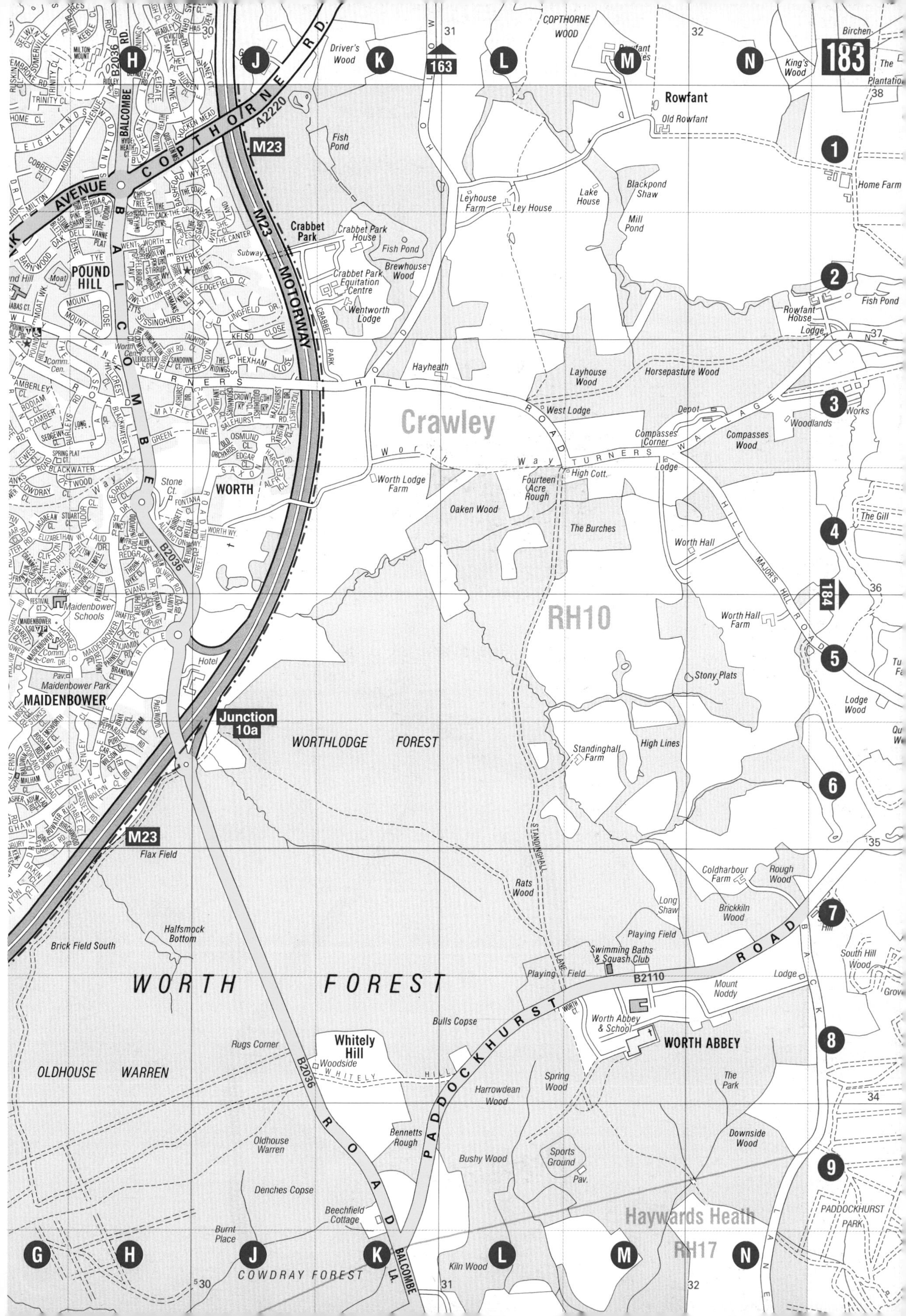

183
163
184
H
J
K
L
M
N
G
1
2
3
4
5
6
7
8
9
COPTHORNE WOOD
Driver's Wood
King's Wood
Birchen
The Plantation
Rowfant
Old Rowfant
Home Farm
Fish Pond
M23
A2220
COPTHORNE RD.
AVENUE
BALCOMBE RD.
B2036
POUND HILL
Crabbet Park
Crabbet Park House
Fish Pond
Brewhouse Wood
Crabbet Park Equitation Centre
Wentworth Lodge
MOTORWAY
Leyhouse Farm
Ley House
Lake House
Blackpond Shaw
Mill Pond
Rowfant House
Lodge
Fish Pond
Hayheath
TURNERS HILL
Layhouse Wood
Horsepasture Wood
West Lodge
Depot
Works
Woodlands
Crawley
Compasses Corner
Compasses Wood
Worth Way
TURNERS HILL ROAD
High Cott.
Lodge
WALLAGE LANE
Worth Lodge Farm
Fourteen Acre Rough
Oaken Wood
The Burches
Worth Hall
The Gill
MAJOR'S HILL ROAD
WORTH
Stone Ct.
Subway
Maidenbower Schools
Maidenbower Park
MAIDENBOWER
Hotel
Junction 10a
RH10
Worth Hall Farm
Stony Plats
Lodge Wood
WORTHLODGE FOREST
Standinghall Farm
High Lines
STANDINGHALL LANE
Flax Field
Rats Wood
Coldharbour Farm
Rough Wood
Long Shaw
Brickkiln Wood
Playing Field
Swimming Baths & Squash Club
Playing Field
B2110
PADDOCKHURST ROAD
Mount Noddy
Lodge
South Hill Wood
BACK LANE
Halfsmock Bottom
Brick Field South
WORTH FOREST
Bulls Copse
Worth Abbey & School
WORTH ABBEY
Rugs Corner
Whitely Hill
Woodside
WHITELY HILL
OLDHOUSE WARREN
Spring Wood
Harrowdean Wood
The Park
Oldhouse Warren
Bennetts Rough
Bushy Wood
Sports Ground
Pav.
Downside Wood
PADDOCKHURST PARK
Denches Copse
Beechfield Cottage
Haywards Heath
RH17
Burnt Place
BALCOMBE LA.
Kiln Wood
COWDRAY FOREST
30
31
32
33
34
35
36
37
38

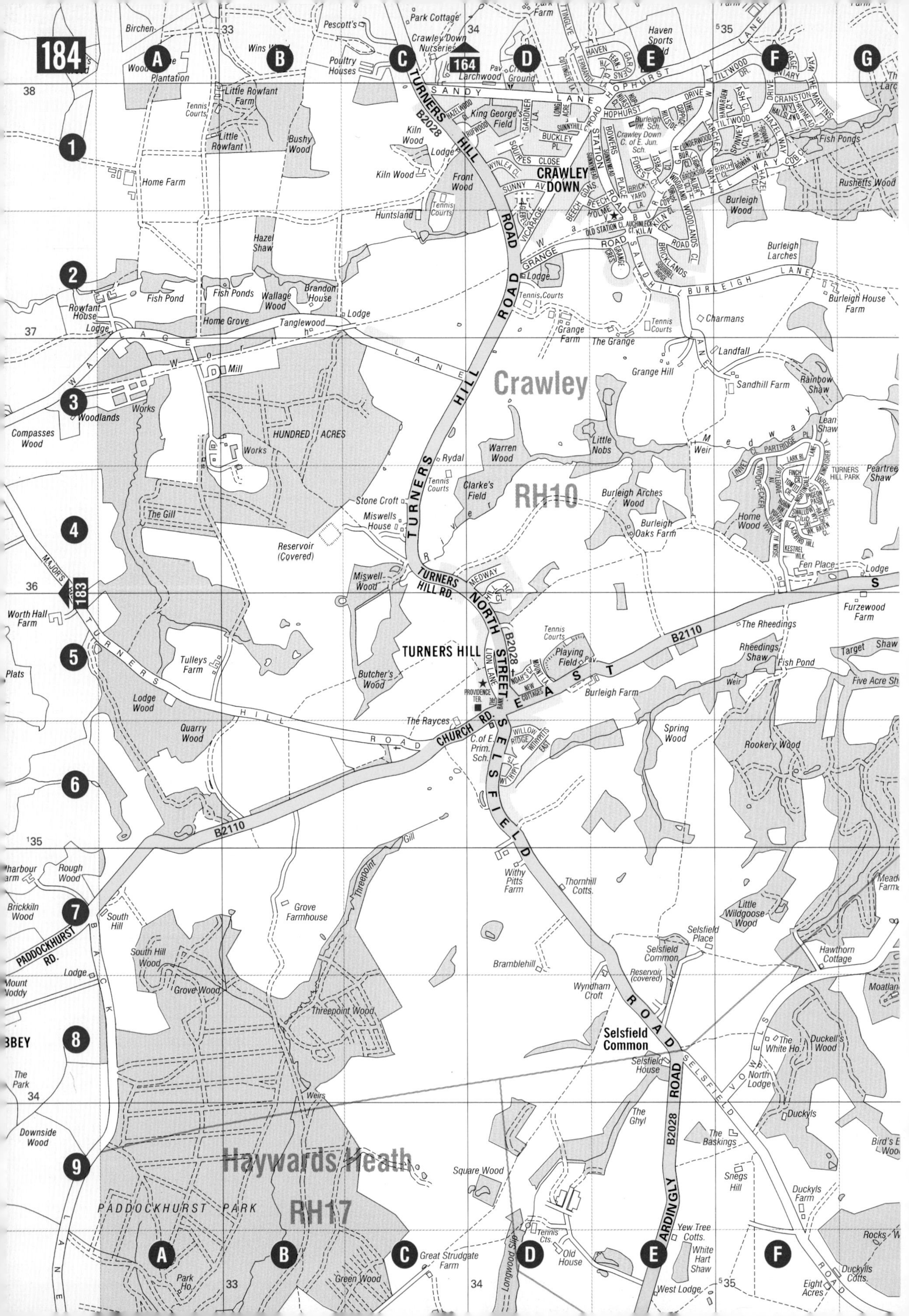
CRAWLEY DOWN
Crawley
RH10
TURNERS HILL
Haywards Heath
RH17
PADDOCKHURST PARK
Selsfield Common
TURNERS HILL ROAD
B2028
B2110
SANDY LANE
GRANGE ROAD
BURLEIGH LANE
WALLAGE LANE
TURNERS HILL RD.
NORTH STREET
EAST STREET
CHURCH RD.
SELSFIELD ROAD
ARDINGLY ROAD
BACK LANE
PADDOCKHURST RD.
VOWELS LANE
HOPHURST LANE
Birchen Wood
Plantation
Wins Wood
Pescott's
Park Cottage
Crawley Down Nurseries
Poultry Houses
Haven Sports Field
Larchwood
King George's Field
Little Rowfant Farm
Little Rowfant
Tennis Courts
Bushy Wood
Kiln Wood
Home Farm
Front Wood
Huntsland
Burleigh Wood
Rushetts Wood
Fish Ponds
Hazel Shaw
Burleigh Larches
Burleigh House Farm
Fish Pond
Rowfant House
Lodge
Wallage Wood
Brandon House
Home Grove
Tanglewood
Mill
Charmans
Grange Farm
The Grange
Landfall
Grange Hill
Sandhill Farm
Rainbow Shaw
Woodlands
Compasses Wood
Works
HUNDRED ACRES
Rydal
Warren Wood
Little Nobs
Medway
Lean Shaw
Peartree Shaw
TURNERS HILL PARK
Clarke's Field
Burleigh Arches Wood
Burleigh Oaks Farm
Home Wood
The Gill
Stone Croft
Miswells House
Reservoir (Covered)
Fen Place
Miswell Wood
Furzewood Farm
Worth Hall Farm
The Rheedings
Tulleys Farm
Playing Field
Rheedings Shaw
Target Shaw
Butcher's Wood
Burleigh Farm
Five Acre Shaw
Plats
Lodge Wood
The Rayces
Spring Wood
Quarry Wood
C.of E. Prim. Sch.
Rookery Wood
Harbour Farm
Rough Wood
Withy Pitts Farm
Thornhill Cotts.
Brickkiln Wood
South Hill
Grove Farmhouse
Threepoint Gill
Little Wildgoose Wood
Selsfield Place
South Hill Wood
Selsfield Common
Hawthorn Cottage
Bramblehill
Mount Noddy
Grove Wood
Wyndham Croft
Reservoir (covered)
Threepoint Wood
Moatlands
The White Ho.
Duckell's Wood
Selsfield House
North Lodge
The Park
Weirs
The Ghyl
Duckyls
Downside Wood
The Baskings
Bird's Eye Wood
Square Wood
Snegs Hill
Duckyls Farm
Tennis Cts.
Old House
Yew Tree Cotts.
White Hart Shaw
Rocks Wood
Great Strudgate Farm
Longwood Slip
Park Ho.
Green Wood
West Lodge
Duckylls Cotts.
Eight Acres
183
164
A
B
C
D
E
F
G
1
2
3
4
5
6
7
8
9
33
34
35
36
37
38

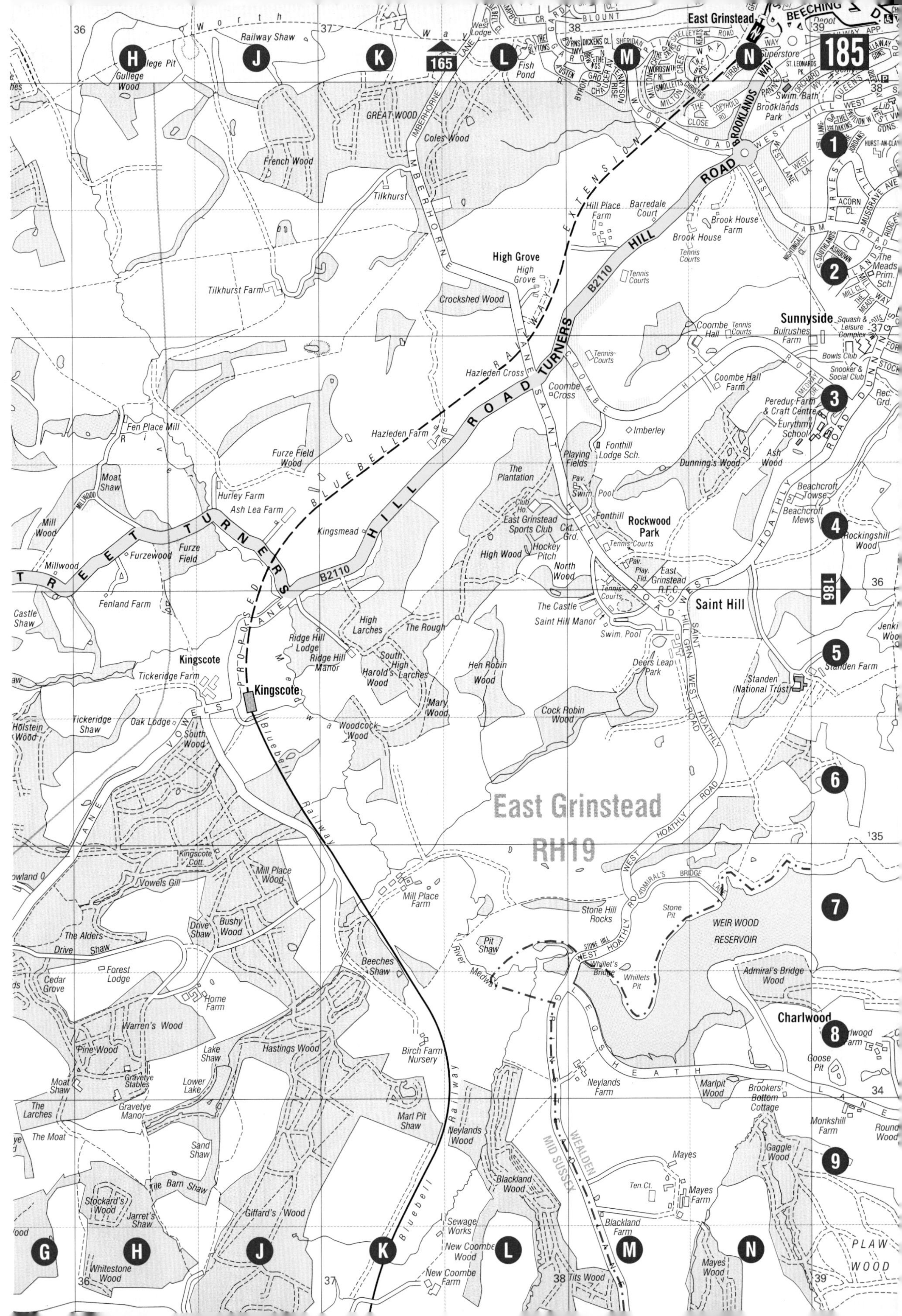
East Grinstead
RH19
Saint Hill
Kingscote
Sunnyside
Rockwood Park
High Grove
Charlwood
Weir Wood Reservoir
Turners Hill Road
B2110
Bluebell Railway
Worth Way
Imberhorne Lane
Saint Hill Road
West Hoathly Road
Coombe Hill
Vowels Lane
Brooklands Way
West Hill
Standen (National Trust)
East Grinstead Sports Club
Great Wood
French Wood
Coles Wood
Crockshed Wood
Tilkhurst
Tilkhurst Farm
Gullege Wood
Railway Shaw
Fish Pond
Hill Place Farm
Barredale Court
Brook House Farm
Coombe Hall
Hazleden Cross
Hazleden Farm
Coombe Cross
Imberley
Fonthill Lodge Sch.
The Plantation
Dunning's Wood
Ash Wood
Peredur Farm & Craft Centre
Eurythmy School
Beachcroft Towse
Beachcroft Mews
Rockingshill Wood
Fen Place Mill
Moat Shaw
Mill Wood
Millwood
Furze Field Wood
Hurley Farm
Ash Lea Farm
Kingsmead
Furzewood
Furze Field
Fenland Farm
Castle Shaw
High Wood
North Wood
The Castle
Saint Hill Manor
Deers Leap Park
High Larches
The Rough
Ridge Hill Lodge
Ridge Hill Manor
South High Larches
Harold's Wood
Mary Wood
Hen Robin Wood
Cock Robin Wood
Tickeridge Farm
Tickeridge Shaw
Holstein Wood
Oak Lodge
South Wood
Woodcock Wood
Standen Farm
Kingscote Cott.
Mill Place Wood
Vowels Gill
Mill Place Farm
Stone Hill Rocks
Stone Pit
Admiral's Bridge
Admiral's Bridge Wood
Pit Shaw
River Medway
Whillet's Bridge
Whillets Pit
Bushy Wood
Drive Shaw
The Alders
Forest Lodge
Cedar Grove
Home Farm
Beeches Shaw
Warren's Wood
Pine Wood
Lake Shaw
Hastings Wood
Birch Farm Nursery
Moat Shaw
Gravetye Stables
Lower Lake
Gravetye Manor
The Larches
The Moat
Marl Pit Shaw
Neylands Wood
Neylands Farm
Marlpit Wood
Brookers Bottom Cottage
Goose Pit
Monkshill Farm
Round Wood
Gaggle Wood
Mayes
Mayes Farm
Mid Sussex
Wealden
Sand Shaw
Tile Barn Shaw
Stockard's Wood
Jarret's Shaw
Giffard's Wood
Blackland Wood
Blackland Farm
Sewage Works
New Coombe Wood
New Coombe Farm
Whitestone Wood
Tits Wood
Mayes Wood
Plaw Wood
Charlwood Farm
Gorse Heath Lane
Sharpthorne Lane
165
186

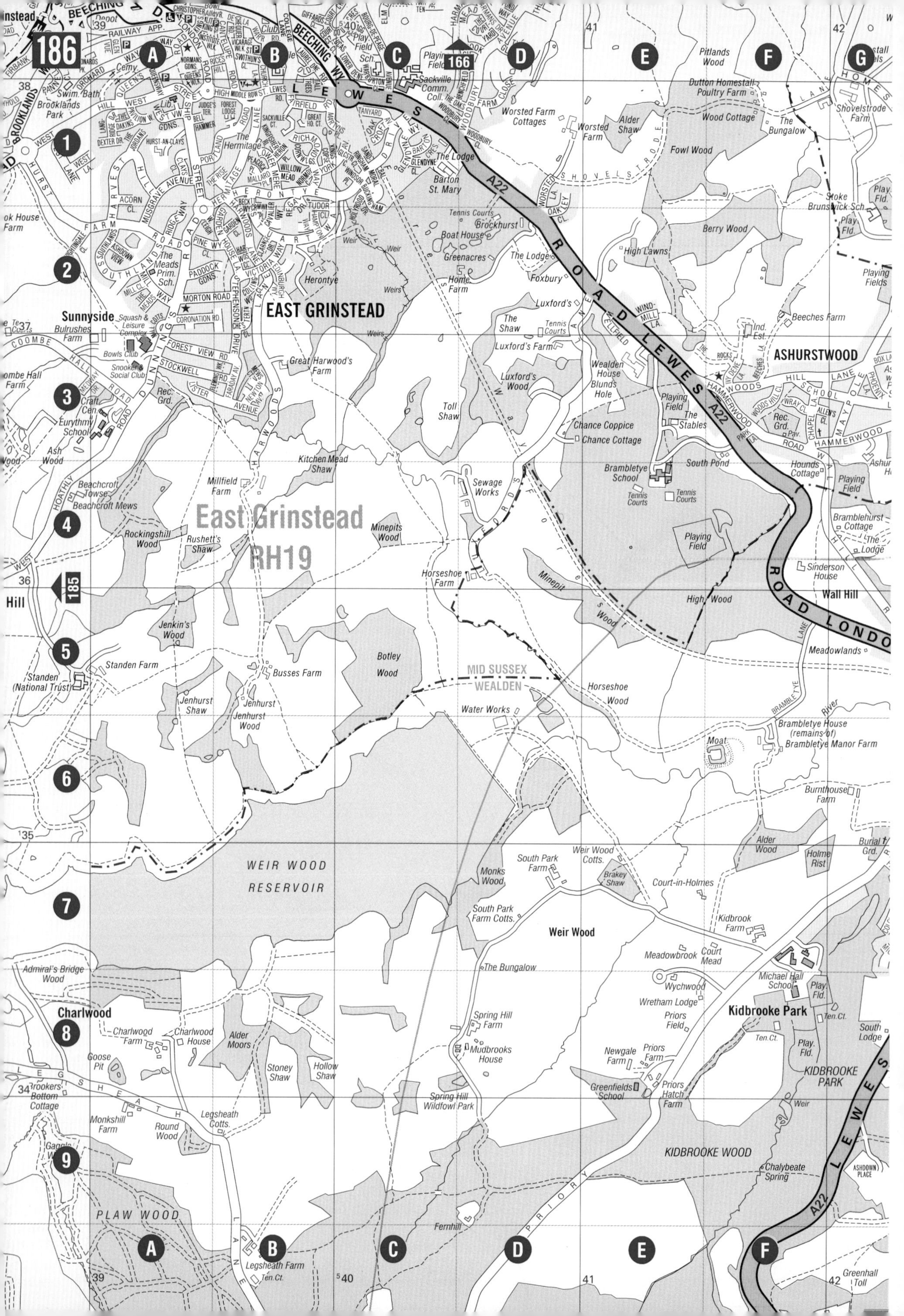

EAST GRINSTEAD
East Grinstead
RH19
ASHURSTWOOD
Sunnyside
Charlwood
Kidbrooke Park
KIDBROOKE PARK
KIDBROOKE WOOD
WEIR WOOD
RESERVOIR
Weir Wood
PLAW WOOD
MID SUSSEX
WEALDEN
LEWES ROAD
A22
LONDON ROAD
Wall Hill
Brambletye School
Brambletye House
(remains of)
Brambletye Manor Farm
Michael Hall
School
Greenfields
School
Standen
(National Trust)
Standen Farm
Busses Farm
Botley
Wood
Horseshoe
Farm
Horseshoe
Wood
Water Works
Sewage
Works
Toll
Shaw
Luxford's
Wood
Luxford's Farm
Great Harwood's
Farm
Herontye
Home
Farm
Greenacres
Boat House
Brockhurst
Barton
St. Mary
The Lodge
Worsted Farm
Cottages
Worsted
Farm
Alder
Shaw
Fowl Wood
Wood Cottage
Pitlands
Wood
Dutton Homestall
Poultry Farm
Shovelstrode
Farm
The
Bungalow
Berry Wood
High Lawns
Beeches Farm
Minepits
Wood
Millfield
Farm
Kitchen Mead
Shaw
Rockingshill
Wood
Rushett's
Shaw
Jenkin's
Wood
Jenhurst
Shaw
Jenhurst
Wood
Beachcroft
Towse
Beachcroft Mews
Ash
Wood
Eurythmy
School
Bulrushes
Farm
Squash &
Leisure
Complex
Bowls Club
Snooker
Social Club
Monks
Wood
South Park
Farm
South Park
Farm Cotts.
Weir Wood
Cotts.
Brakey
Shaw
Court-in-Holmes
Kidbrook
Farm
Meadowbrook
Court
Mead
Wychwood
Wretham Lodge
Priors
Field
Newgale
Farm
Priors
Farm
Priors
Hatch
Farm
Spring Hill
Farm
Mudbrooks
House
Spring Hill
Wildfowl Park
The Bungalow
Alder
Moors
Stoney
Shaw
Hollow
Shaw
Charlwood
Farm
Charlwood
House
Goose
Pit
Admiral's Bridge
Wood
Monkshill
Farm
Round
Wood
Legsheath
Cotts.
Legsheath Farm
Fernhill
Chalybeate
Spring
Greenhall
Toll
Alder
Wood
Holme
Rist
Burnthouse
Farm
Meadowlands
Sinderson
House
Bramblehurst
Cottage
Hounds
Cottage
South Pond
Chance Coppice
Chance Cottage
Wealden
House
Blunds
Hole
The Stables
Foxbury
The
Shaw
High Wood
Minepit
Wood
PRIORY ROAD
LEGSHEATH LANE
HARWOODS LANE
COOMBE HILL ROAD
HOATHLY HILL
WEST HILL

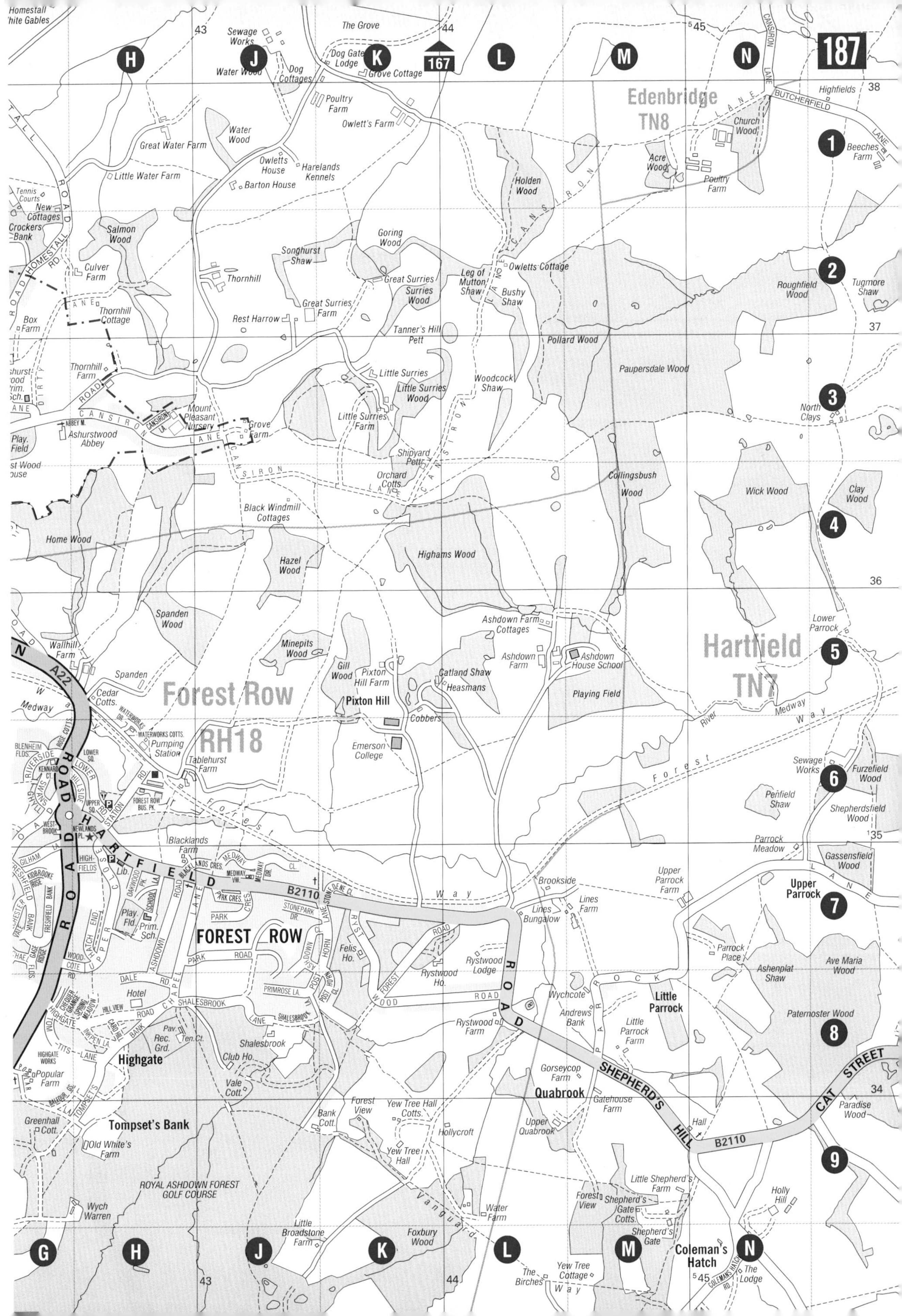

Edenbridge TN8
Hartfield TN7
Forest Row RH18
FOREST ROW
Highgate
Tompset's Bank
Pixton Hill
Upper Parrock
Little Parrock
Quabrook
Coleman's Hatch
167
The Grove
Sewage Works
Water Wood
Dog Gate Lodge
Dog Cottages
Grove Cottage
Poultry Farm
Owlett's Farm
Great Water Farm
Little Water Farm
Owletts House
Harelands Kennels
Barton House
Salmon Wood
Culver Farm
Thornhill
Songhurst Shaw
Goring Wood
Great Surries
Surries Wood
Great Surries Farm
Rest Harrow
Thornhill Cottage
Box Farm
Thornhill Farm
Tanner's Hill Pett
Little Surries
Little Surries Wood
Little Surries Farm
Mount Pleasant Nursery
Grove Farm
Ashurstwood Abbey
Shipyard Pett
Orchard Cotts.
Black Windmill Cottages
Home Wood
Hazel Wood
Highams Wood
Spanden Wood
Minepits Wood
Gill Wood
Pixton Hill Farm
Catland Shaw
Heasmans
Cobbers
Emerson College
Ashdown Farm Cottages
Ashdown Farm
Ashdown House School
Playing Field
Holden Wood
Leg of Mutton Shaw
Bushy Shaw
Owletts Cottage
Pollard Wood
Paupersdale Wood
Woodcock Shaw
Collingsbush Wood
Wick Wood
Clay Wood
Roughfield Wood
Tugmore Shaw
North Clays
Highfields
Beeches Farm
Church Wood
Acre Wood
Poultry Farm
Lower Parrock
Sewage Works
Furzefield Wood
Penfield Shaw
Shepherdsfield Wood
Parrock Meadow
Gassensfield Wood
Upper Parrock Farm
Parrock Place
Ashenplat Shaw
Ave Maria Wood
Paternoster Wood
Paradise Wood
Holly Hill
Brookside
Lines Farm
Lines Bungalow
Rystwood Lodge
Rystwood Ho.
Rystwood Farm
Wychcote
Andrews Bank
Little Parrock Farm
Gorseycop Farm
Gatehouse Farm
Upper Quabrook
Little Shepherd's Farm
Forest View
Shepherd's Gate Cotts.
Shepherd's Gate
Water Farm
Yew Tree Hall Cotts.
Hollycroft
Yew Tree Hall
Forest View
Bank Cott.
Felis Ho.
Little Broadstone Farm
Foxbury Wood
The Birches
Yew Tree Cottage
The Lodge
Vale Cott.
Shalesbrook
Club Ho.
Hotel
Greenhall Cott.
Old White's Farm
Popular Farm
Wych Warren
ROYAL ASHDOWN FOREST GOLF COURSE
Tablehurst Farm
Pumping Station
Blacklands Farm
Wallhill Farm
Spanden
Cedar Cotts.
Homestall
White Gables
Tennis Courts
New Cottages
Crockers Bank
CANSIRON LANE
BUTCHERFIELD LANE
HOMESTALL ROAD
SHEPHERD'S HILL
CAT STREET
HARTFIELD ROAD
Forest Way
Medway
River Medway
Vanguard Way
A22
B2110
H J K L M N
G H J K L M N
1 2 3 4 5 6 7 8 9
43 44 45
38 37 36 35 34

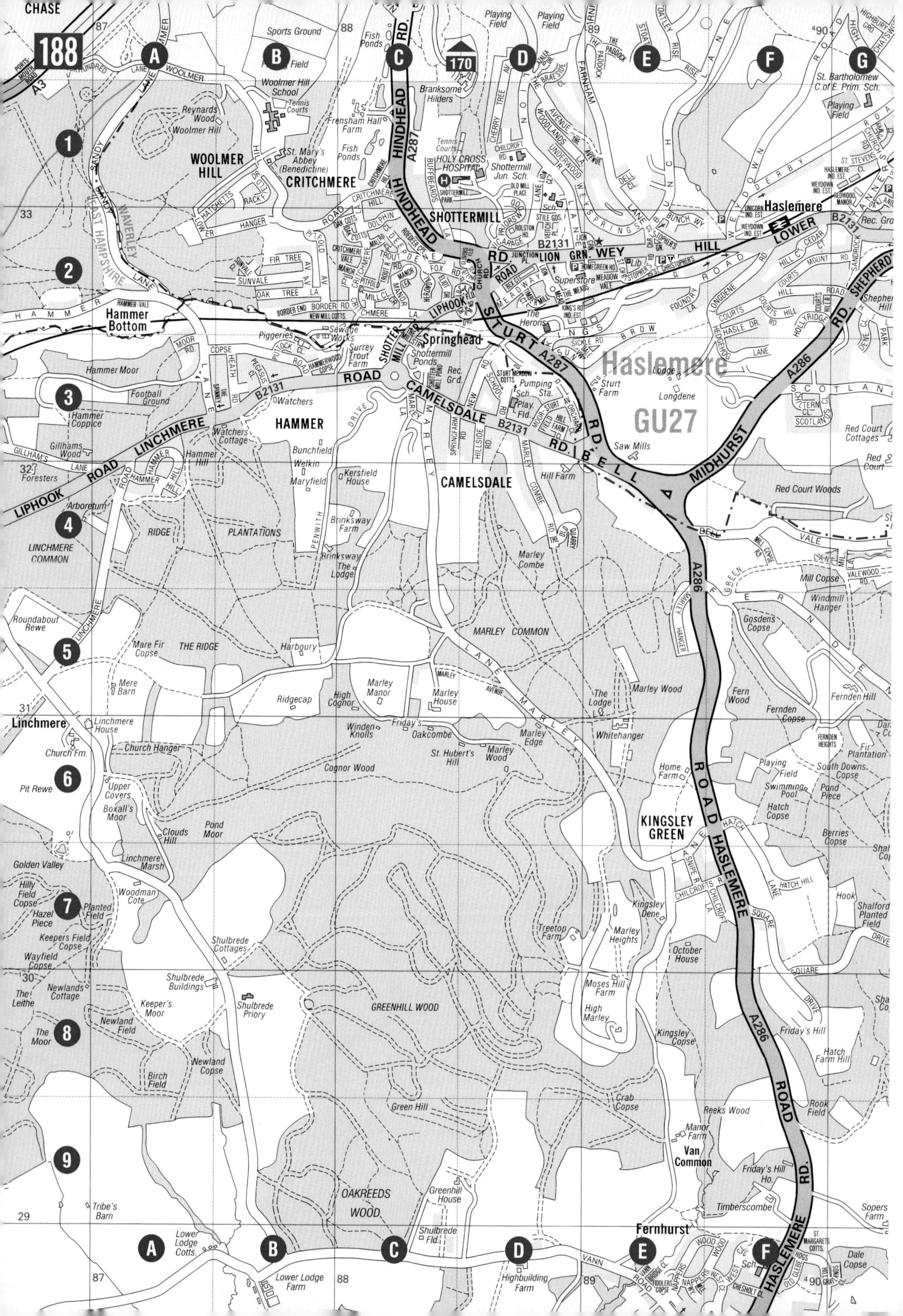

188
CHASE
A
B
C
D
E
F
G
1
2
3
4
5
6
7
8
9
87
88
89
90
33
32
31
30
29
170
Sports Ground
Playing Field
Fish Ponds
Woolmer Hill School
Tennis Courts
Reynards Wood
Woolmer Hill
WOOLMER HILL
St. Mary's Abbey (Benedictine)
CRITCHMERE
Frensham Hall Farm
Branksome Hilders
HOLY CROSS HOSPITAL
Shottermill Jun. Sch.
SHOTTERMILL
St. Bartholomew C.of E. Prim. Sch.
Haslemere
Superstore
HINDHEAD RD.
A287
A3
WOOLMER LANE
SANDY LANE
WAVERLEY LANE
EAST HAMPSHIRE
HAMMER LANE
Hammer Bottom
HANGER
FIR TREE AV.
SUNVALE AV.
OAK TREE LA.
BORDER RD.
LIPHOOK RD.
LION GRN.
WEY HILL
LOWER
B2131
B2131
B2131
STURT ROAD
Piggeries
Sewage Works
Surrey Trout Farm
Springhead
Shottermill Ponds
Rec. Grd.
The Herons
KING'S BROW
Haslemere
GU27
Sturt Farm
Lodge
Longdene
Saw Mills
Hammer Moor
Football Ground
Hammer Coppice
Watchers
Watchers Cottage
HAMMER
Hammer Hill
LINCHMERE ROAD
LIPHOOK ROAD
Gillhams Wood
GILLHAM'S LANE
Foresters
Arboretum
RIDGE PLANTATIONS
LINCHMERE COMMON
Bunchfield
Welkin
Maryfield
Kersfield House
Brinksway Farm
Brinksway
The Lodge
CAMELSDALE ROAD
CAMELSDALE
Pumping Sta.
Play. Fld.
Hill Farm
BELL RD.
MIDHURST RD.
A286
Red Court Cottages
Red Court
Red Court Woods
Marley Combe
Mill Copse
Windmill Hanger
Roundabout Rewe
Mare Fir Copse
THE RIDGE
Harboury
MARLEY COMMON
MARLEY LANE
Gosdens Copse
Mere Barn
Ridgecap
High Cognor
Marley Manor
Marley House
The Lodge
Marley Wood
Fern Wood
Fernden Copse
Fernden Hill
Linchmere
Linchmere House
Church Fm.
Church Hanger
Winden Knolls
Friday's Oakcombe
St. Hubert's Hill
Marley Wood
Marley Edge
Whitehanger
Fir Plantation
Cognor Wood
Home Farm
Playing Field
South Downs Copse
Swimming Pool
Pond Piece
Hatch Copse
Pit Rewe
Upper Covers
Boxall's Moor
Pond Moor
Clouds Hill
KINGSLEY GREEN
Berries Copse
Golden Valley
Linchmere Marsh
HASLEMERE ROAD
Hilly Field Copse
Hazel Piece
Planted Field
Woodman Cote
Kingsley Dene
Treetop Farm
Marley Heights
October House
Hook
Shalford Planted Field
Keepers Field Copse
Wayfield Copse
Shulbrede Cottages
Shulbrede Buildings
Moses Hill Farm
The Leithe
Newlands Cottage
Keeper's Moor
Shulbrede Priory
GREENHILL WOOD
High Marley
The Moor
Newland Field
Kingsley Copse
Friday's Hill
Hatch Farm Hill
Newland Copse
Birch Field
Green Hill
Crab Copse
Reeks Wood
Rook Field
Manor Farm
Van Common
Friday's Hill Ho.
Tribe's Barn
OAKREEDS WOOD
Greenhill House
Timberscombe
Sopers Farm
Lower Lodge Cotts.
Shulbrede Fld.
Fernhurst
VANN ROAD
Lower Lodge Farm
Highbuilding Farm
Sch.
Dale Copse

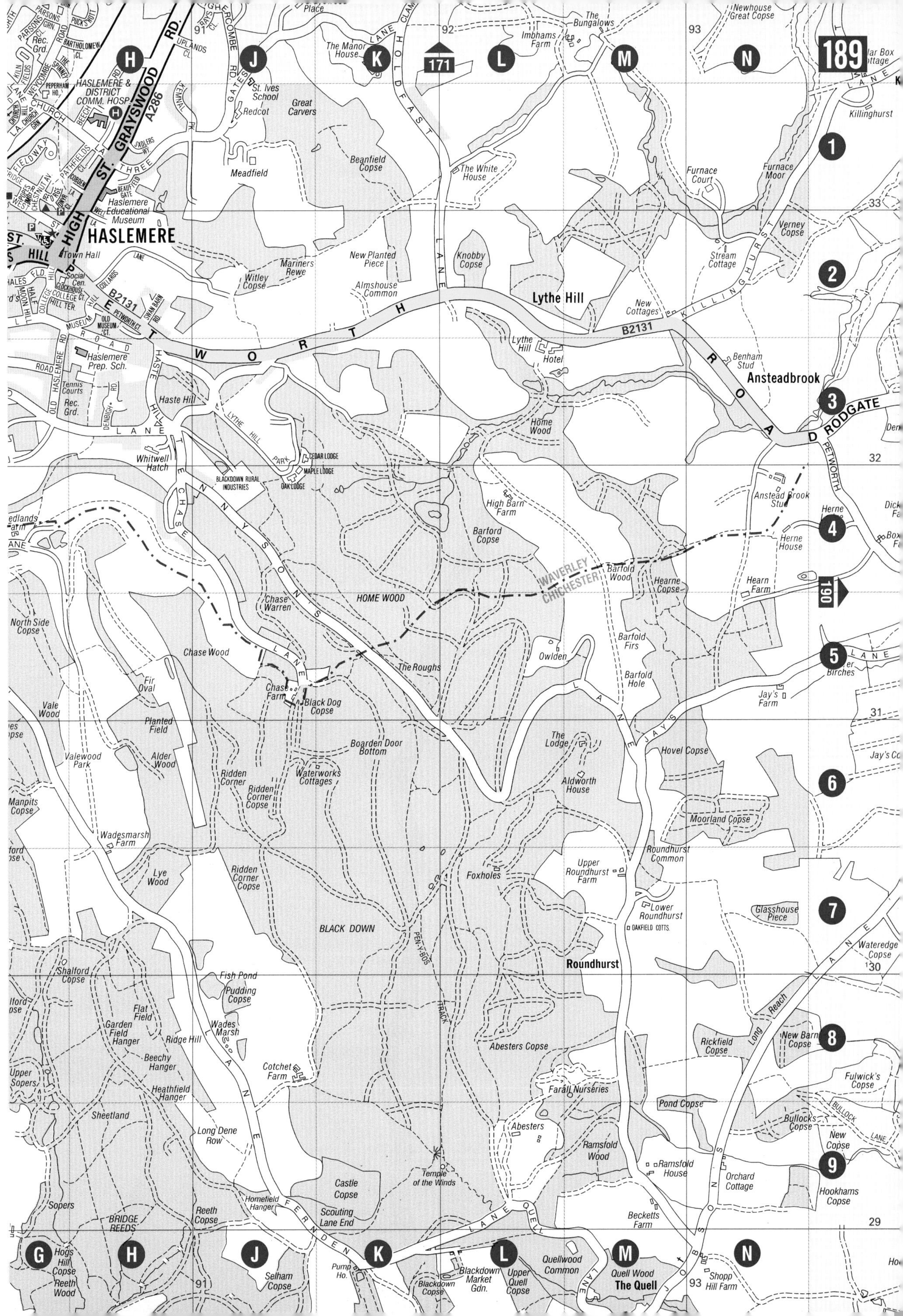
HASLEMERE
Lythe Hill
Ansteadbrook
Roundhurst
The Quell
BLACK DOWN
HOME WOOD
Haslemere & District Comm. Hosp.
Haslemere Educational Museum
Town Hall
Haslemere Prep. Sch.
St. Ives School
Redcot
Great Carvers
Meadfield
Beanfield Copse
The White House
The Manor House
Imbhams Farm
The Bungalows
Newhouse Great Copse
Furnace Court
Furnace Moor
Killinghurst
Verney Copse
Stream Cottage
New Cottages
Knobby Copse
New Planted Piece
Almshouse Common
Mariners Rewe
Witley Copse
Lythe Hill Hotel
Benham Stud
Home Wood
Haste Hill
Whitwell Hatch
Blackdown Rural Industries
Cedar Lodge
Maple Lodge
Oak Lodge
High Barn Farm
Barford Copse
Anstead Brook Stud
Herne House
Barfold Wood
Hearne Copse
Hearn Farm
Waverley
Chichester
Chase Warren
North Side Copse
Chase Wood
Fir Oval
Vale Wood
Planted Field
Alder Wood
Valewood Park
Manpits Copse
Chase Farm
Black Dog Copse
The Roughs
Owlden
Barfold Firs
Barfold Hole
Jay's Farm
Boarden Door Bottom
Waterworks Cottages
Ridden Corner
Ridden Corner Copse
The Lodge
Aldworth House
Hovel Copse
Moorland Copse
Wadesmarsh Farm
Lye Wood
Foxholes
Upper Roundhurst Farm
Roundhurst Common
Lower Roundhurst
Oakfield Cotts.
Glasshouse Piece
Wateredge Copse
Shalford Copse
Fish Pond
Pudding Copse
Flat Field
Garden Field Hanger
Ridge Hill
Wades Marsh
Beechy Hanger
Upper Sopers
Heathfield Hanger
Cotchet Farm
Abesters Copse
Rickfield Copse
New Barn Copse
Fulwick's Copse
Farall Nurseries
Pond Copse
Bullocks Copse
New Copse
Sheetland
Long Dene Row
Abesters
Ramsfold Wood
Ramsfold House
Orchard Cottage
Hookhams Copse
Temple of the Winds
Castle Copse
Sopers
Bridge Reeds
Reeth Copse
Homefield Hanger
Scouting Lane End
Becketts Farm
Hogs Hill Copse
Reeth Wood
Selham Copse
Pump Ho.
Blackdown Copse
Blackdown Market Gdn.
Upper Quell Copse
Quellwood Common
Quell Wood
Shopp Hill Farm
Pen-y-Bos Track
Petworth Road
B2131
A286
Grayswood Rd.
High St.
Holdfast Lane
Tennysons Lane
Chase Lane
Jays Lane
Quell Lane
Fernden Lane
Jobsons Lane
Long Reach
Bullock Lane
Rodgate
Killinghurst Lane
Lythe Hill Park
171
190

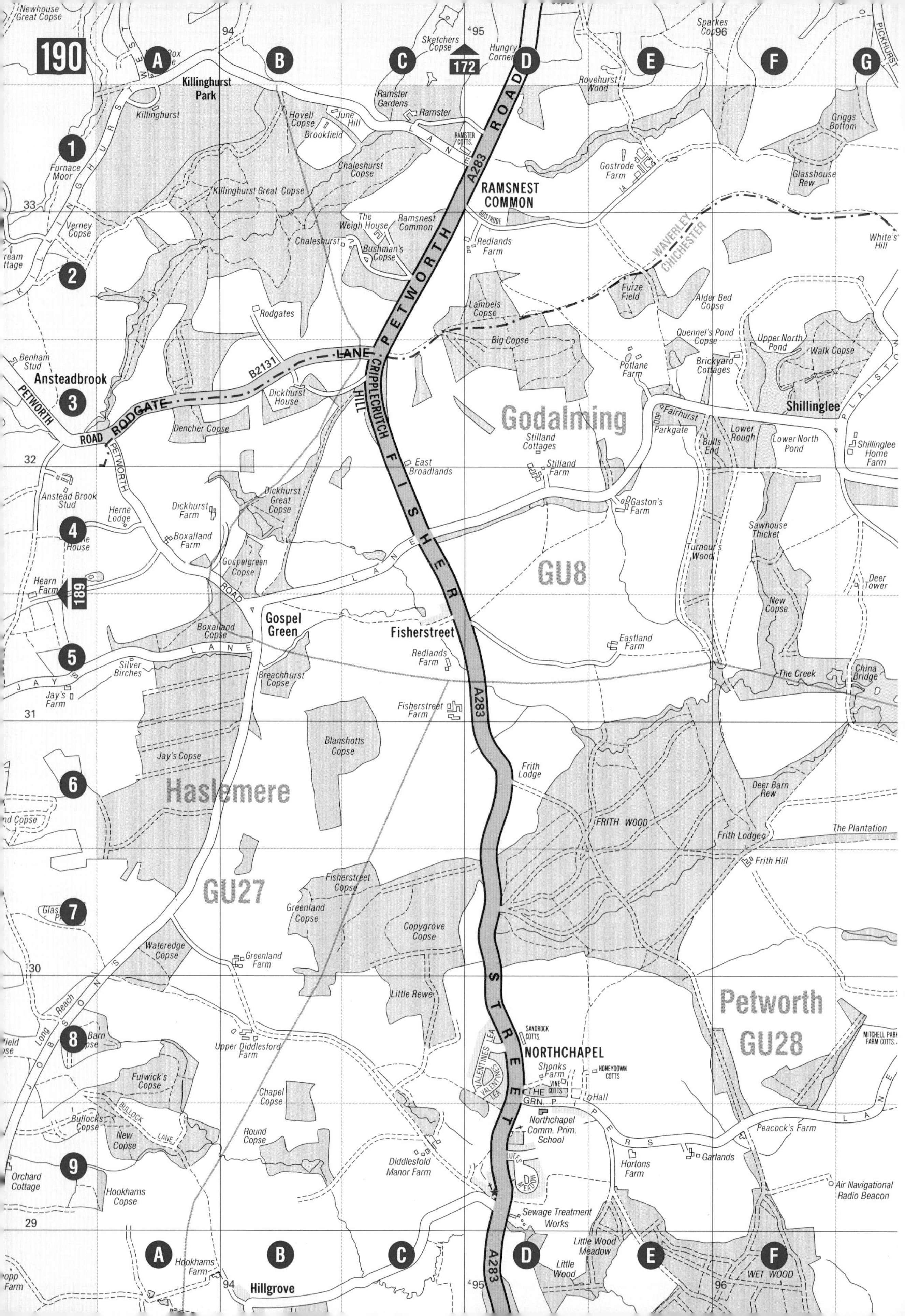
Killinghurst Park
Killinghurst
Furnace Moor
Ramster Gardens
Ramster
Hovell Copse
June Hill
Brookfield
Chaleshurst Copse
Killinghurst Great Copse
RAMSNEST COMMON
Rovehurst Wood
Gostrode Farm
Griggs Bottom
Glasshouse Rew
Verney Copse
The Weigh House
Ramsnest Common
Chaleshurst
Bushman's Copse
Redlands Farm
WAVERLEY
CHICHESTER
White's Hill
Furze Field
Alder Bed Copse
Rodgates
Lambels Copse
Big Copse
Quennel's Pond Copse
Upper North Pond
Walk Copse
Benham Stud
Ansteadbrook
Potlane Farm
Brickyard Cottages
Shillinglee
PETWORTH ROAD
RODGATE LANE
B2131
CRIPPLECRUTCH HILL
Dickhurst House
Dencher Copse
Godalming
Fairhurst
Parkgate
Bulls End
Lower Rough
Lower North Pond
Shillinglee Home Farm
Stilland Cottages
Stilland Farm
East Broadlands
Anstead Brook Stud
Herne Lodge
Dickhurst Farm
Dickhurst Great Copse
Gaston's Farm
Sawhouse Thicket
Boxalland Farm
Turnour's Wood
Gospelgreen Copse
GU8
Deer Tower
Hearn Farm
FISHER STREET
Gospel Green
Fisherstreet
New Copse
Boxalland Copse
Eastland Farm
JAYS LANE
Silver Birches
Redlands Farm
Breachhurst Copse
The Creek
China Bridge
Jay's Farm
Fisherstreet Farm
A283
Blanshotts Copse
Jay's Copse
Frith Lodge
Haslemere
Deer Barn Rew
FRITH WOOD
The Plantation
Frith Lodge
Frith Hill
Fisherstreet Copse
GU27
Greenland Copse
Copygrove Copse
Wateredge Copse
Greenland Farm
Little Rewe
Long Reach
JOBSONS
Petworth GU28
Upper Diddlesford Farm
SANDROCK COTTS.
NORTHCHAPEL
VALENTINES LEA
Shonks Farm
HONEYDOWN COTTS
VINE COTTS
THE GRN.
Hall
MITCHELL PARK FARM COTTS.
Fulwick's Copse
Chapel Copse
BULLOCK LANE
Bullocks Copse
New Copse
Round Copse
Northchapel Comm. Prim. School
PIPERS LANE
Peacock's Farm
Diddlesfold Manor Farm
Hortons Farm
Garlands
LUFFS MEADOW
Orchard Cottage
Hookhams Copse
Air Navigational Radio Beacon
Sewage Treatment Works
Little Wood Meadow
Little Wood
Hookhams Farm
Hillgrove
WET WOOD
PICKHURST
PLAISTOW
172
189
94
95
96
33
32
31
30
29

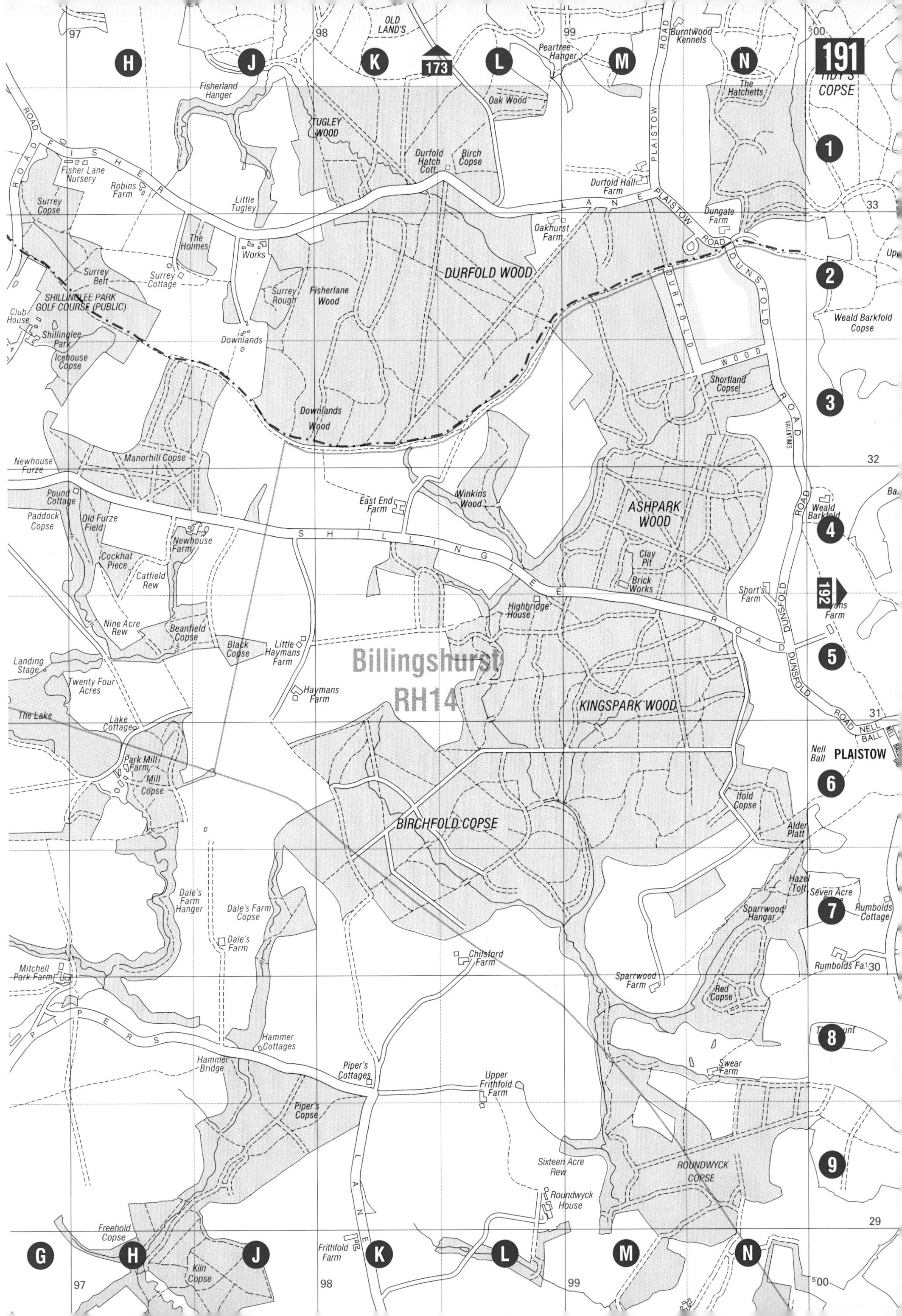
173
192
Billingshurst
RH14
DURFOLD WOOD
ASHPARK WOOD
KINGSPARK WOOD
BIRCHFOLD COPSE
ROUNDWYCK COPSE
PLAISTOW
SHILLINGLEE PARK GOLF COURSE (PUBLIC)
FISHER LANE
SHILLINGLEE ROAD
PLAISTOW ROAD
DUNSFOLD ROAD
DURFOLD WOOD
PIPERS LANE
NELL BALL
Old Land's
Peartree Hanger
Burntwood Kennels
The Hatchetts
Fisherland Hanger
Oak Wood
Tugley Wood
Durfold Hatch Cott
Birch Copse
Fisher Lane Nursery
Robins Farm
Surrey Copse
Little Tugley
Durfold Hall Farm
Dungate Farm
The Holmes
Works
Oakhurst Farm
Surrey Belt
Surrey Cottage
Surrey Rough
Fisherlane Wood
Club House
Shillinglee Park
Icehouse Copse
Downlands
Weald Barkfold Copse
Shortland Copse
Downlands Wood
Valentines
Newhouse Furze
Manorhill Copse
Pound Cottage
Paddock Copse
Old Furze Field
East End Farm
Winkins Wood
Weald Barkfold
Newhouse Farm
Cockhat Piece
Catfield Rew
Clay Pit
Brick Works
Short's Farm
Highbridge House
Nine Acre Rew
Beanfield Copse
Black Copse
Little Haymans Farm
Landing Stage
Twenty Four Acres
Haymans Farm
The Lake
Lake Cottage
Park Mill Farm
Mill Copse
Nell Ball
Ifold Copse
Alder Platt
Hazel Tolt
Seven Acre
Sparrwood Hangar
Rumbolds Cottage
Dale's Farm Hanger
Dale's Farm Copse
Dale's Farm
Chilsford Farm
Mitchell Park Farm
Sparrwood Farm
Red Copse
Hammer Cottages
Hammer Bridge
Piper's Cottages
Upper Frithfold Farm
Swear Farm
Piper's Copse
Sixteen Acre Rew
Roundwyck House
Freehold Copse
Frithfold Farm
Kiln Copse
97
98
99
500
33
32
31
30
29
H
J
K
L
M
N
G
1
2
3
4
5
6
7
8
9

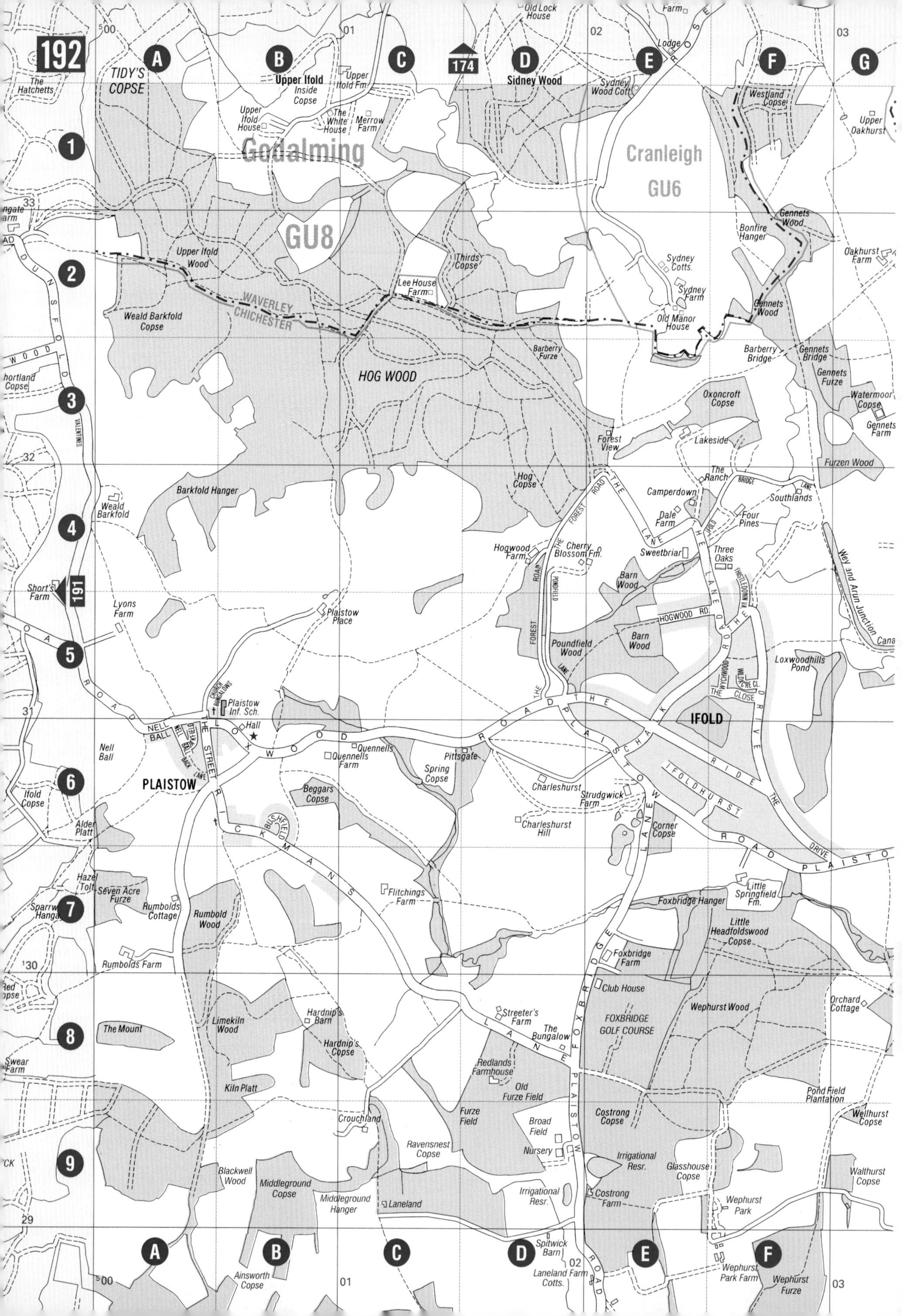

192
174
191
Godalming
GU8
Cranleigh
GU6
WAVERLEY
CHICHESTER
TIDY'S COPSE
Upper Ifold
Inside Copse
Upper Ifold Fm
Upper Ifold House
The White House
Merrow Farm
Sidney Wood
Old Lock House
Sydney Wood Cott
Lodge
Westland Copse
Upper Oakhurst
The Hatchetts
Upper Ifold Wood
Weald Barkfold Copse
Lee House Farm
Thirds Copse
Sydney Cotts.
Sydney Farm
Old Manor House
Gennets Wood
Bonfire Hanger
Oakhurst Farm
HOG WOOD
Barberry Furze
Barberry Bridge
Gennets Bridge
Gennets Furze
Oxoncroft Copse
Watermoor Copse
Gennets Farm
Lakeside
Forest View
Furzen Wood
Hog Copse
Barkfold Hanger
Weald Barkfold
The Ranch
Camperdown
Southlands
Dale Farm
Four Pines
Hogwood Farm
Cherry Blossom Fm.
Sweetbriar
Three Oaks
Barn Wood
Wey and Arun Junction
HOGWOOD RD.
Poundfield Wood
Loxwoodhills Pond
Short's Farm
Lyons Farm
Plaistow Place
IFOLD
Plaistow Inf. Sch.
Hall
Nell Ball
PLAISTOW
Quennells
Quennells Farm
Pittsgate
Spring Copse
Charleshurst
Strudgwick Farm
Charleshurst Hill
Corner Copse
Beggars Copse
Ifold Copse
Alder Platt
Hazel Tolt
Seven Acre Furze
Rumbolds Cottage
Rumbold Wood
Flitchings Farm
Little Springfield Fm.
Foxbridge Hanger
Little Headfoldswood Copse
Foxbridge Farm
Rumbolds Farm
Club House
FOXBRIDGE GOLF COURSE
Wephurst Wood
Orchard Cottage
Hardnip's Barn
Hardnip's Copse
Streeter's Farm
The Bungalow
The Mount
Limekiln Wood
Redlands Farmhouse
Kiln Platt
Old Furze Field
Furze Field
Pond Field Plantation
Wellhurst Copse
Crouchland
Broad Field
Costrong Copse
Ravensnest Copse
Nursery
Irrigational Resr.
Glasshouse Copse
Walthurst Copse
Blackwell Wood
Middleground Copse
Middleground Hanger
Laneland
Costrong Farm
Wephurst Park
Spitwick Barn
Ainsworth Copse
Laneland Farm Cotts.
Wephurst Park Farm
Wephurst Furze
DUNSFOLD ROAD
LOXWOOD ROAD
THE STREET
RICKMANS LANE
PLAISTOW ROAD
FOXBRIDGE LANE
IFOLDHURST
CHALK ROAD
THE DRIVE

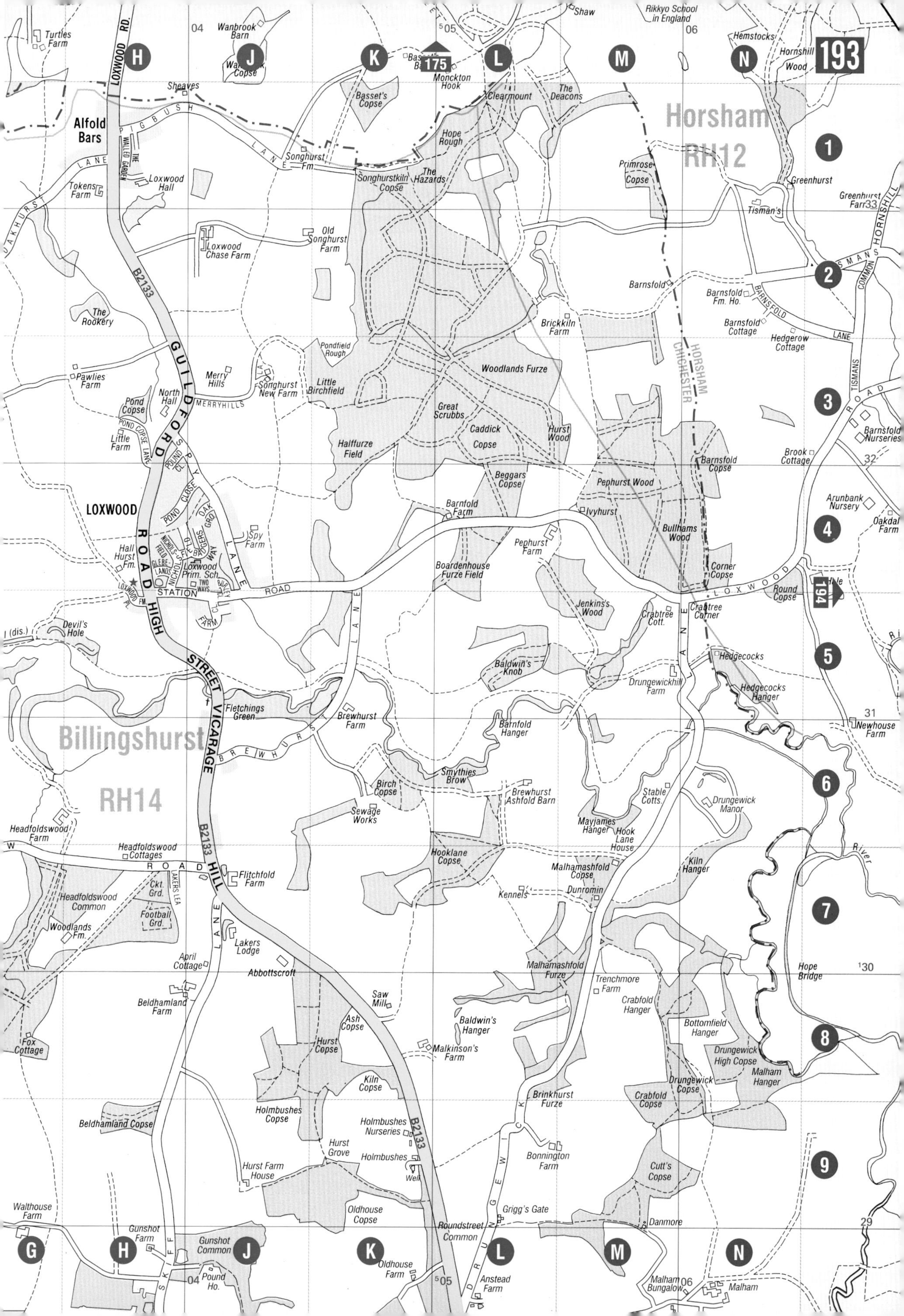
Horsham
RH12
Billingshurst
RH14
LOXWOOD
Alfold Bars
Turtles Farm
Wanbrook Barn
Rikkyo School in England
Shaw
Hemstocks
Hornshill Wood
175
194
Monckton Hook
Clearmount
The Deacons
Sheaves
Basset's Copse
Hope Rough
Songhurst Fm.
Songhurstkiln Copse
The Hazards
Primrose Copse
Greenhurst
Greenhurst Farm
Tisman's
Tokens Farm
Loxwood Hall
Old Songhurst Farm
Loxwood Chase Farm
Barnsfold
Barnsfold Fm. Ho.
Barnsfold Cottage
Hedgerow Cottage
Brickkiln Farm
The Rookery
Pondfield Rough
Woodlands Furze
Pawlies Farm
Merry Hills
Songhurst New Farm
Little Birchfield
North Hall
Pond Copse
Little Farm
Great Scrubbs
Caddick Copse
Hurst Wood
Halffurze Field
Beggars Copse
Barnsfold Copse
Barnsfold Nurseries
Brook Cottage
Pephurst Wood
Arunbank Nursery
Oakdale Farm
Barnfold Farm
Ivyhurst
Bullhams Wood
Spy Farm
Pephurst Farm
Hall Hurst Fm.
Loxwood Prim. Sch.
Boardenhouse Furze Field
Corner Copse
Round Copse
Jenkins's Wood
Crabtree Cott.
Crabtree Corner
Devil's Hole
Baldwin's Knob
Hedgecocks
Drungewickhill Farm
Hedgecocks Hanger
Fletchings Green
Brewhurst Farm
Barnfold Hanger
Newhouse Farm
Smythies Brow
Birch Copse
Brewhurst Ashfold Barn
Stable Cotts.
Drungewick Manor
Sewage Works
Mayjames Hanger
Hook Lane House
Headfoldswood Farm
Headfoldswood Cottages
Flitchfold Farm
Hooklane Copse
Malhamashfold Copse
Kiln Hanger
Ckt. Grd.
Football Grd.
Headfoldswood Common
Kennels
Dunromin
Woodlands Fm.
Lakers Lodge
April Cottage
Abbottscroft
Malhamashfold Furze
Trenchmore Farm
Hope Bridge
Crabfold Hanger
Beldhamland Farm
Saw Mill
Ash Copse
Baldwin's Hanger
Bottomfield Hanger
Hurst Copse
Malkinson's Farm
Drungewick High Copse
Malham Hanger
Fox Cottage
Kiln Copse
Brinkhurst Furze
Drungewick Copse
Crabfold Copse
Holmbushes Copse
Beldhamland Copse
Holmbushes Nurseries
Hurst Grove
Holmbushes
Well
Bonnington Farm
Cutt's Copse
Hurst Farm House
Walthouse Farm
Oldhouse Copse
Grigg's Gate
Roundstreet Common
Danmore
Gunshot Farm
Gunshot Common
Oldhouse Farm
Pound Ho.
Anstead Farm
Malham Bungalow
Malham
LOXWOOD RD.
PIGBUSH LANE
GUILDFORD ROAD
HIGH STREET
VICARAGE HILL
STATION ROAD
LOXWOOD ROAD
BARNSFOLD LANE
TISMANS COMMON
HORNSHILL
TISMANS ROAD
OAKHURST LANE
MERRYHILLS
SPY LANE
BREWHURST LANE
DRUNGEWICK LANE
SKIFF LANE
LAKERS LEA
B2133
HORSHAM
CHICHESTER
River
G H J K L M N
1 2 3 4 5 6 7 8 9
04 05 06
33 32 31 30 29

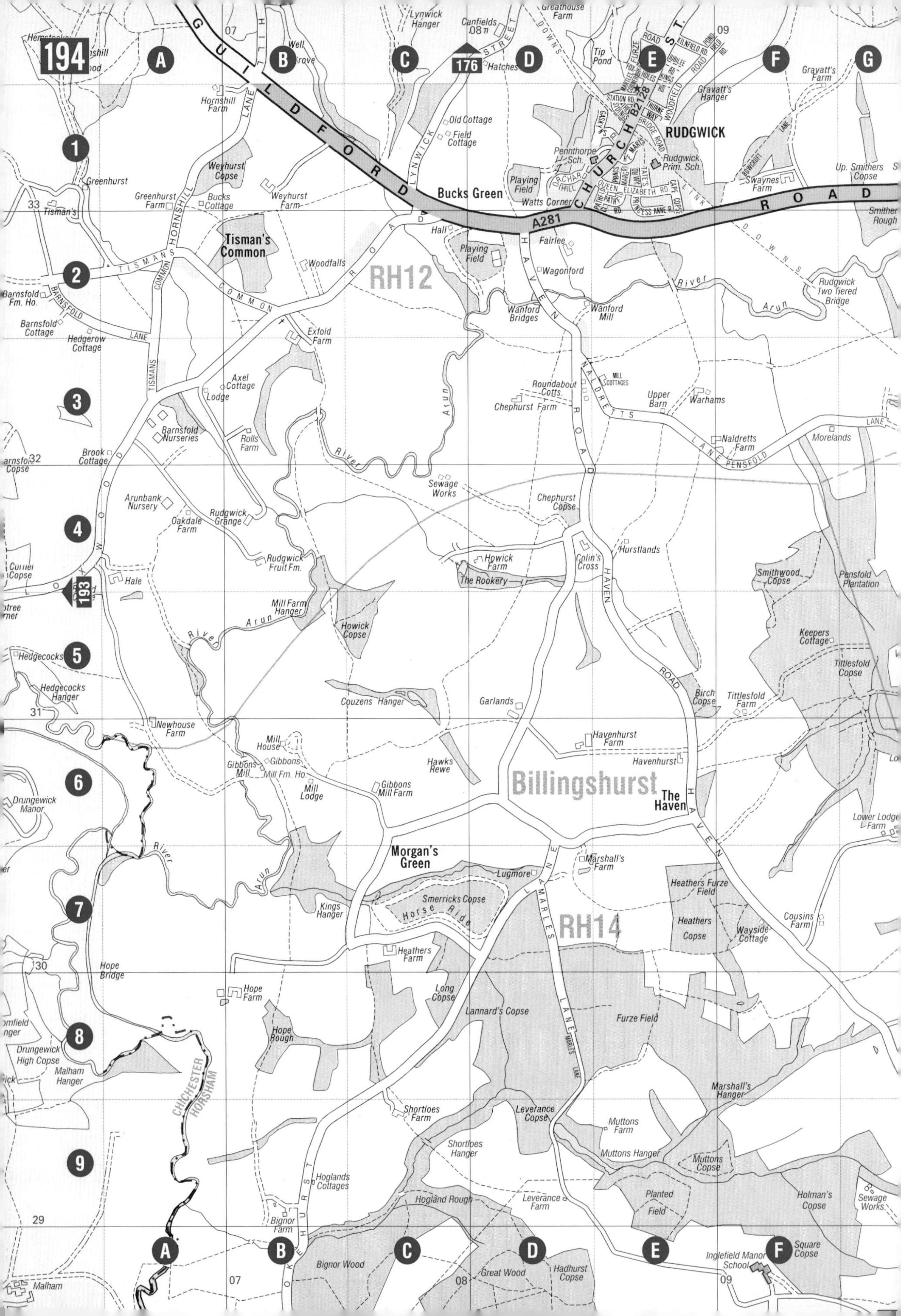

194

Grid reference letters across top: A B C 176 D E RUDGWICK F G

Row numbers down left side: 1 2 3 4 5 6 7 8 9

Grid reference letters across bottom: A B C D E F

Place names and labels (reading across the map):

07 · Hemstead · Lynwick Hanger · Canfields · Greathouse Farm · 09 · ST · KILNFIELD RD. · POND RD.

Hornshill Wood · Well Grove · Hatches · Tip Pond · GRAVATT'S FARM · Gravatt's Hanger

Hornshill Farm · Old Cottage · Field Cottage · Pennthorpe Sch. · Rudgwick Prim. Sch.

Weyhurst Copse · Bucks Green · Playing Field · Watts Corner · Swaynes Farm · Up. Smithers Copse

Greenhurst · Greenhurst Farm · Bucks Cottage · Weyhurst Farm · Hall · A281 · Fairlee · Smither Rough

33 · Tisman's · Tisman's Common · Woodfalls · **RH 12** · Playing Field · Wagonford · Rudgwick Two Tiered Bridge

Barnsfold Fm. Ho. · Barnsfold Cottage · Hedgerow Cottage · Exfold Farm · Wanford Bridges · Wanford Mill · River Arun

Axel Cottage Lodge · Roundabout Cotts. · Chephurst Farm · Upper Barn · Warhams · Naldretts Farm · Morelands

32 · Brook Cottage · Barnsfold Nurseries · Rolls Farm · River Arun · Sewage Works · Chephurst Copse · LANE PENSFOLD

Arunbank Nursery · Oakdale Farm · Rudgwick Grange · Rudgwick Fruit Fm. · Howick Farm · Colin's Cross · Hurstlands · Smithwood Copse · Pensfold Plantation

193 · Hale · The Rookery · Mill Farm Hanger · Howick Copse · HAVEN · Keepers Cottage · Tittlesfold Copse

Corner Copse · Hedgecocks · Hedgecocks Hanger · Couzens Hanger · Garlands · Birch Copse · Tittlesfold Farm · 31

Newhouse Farm · Mill House · Havenhurst Farm · Havenhurst · Lower Lodge Farm

Drungewick Manor · Gibbons Mill · Gibbons · Mill Fm. Ho. · Hawks Rewe · Gibbons Mill Farm · Mill Lodge · **Billingshurst** · The Haven

Morgan's Green · Lugmore · Marshall's Farm · Heather's Furze Field · Cousins Farm

Kings Hanger · Smerricks Copse · Horse Ride · **RH 14** · Heathers Copse · Wayside Cottage

30 · Hope Bridge · Heathers Farm · CHICHESTER HORSHAM · Marshall's Hanger

Drungewick High Copse · Malham Hanger · Hope Farm · Hope Rough · Long Copse · Lannard's Copse · Furze Field

Shortloes Farm · Leverance Copse · Muttons Farm · Muttons Hanger · Muttons Copse · Marshall's Hanger

9 · 29 · Hoglands Cottages · Shortloes Hanger · Hogland Rough · Leverance Farm · Planted Field · Holman's Copse · Sewage Works

Malham · 07 · Bignor Farm · Bignor Wood · Great Wood · Hadhurst Copse · 08 · Inglefield Manor School · Square Copse · 09

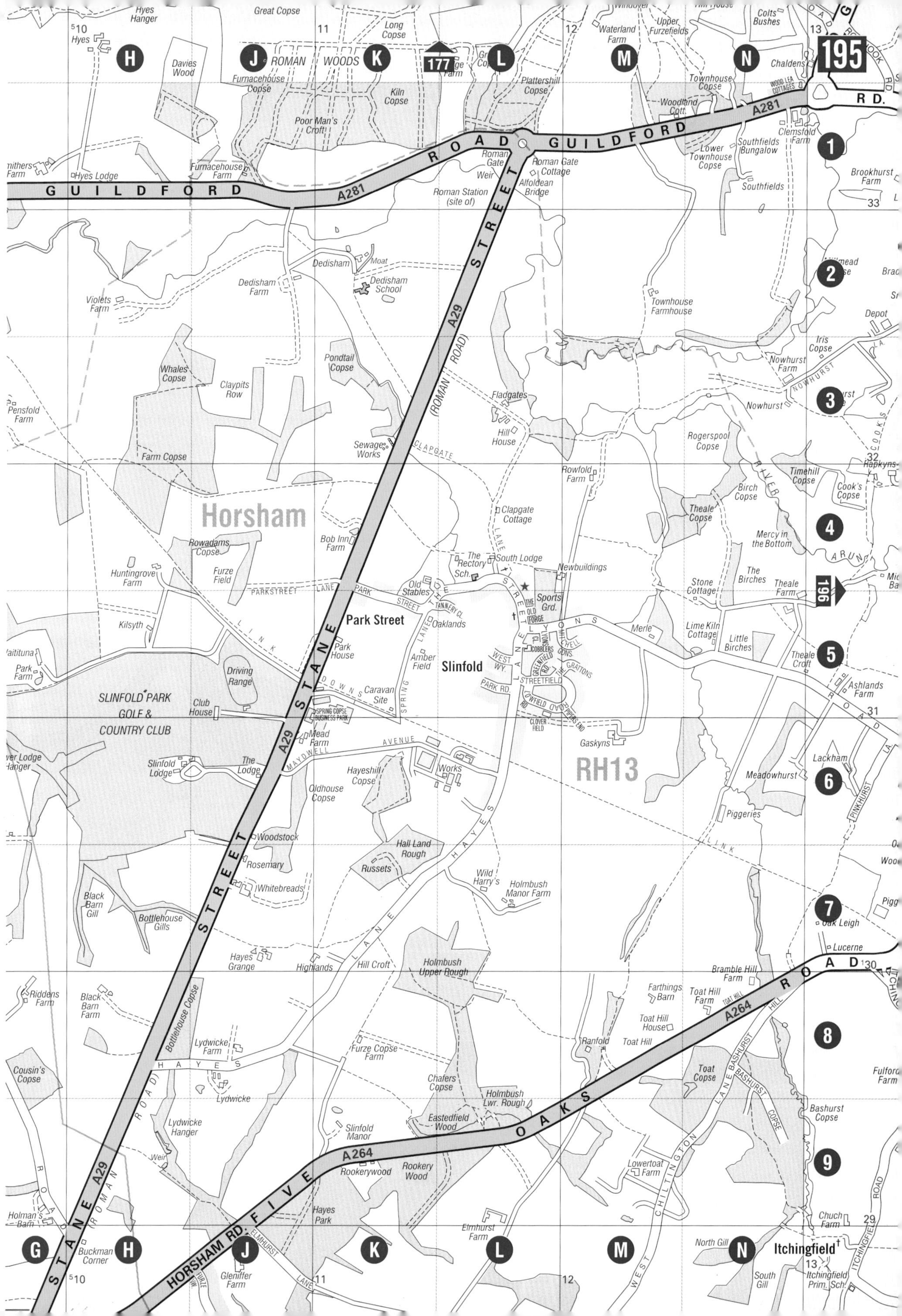
195
177
196
H
J
K
L
M
N
G
1
2
3
4
5
6
7
8
9
10
11
12
13
33
32
31
30
29
Hyes Hanger
Great Copse
Long Copse
Hyes
Davies Wood
ROMAN WOODS
Furnacehouse Copse
Kiln Copse
Poor Man's Croft
Plattershill Copse
Waterland Farm
Upper Furzefields
Colts Bushes
Townhouse Copse
Woodland Cott.
Chaldens
WOOD LEA COTTAGES
Clemsfold Farm
Southfields Bungalow
Lower Townhouse Copse
Southfields
Brookhurst Farm
GUILDFORD ROAD
A281
RD.
Hyes Lodge
Furnacehouse Farm
Roman Gate
Weir
Roman Gate Cottage
Alfoldean Bridge
Roman Station (site of)
STANE STREET
A29
(ROMAN ROAD)
Dedisham
Moat
Dedisham School
Dedisham Farm
Violets Farm
Townhouse Farmhouse
Depot
Iris Copse
Nowhurst Farm
NOWHURST LA
Nowhurst
COOKS
Pondtail Copse
Whales Copse
Claypits Row
Pensfold Farm
Fladgates
Hill House
Sewage Works
CLAPGATE
Rogerspool Copse
RIVER
Timehill Copse
Hapkyns
Cook's Copse
Farm Copse
Rowfold Farm
Birch Copse
Horsham
Clapgate Cottage
Theale Copse
Mercy in the Bottom
ARUN
Bob Inn Farm
Rowadams Copse
Furze Field
Huntingrove Farm
The Rectory
Sch.
South Lodge
Newbuildings
The Birches
Theale Farm
Stone Cottage
PARKSTREET LANE
PARK STREET
Old Stables
TANNERY CL
THE STREET
THE OLD FORGE
Sports Grd.
LYONS
Kilsyth
LINK
Park Street
Oaklands
Merle
Lime Kiln Cottage
Little Birches
Park House
Amber Field
Slinfold
COBBLERS
MITCHELL GDNS.
WEST WY.
GREENFIELD RD.
THE GRATTONS
Theale Croft
Park Farm
Driving Range
DOWNS
Caravan Site
SPRING LANE
PARK RD.
STREETFIELD
Ashlands Farm
SLINFOLD PARK GOLF & COUNTRY CLUB
Club House
SPRING COPSE BUSINESS PARK
LOWFIELD RD.
PIPERS END
CLOVER FIELD
ROAD
Mead Farm
AVENUE
MAYDWELL
Gaskyns
RH13
Lackham
Slinfold Lodge
The Lodge
Hayeshill Copse
Works
Meadowhurst
Oldhouse Copse
PINKHURST LA
Piggeries
Woodstock
Hall Land Rough
Rosemary
Russets
HAYES LANE
Wild Harry's
Holmbush Manor Farm
Whitebreads
Black Barn Gill
Bottlehouse Gills
Oak Leigh
Lucerne
Hayes Grange
Highlands
Hill Croft
Holmbush Upper Rough
Bramble Hill Farm
Riddens Farm
Black Barn Farm
Bottlehouse Copse
Farthings Barn
Toat Hill Farm
TOAT HILL
A264
Toat Hill House
Lydwicke Farm
HAYES
Ranfold
Toat Hill
Furze Copse Farm
Cousin's Copse
Toat Copse
BASHURST LANE
BASHURST COPSE
Fulford Farm
Lydwicke
Chafers Copse
Holmbush Lwr. Rough
FIVE OAKS
Bashurst Copse
Lydwicke Hanger
Eastedfield Wood
Slinfold Manor
CHILTINGTON
Weir
Rookerywood
Rookery Wood
Lowertoat Farm
HORSHAM RD.
Holman's Barn
Hayes Park
WEST
Elmhurst Farm
Chuch Farm
ITCHINGFIELD ROAD
Buckman Corner
ELMHURST LANE
North Gill
Itchingfield
Glenlffer Farm
South Gill
Itchingfield Prim. Sch.

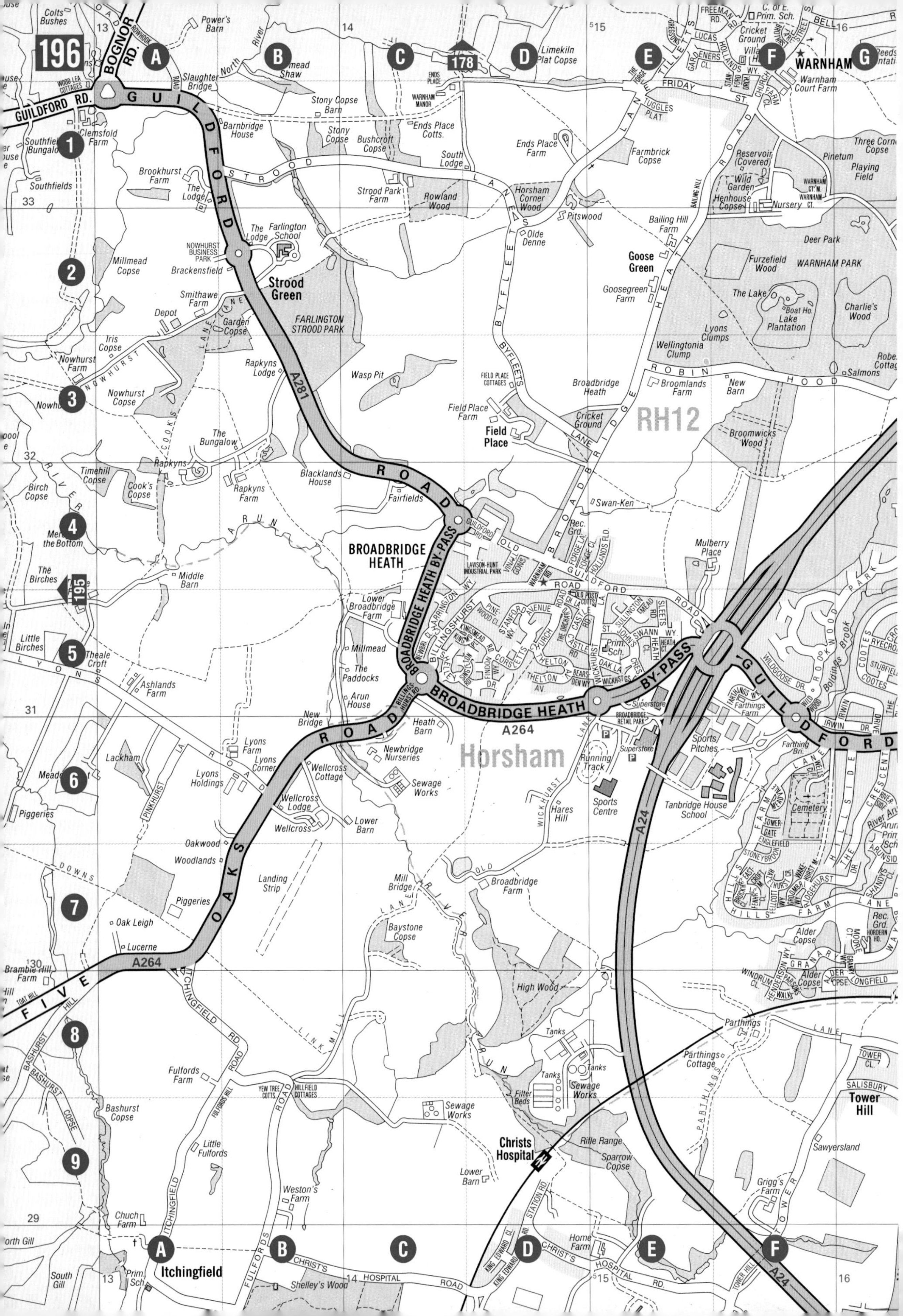

196
Colts Bushes
Power's Barn
BOGNOR RD.
NOWHOOK
GUILDFORD RD.
GUILDFORD ROAD
North River
Slaughter Bridge
178
Limekiln Plat Copse
FREEMAN RD.
C. of E. Prim. Sch.
Cricket Ground
LUCAS
HOLLANDS WY.
BELL
WARNHAM
Warnham Court Farm
FRIDAY ST.
CHURCH
THE FORGE
TILLETTS
ENDS PLACE
WARNHAM MANOR
Stony Copse Barn
Stony Copse
Bushcroft Copse
Ends Place Cotts.
South Lodge
TUGGLES PLAT
Ends Place Farm
Farmbrick Copse
Reservoir (Covered)
Wild Garden
Henhouse Copse
Pinetum
Three Corner Copse
Playing Field
Nursery
Barnbridge House
Clemsfold Farm
Southfield Bungalow
Southfields
Brookhurst Farm
The Lodge
STROOD LANE
Strood Park Farm
Rowland Wood
Horsham Corner Wood
Pitswood
BAILING HILL
Bailing Hill Farm
Olde Denne
Deer Park
Furzefield Wood
WARNHAM PARK
Millmead Copse
NOWHURST BUSINESS PARK
The Lodge
Farlington School
Brackensfield
Strood Green
Goose Green
Goosegreen Farm
The Lake
Boat Ho.
Lake Plantation
Charlie's Wood
Smithawe Farm
Depot
Garden Copse
FARLINGTON STROOD PARK
Tris Copse
Nowhurst Farm
NOWHURST
Nowhurst Copse
Rapkyns Lodge
A281
Wasp Pit
BYFLEETS
Lyons Clumps
Wellingtonia Clump
ROBIN HOOD
Broomlands Farm
New Barn
Salmons
FIELD PLACE COTTAGES
Broadbridge Heath
Field Place Farm
Field Place
Cricket Ground
RH12
Broomwicks Wood
The Bungalow
Rapkyns
Timehill Copse
Cook's Copse
Rapkyns Farm
Blacklands House
ROAD
Fairfields
Swan-Ken
Birch Copse
ARUN
Rec. Grd.
BROADBRIDGE HEATH
BROADBRIDGE HEATH BY-PASS
LAWSON-HUNT INDUSTRIAL PARK
Mulberry Place
Middle Barn
The Birches
195
Lower Broadbridge Farm
BILLINGSHURST
Prim. Sch.
Little Birches
Theale Croft
LYONS
Ashlands Farm
Millmead
The Paddocks
Arun House
New Bridge
Heath Barn
BROADBRIDGE HEATH
A264
Superstore
BROADBRIDGE RETAIL PARK
Sports Pitches
Farthings Farm
GUILDFORD
Lackham
Lyons Farm
Lyons Corner
Lyons Holdings
PINKHURST
Newbridge Nurseries
Wellcross Cottage
Sewage Works
Horsham
Running Track
Sports Centre
Tanbridge House School
Cemetery
Piggeries
Wellcross Lodge
Wellcross
Lower Barn
WICKHURST
Hares Hill
A24
Oakwood
Woodlands
DOWNS
Landing Strip
Mill Bridge
OLD
Broadbridge Farm
OAKS
Piggeries
Oak Leigh
Lucerne
Baystone Copse
Rec. Grd.
Alder Copse
GRANARY
Brambie Hill Farm
A264
FIVE OAKS
ITCHINGFIELD RD.
High Wood
LONGFIELD
LINK MILL
Tanks
Parthings
Parthings Cottage
TOWER CL.
BASHURST HILL
Fulfords Farm
YEW TREE COTTS.
HILLFIELD COTTAGES
Sewage Works
Filter Beds
Sewage Works
SALISBURY
Tower Hill
Bashurst Copse
BASHURST COPSE
FULFORDS HILL
Little Fulfords
Christs Hospital
Rifle Range
Sparrow Copse
Sawyersland
Lower Barn
Weston's Farm
STATION RD.
Grigg's Farm
Chuch Farm
Home Farm
North Gill
Itchingfield
CHRIST'S HOSPITAL ROAD
Shelley's Wood
KING EDWARD CL.
CHRIST'S HOSPITAL RD.
TOWER HILL
South Gill
Prim. Sch.

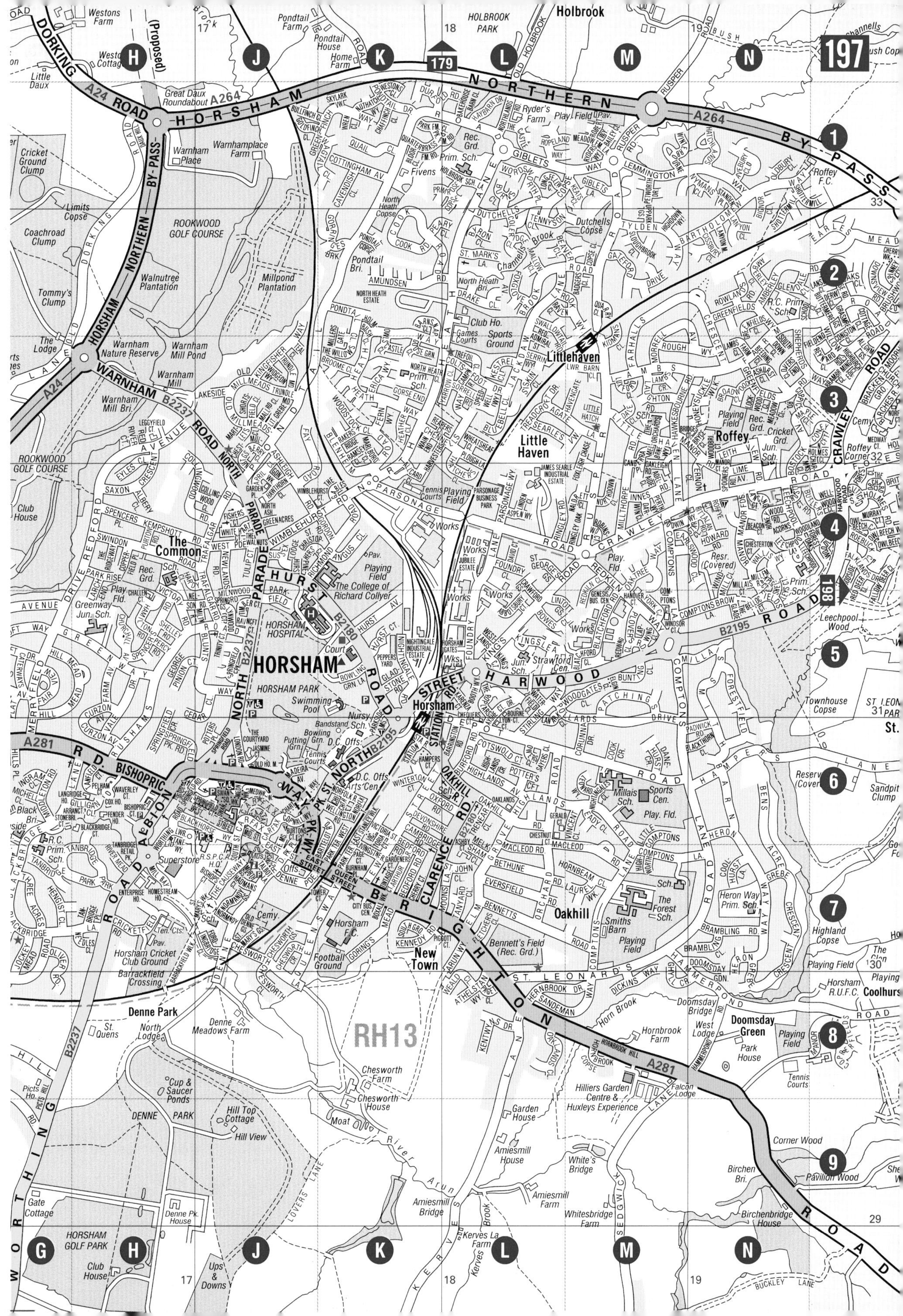

HORSHAM
Holbrook
HOLBROOK PARK
Littlehaven
Little Haven
Roffey
Oakhill
New Town
Doomsday Green
Coolhurst
The Common
Horsham
RH13
ROOKWOOD GOLF COURSE
HORSHAM GOLF PARK
HORSHAM PARK
HORSHAM HOSPITAL
The College of Richard Collyer
Warnham Mill Pond
Warnham Nature Reserve
Millpond Plantation
Walnutree Plantation
Denne Park
DENNE PARK
Chesworth Farm
Chesworth House
Hilliers Garden Centre & Huxleys Experience
NORTHERN BY-PASS
A24
A264
A281
B2237
B2180
B2195
BRIGHTON ROAD
CRAWLEY ROAD
HARWOOD ROAD
WORTHING ROAD
DORKING ROAD
179
198

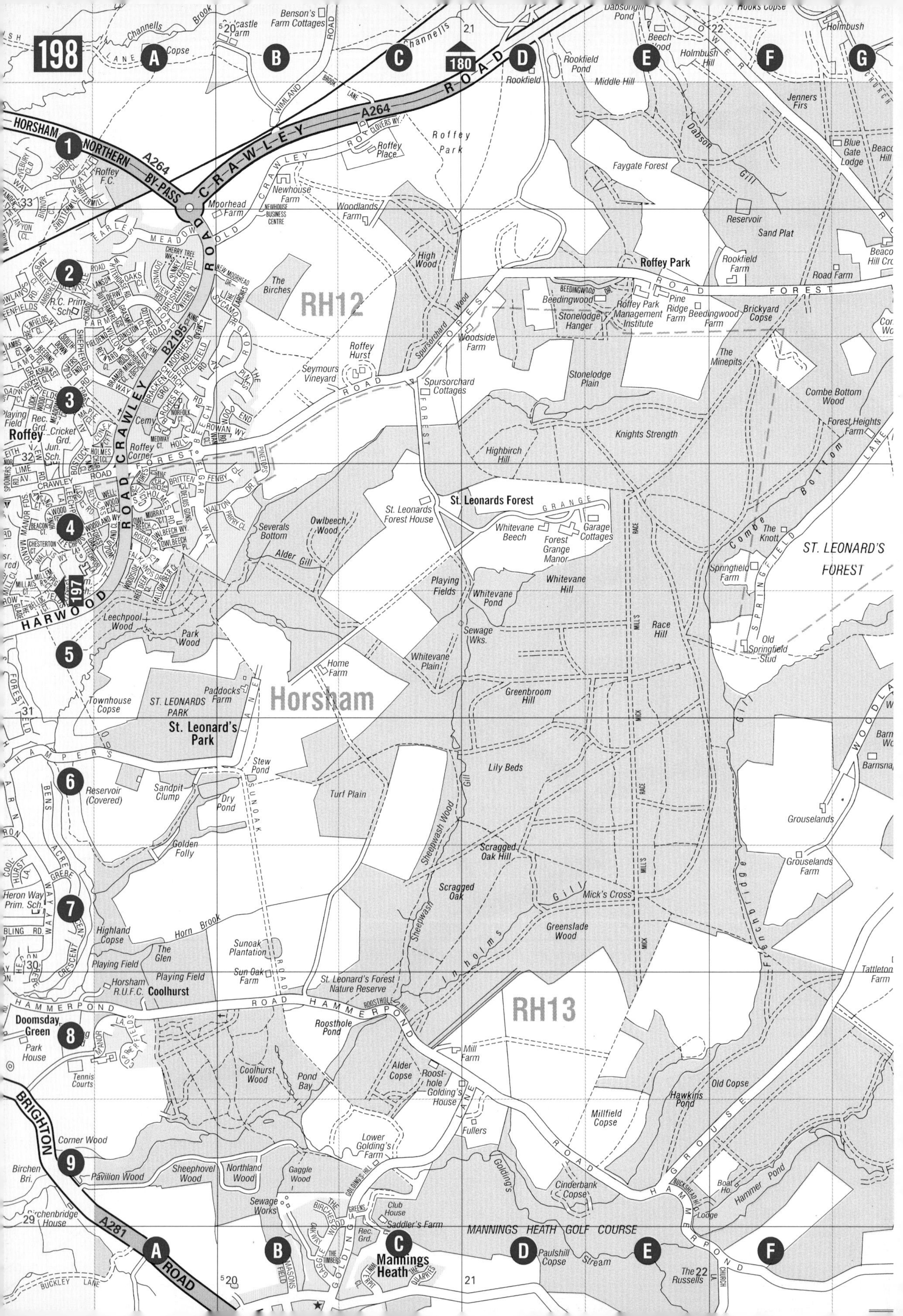
180
197
A
B
C
D
E
F
G
1
2
3
4
5
6
7
8
9
RH12
RH13
Horsham
Channells Brook
Benson's Farm Cottages
Copse
Rookfield
Rookfield Pond
Middle Hill
Beech Wood
Holmbush Hill
Holmbush
Hooks Copse
HORSHAM NORTHERN BY-PASS
A264
CRAWLEY ROAD
Roffey F.C.
Roffey Place
Roffey Park
Newhouse Farm
NEWHOUSE BUSINESS CENTRE
Moorhead Farm
Woodlands Farm
Faygate Forest
Jenners Firs
Blue Gate Lodge
Dabson Gill
Reservoir
Sand Plat
High Wood
The Birches
Rookfield Farm
Road Farm
FOREST ROAD
Beedingwood
Roffey Park Management Institute
Stonelodge Hanger
Pine Ridge Farm
Beedingwood Farm
Brickyard Copse
R.C. Prim. Sch.
B2195
Woodside Farm
Spursorchard Wood
Roffey Hurst
Seymours Vineyard
Spursorchard Cottages
Stonelodge Plain
The Minepits
Combe Bottom Wood
Roffey
Playing Field
Rec. Grd.
Cricket Grd.
Jun. Sch.
Cemy.
Roffey Corner
Highbirch Hill
Knights Strength
Forest Heights Farm
St. Leonards Forest
St. Leonards Forest House
Owlbeech Wood
Severals Bottom
Alder Gill
Whitevane Beech
Forest Grange Manor
Garage Cottages
Combe Bottom Lane
The Knott
ST. LEONARD'S FOREST
Springfield Farm
Whitevane Hill
Playing Fields
Whitevane Pond
Sewage Wks.
Race Hill
Old Springfield Stud
HARWOOD ROAD
Leechpool Wood
Park Wood
Home Farm
Whitevane Plain
Greenbroom Hill
Townhouse Copse
ST. LEONARDS PARK
Paddocks Farm
St. Leonard's Park
HAMPERS LANE
Stew Pond
Lily Beds
Reservoir (Covered)
Sandpit Clump
Dry Pond
Turf Plain
SUNOAK ROAD
Grouselands
Golden Folly
Sheepwash Wood
Scragged Oak Hill
Grouselands Farm
Heron Way Prim. Sch.
Scragged Oak
Mick's Cross
MICK MILL'S RACE
Highland Copse
Horn Brook
Sunoak Plantation
Inholms Gill
Greenslade Wood
The Glen
Playing Field
Sun Oak Farm
St. Leonard's Forest Nature Reserve
Tattleton Farm
Horsham R.U.F.C.
Coolhurst
HAMMERPOND ROAD
Doomsday Green
Park House
Roosthole Pond
Mill Farm
Tennis Courts
Coolhurst Wood
Pond Bay
Alder Copse
Roosthole
Golding's House
Old Copse
Hawkins Pond
Frenchbridge Gill
BRIGHTON ROAD
Corner Wood
Lower Golding's Farm
Fullers
Millfield Copse
Birchen Bri.
Pavilion Wood
Sheephovel Wood
Northland Wood
Gaggle Wood
Golding's
HAMMERPOND ROAD
HAMMERPOND ROAD
Hammer Pond
Boat Ho.
Sewage Works
Club House
Cinderbank Copse
Lodge
Birchenbridge House
Saddler's Farm
Rec. Grd.
MANNINGS HEATH GOLF COURSE
A281 ROAD
Paulshill Copse
Stream
Mannings Heath
The Russells
CHURCH LA.
BUCKLEY LANE

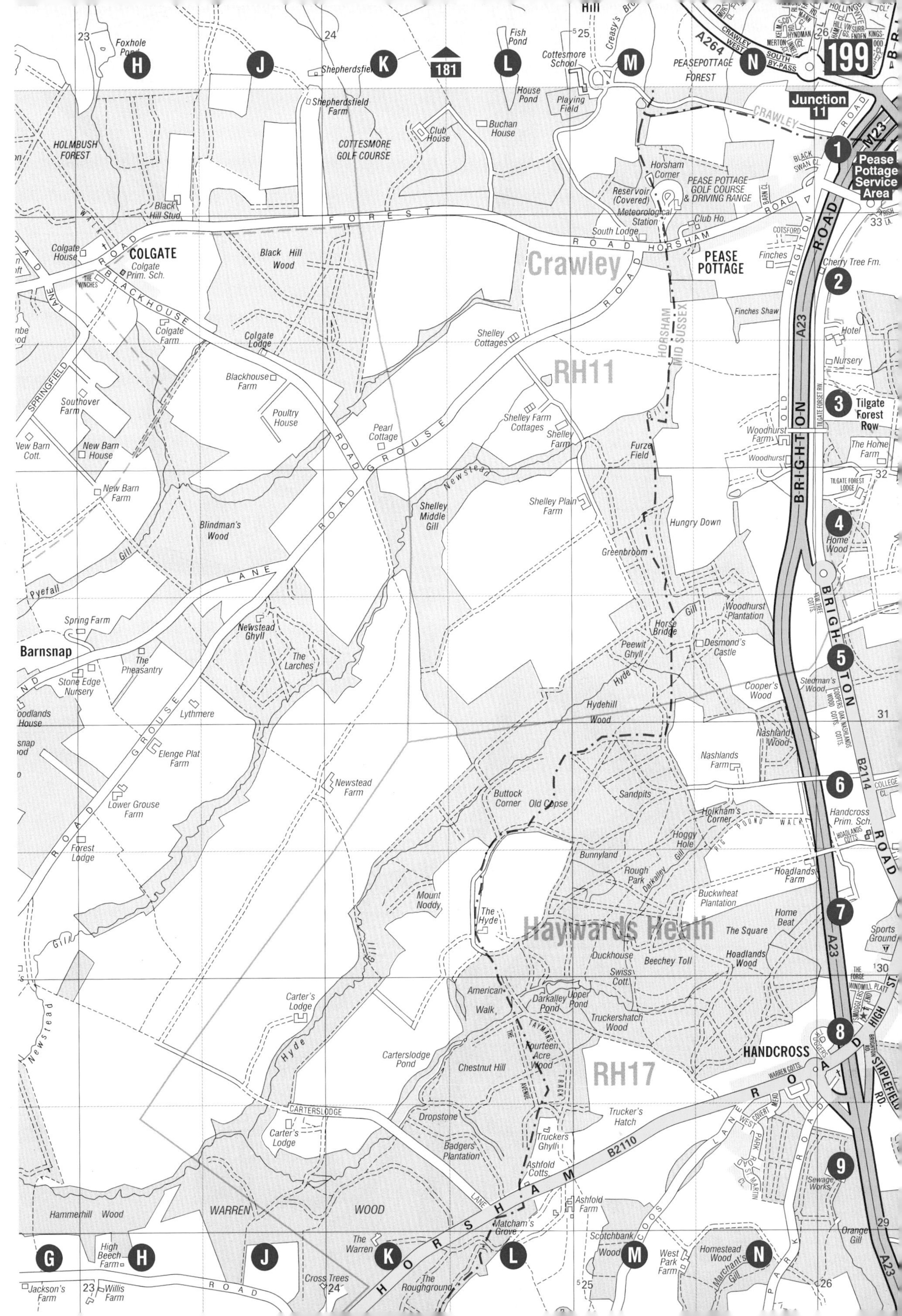

199
181
Junction 11
Pease Pottage Service Area
HOLMBUSH FOREST
COLGATE
Colgate Prim. Sch.
Colgate House
Black Hill Stud
Black Hill Wood
Colgate Farm
Colgate Lodge
Blackhouse Farm
Poultry House
Southover Farm
New Barn House
New Barn Farm
New Barn Cott.
Blindman's Wood
Spring Farm
Barnsnap
The Pheasantry
Stone Edge Nursery
Lythmere
Elenge Plat Farm
Lower Grouse Farm
Forest Lodge
Newstead Ghyll
The Larches
Newstead Farm
Pearl Cottage
Shelley Middle Gill
Shelley Cottages
Shelley Farm Cottages
Shelley Farm
Shelley Plain Farm
Crawley
RH11
PEASE POTTAGE
PEASE POTTAGE GOLF COURSE & DRIVING RANGE
Horsham Corner
Reservoir (Covered)
Meteorological Station
South Lodge
Club Ho.
Cottesmore School
COTTESMORE GOLF COURSE
Shepherdsfield Farm
Club House
Buchan House
House Pond
Fish Pond
Playing Field
Foxhole Pond
PEASEPOTTAGE FOREST
Finches
Cherry Tree Fm.
Finches Shaw
Hotel
Nursery
Tilgate Forest Row
Woodhurst Farm
The Home Farm
Tilgate Forest Lodge
Home Wood
Furze Field
Hungry Down
Greenbroom
Horse Bridge
Woodhurst Plantation
Peewit Ghyll
Desmond's Castle
Cooper's Wood
Stedman's Wood
Hydehill Wood
Nashland Wood
Nashlands Farm
Sandpits
Buttock Corner
Old Copse
Holkham's Corner
Hoggy Hole
Bunnyland
Rough Park
Mount Noddy
The Hyde
Haywards Heath
Buckwheat Plantation
Handcross Prim. Sch.
Hoadlands Farm
Home Beat
The Square
Hoadlands Wood
Sports Ground
Duckhouse
Beechey Toll
Swiss Cott.
American Walk
Darkalley Pond
Upper Pond
Truckershatch Wood
Fourteen Acre Wood
Carter's Lodge
Carterslodge Pond
Chestnut Hill
HANDCROSS
RH17
Dropstone
Badgers Plantation
Truckers Ghyll
Trucker's Hatch
Ashfold Cotts.
Ashfold Farm
Sewage Works
Orange Gill
Hammerhill Wood
WARREN
WOOD
The Warren
Matcham's Grove
Scotchbank Wood
West Park Farm
Homestead Wood
Marchant's Gill
High Beech Farm
Jackson's Farm
Willis Farm
Cross Trees
The Roughground
FOREST ROAD
HORSHAM ROAD
GROUSE ROAD
BLACKHOUSE ROAD
LANE
BRIGHTON ROAD
A23
A264
M23
B2114
B2110
HORSHAM
MID SUSSEX

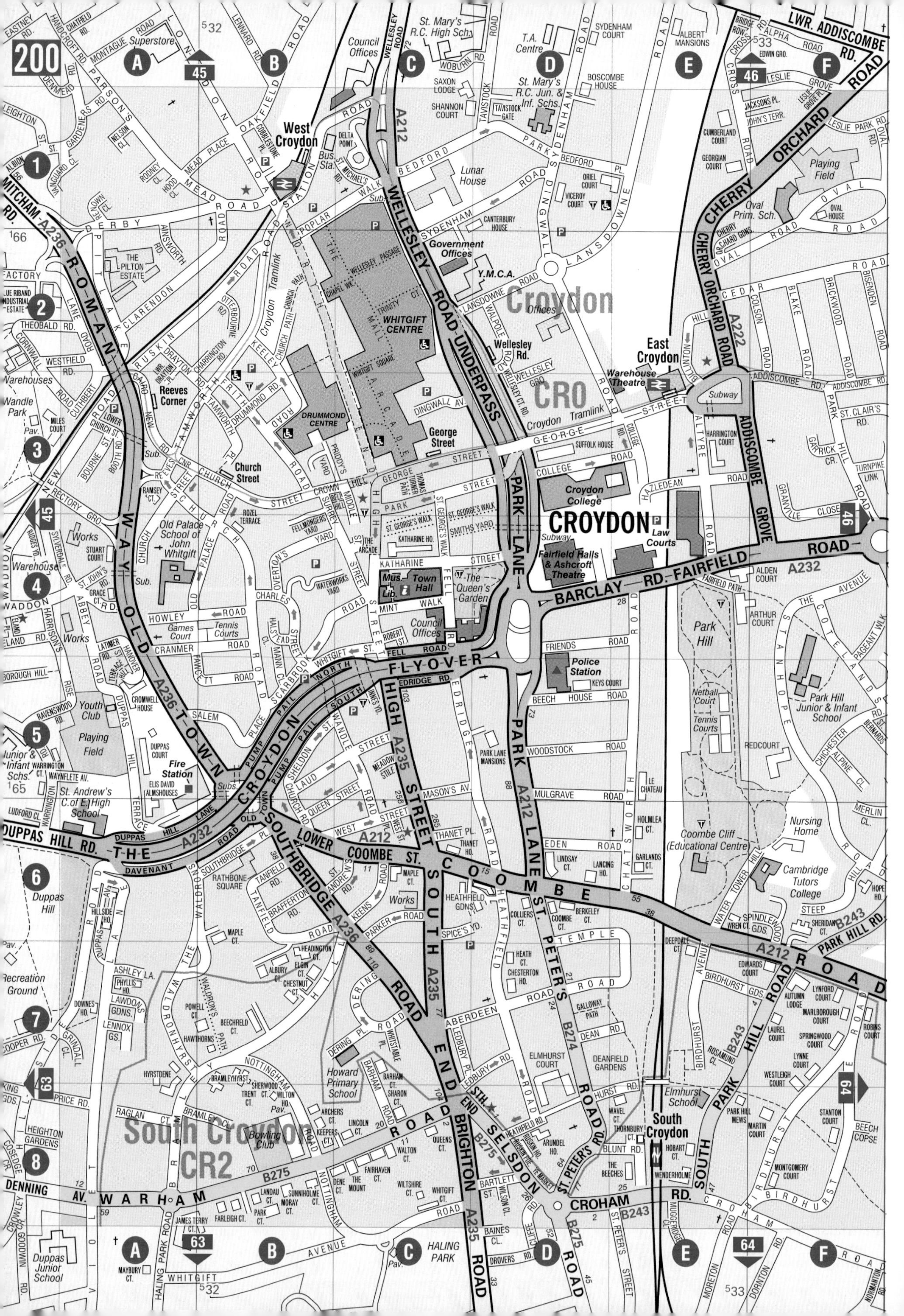
A
B
C
D
E
F
1
2
3
4
5
6
7
8
45
46
63
64
532
533
166
165
West Croydon
East Croydon
South Croydon
Croydon
CR0
CROYDON
South Croydon
CR2
Superstore
Council Offices
St. Mary's R.C. High Sch.
T.A. Centre
St. Mary's R.C. Jun. & Inf. Schs.
Lunar House
Government Offices
Y.M.C.A.
Offices
Wellesley Rd.
Warehouse Theatre
Croydon Tramlink
WHITGIFT CENTRE
DRUMMOND CENTRE
George Street
Church Street
Reeves Corner
THE PILTON ESTATE
Old Palace School of John Whitgift
Works
Warehouses
Wandle Park
Mus. Lib.
Town Hall
The Queen's Garden
Council Offices
Croydon College
Law Courts
Fairfield Halls & Ashcroft Theatre
Police Station
Park Hill
Netball Court
Tennis Courts
Park Hill Junior & Infant School
Nursing Home
Coombe Cliff (Educational Centre)
Cambridge Tutors College
Oval Prim. Sch.
Playing Field
Youth Club
Playing Field
Junior & Infant Schs.
St. Andrew's C.of E. High School
Fire Station
Games Court
Tennis Courts
Duppas Hill
Recreation Ground
Howard Primary School
Bowling Club
Elmhurst School
Haling Park
Duppas Junior School
ROMAN WAY
OLD TOWN
CROYDON FLYOVER
WELLESLEY ROAD UNDERPASS
PARK LANE
BARCLAY RD.
FAIRFIELD ROAD
COOMBE ROAD
HIGH STREET
SOUTH END
BRIGHTON ROAD
SOUTHBRIDGE ROAD
DUPPAS HILL RD.
THE DAVENANT
WARHAM AV.
DENNING AV.
CHERRY ORCHARD ROAD
ADDISCOMBE GROVE
ADDISCOMBE RD.
LWR. ADDISCOMBE RD.
PARK HILL RD.
SOUTH PARK HILL ROAD
ST. PETER'S ROAD
SELSDON ROAD
CROHAM RD.
LOWER COOMBE ST.
GEORGE STREET
NORTH END
CHURCH STREET
SYDENHAM ROAD
LANSDOWNE ROAD
DINGWALL ROAD
STATION ROAD
MITCHAM RD.
A236
A212
A232
A235
A222
B274
B275
B243

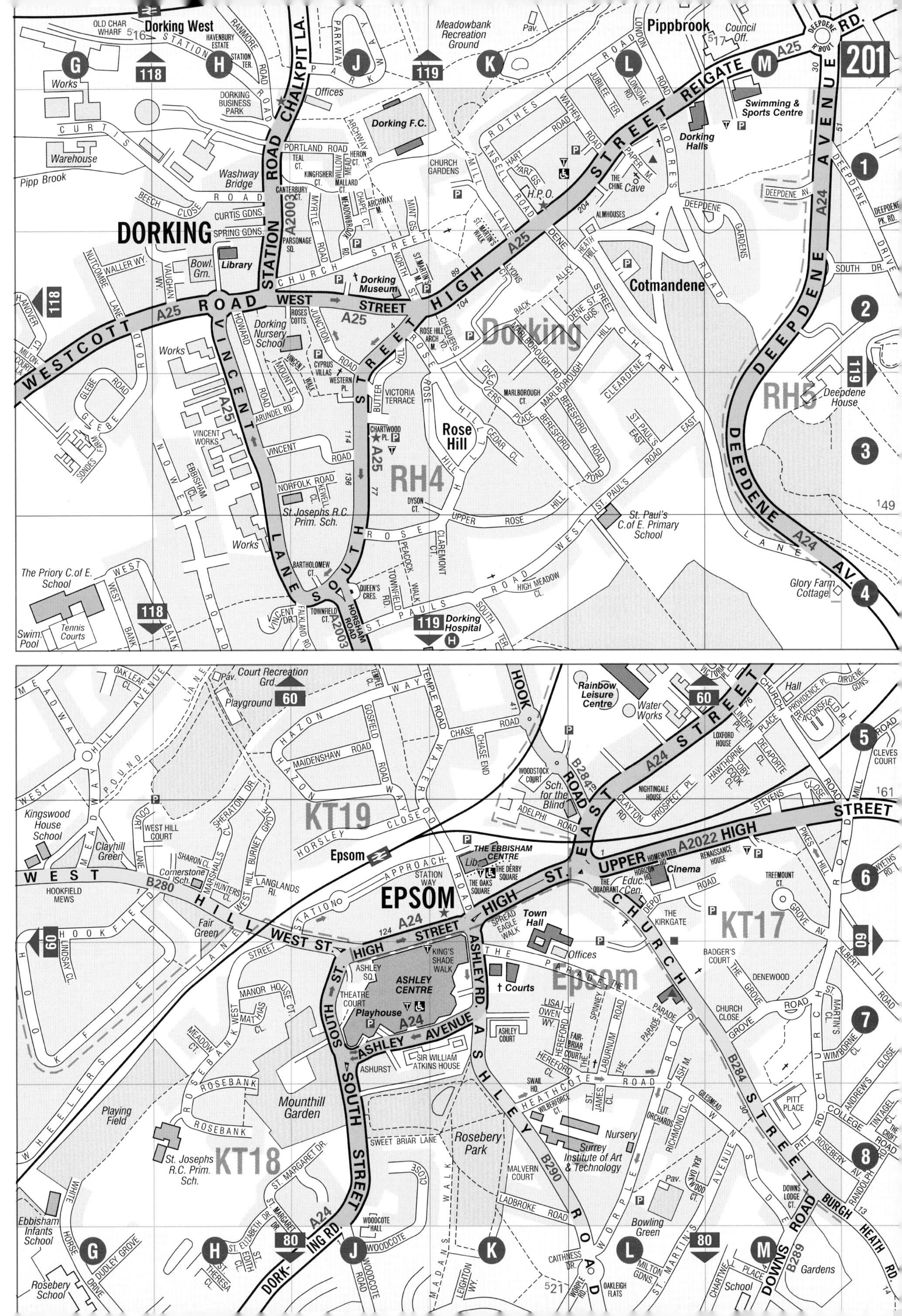

DORKING
Dorking West
Pippbrook
Council Off.
Meadowbank Recreation Ground
Dorking F.C.
Dorking Halls
Swimming & Sports Centre
Cotmandene
Dorking Museum
Library
Rose Hill
RH4
RH5
Deepdene House
St. Paul's C.of E. Primary School
St Josephs R.C. Prim. Sch.
The Priory C.of E. School
Dorking Hospital
Glory Farm Cottage
WESTCOTT ROAD
WEST STREET
HIGH STREET
REIGATE ROAD
DEEPDENE AVENUE
STATION ROAD
CHALKPIT LA.
VINCENT LANE
SOUTH STREET
EPSOM
Epsom
KT17
KT18
KT19
Rainbow Leisure Centre
Court Recreation Grd.
Kingswood House School
The Ebbisham Centre
Ashley Centre
Playhouse
Town Hall
Courts
Cinema
Surrey Institute of Art & Technology
Rosebery Park
Mounthill Garden
Playing Field
St. Josephs R.C. Prim. Sch.
Ebbisham Infants School
Rosebery School
WEST HILL
HIGH STREET
EAST STREET
UPPER HIGH STREET
CHURCH STREET
SOUTH STREET
ASHLEY ROAD
ASHLEY AVENUE
WORPLE ROAD
DORKING RD.
BURGH HEATH RD.
DOWNS ROAD

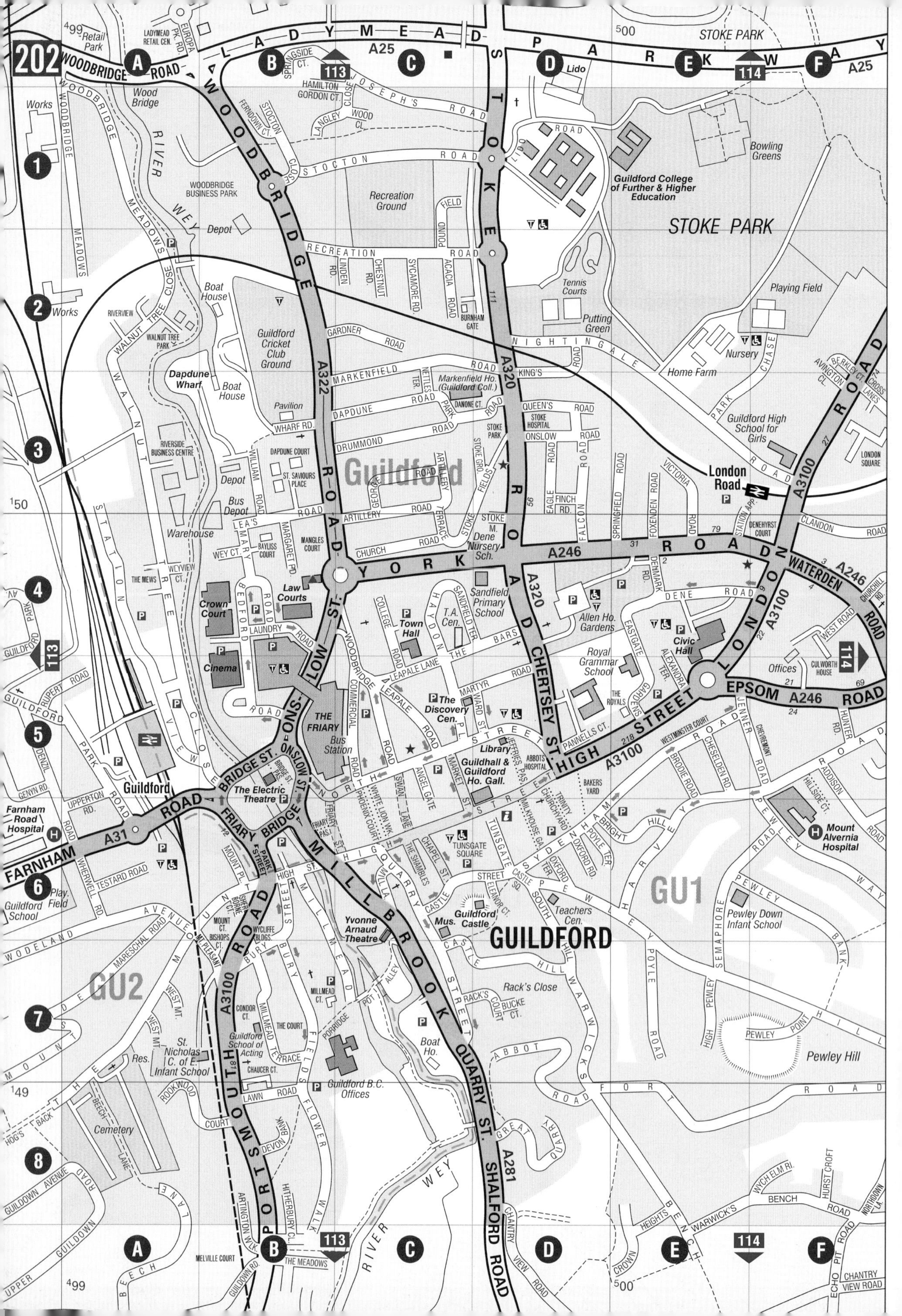

A
B
C
D
E
F
1
2
3
4
5
6
7
8
113
114
499
500
150
149
LADYMEAD
STOKE PARK
PARKWAY
A25
WOODBRIDGE ROAD
Retail Park
LADYMEAD RETAIL CEN.
EUROPA PK. RD.
SPRINGSIDE CT.
HAMILTON
GORDON CT.
JOSEPH'S ROAD
Lido
Works
Wood Bridge
RIVER WEY
WOODBRIDGE MEADOWS
STOCTON ROAD
STOCTON CL.
FERNDOWN CT.
LANGLEY CL.
WOOD CL.
LIDO ROAD
Bowling Greens
Guildford College of Further & Higher Education
WOODBRIDGE BUSINESS PARK
Recreation Ground
FIELD
POUND PL.
STOKE PARK
Depot
RECREATION ROAD
LINDEN RD.
CHESTNUT RD.
SYCAMORE RD.
ACACIA ROAD
BURNHAM GATE
Tennis Courts
Playing Field
Boat House
RIVERVIEW
WALNUT TREE CLOSE
WALNUT TREE PARK
Putting Green
GARDNER ROAD
Guildford Cricket Club Ground
NIGHTINGALE ROAD
Nursery
Home Farm
PARK CHASE
A322
A320
Dapdune Wharf
MARKENFIELD ROAD
KING'S ROAD
NETTLES TER.
Markenfield Ho. (Guildford Coll.)
AVINGTON CL.
BERKLEY CT.
CROSS LANES
Pavilion
DAPDUNE ROAD
PARK ROAD
DANONE CT.
QUEEN'S ROAD
Guildford High School for Girls
WHARF RD.
DRUMMOND ROAD
STOKE HOSPITAL
ONSLOW ROAD
RIVERSIDE BUSINESS CENTRE
DAPDUNE COURT
Guildford
ARTILLERY ROAD
ST. SAVIOURS PLACE
GEORGE RD.
ARTILLERY TERRACE
STOKE GRO.
STOKE FIELDS
VICTORIA ROAD
LONDON ROAD
London Road
LONDON SQUARE
A3100
Bus Depot
WILLIAM ROAD
EAGLE RD.
FINCH RD.
FALCON ROAD
SPRINGFIELD ROAD
FOXENDEN ROAD
STATION APP.
DENEHYRST COURT
CLANDON ROAD
STATION ROAD
Warehouse
LEA'S ROAD
MARY RD.
MARGARET RD.
MANGLES COURT
CHURCH ROAD
STOKE M.
Dene Nursery Sch.
YORK ROAD
A246
WATERDEN ROAD
WEY CT.
BAYLISS COURT
DENMARK RD.
WEYVIEW CT.
THE MEWS
Crown Court
BEDFORD ROAD
Law Courts
COLLEGE ROAD
HAYDON PL.
SANDFIELD TER.
Sandfield Primary School
DENE ROAD
WEST ROAD
CHURCHILL RD.
GUILDFORD PARK AV.
LAUNDRY ROAD
Town Hall
T.A. Cen.
Allen Ho. Gardens
EASTGATE GARDENS
Civic Hall
ALEXANDRA TER.
Cinema
WOODBRIDGE ROAD
LEAPALE LANE
THE BARS
Royal Grammar School
CHERTSEY ST.
Offices
CULWORTH HOUSE
RUPERT ROAD
GUILDFORD PARK
LOW ST.
LEAPALE ROAD
MARTYR ROAD
THE ROYALS
EPSOM ROAD
THE FRIARY
Bus Station
COMMERCIAL ROAD
The Discovery Cen.
HIGH STREET
PANNELLS CT.
WESTMINSTER COURT
HUNTER RD.
DENZIL RD.
ONSLOW ST.
BRIDGE ST.
BRIDGE ST. PAS.
NORTH STREET
SWAN LANE
ANGEL GATE
MARKET ST.
Library
JEFFRIES PAS.
ABBOTS HOSPITAL
A3100
BRODIE ROAD
CHESELDEN RD.
CHERTSEY ST.
JENNER ROAD
ADDISON ROAD
Guildford
GENYN RD.
The Electric Theatre
PHOENIX COURT
WHITE LION WK.
Guildhall & Guildford Ho. Gall.
TRINITY CHURCHYARD
BAKERS YARD
HILLSIDE CT.
UPPERTON RD.
FRIARY BRIDGE
FRIARY PAS.
MILKHOUSE GA.
BRIGHT HILL
POYLE TER.
Mount Alvernia Hospital
Farnham Road Hospital
A31
FARNHAM ROAD
MOUNT PL.
PARK STREET
QUARRY ST.
THE SHAMBLES
CHAPEL ST.
TUNSGATE
TUNSGATE SQUARE
SYDENHAM ROAD
OXFORD RD.
OXFORD TER.
HARVEY ROAD
PEWLEY WAY
WHERWELL RD.
TESTARD ROAD
HIGH ST.
MILLBROOK
CASTLE STREET
CASTLE SQ.
ELEANOR CT.
SOUTH HILL
Teachers Cen.
GU1
Play. Field
Guildford School
MOUNT ST.
SHERBORNE CT.
MOUNT CT.
BISHOPS CT.
WYCLIFFE BLDGS.
Guildford Castle
Mus.
SEMAPHORE ROAD
PEWLEY BANK
Pewley Down Infant School
WODELAND AVENUE
MARESCHAL ROAD
MT. PLEASANT
BURY STREET
MILL MEAD
Yvonne Arnaud Theatre
GUILDFORD
GU2
WEST MT.
A3100
PORTSMOUTH ROAD
BURY FIELDS
MILLMEAD CT.
POT ALLEY
RACK'S COURT
BUCKE CT.
Rack's Close
POYLE ROAD
WARWICK'S BENCH
THE MOUNT
WEST MT.
CONDOR CT.
MILLMEAD TERRACE
THE COURT
PORRIDGE
HIGH PEWLEY
PEWLEY POINT
PEWLEY HILL
St. Nicholas C. of E. Infant School
Res.
Guildford School of Acting
CHAUCER CT.
Boat Ho.
ABBOT ROAD
Pewley Hill
Guildford B.C. Offices
LAWN ROAD
ROOKWOOD COURT
FORT ROAD
BEECH LANE
Cemetery
HOG'S BACK
DEVON BANK
FLOWER WALK
GREAT QUARRY
A281
SHALFORD ROAD
WEY
GUILDOWN AVENUE
GUILDOWN ROAD
WYCH ELM RI.
HURST CROFT
BENCH ROAD
NORTHDOWN LA.
ARTINGTON WLK.
HITHERBURY CL.
CHANTRY VIEW ROAD
HEIGHTS
WARWICK'S
RIVER
UPPER GUILDOWN RD.
MELVILLE COURT
GUILDOWN RD.
THE MEADOWS
CROWN
ECHO PIT ROAD
CHANTRY VIEW ROAD

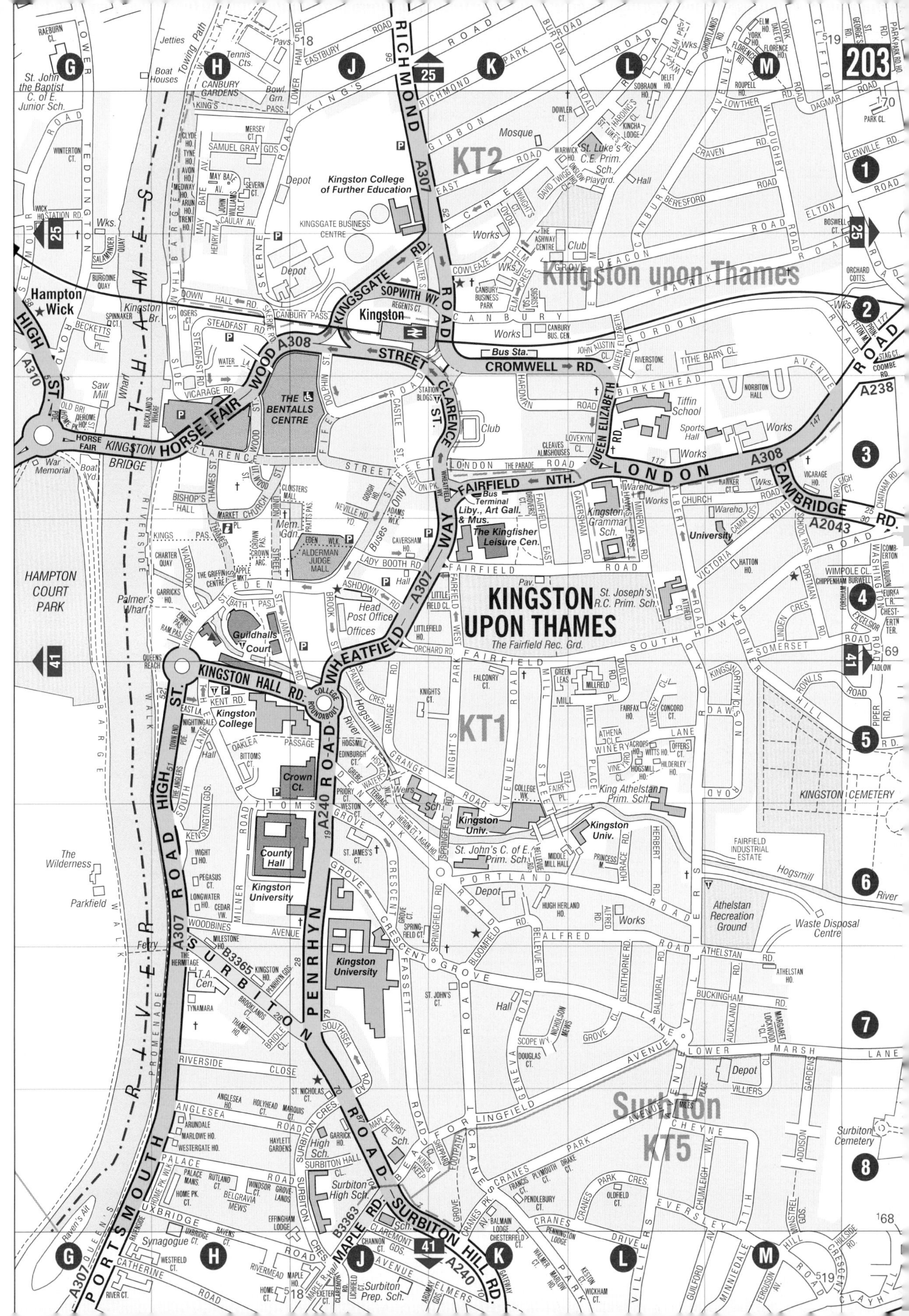

INDEX

Including Streets, Places & Areas, Industrial Estates, Selected Subsidiary Addresses,
Junction Names and Selected Places of Interest.

HOW TO USE THIS INDEX

1. Each street name is followed by its Posttown or Postal Locality and then by its map reference; e.g. Aaron's Hill. *G'ming* —7E **132** is in the Godalming Posttown and is to be found in square 7E on page **132**. The page number being shown in bold type.
   A strict alphabetical order is followed in which Av., Rd., St., etc. (though abbreviated) are read in full and as part of the street name; e.g. Abbeyfield Clo. appears after Abbey Dri. but before Abbey Gdns.

2. Streets and a selection of Subsidiary names not shown on the Maps, appear in the index in *Italics* with the thoroughfare to which it is connected shown in brackets; e.g. *Abbey Pde. SW19* —8A **28** (off Merton High St.)

3. Places and areas are shown in the index in **bold type**, the map reference to the actual map square in which the Town or Area is located and not to the place name; e.g. **Abbotswood.** —1B **114**

4. An example of a selected place of interest is **Abinger Roughs.** —8J **117**

5. Map references shown in brackets; e.g. Abbey Rd. *Croy* —9M **45** (4A **200**) refer to entries that also appear on the large scale pages **200-203**

GENERAL ABBREVIATIONS

All : Alley	Cir : Circus	Gt : Great	M : Mews	Sq : Square
App : Approach	Clo : Close	Grn : Green	Mt : Mount	Sta : Station
Arc : Arcade	Comn : Common	Gro : Grove	Mus : Museum	St : Street
Av : Avenue	Cotts : Cottages	Ho : House	N : North	Ter : Terrace
Bk : Back	Ct : Court	Ind : Industrial	Pal : Palace	Trad : Trading
Boulevd : Boulevard	Cres : Crescent	Info : Information	Pde : Parade	Up : Upper
Bri : Bridge	Cft : Croft	Junct : Junction	Pk : Park	Va : Vale
B'way : Broadway	Dri : Drive	La : Lane	Pas : Passage	Vw : View
Bldgs : Buildings	E : East	Lit : Little	Pl : Place	Vs : Villas
Bus : Business	Embkmt : Embankment	Lwr : Lower	Quad : Quadrant	Vis : Visitors
Cvn : Caravan	Est : Estate	Mc : Mac	Res : Residential	Wlk : Walk
Cen : Centre	Fld : Field	Mnr : Manor	Ri : Rise	W : West
Chu : Church	Gdns : Gardens	Mans : Mansions	Rd : Road	Yd : Yard
Chyd : Churchyard	Gth : Garth	Mkt : Market	Shop : Shopping	
Circ : Circle	Ga : Gate	Mdw : Meadow	S : South	

POSTTOWN AND POSTAL LOCALITY ABBREVIATIONS

Ab C : Abinger Common	*Cheam* : Cheam	*Eve* : Eversley	*Hyde* : Hydestile	*Old Win* : Old Windsor
Ab H : Abinger Hammer	*Chels* : Chelsfield	*Ewe* : Ewell	*If'd* : Ifield	*Old Wok* : Old Woking
Add : Addlestone	*Chel* : Chelsham	*Ewh* : Ewhurst	*Iswth* : Isleworth	*Onsl* : Onslow Village
Alb : Albury	*Cher* : Chertsey	*Ews* : Ewshot	*Itch* : Itchingfield	*Orp* : Orpington
Alder : Aldershot	*Chess* : Chessington	*F'boro* : Farnborough (Kent)	*Iver* : Iver	*Ott* : Ottershaw
Alf : Alfold	*C'fold* : Chiddingfold	*Farn* : Farnborough (Hampshire)	*Jac* : Jacob's Well	*Out* : Outwood
Adgly : Ardingly	*Chil* : Chilworth	*Farnc* : Farncombe	*Kenl* : Kenley	*Owl* : Owlsmoor
Art : Artington	*Chip* : Chipstead	*Farnh* : Farnham	*Kes* : Keston	*Oxs* : Oxshott
Asc : Ascot	*Chob* : Chobham	*Fay* : Faygate	*Kew* : Kew	*Oxt* : Oxted
As : Ash	*C Hosp* : Christs Hospital	*Felb* : Felbridge	*King'f* : Kingfield	*Pass* : Passfield
Afrd : Ashford	*C Crook* : Church Crookham	*Felc* : Felcourt	*K'fold* : Kingsfold	*Peas P* : Pease Pottage
Ash G : Ash Green	*Churt* : Churt	*Felt* : Feltham	*K'ley* : Kingsley	*Peasl* : Peaslake
Asht : Ashtead	*Clar P* : Claremont Park	*Fern* : Fernhurst	*K Grn* : Kingsley Green	*P'mrsh* : Peasmarsh
Ash W : Ashurst Wood	*Clay* : Claygate	*Fet* : Fetcham	*King T* : Kingston Upon Thames	*Pep H* : Peper Harow
Ash V : Ash Vale	*Cobh* : Cobham	*Finch* : Finchampstead	*Kgswd* : Kingswood	*Pirb* : Pirbright
Bad L : Badshot Lea	*Cold* : Coldharbour	*Fleet* : Fleet	*Kird* : Kirdford	*Plais* : Plaistow
Bag : Bagshot	*Cole H* : Colemans Hatch	*F Grn* : Forest Green	*Knap* : Knaphill	*Prat B* : Pratts Bottom
Bans : Banstead	*Colg* : Colgate	*F Row* : Forest Row	*Knock* : Knockholt	*Purl* : Purley
Bear G : Beare Green	*Coll T* : College Town	*Four E* : Four Elms	*Lale* : Laleham	*P'ham* : Puttenham
Beck : Beckenham	*Coln* : Colnbrook	*Fren* : Frensham	*Langl* : Langley	*Pyr* : Pyrford
Bedd : Beddington	*Comp* : Compton	*Frim* : Frimley	*Lea* : Leatherhead	*Ran C* : Ranmore Common
Bedf : Bedfont	*Copt* : Copthorne	*Frim G* : Frimley Green	*Leigh* : Leigh	*Red* : Redhill
Belm : Belmont	*Coul* : Coulsdon	*Frog* : Frogmore	*Lei H* : Leith Hill	*Reig* : Reigate
B'ley : Bentley	*Cowd* : Cowden	*Gat A* : London Gatwick Airport	*Light* : Lightwater	*Rich* : Richmond
Berr G : Berrys Green	*Cowf* : Cowfold	*G'ming* : Godalming	*Limp* : Limpsfield	*Rip* : Ripley
Bet : Betchworth	*Cran* : Cranford	*God* : Godstone	*Limp C* : Limpsfield Chart	*Rowf* : Rowfant
Bew : Bewbush	*Cranl* : Cranleigh	*Gom* : Gomshall	*Lind* : Lindford	*Rowh* : Rowhook
Big H : Biggin Hill	*Craw* : Crawley	*Gray* : Grayshott	*Ling* : Lingfield	*Rowl* : Rowledge
B'bear : Billingbear	*Craw D* : Crawley Down	*G'wood* : Grayswood	*Lip* : Liphook	*Rud* : Rudgwick
Bil : Billingshurst	*Crock H* : Crockham Hill	*G Str* : Green Street Green	*L Sand* : Little Sandhurst	*Runf* : Runfold
Binf : Binfield	*Cron* : Crondall	*Guild* : Guildford	*Longc* : Longcross	*Rusp* : Rusper
Bisl : Bisley	*Crow* : Crowhurst	*Hack* : Hackbridge	*Lwr Bo* : Lower Bourne	*St G* : St Georges Hill
B'hth : Blackheath	*Crowt* : Crowthorne	*Ham* : Ham	*Lwr E* : Lower Eashing	*St J* : St Johns
Black : Blacknest	*Croy* : Croydon	*Hamb* : Hambledon	*Lwr K* : Lower Kingswood	*Salf* : Salfords
B'water : Blackwater	*Cud* : Cudham	*Hamm* : Hammerwood	*Low H* : Lowfield Heath	*Sand* : Sandhurst
Blet : Bletchingley	*Dat* : Datchet	*Hamp* : Hampton	*Loxh* : Loxhill	*Seale* : Seale
Blind H : Blindley Heath	*Deep* : Deepcut	*Hamp H* : Hampton Hill	*Loxw* : Loxwood	*Send* : Send
Bookh : Bookham	*Dipp* : Dippenhall	*Hamp W* : Hampton Wick	*Lyne* : Lyne	*Shack* : Shackleford
Bord : Bordon	*Dit H* : Ditton Hill	*Hand* : Handcross	*M'bowr* : Maidenbower	*Shalf* : Shalford
Brack : Bracknell	*Dock* : Dockenfield	*Hanw* : Hanworth	*M'head* : Maidenhead	*Sham G* : Shamley Green
Brmly : Bramley	*Dork* : Dorking	*Harm* : Hammondsworth	*Maid G* : Maidens Green	*Sheer* : Sheerwater
Bram : Bramshott	*D'land* : Dormansland	*Hartf* : Hartfield	*Man H* : Mannings Heath	*Shep* : Shepperton
Bram C : Bramshott Chase	*Dor P* : Dormans Park	*Hasc* : Hascombe	*M Grn* : Marsh Green	*Shere* : Shere
Bras : Brasted	*Dor* : Dorney	*Hasl* : Haslemere	*Mayf* : Mayford	*Ship B* : Shipley Bridge
Bren : Brentford	*Dow* : Downe	*Hayes* : Hayes	*Mers* : Merstham	*Short* : Shortlands
Broad H : Broadbridge Heath	*D'side* : Downside	*Head* : Headley (Bordon)	*Mick* : Mickleham	*Shot* : Shottermill
Broadf : Broadfield	*Duns* : Dunsfold	*H'ley* : Headley (Epsom)	*Mid H* : Mid Holmwood	*Shur R* : Shurlock Row
Brock : Brockham	*Earl* : Earlswood	*H'row* : Heathrow	*Milf* : Milford	*Slea* : Sleaford
Brom : Bromley	*E Clan* : East Clandon	*H'row A* : London Heathrow Airport	*Mitc* : Mitcham	*Slin* : Slinfold
Brook : Brook	*E Grin* : East Grinstead	*Head D* : Headley Down	*Mit J* : Mitcham Junction	*Slou* : Slough
Bro I : Brooklands Ind. Est.	*E Hor* : East Horsley	*Hever* : Hever	*Mord* : Morden	*Sly I* : Slyfield Ind. Est.
Bro P : Brooklands Ind. Pk.	*E Mol* : East Molesey	*Hin W* : Hinchley Wood	*Myt* : Mytchett	*Small* : Smallfield
Brkwd : Brookwood	*Eden* : Edenbridge	*Hind* : Hindhead	*New Ad* : New Addington	*S'hall* : Southall
Buck : Buckland	*Eff* : Effingham	*Holm M* : Holmbury St Mary	*Newc* : Newchapel	*S Asc* : South Ascot
Bucks H : Bucks Horn Oak	*Eff J* : Effingham Junction	*Holmw* : Holmwood	*Newd* : Newdigate	*S Croy* : South Croydon
Burp : Burpham	*Egh* : Egham	*Holt P* : Holt Pound	*New H* : New Haw	*S God* : South Godstone
Burs : Burstow	*Elst* : Elstead	*Hkwd* : Hookwood	*N Mald* : New Malden	*S Nut* : South Nutfield
Busb : Busbridge	*Elv* : Elvetham	*Horl* : Horley	*Norm* : Normandy	*S Pk* : South Park
Byfl : Byfleet	*Eng G* : Englefield Green	*Horne* : Horne	*N Asc* : North Ascot	*Swd B* : Southwood Bus. Pk.
Camb : Camberley	*Ent* : Enton	*Hors* : Horsell	*N'chap* : Northchapel	*Stai* : Staines
Capel : Capel	*Eps* : Epsom	*H'ham* : Horsham	*N Holm* : North Holmwood	*Stand* : Standford
Cars : Carshalton	*Esh* : Esher	*Hort* : Horton	*Nutf* : Nutfield	*Stanw* : Stanwell
Cat : Caterham	*Eton* : Eton	*Houn* : Hounslow	*Ock* : Ockham	*Stoke D* : Stoke D'Abernon
Charl : Charlwood	*Eton C* : Eton College	*Hurst* : Hurst	*Ockl* : Ockley	*S'leigh* : Stoneleigh
Chav D : Chavey Down	*Eton W* : Eton Wick	*Hurt* : Hurtmore	*Oke H* : Okewood Hill	*Str G* : Strood Green

Posttown and Postal Locality Abbreviations

Sun : Sunbury-on-Thames
S'dale : Sunningdale
S'hill : Sunninghill
Surb : Surbiton
Sur R : Surrey Research Park
Sutt : Sutton
Sut G : Sutton Green
Tad : Tadworth
Tand : Tandridge
Tap : Taplow
Tats : Tatsfield
Tedd : Teddington
Th Dit : Thames Ditton
T Hth : Thornton Heath
Thorpe : Thorpe
Thor I : Thorpe Ind. Est.
Thur : Thursley
Tilf : Tilford
Tin G : Tinsley Green
T'sey : Titsey
Tong : Tongham
Turn H : Turners Hill
Twic : Twickenham
Up Har : Upper Hartfield
Vir W : Virginia Water
Wall : Wallington
Wal W : Wallis Wood
W on T : Walton-on-Thames
Wanb : Wanborough
Warf : Warfield
Warf P : Warfield Park
Warl : Warlingham
Warn : Warnham
Wel C : Wellington College
W Byf : West Byfleet
W Cla : West Clandon
Westc : Westcott
W Dray : West Drayton
W End : West End
W'ham : Westerham
W Ewe : West Ewell
W Hoa : West Hoathly
W Hor : West Horsley
Westh : Westhumble
W Mol : West Molesey
W Wick : West Wickham
Wey : Weybridge
W'hill : Whitehill
W Vil : Whiteley Village
Whit : Whitton
Whyt : Whyteleafe
W'sham : Windlesham
Wind : Windsor
Wind C : Windsor Castle
Wink : Winkfield
Wink R : Winkfield Row
Wis G : Wisborough Green
Wis : Wisley
Witl : Witley
Wok : Woking
Wokgm : Wokingham
Wold : Woldingham
Won : Wonersh
Wdhm : Woodham
Wood S : Wood Street Village
Wor Pk : Worcester Park
Wmly : Wormley
Worp : Worplesdon
Worp H : Worplesdon Hill
Worth : Worth
Wott : Wotton
Wray : Wraysbury
Wrec : Wrecclesham
Yat : Yateley

INDEX

Aaron's Hill. —7E 132
Aaron's Hill. G'ming —7E 132
Abbess Clo. SW2 —2M 29
Abbetts La. Camb —3N 69
Abbey Chase. Cher —6K 37
Abbey Clo. Brack —4B 32
Abbey Clo. Cranl —8H 155
Abbey Clo. Wok —3G 75
Abbey Clo. Wokgm —1B 30
Abbey Ct. Camb —1B 70
Abbey Ct. Cher —6K 37
Abbey Ct. Farnh —1H 129
Abbey Ct. Hamp —8A 24
Abbey Ct. Stai —3L 37
Abbey Dri. SW17 —6E 28
Abbey Dri. Stai —3L 37
Abbeyfield Clo. Mitc —1C 44
Abbey Gdns. W6 —2K 13
Abbey Gdns. Cher —5J 37
Abbey Grn. Cher —5J 37
Abbey Ind. Est. Mitc —4D 44
Abbey M. Ash W —3H 187
Abbey M. Stai —3L 37
Abbey Pde. SW19 —8A 28
(off Merton High St.)
Abbey Pl. Cher —2J 37
Abbey Rd. SW19 —8A 28
Abbey Rd. Cher —6K 37
Abbey Rd. Croy —9M 45 (4A 200)
Abbey Rd. Shep —7B 38
Abbey Rd. S Croy —6G 64
Abbey Rd. Vir W —4N 35
Abbey Rd. Wok —4M 73
Abbey St. Farnh —1H 129
Abbey Wlk. W Mol —2B 40
Abbey Way. Farn —1A 90
Abbeywood. Ash V —9F 90
Abbeywood. S'dale —6D 34
Abbot Clo. Byfl —6M 55
Abbot Clo. Stai —8M 21
Abbot Rd. Guild —5N 113 (7D 202)
Abbots Av. Eps —7N 59
Abbotsbury. Brack —4L 31
Abbotsbury Ct. H'ham —5L 197
Abbotsbury Rd. Mord —4N 43
Abbots Clo. Fleet —4B 88
Abbot's Clo. Guild —6H 113
Abbots Dri. Vir W —4L 35
Abbotsfield Rd. If'd —4J 181
Abbotsford Clo. Wok —4C 74
Abbots Grn. Croy —3G 65
Abbots Hospital. —5D 202
Abbots Hospital. Guild —5D 202
Abbots La. Kenl —3N 83
Abbotsleigh Clo. Sutt —4N 61
Abbotsleigh Rd. SW16 —5G 28
Abbots Mead. Rich —5K 25
Abbotsmede Clo. Twic —3F 24
Abbots Pk. SW2 —2L 29
Abbot's Ride. Farnh —3K 129
Abbots Ri. Red —1E 122
Abbotstone Rd. SW15 —6H 13
Abbots Wlk. Wind —5B 4
Abbots Way. Cher —6H 37
Abbots Way. Guild —2F 114
Abbotswood. —1B 114
Abbotswood. Guild —1B 114
Abbotswood Clo. Guild —9B 94
Abbotswood Dri. Wey —6E 56
Abbotswood Rd. SW16 —4H 29
Abbott Av. SW20 —9J 27
Abbott Clo. Hamp —7M 23
Abbotts Cotts. Dock —5D 148
Abbotts Rd. Mitc —3G 45
(in two parts)
Abbotts Rd. Sutt —1K 61
Abbott's Tilt. W on T —9M 39
Abbotts Wlk. Cat —9E 84
Abelia Clo. W End —9B 52
Abercairn Rd. SW16 —8G 28
Aberconway Rd. Mord —3N 43
Abercorn Clo. S Croy —9G 64
Abercorn Ho. B'water —5K 69
Abercorn M. Rich —7M 11
Abercorn Way. Wok —5K 73
Aberdare Clo. W Wick —8M 47
Aberdeen Rd. Croy —1N 63 (7C 200)
Aberdeen Ter. Gray —5B 170
Aberfoyle Rd. SW16 —7H 29
(in two parts)
Abergavenny Gdns. Copt —7A 164
Abingdon. W14 —1L 13
(off Kensington Village)
Abingdon Clo. SW19 —7A 28
Abingdon Clo. Brack —4C 32
Abingdon Clo. Wok —5M 73
Abingdon Rd. SW16 —1J 45
Abingdon Rd. Sand —7H 49
Abinger Av. Sutt —5H 61
Abinger Bottom. —5N 137
Abinger Castle. —2K 137 (5D 202)
Abinger Clo. New Ad —3M 65
Abinger Clo. N Holm —9J 119
Abinger Clo. Wall —2J 63
Abinger Common. —3L 137
Abinger Comn. Rd. Ab C —4M 137
Abinger Ct. Wall —2J 63
Abinger Dri. Red —5C 122
Abinger Gdns. Iswth —6E 10
Abinger Hammer. —8G 116
Abinger Keep. Horl —7G 142
(off Langshott La.)
Abinger La. Ab H —9J 117
Abinger Rd. Lei H —9A 138
Abinger Roughs. —8J 117
Abinger Way. Guild —7D 94
Aboyne Dri. SW20 —1F 42
Aboyne Rd. SW17 —4B 28
Abrahams Rd. Craw —8M 181
Abury La. Brack —5D 32
Acacia Av. Bren —3H 11
Acacia Av. Owl —6J 49
Acacia Av. Shep —4B 38
Acacia Av. Wok —7N 73
Acacia Av. Wray —7A 6
Acacia Clo. SE20 —1D 46
Acacia Clo. Wdhm —6H 55
Acacia Ct. Brack —3N 31
Acacia Dri. Bans —1J 81
Acacia Dri. Sutt —7M 43
Acacia Dri. Wdhm —6H 55
Acacia Gdns. W Wick —8M 47
Acacia Gro. SE21 —3N 29
Acacia Gro. N Mald —2C 42
Acacia M. W Dray —2M 7
Acacia Rd. SW16 —9J 29
Acacia Rd. Beck —2J 47
Acacia Rd. Guild —3N 113 (2C 202)
Acacia Rd. Hamp —7A 24
Acacia Rd. Mitc —1E 44
Acacia Rd. Stai —6K 21
Academy Clo. Camb —7C 50
Academy Gdns. Croy —7C 46
Accommodation La. W Dray —2L 7
(Moor La.)
Accommodation La. W Dray —4J 7
(Old Bath Rd.)
Accommodation Rd. Eps —2F 60
Accommodation Rd. Longc —9N 35
A.C. Court. Th Dit —5G 40
Ace Pde. Chess —9L 41
Acer Dri. W End —9C 52
Acer Rd. Big H —3F 86
Acfold Rd. SW6 —4N 13
Acheulian Clo. Farnh —4H 129
Achilles Pl. Wok —4M 73
Ackmar Rd. SW6 —4M 13
Ackrells Mead. Sand —6E 48
Acorn Clo. E Grin —1A 186
Acorn Clo. Hamp —7B 24
Acorn Clo. Horl —7G 143
Acorn Dri. Wokgm —1B 30
Acorn Gdns. SE19 —1C 46
Acorn Gro. Hayes —3G 9
Acorn Gro. Tad —2L 101
Acorn Gro. Wok —8A 74
Acorn Keep. Farnh —4J 109
Acorn M. Farn —7M 69
Acorn Rd. B'water —1G 69
Acorns. H'ham —4N 197
Acorns, The. Craw —8N 181
Acorns, The. Small —8M 143
Acorns Way. Esh —2C 58
Acorn Way. Beck —4M 47
Acorn Way. Orp —1K 67
Acre La. Cars & Wall —1E 62
Acre Pas. Wind —4G 4
Acre Rd. SW19 —7B 28
Acre Rd. King T —9L 25 (1L 203)
Acres Gdns. Tad —6J 81
Acres Platt. Cranl —6A 156
Acris St. SW18 —8N 13
Acropolis Ho. King T —5M 203
Acton La. W3 & W4 —1B 12
(in three parts)
Acuba Rd. SW18 —3N 27
Adair Clo. SE25 —2E 46
Adair Wlk. Brkwd —8M 71
Adams Clo. Surb —5M 41
Adams Cft. Brkwd —7N 71
Adams Dri. Fleet —4D 88
Adamson Ct. Craw —8N 181
Adams Pk. Rd. Farnh —8J 109
Adams Rd. Beck —4H 47
Adams Wlk. King T —1L 41 (3K 203)
Adams Way. Croy —5C 46
Adam Wlk. SW6 —3H 13
(off Crabtree La.)
Adare Wlk. SW16 —4K 29
Addington. —2K 65
Addington Clo. Wind —6D 4
Addington Ct. SW14 —6C 12
Addington Heights. New Ad —7M 65
Addington Rd. Guild —7D 94
Addington Rd. Croy —7L 45
Addington Rd. S Croy —8D 64
Addington Rd. W Wick —1M 65
Addington Village Rd. Croy —3J 65
(in two parts)
Addiscombe. —7D 46
Addiscombe Av. Croy —7D 46
Addiscombe Ct. Rd. Croy —7B 46
Addiscombe Gro. Croy —8B 46 (3E 200)
Addiscombe Rd. Crowt —3H 49
Addiscombe Rd. Croy —8B 46 (3F 200)
Addison Av. Houn —4C 10
Addison Clo. Cat —9A 84
Addison Ct. Guild —5B 114
Addison Gdns. Surb —3M 41 (8N 203)
Addison Pl. SE25 —3D 46
Addison Rd. SE25 —3D 46
Addison Rd. Cat —8A 84
Addison Rd. Frim —6C 70
Addison Rd. Guild —5A 114 (5F 202)
Addison Rd. Tedd —7H 25
Addison Rd. Wok —4B 74
Addisons Clo. Croy —8J 47
Addison Ter. W4 —1B 12
(off Chiswick Rd.)
Addlestone. —1K 55
Addlestone Moor. —8J 37
Addlestone Moor. Add —8L 37
Addlestone Pk. Add —2K 55
Addlestone Rd. Add & Wey —1N 55
Adecroft Way. W Mol —2C 40
Adela Av. N Mald —4G 42
Adela Ho. W6 —1H 13
(off Queen Caroline St.)
Adelaide Clo. Craw —9B 162
Adelaide Clo. H'ham —4M 197
Adelaide Pl. Wey —1E 56
Adelaide Rd. SW18 —8M 13
Adelaide Rd. Afrd —6M 21
Adelaide Rd. Houn —4M 9
Adelaide Rd. Rich —7M 11
Adelaide Rd. Surb —4L 41
Adelaide Rd. Tedd —7F 24
Adelaide Rd. W on T —9H 39
Adelaide Rd. Wind —4J 5
Adelaide Sq. Wind —5G 4
Adelaide Ter. Bren —1K 11
Adelina M. SW12 —2H 29
Adelphi Clo. M'bowr —5H 183
Adelphi Ct. W4 —2C 12
Adelph Rd. Eps —9C 60 (6L 201)
Adeney Clo. W6 —2J 13
Adlers La. Westh —9G 99
Adlington Pl. Farn —3C 90
Admark Ho. Eps —2A 80
Admiral Ct. Cars —7C 44
Admiral Ho. Tedd —5G 25
Admiral Kepple Ct. Asc —8J 17
Admiral Rd. Craw —6M 181
Admiral's Bri. La. E Grin —7M 185
Admirals Ct. Guild —2D 114
Admirals Rd. Bookh & Fet —6C 98
Admiral's Rd. Pirb —4K 91
Admiral Stirling Ct. Wey —1A 56
Admirals Wlk. Coul —7K 83
Admiral's Wlk. Dork —8B 98
Admiralty Rd. Tedd —7F 24
Admiralty Way. Camb —2L 69
Admiralty Way. Tedd —7F 24
Adrian Ct. Craw —8N 181
Adrian M. SW10 —2N 13
Advance Rd. SE27 —5N 29
Aerodrome Way. Houn —2K 9
Aerospace Boulevd. Farn —6M 89
Agar Clo. Surb —8M 41
Agar Cres. Brack —8N 15
Agar Ho. King T —6K 203
Agars Pl. Dat —2K 5
Agate La. H'ham —3L 197
Agates La. Asht —5K 79
Agincourt. Asc —2N 33
Agnes Scott Ct. Wey —9C 38
(off Palace Dri.)
Agraria Rd. Guild —4L 113
Ailsa Av. Twic —8G 11
Ailsa Clo. Craw —6N 181
Ailsa Rd. Twic —8H 11
Ainger Clo. Alder —1B 110
Ainsdale Way. Wok —5K 73
Ainslie Wlk. SW12 —1F 28
Ainsworth Rd. Croy —7M 45 (2A 200)
Aintree Clo. Coln —4G 6
Aintree Est. SW6 —3K 13
(off Aintree St.)
Aintree Rd. Craw —5E 182
Aintree St. SW6 —3K 13
Airborne Forces Mus. —8M 89
Airbourne Ho. Wall —1G 62
(off Maldon Rd.)
Aircraft Esplanade. Farn —4A 90
Airedale Av. W4 —1E 12
Airedale Av. S. W4 —1E 12
Airedale Rd. SW12 —1D 28
Air Forces Memorial. —5N 19
Airlinks Ind. Est. Houn —1K 9
Air Pk. Way. Felt —3J 23
Airport Ind. Est. Big H —2F 86
Airport Way. Gat A —2E 162
Airport Way. Stai —7J 7
Aisgill Av. W14 —1L 13
(in two parts)
Aisne Rd. Deep —5J 71
Aitken Clo. Mitc —6D 44
Akabusi Clo. Croy —5D 46
Akehurst Clo. Copt —7L 163
Akehurst St. SW15 —9F 12
Akerman Rd. Surb —5J 41
Alamein Rd. Alder —2N 109
Alanbrooke Clo. Knap —5F 72
Alanbrooke Rd. Alder —7B 90
Alan Hilton Ct. Ott —3F 54
(off Cheshire Clo.)
Alan Rd. SW19 —6K 27
Alan Turing Rd. Sur R —3G 113
Albain Cres. Afrd —3N 21
Albany Clo. SW14 —7A 12
Albany Clo. Esh —5A 58
Albany Clo. Fleet —5C 88
Albany Clo. Reig —9M 101
Albany Ct. Camb —5A 70
Albany Ct. Fleet —4C 88
Albany Cres. Clay —3E 58
Albany M. King T —7K 25
Albany M. Sutt —2N 61
Albany Pde. Bren —2L 11
Albany Pk. Camb —5N 69
Albany Pk. Coln —4F 6
Albany Pk. Ind. Est. Camb —5A 70
Albany Pk. Rd. King T —7K 25
Albany Pk. Rd. Lea —6G 78
Albany Pas. Rich —8L 11
Albany Pl. Egh —5D 20
Albany Reach. Th Dit —4F 40
Albany Rd. SW19 —6N 27
Albany Rd. Bren —2K 11
Albany Rd. Craw —3N 181
Albany Rd. Fleet —5B 88
Albany Rd. N Mald —3C 42
Albany Rd. Old Win —8K 5
Albany Rd. Rich —8M 11
Albany Rd. W on T —1L 57
Albany Rd. Wind —5F 4
Albany Ter. Rich —8M 11
(off Albany Pas.)
Albatross Gdns. S Croy —7G 65
Albemarle. SW19 —3J 27
Albemarle Av. Twic —2N 23
Albemarle Gdns. N Mald —3C 42
Albemarle Pk. Beck —1L 47
Albemarle Rd. Beck —1L 47
Alben Rd. Binf —6H 15
Alberta Av. Sutt —1K 61
Alberta Dri. Small —8L 143
Albert Av. Cher —2J 37
Albert Carr Gdns. SW16 —6J 29
Albert Crane Ct. Craw —1M 181
Albert Dri. SW19 —3K 27
Albert Dri. Stai —6J 21
Albert Dri. Wok —2E 74
Albert Gro. SW20 —9J 27
Albertine Clo. Eps —3G 81
Albert Mans. Croy —1E 200
Albert M. Red —6E 122
Albert Pl. Eton W —1D 4
Albert Rd. SE25 —3D 46
Albert Rd. Add —1M 55
Albert Rd. Alder —2N 109
Albert Rd. Afrd —6A 22
Albert Rd. Asht —5M 79
Albert Rd. Bag —6J 51
Albert Rd. Brack —9N 15
Albert Rd. Crowt —2G 49
Albert Rd. Eng G —7N 19
Albert Rd. Eps —9E 60 (7N 201)
Albert Rd. Farn —3A 90
Albert Rd. Hamp H —6C 24
Albert Rd. Horl —7E 142
Albert Rd. Houn —7A 10
Albert Rd. King T —1M 41 (3M 203)
Albert Rd. Mitc —2D 44
Albert Rd. N Mald —3E 42
Albert Rd. Red —7G 102
Albert Rd. Rich —8L 11
Albert Rd. Sutt —2B 62
Albert Rd. Tedd —7F 24
Albert Rd. Twic —2F 24
Albert Rd. Warl —4J 85
Albert Rd. Wind & Old Win —6G 5
Albert Rd. Wokgm —3A 30
Albert Rd. N. Reig —2L 121
Albert Rd. S. Reig —2L 121
Albert St. Fleet —5A 88
Albert St. Wind —4E 4
Albert Wlk. Crowt —2G 49
Albery Clo. H'ham —4H 197
Albion Clo. Craw —4H 183
Albion Cotts. Holm M —5K 137
Albion Ct. W6 —1G 13
(off Albion Pl.)
Albion Ho. Slou —1D 6
Albion Ho. Wok —4B 74
Albion M. W6 —1G 13
Albion Pl. SE25 —2D 46
Albion Pl. W6 —1G 13
Albion Pl. Wind —5D 4
Albion Rd. Houn —7A 10
Albion Rd. King T —9B 26
Albion Rd. Reig —4A 122
Albion Rd. Sand —8G 49
Albion Rd. Sutt —3B 62
Albion Rd. Twic —2E 24
Albion St. Croy —7M 45 (1A 200)
Albion Way. Eden —9K 127
Albion Way. H'ham —7H 197
Albury. —8K 115
Albury Av. Iswth —3F 10
Albury Av. Sutt —5H 61
Albury Clo. Eps —5A 60
Albury Clo. Hamp —7B 24
Albury Clo. Longc —9K 35
Albury Cotts. As —2G 111
Albury Ct. Mitc —1B 44
Albury Ct. S Croy —7B 200
Albury Ct. Sutt —1A 62
Albury Heath. —1M 135
Albury Ho. Guild —5B 114

Albury Keep—Anstead

Albury Keep. Horl —8F 142
(off Langshott La.)
Albury Park. —9N 115
Albury Pk. Alb —8N 115
Albury Pl. Red —7G 103
Albury Rd. Chess —2L 59
Albury Rd. Guild —4B 114
Albury Rd. Red —7G 102
Albury Rd. W on T —3F 56
Alcester Rd. Wall —1F 62
Alcock Clo. Wall —4H 63
Alcock Rd. Houn —3L 9
Alcocks Clo. Tad —7K 81
Alcocks La. Kgswd —8K 81
Alcorn Clo. Sutt —8M 43
Alcot Clo. Crowt —3G 48
Alcott Clo. Felt —2G 22
Alden Ct. Croy —9B 46 (4F 200)
Aldenham Ter. Brack —5A 32
Aldenholme. Wey —3F 56
Alden Vw. Wind —4A 4
Alderbrook Clo. Crowt —3D 48
Alderbrook Farm Cotts. Cranl —3M 155
Alderbrook Rd. SW12 —1F 28
Alderbrook Rd. Cranl —2K 155
Alderbury Rd. SW13 —2F 12
Alder Clo. Ash V —6E 90
Alder Clo. Craw D —1E 184
Alder Clo. Eng G —6A 20
Aldercombe La. Cat —5B 104
Alder Copse. H'ham —8F 196
Aldercroft. Coul —3K 83
Alder Gro. Yat —1B 68
Aldergrove Gdns. Houn —5M 9
Alder Lodge. SW6 —4H 13
Alderman Judge Mall. King T —1L 41 (4K 203)
Alderman Willey Clo. Wokgm —2A 30
Alderney Av. Houn —3B 10
Alder Rd. SW14 —6C 12
Alder Rd. Head D —3G 168
Alders Av. E Grin —7N 165
Aldersbrook Dri. King T —7M 25
Aldersey Rd. Guild —3B 114
Alders Gro. E Mol —4D 40
Aldershot. —2M 109
Aldershot Lodge. Alder —4A 110
Aldershot Military Mus. —6A 90
Aldershot Rd. As —3C 110
Aldershot Rd. C Crook —9A 88
Aldershot Rd. Fleet —5B 88
Aldershot Rd. Norm & Guild —8B 92
Aldershot Rd. Pirb —5A 92
Aldershot Town Football Club. —2A 110
Alderside Wlk. Eng G —6A 20
Aldersmead Av. Croy —5G 47
Alders Rd. Reig —1N 121
Alderstead Heath. —3H 103
Alderstead La. Red —3H 103
Alders, The. SW16 —5G 29
Alders, The. Bad L —6N 109
Alders, The. Felt —5M 23
Alders, The. Houn —2N 9
Alders, The. W Byf —8L 55
Alders, The. W Wick —7L 47
Alders Vw. Dri. E Grin —7A 166
Alderton Rd. Croy —6C 46
Alderville Rd. SW6 —5L 13
Alderwick Dri. Houn —6D 10
Alderwood Clo. Cat —3B 104
Aldingbourne Clo. If'd —2L 181
Aldis M. SW17 —6C 28
Aldis St. SW17 —6C 28
Aldren Rd. SW17 —4A 28
Aldrich Cres. New Ad —5M 65
Aldrich Gdns. Sutt —9L 43
Aldrich Ter. SW18 —3A 28
Aldridge Pk. Wink R —7F 16
Aldridge Ri. N Mald —6D 42
Aldrington Rd. SW16 —6G 29
Aldrin Pl. Farn —1J 89
Aldwick Clo. Farn —8M 69
Aldwick Rd. Croy —9K 45
Aldworth Clo. Brack —3M 31
Aldworth Gdns. Crowt —2F 48
Aldwych Clo. M'bowr —5H 183
Aldwyn Ct. Egh —7L 19
Alexa Ct. Sutt —3M 61
Alexander Clo. Twic —3E 24
Alexander Ct. Beck —1N 47
Alexander Godley Clo. Asht —6M 79
Alexander Rd. Coul —2F 82
Alexander Rd. Egh —6D 20
(in two parts)
Alexander Rd. Reig —6M 121
Alexanders Wlk. Cat —4C 104
Alexander Wlk. Brack —4N 31
Alexandra Av. W4 —3C 12
Alexandra Av. Camb —1M 69
Alexandra Av. Sutt —9M 43
Alexandra Av. Warl —4J 85
Alexandra Clo. Afrd —8E 22
Alexandra Clo. Stai —7M 21
Alexandra Clo. W on T —8H 39
Alexandra Ct. Afrd —7E 22
Alexandra Ct. Craw —4B 182
Alexandra Ct. Farn —4A 90
Alexandra Ct. Houn —5B 10
Alexandra Ct. Wokgm —3A 30
Alexandra Dri. Surb —6N 41
Alexandra Gdns. W4 —3D 12
Alexandra Gdns. Cars —4E 62
Alexandra Gdns. Houn —5B 10
Alexandra Gdns. Knap —5F 72
Alexandra Ho. W6 —1H 13
(off Queen Caroline St.)
Alexandra Mans. Eps —9E 60
(off Alexandra Rd.)
Alexandra M. SW19 —7L 27
Alexandra Pl. SE25 —4A 46
Alexandra Pl. Croy —7B 46
Alexandra Pl. Guild —5B 114
Alexandra Rd. SW14 —6C 12
Alexandra Rd. SW19 —7L 27
Alexandra Rd. Add —1M 55
(in two parts)
Alexandra Rd. Alder —2K 109
(in two parts)
Alexandra Rd. As —3D 110
Alexandra Rd. Afrd —8E 22
Alexandra Rd. Big H —6D 86
Alexandra Rd. Bren —2K 11
Alexandra Rd. Croy —7B 46
Alexandra Rd. Eng G —7M 19
Alexandra Rd. Eps —9E 60
Alexandra Rd. Farn —3A 90
Alexandra Rd. Houn —5B 10
Alexandra Rd. King T —8N 25
Alexandra Rd. Mitc —8C 28
Alexandra Rd. Rich —5M 11
Alexandra Rd. Th Dit —4F 40
Alexandra Rd. Twic —9J 11
Alexandra Rd. Warl —4J 85
Alexandra Rd. Wind —5G 4
Alexandra Sq. Mord —4M 43
Alexandra Ter. Guild —4A 114 (4E 202)
Alexandra Way. Eps —7N 59
Alex Clo. C Crook —9A 88
Alfold. —8H 175
Alfold Bars. —1H 193
Alfold Crossways. —5J 175
Alfold Rd. Cranl —7K 155
Alfold Rd. Duns —5B 174
Alfonso Clo. Alder —4A 110
Alford Clo. Guild —9B 94
Alford Grn. New Ad —3N 65
Alfred Clo. W4 —1C 12
Alfred Clo. Worth —4J 183
Alfred Rd. SE25 —4D 46
Alfred Rd. Farnh —2H 129
Alfred Rd. Felt —3K 23
Alfred Rd. King T —2L 41 (6L 203)
Alfred Rd. Sutt —2A 62
Alfreton Clo. SW19 —4J 27
Alfriston. Surb —5M 41
Alfriston Av. Croy —6J 45
Alfriston Clo. Surb —4M 41
Alfriston Rd. Deep —7G 71
Algar Clo. Iswth —6G 10
Algar Rd. Iswth —6G 11
Algarve Rd. SW18 —2N 27
Alice Ct. SW15 —7L 13
Alice Gilliatt Ct. W14 —2L 13
(off Star Rd.)
Alice Gough Memorial Homes. Brack —2N 31
Alice Holt Cotts. Holt P —9A 128
Alice Holt Forest Cen. —2B 148
Alice M. Tedd —6F 24
Alice Rd. Alder —2N 109
Alice Ruston Pl. Wok —6M 73
Alice Way. Houn —7B 10
Alicia Av. Craw —3F 182
Alington Gro. Wall —5G 63
Alison Clo. Croy —7G 46
Alison Clo. Farn —2L 89
Alison Clo. Wok —2A 74
Alison Dri. Camb —1D 70
Alison's Rd. Alder —8M 89
Alison Way. Alder —2L 109
Alkerden Rd. W4 —1D 12
Allan Clo. N Mald —4C 42
Allbrook Clo. Tedd —6E 24
Allcard Clo. H'ham —4K 197
Allcot Clo. Craw —6K 181
Allden Av. Alder —5B 110
Allden Cotts. G'ming —7E 132
(off Aaron's Hill)
Allden Gdns. Alder —5B 110
Alldens Hill. G'ming & Brmly —1N 153
Alldens La. G'ming —9L 133
Allenby Av. S Croy —5N 63
Allenby Rd. Big H —4G 86
Allenby Rd. Camb —9M 49
Allen Clo. Mitc —9F 28
Allen Clo. Sun —9J 23
Allendale Clo. Sand —5F 48
Allenford Ho. SW15 —9E 12
(off Tunworth Cres.)
Allen Ho. Pk. Wok —7M 73
Allen Rd. Beck —1G 46
Allen Rd. Bookh —4B 98
Allen Rd. Croy —7L 45
Allen Rd. Sun —9J 23
Allen's Clo. Ash W —3F 186
Allestree Rd. SW6 —3K 13
Alleyn Pk. S'hall —1A 10
Allfarthing La. SW18 —9N 13
Allgood Clo. Mord —5J 43
Allingham Ct. G'ming —4J 133
Allingham Gdns. H'ham —3A 198
Allingham Rd. Reig —6M 121
Allington Av. Shep —2F 38
Allington Clo. SW19 —6J 27
Allkins Ct. Wind —5G 5
Alloway Clo. Wok —5L 73
All Saints Clo. Wokgm —1B 30
All Saints Ct. Houn —4L 9
(off Springwell Rd.)
All Saints Cres. Farn —6K 69
All Saints Dri. S Croy —8C 64
All Saints Pas. SW18 —8M 13
All Saints Ri. Warf —8B 16
All Saints Rd. SW19 —8A 28
(in two parts)
All Saints Rd. Light —6N 51
All Saints Rd. Sutt —9N 43
Allsmoor La. Brack —2D 32
All Souls Rd. Asc —3L 33
Allum Gro. Tad —8G 81
Allyington Way. Worth —4H 183
Allyn Clo. Stai —7H 21
Alma Clo. Alder —2B 110
Alma Clo. Knap —4H 73
Alma Cotts. Farn —5A 90
Alma Ct. Cat —8N 83
(off Coulsdon Rd.)
Alma Cres. Sutt —2K 61
Alma Gdns. Deep —6H 71
Alma Ho. Bren —2L 11
Alma La. Farnh —5G 109
Alma Pl. T Hth —4L 45
Alma Rd. SW18 —7N 13
Alma Rd. Bord —6A 168
Alma Rd. Cars —2C 62
Alma Rd. Deep —6H 71
Alma Rd. Esh —7E 40
Alma Rd. Eton W —1C 4
Alma Rd. Head D —4H 169
Alma Rd. Reig —2N 121
Alma Rd. Wind —5F 4
Alma Sq. Farn —5A 90
Alma Ter. SW18 —1B 28
Alma Way. Farnh —5J 109
Almer Rd. SW20 —8F 26
Almners Rd. Lyne —7C 36
(in two parts)
Almond Av. Cars —8D 44
Almond Av. Wok —8N 73
Almond Clo. Craw —4M 181
Almond Clo. Eng G —7L 19
Almond Clo. Farn —7M 69
Almond Clo. Felt —2H 23
Almond Clo. Guild —9N 93
Almond Clo. Shep —1D 38
Almond Clo. Wind —5E 4
Almond Ct. C Crook —7C 88
Almond Gro. Bren —3H 11
Almond Rd. Eps —7C 60
Almond Way. Mitc —4H 45
Almorah Rd. Houn —4L 9
Almsgate. Comp —1F 132
Alms Heath. Ock —8C 76
Almshouse La. Chess —5J 59
Almshouses. Dork —4H 119 (1M 201)
Almshouses. Wrec —5D 128
Alnwick Gro. Mord —3N 43
Aloes, The. Fleet —5C 88
Alphabet Gdns. Cars —5B 44
Alpha Pl. Mord —7J 43
Alpha Rd. Chob —6J 53
Alpha Rd. Craw —3A 182
Alpha Rd. Croy —7B 46 (1F 200)
Alpha Rd. Surb —5M 41
Alpha Rd. Tedd —6D 24
Alpha Rd. Wok —3D 74
Alpha Way. Egh & Thor I —9E 20
Alphea Clo. SW19 —8C 28
Alphington Av. Frim —5C 70
Alphington Grn. Frim —5C 70
Alpine Av. Surb —8B 42
Alpine Clo. Asc —5A 34
Alpine Clo. Croy —9B 46 (5F 200)
Alpine Clo. Farn —2J 89
Alpine Rd. Red —9E 102
Alpine Rd. W on T —6H 39
Alpine Vw. Cars —2C 62
Alresford Rd. Guild —4K 113
Alric Av. N Mald —2D 42
Alsace Wlk. Camb —5N 69
Alsford Clo. Light —8K 51
Alsom Av. Wor Pk —1F 60
Alston Clo. Surb —6H 41
Alston Rd. SW17 —5B 28
Alterton Clo. Wok —4K 73
Alt Gro. SW19 —8L 27
Althea St. SW6 —5N 13
Althorne Rd. Red —5E 122
Althorp Rd. SW17 —2D 28
Alton Clo. Iswth —5F 10
Alton Ct. Stai —9G 21
Alton Gdns. Twic —1D 24
Alton Ho. Red —1E 122
Alton Ride. B'water —9H 49
Alton Rd. SW15 —2F 26
Alton Rd. Croy —9L 45
Alton Rd. Farnh —5B 128
Alton Rd. Fleet —4D 88
Alton Rd. Rich —7L 11
Altyre Clo. Beck —4J 47
Altyre Rd. Croy —8A 46 (3E 200)
Altyre Way. Beck —4J 47
Alvernia Clo. G'ming —9F 132
Alverstoke Gdns. Alder —3K 109
Alverstone Av. SW19 —3M 27
Alverstone Rd. N Mald —3E 42
Alverston Gdns. SE25 —4B 46
Alvia Gdns. Sutt —1A 62
Alway Av. Eps —2C 60
Alwin Pl. Farnh —5G 109
Alwyn Av. W4 —1C 12
Alwyn Clo. New Ad —4L 65
Alwyne Ct. Wok —3A 74
Alwyne Rd. SW19 —7L 27
Alwyns Clo. Cher —5J 37
Alwyns La. Cher —5H 37
Amalgamated Dri. Bren —2G 11
Ambarrow Cres. Sand —6E 48
Ambarrow La. Sand —5C 48
Ambassador. Brack —4L 31
Ambassador Clo. Houn —5M 9
Amber Ct. Alder —2A 110
Ambercroft Way. Coul —6M 83
Amber Hill. Camb —2F 70
Amberley Clo. Craw —3G 183
Amberley Clo. H'ham —2N 197
Amberley Clo. Send —3H 95
Amberley Ct. Craw —8B 162
(off County Oak Way)
Amberley Dri. Wdhm —6H 55
(in two parts)
Amberley Gdns. Eps —1E 60
Amberley Grange. Alder —4L 109
Amberley Gro. Croy —6C 46
Amberley La. Milf —1B 152
Amberley Rd. H'ham —2N 197
Amberley Rd. Milf —9B 132
Amberley Way. Houn —8K 9
Amberley Way. Mord —6L 43
Amberside Clo. Iswth —9D 10
Amberwood Clo. Wall —2J 63
Amberwood Dri. Camb —8D 50
Amberwood Ri. N Mald —5D 42
Amblecote. Cobh —8L 57
Ambleside. G'ming —6K 133
Ambleside Av. SW16 —5H 29
Ambleside Av. Beck —4H 47
Ambleside Av. W on T —7K 39
Ambleside Clo. Farn —1K 89
Ambleside Clo. If'd —4J 181
Ambleside Clo. Myt —3E 90
Ambleside Clo. Red —8F 122
Ambleside Cres. Farnh —6F 108
Ambleside Dri. Felt —2G 22
Ambleside Gdns. SW16 —6H 29
Ambleside Gdns. S Croy —5G 64
Ambleside Gdns. Sutt —3A 62
Ambleside Rd. Light —7K 51
Ambleside Way. Egh —8D 20
Ambrey Way. Wall —5H 63
Ambrose Clo. Orp —1N 67
Amelia Ho. W6 —1H 13
(off Queen Caroline St.)
Amen Corner. —2J 31
Amen Corner. SW17 —7D 28
Amen Corner Bus. Pk. Brack —2J 31
Amenity Way. Mord —6H 43
Amerland Rd. SW18 —8L 13
Amersham Rd. Croy —5N 45
Amesbury Av. SW2 —3J 29
Amesbury Clo. Wor Pk —7H 43
Amesbury Rd. Felt —3L 23
Amey Dri. Bookh —2C 98
Amhurst Gdns. Iswth —5G 10
Amis Av. Eps —3A 60
Amis Av. New H —6J 55
Amis Rd. Wok —6H 73
Amity Gro. SW20 —9G 27
Amity Way. Camb —1C 70
Amlets La. Cranl —5M 155
Ampere Way. Croy —6J 45
(in two parts)
Amstel Way. Wok —5J 73
Amundsen Rd. H'ham —2K 197
Amyand Cotts. Twic —9H 11
Amyand La. Twic —1H 25
Amyand Pk. Gdns. Twic —1H 25
Amyand Pk. Rd. Twic —1G 25
Amy Clo. Wall —4J 63
Amy Rd. Oxt —7A 106
Ancaster Cres. N Mald —5F 42
Ancaster Dri. Asc —9J 17
Ancaster M. Beck —2G 47
Ancaster Rd. Beck —2G 46
Ancells Bus. Pk. Fleet —1D 88
(Ancells Rd.)
Ancells Bus. Pk. Fleet —9C 68
(Harvest Cres.)
Ancells Rd. Fleet —1C 88
Anchor. SW18 —7N 13
Anchorage Clo. SW19 —6M 27
Anchor Bus. Cen. Croy —9J 45
Anchor Cotts. Blind H —3H 145
Anchor Ct. H'ham —7J 197
Anchor Cres. Knap —4G 72
Anchor Hill. Knap —4G 72
Anchor Mdw. Farn —1L 89
Anchor M. SW12 —1F 28
Ancill Clo. W6 —2K 13
Andermans. Wind —4A 4
Anders Corner. Brack —9L 15
Anderson Clo. Eps —8A 60
Anderson Clo. Sutt —7M 43
Anderson Dri. Afrd —5D 22
Anderson Pl. Bag —3J 51
Anderson Pl. Houn —7B 10
Anderson Rd. Wey —9E 38
Andover Clo. Eps —7C 60
Andover Clo. Felt —2G 23
Andover Rd. B'water —9H 49
Andover Rd. Twic —2D 24
Andover Way. Alder —5N 109
Andreck Ct. Beck —1L 47
Andrewartha Rd. Farn —3C 90
Andrew Clo. Wokgm —3D 30
Andrewes Ho. Sutt —1M 61
Andrews Clo. C Crook —7B 88
Andrew's Clo. Eps —1E 80 (8N 201)
Andrews Clo. Wor Pk —8J 43
Andrew's Ho. S Croy —3N 63
Andrews Rd. Farn —9K 69
Andromeda Clo. Bew —5K 181
Anerley. —1E 46
Anerley Rd. SE19 & SE20 —1E 46
Anfield Clo. SW12 —1G 28
Angas Ct. Wey —2D 56
Angel Ct. Comp —9D 112
Angel Ct. G'ming —7G 133
Angelfield. Houn —7B 10
Angel Ga. Guild —4N 113 (5C 202)
Angel Hill. Sutt —9N 43
(in two parts)
Angel Hill Dri. Sutt —9N 43
Angelica Gdns. Croy —7G 46
Angelica Rd. Bisl —2D 72
Angelica Rd. Guild —8K 93
Angell Clo. M'bowr —4G 182
Angel M. SW15 —1F 26
Angel Pl. Binf —7H 15
Angel Rd. Th Dit —6G 41
Angel Wlk. W6 —1H 13
Angers Clo. Camb —8G 50
Anglers Clo. Rich —5J 25
Anglers Reach. Surb —4K 41
Anglers, The. King T —5J 203
Anglesea Ho. King T —8J 203
Anglesea Rd. King T —3K 41 (8J 203)
Anglesey Av. Farn —7L 69
Anglesey Clo. Afrd —4B 22
Anglesey Clo. Craw —6A 182
Anglesey Ct. Rd. Cars —3E 62
Anglesey Gdns. Cars —3E 62
Anglesey Rd. Alder —3B 110
Angles Rd. SW16 —5J 29
Anglo Way. Red —1F 122
Angora Way. Fleet —1C 88
Angus Clo. Chess —2N 59
Angus Clo. H'ham —4K 197
Angus Ho. SW2 —1H 29
Anlaby Rd. Tedd —6E 24
Annandale Dri. Lwr Bo —5J 129
Annandale Rd. W4 —1D 12
Annandale Rd. Croy —8D 46
Annandale Rd. Guild —5L 113
Annan Dri. Cars —5E 62
Anne Armstrong Clo. Alder —8B 90
Anne Boleyn's Wlk. King T —6L 25
Anne Boleyn's Wlk. Sutt —4J 61
Anne Case M. N Mald —2C 42
Anneforde Pl. Brack —8M 15
Anners Clo. Egh —2E 36
Annesley Dri. Croy —9J 47
Anne's Wlk. Cat —7B 84
Annes Way. C Crook —7C 88
Annett Clo. Shep —3F 38
Annettes Cft. C Crook —9A 88
Annett Rd. W on T —6H 39
Anne Way. W Mol —3B 40
Annie Brookes Clo. Stai —4F 20
Anningsley Park. —6E 54
Anningsley Pk. Ott —6D 54
Annisdowne Clo. Ab H —2G 137
Annsworthy Av. T Hth —2A 46
Annsworthy Cres. SE25 —1A 46
Ansell Gro. Cars —7E 44
Ansell Rd. SW17 —4C 28
Ansell Rd. Dork —4H 119 (1L 201)
Ansell Rd. Frim —6C 70
Anselm Clo. Croy —9C 46
Anselm Rd. SW6 —2M 13
Ansley Clo. S Croy —1E 84
Anson Clo. Alder —1L 109
Anson Clo. Kenl —7A 84
Anstead. C'fold —6F 172

Ansteadbrook. —3N 189
Anstice Clo. W4 —3D 12
Anstiebury Clo. Bear G —8J 139
Anstie Grange Dri. Holmw —6G 139
Anstie La. Cold —6E 138
Anston Ct. Guild —3H 113
Anthony Rd. SE25 —5D 46
Anthonys. —8C 54
Anthony Wall. Warf —9D 16
Anthony W. Ho. Brock —5A 120
Antlands La. Ship B —4J 163
Antlands La. E. Ship B —4K 163
Antlands La. W. Ship B —4J 163
Anton Cres. Sutt —9M 43
Antrobus Clo. Sutt —2L 61
Anvil Clo. SW16 —8G 28
Anvil La. Cobh —1H 77
Anvil Rd. Sun —2H 39
Anyards Rd. Cobh —9J 57
Anzio Clo. Alder —2M 109
Apeldoorn Dri. Wall —5J 63
Aperdele Rd. Lea —5G 79
Aperfield. —4G 87
Aperfield Rd. Big H —4G 87
Aperfields. Big H —4G 86
Apers Av. Wok —8B 74
Apex Clo. Wey —9E 38
Apex Corner. (Junct.) —4N 23
Apex Dri. Frim —5B 70
Apex Retail Pk. Felt —4N 23
Apley Rd. Reig —6M 121
Aplin Way. Iswth —4E 10
Aplin Way. Light —7L 51
Apollo Dri. Bord —7A 168
Apollo Pl. St J —6K 73
Apollo Ri. Swd B —1H 89
Apostle Way. T Hth —1M 45
Apperlie Dri. Horl —1G 162
Appleby Clo. Twic —3D 24
Appleby Gdns. Felt —2G 22
Appleby Ho. Eps —7C 60
Appledore. Brack —5L 31
Appledore Clo. SW17 —3D 28
Appledore M. Farn —7M 69
Appledown Ri. Coul —2G 83
Applefield. Craw —2C 182
Apple Gth. Bren —1K 11
Applegarth. Clay —2F 58
Applegarth. G'ming —4G 132
Applegarth. New Ad —4L 65
(in two parts)
Applegarth Av. Guild —3G 112
Apple Gro. Chess —1L 59
Applelands Clo. Wrec —7F 128
Apple Mkt. King T —1K 41 (4J 203)
Appleton Gdns. N Mald —5F 42
Appleton Sq. Mitc —9C 28
Apple Tree Clo. Fet —2C 98
Appletree Clo. G'ming —9J 133
Appletree Ct. Guild —9F 94
Appletree Pl. Brack —9M 15
Appletrees Pl. Wok —6M 73
Apple Tree Way. Owl —6J 49
Appley Ct. Camb —1N 69
Appley Dri. Camb —9N 49
Approach Rd. SW20 —1H 43
Approach Rd. Afrd —7D 22
Approach Rd. Farnh —2H 129
Approach Rd. Purl —8L 63
Approach Rd. Tats —1D 106
Approach Rd. W Mol —4A 40
Approach, The. Bookh —1M 97
Approach, The. Dor P —4B 166
April Clo. Asht —5M 79
April Clo. Camb —4A 70
April Clo. Felt —4H 23
April Clo. H'ham —4J 197
Aprilwood Clo. Wdhm —7H 55
Apsey Ct. Binf —8K 15
Apsley Ct. Craw —5L 181
Apsley Ho. Houn —7N 9
Apsley Rd. SE25 —3E 46
Apsley Rd. N Mald —2B 42
Aquarius. Twic —2H 25
Aquarius Ct. Craw —5K 181
Aquila Clo. Lea —8L 79
Arabella Dri. SW15 —7D 12
Aragon Av. Eps —6G 60
Aragon Av. Th Dit —4F 40
Aragon Clo. New Ad —6A 66
Aragon Clo. Sun —7G 22
Aragon Ct. Brack —3A 32
Aragon Ct. E Mol —3C 40
Aragon Rd. King T —6L 25
Aragon Rd. Mord —5J 43
Aragon Rd. Yat —2B 68
Aragon Wlk. Byfl —9A 56
Aram Ct. Wok —2E 74
Aran Ct. Wey —8E 38
Arbor Clo. Beck —1L 47
Arborfield Clo. SW2 —2K 29
Arbour Clo. Fet —1F 98
Arbour, The. Hurt —2C 132
Arbrook Chase. Esh —3C 58
Arbrook La. Esh —3C 58
Arbury Ct. SE20 —1E 46
Arbutus Clo. Red —5A 122
Arbutus Rd. Red —6A 122
Arcade. Croy —8N 45 (3C 200)
Arcade Pde. Chess —2K 59
Arcade, The. Alder —2M 109
Arcade, The. Croy —4C 200
Arcade, The. Wokgm —2B 30
Arcadia Clo. Cars —1E 62
Archaeological Cen. —3J 51
Archbishop's Pl. SW2 —1K 29
Archdale Pl. King T —2A 42
Archel Rd. W14 —2L 13
Archer Clo. King T —8L 25
Archer M. Hamp H —7C 24
Archer Rd. SE25 —3E 46
Archers Ct. Craw —1B 182
Archers Ct. S Croy —8B 200
Arches, The. Wind —4F 4
(off Goswell Rd.)
Arch Rd. W on T —9L 39
Archway Clo. SW19 —4N 27
Archway Clo. Wall —9H 45
Archway M. Dork —4G 119 (1K 201)
Archway Pl. Dork —4G 119 (1K 201)
Archway St. SW13 —6D 12
Arcturus Rd. Craw —6K 181
Arden Clo. Brack —1D 32
Arden Clo. Reig —7N 121
Arden Gro. Orp —1K 67
Arden Rd. Craw —5D 182
Ardenrun. —3L 145
Ardent Clo. SE25 —2B 46
Ardesley Wood. Wey —1F 56
Ardfern Av. SW16 —2L 45
Ardingly. Brack —5M 31
Ardingly Clo. Craw —1N 181
Ardingly Clo. Croy —9G 47
Ardingly Rd. W Hoa —9E 184
Ardleigh Gdns. Sutt —6M 43
Ardlui Rd. SE27 —3N 29
Ardmay Gdns. Surb —4L 41 (8K 203)
Ardmore Av. Guild —1L 113
Ardmore Ho. Guild —1L 113
Ardmore Way. Guild —1L 113
Ardrossan Av. Camb —2E 70
Ardrossan Gdns. Wor Pk —9F 42
Ardshiel Clo. SW15 —6J 13
Ardshiel Dri. Red —5C 122
Ardwell Clo. Crowt —2D 48
Ardwell Rd. SW2 —3J 29
Arena La. Alder —9J 89
Arenal Dri. Crowt —4G 49
Arethusa Way. Bisl —3C 72
Arford. —3E 168
Arford Comn. Head —3E 168
Arford Rd. Head —4E 168
Argent Clo. Egh —7E 20
Argent Ct. Chess —9N 41
Argente Clo. Fleet —1C 88
Argent Ter. Coll T —7K 49
Argon M. SW6 —3M 13
Argosy Gdns. Stai —7H 21
Argosy La. Stanw —1M 21
Argus Wlk. Craw —6M 181
Argyle Av. Houn —9A 10
(in two parts)
Argyle Pl. W6 —1G 13
Argyle Rd. Houn —8B 10
Argyle St. Brkwd —8L 71
Ariel Way. Houn —6J 9
Arkell Gro. SE19 —8M 29
Arkendale. Felb —6K 165
Arklow M. Surb —8L 41
Ark, The. W6 —1J 13
(off Talgarth Rd.)
Arkwright Dri. Brack —1J 31
Arkwright Ho. SW2 —1J 29
(off Streatham Pl.)
Arkwright Rd. Coln —5G 6
Arkwright Rd. S Croy —6C 64
Arlesey Clo. SW15 —8K 13
Arlington Bus. Pk. Brack —1M 31
Arlington Clo. Brack —9M 15
Arlington Clo. Sutt —8M 43
Arlington Clo. Twic —9J 11
Arlington Ct. Hayes —1F 8
Arlington Ct. Reig —1N 121
Arlington Dri. Cars —8D 44
Arlington Gdns. W4 —1B 12
Arlington Lodge. Wey —1C 56
Arlington M. Twic —9H 11
Arlington Pk. Mans. W4 —1B 12
(off Sutton La. N.)
Arlington Pas. Tedd —5F 24
Arlington Rd. Afrd —6A 22
Arlington Rd. Rich —3K 25
Arlington Rd. Surb —5K 41
Arlington Rd. Tedd —5F 24
Arlington Rd. Twic —9J 11
Arlington Sq. Brack —1M 31
Arlington Ter. Alder —2L 109
Armadale Rd. SW6 —3M 13
Armadale Rd. Felt —8H 9
Armadale Rd. Wok —4K 73
Armfield Clo. W Mol —4N 39
Armfield Cres. Mitc —1D 44
Armistice Gdns. SE25 —2D 46
Armitage Ct. Asc —5N 33
Armitage Dri. Frim —5D 70
Armoury Way. SW18 —8M 13
Armstrong Clo. W on T —5H 39
Armstrong Mall. Swd B —1J 89
Armstrong Rd. Eng G —7M 19
Armstrong Rd. Felt —6M 23
Armstrong Way. Farn —4G 88
Army Physical Training Corps Mus.
(off Queen's Av.) —8N 89
Armytage Rd. Houn —3L 9
Arnal Cres. SW18 —1K 27
Arncliffe. Brack —4M 31
Arndale Wlk. SW18 —8N 13
Arndale Way. Egh —6C 20
Arne Clo. Craw —6L 181
Arne Gro. Horl —6C 142
Arnewood Clo. SW15 —2F 26
Arnewood Clo. Oxs —1B 78
Arneys La. Mitc —5E 44
Arnfield Clo. If'd —4K 181
Arnhem Barracks. Alder —9M 89
Arnhem Clo. Alder —2N 109
Arnhem Dri. New Ad —7N 65
Arnison Rd. E Mol —3D 40
Arnold Cres. Iswth —8D 10
Arnold Dri. Chess —3K 59
Arnold Mans. W14 —2L 13
(off Queen's Club Gdns.)
Arnold Rd. SW17 —8D 28
Arnold Rd. Stai —8L 21
Arnold Rd. Wok —2D 74
Arnott Clo. W4 —1C 12
Arnulls Rd. SW16 —7M 29
Arodene Rd. SW2 —1K 29
Arosa Rd. Twic —9K 11
(in two parts)
Arragon Gdns. SW16 —8J 29
Arragon Gdns. W Wick —9L 47
Arragon Rd. SW18 —2M 27
Arragon Rd. Twic —1G 24
Arran Clo. Craw —6N 181
Arran Clo. Wall —1F 62
Arran Ct. H'ham —6G 197
Arran Way. Esh —8B 40
Arras Av. Mord —4A 44
Arreton Mead. Hors —1B 74
Arrivals Rd. Gat A —2D 162
(off Gatwick Way)
Arrol Rd. Beck —2F 46
Arrow Ct. SW5 —1M 13
(off W. Cromwell Rd.)
Arrow Ind. Est. Farn —3L 89
Arrow Rd. Farn —3L 89
Artel Cft. Craw —3E 182
Arterberry Rd. SW20 —8H 27
Arthur Clo. Bag —6J 51
Arthur Clo. Farnh —2G 129
Arthur Ct. Croy —4F 200
Arthur Henderson Ho. SW6 —5L 13
(off Fulham Rd.)
Arthur Rd. SW19 —6L 27
Arthur Rd. Big H —2E 86
Arthur Rd. Farnh —2G 129
(in two parts)
Arthur Rd. H'ham —7K 197
Arthur Rd. If'd —3K 181
Arthur Rd. King T —8N 25
Arthur Rd. N Mald —4G 43
Arthur Rd. Wind —4E 4
Arthur's Bri. Rd. Wok —4M 73
Arthur's Bri. Wharf. Wok —4N 73
Arthurstone Birches. Binf —6J 15
Arthur St. Alder —2N 109
Artillery Rd. Alder —2N 109
(High St.)
Artillery Rd. Alder —6B 90
(North Rd.)
Artillery Rd. Guild —4N 113 (4C 202)
Artillery Ter. Guild —3N 113 (3C 202)
Artington. —8M 113
Artington Clo. Orp —1L 67
Artington Wlk. Guild —6M 113 (8B 202)
Artslink Theatre. —9B 48
(off Reading Rd.)
Arun Ct. SE25 —4D 46
Arundale. King T —8J 203
Arundel Av. Eps —6G 60
Arundel Av. Mord —3L 43
Arundel Av. S Croy —6D 64
Arundel Clo. Craw —3G 182
Arundel Clo. Croy —9M 45
Arundel Clo. Fleet —5C 88
Arundel Clo. Hamp H —6B 24
Arundel Clo. Pass —9C 168
Arundel Ct. Brom —1N 47
Arundel Ho. Croy —8D 200
Arundel Mans. SW6 —4L 13
(off Kelvedon Rd.)
Arundel Pl. Farnh —1G 128
Arundel Rd. Camb —2G 70
Arundel Rd. Croy —5A 46
Arundel Rd. Dork —5G 118 (3J 201)
Arundel Rd. Houn —6K 9
Arundel Rd. King T —1A 42
Arundel Rd. Sutt —4L 61
Arundel Ter. SW13 —2G 13
Arun Ho. King T —9K 25 (1J 203)
Arunside. H'ham —7G 196
Arun Way. H'ham —7L 197
Aschurch Rd. Croy —6C 46
Ascot. —3L 33
Ascot Ct. Alder —3M 109
Ascot Heath. —1K 33
Ascot M. Wall —5G 63
Ascot Pk. Asc —2H 33
Ascot Rd. SW17 —7E 28
Ascot Rd. Felt —2B 22
Ascot Rd. M'head & Warf —1B 16
Ascot Wood Pl. Asc —2L 33
Ash. —9E 90
Ashbourne. Brack —5L 31
Ashbourne Clo. As —1G 110
Ashbourne Clo. Coul —5G 83
Ashbourne Ct. As —1G 110
Ashbourne Gro. W4 —1D 12
Ashbourne Ri. Orp —1M 67
Ashbourne Rd. Mitc —8E 28
Ashbourne Ter. SW19 —8L 27
Ash Bri. Cvn. Pk. As —4C 110
Ashbrook Rd. Old Win —1L 19
Ashburnham Ct. Beck —1M 47
Ashburnham Pk. Esh —1C 58
Ashburnham Rd. SW10 —3N 13
Ashburnham Rd. Craw —5E 182
Ashburnham Rd. Rich —4H 25
Ashburn Pl. SW7 —1N 13
Ashburton Av. Croy —7E 46
Ashburton Clo. Croy —7D 46
Ashburton Enterprise Cen. SW15 —9H 13
Ashburton Gdns. Croy —8D 46
Ashburton Memorial Homes. Croy —6E 46
Ashburton Rd. Croy —8D 46
Ashbury Cres. Guild —1E 114
Ashbury Dri. B'water —5M 69
Ashbury Pl. SW19 —7A 28
Ashby Av. Chess —3N 59
Ashby Ct. H'ham —6L 197
Ashby Wlk. Croy —5N 45
Ashby Way. W Dray —3B 8
Ash Chu. Rd. As —2F 110
Ash Clo. SE20 —1F 46
Ash Clo. As —1F 110
Ash Clo. B'water —1H 69
Ash Clo. Cars —8D 44
Ash Clo. Craw D —1F 184
Ash Clo. Eden —2K 147
Ash Clo. Ling —6A 146
Ash Clo. N Mald —1C 42
Ash Clo. Pyr —2J 75
Ash Clo. Red —8G 103
Ash Clo. Tad —9B 100
Ash Clo. Wok —7A 74
Ash Combe. C'fold —5D 172
Ashcombe Av. Surb —6K 41
Ashcombe Dri. Eden —8K 127
Ashcombe Rd. SW19 —6M 27
Ashcombe Rd. Cars —3E 62
Ashcombe Rd. Dork —3G 118
Ashcombe Rd. Red —5G 102
Ashcombe Sq. N Mald —2B 42
Ashcombe St. SW6 —5N 13
Ashcombe Ter. Tad —7G 80
Ash Ct. SW19 —8K 27
Ash Ct. Add —2K 55
Ash Ct. Eps —1B 60
Ash Ct. Wokgm —2B 30
Ashcroft. Shalf —1A 134
Ashcroft Pk. Cobh —8M 57
Ashcroft Ri. Coul —3J 83
Ashcroft Rd. Chess —9M 41
Ashcroft Sq. W6 —1H 13
Ashdale. Bookh —4C 98
Ashdale Clo. Stai —3N 21
Ashdale Clo. Twic —1C 24
Ashdale Pk. Finch —1B 48
Ashdale Way. Twic —1B 24
Ashdene Clo. Afrd —8D 22
Ashdene Cres. As —1E 110
Ashdene Rd. As —1E 110
Ashdown Av. Farn —2B 90
Ashdown Clo. Beck —1L 47
Ashdown Clo. Brack —1E 32
Ashdown Clo. F Row —7J 187
Ashdown Clo. Reig —7N 121
Ashdown Ct. Craw —6D 182
Ashdown Ct. Sutt —3A 62
Ashdown Dri. Craw —6B 182
Ashdown Gdns. S Croy —2E 84
Ashdown Ga. E Grin —8M 165
Ashdown Pl. F Row —9G 186
Ashdown Pl. Th Dit —6G 40
Ashdown Rd. Eps —9E 60
Ashdown Rd. F Row —7H 187
Ashdown Rd. King T —1L 41 (4K 203)
Ashdown Rd. Reig —7N 121
Ashdown Vw. E Grin —2A 186
Ashdown Way. SW17 —3E 28
Ash Dri. Red —5E 122
Ashe Ho. Twic —9K 11
Ashenden Rd. Guild —3J 113
Ashen Gro. SW19 —4M 27
Ashen Va. S Croy —5G 65
Asher Dri. Asc —9G 17
Ashfield Av. Felt —2J 23
Ashfield Clo. Rich —2L 25
Ashfield Grn. Yat —1E 68
Ashfield Ho. W14 —1L 13
Ashfields Ct. Reig —1N 121
Ashford. —5A 22
Ashford Av. Afrd —7C 22
Ashford Bus. Complex. Afrd —6D 22
(Sandell's Av.)
Ashford Bus. Complex. Afrd —5D 22
(Shield Rd.)
Ashford Clo. Afrd —5N 21
Ashford Common. —8E 22
Ashford Cres. Afrd —4N 21
Ashford Gdns. Cobh —3L 77
Ashford Park. —5M 21
Ashford Rd. Afrd —8D 22
Ashford Rd. Felt —5E 22
Ashford Rd. Stai —1L 37
Ash Green. —4G 111
Ash Grn. La. E. Ash G —4G 111
(in two parts)
Ash Grn. La. W. Tong & Ash
(in two parts) —4D 110
Ash Grn. Rd. Ash G —3G 110
Ash Gro. SE20 —1F 46
Ash Gro. Felt —2F 22
Ash Gro. Guild —3K 113
Ash Gro. Houn —4L 9
Ash Gro. Stai —7L 21
Ash Gro. W Wick —8M 47
Ashgrove Rd. Afrd —6D 22
Ash Hill Rd. As —9E 90
Ashington Rd. SW6 —5L 13
Ash Keys. Craw —4C 182
Ashlake Rd. SW16 —5J 29
Ash La. Elst —9G 130
Ash La. Wind —5A 4
Ashleigh Av. Egh —8E 20
Ashleigh Clo. Horl —8D 142
Ashleigh Cotts. Holmw —4H 139
Ashleigh Gdns. Sutt —8N 43
Ashleigh Rd. SE20 —2E 46
Ashleigh Rd. SW14 —6D 12
Ashleigh Rd. H'ham —3J 197
Ashley Av. Eps —9C 60 (7K 201)
Ashley Av. Mord —4M 43
Ashley Cen. Eps —9C 60 (7K 201)
Ashley Clo. Bookh —3N 97
Ashley Clo. Frim G —8E 70
Ashley Clo. W on T —7G 38
Ashley Ct. Eps —9C 60 (7L 201)
Ashley Ct. Wok —5J 73
Ashley Dri. Bans —1M 81
Ashley Dri. B'water —2H 69
Ashley Dri. Iswth —2E 10
Ashley Dri. Twic —2B 24
Ashley Dri. W on T —9H 39
Ashley Gdns. Orp —2N 67
Ashley Gdns. Rich —3K 25
Ashley Gdns. Shalf —1B 134
Ashley Ho. G'ming —3H 133
Ashley La. Croy —1M 63 (7A 200)
Ashley Park. —9H 39
Ashley Pk. Av. W on T —8G 39
Ashley Pk. Cres. W on T —7H 39
Ashley Pk. Rd. W on T —8H 39
Ashley Ri. W on T —1G 57
Ashley Rd. SW19 —7N 27
Ashley Rd. Eps —9C 60 (7L 201)
Ashley Rd. Farn —1B 90
Ashley Rd. Hamp —9A 24
Ashley Rd. Rich —6L 11
Ashley Rd. Th Dit —5F 40
Ashley Rd. T Hth —3K 45
Ashley Rd. W on T —1G 57
Ashley Rd. Westc —6C 118
Ashley Rd. Wok —5J 73
Ashley Sq. Eps —7K 201
Ashley Way. W End —9A 52
Ashling Rd. Croy —7D 46
Ash Lodge Clo. As —3E 110
Ash Lodge Dri. As —3E 110
(in two parts)
Ashlone Rd. SW15 —6H 13
Ashlyns Pk. Cobh —9M 57
Ashlyns Way. Chess —3K 59
Ashmead Rd. Felt —2H 23
Ashmere Av. Beck —1N 47
Ashmere Clo. Sutt —2J 61
Ash M. Eps —9D 60 (7M 201)
Ashmore Ct. Houn —2A 10
Ashmore Ho. Craw —9B 162
Ashmore La. Kes —7E 66
Ashmore La. Rusp —3B 180
Ashmore La. Wind —1D 16
Ashridge. Farn —7L 69
Ashridge Grn. Brack —9N 15
Ashridge Rd. Wokgm —9C 14
Ashridge Way. Mord —2L 43
Ashridge Way. Sun —7H 23
Ash Rd. Alder —3A 110
Ash Rd. Craw —2E 182
Ash Rd. Croy —8K 47
Ash Rd. Pirb —4C 92
Ash Rd. Shep —3B 38
Ash Rd. Sutt —6K 43
Ash Rd. W'ham —3M 107
Ash Rd. Wok —7N 73
Ash St. As —3D 110

Ashtead. —5M 79
Ashtead Gap. *Lea* —3H **79**
Ashtead La. *G'ming* —9F **132**
Ashtead Park. —5N 79
Ashtead Woods Rd. *Asht* —4J **79**
Ashton Clo. *Sutt* —1M **61**
Ashton Clo. *W on T* —3J **57**
Ashton Gdns. *Houn* —7N **9**
Ashton Rd. *Wok* —4J **73**
Ashtree Av. *Mitc* —1B **44**
Ash Tree Clo. *Croy* —5H **47**
Ash Tree Clo. *Farn* —2H **89**
Ash Tree Clo. *G'wood* —8K **171**
Ashtree Clo. *Orp* —1K **67**
Ash Tree Clo. *Surb* —8L **41**
Ashtrees. *Cranl* —9N **155**
Ash Tree Way. *Croy* —4G **47**
Ashurst. *Eps* —1C **80** (7K **201**)
Ashurst Clo. *SE20* —1E **46**
Ashurst Clo. *H'ham* —3N **197**
Ashurst Clo. *Kenl* —2A **84**
Ashurst Dri. *Craw* —3H **183**
Ashurst Dri. *Shep* —4N **37**
Ashurst Dri. *Tad* —8A **100**
Ashurst Gdns. *SW2* —2L **29**
Ashurst Pk. *Asc* —2A **34**
Ashurst Rd. *Ash V* —9D **90**
Ashurst Rd. *Tad* —8G **81**
Ashurst Wlk. *Croy* —8E **46**
Ashurstwood. —3F 186
Ash Vale. —6E 90
Ash Va. *C'fold* —4D **172**
Ashvale Rd. *SW17* —6D **28**
Ash Vw. Clo. *Afrd* —7N **21**
Ash Vw. Gdns. *Afrd* —6N **21**
Ashville Way. *Wokgm* —3A **30**
Ashway Cen., The. *King T* —9L **25** (2L **203**)
Ashwell Av. *Camb* —9D **50**
Ashwick Clo. *Cat* —2D **104**
Ashwindham Ct. *Wok* —5J **73**
Ashwood. *Craw* —4B **182**
Ashwood. *Warl* —7F **84**
Ashwood Gdns. *New Ad* —3L **65**
Ashwood Pk. *Fet* —1C **98**
Ashwood Pk. *Wok* —5C **74**
Ashwood Rd. *Eng G* —7L **19**
Ashwood Rd. *Wok* —5B **74**
Ashworth Est. *Croy* —7J **45**
Ashworth Pl. *Guild* —3J **113**
Askill Dri. *SW15* —8K **13**
Aslett St. *SW18* —1N **27**
Asmar Clo. *Coul* —2J **83**
Aspen Clo. *Guild* —9F **94**
Aspen Clo. *Stai* —4H **21**
Aspen Clo. *Stoke D* —3M **77**
Aspen Ct. *Vir W* —3A **36**
Aspen Gdns. *W6* —1G **13**
Aspen Gdns. *Afrd* —6D **22**
Aspen Gdns. *Mitc* —4E **44**
Aspenlea Rd. *W6* —2J **13**
Aspen Sq. *Wey* —9E **38**
Aspen Va. *Whyt* —5C **84**
Aspen Way. *Bans* —1J **81**
Aspen Way. *Felt* —4J **23**
Aspen Way. *H'ham* —4L **197**
Aspin Way. *B'water* —1G **68**
Aspley Rd. *SW18* —8N **13**
Asprey Gro. *Cat* —2E **104**
Assembly Wlk. *Cars* —6C **44**
Assher Rd. *W on T* —9M **39**
Astede Pl. *Asht* —5M **79**
Astleham Rd. *Shep* —2N **37**
Astolat Est. *P'mrsh* —2M **133**
Aston Clo. *Asht* —5J **79**
Aston Ct. *Craw* —8N **181**
Aston Grn. *Houn* —5K **9**
Aston Mead. *Wind* —4B **4**
Aston Pl. *SW16* —7M **29**
Aston Rd. *SW20* —1H **43**
Aston Rd. *Clay* —2E **58**
Aston Ter. *SW12* —1F **28**
Astonville St. *SW18* —2M **27**
Aston Way. *Eps* —2E **80**
Astor Clo. *Add* —1M **55**
Astor Clo. *King T* —7A **26**
Astor Ct. SW6 —3N 13
(off Maynard Clo.)
Astoria Mans. *SW16* —4J **29**
Astra Bus. Cen. *Red* —4F **142**
Astra Mead. *Wink R* —7F **16**
Astrid Ho. *Felt* —3K **23**
Asylum Arch Rd. *Red* —6D **122**
Atalanta Clo. *Purl* —6L **63**
Atalanta St. *SW6* —3J **13**
Atbara Rd. *C Crook* —9B **88**
Atbara Rd. *Tedd* —7H **25**
Atcham Rd. *Houn* —7C **10**
Atfield Gro. *W'sham* —3A **52**
Atheldene Rd. *SW18* —2N **27**
Athelstan Clo. *Worth* —3J **183**
Athelstan Ho. *King T* —7N **203**
Athelstan Rd. *King T* —3M **41** (7N **203**)
Athelstan Way. *H'ham* —8L **197**
Athena Clo. *King T* —2M **41** (5M **203**)
Atherfield Rd. *Reig* —6A **122**
Atherley Way. *Houn* —1N **23**
Atherton Clo. *Shalf* —9A **114**
Atherton Clo. *Stanw* —9M **7**
Atherton Ct. *Eton* —3G **4**
Atherton Dri. *SW19* —5J **27**
Atherton Rd. *SW13* —3F **12**
Athlone. *Clay* —3E **58**
Athlone Rd. *SW2* —1K **29**
Athlone Sq. *Wind* —4F **4**
Atkins Clo. *Wok* —5K **73**
Atkins Dri. *W Wick* —8N **47**
Atkinson Ct. *Horl* —9F **142**
Atkinson Rd. *M'bowr* —5G **182**
Atkins Rd. *SW12* —1G **28**
Atney Rd. *SW15* —7K **13**
Atrebatti Rd. *Sand* —6H **49**
Attebrouche Ct. *Brack* —6B **32**
Atte La. *Warf* —7A **16**
Attenborough Clo. *Fleet* —2C **88**
Atterbury Clo. *W'ham* —4M **107**
Attfield Clo. *As* —3D **110**
Attfield Ct. *King T* —4M **203**
Attlee Clo. *T Hth* —4N **45**
Attlee Gdns. *C Crook* —9A **88**
Attlee Ho. *Craw* —7N **181**
Attleford La. *Shack* —5K **131**
Attwood Clo. *S Croy* —1E **84**
Atwater Clo. *SW2* —2L **29**
Atwell Pl. *Th Dit* —7F **40**
Atwood. *Bookh* —2M **97**
Atwood Av. *Rich* —5N **11**
Atwoods All. *Rich* —4N **11**
Aubyn Hill. *SE27* —5N **29**
Aubyn Sq. *SW15* —8F **12**
Auchinleck Ct. *Craw D* —2E **184**
Auchinleck Way. *Alder* —2K **109**
Auckland Clo. *SE19* —1C **46**
Auckland Clo. *Craw* —9B **162**
Auckland Gdns. *SE19* —1B **46**
Auckland Hill. *SE27* —5N **29**
Auckland Rd. *SE19* —1C **46**
Auckland Rd. *Cat* —9B **84**
Auckland Rd. *King T* —3M **41** (7N **203**)
Auden Pl. *Cheam* —1H **61**
Audley Clo. *Add* —2K **55**
Audley Ct. *Twic* —4D **24**
Audley Dri. *Warl* —2F **84**
Audley Firs. *W on T* —1K **57**
Audley Ho. *Add* —2K **55**
Audley Pl. *Sutt* —4N **61**
Audley Rd. *Rich* —8M **11**
Audley Way. *Asc* —2H **33**
Audrey Clo. *Beck* —5L **47**
Audric Clo. *King T* —9N **25**
Augur Clo. *Stai* —6H **21**
Augusta Clo. *W Mol* —3N **39**
Augusta Rd. *Twic* —3C **24**
Augustine Clo. *Coln* —6G **7**
Augustine Wlk. *Warf* —8C **16**
August La. *Alb* —4M **135**
Augustus Clo. *Bren* —3J **11**
Augustus Ct. *SW16* —3H **29**
Augustus Ct. *Felt* —5N **23**
Augustus Gdns. *Camb* —1G **71**
Augustus Rd. *SW19* —2J **27**
Aultone Way. *Cars* —9D **44**
Aultone Way. *Sutt* —8N **43**
Aurelia Gdns. *Croy* —4K **45**
Aurelia Rd. *Croy* —5J **45**
Auriol Clo. *Wor Pk* —9D **42**
Auriol Pk. Rd. *Wor Pk* —9D **42**
Auriol Rd. *W14* —1K **13**
Aurum Clo. *Horl* —9F **142**
Austen Clo. *E Grin* —9L **165**
Austen Rd. *Farn* —8M **69**
Austen Rd. *Guild* —4B **114**
Austin Clo. *Coul* —5M **83**
Austin Clo. *Twic* —8J **11**
Austins Cotts. *Farnh* —1G **128**
Australia Ter. Deep —6H 71
(off Cyprus Rd.)
Austyn Gdns. *Surb* —7A **42**
Autumn Clo. *SW19* —7A **28**
Autumn Dri. *Sutt* —5N **61**
Autumn Lodge. *S Croy* —7F **200**
Avalon Clo. *SW20* —1K **43**
Avalon Rd. *SW6* —4N **13**
Avard Gdns. *Orp* —1L **67**
Avarn Rd. *SW17* —7D **28**
Avebury. *Brack* —5M **31**
Avebury Clo. *H'ham* —1N **197**
Avebury Pk. *Surb* —6K **41**
Avebury Rd. *SW19* —9L **27**
Avebury Rd. *Orp* —1M **67**
Aveley Clo. *Farnh* —4H **129**
Aveley La. *Farnh* —5G **129**
Aveling Clo. *M'bowr* —5G **182**
Aveling Clo. *Purl* —9K **63**
Aven Clo. *Cranl* —8N **155**
Avening Rd. *SW18* —1M **27**
Avening Ter. *SW18* —1M **27**
Avenue C. *Add* —9N **37**
Avenue Clo. *Houn* —4J **9**
Avenue Clo. *Tad* —9G **81**
Avenue Ct. *Tad* —1G **101**
Avenue Cres. *Houn* —4J **9**
Avenue de Cagny. *Pirb* —9C **72**
Avenue Elmers. *Surb* —4L **41** (8K **203**)
Avenue Gdns. *SE25* —1D **46**
Avenue Gdns. *SW14* —6D **12**
Avenue Gdns. *Horl* —9G **142**
Avenue Gdns. *Houn* —3J **9**
Avenue Gdns. *Tedd* —8F **24**
Avenue One. *Add* —1N **55**
Avenue Pde. *Sun* —2J **39**
Avenue Pk. Rd. *SE27* —3M **29**
Avenue Rd. *SE20 & Beck* —1F **46**
Avenue Rd. *SE25* —1C **46**
Avenue Rd. *SW16* —1H **45**
Avenue Rd. *SW20* —1G **42**
Avenue Rd. *Bans* —2N **81**
Avenue Rd. *Bren* —1J **11**
Avenue Rd. *Cat* —9A **84**
Avenue Rd. *Cobh* —3L **77**
Avenue Rd. *Cranl* —9N **155**
Avenue Rd. *Eps* —1C **80**
Avenue Rd. *Farn* —1B **90**
Avenue Rd. *Felt* —4G **23**
Avenue Rd. *Fleet* —3A **88**
Avenue Rd. *Gray* —6A **170**
Avenue Rd. *Hamp* —9B **24**
Avenue Rd. *Iswth* —4F **10**
Avenue Rd. *King T* —2L **41** (5L **203**)
Avenue Rd. *N Mald* —3D **42**
Avenue Rd. *Stai* —6F **20**
Avenue Rd. *Sutt* —6M **61**
Avenue Rd. *Tats* —7G **87**
Avenue Rd. *Tedd* —8G **24**
Avenue Rd. *Wall* —4G **62**
Avenue S. *Surb* —6N **41**
Avenue Sucy. *Camb* —2M **69**
Avenue Ter. *N Mald* —2B **42**
Avenue, The. *SW18* —1C **28**
Avenue, The. *Alder* —5A **110**
Avenue, The. *Asc* —8K **17**
Avenue, The. *Brock* —3N **119**
Avenue, The. *Camb* —2N **69**
Avenue, The. *Cars* —4E **62**
Avenue, The. *Chob* —5J **53**
Avenue, The. *Clay* —3E **58**
Avenue, The. *Comp & G'ming* —1F **132**
Avenue, The. *Coul* —2H **83**
Avenue, The. *Cran* —4H **9**
Avenue, The. *Craw* —8B **182**
Avenue, The. *Crowt* —1F **48**
Avenue, The. *Croy* —9B **46** (4F **200**)
Avenue, The. *Dat* —4L **5**
Avenue, The. *E Grin* —4C **166**
Avenue, The. *Egh* —5D **20**
Avenue, The. *Eps & Sutt* —4G **60**
Avenue, The. *Ewh* —4F **156**
Avenue, The. *Fleet* —4A **88**
Avenue, The. *G'ming* —9H **133**
Avenue, The. *Gray* —6B **170**
Avenue, The. *Hamp* —7N **23**
Avenue, The. *Hand* —8L **199**
Avenue, The. *Hasl* —1D **188**
Avenue, The. *Horl* —9D **142**
Avenue, The. *Houn* —8B **10**
Avenue, The. *Kes* —1F **66**
Avenue, The. *Light* —6L **51**
Avenue, The. *New H* —6J **55**
Avenue, The. *Old Win* —8L **5**
Avenue, The. *Oxs* —7F **58**
Avenue, The. *Rich* —5M **11**
Avenue, The. *Rowl* —8D **128**
(in two parts)
Avenue, The. *S Nut* —6J **123**
Avenue, The. *Stai* —9K **21**
Avenue, The. *Sun* —9J **23**
Avenue, The. *Surb* —5M **41**
Avenue, The. *Sutt* —6L **61**
Avenue, The. *Tad* —9G **80**
Avenue, The. *Twic* —8H **11**
Avenue, The. *W'ham* —9H **87**
Avenue, The. *W Wick* —6M **47**
Avenue, The. *Whyt* —6D **84**
Avenue, The. *Wokgm* —7K **31**
Avenue, The. *Wor Pk* —8E **42**
Avenue, The. *Worp* —5H **93**
Avenue, The. *Wray* —6N **5**
Avenue Three. *Add* —9N **37**
Avenue Two. *Add* —1N **55**
Avenue Vs. *Red* —7G **103**
Averil Gro. *SW16* —7M **29**
Averill St. *W6* —2J **13**
Avern Gdns. *W Mol* —3B **40**
Avern Rd. *W Mol* —3B **40**
Avery Ct. Alder —2N 109
(off Alice Rd.)
Avia Pk. *Felt* —2C **22**
Aviary Rd. *Wok* —3J **75**
Aviary Way. *Craw D* —9F **164**
Aviemore Clo. *Beck* —4J **47**
Aviemore Way. *Beck* —4H **47**
Avington Clo. *Guild* —3A **114** (2F **202**)
Avoca Rd. *SW17* —5E **28**
Avocet Cres. *Coll T* —7J **49**
Avon Clo. *Add* —3J **55**
Avon Clo. *As* —3D **110**
Avon Clo. *Farn* —7K **69**
Avon Clo. *Sutt* —1A **62**
Avon Clo. *Wor Pk* —8F **42**
Avon Ct. *Binf* —7H **15**
Avon Ct. *Farnh* —2H **129**
Avondale. *Ash V* —6D **90**
Avondale Av. *Esh* —9G **40**
Avondale Av. *Stai* —8H **21**
Avondale Av. *Wor Pk* —7E **42**
Avondale Clo. *Horl* —6D **142**
Avondale Clo. *W on T* —2K **57**
Avondale Gdns. *Houn* —8N **9**
Avondale Rd. *SW14* —6D **12**
Avondale Rd. *SW19* —6N **27**
Avondale Rd. *Alder* —4N **109**
Avondale Rd. *Afrd* —4M **21**
Avondale Rd. *Fleet* —3B **88**
Avondale Rd. *S Croy* —3N **63**
Avon Gro. *Brack* —8A **16**
Avon Ho. W14 —1L 13
(off Avonmore Rd.)
Avon Ho. *King T* —9K **25** (1J **203**)
Avonmead. *Wok* —5M **73**
Avonmore Av. *Guild* —2B **114**
Avonmore Gdns. *W14* —1L **13**
Avonmore Rd. *W14* —1L **13**
Avon Path. *S Croy* —3N **63**
Avon Rd. *Farnh* —2H **129**
Avon Rd. *Sun* —8G **22**
Avon Wlk. *Craw* —4L **181**
Avonwick Rd. *Houn* —5B **10**
Avro Way. *Bro I* —6N **55**
Avro Way. *Wall* —4J **63**
Award Rd. *C Crook* —8A **88**
(in two parts)
Axbridge. *Brack* —4C **32**
Axes La. *Red* —1G **142**
Axis Pk. *Slou* —1D **6**
Axwood. *Eps* —2B **80**
Ayebridges Av. *Egh* —8E **20**
Ayesgarth. *C Crook* —8C **88**
Ayjay Clo. *Alder* —5N **109**
Aylesbury Ct. *Sutt* —9A **44**
Aylesford Av. *Beck* —4H **47**
Aylesham Way. *Yat* —9A **48**
Aylesworth Spur. *Old Win* —1L **19**
Aylett Rd. *SE25* —3E **46**
Aylett Rd. *Iswth* —5E **10**
Ayliffe Clo. *King T* —1N **41**
Ayling Ct. *Farnh* —5L **109**
Ayling Hill. *Alder* —3L **109**
Ayling La. *Alder* —4L **109**
Aylward Rd. *SW20* —1L **43**
Aymer Clo. *Stai* —9G **21**
Aymer Dri. *Stai* —9G **20**
Aynscombe Path. *SW14* —5B **12**
Ayrshire Gdns. *Fleet* —1C **88**
Aysgarth. *Brack* —5L **31**
Aysgarth Ct. *Sutt* —9N **43**
Ayshe Ct. Dri. *H'ham* —5L **197**
Azalea Av. *Lind* —4B **168**
Azalea Ct. *Wok* —6N **73**
Azalea Dri. *Hasl* —9D **170**
Azalea Gdns. *C Crook* —8C **88**
Azalea Way. *Camb* —9F **50**

Babbacombe Clo. *Chess* —2K **59**
Babbage Way. *Brack* —5M **31**
Babbs Mead. *Farnh* —2F **128**
Baber Bri. Cvn. Site. *Felt* —8K **9**
Baber Dri. *Felt* —9K **9**
Babington Rd. *SW16* —6H **29**
Babylon La. *Lwr K* —5M **101**
Bachelors La. *Ock* —2A **96**
Back All. *Dork* —5H **119** (2L **201**)
Back Dri. *Crowt* —5D **48**
Back Grn. *W on T* —3K **57**
Back La. *Bren* —2K **11**
Back La. *Bucks H* —2A **148**
Back La. *E Clan* —9M **95**
Back La. *Elst* —7H **131**
Back La. *Fren* —1J **149**
Back La. *Plais* —6A **192**
Back La. *Rich* —3J **25**
(in two parts)
Back La. *Turn H & Adgly* —7N **183**
Backley Gdns. *SE25* —5D **46**
Bk. of High St. *Chob* —7H **53**
Back Path. *Blet* —2N **123**
Back Rd. *Tedd* —8E **24**
Bacon Clo. *Coll T* —8J **49**
Bacon La. *Churt* —6H **149**
Badajos Rd. *Alder* —1L **109**
Baden Clo. *Stai* —8K **21**
Baden Dri. *Horl* —7C **142**
Baden Powell Clo. *Surb* —8M **41**
Baden Rd. *Guild* —1K **113**
Bader Clo. *Kenl* —2A **84**
Bader Ct. *Farn* —6L **69**
Badger Clo. *Felt* —4J **23**
Badger Clo. *Guild* —9L **93**
Badger Clo. *Houn* —6K **9**
Badger Dri. *Light* —6L **51**
Badgersbridge Ride. *Wind* —1M **17**
Badgers Clo. *Afrd* —6A **22**
Badgers Clo. *Fleet* —5A **88**
Badgers Clo. *G'ming* —3G **133**
Badgers Clo. *H'ham* —2M **197**
Badgers Clo. *Wok* —5M **73**
Badgers Copse. *Camb* —3C **70**
Badgers Copse. *Wor Pk* —8E **42**
Badger's Ct. *Eps* —9D **60** (7N **201**)
Badgers Cross. *Milf* —1C **152**
Badgers Hill. *Vir W* —4M **35**
Badgers Hole. *Croy* —1G **64**
Badgers Hollow. *G'ming* —5G **132**
Badgers Holt. *Yat* —1A **68**
Badgers La. *Warl* —7F **84**
Badgers Sett. *Crowt* —2E **48**
Badgers Wlk. *N Mald* —1D **42**
Badgers Wlk. *Purl* —7G **63**
Badgers Wlk. *Whyt* —5C **84**
Badgers Way. *Brack* —9D **16**
Badger's Way. *E Grin* —8B **166**
Badgers Way. *Loxw* —4J **193**
Badgers Wood. *Cat* —3A **104**
Badgers Wood. *Ott* —3F **54**
Badger Wlk. *Norm* —6N **91**
Badger Way. *Ews* —4C **108**
Badgerwood Dri. *Frim* —4B **70**
Badingham Dri. *Fet* —1E **98**
Badminton Rd. *SW12* —1E **28**
Badshot Farm La. *Bad L* —7M **109**
Badshot Lea. —7M 109
Badshot Lea Rd. *Bad L* —8L **109**
Badshot Pk. *Bad L* —6M **109**
Bagden Hill. *Westh* —8D **98**
Bagley's La. *SW6* —4N **13**
Bagot Clo. *Asht* —3M **79**
Bagshot. —4J 51
Bagshot Grn. *Bag* —4J **51**
Bagshot Rd. *Asc* —8M **33**
Bagshot Rd. *Brack & Crowt* —2N **31**
Bagshot Rd. *Crowt & Bag* —7C **32**
Bagshot Rd. *Eng G* —8M **19**
Bagshot Rd. *Knap & Brkwd* —5E **72**
Bagshot Rd. *W End & Chob* —8B **52**
Bagshot Rd. *Worp H & Worp* —8F **72**
Bahram Rd. *Eps* —6C **60**
Baigents La. *W'sham* —3A **52**
Bailes La. *Norm* —9A **92**
Bailey Clo. *Frim* —6B **70**
Bailey Clo. *H'ham* —1M **197**
Bailey Clo. *Wind* —5D **4**
Bailey M. W4 —2A 12
(off Hervert Gdns.)
Bailey Rd. *Westc* —6C **118**
Baileys Clo. *B'water* —2H **69**
Bailing Hill. *Warn* —1E **196**
Baillie Rd. *Guild* —4B **114**
Bain Av. *Camb* —4N **69**
Bainbridge Clo. *Ham* —6L **25**
Baines Clo. *S Croy* —2A **64** (8D **200**)
Bainton Mead. *Wok* —4K **73**
Baird Clo. *Craw* —9E **162**
Baird Dri. *Wood S* —2E **112**
Baird Rd. *Farn* —8A **70**
Bakeham La. *Eng G* —8M **19**
Bakehouse Barn Clo. *H'ham* —1L **197**
Bakehouse M. *Alder* —2M **109**
Bakehouse Rd. *Horl* —6E **142**
Baker Boy La. *Croy* —9H **65**
Baker Clo. *Craw* —5B **182**
Baker Ct. *Wind* —6E **4**
Baker La. *Mitc* —1E **44**
Baker's Clo. *Ling* —6A **146**
Bakers Ct. *SE25* —2B **46**
Bakers End. *SW20* —1K **43**
Bakers Gdns. *Cars* —8C **44**
Bakers La. *Ling* —7N **145**
Bakers Mead. *God* —8F **104**
Bakers M. *Orp* —3N **67**
Baker St. *Wey* —1B **56**
Bakers Way. *Capel* —5J **159**
Baker's Yd. *Guild* —4N **113** (5D **202**)
Bakery M. *Surb* —7N **41**
Bakewell Way. *N Mald* —1D **42**
Balaam Ho. *Sutt* —1M **61**
Balaclava Rd. *Surb* —6J **41**
Balchins La. *Westc* —7A **118**
Balcombe Ct. *Craw* —2H **183**
Balcombe Gdns. *Horl* —9G **142**
Balcombe La. *Adgly* —9K **183**
Balcombe Rd. *Craw & Worth* —2H **183**
Balcombe Rd. *Horl* —7F **142**
Baldreys. *Farnh* —3F **128**
Baldry Gdns. *SW16* —7J **29**
Baldwin Clo. *M'bowr* —6G **183**
Baldwin Cres. *Guild* —1E **114**
Baldwin Gdns. *Houn* —4C **10**
Baldwin Ho. *SW2* —2L **29**
Baldwins Fld. *E Grin* —6N **165**
Baldwins Hill. —7N 165
Baldwins Shore. *Eton* —2G **4**
Balfern Gro. *W4* —1D **12**
Balfont Clo. *S Croy* —9D **64**
Balfour Av. *Wok* —9A **74**
Balfour Cres. *Brack* —4N **31**
Balfour Gdns. *F Row* —9G **187**
Balfour Pl. *SW15* —7G **12**
Balfour Rd. *SE25* —4D **46**
Balfour Rd. *SW19* —8N **27**
Balfour Rd. *Cars* —4D **62**
Balfour Rd. *Houn* —6B **10**
Balfour Rd. *Wey* —1B **56**
Balgowan Clo. *N Mald* —4D **42**

Balgowan Rd.—Beauclerc Ct.

Balgowan Rd. Beck —2H 47
Balham. —2F 28
Balham Continental Mkt. SW12 (off Shipka Rd.) —2F 28
Balham Gro. SW12 —1E 28
Balham High Rd. SW17 & SW12 —4E 28
Balham Hill. SW12 —1F 28
Balham New Rd. SW12 —1F 28
Balham Pk. Rd. SW12 —2D 28
Balham Sta. Rd. SW12 —2F 28
Balintore Ct. Coll T —7J 49
Ballands N., The. Fet —1E 98
Ballands S., The. Fet —1E 98
Ball & Wicket La. Farnh —5H 109
Ballantine St. SW18 —7N 13
Ballantyne Dri. Kgswd —8L 81
Ballantyne Rd. Farn —8M 69
Ballard Clo. King T —8C 26
Ballard Ct. Camb —7E 50
Ballard Grn. Wind —3B 4
Ballard Rd. Camb —7E 50
Ballards Farm Rd. S Croy & Croy (in two parts) —3D 64
Ballards Grn. Tad —6K 81
Ballards La. Oxt —7E 106
Ballards Ri. S Croy —3D 64
Ballards Way. S Croy & Croy —3D 64
Ballater Rd. S Croy —2C 64
Ballencrieff Rd. Asc —6C 34
Ballfield Rd. G'ming —5G 133
Balliol Clo. Craw —9G 163
Balliol Way. Owl —6K 49
Ballsdown. C'fold —5D 172
Balmain Ct. Houn —4B 10
Balmain Lodge. Surb —8L 203
Balmoral. E Grin —1C 186
Balmoral Av. Beck —3H 47
Balmoral Clo. SW15 —9J 13
Balmoral Ct. SE27 —5N 29
Balmoral Ct. Craw —7N 181
Balmoral Ct. Sutt —4M 61
Balmoral Ct. Wor Pk —8G 42
Balmoral Cres. Farnh —6G 108
Balmoral Cres. W Mol —2A 40
Balmoral Dri. Frim —6C 70
Balmoral Dri. Wok —3E 74
Balmoral Gdns. S Croy —6A 64
Balmoral Gdns. Wind —6G 4
Balmoral Rd. Ash V —9E 90
Balmoral Rd. King T —3M 41 (7M 203)
Balmoral Rd. Wor Pk —9G 42
Balmoral Way. Sutt —6M 61
Balmuir Gdns. SW15 —7H 13
Balquhain Clo. Asht —4K 79
Baltic Cen., The. Bren —1K 11
Baltic Clo. SW19 —8B 28
Balvernie Gro. SW18 —1L 27
Balvernie M. SW18 —1M 27
Bampfylde Clo. Wall —9G 44
Bampton Way. Wok —5K 73
Banbury. Brack —6C 32
Banbury Clo. Frim —7D 70
Banbury Clo. Wokgm —2A 30
Banbury Ct. Sutt —4M 61
Bancroft Clo. Afrd —6B 22
Bancroft Ct. Reig —3N 121
Bancroft Rd. M'bowr —4H 183
Bancroft Rd. Reig —3M 121
Banders Ri. Guild —2E 114
Band La. Egh —6B 20
Bandonhill. —2H 63
Bandon Ri. Wall —2H 63
Bangalore St. SW15 —6H 13
Bank Av. Mitc —1B 44
Bank Bldgs. Rd. Cranl —7M 155
Bank La. SW15 —8D 12
Bank La. Craw —3B 182
Bank La. King T —8L 25
Bank M. Sutt —3A 62
Bank Rd. Alder —8B 90
Banksian Wlk. Iswth —4E 10
Bankside. Farnh —5L 109
Bankside. S Croy —3C 64
Bankside. Wok —5L 73 (in three parts)
Bankside Clo. Big H —5E 86
Bankside Clo. Cars —3C 62
Bankside Clo. Elst —8H 131
Bankside Clo. Iswth —7F 10
Bankside Dri. Th Dit —7H 41
Bank's La. Eff —1H 97
Banks Rd. Craw —3G 182
Banks Way. Guild —9B 94
Bank Ter. Shere —8B 116 (off Gomshall La.)
Bank, The. Turn H —5D 184
Bannister Clo. SW2 —2L 29
Bannister Clo. Witl —5C 152
Bannister Gdns. Yat —1E 68
Bannister's Rd. Guild —5J 113
Banstead. —2M 81
Banstead Rd. Cars —5B 62
Banstead Rd. Cat —8A 84
Banstead Rd. Eps & Bans —6G 61
Banstead Rd. Purl —7L 63
Banstead Rd. S. Sutt —7A 62
Banstead Way. Wall —2J 63
Barataria Cvn. Site. Rip —7H 75
Barbara Clo. C Crook —7C 88
Barbara Clo. Shep —4C 38
Barber Clo. M'bowr —7G 182
Barber Dri. Cranl —6N 155
Barberry Clo. Fleet —6B 88
Barberry Way. B'water —4L 69
Barbon Clo. Camb —3H 71
Barchard St. SW18 —8N 13
Barclay Clo. SW6 —3M 13
Barclay Clo. Fet —1B 98
Barclay Rd. SW6 —3M 13
Barclay Rd. Croy —9A 46 (4D 200)
Barcombe Av. SW2 —3J 29
Bardney Rd. Mord —3N 43
Bardolph Av. Croy —5H 65
Bardolph Rd. Rich —6M 11
Bardon Wlk. Wok —4L 73
Bardsley Clo. Croy —9C 46
Bardsley Dri. Farnh —3F 128
Barfield Ct. Red —1E 122
Barfields. Blet —2M 123
Barford. —1K 169
Barford Clo. Fleet —5E 88
Barford Copse. —4L 189
Barford La. Churt —9K 149
Bargate Clo. N Mald —6F 42
Bargate Ct. Guild —3H 113
Bargate Ri. G'ming —7F 132
Barge Clo. Alder —8C 90
Barge Wlk. E Mol —2D 40
Barge Wlk. Hamp W —9K 25 (2J 203)
Barge Wlk. King T —2K 41 (5H 203)
Barham Clo. Wey —1D 56
Barham Ct. S Croy —7C 200
Barham Rd. SW20 —8F 26
Barham Rd. S Croy —1N 63 (7C 200)
Barhatch La. Cranl —5A 156
Barhatch Rd. Cranl —5A 156
Baring Rd. Croy —7D 46
Barker Clo. N Mald —3A 42
Barker Grn. Brack —4N 31
Barker Rd. Cher —6G 37
Barker St. SW10 —2N 13
Barker Wlk. SW16 —4H 29
Barkham Rd. Wokgm —3A 30
Barkhart Dri. Wokgm —1B 30
Barkhart Gdns. Wokgm —1B 30
Barkis Mead. Owl —5K 49
Barkston Gdns. SW5 —1N 13
Barley Clo. Craw —4B 182
Barleymead. Horl —7F 142
Barley Mead. Warf —8C 16
Barley Mow Clo. Knap —4G 72
Barleymow Ct. Bet —3B 120
Barley Mow Hill. Head —3E 168
Barley Mow La. Knap —3F 72
Barley Mow Pas. W4 —1C 12
Barley Mow Rd. Eng G —6M 19
Barleymow Way. Shep —3B 38
Barley Way. Fleet —9C 68
Barlow Clo. Wall —3J 63
Barlow Rd. Craw —6K 181
Barlow Rd. Hamp —8A 24
Barmouth Rd. SW18 —9N 13 & 1A 28
Barmouth Rd. Croy —8G 47
Barnard Clo. Frim —6D 70
Barnard Clo. Sun —8J 23
Barnard Clo. Wall —4H 63
Barnard Ct. Wok —5H 73
Barnard Gdns. N Mald —3F 42
Barnard Rd. Mitc —2E 44
Barnard Rd. Warl —6L 85
Barnards Pl. S Croy —5M 63
Barnard Way. Alder —1L 109
Barnato Clo. W Byf —8N 55
Barnby Rd. Knap —4G 73
Barn Clo. Afrd —6C 22
Barn Clo. Bans —2B 82
Barn Clo. Brack —1B 32
Barn Clo. Camb —9C 50
Barn Clo. Eps —2B 80
Barn Clo. Peas P —1N 199
Barn Cres. Purl —9A 64
Barncroft. Farnh —2H 129 (in two parts)
Barn Elms Pk. SW15 —6H 13
Barnes. —5E 12
Barnes All. Hamp —1C 40
Barnes Av. SW13 —3F 12
Barnes Av. S'hall —1N 9
Barnes Clo. Farn —1B 90
Barnes End. N Mald —4F 42
Barnes High St. SW13 —5E 12
Barnes Rd. Frim —6C 70
Barnes Rd. G'ming —3H 133
Barnes Wallis Dri. Wey —7N 55
Barnett Clo. Lea —6H 79
Barnett Clo. Won —3E 134
Barnett Ct. Brack —1B 32
Barnett Grn. Brack —5N 31
Barnett La. Light —8K 51
Barnett La. Won —4D 134
Barnett Row. Guild —7N 93
Barnett's Shaw. Oxt —5N 105
Barnett Wood La. Lea & Asht —7H 79
Barnfield. Bans —1N 81
Barnfield. Cranl —7N 155
Barnfield. Horl —9E 142
Barnfield. N Mald —5D 42
Barn Fld. Yat —1C 68
Barnfield Av. Croy —8F 46
Barnfield Av. King T —5K 25
Barnfield Av. Mitc —3F 44
Barnfield Clo. SW17 —4B 28
Barnfield Clo. Coul —6N 83
Barnfield Cotts. D'land —1C 166
Barnfield Gdns. King T —5L 25
Barnfield Rd. Craw —2B 182
Barnfield Rd. S Croy —5B 64
Barnfield Rd. Tats —7F 86
Barnfield Way. Oxt —2C 126
Barnfield Wood Clo. Beck —5N 47
Barnfield Wood Rd. Beck —5N 47
Barn Hawe. Eden —2L 147
Barnlea Clo. Felt —3M 23
Barnmead. Chob —6J 53
Barn Mdw. Clo. C Crook —1A 108
Barn Mdw. La. Bookh —2N 97
Barnmead Rd. Beck —1H 47
Barnsbury Clo. N Mald —3B 42
Barnsbury Cres. Surb —7B 42
Barnsbury Farm Est. Wok —7N 73
Barnsbury La. Surb —8A 42
Barnscroft. SW20 —2G 43
Barnsfold La. Rud —2N 193
Barnsford Cres. W End —9D 52
Barnsley Clo. Ash V —3F 90
Barnsnap. —5G 199
Barnsnap Clo. H'ham —2K 197
Barns, The. Shack —3N 131
Barnway. Eng G —6M 19
Barnwood. Craw —2G 183
Barnwood Clo. Guild —1H 113
Barnwood Rd. Guild —2H 113
Barnyard, The. Tad —2F 100
Baron Clo. Sutt —6N 61
Baron Gro. Mitc —3C 44
Barons Court. —1K 13
Barons Ct. Wall —9H 45
Baron's Ct. Rd. W14 —1K 13
Barons Court Theatre. —1K 13 (off Comeragh Rd.)
Baronsfield Rd. Twic —9H 11
Baron's Hurst. Eps —3B 80
Barons Keep. W14 —1K 13
Baronsmead Rd. SW13 —4F 12
Barons, The. Twic —9H 11
Baron's Wlk. Croy —5H 47
Barons Way. Egh —7F 20
Baron's Way. Reig —7M 121
Baron Wlk. Mitc —3C 44
Barossa Rd. Camb —8B 50
Barracane Dri. Crowt —2F 48
Barrackfield Wlk. H'ham —8H 197
Barrack La. Wind —4G 5
Barrack Path. Wok —6J 73
Barrack Rd. Alder —2M 109
Barrack Rd. Guild —1K 113
Barrack Rd. Houn —7L 9
Barracks, The. Add —9K 37
Barrens Brae. Wok —5C 74
Barrens Clo. Wok —6C 74
Barrens Pk. Wok —5C 74
Barrett Cres. Wokgm —2C 30
Barrett Rd. Fet —2D 98
Barrhill Rd. SW2 —3J 29
Barricane. Wok —6L 73
Barrie Clo. Coul —3G 82
Barrie Ho. Add —4J 55
Barrie Rd. Farnh —5F 108
Barrihurst. —8F 154
Barrihurst La. Cranl —8F 154
Barringer Sq. SW17 —5E 28
Barrington Ct. Dork —6G 119
Barrington Ct. Red —1E 122
Barrington Lodge. Wey —2D 56
Barrington Rd. Craw —5B 182
Barrington Rd. Dork —6G 119
Barrington Rd. H'ham —6L 197
Barrington Rd. Purl —8G 62
Barrington Rd. Sutt —8M 43
Barrosa Dri. Hamp —9A 24
Barrow Av. Cars —4D 62
Barrowgate Rd. W4 —1B 12
Barrow Grn. Rd. Oxt —8K 105
Barrow Hedges Clo. Cars —4C 62
Barrow Hedges Way. Cars —4C 62
Barrowhill. Wor Pk —8D 42
Barrowhill Clo. Wor Pk —8D 42
Barrow Rd. SW16 —7H 29
Barrow Rd. Croy —2L 63
Barrowsfield. S Croy —8C 64
Barrow Wlk. Bren —2J 11
Barr's La. Knap —3G 72 (in two parts)
Barry Av. Wind —3F 4
Barry Clo. Craw —6C 182
Barry Sq. Brack —6B 32
Bars, The. Guild —4N 113 (4C 202)
Barston Rd. SE27 —4N 29
Barstow Cres. SW2 —2K 29
Bartholomew Clo. Hasl —9H 171
Bartholomew Ct. Dork —6G 119 (4K 201)
Bartholomew Pl. Warf —8C 16
Bartholomew Way. H'ham —2N 197
Bartlett Rd. W'ham —4L 107
Bartlett St. S Croy —2A 64 (8D 200)
Barton Clo. Add —3J 55
Barton Clo. Alder —3K 109
Barton Clo. Shep —5C 38
Barton Ct. W14 —1K 13 (off Baron's Ct. Rd.)
Barton Cres. E Grin —1C 186
Barton Grn. N Mald —1C 42
Barton Ho. SW6 —6N 13 (off Wandsworth Bri. Rd.)
Barton Pl. Guild —9D 94
Barton Rd. W14 —1K 13
Barton Rd. Brmly —5C 134
Bartons Dri. Yat —2C 68
Bartons Way. Farn —7H 69
Barton, The. Cobh —8L 57
Barton Wlk. Craw —5F 182
Barts Clo. Beck —4K 47
Barttelot Rd. H'ham —7K 197
Barwell Bus Pk. Chess —4K 59
Barwell Clo. Crowt —2E 48
Barwood Av. W Wick —7L 47
Basden Gro. Felt —3A 24
Basden Ho. Felt —3A 24
Basemoors. Brack —1C 32
Basford Way. Wind —6A 4
Bashford Way. Worth —1H 183
Bashurst Copse. Itch —8N 195
Bashurst Hill. Itch —8N 195
Basildene Rd. Houn —6L 9
Basildon Clo. Sutt —5N 61
Basildon Way. Bew —6K 181
Basil Gdns. SE27 —6N 29
Basil Gdns. Croy —7G 46
Basingbourne Clo. Fleet —7B 88
Basingbourne Rd. Fleet —8A 88
Basing Clo. Th Dit —6F 40
Basing Dri. Alder —5N 109
Basingfield Rd. Th Dit —6F 40
Basinghall Gdns. Sutt —5N 61
Basing Rd. Bans —1L 81
Basingstoke Canal Cen. —2E 90
Basing Way. Th Dit —6F 40
Baskerville Rd. SW18 —1C 28
Basset Clo. Frim —6C 70
Basset Clo. New H —6K 55
Bassett Clo. Sutt —5N 61
Bassett Dri. Reig —2M 121
Bassett Gdns. Iswth —3C 10
Bassett Rd. M'bowr —6H 183
Bassett Rd. Wok —3E 74
Bassett's Clo. Orp —1K 67
Bassetts Hill. D'land —1C 166
Bassett's Way. Orp —1K 67
Bassingham Rd. SW18 —1A 28
Baston Mnr. Rd. Brom —1D 66
Baston Rd. Brom —1E 66
Basuto Rd. SW6 —4M 13
Bat & Ball La. Wrec —5F 128 (in two parts)
Batavia Clo. Sun —9J 23
Batavia Rd. Sun —9J 23
Batchelors Acre. Wind —4G 4
Batcombe Mead. Brack —6C 32
Bateman Ct. Craw —6E 182
Bateman Gro. As —4D 110
Bates Cres. SW16 —8G 28
Bates Cres. Croy —2L 63
Bateson Way. Wok —1E 74
Bates Wlk. Add —3L 55
Bathgate Rd. SW19 —4J 27
Bath Ho. Rd. Croy —7J 45
Bath Pas. King T —1K 41 (4J 203)
Bath Pl. W6 —1H 13 (off Fulham Pal. Rd.)
Bath Rd. Camb —9B 50
Bath Rd. Coln —3E 6
Bath Rd. Houn —4K 9
Bath Rd. W Dray & H'row —4K 7 (in two parts)
Baths App. SW6 —3L 13
Bathurst Av. SW19 —9N 27
Batley Clo. Mitc —6D 44
Batsworth Rd. Mitc —2B 44
Batten Av. Wok —6H 73
Battersea Ct. Guild —3K 113
Battlebridge La. Red —8F 102
Battle Clo. SW19 —7A 28
Batt's Corner. —4C 148
Batts Hill. Red —1C 122
Batts Hill. Reig —1B 122
Batty's Barn Clo. Wokgm —3C 30
Baulk, The. SW18 —1M 27
Bavant Rd. SW16 —1J 45
Bawtree Clo. Sutt —6A 62
Bax Clo. Cranl —8N 155
Baxter Av. Red —3D 122
Baxter Clo. M'bowr —5F 182
Bayards. Warl —5F 84
Bay Clo. Horl —6C 142
Bay Dri. Brack —1C 32
Bayeux. Tad —9J 81
Bayfield Av. Frim —4B 70
Bayfield Rd. Horl —7C 142
Bayford Clo. B'water —5M 69
Baygrove M. Hamp W —9J 25
Bayham Rd. Mord —3N 43
Bayhorne La. Horl —1G 162
Bay Ho. Brack —1C 32
Bayleaf Clo. Hamp H —6D 24
Bayliss Ct. Guild —4M 113 (4B 202)
Baylis Wlk. Craw —8N 181
Baynards. —2E 176
Baynards Park. —3D 176
Baynards Rd. Rud —7A 176
Bayonne Rd. W6 —2K 13
Bay Path. God —9F 104
Bay Rd. Brack —9C 16
Bays Farm Ct. W Dray —4L 7
Bay Tree Av. Lea —7G 79
Baywood Clo. Farn —9H 69
Bazalgette Clo. N Mald —4C 42
Bazalgette Gdns. N Mald —4C 42
Beach Gro. Felt —3A 24
Beach Ho. SW5 —1M 13 (off Philbeach Gdns.)
Beach Ho. Felt —3A 24
Beachy Rd. Craw —8M 181
Beacon Clo. Bans —3J 81
Beacon Clo. Wrec —6F 128
Beacon Ct. H'ham —4N 197
Beacon Gdns. Fleet —4A 88
Beacon Gro. Cars —1E 62
Beacon Hill. —3A 170
Beacon Hill. D'land —2D 166
Beacon Hill. Wok —6M 73
Beacon Hill Ct. Hind —3B 170
Beacon Hill Pk. Hind —3N 169
Beacon Hill Rd. C Crook & Ews —8C 88
Beacon Hill Rd. Hind —3A 170
Beacon Pl. Croy —9J 45
Beacon Rd. H'row A —9B 8
Beaconsfield Clo. W4 —1B 12
Beaconsfield Pl. Eps —8D 60 (5N 201)
Beaconsfield Rd. Clay —4E 58
Beaconsfield Rd. Croy —5A 46
Beaconsfield Rd. Eps —6C 80
Beaconsfield Rd. N Mald —1C 42
Beaconsfield Rd. Surb —6M 41
Beaconsfield Rd. Twic —9H 11
Beaconsfield Rd. Wok —7B 74
Beaconsfield Wlk. SW6 —4L 13
Beacon Vw. Rd. Elst —9G 130
Beacon Way. Bans —3J 81
Beadles La. Oxt —8N 105
Beadlow Clo. Cars —5B 44
Beadman St. SE27 —5M 29
Beadon Rd. W6 —1H 13
Beaford Gro. SW20 —2K 43
Beagle Clo. Felt —5J 23
Beale Clo. Wokgm —1A 30
Beale Ct. Craw —6M 181
Beales La. Wey —9C 38
Beales La. Wrec —4E 128
Beales Rd. Bookh —5B 98
Bealeswood La. Dock —4D 148
Beam Hollow. Farnh —5H 109
Bean Oak Rd. Wokgm —2D 30
Beard Rd. King T —6M 25
Beard's Hill. Hamp —9A 24
Beard's Hill Clo. Hamp —9A 24
Beard's Rd. Afrd —7F 22
Beare Green. —8K 139
Beare Grn. Ct. Bear G —7K 139
Beare Grn. Rd. Bear G —2E 158
Beare Grn. Roundabout. Bear G —9K 139
Bearfield Rd. King T —8L 25
Bear La. Farnh —9G 109
Bear Rd. Felt —5L 23
Bears Den. Kgswd —9L 81
Bearsden Way. Broad H —5D 196
Bears Rail Pk. Old Win —1J 19
Bearwood Clo. Add —3J 55
Bearwood Cotts. Wrec —4E 128 (off Street, The)
Bearwood Gdns. Fleet —4B 88
Beasley's Ait. Sun —5G 39
Beasley's Ait La. Sun —5G 39
Beatrice Av. SW16 —2K 45
Beatrice Ho. W6 —1H 13 (off Queen Caroline St.)
Beatrice Rd. Oxt —7A 106
Beatrice Rd. Rich —8M 11
Beatrix Ho. SW5 —1N 13 (off Old Brompton Rd.)
Beattie Clo. Bookh —2N 97
Beattie Clo. Felt —1G 22
Beatty Av. Guild —2C 114
Beauchamp Rd. SE19 —9N 29
Beauchamp Rd. Sutt —1M 61
Beauchamp Rd. Twic —1G 25
Beauchamp Rd. W Mol & E Mol —4B 40
Beauchamp Ter. SW15 —6G 13
Beauclare Clo. Lea —7K 79
Beauclerc Ct. Sun —1K 39

Beauclerk Clo.—Benning Clo.

Beauclerk Clo. Felt —2J 23
Beauclerk Ho. SW16 —4J 29
Beaufield Ga. Hasl —1H 189
Beaufort Clo. SW15 —1G 27
Beaufort Clo. Reig —2L 121
Beaufort Clo. Wok —3E 74
Beaufort Ct. Rich —5J 25
Beaufort Gdns. SW16 —8K 29
Beaufort Gdns. Asc —9J 17
Beaufort Gdns. Houn —4M 9
Beaufort M. SW6 —2L 13
Beaufort Rd. Ash V —8D 90
Beaufort Rd. C Crook —6C 88
Beaufort Rd. Farnh —9H 109
Beaufort Rd. King T —3L 41 (8K 203)
Beaufort Rd. Reig —2L 121
Beaufort Rd. Rich —5J 25
Beaufort Rd. Twic —1J 25
Beaufort Rd. Wok —3E 74
Beauforts. Eng G —6M 19
Beaufort Way. Eps —4F 60
Beaufoy Ho. SE27 —4M 29
Beaufront Clo. Camb —8E 50
Beaufront Rd. Camb —8E 50
Beaulieu Clo. Brack —2D 32
Beaulieu Clo. Dat —4L 5
Beaulieu Clo. Houn —8N 9
Beaulieu Clo. Mitc —9E 28
Beaulieu Clo. Twic —9K 11
Beaulieu Gdns. B'water —1H 69
Beaulieu Ho. Binf —7H 15
Beaumaris Pde. Frim —6D 70
Beaumont. W14 —1L 13
(off Avonmore Rd.)
Beaumont Av. W14 —1L 13
Beaumont Av. Rich —6M 11
Beaumont Clo. If'd —4K 181
Beaumont Clo. King T —8N 25
Beaumont Ct. W4 —1B 12
Beaumont Cres. W14 —1L 13
Beaumont Dri. Afrd —6E 22
Beaumont Gdns. Brack —4C 32
Beaumont Gro. Alder —2K 109
Beaumont Pl. Iswth —8F 10
Beaumont Rd. SE19 —7N 29
Beaumont Rd. SW19 —1K 27
Beaumont Rd. Purl —9L 63
Beaumont Rd. Wind —5F 4
Beaumonts. Red —2D 142
Beaumont Sq. Cranl —7A 156
Beaverbrook Roundabout. Lea —1K 99
Beaver Clo. Hamp —9B 24
Beaver Clo. H'ham —2L 197
Beaver Clo. Wokgm —5A 30
Beaver La. Yat —1D 68
Beavers Clo. Farnh —1F 128
Beavers Clo. Guild —2H 113
Beavers Cres. Houn —7K 9
Beavers Hill. Farnh —1E 128
Beavers La. Houn —5K 9
Beavers M. Bord —5A 168
Beavers Rd. Farnh —1F 128
Beavor Gro. W6 —1F 12
(off Beavor La.)
Beavor La. W6 —1F 12
Bechtel Ho. W6 —1J 13
(off Hammersmith Rd.)
Beck Ct. Beck —2G 46
Beckenham. —1K 47
Beckenham Crematorium. Beck —2F 46
Beckenham Gro. Brom —1N 47
Beckenham Rd. Beck —1H 47
Beckenham Rd. W Wick —6L 47
Beckenshaw Gdns. Bans —2C 82
Becket Clo. SE25 —5D 46
Becket Clo. SW19 —8N 27
(off High Path)
Beckett Av. Kenl —2M 83
Beckett Clo. SW16 —3H 29
Beckett Clo. Wokgm —2D 30
Beckett La. Craw —9B 162
Becketts Clo. Felt —9J 9
Becketts Pl. Hamp W —9K 25 (2H 203)
Beckett Way. E Grin —1B 186
Becket Wood. Newd —6B 140
Beckford Av. Brack —5N 31
Beckford Rd. Croy —5C 46
Beckford Way. M'bowr —7F 182
Beck Gdns. Farnh —6G 108
Beckingham Rd. Guild —1K 113
Beck La. Beck —2G 46
Beck River Pk. Beck —1K 47
Beck Way. Beck —2J 47
Beckway Rd. SW16 —1H 45
Beclands Rd. SW17 —7E 28
Becmead Av. SW16 —5H 29
Bective Pl. SW15 —7L 13
Bective Rd. SW15 —7L 13
Bedale Clo. Craw —5A 182
Beddington. —9J 45
Beddington Corner. —6E 44
Beddington Farm Rd. Croy —6J 45
Beddington Gdns. Cars & Wall
(in two parts) —3E 62
Beddington Gro. Wall —2H 63
Beddington La. Croy —4G 44
Beddington Pk. Cotts. Wall —9H 45
Beddington Ter. Croy —6K 45
Beddington Trad. Est. Croy —7J 45
Beddlestead La. Warl —4B 86
Bedfont Clo. Felt —9D 8
Bedfont Clo. Mitc —1E 44
Bedfont Ct. Stai —6J 7
Bedfont Ct. Est. Stai —7K 7
Bedfont Grn. Clo. Felt —2D 22
Bedfont Ind. Pk. Ashf —4D 22
Bedfont Lakes Country Pk. —3D 22
Bedfont La. Felt —1G 22
Bedfont Pk. Ind. Est. Afrd —4D 22
Bedfont Rd. Felt —2D 22
Bedfont Rd. Stanw —9N 7
Bedford Av. Frim G —9D 70
Bedford Clo. W4 —2D 12
Bedford Clo. Wok —2M 73
Bedford Ct. Croy —7N 45
(off Tavistock Rd.)
Bedford Cres. Frim G —8C 70
Bedford Hill. SW12 & SW16 —2F 28
Bedford La. Asc —4E 34
Bedford La. Frim G —8D 70
Bedford Pk. Croy —7N 45 (1C 200)
Bedford Pas. SW6 —3K 13
(off Dawes Rd.)
Bedford Pl. Croy —7A 46 (1D 200)
Bedford Rd. Guild —4M 113 (4B 202)
Bedford Rd. H'ham —7K 197
Bedford Rd. Twic —4D 24
Bedford Rd. Wor Pk —8H 43
Bedfordshire Down. Warf —7D 16
Bedgebury Gdns. SW19 —3K 27
Bedlow Cotts. Cranl —7A 156
Bedlow La. Cranl —7A 156
Bedlow Way. Croy —1K 63
Bedser Clo. T Hth —2N 45
Bedser Clo. Wok —3C 74
Bedster Gdns. W Mol —1B 40
Bedwell Gdns. Hayes —1F 8
(in two parts)
Beech Av. Bren —3H 11
Beech Av. Camb —2B 70
Beech Av. Eff —6L 97
Beech Av. Lwr Bo —6H 129
Beech Av. S Croy —7A 64
Beech Av. Tats —6F 86
Beechbrook Av. Yat —1D 68
Beech Clo. SW15 —1F 26
Beech Clo. SW19 —7H 27
Beech Clo. Afrd —6E 22
Beech Clo. Blind H —3H 145
Beech Clo. Byfl —8N 55
Beech Clo. Cars —8D 44
Beech Clo. C'fold —5D 172
Beech Clo. Cobh —8A 58
Beech Clo. Dork —4F 118 (1H 201)
Beech Clo. E Grin —8N 165
Beech Clo. Eff —6L 97
Beech Clo. Stanw —1M 21
Beech Clo. Sun —1L 39
Beech Clo. W on T —1K 57
Beech Clo. Ct. Cobh —7N 57
Beech Copse. S Croy —2B 64 (8F 200)
Beech Ct. Farnh —1A 128
Beech Ct. Surb —6K 41
Beech Cres. Tad —8B 100
Beechcroft. Asht —6M 79
Beechcroft Av. Kenl —2A 84
Beechcroft Av. N Mald —9B 26
Beechcroft Clo. SW16 —6K 29
Beechcroft Clo. Asc —3A 34
Beechcroft Clo. Houn —3M 9
Beechcroft Clo. Orp —1M 67
Beechcroft Ct. Brack —2N 31
Beechcroft Ct. Sutt —4A 62
Beechcroft Dri. Guild —6G 113
Beechcroft Mnr. Wey —9E 38
Beechcroft Rd. SW14 —6B 12
Beechcroft Rd. SW17 —3C 28
Beechcroft Rd. Chess —9M 41
Beechcroft Rd. Orp —1M 67
Beechdale Rd. SW2 —1K 29
Beech Dell. Kes —1H 67
Beechdene. Tad —9G 80
Beech Dri. B'water —2J 69
Beech Dri. Kgswd —9L 81
Beech Dri. Reig —3B 122
Beech Dri. Rip —2J 95
Beechen Cliff Way. Iswth —5F 10
Beechen La. Tad —3L 101
Beeches Av. Cars —4C 62
Beeches Clo. SE20 —1F 46
Beeches Clo. Kgswd —1M 101
Beeches Cres. Craw —5C 182
Beeches La. Ash W —3F 186
Beeches Mead. E Grin —5H 167
Beeches Rd. SW17 —4C 28
Beeches Rd. Sutt —7K 43
Beeches, The. Ash V —4D 90
Beeches, The. Bans —3N 81
Beeches, The. Brmly —5B 134
Beeches, The. Fet —2E 98
Beeches, The. Houn —4B 10
Beeches, The. S Croy —8D 200
Beeches, The. Stai —6J 21
Beeches Wlk. Cars —5B 62
Beeches Wood. Tad —9M 81
Beechey Clo. Copt —7M 163
Beechey Way. Copt —7M 163
Beech Farm La. Camb —2D 70
Beech Farm Rd. Warl —7M 85
Beechfield. Bans —9N 61
Beechfield Ct. S Croy —7B 200
Beech Fields. E Grin —7B 166
Beech Gdns. Craw D —2D 184
Beech Gdns. Wok —2A 74
Beech Glen. Brack —3N 31
Beech Gro. Add —1K 55
Beech Gro. Bookh —5A 98
Beech Gro. Brkwd —7N 71
(in two parts)
Beech Gro. Cat —4B 104
Beech Gro. Eps —4G 80
Beech Gro. Guild —3J 113
Beech Gro. Mayf —1N 93
Beech Gro. Mitc —4H 45
(in two parts)
Beech Gro. N Mald —2C 42
Beech Hall. Ott —4E 54
Beech Hanger End. Gray —6N 169
Beech Hanger Rd. Gray —6N 169
Beech Hill. —3F 168
Beech Hill. Brook —9K 151
Beech Hill. Head D —5F 168
Beech Hill. Wok —1N 93
Beech Hill Rd. Asc —5C 34
Beech Hill Rd. Head —3E 168
Beech Holme. Craw D —1E 184
Beech Holt. Lea —9J 79
Beech Ho. Rd. Croy —9A 46 (5D 200)
Beeching Clo. As —1F 110
Beeching Way. E Grin —9N 165
Beech La. Gray —5N 169
Beech La. Guild —6M 113 (8A 202)
(in two parts)
Beech La. Norm —4L 111
Beechlawn. Guild —4B 114
Beechlee. Wall —6G 62
Beech Lodge. Stai —6G 21
Beechmeads. Cobh —9L 57
Beechmont Av. Vir W —4N 35
Beechmore Gdns. Sutt —8J 43
Beechnut Dri. B'water —9G 48
Beechnut Ind. Est. Alder —3N 109
Beechnut Rd. Alder —3N 109
Beecholme. Bans —1K 81
Beecholme Av. Mitc —9F 28
Beech Ride. Fleet —6A 88
Beech Ride. Sand —7G 49
Beech Rd. SW16 —1J 45
Beech Rd. Big H —6D 86
Beech Rd. Eps —2E 80
Beech Rd. Farn —7M 69
Beech Rd. Felt —1F 22
Beech Rd. Frim G —8D 70
Beech Rd. Hasl —1H 189
Beech Rd. H'ham —3A 198
Beech Rd. Red —4G 103
Beech Rd. Reig —1M 121
Beech Rd. Wey —1E 56
Beechrow. Ham —5L 25
Beechside. Craw —4C 182
Beechtree Av. Eng G —7L 19
Beech Tree Clo. Craw —2B 182
Beech Tree Dri. Bad L —7M 109
Beech Tree La. Stai —1K 37
Beech Tree Pl. Sutt —2N 61
Beechvale. Wok —5B 74
(off Fairview Av.)
Beech Wlk. Eps —7F 60
Beech Wlk. W'sham —3A 52
Beech Way. Eps —2E 80
Beech Way. G'ming —8G 133
Beechway. Guild —2D 114
Beech Way. S Croy —9G 65
Beech Way. Twic —4A 24
Beechwood Av. Coul —2F 82
Beechwood Av. Kgswd —8M 81
Beechwood Av. Orp —2N 67
Beechwood Av. Rich —4N 11
Beechwood Av. Stai —7K 21
Beechwood Av. Sun —7H 23
Beechwood Av. T Hth —3M 45
Beechwood Av. Wey —1F 56
Beechwood Clo. Asc —8J 17
Beechwood Clo. Knap —4H 73
Beechwood Clo. Surb —6J 41
Beechwood Clo. Wey —1F 56
Beechwood Ct. W4 —2C 12
Beechwood Ct. Cars —1D 62
Beechwood Ct. Sun —7H 23
Beechwood Dri. Cobh —7A 58
Beechwood Dri. Kes —1F 66
Beechwood Gdns. Cat —9D 84
Beechwood Gro. Surb —6J 41
Beechwood Hall. Kgswd —1A 102
Beechwood La. Warl —6G 85
Beechwood Mnr. Wey —1F 56
Beechwood Pk. Lea —9J 79
Beechwood Pk. Tad —9A 100
Beechwood Rd. Cat —9D 84
Beechwood Rd. Knap —4H 73
Beechwood Rd. S Croy —6B 64
Beechwood Rd. Vir W —6K 35
Beechwood Vs. Red —4E 142
Beecot La. W on T —8K 39
Beeding Clo. H'ham —3N 197
Beedingwood Dri. Colg —2D 198
Beedon Dri. Brack —5J 31
Beehive La. Binf —1H 31
Beehive Ring Rd. Gat A —5F 162
Beehive Rd. Binf —9J 15
Beehive Rd. Stai —6H 21
Beehive Way. Reig —7N 121
Beeken Dene. Orp —1L 67
Beeleigh Rd. Mord —3N 43
Beemans Row. SW18 —3A 28
Beeston Way. Felt —9K 9
Beeton's Av. As —9E 90
Beggarhouse La. Newd & Charl —2F 160
Beggar's Bush. —3C 34
Beggar's Hill. (Junct.) —3E 60
Beggar's Hill. Eps —4E 60
Beggars La. Ab H —8F 116
Beggars La. Chob —7F 52
Beggars La. W'ham —3M 107
Beggars Roost La. Sutt —3M 61
Begonia Pl. Hamp —7A 24
Behenna Clo. Bew —4K 181
Beira St. SW12 —1F 28
Beldam Bri. Rd. W End & Chob —9D 52
Beldham Gdns. W Mol —1B 40
Beldham Rd. Farnh —4E 128
Belfast Rd. SE25 —3E 46
Belfield Rd. Eps —5C 60
Belfry M. Sand —7E 48
Belfry Shop. Cen., The. Red —2D 122
Belgrade Rd. Hamp —9B 24
Belgrave Clo. W on T —1J 57
Belgrave Ct. W4 —1B 12
Belgrave Ct. B'water —3J 69
Belgrave Cres. Sun —9J 23
Belgrave Mnr. Wok —6A 74
Belgrave Rd. SE25 —3C 46
Belgrave Rd. SW13 —3E 12
Belgrave Rd. Houn —6N 9
Belgrave Rd. Mitc —2B 44
Belgrave Rd. Sun —9J 23
Belgrave Wlk. Mitc —2B 44
Belgravia Ct. Horl —8F 142
(off St Georges Clo.)
Belgravia M. King T —3K 41 (8J 203)
Bellamy Clo. W14 —1L 13
Bellamy Ho. Houn —2A 10
Bellamy Rd. M'bowr —7G 182
Bellamy St. SW12 —1F 28
Belland Dri. Alder —3K 109
Bellasis Av. SW2 —3J 29
Bell Bri. Rd. Cher —7H 37
Bell Cen., The. Craw —8D 162
Bell Clo. Farn —8A 70
Bell Corner. Cher —6H 37
Bell Cres. Coul —8F 82
Bell Dri. SW18 —1K 27
Bellever Hill. Camb —1C 70
Belle Vue Clo. Alder —2B 110
Belle Vue Clo. Stai —9J 21
Belle Vue Enterprise Cen. Alder —2C 110
Bellevue Pk. T Hth —2N 45
Bellevue Rd. SW13 —5F 12
Bellevue Rd. SW17 —2C 28
Belle Vue Rd. Alder —2B 110
Bellevue Rd. King T —2L 41 (6L 203)
(in two parts)
Belle Vue Rd. Orp —6J 67
Bellew Rd. Deep —8F 70
Bellew St. SW17 —4A 28
Bellfield. Croy —5H 65
Bellfields. —8M 93
Bellfields Ct. Guild —8M 93
Bellfields Rd. Guild —1N 113
Bell Foundry La. Wokgm —8A 14
Bell Hammer. E Grin —1A 186
Bell Hill. Croy —8N 45 (3B 200)
Bell Ho. Gdns. Wokgm —2A 30
(in two parts)
Bellingham Clo. Camb —2G 71
Bell Junct. Houn —6B 10
Bell La. B'water —1H 69
Bell La. Eton W —1C 4
Bell La. Fet —1D 98
Bell La. Rowl —8D 128
Bell La. Twic —2G 25
Bell La. Clo. Fet —1D 98
Bellmarsh Rd. Add —1K 55
Bell Mdw. God —1E 124
Belloc Clo. Craw —2F 182
Belloc Ct. H'ham —5N 197
Bello Clo. SE24 —1M 29
Bell Pde. Wind —5C 4
Bell Pl. Bag —4K 51
Bell Rd. E Mol —4D 40
Bell Rd. Hasl —4E 188
Bell Rd. Houn —6B 10
Bell Rd. Warn —9F 178
Bells All. SW6 —5M 13
Bells La. Hort —6D 6
Bell St. Reig —3M 121
Belltrees Gro. SW16 —6K 29
Bell Va. La. Hasl —4E 188
Bell Vw. Wind —6C 4
Bell Vw. Clo. Wind —5C 4
Bellway Ho. Mers —6G 102
Bellweir Clo. Stai —3D 20
Bellwether La. Out —3M 143
Belmont. —6M 61
Belmont. Wey —3D 56
Belmont Av. Guild —9J 93
Belmont Av. N Mald —3F 42
Belmont Clo. Farn —7L 69
Belmont Gro. W4 —1C 12
Belmont M. SW19 —3J 27
Belmont M. Camb —3A 70
Belmont M. Head —4D 168
Belmont Ri. Sutt —3L 61
Belmont Rd. SE25 —4E 46
Belmont Rd. W4 —1C 12
Belmont Rd. Beck —1H 47
Belmont Rd. Camb —2A 70
Belmont Rd. Crowt —1G 49
Belmont Rd. Lea —9G 79
Belmont Rd. Reig —4A 122
Belmont Rd. Sutt —6M 61
Belmont Rd. Twic —3D 24
Belmont Rd. Wall —2F 62
Belmont Ter. W4 —1C 12
Belmore Av. Wok —3F 74
Beloe Clo. SW15 —7F 12
Belsize Gdns. Sutt —1N 61
Belstone M. Farn —7M 69
Beltane Dri. SW19 —4J 27
Belthorn Cres. SW12 —1G 29
Belton Rd. Camb —1C 70
Beltran Rd. SW6 —5N 13
Belvedere Av. SW19 —6K 27
Belvedere Clo. Esh —2B 58
Belvedere Clo. Guild —1L 113
Belvedere Clo. Tedd —6E 24
Belvedere Clo. Wey —2B 56
Belvedere Ct. SW15 —7H 13
Belvedere Ct. B'water —3J 69
Belvedere Ct. Craw —2F 182
Belvedere Ct. Red —8E 102
Belvedere Dri. SW19 —6K 27
Belvedere Gdns. W Mol —4N 39
Belvedere Gro. SW19 —6K 27
Belvedere Rd. Big H —5H 87
Belvedere Rd. Farn —3A 90
Belvedere Sq. SW19 —6K 27
Belvoir Clo. Frim —5D 70
Bembridge Ct. Crowt —3D 48
Bemish Rd. SW15 —6J 13
Benbow La. Loxh —5E 174
Benbricke Grn. Brack —8M 15
Benbrick Rd. Guild —4K 113
Bence, The. Egh —2D 36
Bench Fld. S Croy —3C 64
Benchfield Clo. E Grin —1D 186
Bench, The. Rich —4J 25
Bencombe Rd. Purl —1L 83
Bencroft Rd. SW16 —8G 29
Bencurtis Pk. W Wick —9N 47
Bendemeer Rd. SW15 —6J 13
Bendon Valley. SW18 —1N 27
Benedict Clo. Orp —1N 67
Benedict Dri. Felt —1E 22
Benedict Grn. Warf —8C 16
Benedict Rd. Mitc —2B 44
Benedict Wharf. Mitc —2B 44
Benen-Stock Rd. Stai —8J 7
Benetfeld Rd. Binf —7G 15
Benett Gdns. SW16 —1J 45
Benfleet Clo. Cobh —8M 57
Benfleet Clo. Sutt —9A 44
Benham Clo. Chess —3J 59
Benham Clo. Coul —5M 83
Benham Gdns. Houn —8N 9
Benhams Clo. Horl —6E 142
Benhams Dri. Horl —6E 142
Benhill Av. Sutt —1N 61
Benhill Rd. Sutt —9A 44
Benhill Wood Rd. Sutt —9A 44
Benhilton. —9A 44
Benhilton Gdns. Sutt —9N 43
Benhurst Clo. S Croy —6G 64
Benhurst Ct. SW16 —6L 29
Benhurst Gdns. S Croy —6F 64
Benhurst La. SW16 —6L 29
Benjamin Rd. M'bowr —5H 183
Benland Cotts. Warn —7D 178
Benner La. W End —8C 52
Bennet Ct. Camb —1A 70
Bennett Clo. Cobh —9H 57
Bennett Clo. Hamp W —9J 25
Bennett Clo. M'bowr —7F 182
Bennetts Av. Croy —8H 47
Bennetts Clo. Mitc —9F 28
Bennetts Farm Pl. Bookh —3N 97
Bennetts Rd. H'ham —7L 197
Bennett St. W4 —2D 12
Bennetts Way. Croy —8H 47
Bennetts Wood. Capel —5J 159
Bennett Way. W Cla —7J 95
Benning Clo. Wind —6A 4

Bennings Clo.—Blackhorse La.

Bennings Clo. Brack —8M 15
Benning Way. Wokgm —9B 14
Benn's All. Hamp —1B 40
Benns Wlk. Rich —7L 11
(off Michelsdale Dri.)
Bens Acre. H'ham —6N 197
Bensbury Clo. SW15 —1G 27
Bensham Clo. T Hth —3N 45
Bensham Gro. T Hth —1N 45
Bensham La. T Hth & Croy —3M 45
Bensham Mnr. Rd. T Hth —3N 45
Benson Clo. Houn —7A 10
Benson Rd. Crowt —2E 48
Benson Rd. Croy —9L 45
Bensons La. Fay —8B 180
Bentalls Cen., The. King T —1K 41 (3J 203)
Benthall Gdns. Kenl —4N 83
Bentham Av. Wok —2E 74
Bentley Copse. Camb —2F 70
Bentley Dri. Wey —5B 56
Bentons La. SE27 —5N 29
Benton's Ri. SE27 —6N 29
Bentsbrook Clo. N Holm —9H 119
Bentsbrook Cotts. N Holm —9H 119
Bentsbrook Pk. N Holm —9H 119
Bentsbrook Rd. N Holm —9H 119
Benwell Ct. Sun —9H 23
Benwell Rd. Brkwd —6C 72
Benwood Ct. Sutt —9A 44
Beomonds Row. Cher —6J 37
Berberis Clo. Guild —1M 113
(in two parts)
Bere Rd. Brack —5C 32
Beresford Av. Surb —7A 42
Beresford Av. Twic —9J 11
Beresford Clo. Frim G —8D 70
Beresford Gdns. Houn —8N 9
Beresford Rd. Dork —5H 119 (3M 201)
Beresford Rd. King T —9M 25 (1M 203)
Beresford Rd. N Mald —3B 42
Beresford Rd. Sutt —4L 61
Berestede Rd. W4 —1E 12
Bergenia Ct. W End —9B 52
Berisford M. SW18 —9N 13
Berkeley Av. Houn —4H 9
Berkeley Clo. Bren —2G 11
Berkeley Clo. Craw —7J 181
Berkeley Clo. Fleet —4C 88
Berkeley Clo. King T —8L 25
Berkeley Clo. Stai —3F 20
Berkeley Clo. Twic —4E 24
(off Wellesley Rd.)
Berkeley Ct. Asht —5M 79
Berkeley Ct. Croy —6D 200
Berkeley Ct. Surb —6K 41
Berkeley Ct. Wall —9G 44
Berkeley Ct. Wey —8E 38
Berkeley Cres. Frim —6E 70
Berkeley Dri. W Mol —2N 39
Berkeley Dri. Wink —2M 17
Berkeley Gdns. Clay —3G 59
Berkeley Gdns. W on T —6G 39
Berkeley Gdns. W Byf —1H 75
Berkeley Ho. Bren —2K 11
(off Albany Rd.)
Berkeley Pl. SW19 —7J 27
Berkeley Pl. Eps —3C 80
Berkeley Rd. SW13 —4F 12
Berkeleys, The. Fet —2E 98
Berkeley Waye. Houn —2L 9
Berkely Clo. Sun —2K 39
Berkley Ct. Guild —3A 114 (2F 202)
Berkshire Clo. Cat —9A 84
Berkshire Ct. Brack —1L 31
Berkshire Rd. Camb —7D 50
Berkshire Sq. Mitc —3J 45
Berkshire Way. Mitc —3J 45
Berkshire Way. Wokgm & Brack —2H 31
Bermuda Ter. Deep —6H 71
(off Crimea Rd.)
Bernadine Clo. Warf —8C 16
Bernard Ct. Camb —2N 69
Bernard Gdns. SW19 —6L 27
Bernard Rd. Wall —1F 62
Bernel Dri. Croy —9J 47
Berne Rd. T Hth —4N 45
Bernersh Clo. Sand —6H 49
Berney Ho. Beck —4H 47
Berney Rd. Croy —6A 46
Berrington Dri. E Hor —2G 97
Berrybank. Coll T —9K 49
Berry Ct. Houn —8N 9
Berrycroft. Brack —9B 16
Berrylands. —5N 41
Berrylands. SW20 —2H 43
Berrylands. Surb —5M 41
Berrylands Rd. Surb —5M 41
Berry La. W on T —2L 57
Berry La. Warf —1D 16
Berry La. Worp & Wok —3F 92
(in two parts)
Berry Meade. Asht —4M 79
Berrymeade Wlk. If'd —4K 181
Berryscroft Ct. Stai —8L 21
Berryscroft Rd. Stai —8L 21
Berry's Green. —3K 87
Berry's Grn. Rd. Berr G —3K 87
Berry's Hill. Berr G —2K 87
Berry's La. Byfl —7M 55
Berry Wlk. Asht —6M 79
Berstead Wlk. Craw —6L 181
Bertal Rd. SW17 —5B 28
Bertram Cotts. SW19 —8M 27
Bertram Rd. King T —8N 25
Bertrand Ho. SW16 —4J 29
(off Leigham Av.)
Bert Rd. T Hth —4N 45
Berwyn Av. Houn —4B 10
Berwyn Rd. SE24 —2M 29
Berwyn Rd. Rich —7A 12
Beryl Rd. W6 —1J 13
Berystede. King T —8A 26
Besley St. SW16 —7G 29
Bessant Dri. Rich —4N 11
Bessborough Rd. SW15 —2F 26
Beswick Gdns. Brack —9D 16
Beta Rd. Chob —6J 53
Beta Rd. Farn —9L 69
Beta Rd. Wok —3D 74
Beta Way. Egh —9E 20
Betchets Green. —3J 139
Betchetts Grn. Rd. Holmw —5J 139
Betchley Clo. E Grin —7A 166
Betchworth. —3D 120
Betchworth Clo. Sutt —2B 62
Betchworth Way. New Ad —5M 65
Betchworth Works. Charl —4J 161
Bethany Pl. Wok —5N 73
Bethany Waye. Felt —1F 22
Bethel Clo. Farnh —6J 109
Bethel La. Farnh —5H 109
Bethune Clo. Worth —4H 183
Bethune Rd. H'ham —7L 197
Betjeman Clo. Coul —4K 83
Betjeman Wlk. Yat —2A 68
Betley Ct. W on T —9J 39
Betony Clo. Croy —7G 47
Bettridge Rd. SW6 —5L 13
Betts Clo. Beck —1H 47
Betts Way. SE20 —1E 46
Betts Way. Craw —8B 162
Betts Way. Surb —7H 41
Betula Clo. Kenl —2A 84
Between Streets. Cobh —1H 77
Beulah Av. T Hth —1N 45
Beulah Ct. Horl —8E 142
Beulah Cres. T Hth —1N 45
Beulah Gro. Croy —5N 45
Beulah Hill. SE19 —7M 29
Beulah Rd. SW19 —8L 27
Beulah Rd. Sutt —1M 61
Beulah Rd. T Hth —2N 45
Beulah Wlk. Wold —7H 85
Bevan Ct. Craw —8N 181
Bevan Ct. Croy —2L 63
Bevan Ho. Twic —9K 11
Bevan Pk. Eps —6E 60
Beveren Clo. Fleet —1C 88
Beverley Av. SW20 —9E 26
Beverley Av. Houn —7N 9
Beverley Clo. SW13 —5F 12
Beverley Clo. Add —2M 55
Beverley Clo. As —3D 110
Beverley Clo. Camb —9H 51
Beverley Clo. Chess —1J 59
Beverley Clo. Eps —7H 61
Beverley Clo. Wey —8F 38
Beverley Cotts. SW15 —4D 26
Beverley Ct. W4 —1B 12
Beverley Ct. Houn —7N 9
Beverley Cres. Farn —3L 89
Beverley Gdns. SW13 —6E 12
Beverley Gdns. Wor Pk —7F 42
Beverley Heights. Reig —1N 121
Beverley La. SW15 —4E 26
Beverley La. King T —8D 26
Beverley M. Craw —4E 182
Beverley Path. SW13 —5E 12
Beverley Rd. SE20 —1E 46
Beverley Rd. SW13 —6E 12
Beverley Rd. W4 —1E 12
Beverley Rd. King T —9J 25
Beverley Rd. Mitc —3H 45
Beverley Rd. N Mald —3F 42
Beverley Rd. Sun —9G 22
Beverley Rd. Whyt —3B 84
Beverley Rd. Wor Pk —8H 43
Beverley Trad. Est. Mord —6J 43
Beverley Way. SW20 & N Mald —9E 26
Beverstone Rd. T Hth —3L 45
Bevill Allen Clo. SW17 —6D 28
Bevill Clo. SE25 —2D 46
Bevington Rd. Beck —1L 47
Bevin Sq. SW17 —4D 28
Bewbush. —6L 181
Bewbush Dri. Craw —6K 181
Bewbush Pl. Craw —6L 181
Bewlys Rd. SE27 —6M 29
Bexhill Clo. Felt —3M 23
Bexhill Rd. SW14 —6B 12
Bexley St. Wind —4F 4
Beynon Rd. Cars —2D 62
Bicester Rd. Rich —6N 11
Bickersteth Rd. SW17 —7D 28
Bickley Ct. Craw —6M 181
Bickley St. SW17 —6C 28
Bicknell Rd. Frim —4C 70
Bickney Way. Fet —9C 78
Bicknoller Clo. Sutt —6N 61
Biddulph Rd. S Croy —6N 63
Bideford Clo. Farn —7M 69
Bideford Clo. Felt —4N 23
Bidhams Cres. Tad —8H 81
Bield, The. Reig —5M 121
Bietigheim Way. Camb —9A 50
Big All. M Grn —6K 147
Big Barn Gro. Warf —8B 16
Big Comn. La. Blet —2M 123
Biggin Av. Mitc —9D 28
Biggin Clo. Craw —5A 182
Biggin Hill. —4F 86
Biggin Hill. SE19 —9M 29
Biggin Hill Bus. Pk. Big H —2F 86
Biggin Hill Clo. King T —6J 25
Biggin Way. SE19 —8M 29
Bigginwood Rd. SW16 —8M 29
Biggs Row. SW15 —6J 13
Bignor Clo. H'ham —2N 197
Bilberry Clo. Craw —6N 181
Bilbets. H'ham —5J 197
(off Rushams Rd.)
Billet Rd. Stai —4J 21
Bill Hill. —6A 14
Billingbear. —4G 15
Billingbear Cvn. Pk. Wokgm —5E 14
Billingbear La. Binf —4D 14
Billingbear La. Binf —4G 15
Billing Pl. SW10 —3N 13
Billing Rd. SW10 —3N 13
Billingshurst Rd. Broad H —5C 196
Billing St. SW6 —3N 13
Billinton Dri. M'bowr —3F 182
Billinton Hill. Croy —8A 46 (2E 200)
Billockby Clo. Chess —3M 59
Bilton Cen. Lea —6F 78
Bilton Clo. Coln —5G 7
Bilton Ind. Est. Brack —3K 31
Bina Gdns. SW5 —1N 13
Bindon Grn. Mord —3N 43
Binfield. —7H 15
Binfield Rd. Binf & Brack —7L 15
Binfield Rd. Byfl —8N 55
Binfield Rd. Shur R & Binf —1F 14
Binfield Rd. S Croy —2C 64
Binfield Rd. Wokgm —7F 14
Bingham Dri. Stai —8M 21
Bingham Dri. Wok —5J 73
Bingham Rd. Croy —7D 46
Bingley Rd. Sun —8H 23
Binhams Lea. Duns —4B 174
Binhams Mdw. Duns —4B 174
Binley Ho. SW15 —9E 12
Binney Ct. Craw —9J 163
Binns Rd. W4 —1D 12
Binns Ter. W4 —1D 12
Binscombe. —3G 133
Binscombe. G'ming —2G 132
Binscombe Cres. G'ming —4H 133
Binscombe La. G'ming —3G 133
Binstead Clo. Craw —1N 181
Binstead Copse. Fleet —6A 88
Binsted Dri. B'water —1J 69
Binton La. Seale —1C 130
Birchanger. G'ming —7H 133
Birchanger Rd. SE25 —4D 46
Birch Av. Cat —2A 104
Birch Av. Fleet —4A 88
Birch Av. Lea —7F 78
Birch Circ. G'ming —3J 133
Birch Clo. Bren —3H 11
Birch Clo. Camb —7C 50
Birch Clo. Craw D —1F 184
Birch Clo. Houn —5D 10
Birch Clo. New H —5M 55
Birch Clo. Send —3H 95
Birch Clo. Shep —1F 38
Birch Clo. Tedd —6G 25
Birch Clo. Wok —6M 73
Birch Clo. Wrec —7F 128
Birch Ct. Crowt —2E 48
Birch Ct. Wall —1F 62
Birchcroft Clo. Cat —3N 103
Birchdale Clo. W Byf —7L 55
Birch Dri. B'water —3J 69
Birchend Clo. S Croy —3A 64
Birches Clo. Eps —2D 80
Birches Clo. Mitc —2D 44
Birches Ind. Est. E Grin —7K 165
Birches Rd. H'ham —3A 198
Birches, The. B'water —1G 69
Birches, The. Craw —1E 182
Birches, The. E Hor —4F 96
Birches, The. Farn —1J 89
Birches, The. Houn —1N 23
Birches, The. Man H —9B 198
Birches, The. Orp —1J 67
Birches, The. Wok —5B 74
Birchett Rd. Alder —2M 109
Birchett Rd. Farn —9K 69
Birchetts Clo. Brack —9N 15
Birchfield Clo. Add —1K 55
Birchfield Clo. Coul —3K 83
Birchfield Gro. Eps —6H 61
Birchfield Pk. Ind. Units. Charl —6J 161
Birchfields. Camb —2A 70
Birch Green. —5J 21
Birch Grn. Stai —5H 21
Birch Gro. Brack —3A 32
Birch Gro. Cobh —1K 77
Birch Gro. Guild —9M 93
Birch Gro. Shep —1F 38
Birch Gro. Tad —2K 101
Birch Gro. Wind —4A 4
Birch Gro. Wok —2F 74
Birch Hill. —6N 31
Birch Hill. Croy —2G 65
Birch Hill Rd. Brack —6N 31
Birch Ho. SW2 —1L 29
(off Tulse Hill)
Birchington Rd. Surb —6M 41
Birchington Rd. Wind —5D 4
Birchlands Av. SW12 —1D 28
Birchlands Ct. Sand —5K 49
Birch La. Asc —9E 16
Birch La. Purl —7J 63
Birch La. W End —8A 52
Birch Lea. Craw —9E 162
Birch Pde. Fleet —4A 88
Birch Platt. W End —9A 52
Birch Rd. Felt —6L 23
Birch Rd. G'ming —3J 133
Birch Rd. Head D —3F 168
Birch Rd. W'sham —3B 52
Birch Side. Crowt —1E 48
Birch Tree Av. W Wick —2B 66
Birch Tree Vw. Light —6L 51
Birch Tree Way. Croy —8E 46
Birch Va. Cobh —9A 58
Birchview Clo. Yat —2B 68
Birch Wlk. Mitc —9F 28
Birch Wlk. W Byf —8J 55
Birch Way. Ash V —6E 90
Birchway. Red —5F 122
Birch Way. Warl —5H 85
Birchwood Av. Beck —3J 47
Birchwood Av. Wall —9E 44
Birchwood Clo. Horl —7F 142
Birchwood Clo. M'bowr —6G 183
Birchwood Clo. Mord —3N 43
Birchwood Dri. Light —6N 51
Birchwood Dri. W Byf —8J 55
Birchwood Gro. Hamp —7A 24
Birchwood La. Cat —3M 103
Birchwood La. Esh & Oxs —5D 58
Birchwood Rd. SW17 —6F 28
Birchwood Rd. W Byf —8J 55
Birdham Clo. Craw —1N 181
Birdhaven. Wrec —5F 128
Birdhouse La. Orp —2H 87
Birdhurst Av. S Croy —1A 64 (7E 200)
Birdhurst Gdns. S Croy —1A 64 (7E 200)
Birdhurst Ri. S Croy —2B 64 (8F 200)
Birdhurst Rd. SW18 —8N 13
Birdhurst Rd. SW19 —7C 28
Birdhurst Rd. S Croy —2B 64 (8F 200)
Bird M. Wokgm —2A 30
Birdsgrove. Knap —5E 72
Birds Hill Dri. Oxs —9D 58
Birds Hill Ri. Oxs —9D 58
Birds Hill Rd. Oxs —8D 58
Birdswood Dri. Wok —6H 73
Bird Wlk. Twic —2N 23
Birdwood Clo. S Croy —7F 64
Birdwood Clo. Tedd —5E 24
Birdwood Rd. Coll T —8L 49
Bird World & Underwater World. —8B 128
Birkbeck Hill. SE21 —2M 29
Birkbeck Pl. SE21 —3N 29
Birkbeck Pl. Owl —6K 49
Birkbeck Rd. SW19 —6N 27
Birkbeck Rd. Beck —1F 46
Birkdale. Brack —6K 31
Birkdale Dri. If'd —4J 181
Birkdale Gdns. Croy —1G 65
Birkenhead Av. King T —1M 41 (3M 203)
Birkenholme Clo. Head D —5H 169
Birkheads Rd. Reig —2M 121
Birkwood Clo. SW12 —1H 29
Birnam Clo. Rip —2J 95
Birtley Green. —8D 134
Birtley Ri. Brmly —6C 134
Birtley Rd. Brmly —6C 134
Biscay Rd. W6 —1J 13
Biscoe Clo. Houn —2A 10
Bisenden Rd. Croy —8B 46 (2F 200)
Bisham Clo. Cars —7D 44
Bisham Clo. M'bowr —6H 183
Bishop Ct. Rich —6L 11
Bishopdale. Brack —3M 31
Bishop Duppas Pk. Shep —6F 38
Bishop Fox Way. W Mol —3N 39
Bishopric. H'ham —6H 197
Bishopric Ct. H'ham —6H 197
Bishop's Av. SW6 —5J 13
Bishops Clo. W4 —1B 12
Bishop's Clo. Coul —5L 83
Bishops Clo. Fleet —7B 88
Bishops Clo. Rich —4K 25
Bishop's Clo. Sutt —9M 43
Bishop's Cotts. Bet —2A 120
Bishops Ct. Asc —7K 17
Bishops Ct. Guild —6B 202
Bishops Ct. H'ham —7J 197
Bishop's Dri. Felt —9E 8
Bishop's Dri. Wokgm —1B 30
Bishopsford Rd. Mord —6A 44
Bishops Gate. —4K 19
Bishopsgate Rd. Eng G —4K 19
Bishop's Gro. Hamp —5N 23
Bishops Gro. W'sham —3N 51
Bishops Gro. Cvn. Site. Hamp —5A 24
Bishop's Hall. King T —1K 41 (3J 203)
Bishops Hill. W on T —6H 39
Bishop's La. Warf —1E 16
Bishop's Mans. SW6 —5J 13
(in two parts)
Bishops Mead. Farnh —1G 128
Bishops Mead Clo. E Hor —6F 96
Bishopsmead Clo. Eps —6C 60
Bishopsmead Dri. E Hor —7G 96
Bishopsmead Pde. E Hor —7F 96
Bishop's Pk. Rd. SW6 —5J 13
Bishops Pk. Rd. SW16 —9J 29
Bishops Rd. SW6 —4K 13
Bishop's Rd. Croy —6M 45
Bishops Rd. Farnh —6G 108
Bishops Sq. Cranl —7A 156
Bishopstone Wlk. Craw —8A 182
Bishop Sumner Dri. Farnh —6H 109
Bishops Wlk. Croy —2G 64
Bishops Way. Egh —7F 20
Bishops Wood. Wok —4J 73
Bisley. —2C 72
Bisley Camp. —6A 72
Bisley Clo. Wor Pk —7H 43
Bisley Grn. Bisl —3C 72
Bison Ct. Felt —1J 23
Bissingen Way. Camb —9B 50
Bitmead Clo. If'd —4K 181
Bittams La. Cher —1F 54
Bittern Clo. Coll T —7J 49
Bittern Clo. If'd —4J 181
Bitterne Dri. Wok —4J 73
Bittoms Ct. King T —2K 41 (5J 203)
Bittoms, The. King T —2K 41 (5J 203)
(in two parts)
Blackberry Clo. Guild —9L 93
Blackberry Clo. Shep —3F 38
Blackberry Farm Clo. Houn —3M 9
Blackberry La. Ling —9N 145
Blackberry Rd. Felc & Ling —2M 165
Blackbird Clo. Coll T —7J 49
Blackbird Hill. Turn H —4F 184
Blackborough Clo. Reig —3A 122
Blackborough Rd. Reig —4A 122
Blackbridge Ct. H'ham —6H 197
Blackbridge La. H'ham —7G 197
Blackbridge Rd. Wok —6N 73
Blackbrook. —1L 139
Blackbrook Rd. Dork —9K 119
Blackburn, The. Bookh —2N 97
Blackburn Way. G'ming —6J 133
Blackbush Clo. Sutt —4N 61
Blackbushe Airport. B'water —3A 68
Blackbushe Bus. Pk. Yat —2B 68
Blackbushe Pk. Yat —1B 68
Blackbushes Rd. Eve & Fleet —7A 68
Blackcap Clo. Craw —5A 182
Blackcap Pl. Coll T —7K 49
Black Corner. —5H 163
Black Dog Wlk. Craw —1C 182
Black Down. —7K 189
Blackdown Av. Wok —2G 74
Blackdown Clo. Wok —3E 74
Blackdown Rd. Deep —7G 70
Blackdown Rural Industries. Hasl —4J 189
Black Eagle Clo. W'ham —5L 107
Black Eagle Sq. W'ham —5L 107
Blackett Clo. Stai —1G 37
Blackett Rd. M'bowr —4G 182
Blackett St. SW15 —6J 13
Blackfold Rd. Craw —4E 182
Blackford Clo. S Croy —5M 63
Blackford's Path. SW15 —1F 26
Blackheath. —2G 135
Blackheath. —2H 135
Blackheath. Craw —1H 183
Blackheath Gro. Won —3D 134
Blackheath La. Alb —2K 135
Blackheath La. Won & B'hth —3D 134
Blackheath Rd. Farnh —5F 108
Blackhills. Esh —5N 57
Black Horse Clo. Wind —5A 4
Black Horse La. Croy —6D 46
Blackhorse La. Tad —7N 101

Blackhorse Rd.—Bow La.

Blackhorse Rd. Wok —7G 72
Blackhorse Way. H'ham —6H 197
Black Horse Yd. Wind —4G 5
Blackhouse Rd. Colg —2H 199
Black Lake Clo. Egh —9C 20
Blacklands Cres. F Row —7H 187
Blacklands Mdw. Nutf —2J 123
Black Lion La. W6 —1F 12
Black Lion M. W6 —1F 12
Blackman Gdns. Alder —4N 109
Blackman's La. Warl —1A 86
Blackmeadows. Brack —5A 32
Blackmoor Clo. Asc —1H 33
Blackmoor Wood. Asc —1H 33
Blackmore Cres. Wok —2E 74
Blackmore's Gro. Tedd —7G 24
Blackness La. Kes —5F 66
Blackness La. Wok —6A 74
Blacknest. —2E 34
Blacknest Ga. Rd. Asc —2E 34
Blacknest Rd. Asc & Vir W —2G 35
Blacknest Rd. Black —3A 148
Black Pond La. Lwr Bo —5H 129
Black Prince Clo. Byfl —1A 76
Blackshaw Rd. SW17 —5A 28
Blacksmith Clo. Asht —6M 79
Blacksmith La. Chil —8E 114
Blacksmith Row. Slou —1C 6
Blacksmiths Hill. S Croy —9D 64
Blacksmiths La. Cher —6J 37
Blacksmiths La. Stai —2K 37
Blacks Rd. W6 —1H 13
Blackstone Clo. Farn —8J 69
Blackstone Clo. Red —4C 122
Blackstone Hill. Red —4B 122
Blackstroud La. E. Light —7A 52
Blackstroud La. W. Light —7A 52
Black Swan Clo. Peas P —1N 199
Blackthorn Clo. Craw —1A 182
Blackthorn Clo. H'ham —6N 197
Blackthorn Clo. Reig —5A 122
Blackthorn Ct. Houn —3M 9
Blackthorn Cres. Farn —6L 69
Blackthorn Dri. Light —8M 51
Blackthorne Av. Croy —7F 46
Blackthorne Cres. Coln —5G 7
Blackthorne Ind. Est. Coln —6G 7
Blackthorne Rd. Bookh —4C 98
Blackthorne Rd. Coln —6G 6
Blackthorn Pl. Guild —9M 93
Blackthorn Rd. Big H —3F 86
Blackthorn Rd. Reig —5A 122
Blackwater. —2K 69
Blackwater Clo. As —3E 110
Blackwater Ind. Est. B'water —1K 69
Blackwater La. Craw —4G 183
Blackwater Pk. Alder —3C 110
Blackwater Trad. Est. Alder —4C 110
Blackwater Valley Rd. Camb —2L 69
Blackwater Valley Route. Alder —6C 90
Blackwater Valley Route. Farn —7B 70
Blackwater Vw. Finch —5A 48
Blackwater Way. Alder —4B 110
Blackwell. —8A 166
Blackwell Av. Guild —3G 112
Blackwell Farm Rd. E Grin —7B 166
Blackwell Hollow. E Grin —8B 166
Blackwell Ho. SW4 —1H 29
Blackwell Rd. E Grin —8B 166
Blackwood Clo. W Byf —8L 55
Blade M. SW15 —7L 13
Bladen Clo. Wey —3E 56
Blades Clo. Lea —7K 79
Blades Ct. SW15 —7L 13
Blades Ct. W6 —1G 13
(off Lower Mall)
Bladon Clo. Guild —2C 114
Bladon Ct. SW16 —7J 29
Blagdon Rd. N Mald —3E 42
Blagdon Wlk. Tedd —7J 25
Blair Av. Esh —8C 40
Blair Ct. Beck —1L 47
Blairderry Rd. SW2 —3J 29
Blaire Pk. Yat —7A 48
Blaise Clo. Farn —2B 90
Blake Clo. Cars —7C 44
Blake Clo. Craw —7D 182
Blake Clo. Crowt —3H 49
Blake Clo. Wokgm —9D 14
Blakeden Dri. Clay —3F 58
Blake Gdns. SW6 —4N 13
Blakehall Rd. Cars —3D 62
Blakemore Rd. SW16 —4J 29
Blakemore Rd. T Hth —4K 45
Blakeney Clo. Eps —7C 60
Blakenham Rd. SW17 —5D 28
Blake Rd. Croy —8B 46 (2F 200)
Blake Rd. Mitc —2C 44
Blakes Av. N Mald —4E 42
Blakes Ct. Cher —7J 37
Blake's Grn. W Wick —7M 47
Blakes La. E Clan & W Hor —1N 115
Blakes La. N Mald —4E 42
Blakesley Wlk. SW20 —1L 43
Blakes Ride. Yat —9A 48
Blakes Ter. N Mald —4F 42
Blakewood Clo. Felt —5K 23
Blamire Dri. Binf —7K 15
Blanchard Ho. Twic —9K 11
(off Clevedon Rd.)
Blanchards Hill. Guild —6A 94
Blanchland Rd. Mord —4N 43
Blanchman's Rd. Warl —5H 85
Blandfield Rd. SW12 —1E 28
Blandford Av. Beck —1H 47
Blandford Av. Twic —2B 24
Blandford Clo. Croy —9J 45
Blandford Clo. Wok —4D 74
Blandford Rd. Beck —2F 46
Blandford Rd. Tedd —6D 24
Blane's La. Brack —7D 32
Blanford Rd. Reig —4A 122
Blanks La. Newd —8D 140
Blatchford Clo. H'ham —5M 197
Blatchford Rd. H'ham —5M 197
Blays Clo. Eng G —7M 19
Blay's La. Eng G —8L 19
Blear Ho. Eps —7E 60
Blegborough Rd. SW16 —7G 29
Blencarn Clo. Wok —3J 73
Blenheim Clo. SW20 —2H 43
Blenheim Clo. Craw —9H 163
Blenheim Clo. E Grin —7C 166
Blenheim Clo. Tong —5C 110
Blenheim Clo. Wall —4G 63
Blenheim Clo. W Byf —9H 55
Blenheim Ct. Farn —3B 90
Blenheim Ct. Sutt —3A 62
Blenheim Cres. Farnh —7F 108
Blenheim Cres. S Croy —4N 63
Blenheim Fields. F Row —6G 187
Blenheim Gdns. King T —8A 26
Blenheim Gdns. S Croy —8D 64
Blenheim Gdns. Wall —3G 62
Blenheim Gdns. Wok —6L 73
Blenheim Ho. Houn —6A 10
Blenheim Pk. Alder —6A 90
Blenheim Pk. Rd. S Croy —5N 63
Blenheim Rd. SW20 —2H 43
Blenheim Rd. Alder —6N 89
Blenheim Rd. Eps —7C 60
Blenheim Rd. H'ham —3K 197
Blenheim Rd. Slou —1N 5
Blenheim Rd. Sutt —9M 43
Blenheim Way. Iswth —4G 10
Blenkarne Rd. SW11 —1D 28
Bleriot Rd. Houn —3K 9
Bletchingley. —2A 124
Bletchingley Castle. —2N 123
Bletchingley Clo. Red —7G 103
Bletchingley Clo. T Hth —3M 45
Bletchingley Rd. God —9D 104
Bletchingley Rd. Mers —7G 102
Bletchingley Rd. Nutf —2L 123
Bletchmore Clo. Hayes —1E 8
Blewburton Wlk. Brack —3C 32
Blewfield. G'ming —9J 133
Bligh Clo. Craw —5D 182
Blighton La. Farnh —8B 110
Blincoe Clo. SW19 —3J 27
Blind La. Bans —2C 82
Blind La. Brock —6B 120
Blind La. Oxt —8A 106
Blind La. W End —6C 52
Blindley Heath. —3H 145
Blindley Rd. Craw —9H 163
Bloggs Way. Cranl —7M 155
Blomfield Dale. Brack —1J 31
Blondell Clo. W Dray —2M 7
Bloomfield Clo. Knap —4H 73
Bloomfield Dri. Brack —8B 16
Bloomfield Rd. King T —3L 41 (7L 203)
Bloomfield Ter. W'ham —3M 107
Bloom Gro. SE27 —4M 29
Bloomhall Rd. SE19 —6N 29
Bloom Pk. Rd. SW6 —3L 13
Bloomsbury Clo. Eps —6C 60
Bloomsbury Ct. Guild —5B 114
(off St Lukes Sq.)
Bloomsbury Ct. Houn —4J 9
Bloomsbury Pl. SW18 —8N 13
Bloomsbury Way. B'water —3H 69
Bloor Clo. H'ham —1K 197
Blossom Clo. S Croy —2C 64
Blossom Way. W Dray —1B 8
Blossom Waye. Houn —2M 9
Blount Av. E Grin —9M 165
Blount Cres. Binf —8K 15
Bloxham Cres. Hamp —8N 23
Bloxham Rd. Cranl —7B 156
Bloxworth Clo. Brack —3D 32
Bloxworth Clo. Wall —9G 45
Blue Anchor All. Rich —7L 11
Blue Ball La. Egh —6B 20
Blue Barn La. Wey —7B 56
Bluebell Clo. Craw —6N 181
Bluebell Clo. E Grin —9L 165
Bluebell Clo. H'ham —3L 197
Bluebell Clo. Wall —7F 44
Bluebell Cottage. Comp —2C 132
Bluebell Ct. Wok —6N 73
Bluebell Hill. Brack —9C 16
Bluebell La. E Hor —7F 96
Bluebell M. Camb —8B 50
Bluebell Railway. —6J 185
Bluebell Ri. Light —8M 51
Bluebell Rd. Lind —4B 168
Bluebell Wlk. Fleet —3A 88
Blueberry Gdns. Coul —3K 83
Blue Cedars. Bans —1J 81
Blue Cedars Pl. Cobh —8L 57
Blue Coat Wlk. Brack —4B 32
Bluefield Clo. Hamp —6A 24
Bluegates. Ewe —4F 60
Bluehouse Gdns. Oxt —6C 106
Bluehouse La. Oxt —6A 106
Blue Leaves Av. Coul —8H 83
Blue Pryor Ct. C Crook —1A 108
Blue Riband Ind. Est. Croy —8M 45 (2A 200)
Bluethroat Clo. Coll T —7K 49
Blue Water. SW18 —7N 13
Bluff Cove. Alder —1A 110
Blundel La. Stoke D —3N 77
Blundell Av. Horl —7D 142
Blunden Ct. Brmly —5C 134
Blunden Dri. Slou —1E 6
Blunden Rd. Farn —1L 89
Blunt Rd. S Croy —2A 64 (8D 200)
Blunts Av. W Dray —3B 8
Blunts Way. H'ham —5J 197
Blyth Clo. Twic —9F 10
Blythewood La. Asc —2J 33
Blythwood Dri. Frim —4B 70
Blytons, The. E Grin —9L 165
Board School Rd. Wok —3B 74
Boars Head Yd. Bren —3K 11
Bocketts Farm Pk. —3F 98
Bocketts La. Fet —2F 98
Bockhampton Rd. King T —8M 25
Boddicott Clo. SW19 —3K 27
Boden's Ride. Asc —8H 33
(in two parts)
Bodiam Clo. Craw —3G 183
Bodiam Rd. SW16 —8H 29
Bodley Clo. N Mald —4D 42
Bodley Mnr. Way. SW2 —1L 29
Bodley Rd. N Mald —5C 42
Bodmin Gro. Mord —4N 43
Bodmin Pl. SE27 —5M 29
Bodmin St. SW18 —2M 27
Bodnant Gdns. SW20 —2F 42
Bogey La. Orp —4J 67
Bog La. Brack —4D 32
Bognor Rd. Broad H & Warn —3C 178
Boileau Rd. SW13 —3F 12
Bois Hall Rd. Add —2M 55
Bolderwood Way. W Wick —8L 47
Bolding Ho. La. W End —9C 52
Boleyn Av. Eps —6G 60
Boleyn Clo. M'bowr —6H 183
Boleyn Clo. Stai —6G 20
Boleyn Ct. Red —2E 122
(off St Anne's Ri.)
Boleyn Dri. W Mol —2N 39
Boleyn Gdns. W Wick —8L 47
Boleyn Gro. W Wick —8M 47
Boleyn Wlk. Lea —7F 78
Bolingbroke Gro. SW11 —1D 28
Bollo La. W3 & W4 —1B 12
Bolney Ct. Craw —6L 181
Bolney Way. Felt —4M 23
Bolsover Gro. Red —7J 103
Bolstead Rd. Mitc —9F 28
Bolters La. Bans —1L 81
Bolters Rd. Horl —6E 142
Bolters Rd. S. Horl —6D 142
Bolton Av. Wind —6F 4
Bolton Clo. SE20 —1D 46
Bolton Clo. Chess —3K 59
Bolton Cres. Wind —6F 4
Bolton Gdns. SW5 —1N 13
Bolton Gdns. Tedd —7G 24
Bolton Gdns. M. SW10 —1N 13
Bolton Rd. W4 —3B 12
Bolton Rd. Chess —3K 59
Bolton Rd. M'bowr —8F 182
Bolton Rd. Wind —6F 4
Boltons Clo. Wok —3J 75
Boltons Ct. SW5 —1N 13
(off Old Brompton Rd.)
Boltons La. Binf —7K 15
Bolton's La. Hayes —3C 8
Boltons La. Wok —3J 75
Boltons Pl. SW5 —1N 13
Boltons, The. SW10 —1N 13
Bombers La. W'ham —6M 87
Bomer Clo. W Dray —3B 8
Bonchurch Clo. Sutt —4N 61
Bond Gdns. Wall —1G 63
Bond Rd. Mitc —1C 44
Bond Rd. Surb —8M 41
Bond Rd. Warl —5G 85
Bond's La. Mid H —2H 139
Bond St. W4 —1C 12
Bond St. Eng G —6L 19
Bond Way. Brack —9N 15
Bonehurst Rd. Salf & Horl —2E 142
Bone Mill La. God —3H 125
Bones La. Horne & Newc —7D 144
Bonner Hill Rd. King T
(in two parts) —1M 41 (4N 203)
Bonners Clo. Wok —9B 74
Bonnetts La. If'd —8M 161
Bonneville Gdns. SW4 —1G 28
Bonnys Rd. Reig —4J 121
Bonser Rd. Twic —3F 24
Bonsey Clo. Wok —8A 74
Bonsey La. Wok —8A 74
Bonseys La. Chob —5B 54
Bonsor Dri. Tad —9K 81
Bonwicke Cotts. Copt —4N 163
Bookham Comn. Rd. Bookh —8M 77
Bookham Ct. SW19 —2B 44
Bookham Ct. Bookh —1N 97
Bookham Gro. Bookh —4B 98
Bookham Ind. Est. Bookh —1N 97
Bookham Rd. D'side —6K 77
Bookhurst Rd. Cranl —6B 156
Boole Heights. Brack —4M 31
Booth Dri. Stai —7M 21
Booth Rd. Craw —6K 181
Booth Rd. Croy —8M 45 (3A 200)
Booth Way. H'ham —5L 197
Borage Clo. Craw —6M 181
Border Chase. Copt —8L 163
Border Ct. E Grin —6N 165
Border End. Hasl —2B 188
Border Gdns. Croy —1L 65
Bordergate. Mitc —9C 28
Border Rd. Hasl —2B 188
Borderside. Yat —9A 48
Bordesley Rd. Mord —4N 43
Bordeston Ct. Bren —3J 11
(off Augustus Clo.)
Bordon. —7A 168
Bordon Wlk. SW15 —1F 26
Boreen, The. Head —4G 169
Borelli M. Farnh —1H 129
Borelli Yd. Farnh —1H 129
Borers Arms Rd. Copt —6M 163
Borers Clo. Copt —6N 163
Borers Yd. Ind. Est. Copt —7N 163
Borkwood Pk. Orp —1N 67
Borkwood Way. Orp —1N 67
Borland Rd. Tedd —8H 25
Borneo St. SW15 —6H 13
Borough Hill. Croy —9M 45 (5A 200)
Borough Rd. G'ming —6G 133
Borough Rd. Iswth —4E 10
Borough Rd. King T —9N 25
Borough Rd. Mitc —1C 44
Borough Rd. Tats —8F 86
Borough, The. Brock —4N 119
Borough, The. Farnh —1G 129
Borrodaile Rd. SW18 —9N 13
Borrowdale Clo. Craw —5N 181
Borrowdale Clo. Egh —8D 20
Borrowdale Clo. S Croy —9C 64
Borrowdale Dri. S Croy —8C 64
Borrowdale Gdns. Camb —1H 71
Bosco Clo. Orp —1N 67
Boscombe Clo. Egh —9E 20
Boscombe Gdns. SW16 —7J 29
Boscombe Ho. Croy —1D 200
Boscombe Rd. SW17 —7E 28
Boscombe Rd. SW19 —9N 27
Boscombe Rd. Wor Pk —7H 43
Bosham Rd. M'bowr —6G 183
Bosher Gdns. Egh —7B 20
Bosman Dri. W'sham —9M 33
Bostock Av. H'ham —3N 197
Bostock Ho. Houn —2A 10
Boston Gdns. W4 —2D 12
Boston Gdns. Bren —1G 11
Boston Manor. —1G 11
Boston Manor House. —1H 11
Boston Mnr. Rd. Bren —1H 11
Boston Pk. Rd. Bren —1J 11
Boston Rd. Croy —5K 45
Boswell Ct. King T —1N 203
Boswell Path. Hayes —1G 8
Boswell Rd. Craw —6C 182
Boswell Rd. T Hth —3N 45
Boswell Row. Cat —9D 84
Botany Hill. Farnh & Seale —2B 130
Botery's Cross. Blet —2M 123
Bothwell Rd. New Ad —6M 65
Bothwell St. SW6 —2J 13
Bothy, The. Pep H —6A 132
Botsford Rd. SW20 —1K 43
Bottle La. Binf & Warf —1K 15
Boucher Clo. Tedd —6F 24
Boughton Hall Av. Send —2H 95
Bouldish Farm Rd. Asc —4K 33
Boulevard, The. SW17 —3E 28
Boulevard, The. SW18 —7N 13
Boulevard, The. Craw —3B 182
(in two parts)
Boulogne Rd. Croy —5N 45
Boulters Ho. Brack —3C 32
Boulter's Rd. Alder —2N 109
Boulthurst Way. Oxt —1D 126
Boulton Ho. Bren —1L 11
Boundaries Rd. SW12 —3D 28
Boundaries Rd. Felt —2K 23
Boundary Bus. Cen., The. Wok —2C 74
Boundary Bus. Ct. Mitc —2B 44
Boundary Clo. SE25 —1D 46
Boundary Clo. Craw —2C 182
Boundary Clo. King T —2A 42
Boundary Clo. S'hall —1A 10
Boundary Cotts. Chil —8J 115
Boundary Rd. SW19 —7B 28
Boundary Rd. Afrd —6L 21
Boundary Rd. Cars & Wall —3F 62
Boundary Rd. Craw —2C 182
Boundary Rd. Dock & Rowl —4C 148
Boundary Rd. Farn —3A 90
Boundary Rd. Gray —6B 170
Boundary Rd. Wok —3C 74
Boundary Vs. B'water —2K 69
Boundary Way. Croy —2K 65
Boundary Way. Wok —2C 74
Boundless Rd. Brook —1F 170
Boundstone. —6F 128
Boundstone Clo. Wrec —6G 128
Boundstone Rd. Rowl & Wrec —7E 128
Bourdon Rd. SE20 —1F 46
Bourg-de-Peage Av. E Grin —9C 166
Bourke Clo. SW4 —1J 29
Bourke Hill. Coul —5D 82
Bourley La. Ews —2E 108
Bourley Rd. Alder —2G 108
Bourley Rd. C Crook & Ews —9D 88
Bourne Av. Cher —2J 37
Bourne Av. Wind —6F 4
Bourne Bus. Pk. Add —1N 55
Bourne Clo. Chil —9D 114
Bourne Clo. Th Dit —8F 40
Bourne Clo. W Byf —9K 55
Bourne Ct. W4 —2B 12
Bourne Ct. Alder —4M 109
Bourne Ct. Cat —1D 104
Bourne Ct. H'ham —5L 197
Bourne Dene. Wrec —6F 128
Bourne Dri. Mitc —1B 44
Bournefield Rd. Whyt —5D 84
Bourne Firs. Lwr Bo —6J 129
Bourne Gro. Asht —6K 79
Bourne Gro. Lwr Bo —4K 129
Bourne Gro. Clo. Lwr Bo —4K 129
Bourne Gro. Dri. Lwr Bo —4K 129
Bourne Hall Mus. —5E 60
Bourne Heights. Farnh —3H 129
Bourne La. Cat —8A 84
Bourne Mdw. Egh —3D 36
Bourne Mill Ind. Est. Farnh —9K 109
Bournemouth Rd. SW19 —9M 27
Bourne Pk. Clo. Kenl —3B 84
Bourne Pl. W4 —1C 12
Bourne Rd. G'ming —3J 133
Bourne Rd. Red —8G 103
Bourne Rd. Vir W —4N 35
Bourneside. Vir W —6K 35
Bourneside Rd. Add —1M 55
Bourne St. Croy —8M 45 (3A 200)
Bourne, The. —5J 129
Bourne, The. Fleet —7B 88
Bournevale Rd. SW16 —5J 29
Bourne Vw. Kenl —2A 84
Bourne Way. Add —2L 55
Bourne Way. Eps —1B 60
Bourne Way. Sutt —2L 61
Bourne Way. Wok —9N 73
Bousley Ri. Ott —3F 54
Bouverie Gdns. Purl —1K 83
Bouverie Rd. Coul —5E 82
Bouverie Way. Slou —1A 6
Boveney. —2A 4
Boveney New Rd. Eton W —1B 4
Boveney Rd. Dor —1A 4
Bovingdon Rd. SW6 —4N 13
Bovingdon Sq. Mitc —3J 45
Bowater Gdns. Sun —1K 39
Bowater Ridge. St G —6E 56
Bowater Rd. M'bowr —6G 183
Bowcott Hill. Head —4E 168
Bowcroft La. Rud —1F 194
Bowden Clo. Felt —2F 22
Bowden Rd. Asc —4N 33
Bowenhurst Gdns. C Crook —9B 88
Bowenhurst Rd. C Crook —8B 88
Bowens Wood. Croy —5J 65
Bower Ct. Wok —3D 74
Bowerdean St. SW6 —4N 13
Bower Hill Clo. S Nut —6J 123
Bower Hill La. S Nut —4H 123
Bowerland La. Ling —3N 145
Bower Rd. Wrec —6F 128
Bowers Clo. Guild —8C 94
Bowers Farm Dri. Guild —8C 94
Bowers La. Guild —7C 94
Bowers Pl. Craw D —1E 184
Bower, The. Craw —4G 182
Bowes Clo. H'ham —5L 197
Bowes Lyon Clo. Wind —4F 4
(off Alma Rd.)
Bowes Rd. Stai —6G 20
Bowes Rd. W on T —8J 39
Bowfell Rd. W6 —2H 13
Bowie Clo. SW4 —1H 29
Bowland Dri. Brack —6C 32
Bow La. Mord —5K 43

Bowlhead Green—Bridle Rd.

Bowlhead Green. —9K 151
Bowlhead Grn. Rd. Brook —9K 151
Bowling Grn. Clo. SW15 —1G 27
Bowling Grn. Ct. Frim G —7C 70
Bowling Grn. La. H'ham —5K 197
Bowling Grn. Rd. Chob —5H 53
Bowlings, The. Camb —9A 50
Bowman Ct. Craw —2B 182 (off London Rd.)
Bowman Ct. Wel C —3E 48
Bowman M. SW18 —2L 27
Bowmans Mdw. Wall —9F 44
Bowness Clo. If'd —4J 181
Bowness Cres. SW15 —6D 26
Bowness Dri. Houn —7M 9
Bowry Dri. Wray —9B 6
Bowsley Ct. Felt —3H 23
Bowsprit, The. Cobh —2K 77
Bowyer Cres. Wokgm —9B 14
Bowyers Clo. Asht —5M 79
Bowyer's La. Warf —3N 15
Bowyer Wlk. Asc —9J 17
Boxall's Gro. Alder —5M 109
Boxall's La. Alder —5M 109
Boxall Wlk. H'ham —7K 197
Box Clo. Craw —8A 182
Boxford Clo. S Croy —8G 65
Boxford Ridge. Brack —2N 31
Boxgrove Av. Guild —1C 114
Boxgrove La. Guild —2C 114
Boxgrove Rd. Guild —2C 114
Box Hill. —9B 100
Boxhill Country Park & Info. Cen. —1K 119
Boxhill Rd. Dork —2L 119
Boxhill Rd. Tad —1M 119
Boxhill Way. Str G —7A 120
Box La. Ash W —3G 186
Boxley Rd. Mord —3A 44
Box Ridge Av. Purl —8K 63
Box Tree Wlk. Red —6A 122
Box Wlk. E Hor —1F 116
Boxwood Way. Warl —4G 85
Boyd Clo. King T —8N 25
Boyd Ct. Brack —9M 15
Boyd Rd. SW19 —7B 28
Boyle Farm Rd. Th Dit —5G 40
Brabazon Av. Wall —4J 63
Brabazon Rd. Houn —3K 9
Brabon Rd. Farn —9L 69
Brabourne Ri. Beck —4M 47
Brabrook Ct. Wall —1F 62
Bracebridge. Camb —1M 69
Bracewood Gdns. Croy —9C 46
Bracken Av. SW12 —1E 28
Bracken Av. Croy —9K 47
Bracken Bank. Asc —9G 17
Bracken Clo. Bookh —2N 97
Bracken Clo. Copt —7M 163
Bracken Clo. Craw —1C 182
Bracken Clo. Sun —7G 22
Bracken Clo. Twic —1A 24
Bracken Clo. Wok —5B 74
Bracken Clo. Won —5C 134
Brackendale Clo. Camb —3C 70
Brackendale Clo. Houn —4B 10
Brackendale Rd. Camb —1B 70
Brackendene. As —1G 110
Brackendene Clo. Wok —2C 74
Bracken End. Iswth —8D 10
Bracken Gdns. SW13 —5F 12
Bracken Gro. H'ham —3A 198
Brackenhill. Cobh —8B 58
Bracken Hollow. Camb —7F 50
Bracken La. Yat —9A 48
Brackenlea. G'ming —4G 132
Bracken Path. Eps —9A 60
Brackenside. Horl —7F 142
Brackens, The. Asc —2F 32
Brackens, The. Crowt —9F 30
Bracken Way. Chob —6J 53
Bracken Way. Guild —1H 113
Brackenwood. Camb —1H 71
Brackenwood. Sun —9H 23
Brackenwood Rd. Wok —6G 73
Bracklesham Clo. Farn —7M 69
Brackley. Wey —2E 56
Brackley Clo. Wall —4J 63
Brackley Rd. W4 —1D 12
Brackley Ter. W4 —1D 12
Bracklyn Av. Dor P —5B 166
Bracklyn Av. Felb —5F 164
Bracknell. —1A 32
Bracknell Beeches. Brack —2N 31
Bracknell Clo. Camb —6D 50
Bracknell Enterprise Cen. Brack —1M 31
Bracknell Rd. Bag —1H 51
Bracknell Rd. Camb —5D 50
Bracknell Rd. Crowt —7D 32 (Bagshot Rd.)
Bracknell Rd. Crowt —2H 49 (Duke's Ride)
Bracknell Rd. Warf —6C 16
Bracknell Wlk. Bew —7K 181
Bracondale. Esh —2C 58
Bradbourne St. SW6 —5M 13
Bradbury Rd. M'bowr —6G 182
Braddock Clo. Iswth —5F 10
Braddon Rd. Rich —6M 11
Bradenhurst Clo. Cat —4C 104
Bradfield Clo. Guild —9C 94
Bradfield Clo. Wok —5A 74
Bradfields. Brack —4B 32
Bradford Dri. Eps —3E 60
Brading Rd. SW2 —1K 29
Brading Rd. Croy —5K 45
Bradley Clo. Belm —6N 61
Bradley Dri. Wokgm —6A 30
Bradley La. Dork —1G 119
Bradley M. SW17 —2D 28
Bradley Rd. SE19 —7N 29
Bradmore Way. Coul —4J 83
Bradshaw Clo. SW19 —7M 27
Bradshaw Clo. Wind —4B 4
Bradshaws Clo. SE25 —2D 46
Bradstock Rd. Eps —2F 60
Braemar Av. SW19 —3M 27
Braemar Av. S Croy —6N 63
Braemar Av. T Hth —2L 45
Braemar Clo. Frim —6D 70
Braemar Clo. G'ming —8G 132
Braemar Gdns. W Wick —7M 47
Braemar Rd. Bren —2K 11
Braemar Rd. Wor Pk —9G 42
Braeside. Brack —1H 31
Braeside. New H —7K 55
Braeside Av. SW19 —9K 27
Braeside Clo. Hasl —9D 170
Braeside Rd. SW16 —8G 29
Braes Mead. S Nut —4J 123
Brafferton Rd. Croy —1N 63 (6B 200)
Bragg Rd. Tedd —7E 24
Braid Clo. Felt —3N 23
Brailsford Clo. SW19 —8C 28
Brainton Av. Felt —1J 23
Brakey Hill. Blet —3B 124
Bramber Clo. Craw —1C 182
Bramber Clo. H'ham —3A 198
Bramber Ct. W5 —1L 11
Bramber Rd. W14 —2L 13
Brambleacres Clo. Sutt —4M 61
Bramblebank. Frim G —8E 70
Bramble Banks. Cars —5E 62
Bramble Clo. Beck —4M 47
Bramble Clo. Copt —7M 163
Bramble Clo. Croy —1K 65
Bramble Clo. Guild —1H 113
Bramble Clo. Red —5E 122
Bramble Clo. Shep —2E 38
Bramble Ct. Ewh —4F 156
Brambledene Clo. Wok —5M 73
Bramble Down. Stai —9K 21
Brambledown Rd. Cars & Wall —4E 62
Brambledown Rd. S Croy —4B 64
Bramblegate. Crowt —1F 48
Bramble La. Hamp —7N 23
Bramble Ri. Cobh —2K 77
Brambles Clo. As —3F 110
Brambles Clo. Cat —9B 84
Brambles Clo. Iswth —3H 11
Brambles Pk. Brmly —5B 134
Brambles, The. SW19 —6L 27 (off Woodside)
Brambles, The. Crowt —1C 48
Brambles, The. G'ming —4G 133
Brambles, The. W Dray —1M 7
Brambleton Av. Farnh —3G 128
Bramble Twitten. E Grin —9C 166
Brambletye La. F Row —5F 186
Brambletye Pk. Rd. Red —5D 122
Brambletye Rd. Craw —4E 182
Bramble Wlk. Eps —1A 80
Bramble Wlk. Red —5E 122
Bramble Way. Rip —2H 95
Bramblewood. Red —7F 102
Bramblewood Clo. Cars —7C 44
Bramblewood Pl. Fleet —4A 88
Brambling Clo. H'ham —7N 197
Brambling Rd. H'ham —7N 197
Bramcote. Camb —1G 71
Bramcote Av. Mitc —3D 44
Bramcote Rd. SW15 —7G 13
Bramerton Rd. Beck —2J 47
Bramford Rd. SW18 —7N 13
Bramham Gdns. SW5 —1N 13
Bramham Gdns. Chess —1K 59
Bramley. —5B 134
Bramley Av. Coul —2G 82
Bramley Av. Shep —2F 38
Bramley Bus. Cen. Brmly —4B 134 (off Station Rd.)
Bramley Clo. Cher —7K 37
Bramley Clo. Craw —3D 182
Bramley Clo. Red —5C 122
Bramley Clo. S Croy —2N 63 (8A 200)
Bramley Clo. Stai —7L 21
Bramley Clo. Twic —9C 10
Bramley Ct. Crowt —3D 48
Bramley Ct. Mitc —1B 44
Bramley Gro. Crowt —2C 48
Bramley Hill. S Croy —2M 63 (8A 200)
Bramley Ho. SW15 —9E 12 (off Tunworth Cres.)
Bramley Ho. Houn —7N 9
Bramley Ho. Red —4E 122
Bramleyhyrst. S Croy —7B 200
Bramley La. B'water —1G 69
Bramley Rd. Camb —4N 69
Bramley Rd. Cheam —5J 61
Bramley Rd. Sutt —2B 62
Bramley Wlk. Horl —8G 143
Bramley Way. Asht —4M 79
Bramley Way. Houn —8N 9
Bramley Way. W Wick —8L 47
Bramling Av. Yat —9A 48
Brampton Gdns. W on T —2K 57
Brampton Rd. Croy —6C 46
Bramshaw Ri. N Mald —5D 42
Bramshot Dri. Fleet —3B 88
Bramshot La. Farn —8H 69
Bramshot La. Fleet —1F 88
Bramshot Rd. Farn —3F 88
Bramshott. —9H 169
Bramshott Chase. —9N 169
Bramshott Common. —9M 169
Bramshott Rd. Pass —8E 168
Bramston Rd. SW17 —4A 28
Bramswell Rd. G'ming —5J 133
Bramwell Clo. Sun —1L 39
Brancaster La. Purl —6N 63
Brancaster Rd. SW16 —4J 29
Brancker Clo. Wall —4J 63
Brandlehow Rd. SW15 —7L 13
Brandon Clo. Camb —2H 71
Brandon Clo. M'bowr —5H 183
Brandon Mans. W14 —2K 13 (off Queen's Club Gdns.)
Brandon Rd. C Crook —9A 88
Brandon Rd. S'hall —1N 9
Brandon Rd. Sutt —1N 61
Brandreth Rd. SW17 —3F 28
Brandries, The. Wall —9H 45
Brands Hill. —2D 6
Brandsland. Reig —7N 121
Brands Rd. Slou —2D 6
Brandy Way. Sutt —4M 61
Brangwyn Cres. SW19 —9A 28
Branksea St. SW6 —3K 13
Branksome Clo. Camb —9C 50
Branksome Clo. Tedd —5D 24
Branksome Clo. W on T —8L 39
Branksome Ct. Fleet —4A 88
Branksome Hill Rd. Coll T & Owl —8K 49
Branksome Pk. Rd. Camb —9C 50
Branksome Rd. SW19 —9M 27
Branksome Way. N Mald —9B 26
Branksomewood Rd. Fleet —3A 88
Bransby Rd. Chess —3L 59
Branson Rd. Bord —6A 168
Branstone Rd. Rich —4M 11
Brantridge Rd. Craw —5D 182
Brants Bri. Brack —1C 32
Brantwood Av. Iswth —7G 10
Brantwood Clo. W Byf —9J 55
Brantwood Ct. W Byf —9H 55 (off Brantwood Dri.)
Brantwood Dri. W Byf —9H 55
Brantwood Gdns. W Byf —9H 55
Brantwood Rd. S Croy —5N 63
Brasenose Dri. SW13 —2H 13
Brassey Clo. Felt —2H 23
Brassey Clo. Oxt —7C 106
Brassey Hill. Oxt —7C 106
Brassey Rd. Oxt —8B 106
Brasted Clo. Sutt —6M 61
Brasted Rd. W'ham & Bras —4M 107
Brathway Rd. SW18 —1M 27
Bratten Ct. Croy —5A 46
Bravington Clo. Shep —4A 38
Braxted Pk. SW16 —7K 29
Braybourne Dri. Iswth —3F 10
Braybrooke Rd. Brack —8N 15
Bray Clo. M'bowr —6H 183
Bray Ct. SW16 —6J 29
Braycourt Av. W on T —6J 39
Braye Clo. Sand —6H 49
Bray Gdns. Wok —3G 74
Bray Rd. Guild —4L 113
Bray Rd. Stoke D —3M 77
Braywood Av. Egh —7B 20
Braziers La. Wink R —6G 17
Brazil Clo. Bedd —6J 45
Breakfield. Coul —3J 83
Breamore Clo. SW15 —2F 26
Breamwater Gdns. Rich —4H 25
Breasley Clo. SW15 —7G 13
Brecon Clo. Farn —7J 69
Brecon Clo. Mitc —2J 45
Brecon Clo. Wor Pk —8H 43
Brecon Rd. W6 —2K 13
Brecons, The. Wey —1E 56
Bredon Rd. Croy —6C 46
Bredune. Kenl —2A 84
Breech La. Tad —2F 100
Breech, The. Coll T —8K 49
Breer St. SW6 —6N 13
Breezehurst Dri. Craw —6K 181
Bregsells La. Bear G —7K 139
Bremer Rd. Stai —4J 21
Bremner Av. Horl —7D 142
Brenda Rd. SW17 —3D 28
Brende Gdns. W Mol —3B 40
Brendon Clo. Esh —3C 58
Brendon Clo. Hayes —3D 8
Brendon Dri. Esh —3C 58
Brendon Rd. Farn —7J 69
Brenley Clo. Mitc —2E 44
Brentford. —2K 11
Brentford Bus. Cen. Bren —3J 11
Brentford End. —3H 11
Brentford F.C. —2K 11
Brentford Ho. Twic —1H 25
Brentford Musical Mus. —2L 11
Brent Lea. Bren —3J 11
Brentmoor Rd. W End —9N 51
Brent Rd. Bren —2J 11
Brent Rd. S Croy —5E 64
Brent Side. Bren —2J 11
Brentside Executive Cen. Bren —2H 11
Brentwaters Bus. Pk. Bren —3J 11
Brent Way. Bren —3K 11
Brentwick Gdns. Bren —1L 11
Brentwood Ct. Add —1K 55
Brethart Rd. Frim —5C 70
Bretlands Rd. Cher —8G 36
Brettgrave. Eps —6B 60
Brett Ho. Clo. SW15 —1J 27
Brettingham Clo. Craw —6K 181
Brewer Rd. Craw —5C 182
Brewers Clo. Farn —9M 69
Brewers La. Rich —8K 11
Brewer St. Blet —9N 103
Brewery La. Byfl —9N 55
Brewery La. Twic —1F 24
Brewery M. Cen. Iswth —6G 10
Brewery Rd. Wok —4N 73
Brew Ho. Rd. Str G & Brock —7B 120
Brewhouse St. SW15 —6K 13
Brewhurst La. Loxw —6J 193 (in two parts)
Breydon Wlk. Craw —5F 182
Brian Av. S Croy —8B 64
Briane Rd. Eps —6B 60
Briar Av. SW16 —8K 29
Briar Av. Light —8K 51
Briar Banks. Cars —5E 62
Briar Clo. Craw —9A 162
Briar Clo. Eden —9M 127
Briar Clo. Hamp —6N 23
Briar Clo. Iswth —8F 10
Briar Clo. W Byf —7K 55
Briar Ct. SW15 —7G 13
Briar Ct. Sutt —1H 61
Briar Gro. S Croy —9D 64
Briar Hill. Purl —7J 63
Briar La. Cars —5E 62
Briar La. Croy —1L 65
Briarleas Ct. Farn —5B 90
Briar Patch. G'ming —5G 133
Briar Rd. SW16 —2J 45
Briar Rd. Send —2D 94
Briar Rd. Shep —4A 38
Briar Rd. Twic —2E 24
Briars Clo. Farn —2J 89
Briars Ct. Oxs —1D 78
Briars, The. As —3F 110
Briars, The. Slou —1B 6
Briars, The. Stai —8J 7
Briars Wood. Horl —7G 142
Briarswood Clo. Craw —1H 183
Briarswood Way. Orp —2N 67
Briar Wlk. SW15 —7G 13
Briar Wlk. W Byf —8J 55
Briar Way. Guild —8D 94
Briarwood Clo. Felt —5F 22
Briarwood Ct. Wor Pk —7F 42 (off Avenue, The)
Briarwood Rd. Eps —3F 60
Briarwood Rd. Wok —6G 73
Briavels Ct. Eps —2D 80
Brickbarn Clo. SW10 —3N 13 (off King's Barn)
Brickbat All. Lea —8H 79
Brick Farm Clo. Rich —4A 12
Brickfield Clo. Bren —3J 11
Brickfield Cotts. Alder —4J 109
Brickfield Cotts. Crowt —4E 48
Brickfield Cotts. Norm —3A 112
Brickfield Farm Gdns. Orp —1L 67
Brickfield La. Hayes —2E 8
Brickfield Rd. SW19 —5N 27
Brickfield Rd. Out —2L 143
Brickfield Rd. T Hth —9M 29
Brickfields Ind. Pk. Brack —1L 31
Brick Hill. —1F 52
Brickhouse La. S God & Newc —4F 144
Brick Kiln La. Oxt —8E 106
Bricklands. Craw D —2E 184
Brick La. Fleet —3A 88
Bricksbury Hill. Farnh —5H 109
Brickwood Rd. Croy —8B 46 (2F 200)
Brickyard Copse. Ockl —6C 158
Brickyard La. Craw D —1E 184
Brickyard La. Wott —1L 137
Brideake Clo. Craw —6M 181
Bridge Av. W6 —1H 13
Bridge Av. Mans. W6 —1H 13 (off Bridge Av.)
Bridge Barn La. Wok —5N 73
Bridge Clo. Byfl —8A 56
Bridge Clo. Stai —5G 20
Bridge Clo. Tedd —5F 24
Bridge Clo. W on T —6G 38
Bridge Clo. Wok —4M 73
Bridge Ct. Wey —1C 56
Bridge Ct. Wok —4N 73
Bridge End. —7C 76
Bridge End. Camb —2N 69
Bridgefield. Farnh —1J 129
Bridgefield Clo. Bans —2H 81
Bridgefield Rd. Sutt —3M 61
Bridgefoot. Sun —9G 23
Bridge Gdns. Afrd —8D 22
Bridge Gdns. E Mol —3D 40
Bridgeham Clo. Wey —2B 56
Bridgeham Way. Small —9M 143
Bridgehill Clo. Guild —1K 113
Bridge Ho. Sutt —3N 61 (off Bridge Rd.)
Bridge Ind. Est. Horl —8F 142
Bridgelands. Copt —7L 163
Bridge La. Vir W —4A 36
Bridgeman Dri. Wind —5D 4
Bridgeman Rd. Tedd —7G 24
Bridgemead. Frim —6A 70 (off Frimley High St.)
Bridge Mead. Pirb —4C 92
Bridge M. G'ming —7H 133
Bridge M. Tong —5D 110
Bridge M. Wok —4N 73
Bridgend Rd. SW18 —7N 13
Bridgepark. SW18 —8M 13
Bridge Pk. Guild —9E 94
Bridge Pl. Croy —7A 46
Bridge Retail Pk. Wokgm —3A 30
Bridge Rd. Alder —4M 109
Bridge Rd. Asc —4A 34
Bridge Rd. Bag —4J 51
Bridge Rd. Camb —3N 69
Bridge Rd. Cher —6K 37
Bridge Rd. Chess —2L 59
Bridge Rd. Cranl —8N 155
Bridge Rd. E Mol —3D 40
Bridge Rd. Eps —8E 60
Bridge Rd. Farn —1L 89
Bridge Rd. G'ming —6H 133
Bridge Rd. Hasl —1G 189
Bridge Rd. Houn & Iswth —6D 10
Bridge Rd. Rud —1E 194
Bridge Rd. Sutt —3N 61
Bridge Rd. Twic —9H 11
Bridge Rd. Wall —2F 62
Bridge Rd. Wey —1A 56
Bridge Row. Croy —7A 46 (1E 200)
Bridges Clo. Horl —8H 143
Bridges Ct. H'ham —3M 197
Bridges La. Croy —1J 63
Bridges Pl. SW6 —4L 13
Bridge Sq. Farnh —1H 129
Bridges Rd. SW19 —7N 27
Bridges Rd. M. SW19 —7N 27
Bridge St. W4 —1C 12
Bridge St. Coln —3F 6
Bridge St. G'ming —7H 133
Bridge St. Guild —4M 113 (5B 202)
Bridge St. Lea —9G 79
Bridge St. Rich —8K 11
Bridge St. Stai —5G 21
Bridge St. W on T —7F 38
Bridge St. Pas. Guild —5B 202
Bridge Vw. W6 —1H 13
Bridge Vw. Asc —6E 34
Bridge Wlk. Yat —8C 48
Bridgewater Ct. Slou —1C 6
Bridgewater Rd. Wey —3E 56
Bridgewater Ter. Wind —4G 4
Bridgewater Way. Wind —4G 4
Bridge Way. Cobh —9G 57
Bridge Way. Coul —6C 82
Bridge Way. Twic —1C 24
Bridge Wharf. Cher —6L 37
Bridge Wharf Rd. Iswth —6H 11
Bridgewood Rd. SW16 —8H 29
Bridgewood Rd. Wor Pk —1F 60
Bridgford St. SW18 —4A 28
Bridle Clo. Eps —2C 60
Bridle Clo. Gray —6M 169
Bridle Clo. King T —3K 41 (7J 203)
Bridle Clo. Sun —2H 39
Bridle Ct. Alder —2K 109
Bridle End. Eps —9E 60
Bridle La. Stoke D & Oxs —2B 78
Bridle La. Twic —9H 11
Bridle Path. Croy —9J 45 (in two parts)
Bridle Path, The. Eps —6H 61
Bridlepath Way. Felt —2F 22
Bridle Rd. Clay —3H 59
Bridle Rd. Croy —9K 47 (in two parts)

Bridle Rd. Eps —9E 60
Bridle Rd. S Croy —5D 64
Bridle Rd., The. Purl —6J 63
Bridle Way. Craw —2H 183
Bridle Way. Croy —1K 65
Bridle Way. Orp —1L 67
Bridleway Clo. Eps —6H 61
Bridle Way, The. Croy —6H 65
Bridleway, The. Wall —2G 63
Bridlington Clo. Big H —6D 86
Bridport Rd. T Hth —2L 45
Brier Lea. Lwr K —4L 101
Brierley. New Ad —3L 65
(in two parts)
Brierley Clo. SE25 —3D 46
Brierley Rd. SW12 —3G 28
Brierly Clo. Guild —1K 113
Brier Rd. Tad —6G 81
Brigade Pl. Cat —9N 83
Briggs Clo. Mitc —9F 28
Bright Hill. Guild —5A 114 (6D 202)
Brightlands Rd. Reig —1A 122
Brightman Rd. SW18 —2B 28
Brighton Clo. Add —2L 55
Brighton Rd. Add —2L 55
Brighton Rd. Alder —4A 110
Brighton Rd. Coul & Purl —5G 83
Brighton Rd. G'ming —7H 133
Brighton Rd. Hand —8N 199
Brighton Rd. Horl —9D 142
Brighton Rd. H'ham —7K 197
Brighton Rd. Kgswd & Lwr K —9K 81
Brighton Rd. Mers & Coul —1F 102
Brighton Rd. Peas P & Hand —5N 199
Brighton Rd. Purl & S Croy —7L 63
Brighton Rd. Red —4D 122
Brighton Rd. Salf —1E 142
Brighton Rd. S Croy —2N 63 (8C 200)
Brighton Rd. Surb —5J 41
Brighton Rd. Sutt —7M 61
Brighton Rd. Tad & Bans —8K 81
Brighton Ter. Red —4D 122
Brightside Av. Stai —8L 21
Brightwell Clo. Croy —7L 45
Brightwell Cres. SW17 —6D 28
Brightwells Rd. Farnh —1H 129
Brigstock Rd. Coul —2F 82
Brigstock Rd. T Hth —4L 45
Brimshot La. Chob —5H 53
Brimstone La. Holmw —3M 139
Brind Cotts. Chob —6J 53
Brindle Clo. Alder —5N 109
Brindles, The. Bans —4L 81
Brinkley Rd. Wor Pk —8G 42
Brinksway. Fleet —4B 88
Brinn's La. B'water —1H 69
Brinsworth Clo. Twic —2D 24
Brinsworth Ho. Twic —3D 24
Brisbane Av. SW19 —9N 27
Brisbane Clo. Craw —9B 162
Briscoe Rd. SW19 —7B 28
Brisson Clo. Esh —2N 57
Bristol Clo. Craw —9H 163
Bristol Clo. Stanw —9N 7
Bristol Clo. Wall —4J 63
Bristol Ct. Stanw —9N 7
Bristol Gdns. SW15 —1H 27
Bristol Rd. Mord —4A 44
Bristow Rd. Camb —3N 69
Bristow Rd. Croy —1J 63
Bristow Rd. Houn —6C 10
Britannia Clo. Bord —6A 168
Britannia Ind. Est. Coln —5G 6
Britannia La. Twic —1C 24
Britannia Rd. SW6 —3N 13
(in two parts)
Britannia Rd. Surb —6M 41
Britannia Way. SW6 —3N 13
(off Britannia Rd.)
Britannia Way. Stanw —1M 21
British Gro. W4 —1E 12
British Gro. Pas. W4 —1E 12
British Gro. S. W4 —1E 12
Briton Clo. S Croy —7B 64
Briton Cres. S Croy —7B 64
Briton Hill Rd. S Croy —6B 64
Brittain Ct. Sand —8H 49
Brittain Rd. W on T —2L 57
Britten Clo. As —2F 110
Britten Clo. Craw —6L 181
Britten Clo. H'ham —4A 198
Brittenden Clo. Orp —3N 67
Brittenden Pde. G Str —3N 67
Brittens Clo. Guild —7K 93
Brittleware Cotts. Charl —8L 141
Brixton Hill. SW2 —1J 29
Brixton Hill Pl. SW2 —1J 29
Broadacre. Stai —6J 21
Broad Acres. G'ming —3H 133
Broadacres. Guild —1H 113
Broadbridge. —1L 163
Broadbridge Cotts. Small —1L 163
Broadbridge Heath. —5D 196
Broadbridge Heath By-Pass. Broad H —5C 196
Broadbridge Heath Rd. Broad H & Warn —4D 196
Broadbridge La. Small —8L 143
Broadbridge Retail Pk. Broad H —5E 196
Broad Clo. W on T —9L 39
Broadcommon Rd. Hurst —1A 14
Broadcoombe. S Croy —4F 64
Broadeaves Clo. S Croy —2B 64
Broadfield. —7N 181
Broadfield Barton. Craw —7N 181
Broadfield Clo. Croy —8K 45
Broadfield Clo. Tad —7H 81
Broadfield Dri. Craw —6N 181
Broadfield Pk. Craw —7B 182
Broadfield Pl. Craw —7N 181
Broadfield Rd. Peasl —2E 136
Broadfields. E Mol —5E 40
Broadford. —1N 133
Broadford La. Chob —8H 53
Broadford Pk. Shalf —1N 133
Broadford Rd. P'mrsh & Shalf —1M 133
Broadgates Rd. SW18 —2B 28
Broad Green. —6M 45
Broad Grn. Av. Croy —6M 45
Broadham Green. —1N 125
Broadham Grn. Rd. Oxt —1N 125
Broadham Pl. Oxt —9N 105
Broad Ha'penny. Wrec —7F 128
Broad Highway. Cobh —1L 77
Broadhurst. Asht —3L 79
Broadhurst. Farn —1H 89
Broadhurst Clo. Rich —8M 11
Broadhurst Gdns. Reig —6N 121
Broadlands. Farn —3C 90
Broadlands. Frim —6D 70
Broadlands. Hanw —4A 24
Broadlands. Horl —7G 142
Broadlands Av. SW16 —3J 29
Broadlands Av. Shep —5D 38
Broadlands Clo. SW16 —3J 29
Broadlands Ct. Brack —9K 15
Broadlands Ct. Rich —3N 11
(off Kew Gdns. Rd.)
Broadlands Dri. S Asc —6N 33
Broadlands Dri. Warl —6F 84
Broadlands Way. N Mald —5E 42
Broad La. Brack —2A 32
Broad La. Hamp —8N 23
Broad La. Newd —7C 140
Broadley Grn. W'sham —4A 52
Broadmead. W14 —1K 13
Broad Mead. Asht —4M 79
Broadmead. Farn —2J 89
Broadmead. Horl —7G 143
Broadmead. Mers —6G 102
(off Station Rd.)
Broadmead Av. Wor Pk —6F 42
Broadmead Clo. Hamp —7A 24
Broadmead Rd. Send & Old Wok —9D 74
Broadmeads. Send —9D 74
Broadmoor. —3A 138
Broadmoor Est. Crowt —3J 49
Broadoak. Sun —7G 23
Broadoaks. Surb —8A 42
Broadoaks Cres. W Byf —9K 55
Broadpool Cotts. Asc —8L 17
Broadrick Heath. Warf —8B 16
Broad St. Guild —1F 112
Broad St. Tedd —7F 24
Broad St. W End —9A 52
Broad St. Wokgm —2B 30
Broad Street Common. —9G 92
Broad St. Wlk. Wokgm —2B 30
Broadview Rd. SW16 —8H 29
Broad Wlk. Cat —9C 84
Broad Wlk. Coul —1E 102
Broad Wlk. Cranl —9A 156
Broad Wlk. Craw —3B 182
Broad Wlk. Eps —6J 81
Broad Wlk. Frim —4C 70
Broad Wlk. Houn —4L 9
Broad Wlk. Rich —3M 11
Broad Wlk., The. E Mol —3F 40
Broadwater Clo. W on T —2H 57
Broadwater Clo. Wok —8F 54
Broadwater Clo. Wray —1A 20
Broadwater Gdns. Orp —1K 67
Broadwater La. G'ming —5J 133
Broadwater Pl. Wey —8F 38
Broadwater Ri. Guild —4C 114
Broadwater Rd. SW17 —5C 28
Broadwater Rd. N. W on T —2G 57
Broadwater Rd. S. W on T —2G 57
Broadway. Brack —1N 31
Broadway. Knap —5E 72
Broadway. Stai —6K 21
Broadway. Surb —7A 42
Broadway. Wink —2M 17
Broadway Arc. W6 —1H 13
(off Hammersmith B'way.)
Broadway Av. Croy —4A 46
Broadway Av. Twic —9H 11
Broadway Cen., The. W6 —1H 13
Broadway Chambers. W6 —1H 13
(off Hammersmith B'way)
Broadway Clo. S Croy —1E 84
Broadway Ct. SW19 —7M 27
Broadway Ct. Beck —2M 47
Broadway Ct. Knap —4F 72
Broadway Gdns. Mitc —3C 44
Broadway Ho. Knap —5F 72
Broadway Mkt. SW17 —5D 28
Broadway Pl. SW19 —7L 27
Broadway Rd. Light —6N 51
Broadway, The. SW14 —5D 12
Broadway, The. SW19 —7L 27
Broadway, The. Cheam —3K 61
Broadway, The. Craw —3B 182
Broadway, The. Croy —1J 63
Broadway, The. Lale —2L 37
Broadway, The. New H —6J 55
Broadway, The. Sand —8G 49
Broadway, The. Sutt —2A 62
Broadway, The. Th Dit —7E 40
Broadway, The. Wok —4B 74
Broadwell Ct. Houn —4L 9
(off Springwell Rd.)
Broadwell Rd. Wrec —5E 128
Broadwood Clo. H'ham —3N 197
Broadwood Cotts. Capel —4L 159
Broadwood Ri. Broadf —8M 181
Brocas St. Eton —3G 4
Brocas Ter. Eton —3G 4
Brockbridge Ho. SW15 —9E 12
Brockdene Dri. Kes —1F 66
Brockenhurst. W Mol —4N 39
Brockenhurst Av. Wor Pk —7D 42
Brockenhurst Clo. Wok —1B 74
Brockenhurst Dri. Yat —2C 68
Brockenhurst Rd. Alder —4N 109
Brockenhurst Rd. Asc —3L 33
Brockenhurst Rd. Brack —2D 32
Brockenhurst Rd. Croy —6E 46
Brockenhurst Way. SW16 —1H 45
Brockham. —5A 120
Brockham Clo. SW19 —6L 27
Brockham Cres. New Ad —4N 65
Brockham Dri. SW2 —1K 29
Brockham Grn. Brock —4A 120
Brockham Hill. Tad —9B 100
(off Boxhill Rd.)
Brockham Hill Pk. Tad —9B 100
Brockham Ho. SW2 —1K 29
(off Brockham Dri.)
Brockhamhurst Rd. Bet —1N 139
Brockham Keep. Horl —7G 142
(off Langshott La.)
Brockham La. Brock —3N 119
Brockham Pk. Bet —8B 120
Brock Hill. —5E 16
Brockhill. Wok —4K 73
Brockhurst Clo. H'ham —7F 196
Brockhurst Cotts. Alf —5H 175
Brocklands. Yat —2A 68
Brocklebank Ct. Whyt —5D 84
Brocklebank Rd. SW18 —1A 28
Brocklesby Rd. SE25 —3E 46
Brockley Combe. Wey —1E 56
Brock Rd. Craw —9N 161
Brocks Clo. G'ming —6K 133
Brocks Dri. Guild —8F 92
Brocks Dri. Sutt —9K 43
Brockshot Clo. Bren —1K 11
Brock Way. Vir W —4M 35
Brockway Clo. Guild —2D 114
Brockway Ho. Slou —1D 6
Brockwell Pk. Gdns. SE24 —1L 29
Broderick Gro. Bookh —4A 98
Brodie Rd. Guild —4A 114 (5E 202)
Brodrick Rd. SW17 —3C 28
Brograve Gdns. Beck —1L 47
Broke Ct. Guild —9E 94
Broken Furlong. Eton —1E 4
Brokes Cres. Reig —1M 121
Brokes Rd. Reig —1M 121
Bromford Clo. Oxt —2C 126
Bromley Gro. Brom —1N 47
Bromley Rd. Beck & Short —1L 47
Brompton Clo. SE20 —1D 46
Brompton Clo. Houn —8N 9
Brompton Pk. Cres. SW6 —2N 13
Bronsart Rd. SW6 —3K 13
Bronson Rd. SW20 —1J 43
Bronte Ct. Red —2E 122
(off St Anne's Ri.)
Bronte Ho. SW4 —1G 29
Brontes, The. E Grin —9N 165
Brook. —9N 151
(Godalming)
Brook. —2N 135
(Guildford)
Brook Av. Farnh —5L 109
Brook Clo. SW17 —3E 28
Brook Clo. SW20 —2G 43
Brook Clo. As —1F 110
Brook Clo. Dork —3J 119
Brook Clo. E Grin —9D 166
Brook Clo. Eps —5D 60
Brook Clo. Fleet —5B 88
Brook Clo. Owl —6K 49
Brook Clo. Stanw —1A 22
Brook Cotts. Yat —9B 48
Brook Ct. Eden —9L 127
Brook Dri. Brack —3C 32
Brooke Ct. Frim G —8D 70
Brooke Forest. Guild —8F 92
Brooke Pl. Binf —6J 15
Brookers Clo. Asht —4J 79
Brookers Corner. Crowt —2H 49
Brookers Row. Crowt —1H 49
Brook Farm Rd. Cobh —2L 77
Brookfield. G'ming —3K 133
Brookfield. Wok —3L 73
Brookfield Av. Sutt —1C 62
Brookfield Clo. Ott —3F 54
Brookfield Clo. Red —9E 122
Brookfield Gdns. Clay —3F 58
Brookfield Rd. Alder —1C 110
Brookfields Av. Mitc —4C 44
Brook Gdns. SW13 —6E 12
Brook Gdns. Farn —3L 89
Brook Gdns. King T —9B 26
Brook Green. —1J 13
Brook Grn. Brack —9L 15
(in two parts)
Brook Grn. Chob —6J 53
(off Chertsey Rd.)
Brook Hill. Alb —3M 135
Brook Hill. Oxt —8M 105
Brookhill Clo. Copt —7L 163
Brookhill Rd. Copt —8L 163
Brook Ho. W6 —1H 13
(off Shepherd's Bush Rd.)
Brook Ho. Cranl —6A 156
(off Park Dri.)
Brook Ho. Farnh —6J 109
(off Fairview Gdns.)
Brookhouse Rd. Farn —2L 89
Brookhurst Fld. Rud —9E 176
Brookhurst Rd. Add —3K 55
Brookland Ct. Reig —1N 121
Brooklands. —6A 56
Brooklands. Alder —3K 109
Brooklands. S God —1E 144
Brooklands Av. SW19 —3N 27
Brooklands Bus. Pk. Wey —7N 55
Brooklands Clo. Cobh —2M 77
Brooklands Clo. Farnh —5J 109
Brooklands Clo. Sun —9F 22
Brooklands Ct. King T —7J 203
Brooklands Ct. Mitc —1B 44
Brooklands Ct. New H —6M 55
Brooklands La. Wey —3A 56
Brooklands Mus. —5B 56
Brooklands Rd. Craw —8A 182
Brooklands Rd. Farnh —5J 109
Brooklands Rd. Th Dit —7F 40
Brooklands Rd. Wey —7B 56
Brooklands, The. Iswth —4D 10
Brooklands Way. E Grin —1N 185
Brooklands Way. Farnh —5K 109
Brooklands Way. Red —1C 122
Brook La. Alb —2N 135
Brook La. Chob —7G 53
Brook La. Fay —9B 180
Brook La. Send —9G 74
Brook La. Bus. Cen. Bren —1K 11
Brook La. N. Bren —1K 11
(in two parts)
Brookley Clo. Farnh —9A 110
Brookleys. Chob —6J 53
Brookly Gdns. Fleet —3C 88
Brooklyn Av. SE25 —3E 46
Brooklyn Clo. Cars —8C 44
Brooklyn Clo. Wok —6A 74
Brooklyn Ct. Wok —6A 74
Brooklyn Gro. SE25 —3E 46
Brooklyn Rd. SE25 —3E 46
Brooklyn Rd. Wok —5A 74
Brook Mead. Eps —3D 60
Brook Mead. Milf —2C 152
Brookmead Ct. Cranl —8N 155
Brookmead Ct. Farnh —2G 128
(off Pengilly Rd.)
Brookmead Ind. Est. Croy —5G 45
Brook Mdw. C'fold —6F 172
Brookmead Rd. Croy —5G 45
Brook Rd. Bag —5J 51
Brook Rd. Camb —2N 69
Brook Rd. Chil —1E 134
Brook Rd. H'ham —2L 197
Brook Rd. Mers —7G 102
Brook Rd. Red —4D 122
Brook Rd. Surb —8L 41
Brook Rd. T Hth —3N 45
Brook Rd. Twic —9G 11
Brook Rd. Wmly —1N 171
Brook Rd. S. Bren —2K 11
Brooksby Clo. B'water —1G 68
Brooks Clo. Wey —6B 56
Brookscroft. Croy —6J 65
Brookside. —7K 17
Brookside. Bear G —5M 139
Brookside. Cars —2E 62
Brookside. Cher —6G 37
Brookside. Coln —3E 6
Brookside. Copt —7L 163
Brookside. Cranl —7N 155
(Ewhurst Rd.)
Brookside. Cranl —9N 155
(Northdowns)
Brookside. Craw —2D 182
Brookside. Craw D —1E 184
Brookside. Farnh —6H 109
Brookside. Guild —7N 93
Brookside. Sand —8H 49
Brookside. S God —7G 124
Brookside Av. Afrd —6L 21
Brookside Av. Wray —6A 6
Brookside Clo. Felt —4H 23
Brookside Cres. Wor Pk —7F 42
Brookside Res. Pk. Homes. Farn —5M 69
Brookside Way. Croy —5G 46
Brooks La. W4 —2N 11
Brooks Rd. W4 —1N 11
Brook St. King T —1L 41 (4K 203)
Brook St. Wind —5G 5
Brook Trad. Est., The. Alder —2C 110
Brook Valley. Mid H —2H 139
Brookview. Copt —7L 163
Brookview Rd. SW16 —6G 28
Brookville Rd. SW6 —3L 13
Brook Way. Lea —5G 78
Brookwell La. Brmly —1C 154
Brookwood. —7D 72
Brookwood. Horl —7F 142
Brookwood Av. SW13 —5E 12
Brookwood Lye Rd. Brkwd —7E 72
Brookwood Rd. SW18 —2L 27
Brookwood Rd. Farn —1B 90
Brookwood Rd. Houn —5B 10
Broom Acres. Fleet —7A 88
Broom Acres. Sand —7G 49
Broom Clo. Esh —2B 58
Broom Clo. Tedd —8K 25
Broomcroft Clo. Wok —3F 74
Broomcroft Dri. Wok —2F 74
Broomdashers Rd. Craw —2D 182
Broome Clo. H'ley —4B 100
Broome Clo. H'ham —3K 197
Broome Clo. Yat —8B 48
Broome Ct. Brack —2N 31
Broome Ct. Tad —6K 81
Broomehall Rd. Cold —9D 138
Broome Rd. Hamp —8N 23
Broomers La. Ewh —5F 156
Broom Farm Est. Wind —5A 4
Broomfield. Elst —7J 131
Broomfield. Guild —2H 113
Broom Fld. Light —8L 51
Broomfield. Stai —7J 21
Broomfield. Sun —9H 23
Broomfield Clo. Asc —6E 34
Broomfield Clo. Guild —1H 113
Broomfield Ct. Wey —3C 56
Broomfield Pk. Asc —6E 34
Broomfield Pk. Westc —6C 118
Broomfield Ride. Oxs —8D 58
Broomfield Rd. Beck —2H 47
Broomfield Rd. New H —7K 55
Broomfield Rd. Rich —4M 11
Broomfield Rd. Surb —7M 41
Broomfield Rd. Tedd —7J 25
Broomfields. Esh —2C 58
Broom Gdns. Croy —9K 47
Broomhall. —5D 34
Broom Hall. Oxs —1D 78
Broomhall End. Wok —3A 74
Broomhall La. Asc —5D 34
Broomhall La. Wok —3A 74
Broomhall Rd. S Croy —5A 64
Broomhall Rd. Wok —3A 74
Broomhill. Ews —4C 108
Broomhill Rd. SW18 —8M 13
Broomhill Rd. Farn —9J 69
Broomhouse La. SW6 —5M 13
Broomhouse Rd. SW6 —5M 13
Broomhurst Ct. Dork —7H 119
Broomlands La. Oxt —4F 106
Broom La. Chob —5H 53
Broomleaf Corner. Farnh —1J 129
Broomleaf Rd. Farnh —1J 129
Broomloan La. Sutt —8M 43
Broom Lock. Tedd —7J 25
Broom Pk. Tedd —8K 25
Broom Rd. Croy —9K 47
Broom Rd. Tedd —6H 25
Broom Squires. Hind —5E 170
Broomsquires Rd. Bag —5K 51
Broom Water. Tedd —7J 25
Broom Water W. Tedd —6J 25
Broom Way. B'water —2J 69
Broom Way. Wey —1F 56
Broomwood Clo. Croy —4G 47
Broomwood Way. Lwr Bo —5H 129
Broster Gdns. SE25 —2C 46
Brougham Pl. Farnh —5G 108
Brough Clo. King T —6K 25
Broughton Av. Rich —4H 25
Broughton M. Frim —5D 70
Broughton Rd. SW6 —5N 13
Broughton Rd. T Hth —5L 45
Browell Ho. Guild —2F 114
(off Merrow St.)
Browells La. Felt —3J 23
Brown Bear Ct. Felt —5L 23
Brown Clo. Wall —4J 63
Browngraves Rd. Hayes —3D 8

Browning Av.—Bute Rd.

Browning Av. Sutt —1C 62
Browning Av. Wor Pk —7G 42
Browning Barracks. Alder —8N 89
Browning Clo. Camb —2G 70
Browning Clo. Craw —2G 182
Browning Clo. Hamp —5N 23
Browning Rd. C Crook —9A 88
Browning Rd. Fet —3D 98
Brownings. Eden —8L 127
Brownings, The. E Grin —9M 165
Browning Way. Houn —4L 9
Brownjohn Ct. Craw —2E 182
Brownlow Dri. Brack —8A 16
Brownlow Rd. Croy —1B 64
Brownlow Rd. Red —3C 122
Brownrigg Cres. Brack —9C 16
Brownrigg Rd. Afrd —5B 22
Brown's Hill. Out —1A 144
Browns La. Eff —5L 97
Brownsover Rd. Farn —1H 89
Brown's Rd. Surb —6M 41
Browns Wlk. Rowl —7E 128
Browns Wood. E Grin —6A 166
Brow, The. Red —8E 122
Brox. —4E 54
Broxhead Farm Rd. Lind —1A 168
Broxhead Trad. Est. Lind —3A 168
Broxholme Ho. SW6 —4N 13
(off Harwood Rd.)
Broxholm Rd. SW16 —4L 29
Brox La. Ott —4E 54
Brox Rd. Ott —3E 54
Bruce Av. Shep —5D 38
Bruce Clo. Byfl —9M 55
Bruce Dri. S Croy —5G 64
Bruce Hall M. SW17 —5E 28
Bruce Rd. SE25 —3A 46
Bruce Rd. Mitc —8E 28
Bruce Wlk. Wind —5A 4
Brudenell. Wind —6C 4
Brudenell Rd. SW17 —4D 28
Brumana Clo. Wey —3C 56
Brumfield Rd. Eps —2B 60
Brunel Cen., The. Craw —8D 162
Brunel Clo. Houn —3J 9
Brunel Dri. Crowt —8H 31
Brunel Pl. Craw —4C 182
Brunel Wlk. Twic —1A 24
Bruneval Barracks. Alder —9L 89
Brunner Ct. Ott —2E 54
Brunswick. Brack —6M 31
Brunswick Clo. Craw —5E 182
Brunswick Clo. Th Dit —7F 40
Brunswick Clo. Twic —4D 24
Brunswick Clo. W on T —8K 39
Brunswick Ct. Craw —5E 182
(off Brunswick Clo.)
Brunswick Ct. Sutt —1N 61
Brunswick Dri. Brkwd —7A 72
Brunswick Gro. Cobh —9K 57
Brunswick M. SW16 —7H 29
Brunswick Rd. Brkwd —8L 71
Brunswick Rd. Deep —8G 71
Brunswick Rd. King T —9N 25
Brunswick Rd. Sutt —1N 61
Bruntile Clo. Farn —4B 90
Brushfield Way. Knap —6F 72
Brushwood Rd. H'ham —2A 198
Bruton Rd. Mord —3A 44
Bruton Way. Brack —6C 32
Bryan Clo. Sun —8H 23
Bryan's All. SW6 —5N 13
Bryanston Av. Twic —2B 24
Bryanstone Av. Guild —8J 93
Bryanstone Clo. C Crook —7B 88
Bryanstone Clo. Guild —9J 93
Bryanstone Ct. Sutt —9A 44
Bryanstone Gro. Guild —8J 93
Bryce Clo. H'ham —3N 197
Bryce Gdns. Alder —5A 110
Bryer Pl. Wind —6A 4
Brympton Clo. Dork —7G 119
Brynford Clo. Wok —2A 74
Bryn Rd. Wrec —4E 128
Bryony Ho. Brack —9K 15
Bryony Rd. Guild —9D 94
Bryony Way. Sun —7H 23
Buccleuch Rd. Dat —3K 5
Buchan Country Pk. & Info. Cen. —7K 181
Buchan Hill. —9M 181
Buchan Pk. Craw —7L 181
Buchans Lawn. Craw —7N 181
Buchan, The. Camb —7E 50
Bucharest Rd. SW18 —1A 28
Buckfast Rd. Mord —3N 43
Buckham Thorns Rd. W'ham —4L 107
Buckhold Rd. SW18 —9M 13
Buckhurst Av. Cars —7C 44
Buckhurst Clo. E Grin —7M 165
Buckhurst Clo. Red —1C 122
Buckhurst Gro. Wokgm —3E 30
Buckhurst Hill. —9C 18
Buckhurst Hill. Brack —3D 32
Buckhurst La. Asc —2C 34
Buckhurst Mead. E Grin —6M 165
Buckhurst Rd. Asc —9C 18
Buckhurst Rd. Frim G —8D 70
Buckhurst Rd. W'ham —8J 87
Buckhurst Way. E Grin —7M 165
Buckingham Av. Felt —9J 9
Buckingham Av. T Hth —9L 29
Buckingham Av. W Mol —1B 40
Buckingham Clo. Guild —2B 114
Buckingham Clo. Hamp —6N 23
Buckingham Ct. Craw —7N 181
Buckingham Ct. Sutt —5M 61
Buckingham Dri. E Grin —1C 186
Buckingham Gdns. T Hth —1L 45
Buckingham Gdns. W Mol —1B 40
Buckingham Ga. Gat A —3G 162
Buckingham Rd. Hamp —5N 23
Buckingham Rd. Holmw —5J 139
Buckingham Rd. King T —3M 41 (7M 203)
Buckingham Rd. Mitc —3J 45
Buckingham Rd. Rich —3K 25
Buckingham Way. Frim —5D 70
Buckingham Way. Wall —5G 63
Buckland. —2F 120
Buckland Clo. Farn —7A 70
Buckland Ct. Gdns. Bet —2F 120
Buckland Cres. Wind —4C 4
Buckland La. Tad —6F 100
Buckland Rd. Chess —2M 59
Buckland Rd. Lwr K —7L 101
Buckland Rd. Orp —1N 67
Buckland Rd. Reig —2J 121
Buckland Rd. Sutt —6H 61
Bucklands Rd. Tedd —7J 25
Buckland's Wharf. King T —1K 41 (3H 203)
Buckland Wlk. Mord —3A 44
Buckland Way. Wor Pk —7H 43
Bucklebury. Brack —6M 31
Buckleigh Av. SW20 —2K 43
Buckleigh Rd. SW16 —7H 29
Buckle La. Warf —3M 15
(in two parts)
Bucklers All. SW6 —2L 13
(in two parts)
Buckler's Way. Cars —9D 44
Buckles Way. Bans —3K 81
Buckley La. H'ham —9N 197
Buckley Pl. Craw D —1D 184
Buckmans Rd. Craw —2B 182
Bucknall Way. Beck —3L 47
Bucknills Clo. Eps —1B 80
Bucks Clo. W Byf —1K 75
Bucks Green. —1C 194
Buckshead Hill. Colg —9E 198
Bucks Horn Oak. —2A 148
Bucks Horn Oak Rd. Bucks H —2A 148
Buckswood Dri. Craw —5M 181
Buckthorn Clo. Wokgm —1D 30
Buckthorns. Brack —8K 15
Budd's All. Twic —8J 11
Budebury Rd. Stai —6J 21
Budge La. Mitc —6D 44
Budgen Clo. Craw —9H 163
Budgen Dri. Red —9E 102
Budge's Cotts. Wokgm —9D 14
Budge's Gdns. Wokgm —1C 30
Budge's Rd. Wokgm —1C 30
Budham Way. Brack —5N 31
Buer Rd. SW6 —5K 13
Buff Av. Bans —1N 81
Buffbeards La. Hasl —1C 188
Buffers La. Lea —6G 79
Bug Hill. Wold —7G 84
Bulbeggars La. God —1F 124
Bulganak Rd. T Hth —3N 45
Bulkeley Av. Wind —6E 4
Bulkeley Clo. Eng G —6M 19
Bullard Cotts. W Cla —1H 115
Bullard Rd. Tedd —7E 24
Bullbeggars La. Wok —3L 73
Bullbrook. —1C 32
Bullbrook Dri. Brack —9C 16
Bullbrook Row. Brack —1C 32
Buller Barracks. Alder —9A 90
Buller Ct. Farn —4A 90
Buller Rd. T Hth —1A 46
Bullers Rd. Farnh —6K 109
Bullfinch Clo. Coll T —7K 49
Bullfinch Clo. Horl —7C 142
Bullfinch Clo. H'ham —1J 197
Bullfinch Rd. S Croy —6G 64
Bull Hill. Lea —8G 79
Bull La. Brack —9N 15
Bullock La. Hasl —9A 190
Bullrush Clo. Croy —5B 46
Bull's All. SW14 —5C 12
Bulls Head Row. God —9E 104
Bullswater Common. —3D 92
Bullswater Comn. Rd. Pirb —4D 92
Bulmer Cotts. Holm M —6K 137
Bulow Est. SW6 —4N 13
(off Pearscroft Rd.)
Bulstrode Av. Houn —5N 9
Bulstrode Gdns. Houn —6A 10
Bulstrode Rd. Houn —6A 10
Bunbury Way. Eps —3G 80
Bunce Common. —1C 140
Bunce Comn. Rd. Leigh —1C 140
Bunce Dri. Cat —1A 104
Bunce's Clo. Eton W —1E 4
Bunch La. Hasl —1E 188
Bunch Way. Hasl —2E 188
Bundy's Way. Stai —7H 21
Bungalow Rd. SE25 —3B 46
Bungalow Rd. Ock —2D 96
Bungalows, The. SW16 —8F 28
Bungalows, The. Guild —7J 93
Bungalows, The. Wall —2F 62
Bunting Clo. H'ham —5M 197
Bunting Clo. Mitc —4D 44
Buntings, The. Farnh —3E 128
Bunyan Clo. Craw —6K 181
Bunyan's La. Knap —1F 72
Bunyard Dri. Wok —1E 74
Burbage Grn. Brack —4D 32
Burbage Rd. SE24 & SE21 —1N 29
Burbeach Clo. Craw —6N 181
Burberry Clo. N Mald —1D 42
Burbidge Rd. Shep —3B 38
Burbury Woods. Camb —9C 50
Burchets Hollow. Peasl —4E 136
Burchetts Way. Shep —5C 38
Burcote. Wey —3E 56
Burcote Rd. SW18 —1B 28
Burcott Gdns. Add —3L 55
Burcott Rd. Purl —1L 83
Burden Clo. Bren —1J 11
Burdenshott Av. Rich —7A 12
Burdenshott Hill. Worp —3K 93
Burdenshott Rd. Worp —3K 93
Burden Way. Guild —7L 93
Burdett Av. SW20 —9F 26
Burdett Clo. Worth —4H 183
Burdett Rd. Croy —5A 46
Burdett Rd. Rich —5M 11
Burdock Clo. Craw —7M 181
Burdock Clo. Croy —7G 47
Burdock Clo. Light —7M 51
Burdon La. Sutt —4K 61
Burdon Pk. Sutt —5L 61
Burfield Clo. SW17 —5B 28
Burfield Dri. Warl —6F 84
Burfield Rd. Old Win —9K 5
Burford Bri. Roundabout. Dork —9J 99
Burford Ct. Wokgm —3D 30
Burford Ho. Bren —1K 11
Burford Ho. Eps —7H 61
Burford La. Eps —7H 61
Burford Lea. Elst —7J 131
Burford Rd. Bren —1L 11
Burford Rd. Camb —2N 69
Burford Rd. H'ham —6L 197
Burford Rd. Sutt —8M 43
Burford Rd. Wor Pk —6E 42
Burford Wlk. SW6 —3N 13
Burford Way. New Ad —3M 65
Burges Gro. SW13 —3G 13
Burgess Clo. Felt —5M 23
Burgess M. SW19 —7N 27
Burgess Rd. Sutt —1N 61
Burges Way. Stai —6J 21
Burgh Clo. Craw —9H 163
Burgh Cft. Eps —2E 80
Burghead Clo. Coll T —8J 49
Burghfield. Eps —2E 80
Burgh Heath. —6K 81
Burgh Heath Rd. Eps —1E 80 (8N 201)
Burgh Hill Rd. Pass —9E 168
Burghley Av. N Mald —9C 26
Burghley Hall Clo. SW19 —2K 27
Burghley Pl. Mitc —4D 44
Burghley Rd. SW19 —5J 27
Burgh Mt. Bans —2L 81
Burgh Wood. Bans —2K 81
Burgoine Quay. King T —9K 25 (2H 203)
Burgos Clo. Croy —3L 63
Burgoyne Rd. SE25 —3C 46
Burgoyne Rd. Camb —9E 50
Burgoyne Rd. Sun —7G 22
Burhill. —5H 57
Burhill Rd. W on T —5J 57
Burke Clo. SW15 —7D 12
Burket Clo. S'hall —1M 9
Burlands. Craw —9M 161
Burlea Clo. W on T —2J 57
Burleigh. —9J 17
Burleigh Av. Wall —9E 44
Burleigh Clo. Add —2K 55
Burleigh Clo. Craw D —1E 184
Burleigh Gdns. Afrd —6D 22
Burleigh Gdns. Wok —4B 74
Burleigh La. Asc —9J 17
Burleigh La. Craw D —2E 184
Burleigh Pk. Cobh —8M 57
Burleigh Pl. SW15 —8J 13
Burleigh Rd. Add —2K 55
Burleigh Rd. Asc —1J 33
Burleigh Rd. Frim —6B 70
Burleigh Rd. Sutt —7K 43
Burleigh Way. Craw D —1E 184
Burley Clo. SW16 —1H 45
Burley Clo. Loxw —4J 193
Burley Orchard. Cher —5J 37
Burleys Rd. Craw —3G 183
Burley Way. B'water —9H 49
Burlingham Clo. Guild —1F 114
Burlings. —4N 87
Burlings La. Knock —4N 87
Burlings, The. Asc —1J 33
Burlington Av. Rich —4N 11
Burlington Clo. Felt —1E 22
Burlington Ct. Alder —3M 109
Burlington Ct. B'water —3J 69
Burlington Gdns. SW6 —5K 13
Burlington Gdns. W4 —1B 12
Burlington La. W4 —3B 12
Burlington M. SW15 —8L 13
Burlington Pl. SW6 —5K 13
Burlington Pl. Reig —2M 121
Burlington Rd. SW6 —5K 13
Burlington Rd. W4 —1B 12
Burlington Rd. Iswth —4D 10
Burlington Rd. N Mald —3E 42
Burlington Rd. T Hth —1N 45
Burlsdon Way. Brack —9C 16
Burma Rd. Longc —9J 35
Burmarsh Ct. SE20 —1F 46
Burmester Rd. SW17 —4A 28
Burnaby Cres. W4 —2B 12
Burnaby Gdns. W4 —2A 12
Burnaby St. SW10 —3N 13
Burnbury Rd. SW12 —2G 29
Burn Clo. Add —1M 55
Burn Clo. Oxs —2D 78
Burne-Jones Dri. Coll T —9J 49
Burne Jones Ho. W14 —1K 13
(off N. End Rd.)
Burnell Av. Rich —6J 25
Burnell Rd. Sutt —1N 61
Burnet Av. Guild —9D 94
Burnet Clo. W End —9B 52
Burnet Gro. Eps —9B 60 (6J 201)
Burnetts Rd. Wind —4B 4
Burney Av. Surb —4M 41
Burney Clo. Fet —3C 98
Burney Ct. Craw —6M 181
Burney Rd. Westh —9G 99
Burnfoot Av. SW6 —4K 13
Burnham Clo. Knap —5G 73
Burnham Clo. Wind —5A 4
Burnham Dri. Reig —2M 121
Burnham Dri. Wor Pk —8J 43
Burnham Gdns. Croy —6C 46
Burnham Gdns. Houn —4J 9
Burnham Ga. Guild —3N 113 (2C 202)
Burnham Gro. Brack —8A 16
Burnham Pl. H'ham —7K 197
Burnham Rd. Knap —5G 73
Burnham Rd. Mord —3N 43
Burnhams Rd. Bookh —2M 97
Burnham St. King T —9N 25
Burnhill Rd. Beck —1K 47
Burn Moor Chase. Brack —6C 32
Burnsall Clo. Farn —8N 69
Burns Av. C Crook —7C 88
Burns Av. Felt —9H 9
Burns Clo. SW19 —7B 28
Burns Clo. Cars —5E 62
Burns Clo. Farn —8L 69
Burns Clo. H'ham —1L 197
Burns Dri. Bans —1K 81
Burnside. Asht —5M 79
Burnside. Fleet —4B 88
Burnside Clo. Twic —9G 10
Burns Rd. Craw —1G 182
Burns Way. E Grin —9M 165
Burns Way. Fay —8H 181
Burns Way. Houn —5L 9
Burntcommon. —3H 95
Burntcommon Clo. Rip —3H 95
Burnt Comn. La. Rip —3J 95
Burnt Hill Rd. Wrec & L Bou —5F 128
Burnt Hill Way. Wrec —6G 128
Burnt Ho. Gdns. Warf —8C 16
Burnt Ho. La. Rusp —2E 180
Burnthouse Ride. Brack —3J 31
Burnthwaite Rd. SW6 —3L 13
Burntoak La. Newd —2D 160
Burnt Pollard La. Light —6B 52
Burntwood Clo. SW18 —2C 28
Burntwood Clo. Cat —8D 84
Burntwood Grange Rd. SW18 —2B 28
Burntwood La. SW17 —4A 28
Burntwood La. Cat —9B 84
Burpham. —9D 94
Burpham Court Farm Pk. —7B 94
Burpham La. Guild —7C 94
Burrell Clo. Croy —5H 47
Burrell Ct. Craw —5L 181
Burrell Rd. Frim —6A 70
Burrell Row. Beck —1K 47
Burrells, The. Cher —7K 37
Burrell, The. Westc —6C 118
Burr Hill La. Chob —5J 53
Burritt Rd. King T —1N 41
Burrow Hill. —5H 53
(Chobham)
Burrow Hill. —9B 72
(Pirbright)
Burrow Hill Grn. Chob —5G 53
Burrows Clo. Bookh —2N 97
Burrows Clo. Guild —2J 113
Burrows Cross. —1D 136
Burrows Cross. Gom —1D 136
Burrows Hill Clo. H'row A —6L 7
Burrows Hill La. H'row A —7K 7
Burrows La. Gom —1D 136
Burrow Wlk. SE21 —1N 29
Burr Rd. SW18 —2M 27
Burrwood Gdns. Ash V —9E 90
Burstead Clo. Cobh —8L 57
Burstock Rd. SW15 —7K 13
Burston Gdns. E Grin —6N 165
Burston Rd. SW15 —8J 13
Burstow. —3L 163
Burstow Lodge Bus. Cen. Horl —6M 143
Burstow Rd. SW20 —9K 27
Burtenshaw Rd. Th Dit —6G 41
Burton Clo. Chess —4K 59
Burton Clo. Horl —9E 142
Burton Clo. T Hth —2A 46
Burton Clo. W'sham —3A 52
Burton Ct. SE20 —1F 46
Burton Dri. Guild —7D 92
Burton Gdns. Houn —4N 9
Burton Rd. King T —8L 25 (1L 203)
Burtons Ct. H'ham —6J 197
Burton's Rd. Hamp H —5B 24
Burton Way. Wind —6B 4
Burtwell La. SE27 —5N 29
Burwash Rd. Craw —4E 182
Burway Cres. Cher —3J 37
Burwell. King T —4N 203
Burwood Av. Kenl —1M 83
Burwood Clo. Guild —2F 114
Burwood Clo. Reig —3B 122
Burwood Clo. Surb —7N 41
Burwood Clo. W on T —3K 57
Burwood Pde. Cher —6J 37
(off Guildford St.)
Burwood Park. —8H 57
(Cobham)
Burwood Park. —2G 57
(Walton-on-Thames)
Burwood Pk. Rd. W on T —1J 57
Burwood Rd. W on T —4F 56
Bury Clo. Wok —3N 73
Bury Fields. Guild —5M 113 (7B 202)
Bury Gro. Mord —4N 43
Bury La. Wok —3M 73
Burys, The. G'ming —6H 133
Bury St. Guild —5M 113 (7B 202)
Burywood Hill. Bear G —3E 158
Busbridge. —9J 133
Busbridge Lakes Ornamental Waterfowl. —1H 153
Busbridge La. G'ming —8G 133
Busch Clo. Iswth —4H 11
Busdens Clo. Milf —2C 152
Busdens La. Milf —2C 152
Busdens Way. Milf —2C 152
Bushbury Rd. Bet —8N 119
Bush Clo. Add —2L 55
Bush Cotts. SW18 —8M 13
Bushell Clo. SW2 —3K 29
Bushetts Gro. Red —7F 102
Bushey Clo. Kenl —3C 84
Bushey Ct. SW20 —2G 43
Bushey Cft. Oxt —8M 105
Bushey Down. SW12 —3F 28
Bushey La. Sutt —1M 61
Bushey Mead. —1J 43
Bushey Rd. SW20 —2G 42
Bushey Rd. Croy —8K 47
Bushey Rd. Sutt —1M 61
Bushey Shaw. Asht —4H 79
Bushey Way. Beck —5N 47
Bushfield. Plais —6B 192
Bushfield Dri. Red —8E 122
Bush La. H'ham —9N 179
Bush La. Send —2F 94
Bushnell Rd. SW17 —3F 28
Bush Rd. Rich —2M 11
Bush Rd. Shep —4A 38
Bush Wlk. Wokgm —2B 30
Bushwood Rd. Rich —2N 11
Bushy Ct. King T —9J 25
(off Up. Teddington Rd.)
Bushy Hill. —2F 114
Bushy Hill Dri. Guild —1D 114
Bushy Pk. Gdns. Tedd —6D 24
Bushy Pk. Rd. Tedd —8H 25
(in two parts)
Bushy Rd. Fet —9B 78
Bushy Rd. Tedd —7F 24
Business Cen., The. Wokgm —4A 30
Business Pk. 5. Lea —7F 78
Busk Cres. Farn —2L 89
Butcherfield La. Hartf —1N 187
Bute Av. Rich —3L 25
Bute Ct. Wall —2G 62
Bute Gdns. W6 —1J 13
Bute Gdns. Rich —2L 25
Bute Gdns. Wall —2G 63
Bute Gdns. W. Wall —2G 62
Bute Rd. Croy —7L 45

Bute Rd. Wall —1G 62
Butler Rd. Bag —5K 51
Butler Rd. Crowt —1G 48
Butlers Clo. Wind —4A 4
Butlers Dene Rd. Wold —7J 85
Butlers Hill. W Hor —8C 96
Butlers Rd. H'ham —4N 197
Butt Clo. Cranl —6N 155
Buttercup Clo. Lind —4B 168
Buttercup Clo. Wokgm —2F 30
Buttercup Sq. Stanw —2M 21
Butterfield. E Grin —7L 165
Butterfield Clo. Twic —9F 10
Butterfields. Camb —2N 69
Butterfly Wlk. Warl —7F 84
(in two parts)
Butter Hill. Cars —9E 44
Butter Hill. Dork —5G 119 (3K 201)
Buttermer Clo. Wrec —4D 128
Buttermere Clo. Farn —1K 89
Buttermere Clo. Felt —2G 22
Buttermere Clo. H'ham —2A 198
Buttermere Clo. Mord —5J 43
Buttermere Ct. Ash V —9D 90
(off Lakeside Clo.)
Buttermere Dri. SW15 —8K 13
Buttermere Dri. Camb —1H 71
Buttermere Gdns. Brack —2A 32
Buttermere Gdns. Purl —9A 64
Buttermere Way. Egh —8D 20
Buttersteep Ri. Asc —7G 33
Butterwick. W6 —1J 13
Butt La. P'ham —7L 111
Butts Clo. Craw —2N 181
Butts Cotts. Felt —4M 23
Butts Cres. Hanw —4A 24
Butts La. G'ming —7G 133
(in two parts)
Butts Rd. Wok —4A 74
Butts, The. Bren —2J 11
Butts, The. Sun —2K 39
Buxton Av. Cat —8B 84
Buxton Cres. Sutt —1K 61
Buxton Dri. N Mald —1C 42
Buxton La. Cat —7A 84
Buxton Rd. SW14 —6D 12
Buxton Rd. Afrd —6M 21
Buxton Rd. T Hth —4M 45
Byam St. SW6 —5N 13
Byards Cft. SW16 —9H 29
Byatt Wlk. Hamp —7M 23
Bychurch End. Tedd —6F 24
Bycroft Way. Craw —1F 182
Byegrove Rd. SW19 —7B 28
Byerley Way. Craw —2H 183
Byers La. Horne —5D 144
Byers La. S God —4F 144
Byeways. Twic —4B 24
Byeways, The. Surb —4N 41
Byeway, The. SW14 —6B 12
Byfeld Gdns. SW13 —4F 12
Byfield Pas. Iswth —6G 10
Byfield Rd. Iswth —6G 10
Byfleet. —9A 56
Byfleet Ind. Est. Byfl —7M 55
Byfleet Rd. Byfl & Cob —8B 56
Byfleet Rd. New H —4M 55
Byfleets La. Warn —2D 196
Byfleet Technical Cen. Byfl —7M 55
Bygrove. New Ad —3K 65
Bylands. Wok —6C 74
Byne Rd. Cars —8C 44
Bynes Rd. S Croy —4A 64
By-Pass Rd. Lea —7H 79
Byrd Rd. Craw —6L 181
Byrefield Rd. Guild —9J 93
Byrne Rd. SW12 —2F 28
Byron Av. Camb —3F 70
Byron Av. Coul —2J 83
Byron Av. Houn —5H 9
Byron Av. N Mald —4F 42
Byron Av. Sutt —1B 62
Byron Av. E. Sutt —1B 62
Byron Clo. SE20 —2E 46
Byron Clo. SW16 —7J 29
Byron Clo. Craw —2F 182
Byron Clo. Fleet —5B 88
Byron Clo. Hamp —5N 23
Byron Clo. H'ham —2L 197
Byron Clo. Knap —4H 73
Byron Clo. W on T —7M 39
Byron Clo. Yat —2A 68
Byron Ct. Wind —6D 4
Byron Dri. Crowt —4G 48
Byron Gdns. Sutt —1B 62
Byron Gro. E Grin —1M 185
Byron Ho. Slou —1D 6
Byron Pl. Lea —9H 79
Byron Rd. Add —1N 55
Byron Rd. S Croy —6E 64
Byron Way. W Dray —1A 8
Byton Rd. SW17 —7D 28
Byttom Hill. Mick —4J 99
Byward Av. Felt —9K 9
Byways. Yat —1A 68
Byways, The. Asht —5K 79
Byway, The. Eps —1E 60
Byway, The. Sutt —5B 62
Bywood. Brack —6M 31
Bywood Av. Croy —5F 46
Bywood Clo. Kenl —2M 83
Byworth Clo. Farnh —1E 128
Byworth Rd. Farnh —1E 128

Cabbage Hill. Warf —6L 15
Cabbagehill La. Binf —5K 15
Cabbel Pl. Add —1L 55
Cabell Rd. Guild —2G 113
Caberfeigh Pl. Red —3B 122
Cabin Moss. Brack —6C 32
Cabrera Av. Vir W —5M 35
Cabrera Clo. Vir W —5N 35
Cabrol Rd. Farn —9M 69
Caburn Ct. Craw —5A 182
Caburn Heights. Craw —5A 182
Caci Ho. W14 —1L 13
(off Avonmore Rd.)
Cacket's La. Cud —3M 87
Cackstones, The. Worth —1H 183
Cadbury Clo. Iswth —4G 11
Cadbury Clo. Sun —8F 22
Cadbury Rd. Sun —8F 22
Caddy Clo. Egh —6C 20
Cader Rd. SW18 —9N 13 & 1A 28
Cadet Way. C Crook —9C 88
Cadman Ct. W4 —1A 12
(off Chaseley Dri.)
Cadmer Clo. N Mald —3D 42
Cadnam Clo. Alder —6A 110
Cadogan Clo. Beck —1N 47
Cadogan Clo. Tedd —6E 24
Cadogan Ct. Sutt —3N 61
Cadogan Ho. Guild —4B 114
(off St Lukes Sq.)
Cadogan Rd. Alder —6B 90
Cadogan Rd. Surb —4K 41
Caenshill Rd. Wey —4B 56
Caenswood Hill. Wey —6B 56
Caenwood Clo. Wey —3B 56
Caen Wood Rd. Asht —5J 79
Caerleon Clo. Hind —3A 170
Caernarvon. Frim —6D 70
Caernarvon Clo. Mitc —2J 45
Caesar Ct. Alder —2K 109
Caesars Camp Rd. Camb —7D 50
Caesar's Clo. Camb —7D 50
Caesars Ct. Farnh —6H 109
Caesars Ga. Warf —8C 16
Caesars Wlk. Mitc —4D 44
Caesars Way. Shep —5E 38
Caffins Clo. Craw —1C 182
Cage Yd. Reig —3M 121
Caillard Rd. Byfl —7N 55
Cain Rd. Brack —1J 31
Cain's La. Felt —8F 8
Cairn Clo. Camb —3F 70
Cairn Ct. Eps —6E 60
Cairngorm Clo. Tedd —6G 24
Cairngorm Pl. Farn —7K 69
Cairo New Rd. Croy —8M 45 (3A 200)
Caistor M. SW12 —1F 28
Caistor Rd. SW12 —1F 28
Caithness Dri. Eps —1C 80 (8L 201)
Caithness Rd. Mitc —8F 28
Calbourne Rd. SW12 —1D 28
Caldbeck Av. Wor Pk —8F 42
Caldbeck Ho. Craw —6L 181
(off Salvington Rd.)
Caldecote. King T —4N 203
Calder Ct. Slou —1B 6
Calderdale Clo. Craw —5N 181
Calder Rd. Mord —4A 44
Calder Way. Coln —6G 7
Caldwell Rd. W'sham —2A 52
Caledonian Way. Gat A —3F 162
Caledonia Rd. Stai —2N 21
Caledon Pl. Guild —9C 94
Caledon Rd. Wall —1E 62
Calfridus Way. Brack —2C 32
Calidore Clo. SW2 —1K 29
California Rd. N Mald —3A 42
Calley Down Cres. New Ad —6N 65
Callis Farm Clo. Stanw —9N 7
Callisto Clo. Craw —6K 181
Callow Fld. Purl —9L 63
Callow Hill. Vir W —2M 35
Calluna Ct. Wok —5B 74
Calluna Dri. Copt —8L 163
Calonne Rd. SW19 —5J 27
Calshot Rd. H'row A —5B 8
(in two parts)
Calshot Way. Frim —7E 70
Calshot Way. H'row A —5B 8
(in two parts)
Calthorpe Gdns. Sutt —9A 44
Calthorpe Rd. Fleet —3A 88
Calton Gdns. Alder —5A 110
Calverley Rd. Eps —3F 60
Calvert Clo. Alder —3B 110
Calvert Cres. Dork —3H 119
Calvert Rd. Dork —3H 119
Calvert Rd. Eff —6J 97
Calvin Clo. Camb —2F 70
Calvin Wlk. Craw —6K 181
Camac Rd. Twic —2D 24
Camargue Pl. G'ming —7J 133
Cambalt Rd. SW15 —8J 13
Camber Clo. Craw —3G 183
Camberley. —9B 50
Camberley Av. SW20 —1G 42
Camberley Clo. Sutt —9J 43
Camberley Rd. H'row A —6B 8
Camborne Clo. H'row A —6B 8
Camborne Rd. SW18 —1M 27
Camborne Rd. Croy —6D 46
Camborne Rd. Mord —4J 43
Camborne Rd. Sutt —4M 61
Camborne Way. Houn —4A 10
Cambourne Rd. H'row A —6B 8
Cambourne Wlk. Rich —9K 11
Cambray Rd. SW12 —2G 29
Cambria Clo. Houn —7A 10
Cambria Ct. Felt —1J 23
Cambria Ct. Stai —5G 20
Cambria Gdns. Stai —1N 21
(in two parts)
Cambrian Clo. SE27 —4M 29
Cambrian Clo. Camb —1N 69
Cambrian Rd. Farn —7J 69
Cambrian Rd. Rich —9M 11
Cambrian Way. Finch —8A 30
Cambria St. SW6 —3N 13
Cambridge Av. N Mald —2D 42
(in two parts)
Cambridge Clo. SW20 —9G 26
Cambridge Clo. Houn —7M 9
Cambridge Clo. W Dray —2M 7
Cambridge Clo. Wok —5J 73
Cambridge Cotts. Kew & Rich —2N 11
Cambridge Cres. Tedd —6G 24
Cambridge Gdns. King T —1N 41
Cambridge Gro. W6 —1G 13
Cambridge Gro. Rd. King T —2N 41
(in two parts)
Cambridge Ho. Wind —4F 4
Cambridge Lodge Cvn. Pk. Horl —5E 142
Cambridge Meadows. Farnh —2E 128
Cambridge Pk. Twic —9J 11
Cambridge Pk. Ct. Twic —1K 25
Cambridge Pl. Farnh —1H 129
Cambridge Rd. SE20 —2E 46
Cambridge Rd. SW13 —5E 12
Cambridge Rd. SW20 —9F 26
Cambridge Rd. Alder —2L 109
Cambridge Rd. Afrd —8D 22
Cambridge Rd. Cars —3C 62
Cambridge Rd. Crowt —3H 49
Cambridge Rd. Hamp —8N 23
Cambridge Rd. H'ham —6K 197
Cambridge Rd. Houn —7M 9
Cambridge Rd. King T —1M 41 (3N 203)
Cambridge Rd. Mitc —2G 44
Cambridge Rd. N Mald —3D 42
Cambridge Rd. Owl —6K 49
Cambridge Rd. Rich —3N 11
Cambridge Rd. Tedd —5F 24
Cambridge Rd. Twic —9K 11
Cambridge Rd. W on T —5J 39
Cambridge Rd. W Mol —3N 39
Cambridge Rd. E. Farn —4A 90
(in two parts)
Cambridge Rd. N. W4 —1A 12
Cambridge Rd. S. W4 —1A 12
Cambridge Rd. W. Farn —4A 90
(in two parts)
Cambridgeshire Clo. Warf —8D 16
Cambridge Sq. Camb —9A 50
(off Cambridge Wlk.)
Cambridge Wlk. Camb —9A 50
Camden Av. Felt —2K 23
Camden Gdns. Sutt —2N 61
Camden Gdns. T Hth —2M 45
Camden Rd. Cars —1D 62
Camden Rd. Ling —7N 145
Camden Rd. Sutt —2N 61
Camden Wlk. Fleet —4D 88
Camden Way. T Hth —2M 45
Cameford Ct. SW12 —1J 29
Camel Gro. King T —6K 25
Camellia Ct. W End —9C 52
Camellia Pl. Twic —1B 24
Camelot Clo. SW19 —5L 27
Camelot Clo. Big H —3E 86
Camelot Ct. If'd —3K 181
Camelsdale. —3D 188
Camelsdale Rd. Hasl —3C 188
Cameron Clo. Cranl —9N 155
Cameron Rd. Alder —6B 90
Cameron Rd. Croy —5M 45
Cameron Sq. Mitc —9C 28
Camilla Clo. Bookh —3B 98
Camilla Clo. Sun —7G 22
Camilla Dri. Westh —8G 98
Camille Clo. SE25 —2D 46
Camm Av. Wind —6B 4
Camm Gdns. King T —1M 41 (4N 203)
Camm Gdns. Th Dit —6F 40
Camomile Av. Mitc —9D 28
Campana Rd. SW6 —4M 13
Campbell Av. Wok —8B 74
Campbell Clo. SW16 —5H 29
Campbell Clo. Alder —5A 110
Campbell Clo. Fleet —4A 88
Campbell Clo. Twic —3D 24
Campbell Clo. Yat —9E 48
Campbell Cres. E Grin —9L 165
Campbell Pl. Frim —3D 70
Campbell Rd. Alder —1M 109
Campbell Rd. Cat —8A 84
Campbell Rd. Croy —6M 45
Campbell Rd. E Mol —2E 40
Campbell Rd. M'bowr —5G 182
Campbell Rd. Twic —3D 24
Campbell Rd. Wey —4B 56
Campden Rd. S Croy —2B 64
Campen Clo. SW19 —3K 27
Camp End Rd. Wey —8D 56
Camperdown Ho. Wall —3F 62
(off Stanley Pk. Rd.)
Camp Farm Rd. Alder —8B 90
Camp Hill. Farnh —3A 130
Camphill Ct. W Byf —8J 55
Camphill Ind. Est. W Byf —7K 55
Camphill Rd. W Byf —8J 55
Campion Clo. B'water —3L 69
Campion Clo. Lind —5B 168
Campion Clo. S Croy —1B 64
Campion Dri. Tad —7G 81
Campion Ho. Brack —9K 15
Campion Ho. Red —1D 122
Campion Rd. SW15 —7H 13
Campion Rd. H'ham —3L 197
Campion Rd. Iswth —4F 10
Campion Way. Wokgm —9D 14
Camp Rd. SW19 —6G 26
(in two parts)
Camp Rd. Farn —5A 90
Camp Rd. Wold —7H 85
Camp Vw. SW19 —6G 27
Camrose Av. Felt —5K 23
Camrose Clo. Croy —6H 47
Camrose Clo. Mord —3M 43
Canada Av. Red —7E 122
Canada Dri. Red —7E 122
Canada Rd. Byfl —7M 55
Canada Rd. Cobh —9K 57
Canada Rd. Deep —6H 71
Canadian Memorial Av. Asc —1J 35
Canal Bank. Ash V —9E 90
Canal Clo. Alder —8B 90
Canal Cotts. Ash V —9E 90
Canal Wlk. SE25 —5B 46
Canberra Clo. Craw —9B 162
Canberra Clo. Yat —7A 48
Canberra Pl. H'ham —3M 197
Canberra Rd. H'row A —6B 8
Canbury Av. King T —9M 25 (1M 203)
Canbury Bus. Cen. King T —9L 25 (2L 203)
Canbury Bus. Pk. King T —2L 203
Canbury Pk. Rd. King T —9L 25 (2L 203)
Canbury Pas. King T —9K 25 (2J 203)
Candleford Clo. Brack —8A 16
Candler M. Twic —1G 25
Candlerush Clo. Wok —4D 74
Candover Clo. W Dray —3M 7
Candy Cft. Bookh —4B 98
Cane Clo. Wall —4J 63
(in two parts)
Canes La. Lind —4A 168
Canewden Clo. Wok —6A 74
Canford Dri. Add —8K 37
Canford Gdns. N Mald —5D 42
Canford Pl. Tedd —7J 25
Canham Rd. SE25 —2B 46
Can Hatch. Tad —5K 81
Canmore Gdns. SW16 —8G 29
Canning Rd. Alder —2B 110
Canning Rd. Croy —8C 46
Cannizaro Rd. SW19 —7H 27
Cannon Clo. Coll T —7L 49
Cannon Clo. SW20 —2H 43
Cannon Clo. Hamp —7B 24
Cannon Cres. Chob —7H 53
Cannon Gro. Fet —9E 78
Cannon Hill. Brack —5A 32
Cannon Hill La. SW20 —4J 43
Cannonside. Fet —9E 78
Cannon Way. Fet —8E 78
Cannon Way. W Mol —3A 40
Canonbury Cotts. Rusp —3E 180
Canons Clo. Reig —2L 121
Canons Hill. Coul —5L 83
(in two parts)
Canons La. Tad —5K 81
Canon's Wlk. Croy —9G 46
Canopus Way. Stai —1N 21
Cansiron La. Ash W —3H 187
(in five parts)
Cansiron La. Cowd —7N 167
(in three parts)
Cantelupe M. E Grin —9B 166
(off Cantelupe Rd.)
Cantelupe Rd. E Grin —9B 166
Canterbury Ct. Dork —1J 201
Canterbury Gro. SE27 —5L 29
Canterbury Ho. Croy —1D 200
Canterbury M. Oxs —9C 58
Canterbury Rd. As —1E 110
Canterbury Rd. Craw —7C 182
Canterbury Rd. Croy —6K 45
Canterbury Rd. Farn —3B 90
Canterbury Rd. Felt —3M 23
Canterbury Rd. Guild —1J 113
Canterbury Rd. Mord —6N 43
Canter, The. Craw —2J 183
Cantley. —9A 14
Cantley Cres. Wokgm —9A 14
Cantley Gdns. SE19 —1C 46
Canvey Clo. Craw —6A 182
Cape Copse. Rud —1E 194
Capel. —4K 159
Capel Av. Wall —2K 63
Capel By-Pass. Capel —3H 159
Capel La. Craw —4L 181
Capel Rd. Rusp —2M 179
Capern Rd. SW18 —2A 28
Capital Ind. Est. Mitc —4D 44
Capital Interchange Way. Bren —1N 11
Capital Pk. Old Wok —8D 74
Capital Pl. Croy —2K 63
Caple Ho. SW10 —3N 13
(off King's Rd.)
Capricorn Clo. Craw —5K 181
Capri Rd. Croy —7C 46
Capsey Rd. If'd —3K 181
Capstans Wharf. St J —5J 73
Caradon Clo. Wok —5L 73
Caraway Clo. Craw —7N 181
Caraway Pl. Guild —7K 93
Caraway Pl. Wall —9F 44
Carbery La. Asc —2M 33
Cardamom Clo. Guild —8K 93
Card Hill. F Row —8H 187
Cardigan Clo. Wok —5H 73
Cardigan Rd. SW13 —5F 12
Cardigan Rd. SW19 —7A 28
Cardigan Rd. Rich —9L 11
Cardinal Av. King T —6L 25
Cardinal Av. Mord —5K 43
Cardinal Clo. Mord —5K 43
Cardinal Clo. S Croy —9D 64
Cardinal Clo. Wor Pk —1F 60
Cardinal Cres. N Mald —1B 42
Cardinal Dri. W on T —7L 39
Cardinal Pl. SW15 —7J 13
Cardinal Rd. Felt —2J 23
Cardinals, The. —5E 110
Cardinals, The. Brack —3N 31
Cardinals Wlk. Hamp —8C 24
Cardinals Wlk. Sun —7F 22
Cardingham. Wok —4K 73
Cardington Rd. H'row A —6C 8
Cardington Sq. Houn —7L 9
Cardwell Cres. Asc —4N 33
Cardwells Keep. Guild —9K 93
Carew Clo. Coul —6M 83
Carew Ct. Sutt —5N 61
Carew Manor & Dovecote. —9G 45
Carew Mnr. Cotts. Wall —9H 45
Carew Rd. Afrd —7D 22
Carew Rd. Mitc —1E 44
Carew Rd. T Hth —3M 45
Carew Rd. Wall —3G 63
Carey Clo. Wind —6E 4
Carey Ho. Craw —3A 182
Carey Rd. Wokgm —3B 30
Careys Copse. Small —8M 143
Carey's Wood. Small —8M 143
Carfax. H'ham —6J 197
Carfax Av. Tong —4D 110
Carfax Rd. Hayes —1G 9
Cargate Av. Alder —3M 109
Cargate Gro. Alder —3M 109
Cargate Hill. Alder —3L 109
Cargate Ter. Alder —3L 109
Cargill Rd. SW18 —2N 27
Cargo Forecourt Rd. Gat A —3B 162
Cargo Rd. Gat A —2B 162
Cargreen Pl. SE25 —3C 46
Cargreen Rd. SE25 —3C 46
Carina M. SE27 —5N 29
Carisbrooke. Frim —6D 70
Carisbrooke Ct. Cheam —4L 61
Carisbrooke Rd. Mitc —3H 45
Carleton Av. Wall —5H 63
Carleton Clo. Esh —7D 40
Carlingford Gdns. Mitc —8D 28
Carlingford Rd. Mord —5J 43
Carlin Pl. Camb —2A 70
Carlinwark Dri. Camb —8D 50
Carlisle Clo. King T —9N 25
Carlisle M. King T —9N 25
Carlisle Rd. Hamp —8B 24
Carlisle Rd. Sutt —3L 61
Carlisle Rd. Tilf —3N 149
Carlisle Way. SW17 —6E 28
Carlos St. G'ming —7H 133
Carlton Av. Felt —9K 9
Carlton Av. Hayes —1F 8

Chalkpit La.—Chertsey Meads

Chalkpit La. Dork —4G 119 (1K 201)
Chalkpit La. Oxt —3M 105
Chalk Pit Rd. Bans —4M 81
Chalk Pit Rd. Eps —6B 80
(in two parts)
Chalkpit Ter. Dork —3G 118
Chalk Pit Way. Sutt —3A 62
Chalkpit Wood. Oxt —5N 105
Chalk Rd. G'ming —6G 133
Chalk Rd. Loxw —6E 192
Chalky La. Chess —6K 59
Challen Ct. H'ham —5H 197
Challenge Ct. Lea —6H 79
Challenge Rd. Afrd —4E 22
Challice Way. SW2 —2K 29
Challis Pl. Brack —1K 31
Challis Rd. Bren —1K 11
Challock Clo. Big H —3E 86
Challoner Cres. W14 —1L 13
Challoners Clo. E Mol —3D 40
Challoner St. W14 —1L 13
Chalmers Clo. Charl —4K 161
Chalmers Rd. Afrd —6C 22
Chalmers Rd. Bans —2B 82
Chalmers Rd. E. Afrd —5C 22
Chalmers Way. Felt —8J 9
Chamberlain Cres. W Wick —7L 47
Chamberlain Gdns. Houn —4C 10
Chamberlain Wlk. Felt —5M 23
(off Swift Rd.)
Chamberlain Way. Surb —6L 41
Chamber La. Farnh —3B 128
Chambers Ind. Pk. W Dray —2B 8
Chambers Pl. S Croy —4A 64
Chambers Rd. Ash V —8F 90
Chambon Pl. W6 —1F 12
Chamomile Gdns. Farn —9H 69
Champion Way. C Crook —8B 88
Champness Clo. SE27 —5N 29
Champney Clo. Hort —6C 6
Champneys Clo. Sutt —4L 61
Chancellor Ct. Guild —4G 113
(in two parts)
Chancellor Gdns. S Croy —5M 63
Chancellor Gro. SE21 —3N 29
Chancellor's Rd. W6 —1H 13
Chancellor's St. W6 —1H 13
Chancellors Wharf. W6 —1H 13
Chancel Mans. Warf —7A 16
Chancery La. Beck —1L 47
Chanctonbury Chase. Red —3E 122
Chanctonbury Dri. Asc —6B 34
Chanctonbury Gdns. Sutt —4N 61
Chanctonbury Way. Craw —5A 182
Chandler Clo. Craw —5B 182
Chandler Clo. Hamp —9A 24
Chandler Ct. Felt —9H 9
Chandlers Clo. Felt —1G 22
Chandlers La. Yat —8B 48
Chandlers Rd. Ash V —9F 90
Chandlers Way. SW2 —1L 29
Chandon Lodge. Sutt —4A 62
Chandos Rd. Stai —6F 20
Channel Clo. Houn —4A 10
Channings. Hors —2A 74
Channon Ct. Surb —8K 203
Chantlers Clo. E Grin —8M 165
Chanton Dri. Sutt —6H 61
Chantrey Rd. Craw —6C 182
Chantry Clo. Asht —6J 79
Chantry Clo. Horl —7D 142
Chantry Clo. Wind —4D 4
Chantry Cotts. Chil —9D 114
Chantry Ct. Frim —5B 70
(off Church Rd.)
Chantry Hurst. Eps —2C 80
Chantry Ind. Pk. Art —9M 113
Chantry La. Shere —8A 116
Chantry Rd. Bag —5H 51
Chantry Rd. Cher —6L 37
Chantry Rd. Chess —2M 59
Chantry Rd. Chil —9D 114
Chantrys Ct. Farnh —1F 128
(off Chantrys, The)
Chantrys, The. Farnh —1E 128
Chantry Vw. Rd. Guild —6N 113 (8D 202)
Chantry Way. Mitc —2B 44
Chapel Av. Add —1K 55
Chapel Clo. Milf —9C 132
Chapel Ct. Dork —4G 119 (1K 201)
Chapel Farm Animal Trail. —8G 98
Chapel Farm Mobile Home Pk. Norm —9B 92
Chapel Fields. G'ming —4G 132
Chapel Gdns. Lind —4A 168
Chapel Green. —4B 30
Chapel Gro. Add —1K 55
Chapel Gro. Eps —6H 81
Chapel Hill. Duns —6B 174
Chapel Hill. Eff —5L 97
Chapelhouse Clo. Guild —3H 113
Chapel La. Ash W —3F 186
Chapel La. Bag —5H 51
Chapel La. Binf —8H 15
Chapel La. Bookh —6C 98
Chapel La. Craw D —7C 164
Chapel La. Farn & B'wtr —6L 69
Chapel La. F Row —8H 187
Chapel La. Milf —9C 132
Chapel La. Pirb —9D 72
Chapel La. Westc —6C 118
Chapel La. Westh —8E 98
Chapel La. Works. Westc —6C 118
(off Chapel La.)
Chapel Pk. Rd. Add —1K 55
Chapel Rd. SE27 —5M 29
Chapel Rd. Camb —1N 69
Chapel Rd. Charl —3K 161
Chapel Rd. Houn —6B 10
Chapel Rd. Oxt —8E 106
Chapel Rd. Red —3D 122
Chapel Rd. Rowl —7D 128
Chapel Rd. Small —8M 143
Chapel Rd. Tad —1H 101
Chapel Rd. Twic —1H 25
Chapel Rd. Warl —5G 84
Chapel Sq. Coll T —9L 49
Chapel Sq. Vir W —3A 36
Chapel St. Farn —8B 70
Chapel St. Guild —5N 113 (6C 202)
Chapel St. Wok —4B 74
Chapel Ter. Binf —8H 15
Chapel Vw. S Croy —3F 64
Chapel Wlk. Croy —8N 45 (2B 200)
Chapel Way. Eps —6H 81
Chapel Yd. SW18 —8M 13
(off Wandsworth High St.)
Chaplain's Hill. Crowt —3J 49
Chaplin Cres. Sun —7F 22
Chapman Rd. Croy —7L 45
Chapman Rd. M'bowr —7G 182
Chapman's La. E Grin —9L 165
(in four parts)
Chapman Sq. SW19 —3J 27
Chapter M. Wind —3G 5
Chapter Way. Hamp —5A 24
Chara Pl. W4 —2C 12
Charcot Ho. SW15 —9E 12
Chardin Rd. W4 —1D 12
Chard Rd. H'row A —5C 8
Chargate Clo. W on T —3G 57
Charing Clo. Orp —1N 67
Charing Ct. Brom —1N 47
Chariotts Pl. Wind —4G 4
Charlbury Clo. Brack —3D 32
Charlecote Clo. Farn —2B 90
Charles Cobb Gdns. Croy —2L 63
Charlesfield Rd. Horl —7D 142
Charles Harrod Ct. SW13 —2H 13
(off Somerville Av.)
Charleshill. —6E 130
Charles Hill. Tilf & Elst —5B 130
Charles Ho. Wind —4F 4
Charles Rd. SW19 —9M 27
Charles Rd. Stai —7M 21
Charles Sq. Brack —1A 32
Charles St. SW13 —5D 12
Charles St. Cher —7H 37
Charles St. Croy —9N 45 (4B 200)
Charles St. Houn —5N 9
Charles St. Wind —4F 4
Charleston Clo. Felt —4H 23
Charleston Ct. Craw —6F 182
Charleville Mans. W14 —1K 13
(off Charleville Rd.)
Charleville Rd. W14 —1K 13
Charlmont Rd. SW17 —7C 28
Charlock Clo. Craw —7M 181
Charlock Way. Guild —9D 94
Charlotte Clo. Farnh —4J 109
Charlotte Ct. Craw —3A 182
(off Leopold Rd.)
Charlotte Ct. Guild —5B 114
Charlotte Gro. Small —7L 143
Charlotte Ho. W6 —1H 13
(off Queen Caroline St.)
Charlotte M. Esh —1B 58
(off Heather Pl.)
Charlotte Rd. SW13 —4E 12
Charlotte Rd. Wall —3G 63
Charlotte Sq. Rich —9M 11
Charlotteville. —5B 114
Charlow Clo. SW6 —5N 13
Charlton. —2D 38
Charlton. Wind —5A 4
Charlton Av. W on T —1J 57
Charlton Ct. Owl —6J 49
Charlton Dri. Big H —4F 86
Charlton Gdns. Coul —5G 83
Charlton Ho. Bren —2L 11
Charlton Kings. Wey —9F 38
Charlton La. Shep —2D 38
Charlton Pl. Wind —5A 4
(off Charlton Way)
Charlton Rd. Shep —2D 38
Charlton Row. Wind —5A 4
Charlton Sq. Wind —5A 4
(off Guards Rd.)
Charlton Wlk. Wind —5A 4
Charlton Way. Wind —5A 4
Charlwood. —8A 186
(East Grinstead)
Charlwood. —3K 161
(Gatwick Airport)
Charlwood. Croy —5J 65
Charlwood Clo. Bookh —2B 98
Charlwood Clo. Copt —6L 163
Charlwood Dri. Oxs —2D 78
Charlwood La. Newd & Charl —5F 160
Charlwood M. Charl —3K 161
Charlwood Rd. SW15 —7J 13
Charlwood Rd. Horl —2A 162
Charlwood Rd. If'd —7K 161
Charlwood Rd. Low H —6N 161
Charlwoods Bus. Pk. E Grin —7N 165
Charlwoods Pl. E Grin —7A 166
Charlwood Sq. Mitc —2B 44
Charlwoods Rd. E Grin —8N 165
Charlwood Ter. SW15 —7J 13
Charlwood Wlk. Craw —9N 161
Charman Rd. Red —3C 122
Charmans Clo. H'ham —3A 198
Charm Clo. Horl —7C 142
Charminster Av. SW19 —1M 43
Charminster Ct. Surb —6K 41
Charminster Rd. Wor Pk —7J 43
Charmouth Ct. Rich —8M 11
Charnwood. Asc —5C 34
Charnwood Av. SW19 —1M 43
Charnwood Clo. N Mald —3D 42
Charnwood Rd. SE25 —4A 46
Charrington Rd. Croy —8N 45 (2B 200)
Charrington Way. Broad H —5C 196
Charta Rd. Egh —6E 20
Chart Clo. Croy —5F 46
Chart Clo. Dork —7K 119
Chart Clo. Mitc —3D 44
Chart Downs. Dork —7J 119
Charter Ct. N Mald —2D 42
Charter Cres. Houn —7M 9
Charterhouse. —4F 132
Charterhouse. G'ming —5E 132
Charter Ho. Sutt —3N 61
(off Mulgrave Rd.)
Charterhouse Clo. Brack —4C 32
Charterhouse Rd. G'ming —4G 132
Charter Quay. King T —4J 203
Charter Rd. King T —2A 42
Charters Clo. Asc —4A 34
Charters La. Asc —4A 34
Charter Sq. King T —1A 42
Charters Rd. Asc —6A 34
Charters Way. Asc —6C 34
Chartfield Av. SW15 —8G 13
Chartfield Pl. Wey —2C 56
Chartfield Rd. Reig —4A 122
Chartfield Sq. SW15 —8J 13
Chart Gdns. Dork —8J 119
Chartham Gro. SE27 —4M 29
Chartham Rd. SE25 —2E 46
Chart Ho. Rd. Ash V —6E 90
Chart La. Dork —5H 119 (2M 201)
Chart La. Reig —3N 121
Chart La. S. Dork —7J 119
Charts Clo. Cranl —8N 155
Chart Way. H'ham —6J 197
Chartway. Reig —2N 121
Chartwell. —9N 107
Chartwell. Farnh —5E 128
Chartwell. Frim G —9C 70
Chartwell Clo. Croy —7A 46
Chartwell Dri. Orp —2M 67
Chartwell Gdns. Alder —6A 90
Chartwell Gdns. Sutt —9K 43
Chartwell Lodge. Dork —9H 119
Chartwell Pl. Eps —1D 80 (8N 201)
Chartwell Pl. Sutt —9L 43
Chartwell Way. SE20 —1E 46
Chartwood Pl. Dork —3K 201
Char Wood. SW16 —5L 29
Charwood Rd. Wokgm —2D 30
Chase Cotts. Gray —8A 170
Chase Ct. Iswth —5G 10
Chase End. Eps —8C 60 (5L 201)
Chasefield Clo. Guild —9C 94
Chasefield Rd. SW17 —5D 28
Chase Gdns. Binf —6H 15
Chase Gdns. Twic —1D 24
Chase La. Hasl —4H 189
Chaseley Dri. W4 —1A 12
Chaseley Dri. S Croy —6A 64
Chasemore Clo. Mitc —6D 44
Chasemore Gdns. Croy —2L 63
Chasemore Ho. SW6 —3K 13
Chase Rd. Eps —8C 60 (5L 201)
Chase Rd. Lind —5A 168
Chaseside Av. SW20 —9K 27
Chaseside Gdns. Cher —6K 37
Chase, The. SW16 —8K 29
Chase, The. SW20 —9K 27
Chase, The. Asht —5J 79
Chase, The. Coul —1G 83
Chase, The. Craw —4E 182
Chase, The. Crowt —1F 48
Chase, The. E Hor —4G 96
Chase, The. Farn —8B 70
Chase, The. Guild —4K 113
Chase, The. Kgswd —9M 81
Chase, The. Oxs —2C 78
Chase, The. Reig —4B 122
Chase, The. Sun —9J 23
Chase, The. Wall —2J 63
Chasewater Ct. Alder —3M 109
Chatelet Clo. Horl —7F 142
Chatfield Clo. Farn —3A 90
Chatfield Ct. Cat —9A 84
Chatfield Dri. Guild —2E 114
Chatfield Rd. Croy —7M 45 (1A 200)
Chatfields. Craw —5N 181
Chatham Clo. Sutt —6L 43
Chatham Rd. King T —1N 41 (3N 203)
Chathill. —6L 125
Chatley Heath Semaphore Tower. —4E 76
Chatsfield. Eps —6F 60
Chatsworth Av. SW20 —9K 27
Chatsworth Av. Hasl —9G 170
Chatsworth Clo. W4 —2B 12
Chatsworth Cres. Houn —7D 10
Chatsworth Gdns. N Mald —4E 42
Chatsworth Gro. Farnh —6G 108
Chatsworth Heights. Camb —8E 50
Chatsworth Lodge. W4 —1C 12
(off Bourne Pl.)
Chatsworth Pl. Mitc —2D 44
Chatsworth Pl. Oxs —9D 58
Chatsworth Pl. Tedd —5G 24
Chatsworth Rd. W4 —2B 12
Chatsworth Rd. Croy —1A 64 (6E 200)
Chatsworth Rd. Farn —2C 90
Chatsworth Rd. Sutt —2J 61
Chatsworth Way. SE27 —4M 29
Chattern Hill. —5C 22
Chattern Hill. Afrd —5C 22
Chattern Rd. Afrd —5D 22
Chatterton Ct. Rich —5M 11
Chatton Row. Bisl —4D 72
Chaucer Av. E Grin —1M 185
Chaucer Av. Houn —5J 9
Chaucer Av. Rich —6N 11
Chaucer Av. Wey —4B 56
Chaucer Clo. Bans —1K 81
Chaucer Clo. Wind —6G 4
Chaucer Clo. Wokgm —2E 30
Chaucer Ct. Guild —5M 113 (7B 202)
Chaucer Ct. Red —9E 102
Chaucer Gdns. Sutt —9M 43
(in two parts)
Chaucer Grn. Croy —6E 46
Chaucer Gro. Camb —1B 70
Chaucer Ho. Sutt —9M 43
(off Chaucer Gdns.)
Chaucer Mans. W14 —2K 13
(off Queen's Club Gdns.)
Chaucer Rd. Afrd —5N 21
Chaucer Rd. Craw —1F 182
Chaucer Rd. Crowt —4G 48
Chaucer Rd. Farn —8L 69
Chaucer Rd. Sutt —1M 61
Chaucer Way. SW19 —7A 28
Chaucer Way. Add —3J 55
Chave Cft. Eps —6H 81
Chave Cft. Ter. Eps —6H 81
Chavey Down. —9F 16
Chavey Down Rd. Wink R & Brack —6F 16
Chaworth Clo. Ott —3E 54
Chaworth Rd. Ott —3E 54
Chawridge La. Wink —2G 16
Cheam. —3K 61
Cheam Clo. Brack —4B 32
Cheam Clo. Tad —8G 81
Cheam Comn. Rd. Wor Pk —8G 43
Cheam Mans. Sutt —4K 61
Cheam Pk. Way. Sutt —3K 61
Cheam Rd. Eps & Ewe —6F 60
Cheam Rd. Sutt —3L 61
Cheam Village. (Junct.) —3K 61
Cheapside. —9B 18
Cheapside. Wok —1N 73
Cheapside Rd. Asc —2N 33
Cheeseman Clo. Hamp —7M 23
Cheeseman Clo. Wokgm —1C 30
Cheesemans Ter. W14 —1L 13
(in two parts)
Chellows La. Crow —1B 146
Chelmsford Clo. W6 —2J 13
Chelmsford Clo. Sutt —5M 61
Chelsea Clo. Hamp H —6C 24
Chelsea Clo. Wor Pk —6F 42
Chelsea F.C. —3N 13
Chelsea Gdns. Sutt —1K 61
Chelsea Studios. SW6 —3N 13
(off Fulham Rd.)
Chelsea Village. SW6 —3N 13
(off Fulham Rd.)
Chelsham. —4K 85
Chelsham Clo. Warl —5H 85
Chelsham Common. —3K 85
Chelsham Comn. Rd. Warl —4K 85
Chelsham Ct. Rd. Warl —5N 85
Chelsham Rd. S Croy —4A 64
Chelsham Rd. Warl —5J 85
Cheltenham Av. Twic —1G 25
Cheltenham Clo. N Mald —2B 42
Cheltenham Vs. Stai —9H 7
Chelverton Rd. SW15 —7J 13
Chelwood Clo. Craw —5D 182
Chelwood Clo. Eps —8E 60
Chelwood Dri. Sand —6E 48
Chelwood Gdns. Rich —5N 11
Chelwood Gdns. Pas. Rich —5N 11
Cheney Clo. Binf —7J 15
Chenies Cotts. Oke H —2A 178
Chenies Ho. W4 —3E 12
(off Corney Reach Way)
Cheniston Clo. W Byf —9J 55
Cheniston Ct. S'dale —6D 34
Chennells Brook Cotts. H'ham —1M 197
(off Giblets La.)
Chennells Way. H'ham —3K 197
Chepstow Clo. SW15 —9K 13
Chepstow Clo. Craw —3J 183
Chepstow Ri. Croy —9B 46
Chepstow Rd. Croy —9B 46
Chequer Grange. F Row —8G 187
Chequer Rd. E Grin —9B 166
Chequers Clo. Horl —7E 142
Chequers Clo. Tad —3F 100
Chequers Ct. H'ham —5L 197
Chequers Dri. Horl —7E 142
Chequers La. Tad —3F 100
Chequers Pl. Dork —5H 119 (3L 201)
Chequers Yd. Dork —5H 119 (2L 201)
Chequer Tree Clo. Knap —3H 73
Cherberry Clo. Fleet —1C 88
Cherbury Clo. Brack —2C 32
Cherimoya Gdns. W Mol —2B 40
Cherington Way. Asc —1J 33
Cheriton Ct. W on T —7K 39
Cheriton Sq. SW17 —3E 28
Cheriton Way. B'water —1J 69
Cherkley Hill. Lea —4J 99
Cherrimans Orchard. Hasl —2D 188
Cherry Bank Cotts. Holm M —6K 137
Cherry Clo. SW2 —1L 29
Cherry Clo. Bans —1J 81
Cherry Clo. Cars —8D 44
Cherry Clo. Mord —3K 43
Cherrycot Hill. Orp —1L 67
Cherrycot Ri. Orp —1L 67
Cherry Cotts. Tad —2G 100
Cherry Ct. H'ham —7K 197
Cherry Cres. Bren —3H 11
Cherrydale Rd. Camb —1H 71
Cherry Gth. Bren —1K 11
Cherry Grn. Clo. Red —5F 122
Cherry Hill Gdns. Croy —1K 63
Cherryhill Gro. Alder —3L 109
Cherryhurst. Hamb —9E 152
Cherry La. Craw —9A 162
Cherry Laurel Wlk. SW2 —1K 29
Cherry Lodge. Alder —3N 109
Cherry Orchard. Asht —5A 80
Cherry Orchard. Stai —6J 21
Cherry Orchard Gdns. Croy —7A 46 (2E 200)
Cherry Orchard Gdns. W Mol —2N 39
Cherry Orchard Rd. Croy —8A 46 (1E 200)
Cherry Orchard Rd. W Mol —2A 40
Cherry St. Wok —5A 74
Cherry Tree Av. Guild —3J 113
Cherry Tree Av. Hasl —1D 188
Cherry Tree Av. Stai —7K 21
Cherry Tree Clo. Craw —9H 69
Cherry Tree Clo. Farnh —9H 109
Cherry Tree Clo. Owl —6J 49
Cherry Tree Clo. Worth —1H 183
Cherry Tree Ct. Coul —5K 83
Cherrytree Dri. SW16 —4J 29
Cherry Tree Dri. Brack —2B 32
Cherry Tree Farm Equine Rest. —1G 165
Cherry Tree Grn. S Croy —1E 84
Cherry Tree La. G'ming —3G 133
Cherry Tree Rd. Milf —1B 152
Cherry Tree Rd. Rowl —8D 128
Cherry Tree Wlk. Beck —3J 47
Cherry Tree Wlk. Big H —4E 86
Cherry Tree Wlk. H'ham —2A 198
Cherry Tree Wlk. Rowl —8D 128
(in two parts)
Cherry Tree Wlk. W Wick —1B 66
Cherry Way. Eps —3C 60
Cherry Way. Hort —6E 6
Cherry Way. Shep —3E 38
Cherrywood Av. Eng G —8L 19
Cherry Wood Clo. King T —8N 25
Cherrywood Ct. Tedd —6G 24
Cherrywood Dri. SW15 —8J 13
Cherrywood La. Mord —3K 43
Cherrywood Rd. Farn —7M 69
Chertsey. —6J 37
Chertsey Abbey. —5J 37
Chertsey Bri. Rd. Cher —6M 37
Chertsey Clo. Kenl —2M 83
Chertsey Ct. SW14 —6A 12
Chertsey Cres. New Ad —6M 65
Chertsey Dri. Sutt —8K 43
Chertsey La. Eps —8N 59
Chertsey La. Stai —6G 20
Chertsey Lock. —6L 37
Chertsey Meads. —7N 37

Chertsey Mus.—Church La.

Chertsey Mus. —5J 37
(off Windsor St.)
Chertsey Rd. *Add* —8K **37**
(in two parts)
Chertsey Rd. *Afrd & Sun* —8E **22**
Chertsey Rd. *Byfl* —7M **55**
Chertsey Rd. *Chob* —6J **53**
Chertsey Rd. *Felt* —6F **22**
Chertsey Rd. *Hors & Wok* —4B **74**
Chertsey Rd. *Shep* —6N **37**
Chertsey Rd. *Twic* —3B **24**
Chertsey Rd. *W'sham & Chob* —3A **52**
Chertsey South. —9G 36
Chertsey St. *SW17* —6E **28**
Chertsey St. *Guild* —4N **113** (5D **202**)
Chertsey Wlk. *Cher* —6J **37**
Chervil Clo. *Felt* —4H **23**
Cherwell Clo. *Slou* —2D **6**
Cherwell Ct. *Eps* —1B **60**
Cherwell Wlk. *Craw* —4L **181**
Cheryls Clo. *SW6* —4N **13**
Cheselden Rd. *Guild* —4A **114** (5E **202**)
Chesfield Rd. *King T* —8L **25**
Chesham Clo. *Sutt* —6K **61**
Chesham Cres. *SE20* —1F **46**
Chesham M. *Guild* —4A **114**
Chesham Rd. *SE20* —1F **46**
Chesham Rd. *SW19* —6B **28**
Chesham Rd. *Guild* —4B **114**
Chesham Rd. *King T* —1N **41**
Cheshire Clo. *Mitc* —2J **45**
Cheshire Clo. *Ott* —3E **54**
Cheshire Gdns. *Chess* —3K **59**
Cheshire Ho. *Mord* —6N **43**
Cheshire Ho. Ott —3F 54
(off Cheshire Clo.)
Cheshire Pk. *Warf* —7C **16**
Chesholt Clo. *Fern* —9F **188**
Chesilton Cres. *C Crook* —8B **88**
Chesilton Rd. *SW6* —4L **13**
Chesney Cres. *New Ad* —4M **65**
Chessholme Rd. *Afrd* —7D **22**
Chessington. —2M 59
Chessington Clo. *Eps* —3B **60**
Chessington Hall Gdns. *Chess* —4K **59**
Chessington Hill Pk. *Chess* —2N **59**
Chessington Ho. Eps —5E 60
(off Spring St.)
Chessington Pde. *Chess* —3K **59**
Chessington Rd. *Eps & Ewe* —3N **59**
Chessington Way. *W Wick* —8L **47**
Chessington World of Adventures. —6J 59
Chessington Zoo. —6J 59
Chesson Rd. *W14* —2L **13**
Chester Av. *Rich* —9M **11**
Chester Av. *Twic* —2N **23**
Chesterblade La. *Brack* —6B **32**
Chester Clo. *SW13* —6G **13**
Chester Clo. *As* —2F **110**
Chester Clo. *Afrd* —6E **22**
Chester Clo. *Dork* —3J **119**
Chester Clo. *Guild* —1J **113**
Chester Clo. *Rich* —9M **11**
Chester Clo. *Sutt* —8M **43**
Chesterfield Clo. *Felb* —6F **164**
Chesterfield Ct. *Surb* —8L **203**
Chesterfield Dri. *Esh* —8G **40**
Chesterfield M. *Afrd* —5N **21**
Chesterfield Rd. *W4* —2B **12**
Chesterfield Rd. *Afrd* —5N **21**
Chesterfield Rd. *Eps* —4C **60**
Chester Gdns. *Mord* —5A **44**
Chesterman Ct. W4 —3D 12
(off Corney Reach Way)
Chester Rd. *SW19* —7H **27**
Chester Rd. *As* —1F **110**
Chester Rd. *Eff* —6J **97**
Chester Rd. *Houn* —6J **9**
Chester Rd. *H'row A* —6B **8**
Chesters. *Horl* —6C **142**
Chesters Rd. *Camb* —1F **70**
Chesters, The. *N Mald* —9D **26**
Chesterton Clo. *SW18* —8M **13**
Chesterton Clo. *E Grin* —2B **186**
Chesterton Ct. *H'ham* —4N **197**
Chesterton Dri. *Red* —6J **103**
Chesterton Dri. *Stai* —2A **22**
Chesterton Ho. *Croy* —7D **200**
Chesterton Sq. *W8* —1M **13**
Chesterton Ter. *King T* —1N **41** (4N **203**)
Chester Way. *Tong* —6D **110**
Chestnut All. *SW6* —2L **13**
Chestnut Av. *SW14* —6C **12**
Chestnut Av. *Alder* —5C **110**
Chestnut Av. *Bren* —1K **11**
Chestnut Av. *Camb* —9E **50**
Chestnut Av. *E Mol & Tedd* —2F **40**
Chestnut Av. *Eps* —1D **60**
Chestnut Av. *Esh* —6D **40**
Chestnut Av. *Farnh* —3F **128**
Chestnut Av. *Guild* —6M **113**
Chestnut Av. *Hamp* —8A **24**
Chestnut Av. *Hasl* —1G **189**
Chestnut Av. *Vir W* —3J **35**
Chestnut Av. *W'ham* —9F **86**
Chestnut Av. *W Wick* —2A **66**
Chestnut Av. *Wey* —4D **56**
Chestnut Av. *W Vill* —5F **56**
Chestnut Clo. *SW16* —5L **29**
Chestnut Clo. *Add* —2M **55**
Chestnut Clo. *Afrd* —5C **22**
Chestnut Clo. *B'water* —2K **69**
Chestnut Clo. *Cars* —7D **44**
Chestnut Clo. *E Grin* —9C **166**
Chestnut Clo. *Eden* —1K **147**
Chestnut Clo. *Eng G* —7L **19**
Chestnut Clo. *Fleet* —1D **88**
Chestnut Clo. *Gray* —6A **170**
Chestnut Clo. *Red* —5F **122**
Chestnut Clo. *Rip* —3H **95**
Chestnut Clo. *Sun* —7G **22**
Chestnut Clo. *Tad* —1M **101**
Chestnut Clo. *W Dray* —3C **8**
Chestnut Copse. *Oxt* —1D **126**
Chestnut Ct. *SW6* —2L **13**
Chestnut Ct. *Alder* —2B **110**
Chestnut Ct. *Felt* —6L **23**
Chestnut Ct. *H'ham* —6L **197**
Chestnut Ct. *Red* —5D **122**
Chestnut Ct. *S Croy* —7B **200**
Chestnut Cres. *W Vill* —5F **56**
Chestnut Dri. *Eng G* —7N **19**
Chestnut Dri. *Wind* —7B **4**
Chestnut End. *Head* —5F **168**
Chestnut Gdns. *H'ham* —3J **197**
Chestnut Gro. *SW12* —1E **28**
Chestnut Gro. *Fleet* —3C **88**
Chestnut Gro. *Iswth* —7G **10**
Chestnut Gro. *Mitc* —4H **45**
Chestnut Gro. *N Mald* —2C **42**
Chestnut Gro. *S Croy* —4E **64**
Chestnut Gro. *Stai* —7L **21**
Chestnut Gro. *Wok* —7A **74**
Chestnut La. *Chob* —2F **52**
Chestnut La. *Wey* —2C **56**
Chestnut Mnr. Clo. *Stai* —6K **21**
Chestnut Mead. *Red* —2C **122**
Chestnut Pl. *Asht* —6L **79**
Chestnut Pl. *Eps* —7F **60**
Chestnut Rd. *SE27* —4M **29**
Chestnut Rd. *SW20* —1J **43**
Chestnut Rd. *Afrd* —5C **22**
Chestnut Rd. *Farn* —9M **69**
Chestnut Rd. *Guild* —3N **113** (2C **202**)
Chestnut Rd. *Horl* —6F **142**
Chestnut Rd. *King T* —8L **25**
Chestnut Rd. *Twic* —3E **24**
Chestnuts, The. *Horl* —6F **142**
Chestnuts, The. *W on T* —8H **39**
Chestnut Ter. *Sutt* —1N **61**
Chestnut Wlk. *Byfl* —8N **55**
Chestnut Wlk. *Craw* —9A **162**
Chestnut Wlk. *Felc* —2M **165**
Chestnut Wlk. *Shep* —3F **38**
Chestnut Wlk. *W Vill* —5F **56**
Chestnut Way. *Brmly* —6C **134**
Chestnut Way. *Felt* —4J **23**
Chestnut Way. *G'ming* —9J **133**
Cheston Av. *Croy* —8H **47**
Chesworth Clo. *H'ham* —8J **197**
Chesworth Cres. *H'ham* —7J **197**
Chesworth Gdns. *H'ham* —7J **197**
Chesworth La. *H'ham* —7J **197**
Chetnole. *E Grin* —8N **165**
Chetwode Clo. *Wokgm* —2D **30**
Chetwode Dri. *Eps* —5J **81**
Chetwode Pl. *Alder* —5A **110**
Chetwode Rd. *SW17* —4D **28**
Chetwode Rd. *Tad* —6H **81**
Chetwode Ter. *Alder* —3K **109**
Chetwoode Rd. *Craw* —7J **181**
Chevening Clo. *Craw* —8A **182**
Chevening Rd. *SE19* —7N **29**
Cheverells. —2L 85
Chevington Vs. *Blet* —1B **124**
Cheviot Clo. *Bans* —2N **81**
Cheviot Clo. *Craw* —2G **71**
Cheviot Clo. *Farn* —7K **69**
Cheviot Clo. *Hayes* —3E **8**
Cheviot Clo. *Sutt* —5B **62**
Cheviot Dri. *Fleet* —1C **88**
Cheviot Gdns. *SE27* —5M **29**
Cheviot Rd. *SE27* —6L **29**
Cheviot Rd. *Sand* —6E **48**
Cheviot Rd. *Slou* —1C **6**
Cheviot Wlk. *Craw* —3N **181**
Chevremont. *Guild* —4A **114** (5F **202**)
Chewter Clo. *Bag* —4K **51**
Chewter La. *W'sham* —1M **51**
Cheyham Gdns. *Sutt* —6J **61**
Cheyham Way. *Sutt* —6K **61**
Cheylesmore Dri. *Frim* —3H **71**
Cheyne Av. *Twic* —2N **23**
Cheyne Clo. *Brom* —1G **66**
Cheyne Ct. *Bans* —2N **81**
Cheyne Hill. *Surb* —3M **41** (8M **203**)
Cheynell Wlk. *Craw* —5L **181**
Cheyne Rd. *Afrd* —8E **22**
Cheyne Row. *Brmly* —2N **153**
Cheyne Wlk. *Croy* —8D **46**
Cheyne Wlk. *Horl* —1D **162**
Cheyne Way. *Farn* —7L **69**
Chichele Gdns. *Croy* —1B **64**
Chichele Rd. *Oxt* —6A **106**
Chichester Clo. *Craw* —7C **182**
Chichester Clo. *Dork* —3H **119**
Chichester Clo. *Hamp* —7N **23**
Chichester Clo. *Witl* —5B **152**
Chichester Ct. *Eps* —5E **60**
Chichester Dri. *Purl* —8K **63**
Chichester M. *SE27* —5L **29**
Chichester Rd. *As* —1E **110**
Chichester Rd. *Croy* —9B **46** (5F **200**)
Chichester Rd. *Dork* —2H **119**
Chichester Ter. *H'ham* —6K **197**
Chichester Way. *Felt* —1K **23**
Chiddingfold. —5F 172
Chiddingfold Rd. *Duns* —5L **173**
Chiddingly Clo. *Craw* —4E **182**
Chiddingstone Clo. *Sutt* —6M **61**
Chiddingstone St. *SW6* —5M **13**
Chilberton Dri. *Red* —8G **103**
Chilbrook Rd. *D'side* —5H **77**
Chilcroft La. *Hasl* —7F **188**
Chilcroft Rd. *Hasl* —1D **188**
Chilcrofts Rd. *K Grn* —7E **188**
Child Clo. *Wokgm* —9C **14**
Childebert Rd. *SW17* —3F **28**
Childerley St. *SW6* —4K **13**
Childs Hall Clo. *Bookh* —3N **97**
Childs Hall Dri. *Bookh* —3N **97**
Childs Hall Rd. *Bookh* —3N **97**
Child's Pl. *SW5* —1M **13**
Child's St. *SW5* —1M **13**
Child's Wlk. *SW5* —1M **13**
Chilham Clo. *Frim* —6D **70**
Chillerton Rd. *SW17* —6E **28**
Chillingham Way. *Camb* —2A **70**
Chillingworth Gdns. *Twic* —4F **24**
Chilmans Dri. *Bookh* —3B **98**
Chilmark Gdns. *N Mald* —5F **42**
Chilmark Gdns. *Red* —7J **103**
Chilmark Rd. *SW16* —1H **45**
Chilmead. *Red* —2D **122**
Chilmead La. *Nutf* —1H **123**
Chilsey Grn. Rd. *Cher* —5G **37**
Chiltern Av. *Farn* —1J **89**
Chiltern Av. *Twic* —2A **24**
Chiltern Clo. *C Crook* —7C **88**
Chiltern Clo. *Craw* —3N **181**
Chiltern Clo. *Croy* —9B **46**
Chiltern Clo. *Farn* —1H **89**
Chiltern Clo. *Hasl* —3F **188**
Chiltern Clo. *Stai* —6J **21**
Chiltern Clo. *Wok* —9M **73**
Chiltern Clo. *Wor Pk* —7H **43**
Chiltern Dri. *Surb* —5N **41**
Chiltern Rd. *Sand* —6E **48**
Chiltern Rd. *Sutt* —5N **61**
Chilterns, The. *Sutt* —5N **61**
Chilton Clo. *Alf* —7H **175**
Chilton Ct. *W on T* —1H **57**
Chilton Farm Pk. *Farn* —1H **89**
Chilton Rd. *Rich* —6N **11**
Chiltons Clo. *Bans* —2N **81**
Chilvers Clo. *Twic* —3E **24**
Chilworth. —9E 114
Chilworth Ct. *SW19* —2J **27**
Chilworth Gdns. *Sutt* —9A **44**
Chilworth Hill Cotts. *Chil* —1G **134**
Chilworth Manor. —8F 114
Chilworth Rd. *Alb* —8J **115**
China M. *SW2* —1K **29**
Chinchilla Dri. *Houn* —5K **9**
Chine, The. *Dork* —4H **119** (1M **201**)
Chine, The. *Wrec* —6E **128**
Chingford Av. *Farn* —9A **70**
Chinnock Clo. *Fleet* —6A **88**
Chinthurst Hill Tower. —3C 134
Chinthurst La. *Shalf & Brmly* —1A **134**
Chinthurst Pk. *Shalf* —2A **134**
Chippendale Clo. *B'water* —2K **69**
Chippendale Rd. *Craw* —8N **181**
Chippenham. *King T* —4N **203**
Chipstead. —5D 82
Chipstead Av. *T Hth* —3M **45**
Chipstead Bottom. —8B 82
Chipstead Clo. *Coul* —3E **82**
Chipstead Clo. *Red* —4D **122**
Chipstead Clo. *Sutt* —5N **61**
Chipstead Ct. *Knap* —4H **73**
Chipstead La. *Tad & Coul* —3L **101**
Chipstead Rd. *Bans* —4L **81**
Chipstead Rd. *H'row A* —6B **8**
Chipstead St. *SW6* —4M **13**
Chipstead Valley Rd. *Coul* —3E **82**
Chipstead Way. *Bans* —3D **82**
Chirton Wlk. *Wok* —5K **73**
Chisbury Clo. *Brack* —5C **32**
Chisholm Ct. *W6* —1F **12**
Chisholm Rd. *Croy* —8B **46**
Chisholm Rd. *Rich* —9M **11**
Chislehurst Rd. *Rich* —8L **11**
Chiswick. —1C 12
Chiswick Bri. *SW14 & W4* —5B **12**
Chiswick Clo. *Croy* —9K **45**
Chiswick Comn. Rd. *W4* —1C **12**
Chiswick Ct. *W4* —1A **12**
Chiswick High Rd. *Bren & W4* —1N **11**
(in two parts)
Chiswick House. —2D 12
Chiswick La. *W4* —1D **12**
Chiswick La. S. *W4* —2E **12**
Chiswick Mall. *W4 & W6* —2E **12**
Chiswick Pk. *W4* —1A **12**
Chiswick Plaza. *W4* —2B **12**
Chiswick Quay. *W4* —4B **12**
Chiswick Rd. *W4* —1B **12**
Chiswick Roundabout. (Junct.) —1N **11**
Chiswick Sq. *W4* —2D **12**
Chiswick Staithe. *W4* —4B **12**
Chiswick Ter. *W4* —1B **12**
Chiswick Village. *W4* —2N **11**
Chiswick Wharf. *W4* —2E **12**
Chithurst La. *Horne* —8B **144**
Chittenden Cotts. *Wis* —3N **75**
Chitterfield Ga. *W Dray* —3B **8**
Chittys Common. —8J 93
Chittys Wlk. *Guild* —8J **93**
Chive Clo. *Croy* —7G **47**
Chive Ct. *Farn* —1H **89**
Chivenor Gro. *King T* —6K **25**
Chives Pl. *Warf* —8B **16**
Chobham. —7H 53
Chobham Clo. *Ott* —3D **54**
Chobham Common Memorial Cross. —8G 34
Chobham Gdns. *SW19* —3J **27**
Chobham La. *Longc & Vir W* —9J **35**
Chobham Pk. Dri. *Chob* —6K **53**
Chobham Rd. *Asc & Chob* —6E **34**
Chobham Rd. *Frim* —5C **70**
Chobham Rd. *Hors* —9M **53**
Chobham Rd. *Knap & Wok* —5E **72**
Chobham Rd. *Ott* —4C **54**
Chobham Rd. *Wok* —3A **74**
(in three parts)
Choir Grn. *Knap* —4H **73**
Cholmley Rd. *Th Dit* —5H **41**
Cholmondeley Wlk. *Rich* —8J **11**
(in two parts)
Chrislaine Clo. *Stanw* —9M **7**
Chrismas Av. *Alder* —3A **110**
Chrismas Pl. *Alder* —3A **110**
Christabel Clo. *Iswth* —6E **10**
Christchurch Av. *Tedd* —6G **24**
Christchurch Clo. *SW19* —8B **28**
Christchurch Clo. *C Crook* —9A **88**
Christchurch Dri. *B'water* —9H **49**
Christchurch Flats. *Rich* —6L **11**
Christchurch Gdns. *Eps* —7A **60**
Christchurch Ho. SW2 —2K 29
(off Christchurch Rd.)
Christ Chu. Mt. *Eps* —8A **60**
(in two parts)
Christchurch Pk. *Sutt* —4A **62**
Christchurch Pl. *Eps* —7A **60**
Christchurch Rd. *SW2* —2K **29**
Christ Chu. Rd. *SW14* —8A **12**
Christchurch Rd. *SW19* —8B **28**
Christ Chu. Rd. *Beck* —1K **47**
Christ Chu. Rd. *Eps* —8L **59**
Christchurch Rd. *H'row A* —6B **8**
Christchurch Rd. *Purl* —7M **63**
Christchurch Rd. *Surb* —5M **41**
Christchurch Rd. *Vir W* —2K **35**
Christchurch Way. *Wok* —4B **74**
Christian Fields. *SW16* —8L **29**
Christian Sq. *Wind* —4F **4**
Christie Clo. *Bookh* —3N **97**
Christie Clo. *Guild* —9N **93**
Christie Clo. *Light* —6N **51**
Christie Dri. *Croy* —4D **46**
Christies. *E Grin* —1N **185**
Christie Wlk. *Cat* —9A **84**
Christie Wlk. *Yat* —2B **68**
Christine Clo. *As* —3D **110**
Christmas Hill. *Shalf* —1B **134**
Christmaspie Av. *Norm* —3M **111**
Christopher Ct. *Tad* —1H **101**
Christopher Rd. *E Grin* —9A **166**
Christ's Hospital Rd. *C Hosp* —9B **196**
(in two parts)
Christy Ind. Est. *Alder* —2B **110**
Christy Rd. *Big H* —2E **86**
Chrystie La. *Bookh* —4B **98**
Chucks La. *Tad* —2G **101**
Chudleigh Ct. *Farn* —1N **89**
Chudleigh Gdns. *Sutt* —9A **44**
Chudleigh Rd. *Twic* —9E **10**
(in two parts)
Chuff Corner. *Warf* —7B **16**
Chumleigh Wlk. *Surb* —3M **41** (8M **203**)
Church All. *Croy* —7L **45**
Church App. *Cud* —2L **87**
Church App. *Egh* —2E **36**
Church App. *Stanw* —9M **7**
Church Av. *SW14* —6C **12**
Church Av. *Beck* —1K **47**
Church Av. *Farn* —1A **90**
Church Bungalows. *Plais* —5A **192**
Church Circ. *Farn* —3A **90**
Church Clo. *Add* —1K **55**
Church Clo. *Brkwd* —8C **72**
Church Clo. *Eps* —9D **60** (7N **201**)
Church Clo. *Eton* —2G **4**
Church Clo. *Fet* —2D **98**
Church Clo. *G'wood* —7K **171**
Church Clo. *Guild* —8N **113**
Church Clo. *Hors* —3N **73**
Church Clo. *Houn* —5M **9**
Church Clo. *Milf* —1C **152**
Church Clo. *Stai* —2L **37**
Church Clo. *Tad* —5L **101**
Church Cotts. *Add* —9N **37**
Church Cotts. *Bad L* —6M **109**
Church Cotts. If'd —1L 181
(off Ifield St.)
Church Ct. *Fleet* —4A **88**
(Branksomewood Rd.)
Church Ct. *Fleet* —4A **88**
(Church Rd.)
Church Ct. *Reig* —3N **121**
Church Ct. *Rich* —8K **11**
Churchcroft Clo. *SW12* —1E **28**
Church Crookham. —8B 88
Church Dri. *W Wick* —1A **66**
Church End. —8A 76
Church Est. Almshouses. Rich —7M 11
(off Sheen Rd.)
Church Farm La. *Sutt* —3K **61**
Churchfield. *Eden* —2M **147**
Churchfield Ct. *Reig* —3N **121**
Churchfield Mans. SW6 —5L 13
(off New King's Rd.)
Churchfield Rd. *Reig* —2L **121**
Churchfield Rd. *W on T* —7H **39**
Churchfield Rd. *Wey* —1B **56**
Churchfields. *Guild* —7C **94**
Church Fields. *Head* —4C **168**
Churchfields. *Hors* —3A **74**
Churchfields. *W Mol* —2A **40**
Churchfields. *Witl* —6B **152**
Churchfields Av. *Felt* —4N **23**
Churchfields Av. *Wey* —1C **56**
Churchfields Rd. *Beck* —1G **47**
Church Gdns. *Dork* —4H **119** (1L **201**)
Church Gdns. *Lea* —7H **79**
Church Ga. *SW6* —6K **13**
Church Grn. *Duns* —3N **173**
Church Grn. *Hasl* —1G **189**
Church Grn. *W on T* —3K **57**
Church Gro. *Fleet* —4A **88**
Church Gro. *King T* —9J **25**
Church Hill. *SW19* —6L **27**
Church Hill. *Alder* —4N **109**
Church Hill. *Binf* —4H **15**
Church Hill. *Camb* —1C **70**
Church Hill. *Cars* —2D **62**
Church Hill. *Cat* —2C **104**
Church Hill. *Cud* —2L **87**
Church Hill. *Hasl* —1G **189**
Church Hill. *Hors* —3N **73**
Church Hill. *Mers* —4F **102**
Church Hill. *Nutf* —2K **123**
Church Hill. *Purl* —6J **63**
Church Hill. *Pyr* —4H **75**
Church Hill. *Sham G* —7G **135**
Church Hill. *Shere* —8B **116**
Church Hill. *Tats* —9F **86**
Church Hill Rd. *Surb* —4L **41**
Church Hill Rd. *Sutt* —9J **43**
Churchill Av. *Alder* —4A **110**
Churchill Av. *H'ham* —5H **197**
Churchill Bus. Pk. *W'ham* —4N **107**
Churchill Clo. *Farn* —6N **69**
Churchill Clo. *Felt* —2G **23**
Churchill Clo. *Fet* —1E **98**
Churchill Clo. *Warl* —4F **84**
Churchill Ct. *Craw* —9D **162**
Churchill Ct. *Orp* —2L **67**
Churchill Ct. *Stai* —7K **21**
Churchill Ct. *W'ham* —4M **107**
Churchill Cres. *Farn* —6N **69**
Churchill Cres. *Head* —5E **168**
Churchill Cres. *Yat* —1C **68**
Churchill Dri. *Wey* —1D **56**
Churchill Rd. *Asc* —1K **33**
Churchill Rd. *Eps* —7N **59**
Churchill Rd. *Guild* —4A **114** (4F **202**)
Churchill Rd. *Slou* —1B **6**
Churchill Rd. *Small* —8M **143**
Churchill Rd. *S Croy* —5N **63**
Churchill Way. *Big H* —9F **66**
Churchill Way. *Sun* —6H **23**
Church Island. *Stai* —5F **20**
Church Lammas. —4F 20
Church La. *God* —1G **124**
Church La. *SW17* —6D **28**
Church La. *SW19* —9L **27**
Church La. *Alb* —8K **115**
Church La. *Asc* —3A **34**
(London Rd.)
Church La. *Asc* —4E **34**
(Whitmore Rd.)
Church La. *As* —2F **110**
Church La. *Binf* —4J **15**
Church La. *Bisl* —2D **72**
Church La. *Blet* —2A **124**
Church La. *Broad H* —5D **196**

Church La. *Brook* —1N **171**
Church La. *Burs* —4J **163**
Church La. *Cat* —2L **103**
Church La. *Chel* —3L **85**
Church La. *Chess* —3M **59**
Church La. *Copt* —8L **163**
Church La. *Coul* —9E **82**
Church La. *Cranl* —7N **155**
Church La. *Craw* —2D **182**
Church La. *E Grin* —9B **166**
Church La. *Eps* —4J **81**
Church La. *Ews* —3C **108**
Church La. *Farn* —1K **89**
Church La. *Gray* —6A **170**
Church La. *Hamb* —8G **153**
Church La. *Hasl* —1G **189**
Church La. *H'ley* —2B **100**
Church La. *Head* —3C **168**
Church La. *Man H* —9F **198**
Church La. *Oke H* —9N **157**
Church La. *Oxt* —8N **105**
Church La. *Pirb* —9A **72**
Church La. *Rich* —2L **25**
Church La. *Rowl* —8D **128**
Church La. *Send* —4D **94**
Church La. *Shere* —8B **116**
Church La. *Tats* —9F **86**
Church La. *Tedd* —6F **24**
Church La. *Th Dit* —5F **40**
Church La. *Twic* —2G **25**
Church La. *Wall* —9H **45**
Church La. *Warf* —5B **16**
Church La. *Warl* —4G **84**
Church La. *Wey* —1B **56**
Church La. *Wind* —4G **5**
Church La. *Wink* —3F **16**
Church La. *Worp* —5H **93**
Church La. *Wrec* —4E **128**
Church La. Av. *Coul* —9F **82**
Church La. Dri. *Coul* —9F **82**
Church La. E. *Alder* —3M **109**
Church La. W. *Alder* —3L **109**
Church Mdw. *Surb* —8J **41**
Church M. *Add* —1L **55**
Churchmore Rd. *SW16* —9G **29**
Chu. Paddock Ct. *Wall* —9H **45**
Church Pde. *Afrd* —5A **22**
Church Pas. *Farnh* —1G **129**
Church Pas. *Surb* —4L **41**
Church Pas. *Twic* —2H **25**
Church Path. *SW14* —7C **12**
(in two parts)
Church Path. *SW19* —1L **43**
Church Path. *As* —1F **110**
Church Path. *Ash V* —9E **90**
Church Path. *Cobh* —1J **77**
Church Path. *Coul* —5L **83**
Church Path. *Croy* —8N **45** (2B **200**)
(in two parts)
Church Path. *Farn* —1K **89**
(Minley Rd.)
Church Path. *Farn* —5A **90**
(Queen's Rd.)
Church Path. *Farn* —1A **90**
(Rectory Rd.)
Church Path. *Mitc* —2C **44**
(in two parts)
Church Path. *Red* —5F **102**
Church Path. *Rusp* —4B **180**
Church Path. *S'hill* —2B **34**
Church Path. *Wok* —4B **74**
Church Pl. *Mitc* —2C **44**
Church Ri. *Chess* —3M **59**
Church Rd. *Ham & Rich* —5K **25**
Church Rd. *SE19* —1B **46**
Church Rd. *SW13* —5E **12**
Church Rd. *SW19* —6K **27**
Church Rd. *SW19 & Mitc* —9B **28**
Church Rd. *Add* —2J **55**
Church Rd. *Alder* —5A **110**
Church Rd. *Asc* —3L **33**
(Lyndhurst Rd.)
Church Rd. *Asc* —5D **34**
(Station Rd.)
Church Rd. *Afrd* —4A **22**
Church Rd. *Asht* —5K **79**
Church Rd. *Bag* —4H **51**
Church Rd. *Big H* —4F **86**
Church Rd. *Bookh* —1N **97**
Church Rd. *Brack* —1A **32**
Church Rd. *Broad H* —5D **196**
Church Rd. *Burs* —3L **163**
Church Rd. *Byfl* —1N **75**
Church Rd. *Cat* —1C **104**
Church Rd. *Chav D* —9F **16**
Church Rd. *Clay* —3F **58**
Church Rd. *Copt* —7M **163**
Church Rd. *Cran* —1J **9**
Church Rd. *Croy* —9N **45** (3A **200**)
(in two parts)
Church Rd. *Duns* —4N **173**
Church Rd. *E Mol* —3D **40**
Church Rd. *Egh* —6B **20**
Church Rd. *Eps* —8D **60** (5N **201**)
Church Rd. *F'boro* —2L **67**
Church Rd. *Felt* —6L **23**
Church Rd. *Fleet* —3A **88**
Church Rd. *Frim* —5B **70**
Church Rd. *Guild* —4N **113** (4C **202**)
Church Rd. *Hasc* —7A **154**
Church Rd. *Hasl* —1G **188**
(Derby Rd.)
Church Rd. *Hasl* —2D **188**
(Hindhead Rd.)
Church Rd. *Horl* —9D **142**
(in two parts)
Church Rd. *Horne* —5C **144**
Church Rd. *Hors* —3A **74**
Church Rd. *H'ham* —3A **198**
Church Rd. *Houn* —3A **10**
Church Rd. *Iswth* —4D **10**
Church Rd. *Kenl* —2A **84**
Church Rd. *Kes* —4F **66**
Church Rd. *King T* —1M **41** (3M **203**)
Church Rd. *Lea* —9H **79**
Church Rd. *Ling* —7N **145**
Church Rd. *Low H* —5C **162**
Church Rd. *Milf* —2C **152**
Church Rd. *Newd* —1A **160**
Church Rd. *Old Win* —8L **5**
Church Rd. *Owl* —6K **49**
Church Rd. *Purl* —6J **63**
Church Rd. *Red* —5C **122**
Church Rd. *Reig* —5M **121**
Church Rd. *Rich* —7L **11**
Church Rd. *St J* —6K **73**
Church Rd. *Sand* —6E **48**
Church Rd. *Shep* —6C **38**
Church Rd. *Short* —2N **47**
Church Rd. *Surb* —7J **41**
Church Rd. *Sutt* —3K **61**
Church Rd. *Tedd* —5E **24**
Church Rd. *Turn H* —6C **184**
Church Rd. *Wall* —9G **45**
Church Rd. *Warl* —4G **84**
Church Rd. *W End* —8C **52**
Church Rd. *W Ewe* —4C **60**
Church Rd. *Whyt* —5C **84**
Church Rd. *W'sham* —3M **51**
Church Rd. *Wold* —9G **85**
Church Rd. *Wor Pk* —7D **42**
Church Rd. *Worth & M'bowr* —3J **183**
Church Rd. E. *Crowt* —2G **49**
Church Rd. E. *Farn* —4B **90**
Church Rd. Ind. Est. *Low H* —5D **162**
Church Rd. Trad. Est. *Low H* —5C **162**
Church Rd. W. *Crowt* —3G **48**
Church Rd. W. *Farn* —4A **90**
Church Side. *Eps* —9A **60**
Churchside Clo. *Big H* —4E **86**
Church Sq. *Shep* —6C **38**
Church St. *W4* —2E **12**
Church St. *Alder* —2L **109**
Church St. *Bet* —4D **120**
Church St. *Cobh* —2J **77**
Church St. *Craw* —3A **182**
Church St. *Crowt* —2G **48**
Church St. *Croy* —9M **45** (4A **200**)
Church St. *Dork* —5G **119** (2K **201**)
Church St. *Eden* —2L **147**
Church St. *Eff* —5L **97**
Church St. *Eps* —5F **60**
Church St. *Esh* —1B **58**
Church St. *Ewe* —9D **60** (6M **201**)
Church St. *G'ming* —7G **132**
Church St. *Hamp* —9C **24**
Church St. *Iswth* —6H **11**
Church St. *King T* —1K **41** (3J **203**)
Church St. *Lea* —9H **79**
(in two parts)
Church St. *Old Wok* —8E **74**
Church St. *Reig* —3M **121**
Church St. *Rud* —1D **194**
Church St. *Stai* —5F **20**
Church St. *Sun* —2J **39**
Church St. *Sutt* —2N **61**
Church St. *Twic* —2G **25**
Church St. *W on T* —7H **39**
Church St. *Warn* —1F **196**
Church St. *Wey* —1B **56**
Church St. *Wind* —4G **5**
Church St. E. *Wok* —4B **74**
Church St. W. *Wok* —4A **74**
Church Stretton Rd. *Houn* —8C **10**
Church Ter. *Holmw* —5J **139**
Church Ter. *Rich* —8K **11**
Church Ter. *Wind* —5B **4**
Church Town. —1G 124
Church Vw. *As* —2E **110**
Church Vw. *Rich* —8L **11**
Church Vw. *Yat* —8C **48**
Churchview Clo. *Horl* —9D **142**
Churchview Rd. *Twic* —2D **24**
Church Wlk. *SW13* —4F **12**
Church Wlk. *SW15* —8G **13**
Church Wlk. *SW16* —1G **45**
Church Wlk. *SW20* —2H **43**
Church Wlk. *Blet* —2A **124**
Church Wlk. *Bren* —2J **11**
(in two parts)
Church Wlk. *Cat* —2D **104**
Church Wlk. *Cher* —5J **37**
Church Wlk. *Craw* —3B **182**
Church Wlk. *Fay* —9G **180**
Church Wlk. *G'ming* —5J **133**
Church Wlk. *Horl* —9D **142**
Church Wlk. *Lea* —9H **79**
Church Wlk. *Reig* —3N **121**
Church Wlk. *Rich* —8K **11**
Church Wlk. *Th Dit* —5F **40**
Church Wlk. *W on T* —7H **39**
Church Wlk. *Wey* —9B **38**
Churchward Ho. W14 —1L 13
(off Ivatt Pl.)
Church Way. *Oxt* —1B **126**
Church Way. *S Croy* —6C **64**
Churston Clo. *SW2* —2L **29**
Churston Dri. *Mord* —4J **43**
Churt. —9L 149
Churt Rd. *Churt & Hind* —3M **169**
Churt Rd. *Head & Churt* —3F **168**
Churt Wynde. *Hind* —2B **170**
Chuters Clo. *Byfl* —8N **55**
Chuters Gro. *Eps* —8E **60**
Cicada Rd. *SW18* —9N **13**
Cinder Path. *Wok* —6M **73**
Cinnamon Clo. *Croy* —6J **45**
Cinnamon Gdns. *Guild* —7K **93**
Circle Gdns. *SW19* —1M **43**
Circle Gdns. *Byfl* —9A **56**
Circle Hill Rd. *Crowt* —2H **49**
Circle Rd. *W Vill* —5F **56**
Circle, The. *G'ming* —5J **133**
Circuit Cen., The. *Bro I* —6N **55**
Circus, The. Lea —7H 79
(off Kingston Rd.)
Cissbury Clo. *H'ham* —2N **197**
Cissbury Hill. *Craw* —5A **182**
City Bus. Cen. *H'ham* —7K **197**
City Bus. Cen., The. *Craw* —8B **162**
City Ho. Wall —7E 44
(off Corbet Clo.)
Clacket La. *W'ham* —2G **107**
Clacy Grn. *Brack* —8M **15**
Claireville Ct. *Reig* —3B **122**
Clairvale Rd. *Houn* —4L **9**
Clairview Rd. *SW16* —6F **28**
Clammer Hill Rd. *G'wood* —9K **171**
Clancarty Rd. *SW6* —5M **13**
Clandon Av. *Egh* —8E **20**
Clandon Clo. *Eps* —3E **60**
Clandon Ct. *Farn* —2B **90**
Clandon Ho. *Guild* —5C **114**
Clandon House & Pk. —1J 115
Clandon Park. —1J 115
Clandon Rd. *Guild* —4A **114** (4F **202**)
Clandon Rd. *Send & W Cla* —3H **95**
Clandon Ter. *SW20* —1J **43**
Clanfield Ride. *B'water* —1J **69**
Clapgate La. *Slin* —3K **195**
Clapham Pk. Est. *SW4* —1H **29**
Clappers Ga. *Craw* —2B **182**
Clappers La. *Chob* —7F **52**
Clappers Mdw. *Alf* —6J **175**
Clappers Orchard. *Alf* —6H **175**
Clare Av. *Wokgm* —1B **30**
Clare Clo. *Craw* —9G **162**
Clare Clo. *W Byf* —9J **55**
Clare Cotts. *Blet* —2M **123**
Clare Ct. *Fleet* —4B **88**
Clare Ct. *Wold* —1K **105**
Clare Cres. *Lea* —5G **79**
Claredale. *Wok* —6A **74**
Clarefield Ct. *Asc* —6D **34**
Clare Gdns. *Egh* —6C **20**
Clare Hill. *Esh* —3B **58**
Clare Lawn Av. *SW14* —8B **12**
Clare Mead. *Rowl* —8E **128**
Clare M. *SW6* —3N **13**
Claremont. *Shep* —5C **38**
Claremont Av. *Camb* —1D **70**
Claremont Av. *Esh* —3N **57**
Claremont Av. *N Mald* —4F **42**
Claremont Av. *Sun* —9J **23**
Claremont Av. *W on T* —1L **57**
Claremont Av. *Wok* —6A **74**
Claremont Clo. *SW2* —2J **29**
Claremont Clo. *Orp* —1J **67**
Claremont Clo. *S Croy* —2E **84**
Claremont Clo. *W on T* —2K **57**
Claremont Ct. *Dork* —6H **119** (4L **201**)
Claremont Dri. *Esh* —3B **58**
Claremont Dri. *Wok* —6A **74**
Claremont End. *Esh* —3B **58**
Claremont Gdns. *Surb* —4L **41** (8K **203**)
Claremont Gro. *W4* —3D **12**
Claremont Landscape Garden. —4A 58
Claremont La. *Esh* —2B **58**
Claremont Park. —4A 58
Claremont Pk. Rd. *Esh* —3B **58**
Claremont Rd. *Clay* —4E **58**
Claremont Rd. *Croy* —7D **46**
Claremont Rd. *Red* —9E **102**
Claremont Rd. *Stai* —6F **20**
Claremont Rd. *Surb* —4L **41** (8K **203**)
Claremont Rd. *Tedd* —6F **24**
Claremont Rd. *Twic* —1J **11**
Claremont Rd. *W Byf* —8J **55**
Claremont Rd. *Wind* —5F **4**
Claremont Ter. *Th Dit* —6H **41**
Claremount Clo. *Eps* —4H **81**
Claremount Gdns. *Eps* —4H **81**
Clarence Av. *SW4* —1H **29**
Clarence Av. *N Mald* —1B **42**
Clarence Clo. *Alder* —2A **110**
Clarence Clo. *W on T* —1J **57**
Clarence Ct. W6 —1G 13
(off Cambridge Gro.)
Clarence Ct. Egh —6B 20
(off Clarence St.)
Clarence Ct. *Horl* —7H **143**
Clarence Cres. *SW4* —1H **29**
Clarence Cres. *Wind* —4F **4**
Clarence Dri. *Camb* —8F **50**
Clarence Dri. *E Grin* —2B **186**
Clarence Dri. *Eng G* —5M **19**
Clarence La. *SW15* —9D **12**
Clarence M. *SW12* —1F **28**
Clarence Rd. *SW19* —7N **27**
Clarence Rd. *W4* —1N **11**
Clarence Rd. *Big H* —5H **87**
Clarence Rd. *Croy* —6A **46**
Clarence Rd. *Fleet* —5A **88**
Clarence Rd. *H'ham* —7K **197**
Clarence Rd. *Red* —6B **122**
Clarence Rd. *Rich* —4M **11**
Clarence Rd. *Sutt* —2N **61**
Clarence Rd. *Tedd* —7F **24**
Clarence Rd. *Wall* —2F **62**
Clarence Rd. *W on T* —1J **57**
Clarence Rd. *Wind* —5D **4**
Clarence St. *Egh* —7B **20**
Clarence St. *King T* —1K **41** (3J **203**)
(in three parts)
Clarence St. *Rich* —7L **11**
Clarence St. *Stai* —5G **21**
Clarence Ter. *Houn* —7B **10**
Clarence Wlk. *Red* —6B **122**
Clarence Way. *Horl* —7H **143**
Clarendon Ct. Beck —1L 47
(off Albemarle Rd.)
Clarendon Ct. *B'water* —3J **69**
Clarendon Ct. *Fleet* —4A **88**
Clarendon Ct. *Houn* —4H **9**
Clarendon Ct. *Rich* —4M **11**
Clarendon Cres. *Twic* —4D **24**
Clarendon Dri. *SW15* —7H **13**
Clarendon Ga. *Ott* —3F **54**
Clarendon Gro. *Mitc* —2D **44**
Clarendon Rd. *SW19* —8C **28**
Clarendon Rd. *Afrd* —5A **22**
Clarendon Rd. *Croy* —8M **45** (2A **200**)
Clarendon Rd. *Red* —2D **122**
Clarendon Rd. *Wall* —3G **62**
Clare Pl. *SW15* —1E **26**
Clare Rd. *Houn* —6N **9**
Clare Rd. *Stai & Stanw* —2M **21**
Clares, The. *Cat* —2D **104**
Claret Gdns. *SE25* —2B **46**
Clareville Rd. *Cat* —2D **104**
Clare Wood. *Lea* —5H **79**
Clarewood Dri. *Camb* —9C **50**
Clarice Way. *Wall* —5J **63**
Claridge Ct. *SW6* —5L **13**
Claridge Gdns. *D'land* —9C **146**
Claridges Mead. *D'land* —9C **146**
Clarke Cres. *Camb* —8K **49**
Clarkes Av. *Wor Pk* —7J **43**
Clark Pl. *Cranl* —8H **155**
Clark Rd. *Craw* —8M **181**
Clark Rd. *Farn* —9N **69**
Clark's Green. —6J 159
Clarks Grn. Rd. *Capel* —8N **159**
Clarks Hill. *Farnh* —1B **128**
Clarks La. *T'sey & Tats* —1C **106**
Clarks La. *W'ham* —1F **106**
Clark Way. *Houn* —3L **9**
Claudia Pl. *SW19* —2K **27**
Claverdale Rd. *SW2* —1K **29**
Claverdon. *Brack* —6M **31**
Claver Dri. *Asc* —3A **34**
Clavering Av. *SW13* —2G **13**
Clavering Clo. *Twic* —5G **24**
Claverton. *Asht* —4L **79**
Claxton Gro. *W6* —1J **13**
Clay Av. *Mitc* —1F **44**
Claybrook Rd. *W6* —2J **13**
Claycart Rd. *Alder* —9J **89**
(in two parts)
Clay Clo. Add —2K 55
(off Monks Cres.)
Clay Corner. *Cher* —7K **37**
Claydon Dri. *Croy* —1J **63**
Claydon Gdns. *B'water* —5M **69**
Claydon Rd. *Wok* —3K **73**
Clayford. *D'land* —9C **146**
Claygate. —3F 58
Claygate Cres. *New Ad* —3M **65**
Claygate La. *Esh* —8G **40**
(in two parts)
Claygate La. *Th Dit* —7G **40**
Claygate Lodge Clo. *Clay* —4E **58**
Claygate Rd. *Dork* —7H **119**
Clay Hall La. *Copt* —6N **163**
Clayhall La. *Old Win* —8J **5**
Clayhall La. *Reig* —7J **121**
Clayhanger. *Guild* —1E **114**
Clayhill. *Surb* —4N **41** (8N **203**)
Clayhill Clo. *Brack* —2D **32**
Clayhill Clo. *Leigh* —1F **140**
Clayhill Rd. *Leigh* —3D **140**
Clay La. *Guild* —6N **93**
Clay La. *H'ley* —2A **100**
Clay La. *Newc* —9G **144**
Clay La. *S Nut* —4G **123**
Clay La. *Stanw* —1A **22**
Clay La. *Wokgm* —2E **30**
Claymore Clo. *Mord* —6M **43**
Claypole Dri. *Houn* —4M **9**
Clayponds Av. *W5 & Bren* —1L **11**
Clayponds Gdns. *W5* —1K **11**
(in two parts)
Clayponds La. *Bren* —1L **11**
Clays Clo. *E Grin* —1A **186**
Clayton Barracks. *Alder* —9B **90**
Clayton Cres. *Bren* —1K **11**
Clayton Dri. *Guild* —9J **93**
Clayton Gro. *Brack* —9C **16**
Clayton Hill. *Craw* —5A **182**
Clayton Mead. *God* —8E **104**
Clayton Rd. *Chess* —1J **59**
Clayton Rd. *Eps* —8D **60** (6M **201**)
Clayton Rd. *Farn* —5L **69**
Clayton Rd. *Iswth* —6E **10**
Cleardene. *Dork* —5H **119** (3M **201**)
Cleardown. *Wok* —5D **74**
Clears Cotts. *Reig* —1K **121**
Clearsprings. *Light* —6L **51**
Clears, The. *Reig* —1K **121**
Clearwater Pl. *Surb* —5J **41**
Clearway Ct. *Cat* —9D **84**
Cleave Av. *Hayes* —1F **8**
Cleave Av. *Orp* —3N **67**
Cleaveland Rd. *Surb* —4K **41**
Cleave Prior. *Coul* —6C **82**
Cleaverholme Clo. *SE25* —5E **46**
Cleaves Almshouses. *King T* —3L **203**
Cleeve Ct. *Felt* —2F **22**
Cleeve Rd. *Lea* —7F **78**
Cleeves Ct. Red —2E 122
(off St Anne's Mt.)
Cleeve, The. *Guild* —3C **114**
Cleeve Way. *SW15* —1E **26**
Clem Attlee Ct. *SW6* —2L **13**
Clem Attlee Pde. SW6 —2L 13
(off N. End Rd.)
Clement Clo. *Purl* —3M **83**
Clement Gdns. *Hayes* —1F **8**
Clement Rd. *SW19* —6K **27**
Clement Rd. *Beck* —1G **47**
Clements Ct. *Houn* —7L **9**
Clements Mead. *Lea* —6G **78**
Clements Pl. *Bren* —1K **11**
Clements Rd. *W on T* —8J **39**
Clensham Ct. *Sutt* —8M **43**
Clensham La. *Sutt* —8M **43**
Cleopatra Pl. *Warf* —8C **16**
Clerics Wlk. *Shep* —6E **38**
Clerks Cft. *Blet* —2A **124**
Cleveden Ct. *S Croy* —2B **64**
Clevedon. *Wey* —2E **56**
Clevedon Ct. *Farn* —2B **90**
Clevedon Ct. *Frim* —6E **70**
Clevedon Gdns. *Houn* —4J **9**
Clevedon Rd. *SE20* —1G **46**
Clevedon Rd. *King T* —1N **41**
Clevedon Rd. *Twic* —9K **11**
(in two parts)
Cleve Ho. *Brack* —3C **32**
Cleveland Av. *SW20* —1L **43**
Cleveland Av. *W4* —1E **12**
Cleveland Av. *Hamp* —8N **23**
Cleveland Clo. *W on T* —9J **39**
Cleveland Dri. *Stai* —1K **37**
Cleveland Gdns. *SW13* —5E **12**
Cleveland Gdns. *Wor Pk* —8D **42**
Cleveland Pk. *Stai* —9N **7**
Cleveland Ri. *Mord* —6J **43**
Cleveland Rd. *SW13* —5E **12**
Cleveland Rd. *Iswth* —7G **10**
Cleveland Rd. *N Mald* —3D **42**
Cleveland Rd. *Wor Pk* —8D **42**
Cleves Av. *Eps* —5G **61**
Cleves Clo. *Cobh* —1J **77**
Cleves Ct. *Eps* —8E **60** (5N **201**)
Cleves Ct. *Wind* —6C **4**
Cleves Cres. *New Ad* —7M **65**
Cleves Rd. *Rich* —4J **25**
Cleves Way. *Hamp* —8N **23**
Cleves Way. *Sun* —7G **22**
Cleves Wood. *Wey* —1F **56**
Clewborough Dri. *Camb* —9F **50**
Clewer Av. *Wind* —5D **4**
Clewer Ct. Rd. *Wind* —3E **4**
Clewer Fields. *Wind* —4F **4**
Clewer Green. —5C 4
Clewer Hill. —6B 4
Clewer Hill Rd. *Wind* —5B **4**
Clewer New Town. —5E 4
Clewer New Town. *Wind* —5D **4**
Clewer Pk. *Wind* —3D **4**
Clewer St Andrew. —3D 4
Clewer St Stephen. —3E 4
Clewer Village. —4D 4

Clewer Within. —4F 4
Clew's La. Bisl —3D 72
Clifden Rd. Bren —2K 11
Clifden Rd. Twic —2F 24
Cliff End. Purl —8M 63
Cliffe Ri. G'ming —8F 132
Cliffe Rd. G'ming —9E 132
Cliffe Rd. S Croy —2A 64 (8D 200)
Cliffe Wlk. Sutt —2A 62
(off Greyhound Rd.)
Clifford Av. SW14 —6A 12
(in two parts)
Clifford Av. Wall —1G 62
Clifford Gro. Afrd —5B 22
Clifford Haigh Ho. SW6 —3J 13
Clifford Ho. W14 —1L 13
(off Edith Vs.)
Clifford Mnr. Rd. Guild —7A 114
Clifford Rd. SE25 —3D 46
Clifford Rd. Houn —6L 9
Clifford Rd. Rich —3K 25
Clifton Av. Felt —4K 23
Clifton Av. Sutt —7N 61
Clifton Clo. Add —8K 37
Clifton Clo. Cat —1A 104
Clifton Clo. Horl —8H 143
Clifton Clo. Orp —2L 67
Clifton Clo. Wrec —7F 128
Clifton Ct. Stanw —9N 7
Clifton Gdns. W4 —1C 12
(in two parts)
Clifton Gdns. Frim G —8D 70
Clifton Pde. Felt —5K 23
Clifton Pk. Av. SW20 —1H 43
Clifton Pl. Bans —2M 81
Clifton Ri. Wind —4A 4
Clifton Rd. SE25 —3B 46
Clifton Rd. SW19 —7J 27
Clifton Rd. Coul —2F 82
Clifton Rd. Craw —4G 183
Clifton Rd. Iswth —5E 10
Clifton Rd. King T —8M 25 (1N 203)
Clifton Rd. Tedd —5E 24
Clifton Rd. Wall —2F 62
Clifton Rd. Wokgm —1A 30
Clifton's La. Reig —1J 121
Clifton Ter. Dork —6H 119
(off Cliftonville)
Cliftonville. Dork —6H 119
Clifton Wlk. W6 —1G 13
(off King St.)
Clifton Way. H'row A —6B 8
Clifton Way. Wok —4J 73
Climping Rd. Craw —1N 181
Cline Rd. Guild —5B 114
Clinton Av. E Mol —3C 40
Clinton Clo. Knap —5G 73
Clinton Hill. D'land —1C 166
Clinton Rd. Lea —1J 99
Clintons Grn. Brack —9M 15
Clippesby Clo. Chess —3M 59
Clipstone Rd. Houn —6A 10
Clitherow Ct. Bren —1J 11
Clitherow Gdns. Craw —4C 182
Clitherow Pas. Bren —1J 11
Clitherow Rd. Bren —1H 11
Cliveden Pl. Shep —5D 38
Cliveden Rd. SW19 —9L 27
Clive Grn. Brack —4N 31
(in two parts)
Clive Pas. SE21 —4N 29
Clive Rd. SE21 —4N 29
Clive Rd. SW19 —7C 28
Clive Rd. Alder —3B 110
Clive Rd. Esh —1B 58
Clive Rd. Felt —9H 9
Clive Rd. Twic —5F 24
Clive Way. Craw —3G 182
Clock Barn La. Busb & G'ming —3J 153
Clock House. —1F 82
Clockhouse Clo. SW19 —3H 27
Clock Ho. Clo. Byfl —8A 56
Clock Ho. Cotts. Capel —8J 159
Clockhouse Ct. Beck —1H 47
Clockhouse Ct. Guild —8M 93
Clockhouse Ct. Hasl —2G 189
Clockhouse La. Afrd & Felt —5B 22
Clockhouse La. Brmly —5B 134
Clockhouse La. E. Egh —8D 20
Clockhouse La. W. Egh —8C 20
Clock Ho. Mead. Oxs —1B 78
Clockhouse Pl. SW15 —9K 13
Clock Ho. Rd. Beck —2H 47
Clockhouse Rd. Farn —1N 89
Clockhouse Roundabout. (Junct.) —2D 22
Clockhouse Roundabout. Farn —1N 89
Clock Tower Ind. Est. Iswth —6F 10
Clock Tower Rd. Iswth —6F 10
Clodhouse Hill. Wok —9G 73
Cloister Clo. Tedd —6H 25
Cloister Gdns. SE25 —5E 46
Cloisters Mall. King T —1L 41 (3J 203)
Cloisters, The. Frim —5B 70
Cloisters, The. Wok —8D 74
Cloncurry St. SW6 —5J 13
Clonmel Rd. SW6 —3L 13
Clonmel Rd. Tedd —5D 24
Clonmore St. SW18 —2L 27
Cloonmore Av. Orp —1N 67
Close, The. SE25 —5D 46
Close, The. Asc —1H 33
Close, The. Beck —3H 47
Close, The. Berr G —3K 87
Close, The. Brack —3A 32
Close, The. Cars —5C 62
Close, The. Coll T —7K 49
Close, The. E Grin —1N 185
Close, The. Farnh —2J 129
Close, The. Frim —6A 70
Close, The. G'ming —8J 133
Close, The. Horl —1G 163
Close, The. Iswth —5D 10
Close, The. Light —6L 51
Close, The. Loxw —5F 192
Close, The. Mitc —3D 44
Close, The. N Mald —1B 42
Close, The. Purl —6M 63
(Pampisford Rd.)
Close, The. Purl —6K 63
(Russell Hill)
Close, The. Reig —4N 121
Close, The. Rich —6A 12
Close, The. Str G —7A 120
Close, The. Surb —5L 41
Close, The. Sutt —6L 43
Close, The. Vir W —4N 35
Close, The. W Byf —9J 55
Close, The. Won —4D 134
Closeworth Rd. Farn —5C 90
Cloudesdale Rd. SW17 —3F 28
Clouston Clo. Wall —2J 63
Clouston Rd. Farn —9L 69
Clovelly Av. Warl —6E 84
Clovelly Dri. Hind —2A 170
Clovelly Pk. Hind —2A 170
Clovelly Rd. Hind —3A 170
Clovelly Rd. Houn —5A 10
Clover Clo. Lind —4B 168
Clover Clo. Wokgm —1D 30
Clover Ct. Wok —5N 73
Clover Fld. Slin —6L 195
Cloverfields. Horl —7F 142
Clover Hill. Coul —8F 82
Cloverlands. Craw —1D 182
Clover La. Yat —9A 48
Clover Lea. G'ming —3H 133
Clover Rd. Guild —2H 113
Clovers Cotts. Fay —8E 180
Clovers End. H'ham —3N 197
Clovers Way. Fay —1C 198
Clover Wlk. Eden —9M 127
Clover Way. Small —8N 143
Clover Way. Wall —7E 44
Clowser Clo. Sutt —2A 62
Clubhouse Rd. Alder —8L 89
Club La. Crowt —2J 49
Club Row. Brkwd —6A 72
Clump Av. Tad —9B 100
Clumps Rd. Lwr Bo —7K 129
Clumps, The. Afrd —5E 22
Clunbury Av. S'hall —1N 9
Cluny M. SW5 —1M 13
Clyde Av. S Croy —2E 84
Clyde Clo. Red —2E 122
Clyde Flats. SW6 —3L 13
(off Rhylston Rd.)
Clyde Ho. King T —9K 25 (1J 203)
Clyde Rd. Croy —8C 46
Clyde Rd. Stai & Stanw —2M 21
Clyde Rd. Sutt —2M 61
Clyde Rd. Wall —3G 63
Clydesdale Clo. Iswth —6F 10
Clydesdale Gdns. Rich —7A 12
Clymping Dene. Felt —1J 23
Clyve Way. Stai —9G 21
Coach Ho. Clo. Frim —3C 70
Coach Ho. Gdns. Fleet —2B 88
Coach Ho. La. SW19 —5J 27
Coach Ho. M. Red —4D 122
Coach Ho. Yd. SW18 —7N 13
Coachlads Av. Guild —3J 113
Coachman's Dri. Craw —7N 181
Coachmans Gro. Sand —8G 49
Coach Rd. Asc —8J 17
Coach Rd. Brock —3L 119
(in two parts)
Coach Rd. Gat A —3F 162
(off Ring Rd. S.)
Coach Rd. Ott —3E 54
Coaldale Wlk. SE21 —1N 29
Coalecroft Rd. SW15 —7H 13
Coast Hill. Westc —8N 117
Coast Hill La. Westc —7A 118
Coates Wlk. Bren —2L 11
Coatham Pl. Cranl —7A 156
Cobb Clo. Dat —4N 5
Cobbets Ridge. Farnh —3A 130
Cobbett Clo. Craw —1G 183
Cobbett Hill Rd. Norm —6B 92
Cobbett Rd. Guild —2J 113
Cobbett Rd. Twic —2A 24
Cobbetts Clo. Norm —7C 92
Cobbetts Clo. Wok —4L 73
Cobbetts Hill. Wey —3C 56
Cobbett's La. Yat & B'wtr —1E 68
Cobbetts M. Farnh —1G 128
(off Hart, The)
Cobbetts Wlk. Bisl —2D 72
Cobbetts Way. Farnh —5E 128
Cobblers. Slin —5L 195
Cobblers Wlk. Hamp & Tedd —9C 24
(in two parts)
Cobbles Cres. Craw —2C 182
Cobblestone Pl. Croy —7N 45 (1B 200)
Cobb's Rd. Houn —7N 9
Cob Clo. Craw D —1F 184
Cobden La. Hasl —1H 189
Cobden Rd. SE25 —4D 46
Cobden Rd. Orp —1M 67
Cobham. —1J 77
Cobham Av. N Mald —4F 42
Cobham Bus Mus. —8D 56
Cobham Clo. Wall —3J 63
Cobham Ct. Mitc —1B 44
Cobham Ga. Cobh —1J 77
Cobham Mill. —2K 77
Cobham Pk. Rd. Cobh & D'side —4J 77
Cobham Rd. Houn —3K 9
Cobham Rd. King T —9N 25
Cobham Rd. Stoke D —5A 78
Cobham Way. Craw —6F 162
Cobham Way. E Hor —4F 96
Cobner Clo. Craw —5L 181
Cobs Way. New H —6L 55
Coburg Cres. SW2 —2K 29
Cob Wlk. Craw —3M 181
Cochrane Pl. W'sham —2A 52
Cochrane Rd. SW19 —8K 27
Cock-A-Dobby. Sand —6F 48
Cockcrow Hill. —7K 41
Cock La. Fet —9C 78
Cockpit Path. Wokgm —3B 30
Cocks Cres. N Mald —3E 42
Cocksett Av. Orp —3N 67
Cockshot Hill. Reig —4N 121
Cockshot Rd. Reig —4N 121
Cock's La. Warf —3E 16
Coda Cen., The. SW6 —3K 13
Codrington Ct. Wok —5J 73
Cody Clo. Ash V —8D 90
Cody Clo. Wall —4H 63
Cody Rd. Farn —2L 89
Coe Av. SE25 —5D 46
Coe Clo. Alder —3M 109
Cogman's La. Out —6A 144
Cokenor Wood. Wrec —5E 128
Cokers La. SE21 —2N 29
Colbeck. C Crook —9C 88
Colbeck M. SW5 —1N 13
Colborne Way. Wor Pk —9H 43
Colbred Corner. Fleet —1D 88
Colburn Av. Cat —2C 104
Colburn Cres. Guild —9C 94
Colburn Way. Sutt —9B 44
Colby Rd. W on T —7H 39
Colchester Va. F Row —7G 186
Colcokes Rd. Bans —3M 81
Cold Blows. Mitc —2D 44
Coldharbour. —7D 138
Coldharbour Clo. Egh —2E 36
Coldharbour Common. —6D 138
Coldharbour La. Blet —3C 124
Coldharbour La. Dork & Cold —2E 138
Coldharbour La. Egh —2E 36
Cold Harbour La. Farn —6K 69
(in two parts)
Coldharbour La. Purl —7L 63
Coldharbour La. W End —7C 52
Coldharbour La. Wok —2H 75
Coldharbour Rd. Croy —2L 63
Coldharbour Rd. W Byf —1H 75
Coldharbour Way. Croy —2L 63
Coldshott. Oxt —2C 126
Coldstream Gdns. SW18 —9L 13
Coldstream Rd. Cat —8N 83
Cole Av. Alder —1L 109
Colebrook. Ott —3F 54
Colebrook Clo. SW15 —1J 27
Colebrooke Ri. Brom —1N 47
Colebrooke Rd. Red —1C 122
Colebrook Pl. Ott —4D 54
Colebrook Rd. SW16 —9J 29
Cole Clo. Craw —8N 181
Cole Ct. Twic —1G 24
Coleford Bri. Rd. Myt —1B 90
Coleford Clo. Myt —2D 90
Coleford Paddocks. Myt —1D 90
Coleford Rd. SW18 —8N 13
Cole Gdns. Houn —3H 9
Coleherne Ct. SW5 —1N 13
Coleherne Mans. SW5 —1N 13
(off Old Brompton Rd.)
Coleherne M. SW10 —1N 13
Coleherne Rd. SW10 —1N 13
Colehill Gdns. SW6 —5K 13
Colehill La. SW6 —4K 13
Colekitchen La. Gom —7E 116
Coleman Clo. SE25 —1D 46
Coleman Rd. Alder —3B 110
Colenorton Cres. Eton W —1B 4
Cole Park. —9G 11
Cole Pk. Gdns. Twic —8G 10
Cole Pk. Rd. Twic —9G 10
Cole Pk. Vw. Twic —9G 11
Coleridge Av. Sutt —1C 62
Coleridge Av. Yat —1D 68
Coleridge Clo. Crowt —3H 49
Coleridge Clo. H'ham —2L 197
Coleridge Cres. Coln —4G 6
Coleridge Rd. Afrd —5N 21
Coleridge Rd. Croy —6F 46
Coleridge Way. W Dray —1N 7
Cole Rd. Twic —9G 10
Colesburg Rd. Beck —2J 47
Colescroft Hill. Purl —2L 83
Coleshill Rd. Tedd —7E 24
Cole's La. Capel & Ockl —4E 158
Colesmead Rd. Red —9D 102
Coles Meads. —9D 102
Coleson Hill Rd. Wrec —6E 128
Colet Ct. W6 —1J 13
(off Hammersmith Rd.)
Colet Gdns. W14 —1J 13
Colet Rd. Craw —6B 182
Coleville Rd. Farn —9L 69
Coley Av. Wok —5C 74
Colgate. —2H 199
Colgate Clo. Craw —1N 181
Colin Clo. Croy —9J 47
Colin Clo. W Wick —1B 66
Colinette Rd. SW15 —7H 13
Colin Rd. Cat —1D 104
Coliseum Bus. Cen. Camb —3M 69
Coliston Pas. SW18 —1M 27
Coliston Rd. SW18 —1M 27
Collamore Av. SW18 —2C 28
Collards La. Hasl —2H 189
College Av. Egh —7D 20
College Av. Eps —1E 80
College Clo. Add —9M 37
College Clo. Camb —7B 50
College Clo. E Grin —9B 166
College Clo. Hand —6N 199
College Clo. Ling —7N 145
College Clo. Twic —2D 24
College Ct. W6 —1H 13
(off Queen Caroline St.)
College Cres. Coll T —7K 49
College Cres. Red —9E 102
College Cres. Wind —5E 4
College Fields Bus. Cen. SW19 —9B 28
College Gdns. SW17 —3C 28
(in three parts)
College Gdns. Farnh —1G 128
College Gdns. N Mald —4E 42
College Hill. G'ming —9F 132
College Hill. Hasl —2G 189
College Hill Ter. Hasl —2G 189
College La. E Grin —9B 166
College La. Wok —6M 73
College M. SW18 —8N 13
College Pl. SW10 —3N 13
College Ride. Bag —6E 50
College Ride. Camb —8B 50
College Rd. Coll T —8K 49
College Rd. SW19 —7B 28
College Rd. As —1E 110
College Rd. Brack —3A 32
College Rd. Craw —3C 182
College Rd. Croy —8A 46 (3D 200)
College Rd. Eps —1E 80 (8N 201)
College Rd. Guild —4N 113 (4C 202)
College Rd. Iswth —4F 10
College Rd. Wok —3D 74
College Roundabout. King T —2L 41 (5K 203)
College Town. —9K 49
College Wlk. King T —2L 41 (5L 203)
College Way. Afrd —5A 22
Collendean La. Horl —7K 141
Collens Fld. Pirb —2C 92
Collett's All. H'ham —6J 197
(off Carfax)
Colley La. Reig —2K 121
Colley Mnr. Dri. Reig —2J 121
Colley Way. Reig —9K 101
Collier Clo. Eps —3N 59
Collier Clo. Farn —9J 69
Collier Row. Craw —5B 182
Colliers. Cat —3D 104
Colliers Clo. Wok —4L 73
Colliers Ct. Croy —6D 200
Colliers Shaw. Kes —2F 66
Colliers Water La. T Hth —4L 45
Collier's Wood. —8B 28
Colliers Wood. (Junct.) —8B 28
Collier Way. Guild —1F 114
Collingdon. Cranl —9A 156
Collingham Gdns. SW5 —1N 13
Collingham Pl. SW5 —1N 13
Collingham Rd. SW5 —1N 13
Collingsbourne. Add —1L 55
Collingwood. Farn —3C 90
Collingwood Av. Surb —7B 42
Collingwood Clo. E Grin —2B 186
Collingwood Clo. Horl —7F 142
Collingwood Clo. H'ham —4J 197
Collingwood Clo. Twic —1A 24
Collingwood Cres. Guild —2C 114
Collingwood Grange Clo. Camb —7F 50
Collingwood Pl. W on T —9H 39
Collingwood Ri. Camb —8E 50
Collingwood Rd. Craw —4H 183
Collingwood Rd. H'ham —4J 197
Collingwood Rd. Mitc —2C 44
Collingwood Rd. Sutt —9M 43
Collins Gdns. As —2F 110
Collins Path. Hamp —7N 23
Collins Rd. Bew —5K 181
Collis All. Twic —2E 24
Collyer Av. Croy —1J 63
Collyer Rd. Croy —1J 63
Colman Clo. Eps —4H 81
Colman Ho. Red —1D 122
Colman's Hatch. —9N 187
Colman's Hill. —4F 136
Colman's Hill. Peasl —4F 136
Colman Way. Red —1C 122
Colmer Rd. SW16 —9J 29
Coln Bank. Hort —6E 6
Colnbrook. —3F 6
Colnbrook By-Pass. Coln & Slou —2E 6
Colnbrook Ct. Coln —4H 7
Colndale Rd. Coln —5G 6
Colnebridge Clo. Stai —5G 21
Colne Ct. Eps —1B 60
Colne Dri. W on T —9L 39
Colne Pk. Cvn. Site. W Dray —1L 7
Colne Reach. Stai —8H 7
Colne Rd. Twic —2E 24
Colne Wlk. Craw —5L 181
Colne Way. As —3E 110
Colne Way. Stai —3D 20
Coln Trad. Est. Coln —4H 7
Colonel's La. Cher —5J 37
Colonial Av. Twic —9C 10
Colonial Dri. W4 —1B 12
Colonial Rd. Felt —1F 22
Colonnades, The. Croy —3L 63
Colonsay Rd. Craw —6N 181
Colson Rd. Croy —8B 46 (2F 200)
Colson Way. SW16 —5G 29
Colston Av. Cars —1C 62
Colston Ct. Cars —1D 62
(off West St.)
Colston Rd. SW14 —7B 12
Coltash Rd. Craw —4E 182
Coltsfoot Dri. Guild —9C 94
Coltsfoot Dri. H'ham —3L 197
Coltsfoot La. Oxt —2B 126
Coltsfoot Rd. Lind —4B 168
Columbia Av. Wor Pk —6E 42
Columbia Cen., The. Brack —1N 31
Columbia Sq. SW14 —7B 12
Columbine Av. S Croy —4M 63
Columbus Dri. Swd B —1H 89
Colville Gdns. Light —7N 51
Colvin Rd. T Hth —4L 45
Colwith Rd. W6 —2H 13
Colwood Gdns. SW19 —8B 28
Colworth Rd. Croy —7D 46
Colwyn Clo. SW16 —6G 28
Colwyn Clo. Craw —5L 181
Colwyn Clo. Yat —9B 48
Colwyn Cres. Houn —4C 10
Colyton Clo. Wok —5M 73
Combe La. Brmly & Shere —6A 116
Combe La. C'fold & Wmly —4C 172
Combe La. Farn —8M 69
Combe La. G'ming & Wmly —9M 133
Combe La. Wmly —1C 172
Combemartin Rd. SW18 —1K 27
Combe Ri. Lwr Bo —6J 129
Combermere Clo. Wind —5E 4
Combermere Rd. Mord —5N 43
Combe Rd. G'ming —3H 133
Comberton. King T —4N 203
Comeragh Clo. Wok —7K 73
Comeragh M. W14 —1K 13
Comeragh Rd. W14 —1K 13
Comet Clo. Ash V —8D 90
Comet Rd. Stanw —1M 21
Comford Moor. —9C 168
Comforts Farm Av. Oxt —2B 126
Comfrey Clo. Farn —9H 69
Comfrey Clo. Wokgm —9D 14
Commerce Rd. Bren —2J 11
Commerce Way. Croy —8K 45
Commerce Way. Eden —9L 127
Commercial Rd. Alder —4A 110
Commercial Rd. Guild —4N 113 (5C 202)
Commercial Rd. Stai —7J 21
Commercial Way. Wok —4A 74
Commodore Ct. Farn —5A 90
Common Clo. Wok —1N 73
Commondale. SW15 —6H 13
Commonfield La. SW17 —6C 28
Commonfield Rd. Bans —1M 81
Commonfields. W End —8D 52

Cottenham Pde.—Crocus Clo.

Cottenham Pde. SW20 —1G 43
Cottenham Park. —9G 27
Cottenham Pk. Rd. SW20 —9F 26
(in two parts)
Cottenham Pl. SW20 —8G 26
Cottenhams. Blind H —3H 145
Cotterell Clo. Brack —8N 15
Cotterell Ct. C Crook —9A 88
Cotterill Rd. Surb —8L 41
Cottesbrooke Clo. Coln —4F 6
Cottesloe Clo. Bisl —3C 72
Cottesmore. Brack —6M 31
Cottimore Av. W on T —7J 39
Cottimore Cres. W on T —6J 39
Cottimore La. W on T —6J 39
Cottimore Ter. W on T —6J 39
Cottingham Av. H'ham —1K 197
Cottington Rd. Felt —5L 23
Cotton Clo. Alder —1L 109
Cottongrass Clo. Croy —7G 46
Cotton Ho. SW2 —1J 29
Cotton Row. Holm M —3K 157
Cotton Wlk. Craw —8M 181
Cottrell Flats. Farn —5B 90
Cotts Wood Dri. Guild —7C 94
Couchmore Av. Esh —8E 40
Coulsdon. —3H 83
Coulsdon Ct. Rd. Coul —3K 83
Coulsdon La. Coul —6D 82
Coulsdon Pl. Cat —9A 84
Coulsdon Ri. Coul —4J 83
Coulsdon Rd. Coul & Cat —2K 83
Coulthurst Ct. SW16 —8J 29
(off Heybridge Av.)
Council Cotts. Ockl —6D 158
Council Cotts. W End —8C 52
Council Cotts. Wis —2M 75
Countisbury Gdns. Add —2K 55
Country Way. Hanw —7J 23
Countryways Experience, The. —7G 174
County Bldgs. Craw —3C 182
County La. Warf —7B 16
County Mall Shop. Cen. Craw —3C 182
County Oak. —8B 162
County Oak La. Craw —8B 162
County Oak Retail Pk. Craw —8B 162
County Oak Way. Craw —8B 162
County Pde. Bren —3K 11
County Rd. T Hth —1M 45
Courland Rd. Add —9K 37
Course Rd. Asc —2L 33
Court Av. Coul —5L 83
Court Bushes Rd. Whyt —6D 84
Court Clo. E Grin —9B 166
Court Clo. Twic —4B 24
Court Clo. Wall —4H 63
Court Clo. Av. Twic —4B 24
Court Cres. Chess —2K 59
Court Cres. E Grin —9B 166
Court Downs Rd. Beck —1L 47
Court Dri. Croy —1K 63
Court Dri. Fleet —7B 88
Court Dri. Sutt —1C 62
Courtenay Av. Sutt —5M 61
Courtenay Dri. Beck —1N 47
Courtenay M. Wok —3C 74
Courtenay Rd. Farnh —5K 109
Courtenay Rd. Wok —3C 74
Courtenay Rd. Wor Pk —9H 43
Court Farm Av. Eps —2C 60
Court Farm Gdns. Eps —7B 60
Court Farm Pk. Warl —3D 84
Court Farm Rd. Warl —5D 84
Courtfield M. SW5 —1N 13
Courtfield Ri. W Wick —9N 47
Courtfield Rd. SW7 —1N 13
Courtfield Rd. Afrd —7C 22
Court Gdns. Camb —1A 70
Court Grn. Heights. Wok —7M 73
Court Haw. Bans —2C 82
Court Hill. Coul —5C 82
Court Hill. S Croy —8B 64
Courthope Rd. SW19 —6K 27
Courthope Vs. SW19 —8K 27
Court Ho. Mans. Eps —8C 60
Courtland Av. SW16 —8K 29
Courtlands. Rich —8N 11
Courtlands. W on T —6H 39
Courtlands Av. Esh —3N 57
Courtlands Av. Hamp —7N 23
Courtlands Av. Rich —5A 12
Courtlands Av. Slou —1N 5
Courtlands Clo. S Croy —6C 64
Courtlands Cres. Bans —2M 81
Courtlands Dri. Eps —3D 60
Courtlands Rd. Surb —6N 41
Court La. Eps —9B 60 (6H 201)
Courtleas. Cobh —9A 58
Court Lodge Rd. Horl —7C 142
Courtmead Clo. SE24 —1N 29
Courtmoor Av. Fleet —6B 88
Courtney Cres. Cars —4D 62
Courtney Pl. Cobh —8N 57
Courtney Pl. Croy —9L 45
Courtney Rd. SW19 —8C 28
Courtney Rd. Croy —9L 45
Courtney Rd. H'row A —6B 8
Courtoak La. Out —6M 143
Court Rd. God —9F 104
Court Rd. SE25 —1C 46
Court Rd. Alder —2M 109
Court Rd. Bans —3M 81
Court Rd. Cat —1A 104
Court Rd. S'hall —1N 9
Courts Hill Rd. Hasl —2F 188
Courts Mt. Rd. Hasl —2F 188
Court, The. Guild —5M 113 (7B 202)
Court, The. Warl —5H 85
Court Way. Twic —1F 24
Court Wood La. Croy —7J 65
Courtyard, The. Brack —1B 32
Courtyard, The. Craw —4B 182
Courtyard, The. E Grin —9D 166
Courtyard, The. H'ham —6J 197
Courtyard, The. Kgswd —9A 82
Court Yd., The. W Byf —8J 55
Courtyard, The. W'ham —5M 107
Courtyard, The. Wokgm —3B 30
Coutts Av. Chess —2L 59
Coval Gdns. SW14 —7A 12
Coval La. SW14 —7A 12
Coval Pas. SW14 —7B 12
Coval Rd. SW14 —7A 12
Cove. —9J 69
Coveham Cres. Cobh —9H 57
Coventry Hall. SW16 —6J 29
Coventry Rd. SE25 —3D 46
Coverack Clo. Croy —6H 47
Coverdale Gdns. Croy —9C 46
Cove Rd. Farn —1L 89
Cove Rd. Fleet —1C 88
Covert Clo. Craw —2C 182
Covert Clo. Farnh —8K 109
Covert La. Brack —3A 32
Covert Mead. Hand —9N 199
Coverton Rd. SW17 —6C 28
Coverts Rd. Clay —4F 58
Covert, The. Asc —6M 33
Covert, The. Farn —6K 69
Coves Farm Wood. Brack —1J 31
Covey Clo. SW19 —1N 43
Covey Clo. Farn —6M 69
Covey, The. Worth —1H 183
Covington Gdns. SW16 —8M 29
Covington Way. SW16 —7K 29
(in two parts)
Cowdray Clo. Craw —4G 183
Cowdrey Rd. SW19 —6N 27
Cowfold Clo. Craw —6L 181
Cowick Rd. SW17 —5D 28
Cow La. G'ming —7G 133
Cowleaze Rd. King T —9L 25 (2L 203)
Cowley Av. Cher —6H 37
Cowley Clo. S Croy —5F 64
Cowley Cres. W on T —1K 57
Cowley La. Cher —6H 37
Cowley Lodge. Cher —6H 37
Cowley Rd. SW14 —6D 12
Coworth Clo. Asc —4E 34
Coworth Pk. S'hill —3F 34
Coworth Rd. Asc —4D 34
Cowper Av. Sutt —1B 62
Cowper Clo. Cher —5H 37
Cowper Gdns. Wall —3G 63
Cowper Rd. SW19 —7A 28
Cowper Rd. King T —6M 25
Cowshot Common. —7B 72
Cowshot Cres. Brkwd —7A 72
Cowslip Clo. Lind —5B 168
Cowslip La. Mick —6G 99
Cowslip La. Wok —2L 73
Coxbridge Meadows. Farnh —2E 128
Coxcombe La. C'fold —5E 172
Coxcomb Wlk. Craw —5L 181
Coxdean. Eps —6H 81
Coxes Lock Mill. Add —2N 55
Cox Green. —7F 176
Cox Grn. Coll T —9J 49
Cox Grn. Rd. Rud —7C 176
Coxheath Rd. C Crook —7A 88
Cox Ho. W6 —2K 13
(off Field Rd.)
Cox Ho. H'ham —6H 197
Cox La. Chess —1M 59
Cox La. Eps —2A 60
Coxley Ri. Purl —9N 63
Coxmoor Clo. C Crook —8D 88
Coxs Av. Shep —2F 38
Coxwold Path. Chess —4L 59
Crabbet Park. —2K 183
Crabbet Pk. Worth —2K 183
Crabbet Rd. Craw —2F 182
Crabbs Cft. Clo. Orp —2L 67
Crabhill La. S Nut —7K 123
Crabtree Clo. Bookh —4C 98
Crabtree Dri. Lea —2J 99
Crabtree Gdns. Head —4D 168
Crabtree La. SW6 —3H 13
(in two parts)
Crabtree La. Bookh —4C 98
Crabtree La. Churt —8M 149
Crabtree La. Dork —4B 100
Crabtree La. Head —4D 168
Crabtree La. Westh —8F 98
Crabtree Office Village. Egh —1E 36
Crabtree Rd. Camb —4N 69
Crabtree Rd. Craw —2A 182
Crabtree Rd. Egh & Thorpe —1E 36
Crabtree Wlk. Croy —7D 46
Crabwood. Oxt —6A 106
Craddocks Av. Asht —4L 79
Craddocks Pde. Asht —4L 79
(in two parts)
Cradhurst Clo. Westc —6C 118
Cradle La. Bord —6B 148
Craigans. Craw —3M 181
Craigen Av. Croy —7E 46
Craigmore Tower. Wok —6A 74
(off Guildford Rd.)
Craignair Rd. SW2 —1L 29
Craignish Av. SW16 —1K 45
Craig Rd. Rich —5J 25
Craig's Wood. —8C 170
Craigwell Av. Felt —4H 23
Craigwell Clo. Stai —9G 21
Crail Clo. Wokgm —5A 30
Crakell Rd. Reig —4A 122
Crake Pl. Coll T —7J 49
Cramhurst. —4B 152
Cramhurst La. Witl —4B 152
Crammond Clo. W6 —2K 13
Cramond Ct. Felt —2F 22
Crampshaw La. Asht —6M 79
Cranberry Wlk. B'water —3L 69
Cranborne Av. S'hall —1A 10
Cranborne Av. Surb —9N 41
Cranborne Wlk. Craw —5D 182
Cranbourne. —2M 17
Cranbourne Av. Wind —5C 4
Cranbourne Clo. SW16 —2J 45
Cranbourne Clo. Horl —6F 142
Cranbourne Cotts. Wind —4M 17
Cranbourne Hall Cvn. Site. Wink —2L 17
Cranbourne Hall Cotts. Wink —2M 17
Cranbrook Ct. Bren —2J 11
Cranbrook Ct. Fleet —2B 88
Cranbrook Dri. Esh —7C 40
Cranbrook Dri. Twic —2B 24
Cranbrook Rd. SW19 —8K 27
Cranbrook Rd. W4 —1D 12
Cranbrook Rd. Houn —7N 9
Cranbrook Rd. T Hth —1N 45
Cranbrook Ter. Cranl —7A 156
Cranbury Rd. SW6 —5N 13
Crane Av. Iswth —8G 10
Cranebank M. Twic —7G 11
Cranebrook. Twic —3C 24
Crane Ct. Coll T —7J 49
Crane Ct. Eps —1B 60
Craneford Clo. Twic —1F 24
Craneford Way. Twic —1E 24
Crane Ho. Felt —4A 24
Crane Lodge Rd. Houn —2J 9
Crane Mead Ct. Twic —1F 24
Crane Pk. Rd. Twic —3B 24
Crane Rd. Twic —2E 24
Cranes Dri. Surb —3L 41 (8L 203)
Cranes Pk. Surb —3L 41 (8L 203)
Cranes Pk. Av. Surb —3L 41 (8L 203)
Cranes Pk. Cres. Surb —3M 41 (8M 203)
Craneswater. Hayes —3G 9
Craneswater Pk. S'hall —1N 9
Crane Way. Twic —1C 24
Cranfield Clo. SE27 —4N 29
Cranfield Ct. Wok —5K 73
Cranfield Rd. E. Cars —5E 62
Cranfield Rd. W. Cars —5D 62
Cranford. —4H 9
Cranford Av. C Crook —8A 88
Cranford Av. Stai —1N 21
Cranford Clo. SW20 —8G 26
Cranford Clo. Purl —9N 63
Cranford Clo. Stai —1N 21
Cranford Dri. Hayes —1G 8
Cranford La. Hayes —2E 8
Cranford La. Houn —3J 9
Cranford La. H'row A —4G 8
(in two parts)
Cranford Pk. Dri. Yat —9C 48
Cranford Ri. Esh —2C 58
Cranleigh. —7M 155
Cranleigh Clo. SE20 —1E 46
Cranleigh Clo. S Croy —8D 64
Cranleigh Ct. Farn —1L 89
Cranleigh Ct. Mitc —2B 44
Cranleigh Ct. Rich —6N 11
Cranleigh Gdns. SE25 —2B 46
Cranleigh Gdns. King T —7M 25
Cranleigh Gdns. S Croy —8D 64
Cranleigh Gdns. Sutt —8N 43
Cranleigh Mead. Cranl —8A 156
Cranleigh Rd. SW19 —2M 43
Cranleigh Rd. Esh —7C 40
Cranleigh Rd. Ewh —6E 156
Cranleigh Rd. Felt —5G 22
Cranleigh Rd. Won —4D 134
Cranley Clo. Guild —3C 114
Cranley Gdns. Wall —4G 62
Cranley Pl. Knap —5G 72
Cranley Rd. Guild —3B 114
Cranley Rd. W on T —2G 56
Cranmer Clo. Mord —5J 43
Cranmer Clo. Warl —4H 85
Cranmer Clo. Wey —4B 56
Cranmer Farm Clo. Mitc —3D 44
Cranmer Gdns. Warl —4H 85
Cranmer Rd. Croy —9M 45 (4A 200)
Cranmer Rd. Hamp H —6B 24
Cranmer Rd. King T —6L 25
Cranmer Rd. Mitc —3D 44
Cranmer Ter. SW17 —6B 28
Cranmer Wlk. Craw —4G 183
Cranmore Av. Iswth —3C 10
Cranmore Clo. Alder —3K 109
Cranmore Cotts. W Hor —7C 96
Cranmore Gdns. Alder —3J 109
Cranmore La. Alder —4J 109
Cranmore La. W Hor —7C 96
(in two parts)
Cranmore Rd. Myt —1D 90
Cranston Clo. Houn —5M 9
Cranston Clo. Reig —4N 121
Cranston Rd. E Grin —8A 166
Cranston Way. Craw D —1F 184
Cranstoun Clo. Guild —8J 93
Crantley Pl. Esh —2C 58
Cranwell Gro. Light —7K 51
Cranwell Gro. Shep —3A 38
Cranwell Rd. H'row A —5C 8
Craster Rd. SW2 —1K 29
Cravan Av. Felt —3H 23
Craven Clo. Lwr Bo —5H 129
Craven Gdns. SW19 —6M 27
Craven Rd. Croy —7E 46
Craven Rd. King T —9M 25 (1N 203)
Craven Rd. M'bowr —4F 182
Cravens, The. Small —8L 143
Crawford Clo. Iswth —5E 10
Crawford Gdns. Camb —1N 69
Crawford Gdns. H'ham —4L 197
Crawfurd Way. E Grin —8A 166
Crawley. —3B 182
Crawley Av. Craw —2N 181
Crawley Chase. Wink R —7F 16
Crawley Down. —1E 184
Crawley Down Rd. Felb —7H 165
Crawley Dri. Camb —9D 50
Crawley Hill. —1B 70
Crawley Hill. Camb —1D 70
Crawley La. Craw —2G 182
Crawley Leisure Pk. Craw —2B 182
Crawley Mus. Cen. —4A 182
Crawley Ridge. Camb —9D 50
Crawley Rd. Fay & Craw —3A 198
Crawley Rd. H'ham —4M 197
(in two parts)
Crawley S. W. By-Pass. Peas P —7K 181
Crawley Town Football Club. —7A 182
Crawley Wood Clo. Camb —9D 50
Crawshaw Rd. Ott —3F 54
Crawters Clo. Craw —2D 182
Cray Av. Asht —3L 79
Crayke Hill. Chess —4L 59
Crayonne Clo. Sun —9F 22
Crealock St. SW18 —9N 13
Creasys Dri. Craw —8M 181
Credenhill St. SW16 —7G 28
Crediton Way. Clay —2G 58
Credon Clo. Farn —9L 69
Creek Rd. E Mol —3E 40
Creek, The. Sun —4H 39
Cree's Mdw. W'sham —3N 51
Crefeld Clo. SW6 —2K 13
Cremorne Gdns. Eps —6C 60
Crerar Clo. Farn —2J 89
Crescent Ct. Horl —1E 162
Crescent Ct. Surb —4K 41
Crescent Gdns. SW19 —4M 27
Crescent Gro. Mitc —3C 44
Crescent La. Ash V —8F 90
Crescent Rd. SW20 —9J 27
Crescent Rd. Beck —1L 47
Crescent Rd. Blet —2N 123
Crescent Rd. Cat —2D 104
Crescent Rd. E Grin —9N 165
Crescent Rd. King T —8N 25
Crescent Rd. Reig —5M 121
Crescent Rd. Shep —4D 38
Crescent Rd. Wokgm —3B 30
Crescent Stables. SW15 —8K 13
Crescent, The. SW13 —5E 12
Crescent, The. SW19 —4M 27
Crescent, The. Afrd —6A 22
Crescent, The. Beck —1K 47
Crescent, The. Belm —7M 61
Crescent, The. B'water —2J 69
Crescent, The. Brack —3A 32
Crescent, The. Cher —3J 37
Crescent, The. Croy —5A 46
Crescent, The. Egh —7A 20
Crescent, The. Eps —1N 79
(in two parts)
Crescent, The. Farn —2A 90
Crescent, The. Farnh —5H 109
Crescent, The. Felc —2M 165
Crescent, The. Guild —2K 113
Crescent, The. Hayes —3D 8
Crescent, The. Horl —1E 162
(in two parts)
Crescent, The. H'ham —7G 196
Crescent, The. Lea —9H 79
Crescent, The. N Mald —2B 42
Crescent, The. Red —6B 122
Crescent, The. Reig —3N 121
Crescent, The. Shep —6G 38
Crescent, The. Surb —4L 41
Crescent, The. Sutt —2B 62
Crescent, The. W Mol —3A 40
Crescent, The. W Wick —5N 47
Crescent, The. Wey —9B 38
Crescent, The. Wold —1K 105
Crescent, The. Yat —8C 48
Crescent Way. SW16 —7K 29
Crescent Way. Horl —1E 162
Crescent Way. Orp —2N 67
Cresford Rd. SW6 —4N 13
Cressage Ho. Bren —2L 11
(off Ealing Rd.)
Cressall Clo. Lea —7H 79
Cressal Mead. Lea —7H 79
Cressex Clo. Binf —7H 15
Cressida Chase. Warf —9C 16
Cressingham Gdns. Est. SW2 —1L 29
Cressingham Gro. Sutt —1A 62
Cresswell Gdns. SW5 —1N 13
Cresswell Pl. SW10 —1N 13
Cresswell Rd. SE25 —3D 46
Cresswell Rd. Felt —4M 23
Cresswell Rd. Twic —9K 11
Cresta Dri. Wdhm —6H 55
Crest Hill. Peasl —2E 136
Creston Av. Knap —3H 73
Creston Way. Wor Pk —7J 43
Crest Rd. S Croy —4E 64
Crest, The. Surb —4N 41
Crestway. SW15 —9F 12
Crestwood Way. Houn —8M 9
Creswell Corner. Knap —4G 73
Crewdson Rd. Horl —8F 142
Crewe Ct. Tad —9H 81
Crewe's Av. Warl —3F 84
Crewe's Clo. Warl —4F 84
Crewe's Farm La. Warl —3G 85
Crewe's La. Warl —3F 84
(in two parts)
Crichton Av. Wall —2H 63
Crichton Rd. Cars —3D 62
Cricket Clo. Hind —3B 170
Cricket Ct. E Grin —7A 166
Cricketers Clo. Chess —1K 59
Cricketers Clo. Ockl —6C 158
Cricketers La. Warf —6E 16
Cricketers La. W'sham —2A 52
Cricketers M. SW18 —8N 13
Cricketers Ter. Cars —9C 44
Cricket Fld. Gro. Crowt —3J 49
Cricketfield Rd. H'ham —7H 197
Cricket Grn. Hamb —9F 152
Cricket Grn. Mitc —2D 44
Cricket Hill. —1D 68
Cricket Hill. S Nut —5K 123
Cricket Hill. Yat —3D 68
Cricket Hill La. Yat —3C 68
Cricket La. Lwr Bo —5J 129
Cricket Lea. Lind —4A 168
Crickets Hill. —3D 94
Cricket Way. Wey —8F 38
Cricklade Av. SW2 —3J 29
Crieff Ct. Tedd —8J 25
Crieff Rd. SW18 —1A 28
Criffel Av. SW2 —3H 29
Crimea Rd. Alder —2N 109
(in two parts)
Crimea Rd. Deep —6H 71
Crimp Hill. Old Win & Eng G —1J 19
Cripley Rd. Farn —8J 69
Cripplecrutch Hill. C'fold —3C 190
Cripps Ho. Craw —7N 181
Crispen Rd. Felt —5M 23
Crisp Gdns. Binf —8K 15
Crispin Clo. Asht —5M 79
Crispin Clo. Croy —8J 45
Crispin Cres. Croy —9H 45
Crisp Rd. W6 —1H 13
Cristowe Rd. SW6 —5L 13
Critchmere. —1C 188
Critchmere Hill. Hasl —1C 188
Critchmere La. Hasl —2C 188
Critchmere Va. Hasl —2C 188
Critten La. Ran C —3L 117
Crocker Clo. Asc —9K 17
Crockers La. Ling —7G 144
Crockerton Rd. SW17 —3D 28
Crockery La. E Clan —7M 95
Crockford Clo. Add —1L 55
Crockford Pk. Rd. Add —2L 55
Crockford Pl. Binf —8L 15
Crockham Clo. Craw —5A 182
Crockham Hill. —2L 127
Crocknorth Rd. E Hor —1G 117
(in two parts)
Crocus Clo. Croy —7G 47

Croffets—Dalton Av.

Croffets. Tad —8J 81
Croft Av. Dork —3H 119
Croft Av. W Wick —7M 47
Croft Clo. Hayes —3D 8
Croft Clo. Wokgm —6A 30
Croft Corner. Old Win —8L 5
Croft Ct. Eden —2L 147
Croft End Clo. Chess —9M 41
(off Ashcroft Rd.)
Crofters. Old Win —9K 5
Crofters Clo. Iswth —8D 10
Crofters Clo. Sand —7F 48
Crofters Clo. Stanw —9L 7
Crofters Mead. Croy —5J 65
Croft La. Eden —2L 147
(in two parts)
Croft La. Yat —8B 48
Croftleigh Av. Purl —3L 83
Crofton. Asht —5L 79
Crofton Av. W4 —3C 12
Crofton Av. W on T —9K 39
Crofton Clo. Brack —4C 32
Crofton Clo. Ott —4E 54
Crofton Rd. Orp —1J 67
Crofton Ter. Rich —7M 11
Croft Rd. SW16 —9L 29
Croft Rd. SW19 —8A 28
Croft Rd. Alder —4N 109
Croft Rd. G'ming —7G 133
Croft Rd. Sutt —2C 62
Croft Rd. W'ham —4K 107
Croft Rd. Witl —5B 152
Croft Rd. Wokgm —7A 30
Croft Rd. Wold —9K 85
Crofts Clo. C'fold —4E 172
Croftside, The. SE25 —2D 46
Crofts, The. Shep —3F 38
Croft, The. Brack —8N 15
Croft, The. Craw —3M 181
Croft, The. Eps —1E 80 (8N 201)
Croft, The. Houn —2M 9
Croft, The. Wokgm —3C 30
Croft, The. Yat —8C 48
Croft Way. Frim —4D 70
Croft Way. H'ham —5G 196
Croftway. Rich —4H 25
Croham Clo. S Croy —4B 64
Croham Mnr. Rd. S Croy —4B 64
Croham Mt. S Croy —4B 64
Croham Pk. Av. S Croy —2B 64
Croham Rd. S Croy —2A 64 (8D 200)
Croham Valley Rd. S Croy —3D 64
Croindene Rd. SW16 —9J 29
Cromar Ct. Hors —3M 73
Cromerhyde. Mord —4N 43
Cromer Rd. SE25 —2E 46
Cromer Rd. SW17 —7E 28
Cromer Rd. H'row A —5B 8
Cromer Rd. W. H'row A —6B 8
Cromer Vs. Rd. SW18 —9L 13
Cromford Clo. Orp —1N 67
Cromford Rd. SW18 —8M 13
Cromford Way. N Mald —9C 26
Crompton Fields. Craw —9C 162
Crompton Way. Craw —9C 162
Cromwell Av. W6 —1G 12
Cromwell Av. N Mald —4E 42
Cromwell Clo. W on T —7J 39
Cromwell Cres. W8 —1M 13
Cromwell Gro. Cat —8N 83
Cromwell Ho. Croy —9M 45 (5A 200)
Cromwell Pl. SW14 —6B 12
Cromwell Pl. Cranl —9A 156
Cromwell Pl. E Grin —2B 186
Cromwell Rd. SW19 —6M 27
Cromwell Rd. Asc —3M 33
Cromwell Rd. Beck —1H 47
Cromwell Rd. Camb —8B 50
Cromwell Rd. Cat —8N 83
Cromwell Rd. Croy —6A 46
Cromwell Rd. Felt —2J 23
Cromwell Rd. Houn —7A 10
Cromwell Rd. King T —9L 25 (2L 203)
Cromwell Rd. Red —3D 122
Cromwell Rd. Tedd —7G 24
Cromwell Rd. W on T —7J 39
Cromwell Rd. Wor Pk —9C 42
Cromwell St. Houn —7A 10
Cromwell Wlk. Red —3D 122
Cromwell Way. Farn —7N 69
Crondace Rd. SW6 —4M 13
Crondall Ct. Camb —2N 69
Crondall End. Yat —8B 48
Crondall La. Dipp & F'ham —1B 128
Crondall Rd. Farnh —4A 128
Cronks Hill. Reig —5A 122
Cronks Hill Clo. Red —5B 122
Cronks Hill Rd. Red —5B 122
Crooked Billet. SW19 —7H 27
Crooked Billet Roundabout. (Junct.) —5J 21
Crookham Reach. C Crook —8A 88
Crookham Rd. SW6 —4L 13
Crookham Rd. C Crook & Fle —7A 88
Crooksbury Common. —4B 130
Crooksbury La. Seale —2C 130
Crooksbury Rd. Farnh —9N 109
Crosby Clo. Felt —4M 23
Crosby Gdns. Yat —8A 48
Crosby Hill Dri. Camb —8D 50
Crosby Wlk. SW2 —1L 29
Crosby Way. SW2 —1L 29
Crosby Way. Farnh —2F 128
Crossacres. Wok —3G 75
Cross Deep. Twic —3F 24
Cross Deep Gdns. Twic —3F 24
Cross Fell. Brack —3M 31
Crossfield Pl. Wey —4C 56
Cross Gdns. Frim G —8D 70
Cross Gates Clo. Brack —2D 32
Cross Keys. Craw —3B 182
Cross Lances Rd. Houn —7B 10
Crossland Ho. Vir W —3A 36
(off Holloway Dri.)
Crossland Rd. Red —3E 122
Crossland Rd. T Hth —5M 45
Crosslands. Cher —1G 55
Crosslands Av. S'hall —1N 9
Crosslands Rd. Eps —3C 60
Cross La. Frim G —8D 70
Cross La. Ott —3D 54
(in two parts)
Cross La. Small —2N 163
Cross Lanes. Guild —3B 114 (3F 202)
Crossley Clo. Big H —2F 86
Crossman Ct. Craw —8N 181
Cross Oak. Wind —5D 4
Cross Oak La. Red —4E 142
Crosspath. Craw —2C 182
Cross Rd. SW19 —8M 27
Cross Rd. Asc —7C 34
Cross Rd. Ash V —1F 110
Cross Rd. Belm —6M 61
Cross Rd. Croy —7A 46 (1E 200)
Cross Rd. Felt —5M 23
Cross Rd. King T —8M 25
Cross Rd. Purl —9M 63
Cross Rd. Sutt —2B 62
Cross Rd. Tad —9H 81
Cross Rd. Wey —9E 38
Crossroads, The. Eff —6L 97
Cross St. SW13 —5D 12
Cross St. Alder —2M 109
Cross St. Farn —5A 90
Cross St. Hamp H —6C 24
Cross St. Wokgm —2B 30
Crosswater. —6K 149
Crosswater Farm Gardens. —6L 149
Crosswater La. Churt —6K 149
Crossway. SW20 —3H 43
Crossway. Brack —1A 32
Crossway. W on T —8J 39
Crossways. Alder —3A 110
Crossways. Craw —2D 182
Crossways. Eff —5L 97
Crossways. Egh —7F 20
Crossways. S Croy —4H 65
Crossways. Sun —8G 23
Crossways. Sutt —5B 62
Crossways. Tats —7E 86
Crossways Av. E Grin —9M 165
Crossways Clo. Churt —9L 149
Crossways Clo. Craw —2D 182
Crossways La. Reig —6A 102
(in two parts)
Crossways Rd. Beck —3K 47
Crossways Rd. Gray & Hind —6A 170
Crossways Rd. Mitc —2F 44
Crossways, The. Coul —6K 83
Crossways, The. Guild —5J 113
Crossways, The. Houn —3N 9
Crossways, The. Red —7G 102
Crossways, The. Surb —7A 42
Crosswell Clo. Shep —1D 38
Crouchfield. Dork —8J 119
Crouch Ho. Cotts. Eden —1K 147
Crouch House Green. —1J 147
Crouch Ho. Rd. Eden —9J 127
Crouch Ind. Est. Lea —6H 79
Crouch La. Wink —1J 17
Crouch Oak La. Add —1L 55
Crowberry Clo. Craw —7M 181
Crowborough Clo. Warl —5H 85
Crowborough Dri. Warl —5H 85
Crowborough Rd. SW17 —7E 28
Crowhill. Orp —6J 67
Crowhurst. —9A 126
Crowhurst Clo. Worth —3J 183
Crowhurst Keep. Worth —3J 183
Crowhurst La. Crow & Ling —7L 125
Crowhurst Lane End. —7L 125
Crowhurst Mead. God —8F 104
Crowhurst Rd. Crow & Ling —3N 145
Crowhurst Village Rd. Crow —1A 146
Crowland Av. Hayes —1G 8
Crowland Rd. T Hth —3A 46
Crowland Wlk. Mord —5N 43
Crowley Cres. Croy —2L 63 (8A 200)
Crown All. H'ham —6J 197
(off Carfax)
Crown Arc. King T —1K 41 (4J 203)
Crown Ash Hill. Big H —1D 86
Crown Ash La. Warl —3C 86
Crownbourne Ct. Sutt —1N 61
(off St Nicholas Way)
Crown Clo. Coln —3E 6
Crown Clo. W on T —6K 39
Crown Ct. G'ming —7H 133
Crown Dale. SE19 —7M 29
Crown Dri. Bad L —7M 109
Crown Gdns. Fleet —5C 88
Crown Heights. Guild —6A 114 (8E 202)
Crown Hill. Croy —8N 45 (3B 200)
Crown La. SW16 —6L 29
Crown La. Bad L —7L 109
Crown La. Mord —3M 43
Crown La. Vir W —5N 35
Crown La. Gdns. SW16 —6L 29
Crown Mdw. Coln —3D 6
Crown M. W6 —1F 12
Crown Pde. SE19 —7M 29
Crown Pde. Mord —2M 43
Crown Pas. King T —1K 41 (4J 203)
Crownpits. —8J 133
Crownpits La. G'ming —8H 133
Crown Pl. Owl —6K 49
Crown Ri. Cher —7H 37
Crown Rd. Eden —9M 127
Crown Rd. Mord —3N 43
Crown Rd. N Mald —9B 26
Crown Rd. Sutt —1N 61
Crown Rd. Twic —9H 11
Crown Rd. Vir W —5M 35
Crown Row. Brack —5B 32
Crown Sq. Wok —4B 74
Crown St. Egh —6C 20
Crown Ter. Rich —7M 11
Crown, The. W'ham —4M 107
Crowntree Clo. Iswth —2F 10
Crown Wlk. G'ming —7H 133
Crown Wood. —5B 32
Crown Yd. Houn —6C 10
Crowther Av. Bren —1L 11
Crowther Rd. SE25 —4D 46
Crowthorne. —2H 49
Crowthorne Clo. SW18 —1L 27
Crowthorne Lodge. Brack —3N 31
(off Crowthorne Rd.)
Crowthorne Rd. Brack —4M 31
Crowthorne Rd. Crowt & Brack —1J 49
Crowthorne Rd. Sand & Crowt —7F 48
Crowthorne Rd. N. Brack —2N 31
Croxall Ho. W on T —5K 39
Croxden Wlk. Mord —5A 44
Croxted Clo. SE21 —1N 29
Croxted M. SE24 —1N 29
Croxted Rd. SE24 & SE21 —1N 29
Croyde Av. Hayes —1F 8
Croyde Clo. Farn —8M 69
Croydon. —8N 45 (3C 200)
Croydon Barn La. Horne —7C 144
Croydon Clock Tower. —4C 200
Croydon Crematorium. Croy —4K 45
Croydon Flyover, The. Croy —9N 45 (6A 200)
Croydon Gro. Croy —7M 45
Croydon La. Bans —1N 81
Croydon La. S. Bans —1A 82
Croydon Rd. SE20 —1E 46
Croydon Rd. Beck —4G 46
Croydon Rd. Brom & Kes —1E 66
Croydon Rd. Cat —1D 104
Croydon Rd. H'row A —5C 8
Croydon Rd. Mitc & Croy —3E 44
Croydon Rd. Reig —3N 121
Croydon Rd. Wall & Croy —1F 62
Croydon Rd. W'ham —1H 107
Croydon Rd. W Wick & Brom —9N 47 & 1C 66
Croydon Rd. Ind. Est. Beck —3G 46
Croylands Dri. Surb —6L 41
Croysdale Av. Sun —2H 39
Crozier Dri. S Croy —6E 64
Cruch La. Tap —1B 16
Cruikshank Lea. Coll T —9K 49
Crunden Rd. S Croy —4A 64
Crundwell Ct. Farnh —9J 109
Crusader Gdns. Croy —9B 46
Crusoe Rd. Mitc —8D 28
Crutchfield La. Hkwd —5M 141
Crutchfield La. W on T —8J 39
Crutchley Rd. Wokgm —1C 30
Crystal Palace F.C. —3B 46
Crystal Ter. SE19 —7N 29
Cubitt Ho. SW4 —1G 28
Cubitt St. Croy —2K 63
Cubitt Way. Knap —5G 72
Cuckfield Clo. Craw —6L 181
Cuckmere Cres. Craw —4L 181
Cuckoo La. W End —9A 52
Cuckoo Pound. Shep —4F 38
Cuckoo Va. W End —9A 52
Cudas Clo. Eps —1E 60
Cuddington Av. Wor Pk —9E 42
Cuddington Clo. Tad —7H 81
Cuddington Ct. Sutt —5J 61
Cuddington Glade. Eps —8N 59
Cuddington Pk. Clo. Bans —9L 61
Cuddington Way. Sutt —8J 61
Cudham. —2M 87
Cudham Clo. Belm —6M 61
Cudham Dri. New Ad —6M 65
Cudham La. N. Cud —1L 87
Cudham La. S. Cud & Knock —2L 87
Cudham Pk. Rd. Cud —6N 67
Cudham Rd. Orp —7J 67
Cudham Rd. Tats —6G 86
Cudworth. —2D 160
Cudworth La. Newd —1B 160
Cudworth Pk. Newd —2E 160
Culham Ho. Brack —3C 32
Cullen Clo. Yat —1B 68
Cullens M. Alder —3M 109
Cullerne Clo. Ewe —6E 60
Cullesden Rd. Kenl —2M 83
Cull's Rd. Norm —3M 111
Culmer. —8C 152
Culmer Hill. Wmly —8C 152
Culmer La. Wmly —7C 152
Culmington Rd. S Croy —5N 63
Culsac Rd. Surb —8L 41
Culvercroft. Binf —8K 15
Culverden Rd. SW12 —3G 28
Culver Dri. Oxt —8A 106
Culverhay. Asht —3L 79
Culverhouse Gdns. SW16 —4K 29
Culverlands Cres. As —1D 110
Culver Rd. Owl —6J 49
Culvers Av. Cars —8D 44
Culvers Retreat. Cars —7D 44
Culvers Way. Cars —8D 44
Culworth Ho. Guild —4A 114 (5F 202)
Culzean Clo. SE27 —4M 29
Cumberland Av. Guild —7K 93
Cumberland Clo. SW20 —8J 27
Cumberland Clo. Eps —6D 60
Cumberland Clo. Twic —9H 11
Cumberland Ct. Croy —7A 46 (1E 200)
Cumberland Dri. Brack —9B 16
Cumberland Dri. Chess —9M 41
Cumberland Dri. Esh —8G 40
Cumberland Ho. King T —8A 26
Cumberland Obelisk. —8J 19
Cumberland Pl. Sun —3H 39
Cumberland Rd. SE25 —5E 46
Cumberland Rd. SW13 —4E 12
Cumberland Rd. Afrd —4M 21
Cumberland Rd. Brom —3N 47
Cumberland Rd. Camb —1G 70
Cumberland Rd. Rich —3N 11
Cumberlands. Kenl —2A 84
Cumberland St. Stai —6F 20
Cumberlow Av. SE25 —2C 46
Cumbernauld Gdns. Sun —6G 22
Cumbernauld Wlk. Bew —7K 181
Cumbrae Gdns. Surb —8K 41
Cumbria Ct. Farn —4C 90
Cumnor Gdns. Eps —3F 60
Cumnor Ri. Kenl —4N 83
Cumnor Rd. Sutt —3A 62
Cumnor Way. Brack —3C 32
Cunliffe Clo. H'ley —2A 100
Cunliffe Pde. Eps —1E 60
Cunliffe Rd. Eps —1E 60
Cunliffe St. SW16 —7G 29
Cunningham Av. Guild —2C 114
Cunningham Clo. W Wick —8L 47
Cunningham Rd. Bans —2B 82
Cunnington Rd. Farn —3C 90
Cunworth Ct. Brack —5L 31
Curfew Bell Rd. Cher —6H 37
Curfew Yd. Wind —3G 4
Curlew Clo. S Croy —7G 64
Curlew Ct. Surb —9N 41
Curlew Gdns. Guild —1F 114
Curley Hill Rd. Light —8J 51
Curling Clo. Coul —7K 83
Curling Va. Guild —5K 113
Curl Way. Wokgm —3A 30
Curly Bri. Clo. Farn —6L 69
Curnick's La. SE27 —5N 29
Curran Av. Wall —9E 44
Currie Hill Clo. SW19 —5L 27
Curteys Wlk. Craw —6L 181
Curtis Clo. Camb —8G 50
Curtis Clo. Head —3D 168
Curtis Ct. C Crook —8B 88
Curtis Fld. Rd. SW16 —5K 29
Curtis Gdns. Dork —4G 118 (1J 201)
Curtis La. Head —3C 168
Curtis Rd. Dork —4F 118 (1H 201)
Curtis Rd. Eps —1B 60
Curtis Rd. Houn —1N 23
Curtis's Cotts. H'ham —5M 179
Curvan Clo. Eps —6E 60
Curzon Av. H'ham —5H 197
Curzon Clo. Orp —1M 67
Curzon Clo. Wey —1B 56
Curzon Ct. SW6 —4N 13
(off Maltings Pl.)
Curzon Dri. C Crook —8C 88
Curzon Rd. T Hth —5L 45
Curzon Rd. Wey —2B 56
Cusack Clo. Twic —5F 24
Cuthbert Gdns. SE25 —2B 46
Cuthbert Rd. Ash V —7F 90
Cuthbert Rd. Croy —8M 45 (3A 200)
Cutthroat All. Rich —3J 25
Cuttinglye La. Craw D —9D 164
Cuttinglye Rd. Craw D —8E 164
Cuttinglye Wood. —8E 164
Cutting, The. Red —5D 122
Cutts Rd. Alder —6B 90
Cyclamen Clo. Hamp —7A 24
Cyclamen Way. Eps —2B 60
Cygnet Av. Felt —1K 23
Cygnet Clo. Wok —3L 73
Cygnet Ct. Fleet —2C 88
Cygnets Clo. Red —1E 122
Cygnets, The. Felt —5M 23
Cygnets, The. Stai —6H 21
Cypress Av. Twic —1C 24
Cypress Clo. Finch —8A 30
Cypress Ct. Vir W —3A 36
Cypress Dri. Fleet —4E 88
Cypress Gro. Ash V —6D 90
Cypress Hill Ct. Farn —5L 69
Cypress Ho. Slou —1D 6
Cypress Rd. SE25 —1B 46
Cypress Rd. Guild —1M 113
Cypress Wlk. Eng G —7L 19
Cypress Way. Bans —1J 81
Cypress Way. B'water —1G 68
Cypress Way. Hind —7B 170
Cyprus Rd. Deep —6H 71
Cyprus Vs. Dork —2K 201

D'Abernon Chase. Lea —1G 79
D'Abernon Clo. Esh —1A 58
D'abernon Dri. Stoke D —3M 77
Dacre Rd. Croy —6J 45
Dade Way. S'hall —1N 9
Daffodil Clo. Croy —7G 47
Daffodil Dri. Bisl —3D 72
Daffodil Pl. Hamp —7A 24
Dafforne Rd. SW17 —4E 28
Dagden Rd. Shalf —9A 114
Dagley Farm Cvn. Pk. Shalf —9N 113
Dagley La. Shalf —8N 113
Dagmar Rd. SE25 —4B 46
Dagmar Rd. King T —9M 25 (1N 203)
Dagmar Rd. Wind —5G 4
Dagnall Pk. SE25 —5B 46
Dagnall Rd. SE25 —4B 46
Dagnan Rd. SW12 —1F 28
Dahlia Gdns. Mitc —3H 45
Dahomey Rd. SW16 —7G 28
Daimler Way. Wall —4J 63
Dairy Clo. T Hth —1N 45
Dairyfields. Craw —4M 181
Dairy La. Crock H —3J 127
Dairyman's Wlk. Guild —7D 94
Dairy Wlk. SW19 —5K 27
Daisy Clo. Croy —7G 47
Daisy La. SW6 —6M 13
Dakin Clo. M'bowr —7G 183
Dakins, The. E Grin —1A 186
Dakota Clo. Wall —4K 63
Dalby Rd. SW18 —7N 13
Dalcross. Brack —5C 32
Dalcross Rd. Houn —5M 9
Dale Av. Houn —6M 9
Dalebury Rd. SW17 —3D 28
Dale Clo. Add —2K 55
Dale Clo. Asc —4D 34
Dale Clo. H'ham —3M 197
Dale Clo. Wrec —4E 128
Dale Ct. King T —1N 203
Dale Gdns. Sand —7F 48
Dalegarth Gdns. Purl —9A 64
Daleham Av. Egh —7C 20
Dale Lodge Rd. Asc —4D 34
Dale Pk. Av. Cars —8D 44
Dale Pk. Rd. SE19 —9N 29
Dale Rd. F Row —8H 187
Dale Rd. Purl —8L 63
Dale Rd. Sun —8G 22
Dale Rd. Sutt —1L 61
Dale Rd. W on T —6G 39
Daleside Rd. SW16 —6F 28
Daleside Rd. Eps —3C 60
Dale St. W4 —1D 12
Dale, The. Kes —1F 66
Dale Vw. Hasl —3E 188
Dale Vw. H'ley —1A 100
Dale Vw. Wok —5L 73
Dalewood Gdns. Craw —1D 182
Dalewood Gdns. Wor Pk —8G 43
Dalkeith Rd. SE21 —2N 29
Dallas Rd. Sutt —3K 61
Dallaway Gdns. E Grin —9A 166
Dalley Ct. Sand —8J 49
Dalling Rd. W6 —1G 12
Dallington Clo. W on T —3K 57
Dalmally Rd. Croy —6C 46
Dalmeny Av. SW16 —1L 45
Dalmeny Cres. Houn —7D 10
Dalmeny Rd. Cars —4E 62
Dalmeny Rd. Wor Pk —9G 42
Dalmore Av. Clay —3F 58
Dalmore Rd. SE21 —3N 29
Dalston Clo. Camb —3H 71
Dalton Av. Mitc —1C 44

Dalton Clo.—Derry Rd.

Dalton Clo. Craw —8N 181
Dalton Clo. Purl —8N 63
Dalton St. SE27 —3M 29
Damascene Wlk. SE21 —2N 29
Damask Clo. W End —9B 52
Damphurst La. Ab C —1A 138
Dampier Wlk. Craw —8N 181
Danbrook Rd. SW16 —9J 29
Danbury M. Wall —1F 62
Danby Ct. Horl —6E 142
Dancer Rd. SW6 —4L 13
Dancer Rd. Rich —6N 11
Danebury. New Ad —3M 65
Danebury Av. SW15 —9D 12
(in two parts)
Danebury Wlk. Frim —6D 70
Dane Clo. Orp —2M 67
Dane Ct. Wok —2H 75
Danecourt Gdns. Croy —9C 46
Danehurst Clo. Egh —7A 20
Danehurst Ct. Eps —9E 60
Danehurst Cres. H'ham —6M 197
Danehurst St. SW6 —4K 13
Danemere St. SW15 —6H 13
Danemore La. S God —1G 145
Dane Rd. SW19 —9A 28
Dane Rd. Afrd —7D 22
Dane Rd. Warl —4G 84
Danesbury Rd. Felt —2J 23
Danes Clo. Oxs —1C 78
Danescourt Cres. Sutt —8A 44
Danesfield. Rip —1H 95
Danesfield Clo. W on T —9J 39
Daneshill. Red —2C 122
Danes Hill. Wok —5C 74
Daneshill Clo. Red —2C 122
Daneshill Dri. Oxs —1D 78
Danesrood. Guild —4B 114
Danes Way. Oxs —1D 78
Daneswood Clo. Wey —2C 56
Danetree Clo. Eps —4B 60
Danetree Rd. Eps —4B 60
Daniel Clo. SW17 —7C 28
Daniel Clo. Houn —1N 23
Daniell Way. Croy —7J 45
Daniels La. Warl —3J 85
Daniel Way. Bans —1N 81
Dan Leno Wlk. SW6 —3N 13
Danone Ct. Guild —3N 113 (3C 202)
Danses Clo. Guild —1F 114
Danvers Dri. C Crook —9A 88
Danvers Way. Cat —1N 103
Da Palma Ct. SW6 —2M 13
(off Anselm Rd.)
Dapdune Ct. Guild —3M 113 (3B 202)
Dapdune Rd. Guild —3N 113 (3C 202)
Dapdune Wharf. —3M 113 (3A 202)
Daphne Ct. Wor Pk —8D 42
Daphne Dri. C Crook —1A 108
Daphne St. SW18 —9N 13 & 1A 28
Darby Clo. Cat —9N 83
Darby Cres. Sun —1K 39
Darby Gdns. Sun —1K 39
Darby Green. —1F 68
Darby Grn. La. B'water —1G 68
Darby Grn. Rd. B'water —1F 68
Darby Va. Warf —7N 15
Darcy Av. Wall —1G 63
Darcy Clo. Coul —6M 83
D'Arcy Pl. Asht —4M 79
Darcy Rd. SW16 —1J 45
D'Arcy Rd. Asht —4M 79
Darcy Rd. Iswth —4G 11
Dawson Clo. Wind —5D 4
D'Arcy Rd. Sutt —1J 61
Darell Rd. Rich —6N 11
Darenth Gdns. W'ham —4M 107
Darenth Way. Horl —6D 142
Dare's La. Ews —3A 108
Darfield Rd. Guild —9C 94
Darfur St. SW15 —6J 13
Dark Dale. Asc —4E 32
Dark La. P'ham —8M 111
Dark La. Shere —8A 116
Dark La. W'sham —3M 51
Darlan Rd. SW6 —3L 13
Darlaston Rd. SW19 —8J 27
Darley Clo. Add —2L 55
Darley Clo. Croy —5H 47
Darleydale. Craw —6A 182
Darleydale Clo. Owl —5J 49
Darley Dene Ct. Add —1L 55
Darley Dri. N Mald —1C 42
Darley Gdns. Mord —5A 44
Darling Ho. Twic —9K 11
Darlington Rd. SE27 —6M 29
Darmaine Clo. S Croy —4N 63
Darnley Pk. Wey —9C 38
Darracott Clo. Camb —7F 50
Darset Av. Fleet —3B 88
Dart Clo. Slou —1D 6
Dart Ct. E Grin —7C 166
Dartmouth Av. Sheer & Wok —1E 74
Dartmouth Clo. Brack —2C 32
Dartmouth Grn. Wok —1F 74
Dartmouth Path. Wok —1F 74
Dartmouth Pl. W4 —2D 12
Dartnell Av. W Byf —8K 55
Dartnell Clo. W Byf —8K 55
Dartnell Ct. W Byf —8L 55
Dartnell Cres. W Byf —8K 55
Dartnell Park. —8L 55
Dartnell Pk. Rd. W Byf —8K 55
Dartnell Pl. W Byf —8K 55
Dartnell Rd. Croy —6C 46
Dart Rd. Farn —8J 69
Darvel Clo. Wok —3K 73
Darvills La. Farnh —1H 129
Darvills La. Shur R —1E 14
Darwall Dri. Asc —1H 33
Darwin Clo. H'ham —4M 197
Darwin Clo. Orp —2M 67
Darwin Gro. Alder —1A 110
Darwin Rd. W5 —1J 11
Daryngton Dri. Guild —3D 114
Dashwood Clo. Brack —9B 16
Dashwood Clo. W Byf —8L 55
Dashwood Lang Rd. Add —1M 55
Dassett Rd. SE27 —6M 29
Datchet. —3L 5
Datchet Common. —4N 5
Datchet Pl. Dat —4L 5
Datchet Rd. Hort —6B 6
Datchet Rd. Old Win & Wind —7K 5
Datchet Rd. Slou —1J 5
Datchet Rd. Wind —3G 5
Dault Rd. SW18 —9N 13
Daux Hill. Warn —1H 197
Davenant Rd. Croy —1M 63 (6A 200)
Davenport Clo. Tedd —7G 24
Davenport Lodge. Houn —3M 9
Davenport Rd. Brack —9C 16
Daventry Clo. Coln —4H 7
Daventry Ct. Brack —9N 15
David Clo. Hayes —3F 8
David Clo. Horl —7F 142
David Rd. Coln —5H 7
Davidson Rd. Croy —7B 46
David Twigg Clo. King T —9L 25 (1L 203)
Davies Clo. Croy —5C 46
Davies Clo. G'ming —4G 133
Davies Wlk. Iswth —4D 10
Davis Clo. Craw —8M 181
Davis Gdns. Coll T —8K 49
Davis Rd. Chess —1N 59
Davis Rd. Wey —6A 56
Davmor Ct. Bren —1J 11
Davos Clo. Wok —6A 74
Davy Clo. Wokgm —3B 30
Dawell Dri. Big H —4E 86
Dawes Av. Iswth —8G 10
Dawes Ct. Esh —1B 58
Dawesgreen. —9E 120
Dawes Rd. SW6 —3K 13
Dawley Ride. Coln —4G 6
Dawlish Av. SW18 —3N 27
Dawnay Clo. Asc —9K 17
Dawnay Gdns. SW18 —3B 28
Dawnay Rd. SW18 —3A 28
Dawnay Rd. Bookh —4B 98
Dawnay Rd. Camb —7N 49
(in two parts)
Dawn Clo. Houn —6M 9
Dawney Hill. Pirb —8B 72
Dawneys Rd. Pirb —9B 72
Dawn Redwood Clo. Hort —6C 6
Dawn Ri. Copt —7L 163
Dawsmere Clo. Camb —1G 71
Dawson Rd. Byfl —7M 55
Dawson Rd. King T —2M 41 (5N 203)
Daybrook Rd. SW19 —1N 43
Day Ct. Cranl —8H 155
Daylesford Av. SW15 —7F 12
Daymerslea Ridge. Lea —8J 79
Days Acre. S Croy —6C 64
Daysbrook Rd. SW2 —2K 29
Dayseys Hill. Out —3L 143
Dayspring. Guild —8L 93
Deacon Clo. D'side —6J 77
Deacon Clo. Purl —5J 63
Deacon Clo. Wokgm —9B 14
Deacon Fld. Guild —2K 113
Deacon Pl. Cat —1N 103
Deacon Rd. King T —9M 25 (2M 203)
Deacons Ct. Twic —3F 24
Deacons Leas. Orp —1M 67
Deacons Wlk. Hamp —5A 24
Deadbrook La. Alder —1B 110
(in two parts)
Deadwater. —5A 168
Deal M. W5 —1K 11
Deal Rd. SW17 —7E 28
Dealtry Rd. SW15 —7H 13
Dean Clo. As —2G 110
Dean Clo. Wind —6A 4
Dean Clo. Wok —3G 74
Deanery Pl. G'ming —7G 133
(off Church St.)
Deanery Rd. Crock H —3L 127
Deanery Rd. G'ming —6G 133
Deanfield Gdns. Croy —1A 64 (7D 200)
Dean Gro. Wokgm —1B 30
Deanhill Ct. SW14 —7A 12
Deanhill Rd. SW14 —7A 12
Dean La. Red —1F 102
Deanoak La. Leigh —4H 141
Dean Pde. Camb —7D 50
Dean Rd. Croy —1A 64 (7D 200)
Dean Rd. G'ming —5G 132
Dean Rd. Hamp —6A 24
Dean Rd. Houn —8B 10
Deans Clo. W4 —2A 12
Deans Clo. Croy —9C 46
Deans Clo. Tad —2G 100
Deans Ct. W'sham —4A 52
Deansfield. Cat —3C 104
Deansgate. Brack —6N 31
Deans La. W4 —2A 12
(off Deans Clo.)
Deans La. Nutf —2L 123
Deans La. Tad —2G 101
Deans Rd. Red —8G 102
Deans Rd. Sutt —9N 43
Dean's Wlk. Coul —5L 83
Dean Wlk. Bookh —4B 98
Dearn Gdns. Mitc —2C 44
Deauville Ct. SW4 —1G 29
Debden Clo. King T —6K 25
Deborah Clo. Iswth —4E 10
De Brome Rd. Felt —2K 23
De Burgh Gdns. Tad —6J 81
De Burgh Pk. Bans —2N 81
De Burgh Rd. SW19 —8A 28
Decimus Clo. T Hth —3A 46
Dedisham Clo. Craw —4E 182
Dedswell Dri. W Cla —7J 95
Dedworth. —5B 4
Dedworth Dri. Wind —4C 4
Dedworth Rd. Wind —5A 4
Deedman Clo. As —2E 110
Deepcut. —7G 71
Deepcut Bri. Rd. Deep —8G 70
Deepdale. SW19 —5J 27
Deepdale. Brack —3M 31
Deepdale Ct. S Croy —6E 200
Deepdene. Hasl —2C 188
Deepdene. Lwr Bo —5J 129
Deepdene Av. Croy —9C 46
Deepdene Av. Dork —3J 119 (2N 201)
Deepdene Av. Rd. Dork —3J 119
Deepdene Dri. Dork —4J 119 (1N 201)
Deepdene Gdns. SW2 —1K 29
Deepdene Gdns. Dork —4H 119 (1M 201)
Deepdene Pk. Rd. Dork —4J 119 (1N 201)
Deepdene Roundabout. Dork —4J 119 (1N 201)
Deepdene Va. Dork —4J 119
Deepdene Wood. Dork —5J 119
Deepfield. Dat —3L 5
Deepfield Rd. Brack —1B 32
Deepfields. Horl —6D 142
Deepfield Way. Coul —3J 83
Deep Pool La. Wok —1L 73
Deeprose Clo. Guild —8L 93
Deepwell Clo. Iswth —4G 10
Deep Well Dri. Camb —1C 70
Deerbarn Rd. Guild —2L 113
Deerbrook Rd. SE24 —2M 29
Deerhurst Clo. Felt —5J 23
Deerhurst Cres. Hamp H —6C 24
Deerhurst Rd. SW16 —6K 29
Deerings Rd. Reig —3N 121
Deer Leap. Light —7L 51
Deerleap Rd. Westc —6B 118
Dee Rd. Rich —7M 11
Dee Rd. Wind —3A 4
Deer Pk. Clo. King T —8A 26
Deer Pk. Gdns. Mitc —3B 44
Deer Pk. Rd. SW19 —1N 43
Deer Rock Hill. Brack —5A 32
Deer Rock Rd. Camb —8D 50
Deers Farm Clo. Wis —3N 75
Deers Leap Pk. —5M 185
Deerswood Clo. Cat —2D 104
Deerswood Clo. Craw —2N 181
Deerswood Ct. Craw —2M 181
Deerswood Rd. Craw —3N 181
Deeside Rd. SW17 —4B 28
Dee Way. Eps —6D 60
Defiant Way. Wall —4J 63
Defoe Av. Rich —3N 11
Defoe Clo. SW17 —7C 28
De Havilland Dri. Wey —7N 55
De Havilland Rd. Houn —3K 9
De Havilland Rd. Wall —4J 63
De Havilland Way. Stanw —9M 7
Delabole Rd. Red —7J 103
Delaford St. SW6 —3K 13
Delagarde Rd. W'ham —4L 107
Delamare Cres. Croy —5F 46
Delamere Rd. SW20 —9J 27
Delamere Rd. Reig —7N 121
Delancey Ct. H'ham —4J 197
(off Wimblehurst Rd.)
Delaporte Clo. Eps —8D 60 (5N 201)
De Lara Way. Wok —5N 73
De La Warr Rd. E Grin —9B 166
Delawyk Cres. SE24 —1N 29
Delcombe Av. Wor Pk —7H 43
Delderfield. Lea —7K 79
Delfont Clo. M'bowr —5H 183
Delft Ho. King T —1M 203
Delia St. SW18 —1N 27
Delius Gdns. H'ham —4A 198
Dellbow Rd. Felt —8J 9
Dell Clo. Fet —1D 98
Dell Clo. Hasl —1E 188
Dell Clo. Mick —5J 99
Dell Clo. Wall —1G 63
Dell Corner. Brack —1J 31
Deller St. Binf —8L 15
Dell Gro. Frim —4D 70
Dell La. Eps —2F 60
Dell Rd. Eps —3F 60
Dell Rd. Finch —4A 48
Dells Clo. Tedd —7F 24
Dell, The. Bren —2J 11
Dell, The. E Grin —9D 166
Dell, The. Farnh —5J 109
Dell, The. Felt —1J 23
Dell, The. Horl —7F 142
Dell, The. Reig —2M 121
Dell, The. Tad —8H 81
Dell, The. Wok —6M 73
Dell, The. Yat —1B 68
Dell Wlk. N Mald —1D 42
Delmey Clo. Croy —9C 46
Delorme St. W6 —2J 13
Delta Bungalows. Horl —1E 162
Delta Clo. Chob —6J 53
Delta Clo. Wor Pk —9E 42
Delta Dri. Horl —1E 162
Delta Ho. Horl —1E 162
(off Delta Dri.)
Delta Pk. SW18 —7N 13
Delta Point. Croy —1C 200
Delta Rd. Chob —6J 53
Delta Rd. Wok —3C 74
Delta Rd. Wor Pk —9D 42
Delta Way. Egh —9E 20
Delves. Tad —8J 81
Delville Clo. Farn —2J 89
Delvino Rd. SW6 —4M 13
De Mel Clo. Eps —8A 60
Demesne Rd. Wall —1H 63
De Montfort Pde. SW16 —4J 29
De Montfort Rd. SW16 —4J 29
De Morgan Rd. SW6 —6N 13
Dempster Clo. Surb —7J 41
Dempster Rd. SW18 —8N 13
Denbies Dri. Dork —1H 119
Denbies Hillside. —3C 118
Denbies Wine Estate, Winery & Vis. Cen. —1G 119
Denbigh Clo. Sutt —2L 61
Denbigh Gdns. Rich —8M 11
Denbigh Rd. Hasl —3H 189
Denbigh Rd. Houn —5B 10
Denby Dene. As —2F 110
Denby Rd. Cobh —8K 57
Denchers Plat. Craw —9B 162
Dencliffe. Afrd —6B 22
Den Clo. Beck —2N 47
Dene Av. Houn —6N 9
Dene Clo. Brack —8A 16
Dene Clo. Coul —6C 82
Dene Clo. Hasl —3G 188
Dene Clo. Horl —6C 142
Dene Clo. Lwr Bo —5K 129
Dene Clo. Wor Pk —8E 42
Dene Ct. S Croy —8C 200
Denefield Dri. Kenl —2A 84
Dene Gdns. Th Dit —8G 40
Denehurst Gdns. Rich —7N 11
Denehurst Gdns. Twic —1D 24
Denehyrst Ct. Guild —4F 202
Dene La. Lwr Bo —5J 129
Dene La. W. Lwr Bo —6K 129
Dene Pl. Wok —5M 73
Dene Rd. Asht —6M 79
Dene Rd. Farn —2L 89
Dene Rd. Guild —4A 114 (4E 202)
Dene St. Dork —5H 119 (2L 201)
Dene St. Gdns. Dork —5H 119 (2M 201)
Dene, The. Ab H —9J 117
Dene, The. Croy —1G 64
Dene, The. Sutt —7L 61
Dene, The. W Mol —4N 39
Dene Tye. Craw —2H 183
Dene Wlk. Lwr Bo —5J 129
Denewood. Eps —9D 60 (7N 201)
Denfield. Dork —7H 119
Denham Cres. Mitc —3D 44
Denham Dri. Yat —1C 68
Denham Gro. Brack —5A 32
Denham Pl. Bear G —7K 139
(off Old Horsham Rd.)
Denham Rd. Egh —5C 20
Denham Rd. Eps —8E 60
Denham Rd. Felt —1K 23
Denholm Gdns. Guild —9C 94
Denison Rd. SW19 —7B 28
Denison Rd. Felt —5G 23
Denleigh Gdns. Th Dit —5E 40
Denly Way. Light —6N 51
Denman Clo. Fleet —4D 88
Denman Dri. Afrd —7C 22
Denman Dri. Clay —2G 58
Denmans. Craw —2H 183
Denmark Av. SW19 —8K 27
Denmark Ct. Mord —5M 43
Denmark Gdns. Cars —9D 44
Denmark Path. SE25 —4E 46
Denmark Rd. SE25 —4D 46
Denmark Rd. SW19 —7J 27
Denmark Rd. Cars —9D 44
Denmark Rd. Guild —4A 114 (4E 202)
Denmark Rd. King T —2L 41 (5K 203)
Denmark Rd. Twic —4D 24
Denmark Sq. Alder —2B 110
Denmark St. Alder —2B 110
Denmark St. Wokgm —3B 30
Denmark Wlk. SE27 —5N 29
Denmead Ct. Brack —5C 32
Denmead Ho. SW15 —9E 12
(off Highcliffe Dri.)
Denmead Rd. Croy —7M 45 (1A 200)
Denmore Ct. Wall —2F 62
Dennan Rd. Surb —7M 41
Dennard Way. F'boro —1J 67
Denne Pde. H'ham —7J 197
Denne Park. —8H 197
Denne Rd. Craw —4B 182
Denne Rd. H'ham —7J 197
Dennett Rd. Croy —7L 45
Dennettsland Rd. Crock H —3L 127
Denning Av. Croy —1L 63 (8A 200)
Denning Clo. Fleet —6A 88
Denning Clo. Hamp —6N 23
Denningtons, The. Wor Pk —8D 42
Dennis Clo. Afrd —8E 22
Dennis Clo. Red —1C 122
Dennis Ho. Sutt —1M 61
Dennison Gro. SW14 —6C 12
Dennis Pk. Cres. SW20 —9K 27
Dennis Reeve Clo. Mitc —9D 28
Dennis Rd. E Mol —3C 40
Dennistoun Clo. Camb —1B 70
Dennisville. —4K 113
Dennis Way. Guild & Sly I —7A 94
Denny Rd. Slou —1B 6
Den Rd. Brom —2N 47
Densham Dri. Purl —1L 83
Denton Clo. Red —8E 122
Denton Gro. W on T —8M 39
Denton Rd. Twic —9K 11
Denton Rd. Wokgm —2B 30
Denton St. SW18 —9N 13
Denton Way. Frim —4B 70
Denton Way. Wok —4J 73
Dents Gro. Tad —6L 101
Dents Rd. SW11 —1D 28
Denvale Trad. Pk. Craw —4D 182
Denvale Wlk. Wok —5K 73
Denzil Rd. Guild —4L 113 (5A 202)
Deodar Rd. SW15 —7K 13
Departures Rd. Gat A —2D 162
(off Gatwick Way)
Depot Rd. Craw —9B 162
Depot Rd. Eps —9D 60 (6M 201)
Depot Rd. H'ham —6L 197
Depot Rd. Houn —6D 10
Derby Arms Rd. Eps —4E 80
Derby Clo. Eps —6G 81
Derby Day Experience, The. —4E 80
Derby Est. Houn —7B 10
Derby Rd. SW14 —7A 12
Derby Rd. SW19 —8M 27
Derby Rd. Croy —7M 45 (1A 200)
Derby Rd. Guild —3J 113
Derby Rd. Hasl —1F 188
Derby Rd. Houn —7B 10
Derby Rd. Surb —7N 41
Derby Rd. Sutt —3L 61
Derbyshire Grn. Warf —8D 16
Derby Sq., The. Eps —6L 201
Derby Stables Rd. Eps —4E 80
Derek Av. Eps —3N 59
Derek Av. Wall —1F 62
Derek Clo. Ewe —2A 60
Derek Horn Ct. Camb —9N 49
Deridene Clo. Stanw —9N 7
Dering Pl. S Croy —1N 63 (7C 200)
Dering Rd. Croy —1N 63 (7C 200)
Derinton Rd. SW17 —5D 28
Deronda Est. SW2 —2M 29
Deronda Rd. SE24 —2M 29
De Ros Pl. Egh —7C 20
Deroy Clo. Cars —3D 62
Derrick Av. S Croy —6N 63
Derrick Rd. Beck —2J 47
Derry Clo. Ash V —8D 90
Derrydown. Wok —8M 73
Derry Rd. Croy —9J 45
Derry Rd. Farn —6L 69

Derwent Av.—Downsview Gdns.

Derwent Av. SW15 —5D 26
Derwent Av. Ash V —9D 90
Derwent Clo. Add —2M 55
Derwent Clo. Clay —3E 58
Derwent Clo. Craw —4L 181
Derwent Clo. Farn —1K 89
Derwent Clo. Farnh —6F 108
Derwent Clo. Felt —2G 22
Derwent Clo. H'ham —2A 198
Derwent Dri. Purl —9A 64
Derwent Ho. SE20 —1E 46
(off Derwent Rd.)
Derwent Lodge. Iswth —5D 10
Derwent Lodge. Wor Pk —8G 42
Derwent Rd. SE20 —1D 46
Derwent Rd. SW20 —4J 43
Derwent Rd. Egh —8D 20
Derwent Rd. Light —7M 51
Derwent Rd. Twic —9B 10
Derwent Wlk. Wall —4F 62
Desborough Clo. Shep —7B 38
Desborough Ho. W14 —2L 13
(off N. End Rd.)
Desford Ct. Afrd —3B 22
Desford Way. Afrd —3A 22
Detillens La. Oxt —7C 106
Detling Rd. Craw —8A 182
Dettingen Barracks. Deep —5H 71
Dettingen Rd. Deep —6J 71
Devana End. Cars —9D 44
Devas Rd. SW20 —9H 27
Devenish Clo. S'hill —5A 34
Devenish La. Asc —7A 34
Devenish Rd. Asc —5N 33
Devereux La. SW13 —3G 12
Devereux Rd. SW11 —1D 28
Devereux Rd. Wind —5G 4
Devey Clo. King T —8E 26
Devil's Highway, The. Crowt —2D 48
Devil's Jump, The. —6N 149
Devil's La. Egh —7E 20
(in three parts)
Devil's Punchbowl. —4E 170
De Vitre Grn. Wokgm —1E 30
Devitt Clo. Asht —3N 79
Devoil Clo. Guild —8D 94
Devoke Way. W on T —8L 39
Devon Av. Twic —2C 24
Devon Bank. Guild —6M 113 (8B 202)
Devon Chase. Warf —7C 16
Devon Clo. Coll T —8J 49
Devon Clo. Fleet —1C 88
Devon Clo. Kenl —3C 84
Devon Ct. Hamp —8A 24
Devon Cres. Red —3B 122
Devoncroft Gdns. Twic —1G 25
Devon Ho. Cat —2C 104
Devonhurst Pl. W4 —1C 12
Devon Rd. Red —8G 102
Devon Rd. Sutt —5K 61
Devon Rd. W on T —1K 57
Devonshire Av. Sutt —4A 62
Devonshire Av. Wok —1E 74
Devonshire Dri. Camb —8D 50
Devonshire Dri. Surb —7K 41
Devonshire Gdns. W4 —3B 12
Devonshire Ho. Sutt —4A 62
Devonshire M. W4 —1D 12
Devonshire Pas. W4 —1D 12
Devonshire Pl. Alder —3L 109
Devonshire Rd. SW19 —8C 28
Devonshire Rd. W4 —1D 12
Devonshire Rd. Cars —1E 62
Devonshire Rd. Croy —6A 46
Devonshire Rd. Felt —4M 23
Devonshire Rd. H'ham —6K 197
Devonshire Rd. Sutt —4A 62
Devonshire Rd. Wey —1B 56
Devonshire St. W4 —1D 12
Devonshire Way. Croy —8H 47
Devon Way. Chess —2J 59
Devon Way. Eps —2A 60
Devon Waye. Houn —3N 9
Dewar Clo. If'd —4K 181
Dewey St. SW17 —6D 28
Dewlands. God —9F 104
(in two parts)
Dewlands Clo. Cranl —7N 155
Dewlands La. Cranl —7N 155
Dewlands Rd. God —9F 104
Dewsbury Ct. W4 —1B 12
Dewsbury Gdns. Wor Pk —9F 42
Dexter Dri. E Grin —1A 186
Dexter Way. Fleet —1C 88
Diamedes Av. Stanw —1M 21
Diamond Ct. Red —2E 122
(off St Anne's Mt.)
Diamond Est. SW17 —4C 28
Diamond Hill. Camb —8C 50
Diamond Ridge. Camb —8B 50
Diana Cotts. Seale —8J 111
Diana Gdns. Surb —8M 41
Diana Ho. SW13 —4E 12
Diana Wlk. Horl —8F 142
(off High St.)
Dianthus Clo. Cher —6G 37
Dianthus Ct. Wok —5N 73
Dianthus Pl. Wink R —7F 16
Dibdene La. Sham G —7H 135
Dibdin Clo. Sutt —9M 43
Dibdin Rd. Sutt —9M 43
Diceland Rd. Bans —3L 81
Dickens Clo. E Grin —9M 165
Dickens Clo. Hayes —1F 8
Dickens Clo. Rich —3L 25
Dickens Ct. Wokgm —2A 30
Dickens Dri. Add —3H 55
Dickenson Rd. Felt —6K 23
Dickensons La. SE25 —4D 46
(in two parts)
Dickensons Pl. SE25 —5D 46
Dickens Rd. Craw —6B 182
Dickens Way. Yat —1B 68
Dickenswood Clo. SE19 —8M 29
Dickerage La. N Mald —2B 42
Dickerage Rd. King T —9B 26
Dickins Way. H'ham —8M 197
Dick Turpin Way. Felt —7G 9
Digby Mans. W6 —1G 13
(off Hammersmith Bri. Rd.)
Digby Pl. Croy —9C 46
Digby Way. Byfl —8A 56
Digdens Ri. Eps —2B 80
Dighton Rd. SW18 —8N 13
Dillon Cotts. Guild —7E 94
Dilston Rd. Lea —6G 79
Dilton Gdns. SW15 —2F 26
Dimes Pl. W6 —1G 13
Dingle Rd. Afrd —6C 22
Dingle, The. Craw —3N 181
Dingley La. SW16 —3H 29
Dingwall Av. Croy & New Ad —8N 45 (3C 200)
Dingwall Rd. SW18 —1A 28
Dingwall Rd. Cars —5D 62
Dingwall Rd. Croy —7A 46 (1D 200)
Dinorben Av. Fleet —6A 88
Dinorben Beeches. Fleet —6A 88
Dinorben Clo. Fleet —6A 88
Dinsdale Clo. Wok —5C 74
Dinsdale Gdns. SE25 —4B 46
Dinsmore Rd. SW12 —1F 28
Dinton Rd. SW19 —7B 28
Dinton Rd. King T —8M 25
Dione Wlk. Bew —6K 181
Dippenhall. —1B 128
Dippenhall Rd. Dipp —1B 128
Dirdene Clo. Eps —8E 60
Dirdene Gdns. Eps —8E 60 (5N 201)
Dirdene Gro. Eps —8D 60
Dirtham La. Eff —6J 97
(in two parts)
Dirty La. Ash W —3G 187
Disbrowe Rd. W6 —2K 13
Discovery Pk. Craw —7E 162
Disraeli Ct. Slou —2D 6
Disraeli Gdns. SW15 —7L 13
Disraeli Rd. SW15 —7K 13
Distillery La. W6 —1H 13
Distillery Rd. W6 —1H 13
Distillery Wlk. Bren —2L 11
Ditches Grn. Cotts. Ockl —8M 157
Ditches La. Coul & Cat —7J 83
Ditchling. Brack —6M 31
Ditchling Hill. Craw —6A 182
Ditton Clo. Th Dit —6G 40
Dittoncroft Clo. Croy —1B 64
Ditton Grange Clo. Surb —7K 41
Ditton Grange Dri. Surb —7K 41
Ditton Hill. Surb —7J 41
Ditton Hill Rd. Surb —7J 41
Ditton Lawn. Th Dit —7G 40
Ditton Pk. Rd. Slou —2A 6
Ditton Reach. Th Dit —5H 41
Ditton Rd. Dat —4N 5
Ditton Rd. Slou —1B 6
Ditton Rd. S'hall —1N 9
Ditton Rd. Surb —8K 41
Divis Way. SW15 —9G 13
(off Dover Pk. Dri.)
Dixon Dri. Wey —6A 56
Dixon Pl. W Wick —7L 47
Dixon Rd. SE25 —2B 46
Dobbins Pl. If'd —4J 181
Doble Ct. S Croy —8D 64
Dobson Rd. Craw —9B 162
Dockenfield. —4D 148
Dockenfield St. Dock —2A 148
Dockett Eddy. Cher —7N 37
Dockett Eddy La. Shep —7A 38
Dock Rd. Bren —3K 11
Dockwell Clo. Felt —7H 9
Doctor Johnson Av. SW17 —4F 28
Doctors La. Cat —1L 103
Dodbrooke Rd. SE27 —4L 29
Dodds Cres. W Byf —1K 75
Dodd's La. Wok —1J 75
(in two parts)
Dodds Pk. Brock —5A 120
Doel Clo. SW19 —8A 28
Dogflud Way. Farnh —9H 109
Doghurst Av. Hayes —3C 8
Doghurst Dri. W Dray —3C 8
Doghurst La. Coul —7D 82
Dogkennel Green. —3L 117
Dogkennel Grn. Ran C —3L 117
Dolby Rd. SW6 —5L 13
Dolby Ter. Charl —4K 161
Dollary Pde. King T —2A 42
(off Kingston Rd.)
Dolleyshill Cvn. Pk. Norm —8K 91
Dollis Clo. M'bowr —4G 182
Dollis Dri. Farnh —9J 109
Dolly's Hill. —2L 109
Dolman Rd. W4 —1C 12
Dolphin Clo. Hasl —2C 188
Dolphin Clo. Surb —4K 41
Dolphin Ct. Brack —3A 32
Dolphin Ct. Stai —4J 21
Dolphin Ct. N. Stai —4J 21
Dolphin Est. Sun —9F 22
Dolphin Ho. SW18 —7N 13
Dolphin Rd. Sun —9F 22
Dolphin Rd. N. Sun —9F 22
Dolphin Rd. S. Sun —9F 22
Dolphin Rd. W. Sun —9F 22
Dolphin Sq. W4 —3D 12
Dolphin St. King T —1L 41 (3K 203)
Doman Rd. Camb —2L 69
Dome Hill. Cat —5B 104
Dome Hill Peak. Cat —4B 104
Dome, The. Red —2D 122
Dome Way. Red —2D 122
Domewood. —5D 164
Dominica Ter. Deep —6H 71
(off Cyprus Rd.)
Dominion Rd. Croy —6C 46
Donald Rd. Croy —6K 45
Donald Woods Gdns. Surb —8A 42
Doncaster Wlk. Craw —5E 182
Doncastle Rd. Brack —2K 31
Doneraile St. SW6 —5J 13
Donkey La. Ab C —3L 137
Donkey La. Horl —3H 163
Donkey La. W Dray —1L 7
Donkey Town. —9A 52
Donlan Dri. Farn —4H 89
Donnafields. Bisl —3D 72
Donne Clo. Craw —1F 182
Donne Ct. SE24 —1N 29
Donne Gdns. Wok —2G 74
Donnelly Ct. SW6 —3K 13
(off Dawes Rd.)
Donne Pl. Mitc —3F 44
Donnington Clo. Camb —2N 69
Donnington Ct. Craw —6L 181
Donnington Rd. Wor Pk —8F 42
Donnybrook. Brack —6M 31
Donnybrook Rd. SW16 —8G 29
Donovan Clo. Eps —6C 60
Doods Pk. Rd. Reig —2A 122
Doods Pl. Reig —2B 122
Doods Rd. Reig —2A 122
Doods Way. Reig —2B 122
Doomsday Garden. H'ham —7N 197
Doomsday Green. —8N 197
Doone Clo. Tedd —7G 24
Doral Way. Cars —2D 62
Doran Ct. Red —3B 122
Doran Dri. Red —3B 122
Doran Gdns. Red —3B 122
Dora Rd. SW19 —6M 27
Dora's Green. —7B 108
Dora's Grn. La. Dipp —1A 128
Dora's Grn. La. Ews & Dipp —5C 108
Dora's Grn. Rd. Dipp —1A 128
Dorcas Ct. Camb —3N 69
Dorchester Ct. Reig —2B 122
Dorchester Ct. Stai —5J 21
Dorchester Ct. Wok —3C 74
Dorchester Dri. Felt —9F 8
Dorchester Gro. W4 —1D 12
Dorchester M. N Mald —3C 42
Dorchester M. Twic —9J 11
Dorchester Rd. Mord —6N 43
Dorchester Rd. Wey —9C 38
Dorchester Rd. Wor Pk —7H 43
Doreen Clo. Farn —7K 69
Dore Gdns. Mord —6N 43
Dorian Dri. Asc —9B 18
Doria Rd. SW6 —5L 13
Doric Dri. Tad —7L 81
Dorien Rd. SW20 —1J 43
Dorin Ct. Warl —7E 84
Dorincourt. Wok —2G 74
Doris Rd. Afrd —7E 22
Dorking. —4H 119 (2K 201)
Dorking & District Mus. —5G 119 (2K 201)
Dorking Bus. Pk. Dork —4F 118 (1J 201)
Dorking Clo. Wor Pk —8J 43
Dorking Football Club. —4G 119 (1K 201)
Dorking Halls. —4H 119 (1M 201)
Dorking Rd. Bookh —4B 98
Dorking Rd. Chil —9G 114
Dorking Rd. Eps —3N 79 (8J 201)
Dorking Rd. Gom & Ab H —8E 116
Dorking Rd. Lea —9H 79
Dorking Rd. Tad —7D 100
Dorking Rd. Warn & K'fold —8G 178
Dorking Vs. Knap —4G 72
Dorlcote. Witl —5B 152
Dorlcote Rd. SW18 —1C 28
Dorling Dri. Eps —8E 60
Dorly Clo. Shep —4F 38
Dormans. Craw —4M 181
Dormans Av. D'land —9C 146
Dormans Clo. D'land —2C 166
Dormans Gdns. Dor P —4A 166
Dormans High St. D'land —2C 166
Dormansland. —1C 166
Dormans Park. —4A 166
Dormans Pk. Rd. Dor P —3A 166
Dormans Pk. Rd. E Grin —7N 165
Dormans Rd. D'land —9C 146
Dormans Sta. Rd. D'land —3B 166
Dormay St. SW18 —8N 13
Dormer Clo. Crowt —2F 48
Dormers Clo. G'ming —4G 133
Dorncliffe Rd. SW6 —5K 13
Dorney Gro. Wey —8C 38
Dorney Way. Houn —8M 9
Dornford Gdns. Coul —6N 83
Dornton Rd. SW12 —3F 28
Dornton Rd. S Croy —3A 64 (8F 200)
Dorothy Pettingell Ho. Sutt —9N 43
(off Angel Hill)
Dorrien Wlk. SW16 —3H 29
Dorrington Ct. SE25 —1B 46
Dorrit Cres. Guild —1H 113
Dorset Av. E Grin —7M 165
Dorset Ct. Camb —7D 50
Dorset Ct. Eps —8E 60
Dorset Dri. Wok —4D 74
Dorset Gdns. E Grin —7M 165
Dorset Gdns. Mitc —3K 45
Dorset Rd. SW19 —9M 27
Dorset Rd. Afrd —4M 21
Dorset Rd. Ash V —8F 90
Dorset Rd. Beck —2G 46
Dorset Rd. Mitc —1C 44
Dorset Rd. Sutt —6M 61
Dorset Rd. Wind —5F 4
Dorset Sq. Eps —6C 60
Dorset Va. Warf —7C 16
Dorset Way. Byfl —6M 55
Dorset Way. Twic —2D 24
Dorset Waye. Houn —3N 9
Dorsten Pl. Craw —6K 181
Dorsten Sq. Craw —6L 181
Dorton Vs. W Dray —3B 8
Dorton Way. Rip —8K 75
Douai Clo. Farn —1A 90
Douai Gro. Hamp —9C 24
Doughty Ho. SW10 —2N 13
(off Netherton Gro.)
Douglas Av. N Mald —3G 42
Douglas Clo. Guild —6N 93
Douglas Clo. Wall —3J 63
Douglas Ct. Big H —4G 86
Douglas Ct. Cat —9N 83
Douglas Ct. King T —7L 203
Douglas Dri. Croy —9K 47
Douglas Dri. G'ming —6J 133
Douglas Gro. Lwr Bo —6H 129
Douglas Ho. Reig —2M 121
Douglas Ho. Surb —7M 41
Douglas Houses. Bookh —2A 98
Douglas Johnstone Ho. SW6 —2L 13
(off Clem Attlee Ct.)
Douglas La. Wray —8B 6
Douglas Mans. Houn —6B 10
Douglas Pl. Farn —9M 69
Douglas Rd. Add —9K 37
Douglas Rd. Esh —8B 40
Douglas Rd. Houn —6B 10
Douglas Rd. King T —1A 42
Douglas Rd. Reig —2M 121
Douglas Rd. Stanw —9M 7
Douglas Rd. Surb —8M 41
Douglas Robinson Ct. SW16 —8J 29
(off Streatham High Rd.)
Douglas Sq. Mord —5M 43
Doultons, The. Stai —8J 21
Dounesforth Gdns. SW18 —2N 27
Dove Clo. Craw —1B 182
Dove Clo. S Croy —7G 64
Dove Clo. Wall —4K 63
Dove Cote Clo. Wey —9C 38
Dovecote Gdns. SW14 —6C 12
Dovedale Clo. Guild —9C 94
Dovedale Clo. Owl —5J 49
Dovedale Cres. Craw —5N 181
Dovedale Ri. Mitc —8D 28
Dovehouse Grn. Wey —9E 38
Dove M. SW5 —1N 13
Dover Ct. Cranl —7B 156
Dovercourt Av. T Hth —4L 45
Dovercourt La. Sutt —9A 44
Doverfield Rd. SW2 —1J 29
Doverfield Rd. Guild —9C 94
Dover Gdns. Cars —9D 44
Dover Ho. Rd. SW15 —7F 12
Dover Pk. Dri. SW15 —9G 12
Doversgreen. —7N 121
Dovers Grn. Rd. Reig —6N 121
Doversmead. Knap —3H 73
Dover Ter. Rich —5M 11
(off Sandycombe Rd.)
Doveton Rd. S Croy —2A 64
Dowdeswell Clo. SW15 —7D 12
Dowding Ct. Crowt —1H 49
Dowding Rd. Big H —2F 86
Dower Av. Wall —5F 62
Dower Pk. Wind —7B 4
Dower Wlk. Craw —4M 181
Dowes Ho. SW16 —4J 29
Dowlands La. Small & Copt —8A 144
Dowlans Clo. Bookh —5A 98
Dowlans Rd. Bookh —5B 98
Dowler Ct. King T —1L 203
Dowlesgreen. —1C 30
Dowman Clo. SW19 —9N 27
Downbury M. SW18 —8M 13
Downe. —7J 67
Downe Av. Cud —8M 67
Downe Clo. Horl —6C 142
Downer Mdw. G'ming —3H 133
Downe Rd. Cud —9L 67
Downe Rd. Kes —5G 66
Downe Rd. Mitc —1D 44
Downes Clo. Twic —9H 11
Downes Ho. Croy —7A 200
Downe Ter. Rich —9L 11
Downfield. Wor Pk —7E 42
Down Hall Rd. King T —9K 25 (2J 203)
Down House Mus. —8J 67
Downhurst Rd. Ewh —4F 156
Downing Av. Guild —4J 113
Downing St. Farnh —1G 129
Downland Clo. Eps —5G 81
Downland Ct. Craw —5A 182
Downland Dri. Craw —5A 182
Downland Gdns. Eps —5G 81
Downland Pl. Craw —5A 182
Downlands Clo. Coul —1F 82
Downlands Rd. Purl —1J 83
Downland Way. Eps —5G 81
Down La. Comp —9E 112
Downmill Rd. Brack —1L 31
Down Park. —9D 164
Down Pl. W6 —1G 13
Down Rd. Guild —3D 114
Down Rd. Tedd —7H 25
Downs Av. Eps —1D 80
Downsbridge Rd. Beck —1N 47
Downs Ct. Red —9E 102
Downscourt Rd. Purl —8M 63
Downs Hill Rd. Eps —1D 80
Downshire Way. Brack —1M 31
(in two parts)
Downs Ho. Rd. Eps —5D 80
Downside. —5J 77
Downside. Brack —2M 31
Downside. Cher —7H 37
Downside. Eps —1D 80 (8M 201)
Downside. Hind —2B 170
Downside. Sun —9H 23
Downside. Twic —4F 24
Downside Bri. Rd. Cobh —1J 77
Downside Clo. SW19 —7A 28
Downside Comn. Rd. D'side —5J 77
Downside Ct. Mers —7G 102
Downside Ind. Est. Cher —7H 37
Downside Orchard. Wok —4C 74
Downside Rd. D'side —3J 77
Downside Rd. Guild —4D 114
Downside Rd. Sutt —3B 62
Downside Wlk. Bren —2K 11
(off Windmill Rd.)
Downs La. Lea —1H 99
Downs Link. Brmly —3B 134
Downs Link. Brmly & Sham G —6C 134
Downs Link. Chil —8F 114
Downs Link. Cranl —4H 155
Downs Link. Rud —6B 176
Downs Link. Shalf —2A 134
Downs Link. Slin —8D 176
Downs Lodge Ct. Eps —1D 80 (8N 201)
Downsman Ct. Craw —6B 182
Downs Residential Site, The. Cat —5E 104
Downs Rd. Beck —1L 47
(in two parts)
Downs Rd. Coul —5G 83
Downs Rd. Eps —1D 80 (8N 201)
(Epsom)
Downs Rd. Eps —7A 80
(Langley Bottom)
Downs Rd. Mick —6J 99
Downs Rd. Purl —7M 63
Downs Rd. Sutt —6N 61
Downs Rd. T Hth —9N 29
Downs Side. Sutt —7L 61
Downs, The. SW20 —8J 27
Downs, The. Lea —3H 99
Down St. W Mol —4A 40
Downs Vw. Dork —3K 119
Downs Vw. Iswth —4F 10
Downs Vw. Tad —8G 80
Downsview Av. Wok —8B 74
Downsview Clo. D'side —6J 77
Downsview Ct. Guild —8M 93
Downsview Gdns. SE19 —8M 29

Downsview Gdns.—E. Park La.

Downsview Gdns. Dork —6H 119
Downsview Rd. SE19 —8N 29
Downs Vw. Rd. Bookh —5C 98
Downsview Rd. Head D —4H 169
Downsview Rd. H'ham —2A 198
Downs Way. Bookh —4C 98
Downs Way. Eps —3E 80
Downsway. Guild —3G 114
Downsway. Orp —2N 67
Downs Way. Oxt —5A 106
Downsway. S Croy —7B 64
Downs Way. Tad —8G 80
Downsway. Whyt —3C 84
Downs Way Clo. Tad —8F 80
Downsway, The. Sutt —5A 62
Downs Wood. Eps —4G 80
Downswood. Reig —9B 102
Downton Av. SW2 —3J 29
Downview Clo. Hind —3B 170
Down Yhonda. Elst —8G 131
Doyle Gdns. Yat —2B 68
Doyle Rd. SE25 —3D 46
D'Oyly Carte Island. Wey —7C 38
Draco Ga. SW15 —6H 13
Dragmire La. Mitc —2B 44
Dragon La. Wey —7B 56
Dragoon Ct. Alder —2K 109
Drake Av. Cat —9N 83
Drake Av. Myt —4E 90
Drake Av. Slou —1N 5
Drake Av. Stai —6H 21
Drake Clo. Brack —4N 31
Drake Clo. H'ham —2L 197
Drake Ct. Surb —8L 203
Drakefield Rd. SW17 —4E 28
Drake Rd. Chess —2N 59
Drake Rd. Craw —6C 182
Drake Rd. Croy —6K 45
Drake Rd. Horl —8C 142
Drake Rd. Mitc —5E 44
Drakes Clo. Cranl —7N 155
Drake's Clo. Esh —1A 58
Drakes Way. Wok —9N 73
Drakewood Rd. SW16 —8H 29
Draper Clo. Iswth —5D 10
Drax Av. SW20 —8F 26
Draycot Rd. Surb —7N 41
Draycott. Brack —4C 32
Dray Ct. Guild —4L 113
Dray Ct. Wor Pk —7E 42
Drayhorse Dri. Bag —5J 51
Draymans Way. Iswth —6F 10
Drayton Clo. Brack —1B 32
Drayton Clo. Fet —2E 98
Drayton Clo. Houn —8N 9
Drayton Gdns. SW10 —1N 13
Drayton Rd. Croy —8M 45 (2A 200)
Dresden Way. Wey —2D 56
Drew Ho. SW16 —4J 29
Drewitts Ct. W on T —7G 39
Drew Pl. Cat —1A 104
Drewstead Rd. SW16 —3H 29
Drift Bridge. (Junct.) —1H 81
Drift La. Stoke D —4N 77
Drift Rd. W Hor —2E 96
Drift Rd. Wink —1L 17
Drift, The. Brom —1F 66
Drift Way. Coln —4E 6
Driftway, The. Bans —2H 81
Driftway, The. Craw —2B 182
Driftway, The. Lea —1H 99
(in two parts)
Driftway, The. Mitc —9E 28
Driftwood Dri. Kenl —4M 83
Drill Hall Rd. Cher —6J 37
Drive Mans. SW6 —5K 13
(off Fulham Rd.)
Drive Mead. Coul —1J 83
Drive Rd. Coul —7H 83
Drivers Mead. Ling —8M 145
Drive Spur. Tad —8N 81
Drive, The. SW6 —5K 13
Drive, The. SW16 —2K 45
Drive, The. SW20 —8H 27
Drive, The. Afrd —8E 22
Drive, The. Bans —4K 81
Drive, The. Beck —1K 47
Drive, The. Cobh —1M 77
Drive, The. Copt —7N 163
Drive, The. Coul —1J 83
Drive, The. Cranl —8N 155
Drive, The. Dat —4L 5
Drive, The. Eps —3E 60
Drive, The. Esh —7C 40
Drive, The. Farnh —4G 129
Drive, The. Felt —1K 23
Drive, The. Fet —9E 78
Drive, The. G'ming —9H 133
Drive, The. Guild —3J 113
(Beech Gro.)
Drive, The. Guild —5J 113
(Farnham Rd.)
Drive, The. Guild —7L 113
(Sandy La.)
Drive, The. Horl —9F 142
Drive, The. Houn —5D 10
Drive, The. King T —8B 26
Drive, The. Lea —1L 99
Drive, The. Loxw —5F 192
Drive, The. Mord —4A 44
Drive, The. Pep H —7B 132
(in two parts)
Drive, The. Rusp —2D 180
Drive, The. Surb —6L 41
Drive, The. Sutt —8L 61
Drive, The. T Hth —3A 46
Drive, The. Vir W —4B 36
Drive, The. Wall —6G 62
Drive, The. W Wick —6N 47
Drive, The. Wok —7L 73
Drive, The. Won —5D 134
Drive, The. Wray —8N 5
Drodges Clo. Brmly —3B 134
Droitwich Clo. Brack —2B 32
Dromore Rd. SW15 —9K 13
Drove Rd. Alb —5N 115
Drove Rd. Guild —5H 115
(in two parts)
Drove Rd. W Hor & Ran C —4C 116
Drovers Ct. King T —3L 203
Drovers End. Fleet —1D 88
Drovers Rd. S Croy —2A 64 (8D 200)
Drovers Way. Ash G —3G 111
(in two parts)
Drovers Way. Brack —2D 32
Drovers Way. Farnh —6F 108
Druce Wood. Asc —9J 17
Druids Clo. Asht —7M 79
Druids Way. Brom —3N 47
Drumaline Ridge. Wor Pk —8D 42
Drummond Cen. Croy —8N 45 (3B 200)
Drummond Clo. Brack —9D 16
Drummond Gdns. Eps —7B 60
Drummond Pl. Twic —1H 25
Drummond Rd. Croy
(in two parts) —8N 45 (3B 200)
Drummond Rd. Guild —3N 113 (3C 202)
Drummond Rd. If'd —4K 181
Drungewick La. Loxw —9L 193
Drury Clo. M'bowr —5H 183
Drury Cres. Croy —8L 45
Dryad St. SW15 —6J 13
Dry Arch Rd. Asc —6C 34
Dryburgh Rd. SW15 —6G 13
Dryden. Brack —6M 31
Dryden Mans. W14 —2K 13
(off Queen's Club Gdns.)
Dryden Rd. SW19 —7A 28
Dryden Rd. Farn —8L 69
Drynham Pk. Wey —9F 38
Du Cane Ct. SW17 —2E 28
Ducavel Ho. SW2 —2K 29
Duchess Clo. Crowt —9G 30
Duchess Clo. Sutt —1A 62
Duchess of Kent Barracks. Alder —1N 109
Ducklands. Bord —7A 168
Ducks Wlk. Twic —8J 11
Dudley Clo. Add —9L 37
Dudley Ct. C Crook —7B 88
Dudley Dri. Mord —7K 43
Dudley Gro. Eps —1B 80 (8H 201)
Dudley Rd. SW19 —7M 27
Dudley Rd. Afrd —6A 22
Dudley Rd. Felt —2D 22
Dudley Rd. King T —2M 41 (5M 203)
Dudley Rd. Rich —5M 11
Dudley Rd. W on T —5H 39
Dudset La. Houn —4H 9
Duffield Rd. Tad —2G 100
Duffins Orchard. Ott —4E 54
Dugdale Ho. Egh —6E 20
(off Pooley Grn. Rd.)
Duke Clo. M'bowr —7G 182
Duke of Cambridge Clo. Twic —9D 10
Duke of Cornwall Av. Camb —6B 50
Duke of Edinburgh Rd. Sutt —8B 44
Duke Rd. W4 —1C 12
Duke's Av. W4 —1C 12
Dukes Av. Houn —7M 9
Dukes Av. N Mald —2E 42
Dukes Av. Rich —5J 25
Dukes Clo. Afrd —5D 22
Dukes Clo. Cranl —8B 156
Dukes Clo. Farnh —6F 108
Dukes Clo. Hamp —6N 23
Dukes Ct. Wok —4B 74
Dukes Covert. Bag —1J 51
Duke's Dri. G'ming —4E 132
Dukes Ga. W4 —1B 12
Dukes Grn. Av. Felt —8H 9
Dukes Head Pas. Hamp —8C 24
Dukes Hill. Wold —7H 85
(in two parts)
Dukeshill Rd. Brack —9N 15
Dukes La. Asc —8D 18
Dukes Pk. Alder —7B 90
Duke's Ride. Crowt —3D 48
Dukes Ride. N Holm —8K 119
Duke's Rd. Newd —4A 160
(in two parts)
Dukes Rd. W on T —2L 57
Dukes Ter. Alder —1N 109
Duke St. Rich —7K 11
Duke St. Sutt —1B 62
Duke St. Wind —3F 4
Duke St. Wok —4B 74
Dukes Wlk. Farnh —6F 108
Duke's Warren, The & Mosses Wood. —6C 138
Dukes Wood. Crowt —2G 49
(in two parts)
Dulverton Rd. S Croy —6F 64
Dumas Clo. Yat —1B 68
Du Maurier Clo. C Crook —1A 108
Dumbarton Ct. SW2 —1J 29
Dumbarton Rd. SW2 —1J 29
Dumbleton Clo. King T —9A 26
Dumsey Eyot. Cher —6N 37
Dumville Dri. God —9E 104
Dunally Pk. Shep —6E 38
Dunbar Av. SW16 —1L 45
Dunbar Av. Beck —3H 47
Dunbar Ct. W on T —7K 39
Dunbar Rd. Frim —7D 70
Dunbar Rd. N Mald —3B 42
Dunbar St. SE27 —4N 29
Dunboe Pl. Shep —6D 38
Dunbridge Ho. SW15 —9E 12
(off Highcliffe Dri.)
Duncan Dri. Guild —2C 114
Duncan Dri. Wokgm —3C 30
Duncan Gdns. Stai —7J 21
Duncannon Cres. Wind —6A 4
Duncan Rd. Rich —7L 11
Duncan Rd. Tad —6K 81
Duncans Yd. W'ham —4M 107
Duncombe Rd. G'ming —9G 133
Duncroft. Stai —5G 20
Duncroft. Wind —6C 4
Duncroft Clo. Reig —3L 121
Duncton Clo. Craw —1N 181
Dundaff Clo. Camb —1E 70
Dundas Clo. Brack —3N 31
Dundas Gdns. W Mol —2B 40
Dundee Rd. SE25 —4E 46
Dundela Gdns. Wor Pk —1G 61
Dundonald Rd. SW19 —8K 27
Dundrey Cres. Red —7J 103
Dunedin Dri. Cat —3B 104
Dunelm Gro. SE27 —4N 29
Dunfee Way. W Byf —8N 55
Dunford Pl. Binf —8K 15
Dungarvan Av. SW15 —7F 12
Dungates La. Buck —2F 120
Dungells Farm Clo. Yat —2C 68
Dungells La. Yat —2B 68
Dunheved Clo. T Hth —5L 45
Dunheved Rd. N. T Hth —5L 45
Dunheved Rd. S. T Hth —5L 45
Dunheved Rd. W. T Hth —5L 45
Dunkeld Rd. SE25 —3A 46
Dunkirk St. SE27 —5N 29
Dunleary Clo. Houn —1N 23
Dunley Dri. New Ad —4L 65
Dunlin Clo. Red —8C 122
Dunlin Ri. Guild —1F 114
Dunmall Dri. Purl —1B 84
Dunmore. Guild —2G 113
Dunmore Rd. SW20 —9H 27
Dunmow Clo. Felt —4M 23
Dunmow Hill. Fleet —3B 88
Dunmow Ho. Byfl —9N 55
Dunnets. Knap —4H 73
Dunning's Rd. E Grin —3A 186
Dunnymans Rd. Bans —2L 81
Dunottar Clo. Red —5B 122
Dunraven Av. Red —1F 142
Dunsborough Park. —7L 75
Dunsbury Clo. Sutt —5N 61
Dunsdon Av. Guild —4L 113
Dunsfold. —4B 174
Dunsfold Aerodrome. Duns & G'ming —4F 174
Dunsfold Clo. Craw —4M 181
Dunsfold Comn. Duns —5B 174
Dunsfold Ri. Coul —9H 63
Dunsfold Rd. Alf —5E 174
Dunsfold Rd. Loxh & Cranl —1C 174
Dunsfold Rd. Plais —2N 191
Dunsfold Way. New Ad —5L 65
Dunsford Way. SW15 —9G 13
Dunsmore Gdns. Yat —1A 68
Dunsmore Rd. W on T —5J 39
Dunstable Rd. Rich —7L 11
Dunstable Rd. W Mol —3N 39
Dunstall Pk. Farn —7M 69
Dunstall Rd. SW20 —7G 27
Dunstall Way. W Mol —2B 40
Dunstan Rd. Coul —4H 83
Dunster Av. Mord —7J 43
Dunton Clo. Surb —7L 41
Duntshill Rd. SW18 —2N 27
Dunvegan Clo. W Mol —3B 40
Dunvegan Ho. Red —3D 122
Dupont Rd. SW20 —1J 43
Duppas Av. Croy —1M 63 (7A 200)
Duppas Clo. Shep —4E 38
Duppas Ct. Croy —5A 200
Duppas Hill La. Croy —1M 63 (6A 200)
Duppas Hill Rd. Croy —1L 63 (6A 200)
Duppas Hill Ter. Croy —9M 45 (5A 200)
Duppas Rd. Croy —9L 45
Durand Clo. Cars —7D 44
Durban Rd. SE27 —5N 29
Durban Rd. Beck —1J 47
Durbin Rd. Chess —1L 59
Durfold Dri. Reig —3A 122
Durfold Hill. Warn —6H 179
Durfold Rd. H'ham —1K 197
Durfold Wood. Plais —2M 191
Durford Cres. SW15 —2G 26
Durham Av. Houn —1N 9
Durham Clo. SW20 —1G 43
Durham Clo. Craw —7C 182
(in two parts)
Durham Clo. Guild —1J 113
Durham Ct. Tedd —5E 24
Durham Rd. SW20 —9G 27
Durham Rd. Felt —1K 23
Durham Rd. Owl —5K 49
Durham Wharf. Bren —3J 11
Durkins Rd. E Grin —7N 165
(in two parts)
Durleston Pk. Dri. Bookh —3C 98
Durley Mead. Brack —4D 32
Durlston Rd. King T —7L 25
Durning Pl. Asc —2M 33
Durning Rd. SE19 —6N 29
Durnsford Av. SW19 —3M 27
Durnsford Av. Fleet —6B 88
Durnsford Rd. SW19 —3M 27
Durnsford Way. Cranl —8A 156
Durrant Way. Orp —2M 67
Durrell Rd. SW6 —4L 13
Durrell Way. Shep —5E 38
Durrington Av. SW20 —8H 27
Durrington Pk. Rd. SW20 —9H 27
Dutch Barn Clo. Stanw —9M 7
Dutchells Copse. H'ham —2L 197
Dutch Elm Av. Wind —3J 5
Dutch Gdns. King T —7A 26
Dutch Yd. SW18 —8M 13
Duval Pl. Bag —4J 51
Duxberry Av. Felt —4K 23
Duxhurst La. Reig —5N 141
Dwelly La. Eden —6D 126
Dye Ho. Rd. Thur —6E 150
Dyer Ho. Hamp —9B 24
Dyer Rd. Wokgm —1D 30
Dyers Almhouses. Craw —2B 182
Dyers Fld. Small —8M 143
Dyers La. SW15 —7G 13
Dykes Path. Wok —2E 74
Dymchurch Clo. Orp —1N 67
Dymes Path. SW19 —3J 27
Dymock St. SW6 —6N 13
Dynevor Pl. Guild —8F 92
Dynevor Rd. Rich —8L 11
Dysart Av. King T —6J 25
Dyson Clo. Wind —6E 4
Dyson Ct. Dork —5G 119 (3K 201)
Dyson Wlk. Craw —8N 181

Eady Clo. H'ham —6M 197
Eagle Clo. Crowt —9F 30
Eagle Clo. Wall —3J 63
Eagle Hill. SE19 —7N 29
Eaglehurst Cotts. Binf —6H 15
Eagle Rd. Guild —3N 113 (3D 202)
Eagles Dri. Tats —5F 86
(in two parts)
Eagles Nest. Sand —6F 48
Eagle Trad. Est. Mitc —5D 44
Ealing Pk. Gdns. W5 —1J 11
Ealing Rd. Bren —1K 11
Ealing Rd. Trad. Est. Bren —1K 11
Eardley Cres. SW5 —1M 13
Eardley Rd. SW16 —6G 29
Earldom Rd. SW15 —7H 13
Earle Cft. Warf —8A 16
Earle Gdns. King T —8L 25
Earles Mdw. H'ham —2A 198
Earleswood. Cobh —8M 57
Earleydene. Asc —7M 33
Earl Rd. SW14 —7B 12
Earlsbourne. C Crook —9C 88
Earlsbrook Rd. Red —5D 122
Earl's Court. —1M 13
Earl's Court Exhibition Building. —1M 13
Earls Ct. Gdns. SW5 —1N 13
Earl's Ct. Rd. W8 & SW5 —1M 13
Earl's Ct. Sq. SW5 —1N 13
Earlsfield. —2A 28
Earlsfield Rd. SW18 —2A 28
Earls Gro. Camb —9C 50
Earlsthorpe M. SW12 —1E 28
Earlswood. —5D 122
Earlswood. Brack —6N 31
Earlswood Av. T Hth —4L 45
Earlswood Clo. H'ham —4M 197
Earlswood Ct. Red —5D 122
Earlswood Rd. Red —4D 122
Early Commons. Craw —2D 182
(in two parts)
Easby Cres. Mord —5N 43
Eashing. —7C 132
Eashing Bridge. —8B 132
Eashing La. Milf & G'ming —9C 132
Easington Pl. Guild —4B 114
East Av. Farnh —6J 109
East Av. Wall —2K 63
East Av. W Vill —6G 56
Eastbank Rd. Hamp H —6C 24
East Bedfont. —1F 22
Eastbourne Gdns. SW14 —6B 12
Eastbourne Rd. SW17 —7E 28
Eastbourne Rd. W4 —2B 12
Eastbourne Rd. Bren —1J 11
Eastbourne Rd. Felb —4J 165
Eastbourne Rd. Felt —3L 23
Eastbourne Rd. God —1F 124
Eastbourne Rd. Newc & Ling —9H 145
Eastbourne Rd. S God & Blind H —9G 125
Eastbrook Clo. Wok —3C 74
Eastbury Ct. Brack —9L 15
Eastbury Gro. W4 —1D 12
Eastbury La. Comp —9D 112
Eastbury Rd. King T —8L 25 (1K 203)
Eastchurch Rd. H'row A —5F 8
East Clandon. —9M 95
Eastcote Av. W Mol —4N 39
Eastcote Ho. Eps —8D 60
East Ct. E Grin —8B 166
East Cres. Wind —4C 4
Eastcroft Ct. Guild —4C 114
Eastcroft M. H'ham —7F 196
Eastcroft Rd. Eps —4D 60
Eastdean Av. Eps —9A 60
East Dri. Cars —5C 62
East Dri. Vir W —6K 35
Eastern Av. Cher —2J 37
Eastern Industrial Area, Bracknell. —1B 32
Eastern La. Crowt —3L 49
Eastern Perimeter Rd. H'row A —5G 8
Eastern Rd. Alder —2B 110
Eastern Rd. Brack —1B 32
Eastern Vw. Big H —4E 86
Easter Way. S God —6H 125
East Ewell. —6H 61
Eastfield Rd. Red —4G 122
Eastfields. Witl —5C 152
Eastfields Rd. Mitc —1E 44
E. Flexford La. Wanb —5C 112
East Gdns. SW17 —7C 28
East Gdns. Wok —4E 74
Eastgate. Bans —1L 81
Eastgate Gdns. Guild —4A 114 (4E 202)
East Grn. B'water —2H 69
East Grinstead. —1B 186
E. Grinstead Rd. Ling —8N 145
East Grinstead Town Mus. —8B 166
Easthampstead. —4N 31
Easthampstead Mobile Home Pk. Wokgm —8H 31
Easthampstead Rd. Brack —1M 31
Easthampstead Rd. Wokgm —2B 30
Eastheath. —5A 30
Eastheath Av. Wokgm —4A 30
Eastheath Gdns. Wokgm —5A 30
East Hill. SW18 —8N 13
East Hill. Big H —5D 86
East Hill. Dor P —4A 166
East Hill. Oxt —7A 106
East Hill. S Croy —6B 64
East Hill. Wok —3E 74
E. Hill Ct. Oxt —8A 106
E. Hill La. Copt —4A 164
E. Hill Rd. Oxt —7A 106
East Horsley. —7G 96
Eastlands Clo. Oxt —5N 105
Eastlands Way. Oxt —5N 105
East La. King T —2K 41 (5J 203)
East La. W Hor —4D 96
Eastleigh Clo. Sutt —4N 61
Eastleigh Rd. H'row A —6G 8
Eastleigh Wlk. SW15 —1F 26
Eastleigh Way. Felt —2H 23
Eastly End. —2F 36
East Mall. Stai —5H 21
(off Elmsleigh Shop. Cen.)
Eastman Ho. SW4 —1G 29
Eastmead. Farn —1N 89
Eastmead. Wok —4L 73
East Meads. Guild —4J 113
Eastmearn Rd. SE27 —3N 29
East M. H'ham —6J 197
East Molesey. —3D 40
Eastmont Rd. Esh —8E 40
Eastney Rd. Croy —7M 45 (1A 200)
Eastnor Clo. Reig —5L 121
Eastnor Pl. Reig —5M 121
Eastnor Rd. Reig —6M 121
East Pk. Craw —4B 182
E. Park La. Newc —2F 164

East Pl.—Elm Pk.

East Pl. SE27 —5N 29
East Ramp. H'row A —4C 8
East Ring. Tong —5E 110
East Rd. SW19 —7A 28
East Rd. Felt —1E 22
East Rd. King T —9L 25 (1L 203)
East Rd. Reig —2L 121
East Rd. Wey —4E 56
East Shalford. —9C 114
E. Shalford La. Guild —8A 114
East Sheen. —7B 12
E. Sheen Av. SW14 —8C 12
E. Station Rd. Alder —3N 109
E. Stratton Clo. Brack —4D 32
East St. Bookh —3B 98
East St. Bren —3J 11
East St. Cher —6J 37
East St. Eps —9D 60 (6M 201)
East St. Farnh —9H 109
East St. H'ham —7J 197
East St. Rusp —2C 180
East St. Turn H —5D 184
East Surrey Mus. —2D 104
E. View Cotts. Cranl —7L 155
E. View La. Cranl —7L 155
East Wlk. Reig —3N 121
East Way. Croy —8H 47
Eastway. Eps —8B 60
East Way. Guild —3J 113
Eastway. Gat A —3F 162
Eastway. Mord —4J 43
Eastway. Wall —1G 62
Eastway E. Gat A —3F 162
(off Eastway)
E. Whipley La. Sham G —3H 155
Eastwick Dri. Bookh —1A 98
Eastwick Pk. Av. Bookh —2B 98
Eastwick Rd. Bookh —3B 98
Eastwick Rd. W on T —3J 57
Eastwood. Craw —3D 182
Eastwood Lodge. Brmly —4B 134
Eastwood Rd. Brmly —4B 134
Eastwood St. SW16 —7G 28
Eastworth. —7K 37
Eastworth Rd. Cher —7J 37
Eaton Ct. Guild —1C 114
Eaton Dri. King T —8N 25
Eaton Ho. Guild —5B 114
(off St Lukes Sq.)
Eaton Pk. Cobh —1M 77
Eaton Pk. Rd. Cobh —1M 77
Eaton Rd. Camb —2N 69
Eaton Rd. Houn —7D 10
Eaton Rd. Sutt —3A 62
Eatonville Rd. SW17 —3D 28
Eatonville Vs. SW17 —3D 28
Ebbage Ct. Wok —5A 74
Ebbas Way. Eps —2A 80
Ebbisham Clo. Dork —5G 118 (3J 201)
Ebbisham La. Tad —8E 80
(in two parts)
Ebbisham Rd. Eps —1A 80
Ebbisham Rd. Wor Pk —8H 43
Ebenezer Wlk. SW16 —9G 28
Ebner St. SW18 —8N 13
Ebor Cotts. TW10 —4D 26
Ebury Clo. Kes —1G 67
Ebury M. SE27 —4M 29
Ecclesbourne Rd. T Hth —4N 45
Eccleshill. N Holm —9J 119
Echelforde Dri. Afrd —5B 22
Echo Barn La. Wrec —6D 128
Echo Pit Rd. Guild —7A 114 (8F 202)
Ecob Clo. Guild —8J 93
Ecton Rd. Add —1K 55
Eddeys Clo. Head D —3G 169
Eddeys La. Head D —3G 168
Eddington Hill. Craw —8N 181
Eddington Rd. Brack —5K 31
Eddiscombe Rd. SW6 —5L 13
Eddy Rd. Alder —3A 110
Eddystone. Cars —7B 62
Eddystone Ct. Churt —9L 149
Eddystone Wlk. Stai —1N 21
Ede Clo. Houn —6N 9
Edenbridge. —2L 147
Edenbridge Trad. Cen. Eden —3M 147
Eden Brook. Ling —7A 146
Eden Clo. New H —6K 55
Eden Clo. Slou —1C 6
Edencourt Rd. SW16 —7F 28
Edencroft. Brmly —4B 134
Edenfield Gdns. Wor Pk —9E 42
Eden Gro. Rd. Byfl —9N 55
Edenhurst Av. SW6 —6L 13
Eden M. SW17 —4A 28
Eden Park. —4K 47
Eden Pk. Av. Beck —3H 47
(in two parts)
Eden Rd. SE27 —5M 29
Eden Rd. Beck —3H 47
Eden Rd. Craw —5L 181
Eden Rd. Croy —1A 64 (6D 200)
Edenside Rd. Bookh —2N 97
Edensor Gdns. W4 —3D 12
Edensor Rd. W4 —3D 12
Eden St. King T —1K 41 (4J 203)
Eden Va. E Grin —7N 165
(in two parts)
Edenvale Clo. Mitc —8E 28
Edenvale Rd. Mitc —8E 28
Edenvale St. SW6 —5N 13
Eden Wlk. King T —1L 41 (4K 203)
Eden Way. Beck —4J 47
Eden Way. Warl —5H 85
Ederline Av. SW16 —2K 45
Edes Fld. Reig —5K 121
Edgar Clo. Worth —3J 183
Edgar Ct. N Mald —1D 42
Edgarley Ter. SW6 —4K 13
Edgar Rd. Houn —1N 23
Edgar Rd. S Croy —5A 64
Edgar Rd. Tats —8F 86
Edgbarrow Ct. Crowt —4F 48
Edgbarrow Ri. Sand —5F 48
Edgcumbe Pk. Dri. Crowt —2F 48
Edgeborough Ct. Guild —4B 114
Edge Clo. Wey —4B 56
Edgecoombe. S Croy —4F 64
Edgecoombe Clo. King T —8C 26
Edgedale Clo. Crowt —3G 49
Edgefield Clo. Cranl —6L 155
Edgefield Clo. Red —8E 122
Edge Hill. SW19 —8J 27
Edge Hill. Guild —4B 114
Edge Hill Ct. SW19 —8J 27
Edgehill Ct. W on T —7K 39
Edgehill Rd. Mitc —9F 28
Edgehill Rd. Purl —6L 63
Edgeley. Bookh —2M 97
Edgeley Cvn. Pk. Alb —3N 135
Edgell Clo. Vir W —2B 36
Edgell Rd. Stai —6H 21
Edgel St. SW18 —7N 13
Edgemoor Rd. Frim —3G 70
Edgepoint Clo. SE27 —6M 29
Edgewood Clo. Crowt —9F 30
Edgewood Grn. Croy —7G 47
Edgeworth Clo. Whyt —5D 84
Edgington Rd. SW16 —7H 29
Edinburgh Clo. Ash V —8E 90
Edinburgh Ct. SW20 —4J 43
Edinburgh Ct. Alder —2L 109
(off Queen Elizabeth Dri.)
Edinburgh Ct. King T —5K 203
Edinburgh Dri. Stai —7M 21
Edinburgh Gdns. Wind —5G 5
Edinburgh Rd. Sutt —8A 44
Edinburgh Way. E Grin —2B 186
Edison Pl. Craw —4D 182
Edith Gdns. Surb —6A 42
Edith Gro. SW10 —2N 13
Edith Ho. W6 —1H 13
(off Queen Caroline St.)
Edith Rd. SE25 —4A 46
Edith Rd. SW19 —7N 27
Edith Rd. W14 —1K 13
Edith Row. SW6 —4N 13
Edith Summerskill Ho. SW6 —3L 13
(off Clem Attlee Est.)
Edith Ter. SW10 —3N 13
Edith Vs. W14 —1L 13
Edmonds Ct. Brack —9A 16
Edmund Rd. Mitc —2C 44
Edna Rd. SW20 —1J 43
Edney Clo. C Crook —7C 88
Edrich Rd. Broadf —8M 181
Edridge Rd. Croy —9N 45 (5C 200)
Edward Av. Camb —1M 69
Edward Av. Mord —4B 44
Edward Clo. Hamp H —6C 24
Edward Ct. Stai —7L 21
Edward Ct. Wokgm —3A 30
Edward Rd. Big H —5G 87
Edward Rd. Coul —2H 83
Edward Rd. Croy —6B 46
Edward Rd. Farnh —4H 129
Edward Rd. Felt —8E 8
Edward Rd. Hamp H —6C 24
Edward Rd. W'sham —3A 52
Edwards Clo. Wor Pk —8J 43
Edwards Ct. S Croy —7E 200
Edward II Av. Byfl —1A 76
Edward St. Alder —2L 109
Edward Way. Afrd —3A 22
Edwin Clo. W Hor —3E 96
Edwin Pl. Croy —1E 200
Edwin Rd. Twic —2E 24
(in two parts)
Edwin Rd. W Hor —3D 96
Edwinstray Ho. Felt —3A 24
Eelmoor Plain Rd. Alder —9J 89
Eelmoor Rd. Alder —8J 89
Eelmoor Rd. Farn —3L 89
Effie Pl. SW6 —3M 13
Effie Rd. SW6 —3M 13
Effingham. —5L 97
Effingham Clo. Sutt —4N 61
Effingham Common. —2H 97
Effingham Comn. Rd. Eff —1H 97
Effingham Ct. Wok —6A 74
(off Constitution Hill)
Effingham Hill. —1L 117
Effingham Junction. —1H 97
Effingham La. Copt —5B 164
Effingham Lodge. King T —3K 41 (8J 203)
Effingham Pl. Eff —5L 97
Effingham Rd. Burs & Copt —4N 163
Effingham Rd. Croy —6K 45
Effingham Rd. Reig —4N 121
Effingham Rd. Surb —6H 41
Effort St. SW17 —6C 28
Effra Rd. SW19 —7N 27
Egbury Ho. SW15 —9E 12
(off Tangley Gro.)
Egerton Ct. Guild —3H 113
Egerton Pl. Wey —3D 56
Egerton Rd. SE25 —2B 46
Egerton Rd. Camb —9L 49
Egerton Rd. Guild —3H 113
Egerton Rd. N Mald —3E 42
Egerton Rd. Twic —1E 24
Egerton Rd. Wey —3D 56
Egerton Way. Hayes —3C 8
Eggars Ct. Alder —3N 109
Eggar's Hill. Alder —4M 109
Eggleton Clo. C Crook —8A 88
Egham. —6C 20
Egham Bus. Village. Egh —9E 20
Egham By-Pass. Egh —6B 20
Egham Clo. SW19 —3K 27
Egham Clo. Sutt —8K 43
Egham Cres. Sutt —9K 43
Egham Hill. Egh —7N 19
Egham Hythe. —6F 20
Egham Mus. —6C 20
Egham Roundabout. Stai —6G 20
Egham Wick. —8K 19
Eglantine Rd. SW18 —8N 13
Egleston Rd. Mord —5N 43
Egley Dri. Wok —9N 73
Egley Rd. Wok —9N 73
(in two parts)
Eglinton Rd. Tilf —4N 149
Eglise Rd. Warl —4H 85
Egliston M. SW15 —6H 13
Egliston Rd. SW15 —6H 13
Egmont Av. Surb —7M 41
Egmont Pk. Rd. Tad —3F 100
Egmont Rd. N Mald —3E 42
Egmont Rd. Surb —7M 41
Egmont Rd. Sutt —4A 62
Egmont Rd. W on T —6J 39
Egmont Way. Tad —6K 81
Egremont Rd. SE27 —4L 29
Eight Acres. Hind —2A 170
Eighteenth Rd. Mitc —3J 45
Eileen Rd. SE25 —4A 46
Eileen Wilkinson Ho. SW6 —2L 13
(off Clem Attlee Ct.)
Eindhoven Clo. Cars —7E 44
Eland Pl. Croy —9M 45 (4A 200)
Eland Rd. Alder —3B 110
Eland Rd. Croy —9M 45 (4A 200)
Elberon Av. Croy —5G 45
Elbe St. SW6 —5N 13
Elborough Rd. SE25 —4D 46
Elborough St. SW18 —2M 27
Elbow Mdw. Coln —4H 7
Elcho Rd. Brkwd —6N 71
Elderberry Gro. SE27 —5N 29
Elderberry Rd. Lind —5B 168
Elder Clo. Guild —9C 94
Elderfield Pl. SW17 —5F 28
Elder Gdns. SE27 —6N 29
Eldergrove. Farn —4C 90
Elder Oak Clo. SE20 —1E 46
Elder Oak Ct. SE20 —1E 46
(off Anerley Ct.)
Elder Rd. SE27 —5N 29
Elder Rd. Bisl —2D 72
Eldersley Clo. Red —1D 122
Elderslie Clo. Beck —4K 47
Eldertree Pl. Mitc —9G 28
Eldertree Way. Mitc —9G 28
Elder Way. N Holm —9J 119
Elderwood Pl. SE27 —6N 29
Eldon Av. Croy —8F 46
Eldon Av. Houn —3A 10
Eldon Dri. Lwr Bo —6J 129
Eldon Pk. SE25 —3E 46
Eldon Rd. Cat —8A 84
Eldrick Ct. Felt —2E 22
Eldridge Clo. Felt —2H 23
Eleanora Ter. Sutt —2A 62
(off Lind Rd.)
Eleanor Av. Eps —6C 60
Eleanor Clo. Pass —9C 168
Eleanor Ct. Guild —5N 113 (6D 202)
Eleanor Gro. SW13 —6D 12
Eleanor Ho. W6 —1H 13
(off Queen Caroline St.)
Electric Pde. Surb —5K 41
Electric Theatre, The. —4M 113 (5B 202)
Elfin Gro. Tedd —6F 24
Elgal Clo. Orp —2K 67
Elgar Av. SW16 —2J 45
Elgar Av. Crowt —9G 30
Elgar Av. Surb —7N 41
Elgar Way. H'ham —4A 198
Elger Way. Copt —6L 163
Elgin Av. Afrd —7D 22
Elgin Clo. H'ham —5M 197
Elgin Ct. S Croy —7B 200
Elgin Cres. Cat —9D 84
Elgin Cres. H'row A —5F 8
Elgin Gdns. Guild —2C 114
Elgin Pl. Wey —3D 56
Elgin Rd. Croy —8C 46
Elgin Rd. Sutt —9A 44
Elgin Rd. Wall —3G 62
Elgin Rd. Wey —2B 56
Elgin Way. Frim —6D 70
Eliot Clo. Camb —8F 50
Eliot Dri. Hasl —2C 188
Eliot Gdns. SW15 —7F 12
Elis David Almshouses. Croy —9M 45 (5A 200)
Elizabethan Clo. Stanw —1M 21
Elizabethan Way. Craw —4G 183
Elizabethan Way. Stanw —1M 21
Elizabeth Av. Bag —5K 51
Elizabeth Av. Stai —7L 21
Elizabeth Barnes Ct. SW6 —5N 13
Elizabeth Clo. Brack —3A 32
Elizabeth Clo. Sutt —1L 61
Elizabeth Cotts. Kew —4M 11
Elizabeth Ct. Alder —2L 109
(off Queen Elizabeth Dri.)
Elizabeth Ct. G'ming —4H 133
Elizabeth Ct. Horl —8E 142
Elizabeth Ct. Tedd —6E 24
Elizabeth Ct. Whyt —5C 84
Elizabeth Ct. Wokgm —2A 30
Elizabeth Cres. E Grin —7B 166
Elizabeth Dri. C Crook —8B 88
Elizabeth Fry Ho. Hayes —1G 8
Elizabeth Fry Ho. Ott —3F 54
(off Vernon Clo.)
Elizabeth Gdns. Asc —4M 33
Elizabeth Gdns. Sun —2K 39
Elizabeth Ho. W6 —1H 13
(off Queen Caroline St.)
Elizabeth Rd. G'ming —4H 133
Elizabeth Rd. Wokgm —2C 30
Elizabeth Way. SE19 —8N 29
Elizabeth Way. Felt —5K 23
Elkins Gdns. Guild —9C 94
Elkins Gro. Farnh —1E 128
Ellaline Rd. W6 —2J 13
Elland Rd. W on T —8L 39
Ellenborough Clo. Brack —9B 16
Ellenborough Pl. SW15 —7F 12
Ellenbridge Way. S Croy —5B 64
Ellen Dri. Fleet —1D 88
Ellen's Green. —5H 177
Elleray Ct. Ash V —8E 90
Elleray Rd. Tedd —7F 24
Ellerby St. SW6 —4J 13
Ellerdine Rd. Houn —7C 10
Ellerker Gdns. Rich —9L 11
Ellerman Av. Twic —2N 23
Ellerton Rd. SW13 —4F 12
Ellerton Rd. SW18 —2B 28
Ellerton Rd. SW20 —8F 26
Ellerton Rd. Surb —8M 41
Ellery Clo. Cranl —9N 155
Ellery Rd. SE19 —8N 29
Elles Av. Guild —3E 114
Elles Clo. Farn —2N 89
Ellesfield Av. Brack —3K 31
Ellesmere Av. Beck —1L 47
Ellesmere Ct. W4 —1C 12
Ellesmere Dri. S Croy —1E 84
Ellesmere Pl. W on T —2F 56
Ellesmere Rd. W4 —2B 12
Ellesmere Rd. Twic —9J 11
Ellesmere Rd. Wey —4F 56
Elles Rd. Farn —3K 89
Elleswood Ct. Surb —6K 41
Ellice Rd. Oxt —7B 106
Ellie M. Afrd —3N 21
Ellingham. Wok —6A 74
Ellingham Rd. Chess —3K 59
Ellington Rd. Felt —5G 22
Ellington Rd. Houn —5B 10
Ellington Way. Eps —4G 81
Elliot Clo. M'bowr —4G 182
Elliott Gdns. Shep —3B 38
Elliott Pk. Ind. Est. Alder —2C 110
Elliott Ri. Asc —1H 33
Elliott Rd. W4 —1D 12
Elliott Rd. T Hth —3M 45
Ellis Av. Onsl —5J 113
Ellis Clo. Coul —7K 83
Ellis Farm Clo. Wok —9N 73
Ellisfield Dri. SW15 —1F 26
Ellison Clo. Wind —6C 4
Ellison Rd. SW13 —5E 12
Ellison Rd. SW16 —8H 29
Ellison Way. Tong —5D 110
Ellison Way. Wokgm —2A 30
Ellis Rd. Coul —7K 83
Ellis Rd. Crowt —1F 48
Ellis Rd. Mitc —5D 44
Ellman Rd. Craw —5L 181
Ellora Rd. SW16 —6H 29
Ellson Clo. M'bowr —5G 182
Ellwood Pl. Craw —3L 181
Elm Av. Afrd —3N 21
Elm Bank. Yat —8B 48
Elmbank Av. Eng G —7L 19
Elmbank Av. Guild —4K 113
Elm Bank Gdns. SW13 —5D 12
Elmbourne Rd. SW17 —4E 28
Elmbridge Av. Surb —4A 42
Elmbridge Cotts. Cranl —7J 155
Elm Bri. Est. Wok —6B 74
Elmbridge La. Old Wok & Wok —6B 74
Elmbridge Mus. —1B 56
Elmbridge Rd. Cranl —8G 154
Elmbridge Village. Cranl —8H 155
(off Essex Dri.)
Elmbrook Clo. Sun —9J 23
Elmbrook Rd. Sutt —1L 61
Elm Clo. SW20 —3H 43
Elm Clo. Bord —6A 168
Elm Clo. Cars —7D 44
Elm Clo. Lea —9H 79
Elm Clo. Rip —2J 95
Elm Clo. S Croy —3B 64
Elm Clo. Stanw —2M 21
Elm Clo. Surb —6B 42
Elm Clo. Tad —8B 100
Elm Clo. Twic —3B 24
Elm Clo. Warl —4G 84
Elm Clo. Wok —2N 73
Elm Corner. —6B 76
Elm Cotts. Eden —8K 127
Elm Cotts. Mitc —1D 44
Elm Ct. Knap —4G 73
Elm Ct. Sand —5K 49
Elm Ct. W Mol —3B 40
Elmcourt Rd. SE27 —3M 29
Elm Cres. Farnh —5J 109
Elm Cres. King T —9L 25 (2L 203)
Elmcroft. Bookh —2A 98
Elm Cft. Dat —4M 5
Elmcroft Clo. Chess —9L 41
Elmcroft Clo. Felt —9G 9
Elmcroft Clo. Frim G —7D 70
Elmcroft Dri. Afrd —6B 22
Elmcroft Dri. Chess —9L 41
Elmdene. Surb —7B 42
Elmdene Clo. Beck —5J 47
Elmdon Rd. Houn —5L 9
Elmdon Rd. H'row A —6G 8
Elm Dri. Chob —6J 53
Elm Dri. E Grin —9C 166
Elm Dri. Lea —1H 99
Elm Dri. Sun —1K 39
Elm Dri. Wink —3M 17
Elmer Cotts. Fet —1G 98
Elmer Gdns. Iswth —6D 10
Elmer M. Fet —9G 78
Elmers Dri. Tedd —7H 25
Elmers End. —3H 47
Elmers End Rd. SE20 —1F 46
Elmerside Rd. Beck —3H 47
Elmers Rd. SE25 —6D 46
Elmers Rd. Ockl —6C 158
Elmfield. Bookh —1A 98
Elmfield Av. Mitc —9E 28
Elmfield Av. Tedd —6F 24
Elm Fld. Cotts. Wood S —2D 112
Elmfield Ct. Lind —4A 168
(off Liphook Rd.)
Elmfield Ho. Guild —1E 114
Elmfield Rd. SW17 —3E 28
Elmfield Way. S Croy —5C 64
Elm Gdns. Clay —3F 58
Elm Gdns. Eps —6H 81
Elm Gdns. Mitc —3H 45
Elmgate Av. Felt —4J 23
Elm Gro. SW19 —8K 27
Elm Gro. Bisl —3D 72
Elm Gro. Cat —9B 84
Elm Gro. Eps —1B 80
Elm Gro. Farnh —5H 109
Elm Gro. H'ham —7L 197
Elm Gro. King T —9L 25 (2L 203)
Elm Gro. Sutt —1N 61
Elmgrove Clo. Wok —6G 73
Elm Gro. Pde. Wall —9E 44
Elm Gro. Rd. SW13 —4F 12
Elm Gro. Rd. Cobh —3L 77
Elmgrove Rd. Croy —6E 46
Elmgrove Rd. Farn —1N 89
Elmgrove Rd. Wey —1B 56
Elm Hill. —9K 91
Elm Hill. Norm —1J 111
Elm Ho. King T —1N 203
Elmhurst Av. Mitc —8F 28
Elmhurst Ct. Croy —1A 64 (7D 200)
Elmhurst Ct. Guild —4B 114
Elmhurst Dri. Dork —7H 119
Elmhurst La. Slin —9J 195
Elmhurst Lodge. Sutt —4A 62
Elm La. Ock —6B 76
Elm La. Tong —4D 110
Elm Lodge. SW6 —4H 13
Elm M. Gray —6A 170
Elmore Rd. Coul —8D 82
Elm Pk. SW2 —1K 29
Elm Pk. Cranl —7J 155
Elm Pk. S'dale —7B 34

228 A-Z Surrey

Elm Pk. Gdns. *S Croy* —6F **64**
Elm Pk. Rd. *SE25* —2C **46**
Elm Pl. *Alder* —4A **110**
Elm Rd. *SW14* —6B **12**
Elm Rd. *Beck* —1J **47**
Elm Rd. *Chess* —1L **59**
Elm Rd. *Clay* —3F **58**
Elm Rd. *Eps* —3E **60**
Elm Rd. *Farnh* —5J **109**
Elm Rd. *Felt* —2E **22**
Elm Rd. *G'ming* —3J **133**
Elm Rd. *Hors* —2B **74**
Elm Rd. *King T* —9M **25** (2M **203**)
Elm Rd. *Lea* —9H **79**
Elm Rd. *N Mald* —1C **42**
Elm Rd. *Purl* —9M **63**
Elm Rd. *Red* —3C **122**
Elm Rd. *T Hth* —3A **46**
Elm Rd. *Wall* —7E **44**
Elm Rd. *Warl* —4G **84**
Elm Rd. *W'ham* —3N **107**
Elm Rd. *Wind* —6E **4**
Elm Rd. *Wok* —5N **73**
Elm Rd. W. *Sutt* —6L **43**
Elms Cres. *SW4* —1G **29**
Elmshaw Rd. *SW15* —8F **12**
Elmshorn. *Eps* —3H **81**
Elmside. *Guild* —4K **113**
Elmside. *Milf* —1C **152**
Elmside. *New Ad* —3L **65**
Elmsleigh Ct. *Sutt* —9N **43**
*Elmsleigh Ho. Twic —3D **24***
(off Staines Rd.)
Elmsleigh Rd. *Farn* —1L **89**
Elmsleigh Rd. *Stai* —6H **21**
Elmsleigh Rd. *Twic* —3D **24**
Elmsleigh Shop. Cen. *Stai* —5H **21**
Elmslie Clo. *Eps* —1B **80**
Elms Rd. *Alder* —3M **109**
Elms Rd. *Fleet* —4D **88**
Elms Rd. *Wokgm* —3A **30**
Elmstead Clo. *Eps* —2D **60**
Elmstead Gdns. *Wor Pk* —9F **42**
Elmstead Rd. *W Byf* —9J **55**
Elms, The. *SW13* —6E **12**
Elms, The. *B'water* —2K **69**
Elms, The. *Clay* —4F **58**
*Elms, The. Croy —7N **45***
(off Tavistock Rd.)
Elms, The. *Tong* —4D **110**
Elms, The. *Warf P* —7E **16**
Elmstone Rd. *SW6* —4M **13**
Elmsway. *Afrd* —6B **22**
Elmswood. *Bookh* —2N **97**
Elmsworth Av. *Houn* —5B **10**
Elm Tree Av. *Esh* —6D **40**
Elm Tree Clo. *Afrd* —6C **22**
Elmtree Clo. *Byfl* —9N **55**
Elm Tree Clo. *Cher* —8G **37**
Elm Tree Clo. *Horl* —7E **142**
Elmtree Rd. *Tedd* —5E **24**
Elm Vw. *As* —1F **110**
Elm Vw. Ct. *S'hall* —1A **10**
Elm Vw. Ho. *Hayes* —1E **8**
Elm Wlk. *SW20* —3H **43**
Elm Wlk. *Orp* —1H **67**
Elm Way. *Eps* —2C **60**
Elm Way. *Wor Pk* —9H **43**
Elmwood Av. *Felt* —3H **23**
Elmwood Clo. *Asht* —4K **79**
Elmwood Clo. *Eps* —4F **60**
Elmwood Clo. *Wall* —8F **44**
Elmwood Ct. *Asht* —4K **79**
Elmwood Dri. *Eps* —3F **60**
Elmwood Rd. *W4* —2B **12**
Elmwood Rd. *Croy* —6M **45**
Elmwood Rd. *Mitc* —2D **44**
Elmwood Rd. *Red* —8E **102**
Elmwood Rd. *Wok* —6G **73**
Elmworth Gro. *SE21* —3N **29**
Elphinstone Clo. *Brkwd* —8C **72**
Elphinstone Ct. *SW16* —7J **29**
Elsa Ct. *Beck* —1J **47**
Elsdon Rd. *Wok* —5K **73**
Elsenham St. *SW18* —2L **27**
Elsenwood Cres. *Camb* —8E **50**
Elsenwood Dri. *Camb* —8E **50**
Elsinore Av. *Stai* —1N **21**
*Elsinore Ho. W6 —1H **13***
(off Fulham Pal. Rd.)
Elsinore Way. *Rich* —6A **12**
Elsley Clo. *Frim G* —8D **70**
Elsrick Av. *Mord* —4M **43**
Elstan Way. *Croy* —6H **47**
Elstead. —7H 131
Elstead Ct. *Sutt* —7K **43**
*Elstead Ho. SW2 —1K **29***
(off Redlands Way)
Elstead Pk. *Elst* —9F **130**
Elstead Rd. *Seale* —7E **110**
Elstead Rd. *Shack* —5N **131**
Elsted Clo. *Craw* —1N **181**
Elston Pl. *Alder* —4A **110**
Elston Rd. *Alder* —4A **110**
Elswick St. *SW6* —5N **13**
Elsworth Clo. *Felt* —2F **22**
Elsworthy. *Th Dit* —5E **40**
Elthiron Rd. *SW6* —4M **13**
Elthorne Ct. *Felt* —2K **23**
Elton Clo. *King T* —8J **25**
Elton Rd. *King T* —9M **25** (1N **203**)
Elton Rd. *Purl* —8G **62**
Eltringham St. *SW18* —7N **13**
Elveden Clo. *Wok* —4K **75**
Elvedon Rd. *Cobh* —7J **57**
Elvetham Clo. *Fleet* —2B **88**
Elvetham Pl. *Fleet* —2A **88**
Elvetham Rd. *Fleet* —2A **88**
Elwell Clo. *Egh* —7C **20**
Elwill Way. *Beck* —3M **47**
Ely Clo. *Craw* —7C **182**
Ely Clo. *Frim* —7E **70**
Ely Clo. *N Mald* —1E **42**
Ely Pl. *Guild* —1J **113**
Ely Rd. *Croy* —4A **46**
Ely Rd. *Houn* —6K **9**
Ely Rd. *H'row A* —5G **8**
*Elysium Pl. SW6 —5L **13***
(off Elysium St.)
Elysium St. *SW6* —5L **13**
Elystan Clo. *Wall* —4G **62**
Emanuel Dri. *Hamp* —6N **23**
Embankment. *SW15* —5J **13**
Embankment, The. *Twic* —2G **25**
Embankment, The. *Wray* —1M **19**
Embassy Ct. *Wall* —3F **62**
Ember Cen. *W on T* —8M **39**
Ember Clo. *Add* —2M **55**
Embercourt Rd. *Th Dit* —5E **40**
Ember Farm Av. *E Mol* —5D **40**
Ember Farm Way. *E Mol* —5D **40**
Ember Gdns. *Th Dit* —6E **40**
Ember La. *Esh* —6D **40**
Emberwood. *Craw* —1A **182**
Embleton Rd. *Head D* —3G **168**
Embleton Wlk. *Hamp* —6N **23**
Emden St. *SW6* —4N **13**
Emerald Ct. *Coul* —2H **83**
Emerson Ct. *Crowt* —2G **49**
Emerton Rd. *Fet* —8C **78**
Emery Down Clo. *Brack* —2E **32**
Emily Davison Dri. *Eps* —5G **80**
Emley Rd. *Add* —9J **37**
Emlyn La. *Lea* —9G **79**
Emlyn Rd. *Horl* —7C **142**
Emlyn Rd. *Red* —5E **122**
Emmanuel Clo. *Guild* —9K **93**
Emmanuel Rd. *SW12* —2G **28**
Emmets Nest. *Binf* —7H **15**
Emmets Pk. *Binf* —7H **15**
Emmetts Clo. *Wok* —4N **73**
Emms Pas. *King T* —1K **41** (4J **203**)
Empire Vs. *Red* —4E **142**
Empress Av. *Farn* —9N **69**
Empress Pl. *SW6* —1M **13**
Emsworth Clo. *M'bowr* —6G **183**
Emsworth Ct. *SW16* —4J **29**
Emsworth St. *SW2* —3K **29**
Ena Rd. *SW16* —2J **45**
Enborne Gdns. *Brack* —8B **16**
Endale Clo. *Cars* —8D **44**
Endeavour Way. *SW19* —5N **27**
Endeavour Way. *Croy* —6J **45**
Endlesham Rd. *SW12* —1E **28**
Endsleigh Clo. *S Croy* —6F **64**
Endsleigh Gdns. *Surb* —5J **41**
Endsleigh Gdns. *W on T* —2K **57**
Endsleigh Rd. *Red* —7G **102**
Ends Pl. *Warn* —9C **178**
End Way. *Surb* —6N **41**
Endymion Rd. *SW2* —1K **29**
Enfield Rd. *Ash V* —8F **90**
Enfield Rd. *Bren* —1K **11**
Enfield Rd. *Craw* —7N **181**
Enfield Rd. *H'row A* —5F **8**
Enfield Wlk. *Bren* —1K **11**
Engadine Clo. *Croy* —9C **46**
Engadine St. *SW18* —2L **27**
Engalee. *E Grin* —8M **165**
England Way. *N Mald* —3A **42**
Englefield. *H'ham* —6F **196**
Englefield Clo. *Croy* —5N **45**
Englefield Clo. *Eng G* —7M **19**
Englefield Green. —6M 19
Englefield Rd. *Knap* —4F **72**
Engleheart Dri. *Felt* —9G **9**
Englehurst. *Eng G* —7M **19**
Englemere Pk. *Asc* —3H **33**
Englemere Pk. *Oxs* —9B **58**
Englemere Rd. *Brack* —8L **15**
Englesfield. *Camb* —1G **71**
Englewood Rd. *SW12* —1G **28**
Engliff La. *Wok* —3J **75**
English Gdns. *Wray* —7N **5**
Enmore Av. *SE25* —4D **46**
Enmore Gdns. *SW14* —8C **12**
Enmore Rd. *SE25* —4D **46**
Enmore Rd. *SW15* —7H **13**
Ennerdale. *Brack* —3M **31**
Ennerdale Clo. *Craw* —5N **181**
Ennerdale Clo. *Felt* —2G **22**
Ennerdale Clo. *Sutt* —1L **61**
Ennerdale Gro. *Farnh* —6F **108**
Ennerdale Rd. *Rich* —5M **11**
Ennismore Av. *W4* —1E **12**
Ennismore Av. *Guild* —3B **114**
Ennismore Gdns. *Th Dit* —5E **40**
Ennor Ct. *Sutt* —1H **61**
Ensign Clo. *Purl* —6L **63**
Ensign Clo. *Stanw* —2M **21**
Ensign Way. *Stanw* —2M **21**
Enterdent Cotts. *God* —2G **124**
Enterdent Rd. *God* —3F **124**
Enterdent, The. *God* —2G **125**
Enterprise Clo. *Croy* —7L **45**
Enterprise Ct. *Craw* —8B **162**
Enterprise Est. *Guild* —8A **94**
Enterprise Ho. *H'ham* —7H **197**
Enterprise Ind. Est. *Ash V* —6D **90**
Enterprise Way. *SW18* —7M **13**
Enterprise Way. *Eden* —9K **127**
Enterprise Way. *Tedd* —7F **24**
Enton Green. —4E 152
Enton La. *Ent* —7D **152**
Envis Way. *Guild* —8F **92**
Eothen Clo. *Cat* —2D **104**
Epirus M. *SW6* —3M **13**
Epirus Rd. *SW6* —3L **13**
Epping Wlk. *Craw* —5D **182**
Epping Way. *Brack* —3D **32**
Epple Rd. *SW6* —4L **13**
Epsom. —9C 60 (6L 201)
Epsom Bus. Pk. *Eps* —7D **60**
Epsom Clo. *Camb* —7A **50**
Epsom Downs. —6D 80
Epsom Downs Metro Cen. *Tad* —7G **81**
Epsom Downs Racecourse. —5D 80
Epsom Gap. *Lea* —2H **79**
Epsom La. N. *Eps* —5G **80**
Epsom La. S. *Tad* —8H **81**
Epsom Pl. *Cranl* —7A **156**
Epsom Playhouse. —7K 201
Epsom Rd. *Asht* —5M **79**
Epsom Rd. *Craw* —5E **182**
Epsom Rd. *Croy* —1L **63**
Epsom Rd. *E Clan & W Hor* —9N **95**
Epsom Rd. *Eps* —7E **60**
Epsom Rd. *Guild* —4A **114** (5E **202**)
Epsom Rd. *Lea* —8H **79**
Epsom Rd. *Sutt* —6L **43**
Epsom Sq. *H'row A* —5G **8**
Epworth Rd. *Iswth* —3H **11**
Eresby Dri. *Beck* —7K **47**
Erfstadt Ct. *Wokgm* —3B **30**
Erica Clo. *W End* —9B **52**
Erica Ct. *Wok* —5N **73**
Erica Dri. *Wokgm* —3C **30**
Erica Gdns. *Croy* —9L **47**
Erica Way. *Copt* —7L **163**
Erica Way. *H'ham* —3K **197**
Ericcson Clo. *SW18* —8M **13**
Eridge Clo. *Craw* —3G **182**
Eriswell Cres. *W on T* —3F **56**
Eriswell Rd. *W on T* —1G **57**
Erkenwald Clo. *Cher* —6G **37**
Ermine Clo. *Houn* —5K **9**
Ermyn Clo. *Lea* —8K **79**
Ermyn Cotts. *Horne* —5D **144**
Ermyn Way. *Lea* —8K **79**
Erncroft Way. *Twic* —9F **10**
Ernest Av. *SE27* —5M **29**
Ernest Clo. *Beck* —4K **47**
Ernest Clo. *Lwr Bo* —5G **129**
Ernest Cotts. *Eps* —4E **60**
Ernest Gdns. *W4* —2A **12**
Ernest Gro. *Beck* —4J **47**
Ernest Rd. *King T* —1A **42**
Ernest Sq. *King T* —1A **42**
Ernle Rd. *SW20* —8G **27**
Ernshaw Pl. *SW15* —8K **13**
Erpingham Rd. *SW15* —6H **13**
Erridge Rd. *SW19* —1M **43**
Errington Dri. *Wind* —4D **4**
Errol Gdns. *N Mald* —3F **42**
Erskine Clo. *Craw* —7K **181**
Erskine Clo. *Sutt* —9C **44**
Erskine Rd. *Sutt* —1B **62**
Esam Way. *SW16* —6L **29**
Escombe Dri. *Guild* —7L **93**
Escot Rd. *Sun* —8G **22**
Escott Pl. *Ott* —3E **54**
Esher. —1B 58
Esher Av. *Sutt* —9J **43**
Esher Av. *W on T* —6H **39**
Esher By-Pass. *Clay & Chess* —5H **59**
Esher By-Pass. *Cobh* —9G **57**
Esher By-Pass. *Esh* —7A **58**
Esher Clo. *Esh* —2B **58**
Esher Common. (Junct.) —5C **58**
Esher Cres. *H'row A* —5G **8**
Esher Gdns. *SW19* —3J **27**
Esher Grn. *Esh* —1B **58**
Esher Green Dri. *Esh* —9B **40**
Esher M. *Mitc* —2E **44**
Esher Pk. Av. *Esh* —1B **58**
Esher Pl. Av. *Esh* —1A **58**
Esher Rd. *Camb* —6E **50**
Esher Rd. *E Mol* —5D **40**
Esher Rd. *W on T* —2L **57**
*Eskdale Ct. Ash V —8D **90***
(off Lakeside Clo.)
Eskdale Gdns. *Purl* —1A **84**
Eskdale Way. *Camb* —2G **71**
Esmond St. *SW15* —7K **13**
Esparto St. *SW18* —1N **27**
Essame Clo. *Wokgm* —2C **30**
Essendene Clo. *Cat* —1B **104**
Essendene Rd. *Cat* —1B **104**
Essenden Rd. *S Croy* —4B **64**
Essex Av. *Iswth* —6E **10**
Essex Clo. *Add* —1L **55**
Essex Clo. *Frim* —7E **70**
Essex Clo. *Mord* —6J **43**
Essex Ct. *SW13* —5E **12**
Essex Dri. *Cranl* —8H **155**
Essex Pl. *W4* —1B **12**
(in two parts)
Essex Pl. Sq. *W4* —1C **12**
Essex Ri. *Warf* —8D **16**
Essex Rd. *W4* —1C **12**
(in two parts)
Estate Cotts. *Mick* —5K **99**
Estcots Dri. *E Grin* —9B **166**
Estcourt Rd. *SE25* —5E **46**
Estcourt Rd. *SW6* —3L **13**
Estella Av. *N Mald* —3G **43**
Estoria Clo. *SW2* —1L **29**
Estreham Rd. *SW16* —7H **29**
Estridge Clo. *Houn* —7A **10**
Eswyn Rd. *SW17* —5D **28**
Eternit Wlk. *SW6* —4H **13**
Ethel Bailey Clo. *Eps* —8N **59**
Ethelbert Rd. *SW20* —9J **27**
Ethelbert St. *SW12* —2F **28**
Ethel Rd. *Afrd* —6N **21**
Etherley Hill. *Ockl* —3A **158**
Etherstone Grn. *SW16* —5L **29**
Etherstone Rd. *SW16* —5L **29**
Eton. —2G 4
Eton Av. *Houn* —2N **9**
Eton Av. *N Mald* —4C **42**
Eton Clo. *SW18* —1N **27**
Eton Clo. *Dat* —2K **5**
Eton Ct. *Eton* —3G **4**
Eton Ct. *Stai* —6H **21**
Eton Pl. *Farnh* —5G **108**
Eton Rd. *Dat* —1J **5**
Eton Rd. *Hayes* —3G **8**
Eton Sq. *Eton* —3G **4**
Eton St. *Rich* —8L **11**
Eton Wick. —1C 4
Eton Wick Rd. *Eton W & Eton* —1B **4**
Etwell Pl. *Surb* —5M **41**
Eureka Rd. *King T* —1N **41** (4N **203**)
Europa Pk. Rd. *Guild* —2M **113** (1A **202**)
Eustace Cres. *Wokgm* —9C **14**
Eustace Rd. *SW6* —3M **13**
Eustace Rd. *Guild* —1F **114**
Euston Rd. *Croy* —7L **45**
Evans Clo. *M'bowr* —4H **183**
Evans Gro. *Felt* —3A **24**
Evans Ho. *Felt* —3A **24**
Evedon. *Brack* —6N **31**
Eveline Rd. *Mitc* —9D **28**
Evelyn Av. *Alder* —4N **109**
Evelyn Av. *T'sey* —2E **106**
Evelyn Clo. *Felb* —6H **165**
Evelyn Clo. *Twic* —1B **24**
Evelyn Clo. *Wok* —7N **73**
Evelyn Cotts. *God* —6H **125**
Evelyn Cotts. *Ab C* —3L **137**
Evelyn Cres. *Sun* —9G **22**
Evelyn Gdns. *God* —8F **104**
Evelyn Gdns. *Rich* —7L **11**
*Evelyn Mans. W14 —2K **13***
(off Queen's Club Gdns.)
Evelyn Rd. *Ham* —4J **25**
Evelyn Rd. *SW19* —6N **27**
Evelyn Rd. *Rich* —6L **11**
Evelyn Ter. *Rich* —6L **11**
Evelyn Wlk. *Craw* —6C **182**
Evelyn Way. *Eps* —7N **59**
Evelyn Way. *Stoke D* —3N **77**
Evelyn Way. *Sun* —9G **22**
Evelyn Way. *Wall* —1H **63**
Evelyn Woods Rd. *Alder* —6A **90**
Evendon's Clo. *Wokgm* —5A **30**
Evendon's La. *Wokgm* —5A **30**
Evenlode Way. *Sand* —7H **49**
Evenwood Clo. *SW15* —8K **13**
Everard La. *Cat* —9E **84**
Everatt Clo. *SW18* —9L **13**
Everdon Rd. *SW13* —2F **12**
Everest Ct. *Wok* —3H **73**
Everest Rd. *Camb* —7B **50**
Everest Rd. *Crowt* —1G **49**
Everest Rd. *Stanw* —1M **21**
Everglade. *Big H* —5F **86**
Evergreen Ct. *Stanw* —1M **21**
Evergreen Oak Av. *Wind* —6K **5**
Evergreen Rd. *Frim* —4D **70**
Evergreen Way. *Stanw* —1M **21**
Everington St. *W6* —2J **13**
(in two parts)
Everlands Clo. *Wok* —5A **74**
Eve Rd. *Iswth* —7G **11**
Eve Rd. *Wok* —2D **74**
Eversfield Rd. *H'ham* —7L **197**
Eversfield Rd. *Reig* —3N **121**
Eversfield Rd. *Rich* —5M **11**
Eversley Cres. *Iswth* —4D **10**
Eversley Pk. *SW19* —7G **26**
Eversley Rd. *SE19* —8N **29**
Eversley Rd. *Surb* —3M **41** (8M **203**)
Eversley Rd. *Yat* —8A **48**
Eversley Way. *Croy* —1K **65**
Eversley Way. *Egh & Thor I* —1E **36**
Everton Rd. *Croy* —7D **46**
Evesham Clo. *Reig* —2L **121**
Evesham Clo. *Sutt* —4M **61**
Evesham Ct. *Rich* —9M **11**
Evesham Grn. *Mord* —5N **43**
Evesham Rd. *Mord* —5N **43**
Evesham Rd. *Reig* —2L **121**
Evesham Rd. N. *Reig* —2L **121**
Evesham Ter. *Surb* —5K **41**
Evesham Wlk. *Owl* —6J **49**
Ewald Rd. *SW6* —5L **13**
Ewelands. *Horl* —7G **142**
Ewell. —5E 60
Ewell By-Pass. *Eps* —4F **60**
Ewell Ct. Av. *Eps & Ewe* —2D **60**
Ewell Downs Rd. *Eps* —7F **60**
Ewell Ho. Gro. *Eps & Ewe* —6E **60**
Ewell Pk. Gdns. *Eps* —4F **60**
Ewell Pk. Way. *Ewe* —3F **60**
Ewell Rd. *Dit H & Surb* —6H **41**
Ewell Rd. *Surb* —5L **41**
Ewell Rd. *Sutt* —4J **61**
Ewen Cres. *SW2* —1L **29**
Ewhurst. —5F 156
Ewhurst Av. *S Croy* —5C **64**
Ewhurst Clo. *Craw* —3A **182**
Ewhurst Clo. *Sutt* —5H **61**
Ewhurst Ct. *Mitc* —2B **44**
Ewhurst Green. —6F 156
Ewhurst Rd. *Cranl* —7N **155**
Ewhurst Rd. *Craw* —3N **181**
Ewhurst Rd. *Peasl & Ewh* —5E **136**
Ewhurst Towermill. —9C 136
Ewins Clo. *As* —2E **110**
Ewood La. *Newd* —5M **139**
(in two parts)
Ewshot. —4C 108
Ewshot Hill Cross. *Ews* —5B **108**
Ewshot La. *C Crook & Ews* —1A **108**
Excalibur Clo. *If'd* —4K **181**
Excelsior Clo. *King T* —1N **41** (4N **203**)
Exchange Rd. *Asc* —4N **33**
Exchange Rd. *Craw* —3C **182**
Exeforde Av. *Afrd* —5B **22**
Exeter Clo. *Craw* —7C **182**
Exeter Ct. *Surb* —8K **203**
Exeter Gdns. *Yat* —8A **48**
*Exeter Ho. Felt —3N **23***
(off Watermill Way)
Exeter M. *SW6* —3M **13**
Exeter Pl. *Guild* —1J **113**
Exeter Rd. *As* —1E **110**
Exeter Rd. *Croy* —6B **46**
Exeter Rd. *Felt* —4N **23**
Exeter Rd. *H'row A* —6F **8**
Exeter Way. *H'row A* —5F **8**
Explorer Av. *Stai* —2N **21**
Eyebright Clo. *Croy* —7G **47**
Eyhurst Clo. *Kgswd* —1L **101**
Eyhurst Pk. *Tad* —1A **102**
Eyhurst Spur. *Tad* —2L **101**
Eyles Clo. *H'ham* —4H **197**
Eylewood Rd. *SE27* —6N **29**
Eyot Gdns. *W6* —1E **12**
Eyot Grn. *W4* —1E **12**
Eyston Dri. *Wey* —6B **56**

Fabian Rd. *SW6* —3L **13**
Facade, The. *Reig* —2M **121**
Factory La. *Croy* —7L **45** (2A **200**)
*Factory Sq. SW16 —7J **29***
(off Streatham High Rd.)
Fagg's Rd. *Felt* —7G **8**
Fairacre. *N Mald* —2D **42**
Fairacres. *SW15* —7E **12**
Fairacres. *Cobh* —8L **57**
Fair Acres. *Croy* —5J **65**
Fairacres. *Rowl* —7E **128**
Fairacres. *Tad* —8H **81**
Fairacres Ind. Est. *Wind* —5A **4**
Fairbairn Clo. *Purl* —9L **63**
Fairborne Way. *Guild* —9K **93**
Fairbourne. *Cobh* —9L **57**
Fairbourne Clo. *Wok* —5K **73**
Fairbourne La. *Cat* —9N **83**
Fairbriar Ct. *Eps* —7M **201**
Fairburn Ct. *SW15* —8K **13**
*Fairburn Ho. W14 —1L **13***
(off Ivatt Pl.)
Fairchildes Av. *New Ad* —8N **65**
Fairchildes Rd. *Warl* —1N **85**
Faircroft Ct. *Tedd* —7G **25**
Faircross. *Brack* —2N **31**
Fairdale Gdns. *SW15* —7G **13**
Fairdene Rd. *Coul* —5H **83**
Fairfax. *Brack* —9M **15**
Fairfax Av. *Eps & Ewe* —5G **60**
Fairfax Av. *Red* —2C **122**

Fairfax Clo. *W on T* —7J **39**
Fairfax Ho. *King T* —5M **203**
Fairfax Ind. Est. *Alder* —2C **110**
Fairfax M. *SW15* —7H **13**
Fairfax M. *Farn* —3B **90**
Fairfax Rd. *Farn* —7N **69**
Fairfax Rd. *Tedd* —7G **25**
Fairfax Rd. *Wok* —7D **74**
Fairfield. —8H 79
Fairfield App. *Wray* —9N **5**
Fairfield Av. *Dat* —3M **5**
Fairfield Av. *Horl* —9E **142**
Fairfield Av. *Stai* —5H **21**
Fairfield Av. *Twic* —2B **24**
Fairfield Clo. *Dat* —3N **5**
Fairfield Clo. *Dork* —3H **119**
Fairfield Clo. *Ewe* —2D **60**
Fairfield Clo. *Guild* —2K **113**
Fairfield Clo. *Mitc* —8C **28**
Fairfield Cotts. *Bookh* —3B **98**
Fairfield Ct. Lea —8H ***79***
(off Linden Rd.)
Fairfield Dri. *SW18* —8N **13**
Fairfield Dri. *Dork* —3H **119**
Fairfield Dri. *Frim* —3C **70**
Fairfield E. *King T* —1L **41** (3L **203**)
Fairfield Halls & Ashcroft Theatre. —9A 46 (4D 200)
Fairfield Ind. Est. *King T* —2M **41** (6N **203**)
Fairfield La. *W End* —8D **52**
Fairfield Lodge. *Guild* —2K **113**
Fairfield N. *King T* —1L **41** (3L **203**)
Fairfield Pk. *Cobh* —1L **77**
Fairfield Path. *Croy* —9A **46** (4E **200**)
Fairfield Pl. *King T* —2L **41** (5L **203**)
Fairfield Ri. *Guild* —2J **113**
Fairfield Rd. *Beck* —1K **47**
Fairfield Rd. *Croy* —9A **46** (4E **200**)
Fairfield Rd. *E Grin* —1B **186**
Fairfield Rd. *King T* —1L **41** (4L **203**)
Fairfield Rd. *Lea* —8H **79**
Fairfield Rd. *Wray* —9N **5**
Fairfields. *Cher* —7J **37**
Fairfield S. *King T* —1L **41** (4L **203**)
Fairfields Rd. *Houn* —6C **10**
Fairfield St. *SW18* —8N **13**
Fairfield, The. *Farnh* —1H **129**
(in two parts)
Fairfield Wlk. Lea —8H ***79***
(off Fairfield Rd.)
Fairfield Way. *Coul* —1H **83**
Fairfield Way. *Eps* —2D **60**
Fairfield W. *King T* —1L **41** (4L **203**)
Fairford Av. *Croy* —4G **47**
Fairford Clo. *Croy* —4H **47**
Fairford Clo. *Reig* —1A **122**
Fairford Clo. *W Byf* —1H **75**
Fairford Ct. *Sutt* —4N **61**
Fairford Gdns. *Wor Pk* —8E **42**
Fairgreen Rd. *T Hth* —4M **45**
Fairhaven. *Egh* —6B **20**
Fairhaven Av. *Croy* —5G **46**
Fairhaven Ct. *Egh* —6B **20**
Fairhaven Ct. *S Croy* —8C **200**
Fairhaven Rd. *Red* —8E **102**
Fairholme. *Felt* —1E **22**
Fairholme Cres. *Asht* —4J **79**
Fairholme Gdns. *Farnh* —2H **129**
Fairholme Rd. *W14* —1K **13**
Fairholme Rd. *Afrd* —6N **21**
Fairholme Rd. *Croy* —6L **45**
Fairholme Rd. *Sutt* —3L **61**
Fairland Clo. *Fleet* —5C **88**
Fairlands. —8F 92
Fairlands Av. *Guild* —8F **92**
Fairlands Av. *Sutt* —8M **43**
Fairlands Av. *T Hth* —3K **45**
Fairlands Ct. *Guild* —8F **92**
Fairlands Rd. *Guild* —7F **92**
Fair La. *Coul* —3A **102**
Fairlawn. *Bookh* —2N **97**
Fairlawn. *Wey* —2F **56**
Fair Lawn Clo. *Clay* —3F **58**
Fairlawn Clo. *Felt* —5N **23**
Fairlawn Clo. *King T* —7B **26**
Fairlawn Cres. *E Grin* —8L **165**
Fairlawn Dri. *E Grin* —8L **165**
Fairlawn Dri. *Red* —5C **122**
Fairlawn Gro. *Bans* —9B **62**
Fairlawn Pk. *Wind* —7B **4**
Fairlawn Pk. *Wok* —1A **74**
Fairlawn Rd. *SW19* —8L **27**
Fairlawn Rd. *Sutt* —7A **62**
(in three parts)
Fairlawns. *Add* —2K **55**
Fairlawns. *Guild* —3E **114**
Fairlawns. *Horl* —9F **142**
Fairlawns. *Sun* —2G **39**
Fairlawns. *Twic* —9J **11**
Fairlawns. *Wall* —2F **62**
Fairlawns. *Wdhm* —7H **55**
Fairlawns Clo. *Stai* —7K **21**
Fairlight Av. *Wind* —5G **4**
Fairlight Clo. *Wor Pk* —1H **61**
Fairlight Rd. *SW17* —5B **28**
Fairline Ct. *Beck* —1M **47**
Fairlop Wlk. *Cranl* —8H **155**
Fairmead. *Surb* —7A **42**
Fairmead. *Wok* —5M **73**
Fairmead Clo. *Coll T* —8K **49**
Fairmead Clo. *Houn* —3L **9**
Fairmead Clo. *N Mald* —2C **42**
Fairmead Ct. *Rich* —5A **12**
Fairmead Rd. *Croy* —6K **45**
Fairmead Rd. *Eden* —7L **127**
Fairmeads. *Cobh* —9N **57**
Fairmile. —8M 57
Fairmile. *Fleet* —7A **88**
Fairmile Av. *SW16* —6H **29**
Fairmile Av. *Cobh* —9M **57**
Fairmile Ct. *Cobh* —8M **57**
Fairmile Ho. *Tedd* —5G **25**
Fairmile La. *Cobh* —8L **57**
Fairmile Pk. Copse. *Cobh* —9N **57**
Fairmile Pk. Rd. *Cobh* —9N **57**
Fairoak Clo. *Kenl* —2M **83**
Fairoak Clo. *Oxs* —8D **58**
Fairoak La. *Oxs & Chess* —8C **58**
Fairoaks Airport. *Chob* —6A **54**
Fairoaks Cvn. Pk. *Guild* —7D **92**
Fairoaks Ct. Add —2K ***55***
(off Lane Clo.)
Fairs Rd. *Lea* —6G **79**
Fairstone Ct. *Horl* —7F **142**
Fair St. *Houn* —6C **10**
Fairview. *Eps* —7H **61**
Fair Vw. *H'ham* —5G **197**
Fairview Av. *Wok* —5A **74**
Fairview Clo. *Wok* —5B **74**
Fairview Ct. *Afrd* —6B **22**
Fairview Ct. *Stai* —7J **21**
Fairview Dri. *Orp* —1M **67**
Fairview Dri. *Shep* —4A **38**
Fairview Gdns. *Farnh* —6J **109**
Fairview Ho. *SW2* —1K **29**
Fairview Ind. Est. *Oxt* —2C **126**
Fairview Pl. *SW2* —1K **29**
Fairview Rd. *SW16* —9K **29**
Fairview Rd. *As* —1F **110**
Fairview Rd. *Eps* —7E **60**
Fairview Rd. *Head D* —4G **169**
Fairview Rd. *Sutt* —2B **62**
Fairview Rd. *Wokgm* —3B **30**
Fairview Ter. *Head* —3F **168**
Fairwater Dri. *New H* —5M **55**
Fairwater Ho. *Tedd* —5G **25**
Fairway. *SW20* —2H **43**
Fairway. *Cars* —7A **62**
Fairway. *Cher* —7K **37**
Fairway. *Copt* —8M **163**
Fairway. *Guild* —2F **114**
Fairway. *If'd* —4J **181**
Fairway. *Vir W* —5M **35**
Fairway Clo. *Copt* —8L **163**
Fairway Clo. *Croy* —4H **47**
Fairway Clo. *Eps* —1B **60**
Fairway Clo. *Houn* —8K **9**
Fairway Clo. *Wok* —6L **73**
Fairway Gdns. *Beck* —5N **47**
Fairway Heights. *Camb* —9F **50**
Fairways. *Afrd* —7C **22**
Fairways. *Hind* —3N **169**
Fairways. *Iswth* —4E **10**
Fairways. *Kenl* —4N **83**
Fairways. *Tedd* —8K **25**
Fairways, The. *Red* —6B **122**
Fairway, The. *Camb* —3E **70**
Fairway, The. *Farn* —4F **88**
Fairway, The. *Farnh* —5J **109**
Fairway, The. *G'ming* —9J **133**
Fairway, The. *Lea* —5G **79**
Fairway, The. *N Mald* —9C **26**
Fairway, The. *W Mol* —2B **40**
Fairway, The. *Wey* —9K **56**
Fairway, The. *Worp* —2F **92**
Fairwell La. *W Hor* —6C **96**
Faithfull Clo. *Warf* —7N **15**
Fakenham Way. *Owl* —6J **49**
Falaise. *Egh* —6A **20**
Falaise Clo. *Alder* —2N **109**
Falcon Clo. *W4* —2B **12**
Falcon Clo. *Craw* —1B **182**
Falcon Clo. *Light* —7K **51**
Falcon Ct. *Frim* —5B **70**
Falcon Ct. *Wok* —9E **54**
Falcon Dri. *Stanw* —9M **7**
Falconhurst. *Oxs* —2D **78**
Falcon Rd. *Guild* —4N **113** (4D **202**)
(in two parts)
Falcon Rd. *Hamp* —8N **23**
Falconry Ct. *King T* —5L **203**
Falcons Clo. *Big H* —4F **86**
Falcon Way. *Felt* —8J **9**
Falcon Way. *Sun* —4D **70**
Falcon Way. *Yat* —9A **48**
Falconwood. *E Hor* —2G **96**
Falconwood. *Egh* —6A **20**
Falcon Wood. *Lea* —7F **78**
Falconwood Rd. *Croy* —5J **65**
Falcourt Clo. *Sutt* —2N **61**
Falkland Ct. *Farn* —5C **90**
Falkland Gdns. *Dork* —6G **119**
Falkland Gro. *Dork* —6G **118**
Falkland Ho. W14 —1L ***13***
(off Edith Vs.)
Falkland Pk. Av. *SE25* —2B **46**
Falkland Rd. *Dork* —6G **119** (4K **201**)
Falklands Dri. *H'ham* —4A **198**
Falkner Ct. *Farnh* —1H **129**
Falkner Rd. *Farnh* —1G **128**
Falkners Clo. *Fleet* —1D **88**
Fallow Deer Clo. *H'ham* —5A **198**
Fallowfield. *Fleet* —1D **88**
Fallowfield. *Yat* —8A **48**
Fallowfield Way. *Horl* —7F **142**
Fallsbrook Rd. *SW16* —7F **28**
Falmer Clo. *Craw* —5B **182**
Falmouth Clo. *Camb* —2E **70**
Falmouth Rd. *W on T* —1K **57**
Falstaff M. *Hamp H* —6D **24**
Falstone. *Wok* —5L **73**
Famet Av. *Purl* —9N **63**
Famet Clo. *Purl* —9N **63**
Famet Gdns. *Kenl* —9N **63**
Famet Wlk. *Purl* —9N **63**
Fanes Clo. *Brack* —9L **15**
Fane St. *W14* —2L **13**
Fangrove Pk. *Lyne* —7C **36**
Fanshawe Rd. *Rich* —5J **25**
Fantail, The. (Junct.) —1H **67**
Fanthorpe St. *SW15* —6H **13**
Faraday Av. *E Grin* —3B **186**
Faraday Cen., The. *Craw* —9D **162**
Faraday Ct. *Craw* —8C **162**
Faraday Mans. W14 —2K ***13***
(off Queen's Club Gdns.)
Faraday Rd. *SW19* —7M **27**
Faraday Rd. *Craw* —8D **162**
Faraday Rd. *Farn* —8A **70**
Faraday Rd. *W Mol* —3A **40**
Faraday Way. *Croy* —7K **45**
Farcrosse Clo. *Sand* —7H **49**
Farebrothers. *Warn* —9F **178**
Fareham Dri. *Yat* —8A **48**
Fareham Rd. *Felt* —1K **23**
Farewell Pl. *Mitc* —9C **28**
Farhalls Cres. *H'ham* —3M **197**
Faringdon Clo. *Sand* —6H **49**
Faringdon Dri. *Brack* —4B **32**
Farington Acres. *Wey* —9E **38**
Faris Barn Dri. *Wdhm* —8H **55**
Faris La. *Wdhm* —7H **55**
Farleigh. —1J 85
Farleigh Common. —1H 85
Farleigh Ct. *Guild* —3H **113**
Farleigh Ct. *S Croy* —2N **63** (8B **200**)
Farleigh Ct. Rd. *Warl* —1J **85**
Farleigh Dean Cres. *Croy* —7L **65**
Farleigh Rd. *New H* —7J **55**
Farleigh Rd. *Warl* —5G **85**
Farleton Clo. *Wey* —3E **56**
Farley Copse. *Brack* —9K **15**
Farley Ct. *Farn* —3B **90**
Farleycroft. *W'ham* —4L **107**
Farley Green. —3M 135
Farley Heath. —4L 135
Farley Heath Rd. *Alb* —7J **135**
Farley La. *W'ham* —4K **107**
Farley Nursery. *W'ham* —5L **107**
Farley Pk. *Oxt* —8N **105**
Farley Pl. *SE25* —3D **46**
Farley Rd. *S Croy* —4D **64**
Farleys Clo. *W Hor* —4D **96**
Farley Wood. —1J 31
Farlington Pl. *SW15* —1G **26**
Farlow Rd. *SW15* —6J **13**
Farlton Rd. *SW18* —2N **27**
Farm Av. *SW16* —5J **29**
Farm Av. *H'ham* —5H **197**
Farm Clo. *SW6* —3M **13**
Farm Clo. *Asc* —4N **33**
Farm Clo. *Brack* —9K **15**
Farm Clo. *Byfl* —8A **56**
Farm Clo. *Coul* —7D **82**
Farm Clo. *Craw* —2E **182**
Farm Clo. *Crowt* —9H **31**
Farm Clo. *E Grin* —1D **186**
Farm Clo. *E Hor* —6G **96**
Farm Clo. *Fet* —2D **98**
Farm Clo. *Guild* —9N **93**
Farm Clo. *Loxw* —5J **193**
Farm Clo. *Lyne* —5C **36**
Farm Clo. *Shep* —6B **38**
Farm Clo. *Stai* —6G **20**
Farm Clo. *Sutt* —4B **62**
Farm Clo. *Wall* —6G **63**
Farm Clo. *Warn* —1F **196**
Farm Clo. *W Wick* —1B **66**
Farm Clo. *Worp* —7F **92**
Farm Clo. *Yat* —1C **68**
Farm Cotts. *Wokgm* —9A **14**
Farm Ct. *Frim* —4D **70**
Farmdale Rd. *Cars* —4C **62**
Farm Dri. *Croy* —8J **47**
Farm Dri. *Fleet* —1C **88**
Farm Dri. *Old Win* —9L **5**
Farm Dri. *Purl* —8H **63**
Farmers Rd. *Stai* —6G **20**
Farmet Ct. E Grin —7M ***165***
(off Halsford La.)
Farmfield Cotts. *Horl* —3N **161**
Farmfield Dri. *Charl* —2N **161**
Farm Fields. *S Croy* —7B **64**
Farm Ho. Clo. *Wok* —2F **74**
Farmhouse Rd. *SW16* —8G **29**
Farmington Av. *Sutt* —9B **44**
Farm La. *SW6* —2M **13**
Farm La. *Add* —4J **55**
Farm La. *Asht* —3N **79**
Farm La. *Croy* —8J **47**
Farm La. *E Hor* —6G **96**
Farm La. *Purl* —6G **63**
Farm La. *Send* —2E **94**
Farm La. Trad. Est. *SW6* —2M **13**
Farmleigh Clo. *Craw* —1G **182**
Farmleigh Gro. *W on T* —2G **56**
Farm M. *Mitc* —1F **44**
Farm Rd. *Alder* —1C **110**
Farm Rd. *Esh* —7B **40**
Farm Rd. *Frim* —4C **70**
Farm Rd. *Houn* —2M **23**
Farm Rd. *Mord* —4N **43**
Farm Rd. *Stai* —7K **21**
Farm Rd. *Sutt* —4B **62**
Farm Rd. *Warl* —6H **85**
Farm Rd. *Wok* —7D **74**
Farmstead. *Eps* —5N **59**
Farmstead Dri. *Eden* —9L **127**
Farmview. *Cobh* —3L **77**
Farm Vw. *Lwr K* —5L **101**
Farm Vw. *Yat* —1C **68**
Farm Wlk. *Ash G* —4G **111**
Farm Wlk. *Guild* —5J **113**
Farm Wlk. *Horl* —8D **142**
Farm Way. *Stai* —9H **7**
Farm Way. *Wor Pk* —9H **43**
Farm Yd. *Wind* —3G **5**
Farnan Rd. *SW16* —6J **29**
Farnborough. —2N 89
(Aldershot)
Farnborough. —2L 67
(Orpington)
Farnborough Aerospace Pk. *Farn* —5L **89**
Farnborough Airfield. —5K 89
Farnborough Airfield. *Farn* —5K **89**
Farnborough Av. *S Croy* —5G **65**
Farnborough Bus. Cen. *Farn* —3L **89**
Farnborough Comn. *Orp* —1H **67**
Farnborough Cres. *S Croy* —5H **65**
Farnborough Ga. Retail Pk. *Farn* —7A **70**
Farnborough Green. —8A 70
Farnborough Hill. *Orp* —2M **67**
Farnborough Park. —2A 90
Farnborough Rd. *Alder & Farnh* —4J **109**
Farnborough Rd. *Farn* —5N **89**
Farnborough Street. —1B 90
Farnborough St. *Farn* —8B **70**
Farnborough Way. *Orp* —2L **67**
Farncombe. —4H 133
Farncombe Hill. *G'ming* —4G **132**
(in two parts)
Farncombe St. *G'ming* —4H **133**
Farnell M. *SW5* —1N **13**
Farnell M. *Wey* —9C **38**
Farnell Rd. *Iswth* —6D **10**
Farnell Rd. *Stai* —4J **21**
Farney Fld. *Peasl* —2E **136**
Farnham. —1H 129
Farnham Bus. Cen. *Farnh* —9H **109**
Farnham Bus. Pk. *Farnh* —2G **128**
Farnham By-Pass. *Farnh* —3E **128**
Farnham Castle. —9G 109
Farnham Clo. *Brack* —1B **32**
Farnham Clo. *Craw* —9A **182**
Farnham Ct. *Sutt* —3K **61**
Farnham Gdns. *SW20* —1G **42**
Farnham La. *Hasl* —9E **170**
Farnham Maltings. —1H 129
Farnham Mus. —1G 128
Farnham Pk. Clo. *Farnh* —6G **108**
Farnham Pk. Dri. *Farnh* —6G **109**
Farnham Retail Pk. *Farnh* —9K **109**
Farnham Rd. *Elst* —6E **130**
Farnham Rd. *Ews & C Crook* —3A **108**
Farnham Rd. *Fleet* —4E **88**
Farnham Rd. *Guild* —6G **112** (6A **202**)
Farnham Rd. *Holt P* —1A **148**
Farnham Trad. Est. *Farnh* —8L **109**
Farnhurst La. *Alf* —4H **175**
Farningham. *Brack* —5C **32**
Farningham Ct. *SW16* —8H **29**
Farningham Cres. *Cat* —1D **104**
Farningham Rd. *Cat* —1D **104**
Farnley. *Wok* —4J **73**
Farnley Rd. *SE25* —3A **46**
Farquhar Rd. *SW19* —4M **27**
Farquharson Rd. *Croy* —7N **45**
Farrell Clo. *Camb* —3A **70**
Farrer Ct. *Twic* —1K **25**
Farrer's Pl. *Croy* —1G **64**
Farrier Clo. *Sun* —2H **39**
Farriers Clo. *Eps* —8D **60**
Farriers Rd. *Eps* —8D **60**
Farriers, The. *Brmly* —6C **134**
Farrier Wlk. *SW10* —2N **13**
Farthing Barn La. *Orp* —5J **67**
Farthing Fields. *Head* —4D **168**
Farthingham La. *Ewh* —4F **156**
Farthings. *Knap* —3H **73**
Farthings Hill. *H'ham* —5F **196**
Farthings, The. *King T* —9N **25**
Farthing Street. —5H 67
Farthing St. *Orp* —4H **67**
Farthings Wlk. *H'ham* —5F **196**
Fassett Rd. *King T* —3L **41** (7K **203**)
Fauconberg Ct. W4 —2B ***12***
(off Fauconberg Rd.)
Fauconberg Rd. *W4* —2B **12**
Faulkner Clo. *Craw* —9N **181**
Faulkner Pl. *Bag* —3J **51**
Faulkners Rd. *W on T* —2K **57**
Favart Rd. *SW6* —4M **13**
Faversham Rd. *Beck* —1J **47**
Faversham Rd. *Mord* —5N **43**
Faversham Rd. *Owl* —6J **49**
Fawcett Clo. *SW16* —6L **29**
Fawcett Rd. *Croy* —9N **45** (5A **200**)
Fawcett Rd. *Wind* —4E **4**
Fawcett St. *SW10* —2N **13**
Fawcus Clo. *Clay* —3E **58**
Fawe Pk. Rd. *SW15* —7L **13**
Fawler Mead. *Brack* —3D **32**
Fawley Clo. *Cranl* —8A **156**
Fawns Mnr. Clo. *Felt* —2D **22**
Fawns Mnr. Rd. *Felt* —2E **22**
Fawsley Clo. *Coln* —3G **6**
Fay Cotts. *Fay* —5D **180**
Faygate. —8E 180
Faygate Bus. Cen. *Fay* —8E **180**
Faygate La. *Rusp & Fay* —2D **180**
Faygate La. *S God* —9H **125**
Faygate Rd. *SW2* —3K **29**
Fayland Av. *SW16* —6G **28**
Fay Rd. *H'ham* —3J **197**
Fearn Clo. *E Hor* —7F **96**
Fearnley Cres. *Hamp* —6M **23**
Featherbed La. *Croy & Warl* —4J **65**
Feathers La. *Wray* —3C **20**
Featherstone. *Blind H* —2G **145**
Fee Farm Rd. *Clay* —4F **58**
Felbridge. —6K 165
Felbridge Av. *Craw* —2H **183**
Felbridge Cen., The. *E Grin* —7K **165**
Felbridge Clo. *SW16* —5L **29**
Felbridge Clo. *E Grin* —7M **165**
Felbridge Clo. *Frim* —4D **70**
Felbridge Clo. *Sutt* —5N **61**
Felbridge Ct. *Felb* —6K **165**
Felbridge Ct. Felt —2J ***23***
(off High St.)
Felbridge Ct. *Hayes* —2E **8**
Felbridge Rd. *Felb* —7G **164**
Felcot Rd. *Felb* —7F **164**
Felcott Clo. *W on T* —9K **39**
Felcott Rd. *W on T* —9K **39**
Felcourt. —2M 165
Felcourt La. *Felc* —2L **165**
Felcourt Rd. *Felc & Ling* —3M **165**
Felday. —6J 137
Felday Glade. *Holm M* —6J **137**
Felday Houses. *Holm M* —4J **137**
Felday Rd. *Ab H* —9G **116**
Feldemore. —5K 137
Feldemore Cotts. *Holm M* —5K **137**
Felden St. *SW6* —4L **13**
Feld, The. *Felb* —7K **165**
Felgate M. *W6* —1G **12**
Felix Dri. *W Cla* —6J **95**
Felix La. *Shep* —5F **38**
Felix Rd. *W on T* —5H **39**
Felland Way. *Reig* —7B **122**
Fellbrook. *Rich* —4H **25**
Fellcott Way. *H'ham* —7F **196**
Fellmongers Yd. *Croy* —4B **200**
Fellowes Rd. *Cars* —9C **44**
Fellow Grn. *W End* —9C **52**
Fellow Grn. Rd. *W End* —9C **52**
Fellows Rd. *Farn* —4B **90**
Fell Rd. *Croy* —9N **45** (4C **200**)
(in two parts)
Felmingham Rd. *SE20* —1F **46**
Felsberg Rd. *SW2* —1J **29**
Felsham Rd. *SW15* —6H **13**
Felstead Rd. *Eps* —7C **60**
Feltham. —3H 23
Feltham Av. *E Mol* —3E **40**
Felthambrook Ind. Est. *Felt* —4J **23**
Felthambrook Way. *Felt* —4J **23**
Feltham Bus. Complex. *Felt* —3J **23**
Felthamhill. —6G 23
Feltham Hill Rd. *Afrd* —6B **22**
Felthamhill Rd. *Felt* —5H **23**
Feltham Rd. *Afrd* —5B **22**
Feltham Rd. *Mitc* —1D **44**
Feltham Rd. *Red* —8D **122**
Feltham Wlk. *Red* —8D **122**
Felwater Ct. *E Grin* —7K **165**
Fenby Clo. *H'ham* —4A **198**
Fenchurch Rd. *M'bowr* —5F **182**
Fencote. *Brack* —5B **32**
Fendall Rd. *Eps* —2B **60**
Fender Ho. *H'ham* —6H **197**
Fenelon Pl. *W14* —1L **13**
Fengates Rd. *Red* —3C **122**

Fenhurst Clo.—Folly La. S.

Fenhurst Clo. H'ham —7F 196
Fennel Clo. Croy —7G 47
Fennel Clo. Farn —1G 89
Fennel Clo. Guild —9D 94
Fennel Cres. Craw —7N 181
Fennells Mead. Eps —5E 60
Fenn Ho. Iswth —4H 11
Fennscombe Ct. W End —9B 52
Fenns La. W End —9B 52
Fenns Way. Wok —2A 74
Fenn's Yd. Farnh —1G 128
Fenton Av. Stai —7L 21
Fenton Clo. Red —3E 122
Fenton Ho. Houn —2A 10
Fenton Rd. Red —3E 122
Fentum Rd. Guild —1K 113
Fenwick Clo. Wok —5L 73
Fenwick Pl. S Croy —4M 63
Ferbies. Fleet —7B 88
Ferguson Av. Surb —4M 41 (8N 203)
Ferguson Clo. Brom —2N 47
Fermandy La. Craw D —9D 164
Fermor Dri. Alder —1L 109
Fern Av. Mitc —3H 45
Fernbank Av. W on T —6M 39
Fernbank Cres. Asc —9H 17
Fernbank M. SW12 —1F 28
Fernbank Pl. Asc —9G 17
Fernbank Rd. Add —2J 55
Fernbank Rd. Asc —2G 33
Fernbrae Clo. Rowl —8G 128
Fern Clo. Crowt —9G 30
Fern Clo. Warl —5H 85
Fern Cotts. Ab H —8F 116
Fern Ct. As —3D 110
Ferndale. Guild —1H 113
Ferndale Av. Cher —9G 36
Ferndale Av. Houn —6M 9
Ferndale Rd. SE25 —4E 46
Ferndale Rd. Afrd —6M 21
Ferndale Rd. Bans —3L 81
Ferndale Rd. C Crook —9A 88
Ferndale Rd. Wok —3B 74
Ferndale Way. Orp —2M 67
Fernden Heights. Hasl —6F 188
Fernden La. Hasl —5F 188
Fernden Ri. G'ming —4H 133
Ferndown. Craw —8H 163
Ferndown. Horl —6E 142
Ferndown Clo. Guild —4C 114
Ferndown Clo. Sutt —3B 62
Ferndown Ct. Guild —2M 113 (1B 202)
Ferndown Gdns. Cobh —9K 57
Ferndown Gdns. Farn —1K 89
Fern Dri. C Crook —7A 88
Fernery, The. Stai —6G 21
Ferney Ct. Byfl —8M 55
Ferney Meade Way. Iswth —5G 11
Ferney Rd. Byfl —8M 55
Fern Gro. Felt —1J 23
Fernham Rd. T Hth —2N 45
Fernhill. —3J 163
Fern Hill. Oxs —1D 78
Fernhill Clo. B'water —5L 69
Fernhill Clo. Brack —8L 15
Fernhill Clo. Craw D —9E 164
Fernhill Clo. Farnh —6G 109
Fernhill Clo. Wok —7M 73
Fernhill Dri. Farnh —6G 109
Fernhill Gdns. King T —6K 25
Fernhill La. B'water —5K 69
Fernhill La. Farnh —6G 109
Fernhill La. Wok —7M 73
(in two parts)
Fernhill Pk. Wok —7M 73
Fern Hill Pl. Orp —2L 67
Fernhill Rd. B'water & Farn —4K 69
Fernhill Rd. Horl —3H 163
Fernhill Wlk. B'water —5L 69
Fernhurst. —9F 188
Fernhurst Clo. Craw —1N 181
Fernhurst Rd. SW6 —4K 13
Fernhurst Rd. Afrd —5D 22
Fernhurst Rd. Croy —6E 46
Ferniehurst. Camb —2D 70
Fernihough Clo. Wey —6B 56
Fernlands Clo. Cher —9G 37
Fern La. Houn —1N 9
Fernlea. Bookh —2B 98
Fernlea Rd. SW12 —2F 28
Fernlea Rd. Mitc —1E 44
Fernleigh Clo. Croy —1L 63
Fernleigh Clo. W on T —9J 39
Fernleigh Ri. Deep —7G 71
Fernley Ho. G'ming —3H 133
Fern Rd. G'ming —5J 133
Ferns Clo. S Croy —6E 64
Fernshaw Clo. SW10 —2N 13
Fernshaw Rd. SW10 —2N 13
Fernside Av. Felt —5J 23
Fernside Rd. SW12 —2D 28
Ferns Mead. Farnh —2F 128
Ferns, The. Farnh —5H 109
Fernthorpe Rd. SW16 —7G 28
Fern Towers. Cat —3D 104
Fern Wlk. Afrd —6M 21
Fern Way. H'ham —3K 197
Fernwood. Croy —5H 65
Fernwood Av. SW16 —5H 29
Feroners Clo. Craw —5E 182
Feroners Ct. Craw —5E 182
(off Feroners Clo.)
Ferrard Clo. Asc —9H 17
Ferraro Clo. Houn —2A 10
Ferrers Av. Wall —1H 63
Ferrers Rd. SW16 —6H 29
Ferrier Ind. Est. SW18 —7N 13
(off Ferrier St.)
Ferrier St. SW18 —7N 13
Ferriers Way. Eps —5H 81
Ferring Clo. Craw —2N 181
Ferris Av. Croy —9J 47
Ferry Av. Stai —8G 21
Ferry La. SW13 —2E 12
Ferry La. Bren —2L 11
Ferry La. Cher —4J 37
(in two parts)
Ferry La. Guild —7M 113
Ferry La. Rich —2M 11
Ferry La. Shep —7B 38
Ferry La. Wray —3D 20
Ferrymoor. Rich —4H 25
Ferry Quays. Bren —3K 11
(in two parts)
Ferry Rd. SW13 —3F 12
Ferry Rd. Tedd —6H 25
Ferry Rd. Th Dit —5H 41
Ferry Rd. Twic —2H 25
Ferry Rd. W Mol —2A 40
Ferry Sq. Bren —3L 11
Ferry Sq. Shep —6C 38
Festing Rd. SW15 —6J 13
Festival Ct. M'bowr —5G 183
Festival Wlk. Cars —2D 62
Fetcham. —1D 98
Fetcham Comn. La. Fet —8B 78
Fetcham Downs. —4D 98
Fetcham Pk. Dri. Fet —1E 98
Fettes Rd. Cranl —7B 156
Fickleshole. —1N 85
Fiddicroft Av. Bans —1N 81
Fiddlers Copse. Fern —9E 188
Field Clo. Chess —2J 59
Field Clo. Guild —1F 114
Field Clo. Hayes —3D 8
Field Clo. Houn —4J 9
Field Clo. S Croy —1E 84
Field Clo. W Mol —4B 40
Fieldcommon. —6N 39
Fieldcommon La. W on T —7M 39
Field Ct. SW19 —4M 27
Field Ct. Oxt —5A 106
Field Dri. Eden —9M 127
Field End. Coul —1H 83
Field End. Farnh —8L 109
Fieldend. H'ham —3A 198
Field End. Twic —5F 24
Field End. W End —9C 52
Fieldend Rd. SW16 —9G 29
Fielden Pl. Brack —1B 32
Fielders Grn. Guild —3C 114
Fieldfare Av. Yat —9A 48
Fieldgate La. Mitc —1C 44
Field Ho. Clo. Asc —7L 33
Fieldhouse Rd. SW12 —2G 29
Fieldhouse Vs. Bans —2C 82
Fieldhurst. Slou —1B 6
Fieldhurst Clo. Add —2K 55
Fielding Av. Twic —4C 24
Fielding Gdns. Crowt —3G 48
Fielding Ho. W4 —2D 12
(off Devonshire Rd.)
Fielding M. SW13 —2G 12
(off Jenner Pl.)
Fielding Rd. Coll T —9K 49
Fieldings, The. Bans —4L 81
Fieldings, The. Horl —7F 142
Fieldings, The. Wok —3J 73
Field La. Bren —3J 11
Field La. Frim —5B 70
(in three parts)
Field La. G'ming —4J 133
Field La. Tedd —6G 24
Field Pk. Brack —9B 16
Field Path. Farn —5L 69
Field Place. —3D 196
Field Pl. G'ming —4H 133
Field Pl. N Mald —5E 42
Field Pl. Cotts. Broad H —3D 196
Field Rd. W6 —1K 13
Field Rd. Farn —5L 69
Field Rd. Felt —9J 9
Fieldsend Rd. Sutt —2K 61
Fieldside Clo. Orp —1L 67
Field Stores App. Alder —1A 110
Fieldview. SW18 —2B 28
Field Vw. Egh —6E 20
Field Vw. Felt —5E 22
Fieldview. Horl —7F 142
Fld. View Cotts. G'ming —7E 132
Field Wlk. Horl —8D 142
(off Ct. Lodge Rd.)
Field Wlk. Small —7N 143
Field Way. Alder —1C 110
Fieldway. Hasl —1G 189
Fieldway. New Ad —4L 65
Field Way. Rip —3H 95
Field Way. Tong —5D 110
Fifehead Clo. Afrd —7N 21
Fife Rd. SW14 —8B 12
Fife Rd. King T —1L 41 (3K 203)
(in two parts)
Fife Way. Bookh —3A 98
Fifield La. Fren —9H 129
Fifth Cross Rd. Twic —3D 24
Figges Rd. Mitc —8E 28
Filbert Cres. Craw —3M 181
Filby Rd. Chess —3M 59
Filey Clo. Big H —6D 86
Filey Clo. Craw —5L 181
Filey Clo. Sutt —4A 62
Filmer Gro. G'ming —6H 133
Filmer Rd. SW6 —4K 13
Filmer Rd. Wind —5A 4
Finborough Ho. SW10 —2N 13
(off Fawcett St.)
Finborough Rd. SW10 —1N 13
Finborough Rd. SW17 —7D 28
Finborough Theatre, The. —2N 13
(off Finborough Rd.)
Fincham End Dri. Crowt —3E 48
Finchampstead Ridges. —4A 48
Finchampstead Rd. Finch & Wokgm —8A 30
Finch Av. SE27 —5N 29
Finch Clo. Knap —4F 72
Finch Cres. Turn H —4F 184
Finchdean Ho. SW15 —1E 26
Finch Dri. Felt —1L 23
Finches Ri. Guild —1D 114
Finch Rd. Guild —3N 113 (3D 202)
Findhorn Clo. Coll T —8J 49
Findings, The. Farn —6K 69
Findlay Dri. Guild —8J 93
Findon Clo. SW18 —9M 13
Findon Ct. Add —2H 55
Findon Rd. Craw —1N 181
Findon Way. Broad H —5D 196
Finlay Gdns. Add —1L 55
Finlays Clo. Chess —2N 59
Finlay St. SW6 —4J 13
Finmere. Brack —6A 32
Finnart Clo. Wey —1D 56
Finnart Ho. Dri. Wey —1D 56
Finney Dri. W'sham —3A 52
Finney La. Iswth —4G 11
Finsbury Clo. Craw —7A 182
Finstock Grn. Brack —3D 32
Fintry Pl. Farn —7K 69
Fintry Wlk. Farn —7K 69
Fiona Clo. Bookh —2A 98
Fir Acre Rd. Ash V —7D 90
Firbank Dri. Wok —6L 73
Firbank La. Wok —6L 73
Firbank Pl. Eng G —7L 19
Firbank Way. E Grin —9N 165
Fir Clo. Fleet —5A 88
Fir Clo. W on T —6H 39
Fircroft. Fleet —4A 88
Fircroft Clo. Wok —5B 74
Fircroft Ct. Wok —5B 74
Fircroft Rd. SW17 —3D 28
Fircroft Rd. Chess —1M 59
Fircroft Way. Eden —9L 127
Fir Dene. Orp —1H 67
Firdene. Surb —7B 42
Fir Dri. B'water —3J 69
Fireball Hill. Asc —6A 34
Fire Bell La. Surb —5L 41
Firefly Clo. Wall —4J 63
Fire Sta. M. Beck —1K 47
Fire Sta. Rd. Alder —1N 109
Fire Thorn Clo. Fleet —6B 88
Firfield Rd. Add —1J 55
Firfield Rd. Farnh —4F 128
Firfields. Wey —3C 56
Firglen Dri. Yat —8C 48
Fir Grange Av. Wey —2C 56
Fir Gro. N Mald —5E 42
Firgrove. Wok —6L 73
Firgrove Ct. Farn —1N 89
Firgrove Ct. Farnh —2G 129
Firgrove Hill. Farnh —2H 129
Firgrove Pde. Farn —1N 89
Firgrove Rd. Eve & Yate —9A 48
Firgrove Rd. Farn —1N 89
Firlands. Brack —4A 32
Firlands. Horl —7F 142
Firlands. Wey —3F 56
Firlands Av. Camb —1B 70
Firle Clo. Craw —1C 182
Firle Ct. Eps —8E 60
Fir Rd. Felt —6L 23
Fir Rd. Sutt —7L 43
Firs Av. SW14 —7B 12
Firs Av. Brmly —5C 134
Firs Av. Wind —6C 4
Firsby Av. Croy —7G 47
Firs Clo. Clay —3E 58
Firs Clo. Dork —7G 119
Firs Clo. Farn —3A 90
Firs Clo. Mitc —9F 28
Firs Dene Clo. Ott —3F 54
Firs Dri. Houn —3J 9
Firs La. Sham G —7F 134
Firs Rd. Kenl —2M 83
First Av. SW14 —6D 12
First Av. Eps —5D 60
First Av. Tad —3K 101
(off Holly Lodge Mobile Home Pk.)
First Av. W on T —5J 39
First Av. W Mol —3N 39
First Clo. W Mol —2C 40
First Cross Rd. Twic —3E 24
Firs, The. Bisl —3D 72
Firs, The. Bookh —2C 98
Firs, The. Brack —4D 32
Firs, The. Byfl —8M 55
Firs, The. Cat —9A 84
Firs, The. Guild —7L 113
First Quarter Ind. Pk. Eps —7D 60
First Slip. Lea —5G 79
Firstway. SW20 —1H 43
Firsway. Guild —2J 113
Firswood Av. Eps —2D 60
Firth Gdns. SW6 —4K 13
Fir Tree All. Alder —2M 109
(off Victoria Rd.)
Fir Tree Av. Hasl —2B 188
Firtree Av. Mitc —1E 44
Firtree Clo. SW16 —6G 29
Fir Tree Clo. Asc —6L 33
Fir Tree Clo. Craw —9N 161
Fir Tree Clo. Eps —2H 81
Firtree Clo. Esh —2C 58
Firtree Clo. Ewe —1E 60
Fir Tree Clo. Lea —1J 99
Firtree Clo. Sand —6E 48
Firtree Gdns. Croy —1K 65
Fir Tree Gro. Cars —4D 62
Fir Tree Pl. Afrd —6B 22
Fir Tree Rd. Bans —1H 81
Fir Tree Rd. Eps —3G 80
Fir Tree Rd. Guild —9M 93
Fir Tree Rd. Houn —7M 9
Fir Tree Rd. Lea —1J 99
Fir Tree Wlk. Reig —3B 122
Fir Tree Way. Fleet —5C 88
Fir Wlk. Sutt —3J 61
Firway. Gray —4K 169
Firwood Clo. Wok —6H 73
Firwood Dri. Camb —1A 70
Firwood Rd. Vir W —5H 35
Fisher Clo. Craw —5C 182
Fisher Clo. Croy —7C 46
Fisher Clo. W on T —1J 57
Fisher Grn. Binf —7G 15
Fisher La. C'fold & Duns —1G 191
Fisherman Clo. Rich —5H 25
Fisherman's Pl. W4 —2E 12
Fishermen's Clo. Alder —8C 90
Fisher Rowe Clo. Brmly —5C 134
Fishers. Horl —7G 142
Fisher's Clo. SW16 —4H 29
Fishers Ct. H'ham —4J 197
Fishers Dene. Clay —4G 58
Fisher's La. W4 —1C 12
Fisherstreet. —5C 190
Fisher St. C'fold —4C 190
Fishers Wood. Asc —7F 34
Fishponds Clo. Wokgm —4A 30
Fishponds Rd. SW17 —5C 28
Fishponds Rd. Kes —2F 66
Fishponds Rd. Wokgm —4A 30
Fiske Ct. Yat —9D 48
Fitchet Clo. Craw —1N 181
Fitzalan Ho. Ewe —6E 60
Fitzalan Rd. Clay —4E 58
Fitzalan Rd. H'ham —4N 197
Fitzgeorge Av. W14 —1K 13
Fitzgeorge Av. N Mald —9C 26
Fitzgerald Av. SW14 —6D 12
Fitzgerald Rd. SW14 —6C 12
Fitzgerald Rd. Th Dit —5G 40
Fitzhugh Gro. SW18 —1B 28
Fitzjames Av. W14 —1K 13
Fitzjames Av. Croy —8D 46
Fitzjohn Clo. Guild —9E 94
Fitzrobert Pl. Egh —7C 20
Fitzroy Clo. Brack —5M 31
Fitzroy Ct. Croy —6A 46
Fitzroy Cres. W4 —3C 12
Fitzwilliam Av. Rich —5M 11
Fitzwilliam Ho. Rich —7K 11
Fitzwygram Clo. Hamp H —6C 24
Fiveacre Clo. T Hth —5L 45
Five Acres. Craw —1C 182
Five Acres Clo. Lind —4A 168
Five Elms Rd. Brom —1E 66
Five Oaks. Add —3H 55
Five Oaks Clo. Wok —6G 73
Five Oaks Rd. Slin —9J 195
Five Ways Bus. Cen. Felt —4J 23
Fiveways Corner. (Junct.) —1K 63
Flag Clo. Croy —7G 47
Flambard Way. G'ming —7G 133
Flamborough Clo. Big H —6D 86
Flamsteed Heights. Craw —8N 181
Flanchford Rd. Leigh —9E 120
Flanchford Rd. Reig —5H 121
Flanders Ct. Egh —6E 20
Flanders Cres. SW17 —8D 28
Flats, The. B'water —2G 69
Flaxley Rd. Mord —5N 43
Flaxman Ho. W4 —1D 12
(off Devonshire St.)
Flaxmore Pl. Beck —5N 47
Fleece Rd. Surb —7J 41
Fleet. —4A 88
Fleet Bus. Pk. C Crook —9C 88
Fleet Clo. W Mol —4N 39
Fleet La. W Mol —5N 39
Fleet Rd. Alder —6F 88
Fleet Rd. Fleet —5A 88
Fleet Rd. Fleet & Farn —2E 88
Fleetside. W Mol —4N 39
Fleetway. Egh —2E 36
Fleetwood Clo. Chess —4K 59
Fleetwood Clo. Croy —9C 46
Fleetwood Clo. Tad —7J 81
Fleetwood Ct. Stanw —9M 7
Fleetwood Ct. W Byf —9J 55
Fleetwood Rd. King T —2A 42
Fleetwood Sq. King T —2A 42
Fleming Cen., The. Craw —8C 162
Fleming Clo. Farn —8B 70
Fleming Ct. Croy —2L 63
Fleming Mead. Mitc —8C 28
Fleming Wlk. E Grin —3B 186
Fleming Way. Craw —8C 162
Fleming Way. Iswth —7F 10
Fleming Way Ind. Cen. Craw —7D 162
Flemish Fields. Cher —6J 37
Fletcher Clo. Craw —5C 182
Fletcher Clo. Ott —3G 54
Fletcher Gdns. Brack —9J 15
Fletcher Rd. Ott —3F 54
Fletchers Clo. H'ham —7L 197
Fleur Gates. SW19 —1J 27
Flexford. —3M 111
Flexford Grn. Brack —5K 31
Flexford Rd. Norm —4M 111
(in two parts)
Flexlands La. W End —6E 52
Flint Clo. Bans —1N 81
Flint Clo. Bookh —4C 98
Flint Clo. G Str —3N 67
Flint Clo. M'bowr —6F 182
Flint Clo. Red —2D 122
Flint Cotts. Lea —8H 79
(off Gravel Hill)
Flintgrove. Brack —9B 16
Flint Hill. Dork —7H 119
Flint Hill Clo. Dork —8H 119
Flintlock Clo. Stai —7J 7
Flitwick Grange. Milf —1C 152
Flock Mill Pl. SW18 —2N 27
Flood La. Twic —2G 25
Flora Gdns. Croy —7M 65
Floral Ct. Asht —5J 79
Floral Ho. Cher —7H 37
(off Fox La. S.)
Florence Av. Mord —4A 44
Florence Av. New H —7J 55
Florence Clo. W on T —6J 39
Florence Clo. Yat —9B 48
Florence Ct. SW19 —7K 27
Florence Ct. Knap —5F 72
Florence Gdns. W4 —2B 12
Florence Gdns. Stai —8K 21
Florence Ho. King T —1N 203
Florence Rd. Coll T —8J 49
Florence Rd. SW19 —7N 27
Florence Rd. Beck —1H 47
Florence Rd. Felt —2J 23
Florence Rd. Fleet —7B 88
Florence Rd. King T —8M 25 (1N 203)
Florence Rd. S Croy —5A 64
Florence Rd. W on T —6J 39
Florence Ter. SW15 —4D 26
Florence Way. SW12 —2D 28
Florence Way. Knap —5F 72
Florian Av. Sutt —1B 62
Florian Rd. SW15 —7K 13
Florida Ct. Stai —5J 21
Florida Rd. Shalf —9A 114
Florida Rd. T Hth —9M 29
Floss St. SW15 —5H 13
Flower Cres. Ott —3D 54
Flower La. God —8G 105
Flowersmead. SW17 —3E 28
Flower Wlk. Guild —6M 113 (8B 202)
Floyd's La. Wok —3J 75
Flyers Way, The. W'ham —4M 107
Foden Rd. Alder —3M 109
Folder's La. Brack —8A 16
Foley M. Clay —3E 58
Foley Rd. Big H —5F 86
Foley Rd. Clay —4E 58
Folkestone Ct. Slou —1C 6
Follett Clo. Old Win —9L 5
Folly Clo. Fleet —6B 88
Follyfield Rd. Bans —1M 81
Follyhatch La. As —1J 111
Folly Hill. Farnh —6F 108
Folly La. Holmw —4H 139
Folly La. N. Farnh —5G 108
Folly La. S. Farnh —6F 108

Folly, The—Fryston Av.

Folly, The. Light —8M 51
Fontaine Rd. SW16 —8K 29
Fontana Clo. Worth —4H 183
Fontenoy Rd. SW12 —3F 28
Fonthill Clo. SE20 —1D 46
Fontley Way. SW15 —1F 26
Fontmell Clo. Afrd —6B 22
Fontmell Pk. Afrd —6A 22
Fontwell Clo. Alder —2B 110
Fontwell Rd. Craw —6E 182
Footpath, The. SW15 —9F 12
Forbench Clo. Rip —9K 75
Forbes Chase. Coll T —8J 49
Forbes Clo. M'bowr —7F 182
Forbe's Ride. Wind —1L 17
Force Green. —2M 107
Force Grn. La. W'ham —2M 107
Fordbridge Cvn. Pk. Sun —5G 38
Fordbridge Clo. Cher —7K 37
Fordbridge Ct. Afrd —7N 21
Fordbridge Rd. Afrd —7N 21
Fordbridge Rd. Shep & Sun —5F 38
Fordbridge Roundabout. (Junct.) —7N 21
Ford Clo. Afrd —7N 21
Ford Clo. Shep —3B 38
Ford Clo. T Hth —4M 45
Fordham. King T —4N 203
Fordingbridge Clo. H'ham —7J 197
Ford La. Wrec —5G 128
Ford Mnr. Cotts. D'land —1D 166
Ford Mnr. Rd. D'land —9D 146
Ford Rd. Afrd —5A 22
Ford Rd. Cher —7K 37
Ford Rd. Chob —6F 52
Ford Rd. W End & Bisl —1B 72
Ford Rd. Wok —7D 74
Fordwater Rd. Cher —7K 37
Fordwater Trad. Est. Cher —7L 37
Fordwells Dri. Brack —3D 32
Foreman Ct. Twic —2F 24
Foreman Pk. As —2F 110
Foreman Rd. Ash G —3F 110
Forest Clo. Asc —2G 33
Forest Clo. Craw D —1E 184
Forest Clo. E Hor —3G 96
Forest Clo. H'ham —4A 198
Forest Clo. Wok —2F 74
Forest Cres. Asht —3N 79
Forestdale. —5J 65
Forestdale. Hind —6B 170
Forestdale Cen., The. Croy —4J 65
Forest Dean. Fleet —1D 88
Forest Dene Ct. Sutt —3A 62
Forest Dri. Kes —1G 66
Forest Dri. Kgswd —8L 81
Forest Dri. Lwr Bo —7H 129
Forest Dri. Sun —8G 22
Forest End. Fleet —7A 88
Forest End. Sand —6E 48
Forest End Rd. Sand —6E 48
Forester Rd. Craw —5C 182
Foresters Clo. Wall —4H 63
Foresters Clo. Wok —5J 73
Foresters Dri. Wall —4H 63
Foresters Sq. Brack —2C 32
Foresters Way. Crowt —9K 31
Forestfield. Craw —6E 182
Forestfield. H'ham —5N 197
Forest Glade. Rowl —8C 128
Forest Grange. H'ham —3C 198
Forest Green. —3M 157
Forest Grn. Brack —9B 16
Forest Grn. Rd. Ockl —3C 158
Forest Hills. Camb —2N 69
Forest La. E Hor —2G 97
Forest La. Lind —3B 168
Forest Lodge. E Grin —1B 186
Forest Oaks. H'ham —4A 198
Forest Park. —5D 32
Forest Ridge. Beck —2K 47
Forest Ridge. Kes —1G 67
Forest Rd. Crowt —2H 49
Forest Rd. E Hor & Eff J —4G 96
Forest Rd. Felt —3K 23
Forest Rd. F Row —8K 187
Forest Rd. H'ham & Craw —3A 198
Forest Rd. Rich —3N 11
Forest Rd. Sutt —7M 43
Forest Rd. Warf —6C 16
Forest Rd. Wind —2A 18
(Cranbourne)
Forest Rd. Wind —5A 4
(Windsor)
Forest Rd. Wink R & Asc —7G 17
Forest Rd. Wok —2F 74
Forest Rd. Wokgm & Binf —7A 14
Forest Rd., The. Loxw —5D 192
Forest Row. —6H 187
Forest Row Bus. Pk. F Row —6H 187
Forest Side. Wor Pk —7E 42
Forest Vw. Craw —6E 182
Forest Vw. Rd. E Grin —3A 186
Forest Wlk. Cranl —8H 155
Forest Way. Asht —4M 79
Forest Way. Warf P —8D 16
Forge Av. Coul —7L 83
Forgebridge La. Coul —9F 82
Forge Clo. Broad H —4D 196
Forge Clo. Farnh —9J 109
Forge Clo. Hayes —2E 8
Forge Cotts. Broad H —4E 196
(off Forge La.)
Forge Cft. Eden —2L 147
Forge Dri. Clay —4G 58
Forge End. Wok —4A 74
Forge Fld. Big H —3F 86
Forge La. Alder —7L 89
Forge La. Broad H —4D 196
Forge La. Craw —2E 182
Forge La. Felt —6M 23
Forge La. Sun —2H 39
Forge La. Sutt —4K 61
Forge Rd. Craw —2E 182
Forge Steading. Bans —2N 81
Forge, The. Hand —7N 199
Forge, The. Warn —9E 178
Forge Wood. Craw —7H 163
Forge Wood Ind. Est. Craw —8F 162
Forrest Gdns. SW16 —2K 45
Forster Rd. SW12 —1J 29
Forster Rd. Beck —2H 47
Forsyte Cres. SE19 —1B 46
Forsythia Pl. Guild —1M 113
Forsyth Path. Wok —9F 54
Forsyth Rd. Wok —1E 74
Fortescue Av. Twic —4C 24
Fortescue Rd. SW19 —8B 28
Fortescue Rd. Wey —1A 56
Forth Clo. Farn —8J 69
Fort La. Reig —8N 101
Fort Narrien. Coll T —8K 49
Fort Rd. Guild —6A 114 (8E 202)
Fort Rd. Tad —9A 100
Fortrose Clo. Coll T —8J 49
Fortrose Gdns. SW2 —2J 29
Fortune Dri. Cranl —9N 155
Forty Footpath. SW14 —6B 12
Forty Foot Rd. Lea —8J 79
(in two parts)
Forum, The. W Mol —3B 40
Forval Clo. Mitc —4D 44
Foskett Rd. SW6 —5L 13
Foss Av. Croy —2L 63
Fosseway. Crowt —2E 48
Fosse Way. W Byf —9H 55
Fossewood Dri. Camb —7B 50
Foss Rd. SW17 —5B 28
Foster Av. Wind —6B 4
Fosterdown. God —7E 104
Foster Rd. W4 —1C 12
Fosters Gro. W'sham —1M 51
Fosters La. Knap —4F 72
Foster's Way. SW18 —2N 27
Foulser Rd. SW17 —4D 28
Foulsham Rd. T Hth —2N 45
Founders Gdns. SE19 —8N 29
Foundry Clo. H'ham —4L 197
Foundry Ct. Cher —6J 37
Foundry La. Hasl —2E 188
Foundry La. H'ham —5L 197
Foundry La. Hort —6D 6
Foundry M. Cher —6J 37
(off Gogmore La.)
Foundry Pl. SW18 —1N 27
Fountain Dri. Cars —4D 62
Fountain Gdns. Wind —6G 4
Fountain Rd. SW17 —6B 28
Fountain Rd. Red —5C 122
Fountain Rd. T Hth —2N 45
Fountain Roundabout. N Mald —3D 42
Fountains Av. Felt —4N 23
Fountains Clo. Craw —5M 181
Fountains Clo. Felt —3N 23
(in two parts)
Fountains Gth. Brack —2M 31
Four Acres. Cobh —9M 57
Four Acres. Guild —1E 114
Four Elms Rd. Eden & Four E —1L 147
Fourfield Clo. Eps —9B 80
Four Seasons Cres. Sutt —8L 43
Four Sq. Ct. Houn —9A 10
Fourth Cross Rd. Twic —3D 24
Fourth Dri. Coul —3G 83
Four Wents. Cobh —1K 77
Fowler Clo. M'bowr —5G 182
Fowler Rd. Farn —2L 89
Fowler Rd. Mitc —1E 44
Fowlerscroft. Comp —1E 132
Fowlers La. Brack —9N 15
Fowlers Mead. Chob —5H 53
Fowler's Rd. Alder —7A 90
Foxacre. Cat —9B 84
Foxborough Clo. Slou —1C 6
Foxborough Hill. Brmly —4N 133
Foxborough Hill Rd. Brmly —4N 133
Foxbourne Rd. SW17 —3E 28
Foxbridge La. Kird —8D 192
Foxburrows Av. Guild —3J 113
Foxburrows Ct. Guild —2J 113
Fox Clo. Craw —9N 161
Fox Clo. Wey —2E 56
Fox Clo. Wok —2F 74
Foxcombe. New Ad —3L 65
(in two parts)
Foxcombe Rd. SW15 —2F 26
Fox Corner. —3F 92
Foxcote. Finch —9A 30
Fox Covert. Fet —2D 98
Fox Covert. Light —7L 51
Fox Covert Clo. Asc —4N 33
Foxcroft. C Crook —8B 88
Fox Dene. G'ming —9F 132
Foxdown Clo. Camb —1A 70
Fox Dri. Yat —8C 48
Foxearth Clo. Big H —5G 87
Foxearth Rd. S Croy —6E 64
Foxearth Spur. S Croy —5F 64
Foxenden Rd. Guild —4A 114 (4E 202)
Foxes Dale. Brom —2N 47
Foxes Path. Sut G —4B 94
Foxglove Av. H'ham —2L 197
Foxglove Clo. Eden —9M 127
Foxglove Clo. Stanw —2M 21
Foxglove Clo. Wink R —7E 16
Foxglove Gdns. Guild —1E 114
Foxglove Gdns. Purl —7J 63
Foxglove La. Chess —1N 59
Foxglove Wlk. Craw —6N 181
Foxglove Way. Wall —7F 44
Fox Gro. W on T —6J 39
Foxgrove Dri. Wok —2C 74
Foxhanger Gdns. Wok —3C 74
Foxheath. Brack —4C 32
Fox Heath. Farn —2H 89
Fox Hill. Kes —2E 66
Foxhill Cres. Camb —7F 50
Fox Hills. Wok —4M 73
Foxhills Clo. Ott —3D 54
Fox Hills La. As —1G 110
Foxhills Rd. Ott —1C 54
Foxholes. Rud —9E 176
Foxholes. Wey —2E 56
Foxhurst Rd. Ash V —8E 90
Foxlake Rd. Byfl —8A 56
Fox Lane. —6K 69
Fox La. Bookh —2M 97
Fox La. Cat —8M 83
Fox La. Kes —2D 66
Fox La. Ran C —3B 118
Fox La. Reig —9N 101
Fox La. N. Cher —7H 37
Fox La. S. Cher —7H 37
Foxleigh Chase. H'ham —4M 197
Foxley Clo. B'water —1H 69
Foxley Clo. Red —8E 122
Foxley Ct. Sutt —4A 62
Foxley Gdns. Purl —9M 63
Foxley Hall. Purl —9L 63
Foxley Hill Rd. Purl —8L 63
Foxley La. Binf —7G 14
Foxley La. Purl —7G 63
Foxley Rd. Kenl —1M 83
Foxley Rd. T Hth —3M 45
Foxon Clo. Cat —8B 84
Foxon La. Cat —8A 84
Foxon La. Gdns. Cat —8B 84
Fox Rd. Brack —3A 32
Fox Rd. Hasl —2C 188
Fox Rd. Lwr Bo —4H 129
Fox's Path. Mitc —1C 44
Foxton Gro. Mitc —1B 44
Foxwarren. Clay —5F 58
Fox Way. Ews —5C 108
Foxwood. Fleet —2D 88
Foxwood Clo. Felt —4J 23
Foxwood Clo. Wmly —1C 172
Fox Yd. Farnh —1G 128
Foye La. C Crook —8C 88
Frailey Clo. Wok —3D 74
Frailey Hill. Wok —3D 74
Framfield Clo. Craw —1M 181
Framfield Rd. Mitc —8E 28
Frampton Clo. Sutt —4M 61
Frampton Rd. Houn —8M 9
France Hill Dri. Camb —1A 70
Frances Rd. Wind —6F 4
Franche Ct. Rd. SW17 —4A 28
Francis Av. Felt —4H 23
Francis Barber Clo. SW16 —6K 29
Franciscan Rd. SW17 —6D 28
Francis Chichester Clo. Asc —4M 33
Francis Clo. Eps —1C 60
Francis Clo. Shep —3B 38
Francis Ct. Guild —1L 113
Francis Ct. Surb —8L 203
Francis Edwards Way. Craw —7K 181
Francis Gdns. Warf —8B 16
Francis Gro. SW19 —7L 27
(in two parts)
Francis Rd. Cat —9A 84
Francis Rd. Croy —6M 45
Francis Rd. Houn —5L 9
Francis Rd. Wall —3G 63
Francis Way. Camb —2G 70
Frank Beswick Ho. SW6 —2L 13
(off Clem Attlee Ct.)
Franklands Dri. Add —4H 55
Franklin Clo. SE27 —4M 29
Franklin Clo. King T —2N 41
Franklin Ct. Guild —3J 113
(off Derby Rd.)
Franklin Cres. Mitc —3G 45
Franklin Rd. M'bowr —4G 183
Franklin Sq. W14 —1L 13
Franklin Way. Croy —6J 45
Franklyn Cres. Wind —6A 4
Franklyn Rd. G'ming —8E 132
Franklyn Rd. W on T —5H 39
Franks Av. N Mald —3B 42
Franksfield. Peasl —4F 136
(in two parts)
Frank Soskice Ho. SW6 —2L 13
(off Clem Attlee Ct.)
Franks Rd. Guild —9K 93
Frank Towell Ct. Felt —1H 23
Frant Field. Eden —2M 147
Frant Rd. T Hth —4M 45
Fraser Gdns. Dork —4G 118
Fraser Ho. Bren —1M 11
Fraser Mead. Coll T —9K 49
Fraser Rd. Brack —9N 15
Fraser St. W4 —1D 12
Frederick Clo. Sutt —1L 61
Frederick Gdns. Croy —5M 45
Frederick Gdns. Sutt —1L 61
Frederick Pl. Wokgm —2A 30
Frederick Rd. Sutt —2L 61
Frederick Sanger Rd. Sur R —4G 113
Frederick St. Alder —2M 109
Freeborn Way. Brack —9C 16
Freedown La. Sutt —9N 61
Freehold Ind. Cen. Houn —8K 9
Freelands Av. S Croy —5G 64
Freelands Dri. C Crook —8A 88
Freelands Rd. Cobh —1J 77
Freeman Clo. Shep —3F 38
Freeman Dri. W Mol —3N 39
Freeman Rd. Mord —4B 44
Freeman Rd. Warn —9F 178
Freemantle Clo. Bag —3J 51
Freemantle Rd. Bag —4K 51
Freemasons Rd. Croy —7B 46
Free Prae Rd. Cher —7J 37
Freesia Clo. Orp —2N 67
Freesia Dri. Bisl —3D 72
Freestone Yd. Coln —3F 6
(off Park St.)
French Apartments, The. Purl —8L 63
Frenchaye. Add —1L 55
Frenches Ct. Red —1E 122
Frenches Rd. Red —1E 122
Frenches, The. Red —1E 122
French Gdns. B'water —2J 69
French Gdns. Cobh —1K 77
Frenchlands Hatch. E Hor —5F 96
French La. Thur —6K 151
Frenchmans Creek. C Crook —9A 88
French Street. —7N 107
French St. Sun —1K 39
French St. W'ham —6N 107
French's Wells. Wok —4L 73
Frensham. —4J 149
Frensham. Brack —5B 32
Frensham Av. Fleet —4D 88
Frensham Clo. Yat —9A 48
Frensham Common. —4J 149
Frensham Common Country Pk. —5K 149
Frensham Country Pk. Interpretative Cen. —4J 149
Frensham Dri. SW15 —4E 26
Frensham Dri. New Ad —4M 65
Frensham Heights. —9F 128
Frensham Heights Rd. Rowl —9F 128
Frensham La. Head D & Churt —1D 168
Frensham La. Lind & Head —3B 168
Frensham Little Pond. —2L 149
Frensham Rd. Crowt —1G 49
Frensham Rd. Farnh & L Bou —3H 129
Frensham Rd. Kenl —1M 83
Frensham Va. Lwr Bo —7G 129
Frensham Way. Eps —3H 81
Frere Av. Fleet —6A 88
Freshborough Ct. Guild —4B 114
Freshfield Bank. F Row —7G 186
Freshfield Clo. Craw —4E 182
Freshfield Flats. Lwr K —5L 101
Freshfields. Croy —7J 47
Freshford St. SW17 —4A 28
Freshmount Gdns. Eps —7A 60
Freshwater Clo. SW17 —7E 28
Freshwater Pde. H'ham —6H 197
(off Bishopric)
Freshwater Rd. SW17 —7E 28
Freshwood Clo. Beck —1L 47
Freshwood Dri. Yat —2C 68
Freshwood Way. Wall —5F 62
Frewin Rd. SW18 —2B 28
Friar M. SE27 —4M 29
Friars Av. SW15 —4E 26
Friars Fld. Farnh —9G 108
Friar's Ga. Guild —5K 113
Friars Keep. Brack —3N 31
Friars La. Rich —8K 11
Friars Orchard. Fet —8D 78
Friars Ri. Wok —5C 74
Friars Rd. Vir W —3N 35
Friars Rookery. Craw —3D 182
Friars Stile Pl. Rich —9L 11
Friars Stile Rd. Rich —9L 11
Friars Way. Cher —5J 37
Friarswood. Croy —5H 65
Friary Bri. Guild —5M 113 (6B 202)
Friary Ct. Wok —5J 73
Friary Island. —9M 5
Friary Island. Wray —9M 5
Friary Pas. Guild —5M 113 (6B 202)
Friary Rd. Asc —5L 33
Friary Rd. Wray —1M 19
(in two parts)
Friary St. Guild —5N 113 (6B 202)
Friary, The. Guild —4M 113 (5B 202)
Friary, The. Old Win —9M 5
Friary Way. Craw —4B 182
Friday Rd. Mitc —8D 28
Friday Street. —3M 137
Friday St. Ockl —6D 158
Friday St. Rusp —4L 179
Friday St. Warn —1E 196
Friday St. Rd. Ab C —3M 137
Friend Av. Alder —3B 110
Friends Clo. Craw —9B 162
Friendship Way. Brack —2N 31
Friends Rd. Croy —9A 46 (4D 200)
Friends Rd. Purl —8M 63
Friends Wlk. Stai —6H 21
Friesian Clo. Fleet —1C 88
Frimley. —6A 70
Frimley Aqueduct. —9E 70
Frimley Av. Wall —2J 63
Frimley Bus. Pk. Frim —6A 70
Frimley By-Pass. Frim —6A 70
Frimley Clo. SW19 —3K 27
Frimley Clo. New Ad —4M 65
Frimley Cres. New Ad —4M 65
Frimley Gdns. Mitc —2C 44
Frimley Green. —8D 70
Frimley Grn. Rd. Frim & Frim G —5B 70
Frimley Gro. Gdns. Frim —5B 70
Frimley Hall Dri. Camb —9D 50
Frimley High St. Frim —6A 70
Frimley Ridge. —3F 70
Frimley Rd. Ash V —4E 90
Frimley Rd. Camb & Frim —1M 69
Frimley Rd. Chess —2K 59
Frinton Rd. SW17 —7E 28
Friston St. SW6 —5N 13
Friston Wlk. Craw —1M 181
Fritham Clo. N Mald —5D 42
Frithend. —6A 148
Frith End Rd. Bord —5A 148
Frith Hill. —5G 132
Frith Hill Rd. Frim —5E 70
Frith Hill Rd. G'ming —4G 133
Frith Knowle. W on T —3J 57
Frith Pk. E Grin —7A 166
Frith Rd. Croy —8N 45 (3B 200)
Friths Dri. Reig —9N 101
Frithwald Rd. Cher —6H 37
Frobisher. Brack —6A 32
Frobisher Clo. Kenl —4N 83
Frobisher Ct. Sutt —4K 61
Frobisher Cres. Stai —1N 21
Frobisher Gdns. Guild —2C 114
Frobisher Gdns. Stai —1N 21
Frodsham Way. Owl —5K 49
Froggetts La. W'wd —9K 157
Frog Gro. La. Wood S —1C 112
Frog Hall Dri. Wokgm —2D 30
Froghole. —1M 127
Froghole La. Eden —1M 127
Frog La. Brack —2M 31
Frog La. Sut G —3A 94
Frogmore. —1J 69
(Camberley)
Frogmore. —5J 5
(Windsor)
Frogmore. SW18 —8M 13
Frogmore Border. Wind —6H 5
Frogmore Clo. Sutt —9J 43
Frogmore Ct. B'water —2H 69
Frogmore Ct. S'hall —1N 9
Frogmore Dri. Wind —4H 5
Frogmore Gdns. Sutt —1K 61
Frogmore Gro. B'water —2H 69
Frogmore House. —6J 5
Frogmore Pk. Dri. B'water —2H 69
Frogmore Rd. B'water —1G 69
Frome Clo. Farn —8J 69
Fromondes Rd. Sutt —2K 61
Fromow Gdns. W'sham —3A 52
Froxfield Down. Brack —4D 32
Fruen Rd. Felt —1G 23
Fry Clo. Craw —8N 181
Fryern Wood. Cat —2N 103
Frylands Ct. New Ad —7M 65
Frymley Vw. Wind —4A 4
Fry Rd. Afrd —5M 21
Fry's Acre. As —1E 110
Fry's La. Yat —8D 48
Fryston Av. Coul —1F 82
Fryston Av. Croy —8D 46

Fuchsia Pl. Brack —1B 32
Fuchsia Way. W End —9B 52
Fugelmere Rd. Fleet —3D 88
Fugelmere Wlk. Fleet —3D 88
Fulbourn. King T —4N 203
Fulbourne Clo. Red —1C 122
Fulbrook Av. New H —7J 55
Fulford Ho. Eps —4C 60
Fulford Rd. Cat —8A 84
Fulford Rd. Eps —4C 60
Fulfords Hill. Itch —9A 196
Fulfords Rd. Itch —9B 196
Fulham. —5K 13
Fulham Broadway. (Junct.) —3M 13
Fulham B'way. SW6 —3M 13
Fulham Clo. Craw —7N 181
Fulham Ct. SW6 —4M 13
Fulham F.C. —4J 13
Fulham High St. SW6 —5K 13
Fulham Pal. Rd. W6 & SW6 —1H 13
Fulham Pk. Gdns. SW6 —5L 13
Fulham Pk. Rd. SW6 —5L 13
Fulham Rd. SW6 —5K 13
Fulham Rd. SW10 & SW3 —3N 13
Fullbrook La. Elst —6G 130
Fullbrooks Av. Wor Pk —7E 42
Fullers Av. Surb —8M 41
Fullers Farm Rd. W Hor —2B 116
Fuller's Griffin Brewery & Vis. Cen. —2E 12
Fullers Hill. W'ham —4M 107
Fullers Rd. Rowl —7B 128
Fullers Va. Head —4E 168
Fullers Way N. Surb —9M 41
Fullers Way S. Chess —1L 59
Fuller's Wood. Croy —2K 65
Fullers Wood La. S Nut —4G 123
Fullerton Clo. Byfl —1A 76
Fullerton Ct. Tedd —7G 25
Fullerton Dri. Byfl —1N 75
Fullerton Rd. SW18 —8N 13
Fullerton Rd. Byfl —1N 75
Fullerton Rd. Cars —5C 62
Fullerton Rd. Croy —6C 46
Fullerton Way. Byfl —1N 75
Fuller Way. Hayes —1G 8
Fullmer Way. Wdhm —6H 55
Fulmar Clo. If'd —4J 181
Fulmar Ct. Surb —5M 41
Fulmar Dri. E Grin —7C 166
Fulmead St. SW6 —4N 13
Fulmer Clo. Hamp —6M 23
Fulstone Clo. Houn —7N 9
Fulvens. Peasl —2F 136
Fulwell. —5D 24
Fulwell Pk. Av. Twic —3B 24
Fulwell Rd. Tedd —5D 24
Fulwood Gdns. Twic —9F 10
Fulwood Wlk. SW19 —2K 27
Furlong Clo. Wall —7F 44
Furlong Rd. Westc —6C 118
Furlong Way. Gat A —2D 162 (off Gatwick Way)
Furlough, The. Wok —3C 74
Furmage St. SW18 —1N 27
Furnace Dri. Craw —5D 182
Furnace Farm Rd. Craw —5E 182
Furnace Green. —5E 182
Furnace Pde. Craw —5E 182
Furnace Pl. Craw —5E 182
Furnace Rd. Felb —7E 164
Furnace Wood. —6F 164
Furneaux Av. SE27 —6M 29
Furness. Wind —5A 4
Furness Pl. Wind —5A 4
Furness Rd. SW6 —5N 13
Furness Rd. Mord —5N 43
Furness Row. Wind —5A 4
Furness Sq. Wind —5A 4
Furness Wlk. Wind —5A 4 (off Furnace Sq.)
Furness Way. Wind —5A 4
Furniss Ct. Cranl —8H 155
Furnival Clo. Vir W —5N 35
Furrows Pl. Cat —1C 104
Furrows, The. W on T —8K 39
Furse Clo. Camb —2G 70
Furtherfield. Cranl —6N 155
Furtherfield Clo. Croy —5L 45
Further Vell-Mead. C Crook —9A 88
Furzebank. Asc —3A 34
Furze Clo. Ash V —5E 90
Furze Clo. Horl —8H 143
Furze Clo. Red —2D 122
Furzedown. —6F 28
Furzedown Clo. Egh —7A 20
Furzedown Dri. SW17 —6F 28
Furzedown Rd. SW17 —6F 28
Furzedown Rd. Sutt —7A 62
Furzefield. Craw —2N 181
Furze Fld. Oxs —9D 58
Furzefield Chase. Dor P —4A 166
Furzefield Cres. Reig —5A 122
Furzefield Rd. E Grin —6N 165
Furzefield Rd. H'ham —3A 198
Furzefield Rd. Reig —5A 122
Furze Gro. Tad —8L 81
Furze Hill. —8L 81
Furze Hill. Farnh —9B 110
Furze Hill. Kgswd —7L 81
Furze Hill. Purl —7J 63
Furze Hill. Red —2C 122
Furzehill Cotts. Pirb —9N 71
Furze Hill Cres. Crowt —3H 49
Furze Hill Rd. Head D —5G 168 (in two parts)
Furze La. E Grin —6L 165
Furze La. G'ming —3J 133
Furze La. Purl —7J 63
Furzemoors. Brack —4N 31
Furzen La. Rud & Oke H —6H 177
Furze Rd. Add —3H 55
Furze Rd. Rud —9E 176
Furze Rd. T Hth —2N 45
Furze Va. Rd. Head D —5G 169
Furze Vw. Slin —9J 195
Furzewood. Sun —9H 23
Fuzzens Wlk. Wind —5B 4
Fydler's Clo. Wink —7M 17
Fyfield Clo. B'water —1J 69
Fyfield Clo. Brom —3N 47

Gable Ct. Red —2E 122 (off St Anne's Mt.)
Gable End. Farn —1N 89
Gables. Gray —6B 170
Gables Av. Afrd —6A 22
Gables Clo. Ash V —8E 90
Gables Clo. Dat —2K 5
Gables Clo. Farn —1M 89
Gables Clo. Kingf —7B 74 (in two parts)
Gables Ct. Kingf —7B 74
Gables Rd. C Crook —9A 88
Gables, The. Bans —4L 81
Gables, The. Copt —7M 163
Gables, The. Horl —9E 142
Gables, The. H'ham —4K 197
Gables, The. Oxs —8C 58
Gables Way. Bans —4L 81
Gabriel Clo. Felt —5M 23
Gabriel Dri. Camb —2F 70
Gabriel Rd. M'bowr —7G 183
Gadbridge La. Ewh —6F 156
Gadbrook Rd. Bet —9B 120
Gadd Clo. Wokgm —1E 30
Gadesden Rd. Eps —3B 60 (in two parts)
Gaffney Clo. Alder —6B 90
Gage Clo. Craw D —9F 164
Gage Ridge. F Row —7G 187
Gaggle Wood. Man H —9B 198
Gainsborough. Brack —5A 32
Gainsborough Clo. Camb —8D 50
Gainsborough Clo. Esh —7E 40
Gainsborough Clo. Farn —3B 90
Gainsborough Ct. W4 —1A 12 (off Chaseley Dri.)
Gainsborough Ct. Fleet —4B 88
Gainsborough Ct. W on T —1H 57
Gainsborough Dri. Asc —2H 33
Gainsborough Dri. S Croy —9D 64
Gainsborough Gdns. Iswth —8D 10
Gainsborough Mans. W14 —2K 13 (off Queen's Club Gdns.)
Gainsborough Rd. Craw —7D 182
Gainsborough Rd. Eps —6B 60
Gainsborough Rd. N Mald —5C 42
Gainsborough Rd. Rich —5M 11
Gainsborough Ter. Sutt —4L 61 (off Belmont Ri.)
Gaist Av. Cat —9E 84
Galahad Rd. If'd —3K 181
Galata Rd. SW13 —3F 12
Galba Ct. Bren —3K 11
Gale Barracks. Alder —9N 89 (off Alison's Rd.)
Gale Clo. Hamp —7M 23
Gale Clo. Mitc —2B 44
Gale Cres. Bans —4M 81
Gale Dri. Light —6L 51
Galena Ho. W6 —1G 12 (off Galena Rd.)
Galena Rd. W6 —1G 13
Galen Clo. Eps —7N 59
Galesbury Rd. SW18 —9N 13 & 1A 28
Gales Clo. Guild —9F 94
Gales Dri. Craw —3D 182
Gales Pl. Craw —3E 182
Galgate Clo. SW19 —2J 27
Galleries, The. Alder —2M 109 (off High St.)
Gallery Ct. SW10 —2N 13
Gallery Rd. Brkwd —6A 72
Galleymead Rd. Coln —4H 7
Gallop, The. S Croy —4E 64
Gallop, The. Sutt —5B 62
Gallop, The. Wind —1F 18
Gallop, The. Yat —8C 48
Galloway Clo. Fleet —1D 88
Galloway Path. Croy —1A 64 (7D 200)
Gallwey Rd. Alder —1N 109 (in two parts)
Gally Hill Rd. C Crook —8A 88
Gallys Rd. Wind —5A 4
Galpin's Rd. T Hth —4J 45
Galsworthy Rd. Cher —6J 37
Galsworthy Rd. King T —8A 26
Galton Rd. Asc —5C 34
Galvani Way. Croy —7K 45
Galveston Rd. SW15 —8L 13
Galvins Clo. Guild —9K 93
Galway Rd. Yat —2B 68
Gambles La. Rip —2L 95
Gambole Rd. SW17 —5C 28
Gamlen Rd. SW15 —7J 13
Gander Grn. Cres. Hamp —9A 24
Gander Grn. La. Sutt —8K 43
Gangers Hill. God & Wold —6H 105
Ganghill. Guild —1C 114
Ganymede Ct. Craw —6K 181
Gapemouth Rd. Pirb —9H 71
Gap Rd. SW19 —6M 27
Garbetts Way. Tong —6D 110
Garbrand Wlk. Eps —5E 60
Garden Av. Mitc —8F 28
Garden Clo. SW15 —1H 27
Garden Clo. Add —1M 55
Garden Clo. Afrd —7D 22
Garden Clo. Bans —2M 81
Garden Clo. E Grin —2B 186
Garden Clo. Farn —2K 89
Garden Clo. Hamp —6N 23
Garden Clo. Lea —2J 99
Garden Clo. Sham G —7F 134
Garden Clo. Wall —2J 63
Garden Ct. Croy —8C 46
Garden Ct. Hamp —6N 23
Garden Ct. Rich —4M 11
Gardener Gro. Felt —3N 23
Gardeners Clo. Warn —9E 178
Gardeners Ct. H'ham —7K 197
Gardeners Green. —6D 30
Gardeners Grn. Rusp —3B 180
Gardener's Hill Rd. Wrec —6G 128
Gardeners Rd. Croy —7M 45 (1A 200)
Gardeners Rd. Wink R —7E 16
Gardener's Wlk. Bookh —4B 98
Gardenfields. Tad —6K 81
Garden Ho. La. E Grin —2B 186
Gardenia Dri. W End —9C 52
Garden La. SW2 —2K 29
Garden Pl. H'ham —4J 197
Garden Rd. SE20 —1F 46
Garden Rd. Rich —6N 11
Garden Rd. W on T —5J 39
Gardens, The. Beck —1M 47
Gardens, The. Cobh —6D 76
Gardens, The. Esh —1A 58
Gardens, The. Felt —8E 8
Gardens, The. Pirb —9C 72
Gardens, The. Tong —5D 110
Garden Wlk. Beck —1J 47
Garden Wlk. Coul —1E 102
Garden Wlk. Craw —3A 182
Garden Wlk. H'ham —4J 197
Garden Wood Rd. E Grin —9L 165
Gardiner Ct. S Croy —3N 63
Gardner Ho. Felt —3N 23
Gardner La. Craw D —1D 184
Gardner Rd. Guild —3N 113 (2C 202)
Garendon Gdns. Mord —6N 43
Garendon Rd. Mord —6N 43
Gareth Clo. Wor Pk —8J 43
Gareth Ct. SW16 —4H 29
Garfield Pl. Wind —5G 4
Garfield Rd. SW19 —6A 28
Garfield Rd. Add —2L 55
Garfield Rd. Camb —1A 70
Garfield Rd. Twic —2G 25
Garibaldi Rd. Red —4D 122
Garland Rd. E Grin —8N 165
Garlands Ct. Croy —6E 200
Garlands Rd. Lea —8H 79
Garlands Rd. Red —4D 122
Garland Way. Cat —9A 84
Garlichill Rd. Eps —4G 81
Garnet Fld. Yat —1A 68
Garnet Rd. T Hth —3N 45
Garrad's Rd. SW16 —4H 29
Garrard Rd. Bans —3M 81
Garratt Clo. Croy —1J 63
Garratt Ct. SW18 —1N 27
Garratt La. SW18 & SW17 —9N 13
Garratts La. Bans —3L 81
Garratt Ter. SW17 —5C 28
Garrett Clo. M'bowr —5G 183
Garrick Clo. Rich —8K 11
Garrick Clo. Stai —8J 21
Garrick Clo. W on T —1J 57
Garrick Cres. Croy —8B 46 (3F 200)
Garrick Gdns. W Mol —2A 40
Garrick Ho. W4 —2D 12
Garrick Ho. King T —8K 203
Garrick Rd. Rich —5N 11
Garricks Ho. King T —4J 203
Garrick Wlk. Craw —6C 182
Garrick Way. Frim G —7C 70
Garrison Clo. Houn —8N 9
Garrison La. Chess —4K 59
Garrones, The. Craw —2H 183
Garsdale Ter. W14 —1L 13 (off Aisgill Av.)
Garside Clo. Dork —7K 119
Garside Clo. Hamp —7B 24
Garson Clo. Esh —2N 57
Garson La. Wray —1N 19
Garson's La. Warf —2E 16
Garston Gdns. Kenl —2A 84
Garston La. Kenl —1A 84
Garstons, The. Bookh —3A 98
Garswood. Brack —5A 32
Garth Clo. W4 —1C 12
Garth Clo. Farnh —4F 128
Garth Clo. King T —6M 25
Garth Clo. Mord —6J 43
Garth Ct. W4 —1C 12
Garth Ct. Dork —7H 119
Garth Hunt Cotts. Brack —7N 15
Garth Rd. W4 —1C 12
Garth Rd. King T —6M 25
Garth Rd. Mord —5H 43
Garth Rd. Ind. Est. Mord —7J 43
Garthside. Ham —6L 25
Garth Sq. Brack —8N 15
Garth, The. As —3D 110
Garth, The. Cobh —9M 57
Garth, The. Farn —1B 90
Garth, The. Hamp —7B 24
Gartmoor Gdns. SW19 —2L 27
Garton Clo. If'd —4K 181
Garton Pl. SW18 —9N 13 & 1A 28
Gascoigne Rd. New Ad —6M 65
Gascoigne Rd. Wey —9C 38
Gasden Copse. Witl —5A 152
Gasden Dri. Witl —4A 152
Gasden La. Witl —4A 152
Gaskarth Rd. SW12 —1F 28
Gaskyns Clo. Rud —1E 194
Gassiot Rd. SW17 —5D 28
Gassiot Way. Sutt —9B 44
Gasson Wood Rd. Craw —5K 181
Gastein Rd. W6 —2J 13
Gaston Bell Clo. Rich —6M 11
Gaston Bri. Rd. Shep —5E 38
Gaston Rd. Mitc —2E 44
Gaston Way. Shep —4E 38
Gate Cen., The. Bren —3G 11
Gateford Dri. H'ham —2M 197
Gatehouse Clo. King T —8B 26
Gatehouse Clo. Wind —7E 4
Gates Clo. M'bowr —7G 182
Gatesden Clo. Fet —1C 98
Gatesden Rd. Fet —9C 78
Gates Grn. Rd. W Wick & Kes —1B 66
Gateside Rd. SW17 —4D 28
Gate St. Brmly —1C 154 (in two parts)
Gateway. Wey —9C 38
Gateways. Guild —3C 114
Gateways. Surb —8L 203
Gateways Ct. Wall —2F 62
Gateways, The. Rich —7K 11 (off Park La.)
Gateway, The. Wok —1D 74
Gatfield Gro. Felt —3A 24
Gatfield Ho. Felt —3N 23
Gatley Av. Eps —2A 60
Gatley Dri. Guild —9B 94
Gatton. —6D 102
Gatton Bottom. —4F 102
Gatton Bottom. Reig —8A 102
Gatton Clo. Reig —9A 102
Gatton Clo. Sutt —5N 61
Gatton Pk. Bus. Cen. Red —7F 102
Gatton Pk. Ct. Red —9D 102
Gatton Pk. Rd. Reig —1B 122
Gatton Rd. SW17 —5C 28
Gatton Rd. Reig —1A 122
Gatwick. —5K 131
Gatwick Airport Spectator Gallery. —3E 162
Gatwick Bus. Pk. Gat A —6F 162
Gatwick Ga. Low H —5C 162
Gatwick Ga. Ind. Est. Low H —5C 162
Gatwick International Distribution Cen. Craw —6F 162
Gatwick Metro Cen. Horl —8F 142
Gatwick Rd. SW18 —1L 27
Gatwick Rd. Craw —9E 162
Gatwick Way. Gat A —2D 162
Gatwick Zoo & Aviaries. —4H 161
Gauntlet Cres. Kenl —7A 84
Gauntlett Rd. Sutt —2B 62
Gavell Rd. Cobh —9H 57
Gaveston Clo. Byfl —9A 56
Gaveston Rd. Lea —7G 78
Gavina Clo. Mord —4C 44
Gayfere Rd. Eps —2F 60
Gayhouse La. Out —3A 144
Gayler Clo. Blet —2C 124
Gaynesford Rd. Cars —4D 62
Gay St. SW15 —6J 13
Gayton Clo. Asht —5L 79
Gayton Ct. Reig —2M 121
Gayville Rd. SW11 —1D 28
Gaywood Clo. SW2 —2K 29
Gaywood Rd. Asht —5M 79
Geary Clo. Small —1M 163
Geffers Ride. Asc —1J 33
Gemini Clo. Craw —5K 181
Genesis Bus. Cen. H'ham —5M 197
Genesis Bus. Pk. Wok —2E 74
Genesis Clo. Stanw —2A 22
Geneva Clo. Shep —1F 38
Geneva Rd. King T —3L 41 (8L 203)
Geneva Rd. T Hth —4N 45
Genoa Av. SW15 —8H 13
Genoa Rd. SE20 —1F 46
Gentles La. Pass & Head —8F 168
Genyn Rd. Guild —4L 113 (5A 202)
George Denyer Clo. Hasl —1G 189
George Eliot Clo. Witl —5C 152
George Gdns. Alder —5A 110
George Gro. Rd. SE20 —1D 46
Georgeham Rd. Owl —5J 49
George Horley Pl. Newd —1A 160
Georgelands. Rip —8K 75
George Lindgren Ho. SW6 —3L 13 (off Clem Attlee Ct.)
George Pinion Ct. H'ham —5H 197
George Rd. Fleet —4C 88
George Rd. G'ming —4H 133
George Rd. Guild —3N 113 (3C 202)
George Rd. King T —8A 26 (in two parts)
George Rd. Milf —9C 132
George Rd. N Mald —3E 42
George Sq. SW19 —2M 43
George's Rd. Tats —7F 86
George's Sq. SW6 —2L 13 (off N. End Rd.)
Georges Ter. Cat —9A 84
George St. Brkwd —8L 71
George St. Croy —8N 45 (3C 200)
George St. Houn —5N 9
George St. Rich —8K 11
George St. Stai —5H 21
George Wyver Clo. SW19 —1K 27
Georgian Clo. Camb —8C 50
Georgian Clo. Craw —4H 183
Georgian Clo. Stai —5K 21
Georgian Ct. SW16 —5J 29
Georgian Ct. Croy —1E 200
Georgia Rd. N Mald —3B 42
Georgia Rd. T Hth —9M 29
Georgina Ct. Fleet —4B 88
Gerald Ct. H'ham —6L 197
Geraldine Rd. SW18 —8N 13
Geraldine Rd. W4 —2N 11
Gerald's Gro. Bans —1J 81
Geranium Clo. Crowt —8G 30
Gerard Av. Houn —1A 24
Gerard Rd. SW13 —4E 12
Germander Dri. Bisl —2D 72
Gerrards Mead. Bans —3L 81
Gervis Ct. Iswth —3C 10
Ghyll Cres. H'ham —8M 197
Giant Arches Rd. SE24 —1N 29
Gibbet La. Camb —7E 50
Gibbins La. Warf —6B 16 (in two parts)
Gibbon Rd. King T —9L 25 (1L 203)
Gibbons Clo. M'bowr —6G 183
Gibbons Clo. Sand —8H 49
Gibbon Wlk. SW15 —7F 12
Gibb's Acre. Pirb —1C 92
Gibbs Av. SE19 —6N 29
Gibbs Brook La. Oxt —5N 125
Gibbs Clo. SE19 —7N 29
Gibbs Grn. W14 —1L 13 (in three parts)
Gibbs Sq. SE19 —6N 29
Gibbs Way. Yat —2A 68
Giblets La. H'ham —1M 197
Giblets Way. H'ham —1L 197
Gibraltar Barracks. B'water —4D 68
Gibraltar Cres. Eps —6D 60
Gibson Clo. Chess —2J 59
Gibson Clo. Iswth —6E 10
Gibson Ct. Esh —8F 40
Gibson Ct. Slou —1B 6
Gibson Ho. Sutt —1M 61
Gibson Pl. Stanw —9L 7
Gibson Rd. Sutt —2N 61
Gibsons Hill. SW16 —8L 29
Gidd Hill. Coul —3E 82
Giffard Dri. Farn —9L 69
Giffards Clo. E Grin —9B 166
Giffards Mdw. Farnh —2K 129
Giffard Way. Guild —9K 93
Giggshill. —6G 40
Giggshill Gdns. Th Dit —7G 40
Giggshill Rd. Th Dit —6G 40
Gilbert Clo. SW19 —8N 27 (off High Path)
Gilbert Rd. SW19 —8A 28
Gilbert Rd. Camb —5A 70
Gilbert St. Houn —6C 10
Gilbert Way. Croy —8K 45
Gilbey Rd. SW17 —5C 28
Gilders Rd. Chess —4M 59
Gilesmead. Eps —8M 201
Giles Travers Clo. Egh —2E 36
Gilham La. F Row —7G 187

Gilhams Av.—Gorse La.

Gilhams Av. Bans —8J 61
Gill Av. Guild —4H 113
Gillespie Ho. Vir W —3A 36
(off Holloway Dri.)
Gillett Ct. H'ham —4A 198
Gillette Corner. (Junct.) —3G 10
Gillett Rd. T Hth —3A 46
Gillham's La. Hasl —3A 188
Gilliam Gro. Purl —6L 63
Gillian Av. Alder —4A 110
Gillian Clo. Alder —4B 110
Gillian Pk. Rd. Sutt —7L 43
Gilliat Dri. Guild —1F 114
Gilligan Clo. H'ham —6H 197
Gill Ri. Warf —7A 16
Gilmais. Bookh —3C 98
Gilman Cres. Wind —6A 4
Gilmore Cres. Afrd —6B 22
Gilpin Av. SW14 —7C 12
Gilpin Clo. Mitc —1C 44
Gilpin Cres. Twic —1B 24
Gilpin Way. Hayes —3E 8
Gilsland Rd. T Hth —3A 46
Gilstead Rd. SW6 —5N 13
Gilston Rd. SW10 —1N 13
Gingers Clo. Cranl —8A 156
Ginhams Rd. Craw —3N 181
Gipsy La. SW15 —6G 12
Gipsy La. Brack —2B 32
Gipsy La. Wey —8C 38
Gipsy La. Wokgm —3B 30
Gipsy Rd. SE27 —5N 29
Gipsy Rd. Gdns. SE27 —5N 29
Girdwood Rd. SW18 —1K 27
Girling Way. Felt —6H 9
Gironde Rd. SW6 —3L 13
Girton Clo. Owl —6K 49
Girton Gdns. Croy —9K 47
Gisbourne Clo. Wall —9H 45
Givons Grove. —4J 99
Givons Gro. Roundabout. Lea —2H 99
Glade Clo. Surb —8K 41
Glade Gdns. Croy —6H 47
Gladeside. Croy —5G 46
Gladeside Clo. Chess —4K 59
Gladeside Ct. Warl —7E 84
Glade Spur. Tad —8N 81
Glades, The. E Grin —9D 166
Glade, The. Asc —4N 33
Glade, The. Bucks H —1A 148
Glade, The. Coul —6L 83
Glade, The. Craw —5E 182
Glade, The. Croy —5H 47
Glade, The. Eps —3F 60
Glade, The. Farnh —5J 109
Glade, The. Fet —9A 78
Glade, The. H'ham —5N 197
Glade, The. Myt —3E 90
Glade, The. Stai —7K 21
Glade, The. Sutt —5K 61
Glade, The. Tad —8M 81
Glade, The. W Byf —9G 54
Glade, The. W Wick —9L 47
Gladiator Way. Farn —5M 89
Gladioli Clo. Hamp —7A 24
Gladsmuir Clo. W on T —8K 39
Gladstone Av. Felt —9H 9
Gladstone Av. Twic —2D 24
Gladstone Gdns. Houn —4C 10
Gladstone Pl. E Mol —4E 40
Gladstone Rd. SW19 —8M 27
Gladstone Rd. Asht —5K 79
Gladstone Rd. Croy —6A 46
Gladstone Rd. H'ham —5K 197
Gladstone Rd. King T —2N 41
Gladstone Rd. Orp —2L 67
Gladstone Rd. Surb —8K 41
Gladstone Ter. SE27 —6N 29
(off Bentons La.)
Gladwyn Rd. SW15 —6J 13
Glamis Clo. Frim —7D 70
Glamorgan Clo. Mitc —2J 45
Glamorgan Rd. King T —8J 25
Glanfield Rd. Beck —3J 47
Glanty. —5E 20
Glanty, The. Egh —5D 20
Glanville Wlk. Craw —6M 181
Glasbrook Av. Twic —2N 23
Glasford St. SW17 —7D 28
Glassonby Wlk. Camb —1G 70
(in two parts)
Glastonbury Rd. Mord —6M 43
Glayshers Hill. Head D —3F 168
Glazbury Rd. W14 —1K 13
Glazebrook Clo. SE21 —3N 29
Glazebrook Rd. Tedd —8F 24
Glaziers La. Norm —1M 111
Gleave Clo. E Grin —8C 166
Glebe Av. Mitc —1C 44
Glebe Clo. W4 —1D 12
Glebe Clo. Bookh —4A 98
Glebe Clo. Craw —2C 182
Glebe Clo. Light —6N 51
Glebe Clo. S Croy —7C 64
Glebe Cotts. Felt —4A 24
Glebe Cotts. W Cla —1K 115
Glebe Ct. Fleet —4A 88
Glebe Ct. Guild —3B 114
Glebe Ct. Mitc —2D 44
Glebe Gdns. Byfl —1M 75
Glebe Gdns. N Mald —6D 42
Glebe Hyrst. S Croy —8C 64
Glebeland Gdns. Shep —5D 38
Glebeland Rd. Camb —2L 69
Glebelands. Clay —5F 58
Glebelands. Craw D —2D 184
Glebelands. Loxw —4H 193
Glebelands. W Mol —4B 40
Glebelands Mdw. Alf —8H 175
Glebelands Rd. Felt —2H 23
Glebelands Rd. Wokgm —1B 30
Glebe La. Ab C —3L 137
Glebe La. Tilf —5A 150
Glebe Path. Mitc —2D 44
Glebe Rd. SW13 —5F 12
Glebe Rd. Asht —5K 79
Glebe Rd. Cars —3D 62
Glebe Rd. Cranl —7M 155
Glebe Rd. Dork —5F 118 (3H 201)
Glebe Rd. Egh —6E 20
Glebe Rd. Farn —9L 69
Glebe Rd. Head —4D 168
Glebe Rd. Old Win —8L 5
Glebe Rd. Red —2F 102
Glebe Rd. Stai —6K 21
Glebe Rd. Sutt —5K 61
Glebe Rd. Warl —4G 84
Glebe Side. Twic —9F 10
Glebe Sq. Mitc —2D 44
Glebe St. W4 —1D 12
Glebe Ter. W4 —1D 12
Glebe, The. SW16 —5H 29
Glebe, The. B'water —2K 69
Glebe, The. Copt —7M 163
Glebe, The. Ewh —4F 156
Glebe, The. Felb —6K 165
Glebe, The. Horl —8D 142
Glebe, The. Leigh —1F 140
Glebe, The. Wor Pk —7E 42
Glebe Way. Hanw —4A 24
Glebe Way. S Croy —8C 64
Glebe Way. W Wick —8M 47
Glebewood. Brack —4A 32
Gledhow Gdns. SW5 —1N 13
Gledhow Wood. Tad —8N 81
Gledstanes Rd. W14 —1K 13
Gleeson Dri. Orp —2N 67
Gleeson M. Add —1L 55
Glegg Pl. SW15 —7J 13
Glen Albyn Rd. SW19 —3J 27
Glenallan Ho. W14 —1L 13
(off N. End Cres.)
Glena Mt. Sutt —1A 62
Glen Av. Afrd —5B 22
Glenavon Clo. Clay —3G 58
Glenavon Ct. Wor Pk —8G 43
Glenavon Gdns. Yat —2C 68
Glenbuck Rd. Surb —5K 41
Glenburnie Rd. SW17 —4D 28
Glencairn Rd. SW16 —9J 29
Glen Clo. Hind —3A 170
Glen Clo. Kgswd —1K 101
Glen Clo. Shep —3B 38
Glencoe Clo. Frim —6E 70
Glencoe Rd. Wey —9B 38
Glen Ct. Add —2H 55
Glen Ct. Hind —3A 170
Glen Ct. Wok —6K 73
Glendale Clo. H'ham —2N 197
Glendale Clo. Wok —5M 73
Glendale Clo. Wokgm —5A 30
Glendale Dri. SW19 —6L 27
Glendale Dri. Guild —9E 94
Glendale M. Beck —1L 47
Glendale Ri. Kenl —2M 83
Glendarvon St. SW15 —6J 13
Glendene Av. E Hor —4F 96
Glendon Ho. Craw —4B 182
Glendower Gdns. SW14 —6C 12
Glendower Rd. SW14 —6C 12
Glendyne Clo. E Grin —1C 186
Glendyne Way. E Grin —1C 186
Gleneagle M. SW16 —6H 29
Gleneagle Rd. SW16 —6H 29
Gleneagles Clo. Stanw —9L 7
Gleneagles Ct. Craw —4B 182
Gleneagles Dri. Farn —2H 89
Gleneagles Ho. Brack —5K 31
(off St Andrews)
Gleneldon M. SW16 —5J 29
Gleneldon Rd. SW16 —5J 29
Glenfield Clo. Brock —7A 120
Glenfield Cotts. Charl —3J 161
Glenfield Ho. Brack —3A 32
Glenfield Rd. SW12 —2G 29
Glenfield Rd. Afrd —7C 22
Glenfield Rd. Bans —2N 81
Glenfield Rd. Brock —7A 120
Glen Gdns. Croy —9L 45
Glenheadon Clo. Lea —1K 99
Glenheadon Ri. Lea —1K 99
Glenhurst. W'sham —1L 51
Glenhurst Clo. B'water —2K 69
Glenhurst Ri. SE19 —8N 29
Glenhurst Rd. Bren —2J 11
Gleninnes. Coll T —6K 49
Glenister Pk. Rd. SW16 —8H 29
Glenlea. Gray —8C 170
Glenlea Hollow. Gray —9C 170
Glenmill. Hamp —6N 23
Glenmore Clo. Add —9K 37
Glenmount Rd. Myt —3E 90
Glenn Av. Purl —7M 63
Glennie Rd. SE27 —4L 29
Glen Rd. Chess —1M 59
Glen Rd. Fleet —5A 88
Glen Rd. Gray —6B 170
Glen Rd. Hind —3A 170
Glen Rd. End. Wall —5F 62
Glenrosa St. SW6 —5N 13
Glentanner Way. SW17 —4B 28
Glentham Gdns. SW13 —2G 12
Glentham Rd. SW13 —2F 12
Glen, The. Add —2H 55
Glen, The. Asc —3A 34
Glen, The. Brom —1N 47
Glen, The. Croy —9G 47
Glen, The. Red —5D 122
Glen, The. S'hall —1N 9
Glenthorne Av. Croy —7E 46
Glenthorne Clo. Sutt —7M 43
Glenthorne Gdns. Sutt —7M 43
Glenthorne M. W6 —1G 13
Glenthorne Rd. King T —3M 41 (7M 203)
Glenthorpe Av. SW15 —7F 12
Glenthorpe Rd. Mord —4J 43
Glentrammon Av. Orp —3N 67
Glentrammon Clo. Orp —2N 67
Glentrammon Gdns. Orp —3N 67
Glentrammon Rd. Orp —3N 67
Glenview Clo. Craw —1D 182
Glenville Gdns. Hind —5D 170
Glenville M. SW18 —1N 27
Glenville Rd. King T —9N 25 (1N 203)
Glen Vue. E Grin —9A 166
Glen Wlk. Iswth —8D 10
Glenwood. Brack —3B 32
Glenwood. Dork —7J 119
Glenwood Rd. Eps —3F 60
Glenwood Rd. Houn —6D 10
Glenwood Way. Croy —5G 47
Gliddon Rd. W14 —1K 13
Globe Farm La. B'water —1G 68
Glorney Mead. Bad L —6M 109
Glory Mead. Dork —8H 119
Glossop Rd. S Croy —5A 64
Gloster Clo. Ash V —8D 90
Gloster Rd. N Mald —3D 42
Gloster Rd. Wok —7C 74
Gloucester Clo. E Grin —1C 186
Gloucester Clo. Frim G —8C 70
Gloucester Clo. Th Dit —7G 40
Gloucester Ct. Mitc —4J 45
Gloucester Ct. Rich —3N 11
Gloucester Cres. Stai —7M 21
Gloucester Dri. Stai —4E 20
Gloucester Gdns. Bag —4J 51
Gloucester Gdns. Sutt —8N 43
Gloucester Ho. Rich —8N 11
Gloucester Pl. Wind —5G 5
Gloucester Rd. Alder —5A 110
Gloucester Rd. Bag —4J 51
Gloucester Rd. Craw —7C 182
Gloucester Rd. Croy —7A 46
Gloucester Rd. Felt —2K 23
Gloucester Rd. Guild —1J 113
Gloucester Rd. Hamp —8B 24
Gloucester Rd. Houn —7M 9
Gloucester Rd. King T —1N 41
Gloucester Rd. Red —2D 122
Gloucester Rd. Rich —3N 11
Gloucester Rd. Tedd —6E 24
Gloucester Rd. Twic —2C 24
Gloucestershire Lea. Warf —8D 16
Gloucester Sq. Wok —4A 74
Gloucester Wlk. Wok —4A 74
Glovers Fld. Hasl —2D 188
Glover's Rd. Charl —3J 161
Glover's Rd. Reig —4N 121
Gloxinia Wlk. Hamp —7A 24
Glyn Clo. SE25 —1B 46
Glyn Clo. Eps —5F 60
Glyn Ct. SW16 —4L 29
Glyndale Grange. Sutt —3N 61
Glynde Ho. Craw —1C 182
Glynde Pl. H'ham —7J 197
(off South St.)
Glyn Rd. Wor Pk —8J 43
Glynswood. Camb —3D 70
Glynswood. Wrec —7F 128
Goater's All. SW6 —3L 13
(off Dawes Rd.)
Goaters Hill. —9G 17
Goaters Rd. Asc —1G 33
Goat Ho. Bri. SE25 —2D 46
Goat Rd. Mitc —6E 44
Goatsfield Rd. Tats —7E 86
Goat Wharf. Bren —2L 11
Godalming. —7H 133
Godalming Av. Wall —2J 63
Godalming Bus. Cen. G'ming —7J 133
Godalming Mus. —7G 133
Godalming Rd. Loxh —7A 154
Goddard Clo. M'bowr —6F 182
Goddard Clo. Shep —2A 38
Goddard Rd. Beck —3G 47
Goddard's. —4L 137
Goddards La. Camb —3N 69
Goddard Way. Brack —7B 16
(in two parts)
Godfrey Av. Twic —1D 24
Godfrey Clo. Coll T —7J 49
Godfrey Way. Houn —1M 23
Godley Rd. SW18 —2B 28
Godley Rd. Byfl —1A 76
Godolphin Clo. Sutt —7L 61
Godolphin Ct. Craw —5B 182
Godolphin Rd. Wey —3E 56
Godric Cres. New Ad —6N 65
Godson Rd. Croy —9L 45
Godstone. —9F 104
Godstone By-Pass. God —7F 104
Godstone Farm. —1F 124
Godstone Grn. God —9E 104
Godstone Hill. God —8F 104
Godstone Hill. Cat & God —5E 104
Godstone Interchange. (Junct.) —7E 104
Godstone Mt. Purl —8M 63
Godstone Rd. Blet —2A 124
Godstone Rd. Cat —2D 104
Godstone Rd. Ling —6M 145
Godstone Rd. Oxt —9K 105
Godstone Rd. Purl & Kenl —8L 63
Godstone Rd. Sutt —1A 62
Godstone Rd. Twic —9H 11
Godstone Vineyards. —6F 104
Godwin Clo. Eps —3B 60
Godwin Way. H'ham —4M 197
Goepel Ct. Craw —2E 182
Goffs Clo. Craw —4A 182
Goffs La. Craw —3N 181
(in two parts)
Goffs Pk. Rd. Craw —4A 182
Goffs Rd. Afrd —7E 22
Gogmore Farm Clo. Cher —6H 37
Gogmore La. Cher —6J 37
Goidel Clo. Wall —1H 63
Goldcliff Clo. Mord —6M 43
Goldcrest Clo. Horl —7C 142
Goldcrest Clo. Yat —9A 48
Goldcrest Way. New Ad —5N 65
Goldcrest Way. Purl —6H 63
Goldcup La. Asc —9H 17
Golden Ct. Rich —8K 11
Golden Orb Wood. Binf —9J 15
Goldfinch Clo. Alder —4L 109
Goldfinch Clo. Craw —1B 182
Goldfinch Clo. H'ham —1J 197
Goldfinch Gdns. Guild —2F 114
Goldfinch Rd. S Croy —6H 65
Goldfort Wlk. Wok —3H 73
Goldhawk Rd. W6 & W12 —1E 12
Gold Hill. Lwr Bo —5H 129
Golding Clo. Chess —3J 59
Golding Clo. M'bowr —4G 182
Golding La. Man H —9B 198
Golding's Hill. Man H —9C 198
Goldings, The. Wok —3J 73
Gold La. Alder —9C 90
Goldney Rd. Camb —2F 70
Goldrings Rd. Oxs —9B 58
Goldsmiths Clo. Wok —5M 73
Goldsmith Way. Crowt —3G 48
Goldstone Farm Vw. Bookh —5A 98
Goldsworth. —5N 73
Goldsworth Orchard. Wok —5K 73
Goldsworth Park. —4K 73
Goldsworth Pk. Cen., The. Wok —4K 73
Goldsworth Pk. Trad. Est. Wok —3L 73
Goldsworth Rd. Wok —5M 73
Goldwell Rd. T Hth —3K 45
Gole Rd. Pirb —8N 71
Golf Clo. T Hth —9L 29
Golf Clo. Wok —1G 75
Golf Club Cotts. S'dale —7F 34
Golf Club Dri. King T —8C 26
Golf Club Rd. Wey —5C 56
Golf Club Rd. Wok —7K 73
Golf Dri. Camb —2D 70
Golf Ho. Rd. Oxt —7E 106
Golf Links Av. Hind —3N 169
Golf Rd. Kenl —5A 84
Golf Side. Sutt —7K 61
Golf Side. Twic —4D 24
Golfside Clo. N Mald —1D 42
Goliath Clo. Wall —4J 63
Gomer Gdns. Tedd —7G 24
Gomer Pl. Tedd —7G 24
Gomshall. —8E 116
Gomshall Av. Wall —2J 63
Gomshall Gdns. Kenl —2B 84
Gomshall La. Shere —8B 116
Gomshall Mill & Gallery. —8E 116
Gomshall Rd. Sutt —6H 61
Gondreville Gdns. C Crook —9A 88
Gong Hill. Lwr Bo —8J 129
Gong Hill Dri. Lwr Bo —7J 129
Gonston Clo. SW19 —3K 27
Gonville Rd. T Hth —4K 45
Gonville St. SW6 —6K 13
Gonville Works. Small —9M 143
Goodchild Rd. Wokgm —2C 30
Goodden Cres. Farn —2L 89
Goodenough Clo. Coul —7L 83
Goodenough Rd. SW19 —8L 27
Goodenough Way. Coul —7K 83
Goodhart Way. W Wick —6N 47
Goodhew Rd. Croy —5D 46
Gooding Clo. N Mald —3B 42
Goodings Grn. Wokgm —2E 30
Goodley Stock. —8K 107
Goodley Stock Rd. Crock H —9K 107
Goodman Cres. SW2 —3J 29
Goodman Pl. Stai —5H 21
Goodways Dri. Brack —1A 32
Goodwin Clo. Bew —6L 181
Goodwin Clo. Mitc —2B 44
Goodwin Ct. SW19 —8C 28
Goodwin Gdns. Croy —3M 63
Goodwin Rd. Croy —2M 63 (8A 200)
Goodwins Clo. E Grin —7N 165
Goodwood Clo. Camb —7A 50
Goodwood Clo. Craw —6E 182
Goodwood Clo. Mord —3M 43
Goodwood Pde. Beck —3H 47
Goodwood Pl. Farn —2C 90
Goodwood Rd. Red —1D 122
Goodwyns Pl. Dork —7H 119
Goodwyns Rd. Dork —8J 119
Goose Corner. Warf —6D 16
Goose Green. —2E 196
Goose Grn. D'side —6H 77
Goose Grn. Gom —8D 116
Goose Grn. Clo. H'ham —3K 197
Goose La. Wok —9L 73
Goosens Clo. Sutt —2A 62
Goosepool. Cher —6H 37
Goose Rye Rd. Worp —4G 93
Gordon Av. SW14 —7D 12
Gordon Av. Camb —2N 69
Gordon Av. C Crook —7C 88
Gordon Av. S Croy —6N 63
Gordon Av. Twic —8G 11
Gordon Clo. Cher —9G 37
Gordon Clo. Stai —6K 21
Gordon Ct. Camb —1A 70
Gordon Ct. Red —5D 122
(off St John's Ter. Rd.)
Gordon Cres. Camb —2A 70
Gordon Cres. Croy —7B 46
Gordondale Rd. SW19 —3M 27
Gordon Dri. Cher —9G 37
Gordon Dri. Shep —6E 38
Gordon Henry Ho. Eden —2L 147
Gordon Rd. W4 —2A 12
Gordon Rd. Alder —3M 109
(in two parts)
Gordon Rd. Afrd —4N 21
Gordon Rd. Beck —2J 47
Gordon Rd. Camb —2A 70
Gordon Rd. Cars —3D 62
Gordon Rd. Cat —8A 84
Gordon Rd. Clay —4E 58
Gordon Rd. Crowt —4J 49
Gordon Rd. Farn —5B 90
(in two parts)
Gordon Rd. H'ham —4K 197
Gordon Rd. Houn —7C 10
Gordon Rd. King T —9M 25 (2M 203)
Gordon Rd. Red —9E 102
Gordon Rd. Rich —5M 11
Gordon Rd. Shep —5E 38
Gordon Rd. S'hall —1M 9
Gordon Rd. Stai —5E 20
Gordon Rd. Surb —6M 41
Gordon Rd. Wind —5C 4
Gordons Way. Oxt —6N 105
Gordon Wlk. Yat —1D 68
Gore Rd. SW20 —1H 43
Goring Rd. Stai —6F 20
Goring's Mead. H'ham —7K 197
Goring Sq. Stai —5G 21
Gorling Clo. If'd —4K 181
Gorrick. —7C 30
Gorrick Sq. Wokgm —5A 30
Gorringe Pk. Av. Mitc —8D 28
Gorringes Brook. H'ham —2K 197
Gorse Bank. Light —8L 51
Gorse Clo. Copt —8M 163
Gorse Clo. Craw —9N 181
Gorse Clo. Tad —7G 81
Gorse Clo. Wrec —5F 128
Gorse Cotts. Fren —1H 149
Gorse Ct. Guild —1E 114
Gorse Dri. Small —8M 143
Gorse End. H'ham —3K 197
Gorse Hill La. Vir W —3N 35
Gorse Hill Rd. Vir W —3N 35
Gorselands. Farnh —5H 109
Gorselands. Yat —2B 68
Gorselands Clo. Ash V —8E 90
Gorselands Clo. Head D —5H 169
Gorselands Clo. W Byf —7L 55
Gorse La. Chob —4H 53

Gorse La.—Green Man La.

Gorse La. Wrec —5G 128
Gorse Path. Wrec —5F 128
Gorse Pl. Wink R —7F 16
Gorse Ri. SW17 —6E 28
Gorse Rd. Croy —1K 65
Gorse Rd. Frim —4C 70
Gorse Way. Fleet —6B 88
Gorsewood Rd. Wok —6G 73
Gorst Rd. SW11 —1D 28
Gort Clo. Alder —6C 90
Gosberton Rd. SW12 —2D 28
Gosbury Hill. Chess —1L 59
Gosden Clo. Brmly —3B 134
Gosden Clo. Craw —4E 182
Gosden Common. —3A 134
Gosden Comn. Brmly —4A 134
Gosden Cotts. Brmly —4B 134
Gosden Hill Rd. Guild —8E 94
Gosden Rd. W End —9C 52
Gosfield Rd. Eps —8C 60 (5K 201)
Goslar Way. Wind —5E 4
Gosnell Clo. Frim —3H 71
Gospel Green. —5B 190
Gossops Dri. Craw —4L 181
Gossops Green. —4L 181
Gossops Grn. La. Craw —4M 181
Gossops Pde. Craw —4L 181
Gostling Rd. Twic —2A 24
Goston Gdns. T Hth —2L 45
Gostrode La. C'fold —2D 190
Goswell Hill. Wind —4G 4
Goswell Rd. Wind —4G 4
Gothic Ct. Hayes —2E 8
Gothic Rd. Twic —3D 24
Goudhurst Clo. Worth —3J 183
Goudhurst Keep. Worth —3J 183
Gough Ho. King T —3K 203
Gough Rd. Fleet —3A 88
Gough's Barn La. Binf —1M 15
(in two parts)
Gough's La. Brack —9A 16
Gough's Mdw. Sand —8G 48
Gould Ct. Guild —1F 114
Goulding Gdns. T Hth —1N 45
Gould Rd. Felt —1F 22
Gould Rd. Twic —2E 24
Government Ho. Rd. Alder —5M 89
Government Rd. Alder —9B 90
Governor's Rd. Coll T —9L 49
Govett Av. Shep —4D 38
Govett Gro. W'sham —2A 52
Gowan Av. SW6 —4K 13
Gower Pk. Coll T —8J 49
Gower Rd. Horl —8C 142
Gower Rd. Iswth —2F 10
Gower Rd. Wey —3E 56
Gower, The. Egh —2D 36
Gowland Pl. Beck —1J 47
Gowrie Pl. Cat —9N 83
Graburn Way. E Mol —2D 40
Grace Bennett Clo. Farn —7M 69
Grace Ct. Croy —4A 200
Gracedale Rd. SW16 —6F 28
Gracefield Gdns. SW16 —4J 29
Grace Reynolds Wlk. Camb —9A 50
Grace Rd. Broadf —8M 181
Grace Rd. Croy —5N 45
Gracious Pond Rd. Chob —4K 53
Graemesdyke Av. SW14 —6A 12
Graffham Clo. Craw —1N 181
Grafham. —2E 154
Grafton Clo. Houn —2M 23
Grafton Clo. W Byf —9H 55
Grafton Clo. Wor Pk —9D 42
Grafton Ct. Felt —2E 22
Grafton Pk. Rd. Wor Pk —8D 42
Grafton Rd. Croy —7L 45
Grafton Rd. N Mald —2D 42
Grafton Rd. Wor Pk —9C 42
Grafton Way. W Mol —3N 39
Graham Av. Mitc —9E 28
Graham Clo. Croy —8K 47
Graham Gdns. Surb —7L 41
Graham Rd. SW19 —8L 27
Graham Rd. Hamp —5A 24
Graham Rd. Mitc —9E 28
Graham Rd. Purl —9L 63
Graham Rd. W'sham —3N 51
Grailands Clo. Fern —9G 188
Grainger Rd. Iswth —5F 10
Grampian Clo. Hayes —3E 8
Grampian Rd. Sand —5E 48
Grampian Way. Slou —1C 6
Grampion Clo. Sutt —4A 62
Granada St. SW17 —6C 28
Granard Av. SW15 —8G 13
Granard Rd. SW12 —1D 28
Granary Clo. Horl —6E 142
Granary Way. H'ham —7F 196
Grand Av. Camb —9A 50
Grand Av. Surb —4A 42
Grand Dri. SW20 —1H 43
Granden Rd. SW16 —1J 45
Grandfield Ct. W4 —2C 12
Grandis Cotts. Rip —9K 75
Grandison Rd. Wor Pk —8H 43
Grand Pde. SW14 —7B 12
(off Up. Richmond Rd. W.)
Grand Pde. Craw —3B 182
Grand Pde. Surb —7N 41
Grand Pde. M. SW15 —8K 13
Grandstand Rd. Eps —4E 80
Grand Vw. Av. Big H —4E 86
Grange Av. SE25 —1B 46
Grange Av. Crowt —1G 48
Grange Av. Twic —3E 24
Grangecliffe Gdns. SE25 —1B 46
Grange Clo. Blet —2A 124
Grange Clo. Camb —7F 50
Grange Clo. Craw —1E 182
Grange Clo. Eden —2L 147
Grange Clo. G'ming —6K 133
Grange Clo. Guild —8L 93
Grange Clo. Houn —2N 9
Grange Clo. Lea —7K 79
Grange Clo. Mers —6F 102
Grange Clo. W'ham —4L 107
Grange Clo. W Mol —3B 40
Grange Clo. Wray —9A 6
Grange Ct. Egh —6B 20
Grange Ct. Mers —6F 102
Grange Ct. Shep —3B 38
Grange Ct. S God —7H 125
Grange Ct. Stai —6J 21
Grange Ct. Sutt —4N 61
Grange Ct. W on T —8H 39
Grange Cres. Craw D —2E 184
Grange Dri. Mers —6F 102
Grange Dri. Wok —2A 74
Grange End. Small —8L 143
Grange Est. C Crook —8A 88
Grange Farm Rd. As —1E 110
Grangefields Rd. Guild —6N 93
Grange Gdns. SE25 —1B 46
Grange Gdns. Bans —9N 61
Grange Hill. SE25 —1B 46
Grange Lodge. SW19 —7J 27
Grange Lodge. Wind —3A 4
Grange Mans. Eps —4E 60
Grange Mdw. Bans —9N 61
Grange M. Felt —5H 23
Grange Mt. Lea —7K 79
Grange Pk. Cranl —7A 156
Grange Pk. Wok —2A 74
Grange Pk. Pl. SW20 —8G 26
Grange Pk. Rd. T Hth —3A 46
Grange Pl. Stai —1L 37
Grange Rd. SW13 —4F 12
Grange Rd. W4 —1A 12
Grange Rd. As —2F 110
Grange Rd. Brack —9A 16
Grange Rd. Camb —1C 70
Grange Rd. Cat —3D 104
Grange Rd. Chess —1L 59
Grange Rd. C Crook —8A 88
Grange Rd. Craw D —2D 184
Grange Rd. Egh —6B 20
(in two parts)
Grange Rd. Farn —7N 69
Grange Rd. Guild —7L 93
Grange Rd. King T —2L 41 (5K 203)
Grange Rd. Lea —7K 79
Grange Rd. New H —6J 55
Grange Rd. Pirb —9N 71
Grange Rd. S Croy —6N 63
Grange Rd. Sutt —4M 61
Grange Rd. T Hth & SE25 —3A 46
Grange Rd. Tilf —2N 149
Grange Rd. Tong —6C 110
Grange Rd. W on T —1M 57
Grange Rd. W Mol —3B 40
Grange Rd. Wok —1A 74
Grange, The. SW19 —7J 27
Grange, The. W4 —1A 12
Grange, The. W14 —1L 13
Grange, The. Chob —6H 53
Grange, The. Croy —8J 47
Grange, The. Fren —3J 149
Grange, The. Horl —5E 142
Grange, The. N Mald —4E 42
Grange, The. Old Win —8L 5
Grange, The. Vir W —3A 36
(off Holloway Dri.)
Grange, The. W on T —8J 39
Grange, The. Wor Pk —9C 42
Grange Va. Sutt —4N 61
Grangeway. Small —8L 143
Grangewood Dri. Sun —8G 22
Grangewood Ter. SE25 —1A 46
Gransden Clo. Ewh —5F 156
Grantchester. King T —1N 41
(off St Peters Rd.)
Grant Clo. Shep —5C 38
Grantham Clo. Owl —6K 49
Grantham Rd. W4 —3D 12
Grantley Av. Won —5D 134
Grantley Clo. Shalf —1A 134
Grantley Ct. Farnh —5E 128
Grantley Dri. Fleet —6A 88
Grantley Gdns. Guild —2K 113
Grantley Rd. Guild —2K 113
Grantley Rd. Houn —5K 9
Granton Rd. SW16 —9G 29
Grant Pl. Croy —7C 46
Grant Rd. Crowt —4H 49
Grant Rd. Croy —7C 46
Grants La. Oxt & Eden —1E 126
Grant Wlk. Asc —7B 34
Grant Way. Iswth —2G 10
Grantwood Clo. Red —8E 122
Granville Av. Felt —3H 23
Granville Av. Houn —8A 10
Granville Clo. Byfl —9A 56
Granville Clo. Croy —8B 46 (3F 200)
Granville Clo. Wey —3D 56
Granville Gdns. SW16 —9K 29
Granville Pl. SW6 —3N 13
Granville Rd. SW18 —1L 27
Granville Rd. SW19 —8M 27
Granville Rd. Oxt —7B 106
Granville Rd. W'ham —4L 107
Granville Rd. Wey —4D 56
Granville Rd. Wok —7B 74
Granwood Ct. Iswth —4E 10
Grapsome Clo. Chess —4J 59
Grasholm Way. Slou —1E 6
Grasmere Av. SW15 —5C 26
Grasmere Av. SW19 —2M 43
Grasmere Av. Houn —9B 10
Grasmere Clo. Egh —8D 20
Grasmere Clo. Felt —2G 22
Grasmere Clo. Guild —2D 114
Grasmere Ct. Sutt —3A 62
Grasmere Gdns. H'ham —2A 198
Grasmere Rd. SE25 —5E 46
Grasmere Rd. SW16 —6K 29
Grasmere Rd. Farn —2K 89
Grasmere Rd. Farnh —6F 108
Grasmere Rd. Light —6M 51
Grasmere Rd. Purl —7M 63
Grasmere Way. Byfl —8A 56
Grassfield Clo. Coul —6F 82
Grasslands. Small —8L 143
Grassmere. Horl —7G 142
Grassmount. Purl —6G 63
Grass Way. Wall —1G 62
Gratton Dri. Wind —7B 4
Grattons Dri. Craw —9G 162
Grattons, The. Slin —5M 195
Gravel Hill. Croy —3G 64
Gravel Hill. Lea —8H 79
Gravel Hill Rd. B'ley
(in two parts) —6A 128 & 7A 128
Gravelly Hill. Cat —6C 104
Gravel Pits Cotts. Gom —8D 116
Gravel Pits La. Gom —8D 116
Gravel Rd. C Crook —7C 88
Gravel Rd. Farn —5B 90
Gravel Rd. Farnh —5G 108
Gravel Rd. Twic —2E 24
Gravenel Gdns. SW17 —6C 28
(off Nutwell St.)
Graveney Rd. SW17 —5C 28
Graveney Rd. M'bowr —4G 182
Gravetts La. Guild —8H 93
Gravetye Clo. Craw —5E 182
Gray Clo. Add —2K 55
Grayham Cres. N Mald —3C 42
Grayham Rd. N Mald —3C 42
Graylands. Wok —3A 74
Graylands Clo. Wok —3A 74
Graylands Ct. Guild —4B 114
Gray Pl. Ott —3F 54
Grays Clo. Hasl —9J 171
Grayscroft Rd. SW16 —8H 29
Grayshot Dri. B'water —1H 69
Grayshott. —6A 170
Grayshott. Gray —6B 170
Grayshott Laurels. Lind —4B 168
Grayshott Rd. Head D —3G 169
Grays La. Afrd —5C 22
Gray's La. Asht —6M 79
(in two parts)
Grays Rd. G'ming —4J 133
Grays Rd. W'ham —8K 87
Grayswood. —7K 171
Grays Wood. Horl —8G 143
Grayswood Comn. G'wood —8K 171
Grayswood Copse. G'wood —7K 171
Grayswood Dri. Myt —4E 90
Grayswood Gdns. SW20 —1G 42
Grayswood Rd. Hasl & G'wood —1H 189
Great Austins. Farnh —3J 129
Gt. Austins Ho. Farnh —3J 129
Great Benty. W Dray —1N 7
Great Bookham. —4B 98
Great Bookham Common. —8N 77
Great Burgh. —4H 81
Gt. Chertsey Rd. W4 —5B 12
Gt. Chertsey Rd. Felt —4N 23
Gt. Church La. W6 —1J 13
Great Cockcrow Railway. —7F 36
Great Ellshams. Bans —3M 81
Great Enton. —6D 152
Greatfield Clo. Farn —6N 69
Greatfield Rd. Farn —6M 69
Greatford Dri. Guild —3F 114
Gt. Gatton Clo. Croy —6H 47
Gt. George St. G'ming —7H 133
Gt. Goodwin Dri. Guild —1D 114
Greatham Rd. M'bowr —6G 182
Greatham Wlk. SW15 —2F 26
Greathed Manor. —1E 166
Great Hollands. —5L 31
Gt. Hollands Rd. Brack —5K 31
Gt. Hollands Sq. Brack —5L 31
Great Ho. Ct. E Grin —1B 186
Greathurst End. Bookh —2N 97
Greatlake Ct. Horl —7F 142
(off Tanyard Way)
Gt. Mead. Eden —9L 127
Gt. Oaks Pk. Guild —7D 94
Great Quarry. Guild —6N 113 (8D 202)
Gt. South W. Rd. Bedf & Felt —1D 22
Great Tattenhams. Eps —5G 81
Gt. West Rd. W4 & W6 —1E 12
Gt. West Rd. Houn & Iswth —5L 9
Gt. West Rd. Iswth & Bren —3D 10
Gt. West Trad. Est. Bren —2H 11
Greatwood Clo. Ott —5E 54
Gt. Woodcote Dri. Purl —6H 63
Gt. Woodcote Pk. Purl —6H 63
Greaves Pl. SW17 —5C 28
Grebe Ct. Sutt —2L 61
Grebe Cres. H'ham —7N 197
Grebe Ter. King T —2L 41 (5K 203)
Grecian Cres. SE19 —7M 29
Green Acre. Alder —3L 109
Green Acre. Knap —3H 73
Greenacre. Wind —5B 4
Greenacre Ct. Eng G —7M 19
Greenacre Pl. Hack —8F 44
Greenacres. Bookh —2B 98
Greenacres. Bord —5A 168
Greenacres. Craw —4E 182
Green Acres. Croy —9C 46
Greenacres. H'ham —4J 197
Greenacres. Oxt —5A 106
Green Acres. Runf —1A 130
Greenacres Clo. Orp —1L 67
Green Bank Cotts. F Grn —3M 157
Greenbank Way. Camb —4B 70
Greenbush La. Cranl —9A 156
Green Bus. Cen., The. Stai —5E 20
Green Clo. Brom —2N 47
Green Clo. Cars —8D 44
Green Clo. Felt —6M 23
Greencourt Av. Croy —8E 46
Greencourt Gdns. Croy —7E 46
Greencroft. Farn —1N 89
Greencroft. Guild —3D 114
Green Cft. Wokgm —9D 14
Greencroft Rd. Houn —4N 9
Green Cross. —9M 149
Grn. Cross La. Churt —9M 149
Green Curve. Bans —1L 81
Green Dene. E Hor —4D 116
Grn. Dragon La. Bren —1L 11
Green Dri. Rip —1H 95
Green Dri. Slou —1A 6
(in two parts)
Green Dri. Wokgm —4D 30
Greene Fielde End. Stai —8M 21
Green End. Chess —1L 59
Green End. Yat —8C 48
Green Farm Clo. Orp —3N 67
Green Farm Rd. Bag —4K 51
Greenfield. Eden —2M 147
Greenfield. Farnh —4F 128
Greenfield Av. Surb —6A 42
Greenfield Link. Coul —2J 83
Greenfield Rd. Farnh —4E 128
Greenfield Rd. Slin —5L 195
Greenfields Clo. Horl —6C 142
Greenfields Clo. H'ham —2N 197
Greenfields Pl. Bear G —7K 139
Greenfields Rd. Horl —6D 142
Greenfields Rd. H'ham —3N 197
Greenfields Way. H'ham —2N 197
Greenfield Way. Crowt —9F 30
Grn. Finch Clo. Crowt —1E 48
Greenfinch Way. H'ham —1J 197
Greenford Rd. Sutt —1N 61
(in two parts)
Green Gdns. Orp —2L 67
Green Glades. C Crook —8A 88
Greenham Ho. Houn —6D 10
Greenham Wlk. Wok —5M 73
Greenham Wood. Brack —5A 32
Greenhanger. Churt —1M 169
Greenhaven. Yat —1A 68
Greenhayes Av. Bans —1M 81
Green Hayes Clo. Reig —3A 122
Greenhayes Gdns. Bans —2M 81
Green Hedge. Twic —8J 11
Green Hedges Av. E Grin —8N 165
Green Hedges Clo. E Grin —8N 165
Greenheys Pl. Wok —5B 74
Green Hill. Orp —8H 67
Greenhill. Sutt —8A 44
Greenhill Av. Cat —8E 84
Greenhill Clo. Camb —9G 51
Greenhill Clo. Farnh —4F 128
Greenhill Clo. G'ming —8G 132
Greenhill Gdns. Guild —1E 114
Green Hill La. Warl —4H 85
Green Hill Rd. Camb —9G 51
Greenhill Rd. Farnh —4J 129
Greenhills. Farnh —3K 129
Greenhill Way. Farnh —5F 128
Greenholme. Camb —1H 71
Greenhow. Brack —2M 31
Greenhurst La. Oxt —1B 126
Greenhurst Rd. SE27 —6L 29
Greenlake Ter. Stai —8J 21
Greenlands. Ott —9E 36
Greenlands Rd. Camb —5N 69
Greenlands Rd. Stai —5J 21
Greenlands Rd. Wey —9C 38
Green La. SW16 & T Hth —8K 29
Green La. Alf —5H 175
Green La. Asc —9B 18
Green La. Asht —4J 79
Green La. Bad L —6L 109
Green La. Bag —5K 51
Green La. Bear G —1H 159
Green La. B'water —2K 69
Green La. Blet —9B 104
Green La. Byfl —8A 56
Green La. Cat —9N 83
Green La. Cher & Add —8G 36
Green La. Chess —5K 59
(in two parts)
Green La. Chob —6J 53
Green La. Churt —1L 169
Green La. Cobh —8M 57
Green La. Craw —1C 182
Green La. Craw D —6C 164
Green La. Crowt —9F 32
Green La. Dat —4L 5
Green La. Dock —4D 148
Green La. Egh —5D 20
(in two parts)
Green La. Farnh —3F 128
Green La. Felt —6M 23
Green La. Frog —2G 69
Green La. G'ming —2G 133
Green La. Guild —3D 114
Green La. Hasl —4F 188
Green La. H'ham —5L 179
Green La. Houn —6J 9
Green La. Lea —8K 79
(in two parts)
Green La. Leigh —3D 140
Green La. Ling —8M 145
Green La. Lwr K & Coul —4L 101
Green La. Milf —2B 152
Green La. Mord —6H 43
(Battersea Cemetery)
Green La. Mord —5M 43
(Morden)
Green La. Newd —2C 160
(in two parts)
Green La. N Mald —4B 42
Green La. Ock —2C 96
Green La. Ockl —7M 157
Green La. Out —1J 143
Green La. Purl —7G 63
Green La. Red —1C 122
(Carlton Rd.)
Green La. Red —8E 122
(Spencer's Way)
Green La. Reig —3L 121
Green La. Sand —8H 49
Green La. Sham G —5H 135
Green La. Shep —5D 38
Green La. Ship B —3K 163
Green La. Sun —8G 22
Green La. Thorpe & Stai —1E 36
(in two parts)
Green La. Tilf —5B 130
Green La. W on T —3J 57
Green La. Warl —3H 85
Green La. W Cla —5J 95
Green La. W Mol —4B 40
Green La. Wind —5D 4
Green La. Wok —8L 73
Green La. Wokgm —6F 14
Green La. Wood S —1D 112
Green La. Wor Pk —7F 42
Green La. Worth —3H 183
(in two parts)
Green La. Yat —9A 48
Green La. Av. W on T —2K 57
Green La. Cvn. Pk. Red —1J 143
Green La. Clo. Byfl —8A 56
Green La. Clo. Camb —8A 50
Green La. Clo. Cher —8G 36
Green La. Cotts. Churt —9L 149
Green La. Cotts. Farnh —7L 109
Green La. E. Norm —4K 111
(in two parts)
Green La. Gdns. T Hth —1N 45
Green Lanes. Eps —5D 60
(in two parts)
Green La. W. Ash G —4J 111
Green La. W. W Hor —3B 96
Greenlaw Gdns. N Mald —6E 42
Green Leaf Av. Wall —1H 63
Greenleaf Clo. SW2 —1L 29
Greenleas. Frim —4C 70
Green Leas. King T —5L 203
Green Leas. Sun —7G 23
Green Leas Clo. Sun —7G 23
Greenleas Clo. Yat —8B 48
Greenleaves Ct. Afrd —7C 22
Green Leys. C Crook —9A 88
Green Man La. Felt —7H 9

Hackenden La.—Harrington Clo.

Hackenden La. E Grin —8A 166
(in two parts)
Hacketts La. Wok —1H 75
Hackhurst Downs. —6G 116
Hackhurst La. Ab H —8G 116
Haddenhurst Ct. Binf —7H 15
Haddon Clo. N Mald —4E 42
Haddon Clo. Wey —9F 38
Haddon Rd. Sutt —1N 61
Hadfield Rd. Stanw —9M 7
Hadleigh Clo. SW20 —1L 43
Hadleigh Dri. Sutt —5M 61
Hadleigh Gdns. Frim G —8C 70
Hadley Gdns. W4 —1C 12
Hadley Gdns. S'hall —1N 9
Hadley Pl. Wey —4B 56
Hadley Rd. Mitc —3H 45
Hadleys. Rowl —8D 128
Hadley Wood Ri. Kenl —2M 83
Hadmans Clo. H'ham —7J 197
Hadrian Clo. Stai —1N 21
Hadrian Clo. Wall —4J 63
Hadrian Ct. Sutt —4N 61
Hadrians. Farnh —8K 109
Hadrian Way. Stanw —1M 21
(in two parts)
Haggard Rd. Twic —1H 25
Hagley Rd. Fleet —4A 88
Haigh Cres. Red —5F 122
Haig La. C Crook —8C 88
Haig Pl. Mord —5M 43
Haig Rd. Alder —3A 110
Haig Rd. Big H —4G 86
Haig Rd. Camb —9L 49
Hailes Clo. SW19 —7A 28
Hailey Pl. Cranl —6A 156
Hailsham Av. SW2 —3K 29
Hailsham Clo. Owl —6J 49
Hailsham Clo. Surb —6K 41
Hailsham Rd. SW17 —7E 28
Haines Ct. Wey —2E 56
Haines Wlk. Mord —6N 43
Haining Clo. W4 —1N 11
Haining Gdns. Myt —2E 90
Hainthorpe Rd. SE27 —4M 29
Haldane Pl. SW18 —2N 27
Haldane Rd. SW6 —3L 13
Haldon Rd. SW18 —9L 13
Hale. —7J 109
Halebourne La. Chob & W End —4D 52
Hale Clo. Orp —1L 67
Hale End. Brack —3D 32
Hale Ends. Wok —8L 73
Hale Ho. Clo. Churt —9L 149
Hale Ho. La. Churt —9L 149
Hale Path. SE27 —5M 29
Hale Pit Rd. Bookh —4C 98
Hale Pl. Farnh —7K 109
Hale Reeds. Farnh —6J 109
Hale Rd. Farnh —7J 109
Hales Fld. Hasl —2G 189
Hales Oak. Bookh —4C 98
Halesowen Rd. Mord —6N 43
Hale St. Stai —5G 21
Hales Wood. Cobh —1J 77
Hale Way. Frim —6B 70
Halewood. Brack —5L 31
Half Acre. Bren —2K 11
Half Moon Cotts. Rip —8L 75
Half Moon Hill. Hasl —2G 189
Half Moon St. Bag —4J 51
Halford Rd. SW6 —2M 13
Halford Rd. Rich —8L 11
Halfpenny Clo. Chil —9F 114
Halfpenny La. Asc —6D 34
Halfpenny La. Guild —6E 114
Halfway Grn. W on T —9J 39
Halfway La. G'ming —7D 132
Haliburton Rd. Twic —8G 11
Halifax Clo. Craw —9J 163
Halifax Clo. Farn —2L 89
Halifax Clo. Tedd —7E 24
Halimote Rd. Alder —3M 109
Haling Down Pas. Purl —6M 63
(in two parts)
Haling Gro. S Croy —4N 63
Haling Pk. Gdns. Croy —3M 63
Haling Pk. Rd. S Croy —2M 63 (8A 200)
Haling Rd. S Croy —3A 64
Hallam Rd. SW13 —6G 13
Hallam Rd. G'ming —5J 133
Halland Clo. Craw —2E 182
Halland Ct. Eden —2L 147
Hallane Ho. SE27 —6N 29
Hallbrooke Gdns. Binf —8K 15
Hall Clo. Camb —9C 50
Hall Clo. G'ming —4H 133
Hall Ct. Dat —3L 5
Hall Ct. Tedd —6F 24
Hall Dene Clo. Guild —2E 114
Halley Clo. Craw —8N 181
Halley Dri. Asc —1H 33
Halley's App. Wok —4K 73
Halley's Ct. Wok —5K 73
Halley's Wlk. Add —4L 55
Hall Farm Cres. Yat —1C 68
Hall Farm Dri. Twic —1D 24
Hallgrove Bottom. Bag —2K 51
Hall Gro. Farm Ind. Est. Bag —2K 51
Hall Hill. Oxt —9N 105
Halliards, The. W on T —5H 39
Halliford Clo. Shep —3E 38
Halliford Rd. Shep & Sun —4F 38
Hallington Clo. Wok —4L 73
Hall La. Hayes —3E 8
Hall La. Yat —1B 68
Hallmark Clo. Coll T —7K 49
Hallmead Rd. Sutt —9N 43
Hallowell Av. Croy —1J 63
Hallowell Clo. Mitc —2E 44
Hallowfield Way. Mitc —2C 44
Hall Place. —1G 175
Hall Pl. Wok —3C 74
Hall Pl. Dri. Wey —2F 56
Hall Rd. Brmly —5B 134
Hall Rd. Iswth —8D 10
Hall Rd. Wall —5F 62
Halls Farm Clo. Knap —4G 73
Hallsland. Craw D —1F 184
Hallsland Way. Oxt —2B 126
Hall Way. Purl —9M 63
Halnaker Wlk. Craw —6L 181
Halsford Cft. E Grin —7L 165
Halsford Grn. E Grin —7L 165
Halsford La. E Grin —8L 165
Halsford Pk. Rd. E Grin —8M 165
Halstead Clo. Croy —9N 45 (4B 200)
Halters End. Gray —6M 169
Ham. —4J 25
Hamble Av. B'water —1J 69
Hamble Clo. Wok —4K 73
Hambleden Ct. Brack —3C 32
Hambledon. —9F 152
Hambledon Gdns. SE25 —2C 46
Hambledon Hill. Eps —3B 80
Hambledon Pk. Hamb —9E 152
Hambledon Pl. Bookh —1A 98
Hambledon Rd. SW18 —1L 27
Hambledon Rd. Busb & G'ming (in two parts) —9J 133
Hambledon Rd. Cat —1A 104
Hambledon Rd. Hamb & Hyde —7G 153
Hambledon Va. Eps —3B 80
Hamblehyrst. Beck —1L 47
Hamble St. SW6 —6N 13
Hambleton Clo. Frim —3F 70
Hambleton Clo. Wor Pk —8H 43
Hambleton Ct. Craw —5A 182
Hambleton Hill. Craw —5A 182
Hamble Wlk. Wok —5K 73
Hambridge Way. SW2 —1L 29
Hambrook Rd. SE25 —2E 46
Hambro Rd. SW16 —7H 29
Ham Clo. Rich —4J 25
(in two parts)
Ham Comn. Rich —4K 25
Hamesmoor Rd. Myt —1C 90
Hamesmoor Way. Myt —1D 90
Ham Farm Rd. Rich —5K 25
Hamfield Clo. Oxt —5M 105
Ham Ga. Av. Rich —4K 25
Hamhaugh Island. Shep —8B 38
Ham House. —2J 25
Hamilton Av. Cobh —9H 57
Hamilton Av. Surb —8N 41
Hamilton Av. Sutt —8K 43
Hamilton Av. Wok —2G 75
Hamilton Clo. Bag —4J 51
Hamilton Clo. Bord —5A 168
Hamilton Clo. Cher —7H 37
Hamilton Clo. Eps —8B 60
Hamilton Clo. Felt —6G 22
Hamilton Clo. Guild —7K 93
Hamilton Clo. Purl —8M 63
Hamilton Ct. SW15 —6K 13
Hamilton Ct. Bookh —3B 98
Hamilton Ct. Croy —7D 46
Hamilton Cres. Houn —8B 10
Hamilton Dri. Asc —6B 34
Hamilton Dri. Guild —7K 93
Hamilton Gordon Ct. Guild —2M 113 (1B 202)
Hamilton Ho. W4 —2D 12
Hamilton M. SW18 —2M 27
Hamilton M. SW19 —8M 27
Hamilton Pde. Felt —5G 23
Hamilton Pl. Alder —3L 109
Hamilton Pl. Guild —7K 93
Hamilton Pl. Kgswd —9L 81
Hamilton Pl. Sun —8J 23
Hamilton Rd. SE27 —5N 29
Hamilton Rd. SW19 —8N 27
Hamilton Rd. Bren —2K 11
Hamilton Rd. C Crook —7C 88
Hamilton Rd. Felt —5G 22
Hamilton Rd. H'ham —5H 197
Hamilton Rd. T Hth —2A 46
Hamilton Rd. Twic —2E 24
Hamilton Rd. M. SW19 —8N 27
Hamilton Way. Wall —5H 63
Ham Island. —7N 5
Ham La. Elst —7H 131
Ham La. Eng G —5L 19
Ham La. Old Win —8M 5
(in two parts)
Hamlash La. Fren —1H 149
Hamlet Gdns. W6 —1F 12
Hamlet St. Warf —9C 16
Hamm Ct. Wey —8N 37
Hammer. —3B 188
Hammer Bottom. —2A 188
Hammerfield Dri. Ab H —1G 136
Hammer Hill. Hasl —4A 188
Hammer La. Bram C —9A 170
Hammer La. Churt & Gray —1K 169
Hammer La. Cranl —3M 175
Hammer La. Hasl —2A 188
Hammer Pond Cotts. Thur —4K 151
Hammerpond Rd. Colg —9E 198
Hammerpond Rd. H'ham & Man H —7M 197
Hammersley Rd. Alder —6N 89
Hammersmith. —1H 13
Hammersmith Bri. SW13 & W6 —2G 13
Hammersmith Bri. Rd. W6 —1H 13
Hammersmith B'way. W6 —1H 13
Hammersmith Flyover. (Junct.) —1H 13
Hammersmith Flyover. W6 —1H 13
Hammersmith Gro. W6 —1H 13
Hammersmith Ind. Est. W6 —2H 13
Hammersmith Rd. W6 & W14 —1J 13
Hammersmith Ter. W6 —1F 12
Hammer Va. Hasl —2A 188
Hammerwood. —7K 167
Hammerwood Copse. Hasl —3B 188
Hammerwood Park. —8L 167
Hammerwood Rd. Ash W —3F 186
Hammer Yd. Craw —4B 182
Hamm Moor La. Add —2N 55
Hammond Av. Mitc —1F 44
Hammond Clo. Hamp —9A 24
Hammond Clo. Wok —2M 73
Hammond Ct. Brack —9M 15
(off Crescent Rd.)
Hammond Rd. Craw —9N 181
Hammond Rd. Wok —2M 73
Hammond Way. Light —6M 51
Ham Moor. —1N 55
Hamond Clo. S Croy —5M 63
Hampden Av. Beck —1H 47
Hampden Clo. Craw —9J 163
Hampden Rd. Beck —1H 47
Hampden Rd. King T —2N 41
Hampers Ct. H'ham —6K 197
Hamper's La. H'ham —6N 197
Hampshire Clo. Alder —5B 110
Hampshire Ct. Add —2L 55
Hampshire Ri. Warf —7D 16
Hampshire Rd. Camb —7D 50
Hampstead La. Dork —6F 118
Hampstead Rd. Dork —6G 118
Hampstead Wlk. Craw —7A 182
Hampton. —9B 24
Hampton & Richmond Borough F.C. —9B 24
Hampton Clo. SW20 —8H 27
Hampton Clo. C Crook —9B 88
Hampton Court. —3E 40
Hampton Court. (Junct.) —2E 40
Hampton Ct. Av. E Mol —5D 40
Hampton Ct. Cres. E Mol —2D 40
Hampton Court Palace. —3F 40
Hampton Ct. Pde. E Mol —3E 40
Hampton Ct. Rd. Hamp —1C 40
Hampton Ct. Way. Th Dit & E Mol —8E 40
Hampton Farm Ind. Est. Felt —4M 23
Hampton Gro. Eps —7E 60
Hampton Hill. —6C 24
Hampton La. Felt —5M 23
Hampton Rd. Croy —5N 45
Hampton Rd. Farnh —6F 108
Hampton Rd. Red —8D 122
Hampton Rd. Tedd —6D 24
Hampton Rd. Twic —4D 24
Hampton Rd. Wor Pk —8F 42
Hampton Rd. E. Felt —5N 23
Hampton Rd. W. Felt —4M 23
Hampton Way. E Grin —2B 186
Hampton Wick. —9J 25 (1H 203)
Ham Ridings. Rich —6M 25
Hamsey Green. —3E 84
Hamsey Grn. Gdns. Warl —3E 84
Hamsey Way. S Croy —2E 84
Ham St. Rich —2H 25
Ham, The. Bren —3J 11
Ham Vw. Croy —5H 47
Hanah Ct. SW19 —8J 27
Hanbury Dri. Big H —9D 66
Hanbury Path. Wok —1F 74
Hanbury Rd. If'd —4K 181
Hanbury Way. Camb —3A 70
Hancock Rd. SE19 —7N 29
Hancocks Mt. Asc —5A 34
Hancombe Rd. Sand —6F 48
Handcroft Rd. Croy —6M 45 (1A 200)
Handcross. —8N 199
Handel Mans. SW13 —3H 13
Handford La. Yat —1C 68
Handinhand La. Tad —8B 100
Handley Page Rd. Wall —4K 63
Handside Clo. Wor Pk —7J 43
Handsworth Ho. Craw —4B 182
(off Brighton Rd.)
Hanford Clo. SW18 —2M 27
Hanford Row. SW19 —7H 27
Hangerfield Clo. Yat —1B 68
Hanger Hill. Wey —3C 56
Hanger, The. Head —2D 168
Hangrove Hill. Orp —9K 67
Hanley Clo. Wind —4A 4
Hannah Clo. Beck —2M 47
Hannah M. Wall —4G 63
Hannah Peschar Gallery Garden. —8A 158
Hannay Wlk. SW16 —3H 29
Hannell Rd. SW6 —3K 13
Hannen Rd. SE27 —4M 29
Hannibal Rd. Stanw —1M 21
Hannibal Way. Croy —2K 63
Hanover Av. Felt —2H 23
Hanover Clo. Craw —5D 182
(in two parts)
Hanover Clo. Eng G —7L 19
Hanover Clo. Frim —5C 70
Hanover Clo. Red —6G 102
Hanover Clo. Rich —3N 11
Hanover Clo. Sutt —1K 61
Hanover Clo. Wind —4C 4
Hanover Clo. Yat —8C 48
Hanover Ct. SW15 —7E 12
Hanover Ct. Dork —5F 118 (2H 201)
Hanover Ct. Guild —1N 113
Hanover Ct. H'ham —5M 197
Hanover Ct. Wok —6A 74
Hanover Dri. Fleet —1D 88
Hanover Gdns. Brack —6L 31
Hanover Gdns. Farn —8K 69
Hanover Rd. SW19 —8A 28
Hanover St. Croy —9M 45 (4A 200)
Hanover Ter. Iswth —4G 11
Hanover Wlk. Wey —9E 38
Hanover Way. Wind —5C 4
Hansler Gro. E Mol —3D 40
Hanson Clo. SW12 —1F 28
Hanson Clo. SW14 —6B 12
Hanson Clo. Camb —8F 50
Hanson Clo. Guild —9B 94
Hanworth. —6M 31
(Bracknell)
Hanworth. —6M 23
(Feltham)
Hanworth Clo. Brack —5A 32
Hanworth La. Cher —7H 37
Hanworth Rd. Brack —7M 31
Hanworth Rd. Felt —2J 23
Hanworth Rd. Hamp —5N 23
Hanworth Rd. Houn —2M 23
Hanworth Rd. Red —8D 122
Hanworth Rd. Sun —8H 23
(in two parts)
Hanworth Ter. Houn —7B 10
Hanworth Trad. Est. Cher —7H 37
Hanworth Trad. Est. Felt —4M 23
Harberson Rd. SW12 —2F 28
Harbledown Rd. SW6 —4M 13
Harbledown Rd. S Croy —7D 64
Harbord St. SW6 —4J 13
Harborough Rd. SW16 —5K 29
Harbour Av. SW10 —4N 13
Harbour Clo. Farn —6M 69
Harbourfield Rd. Bans —2N 81
Harbridge Av. SW15 —1E 26
Harbury Rd. Cars —5C 62
Harcourt Av. Wall —1F 62
Harcourt Clo. Egh —7E 20
Harcourt Clo. Iswth —6G 11
Harcourt Cotts. P'ham —8N 111
Harcourt Fld. Wall —1F 62
Harcourt Lodge. Wall —1F 62
Harcourt M. Wray —9A 6
Harcourt Rd. SW19 —8M 27
Harcourt Rd. Brack —5N 31
Harcourt Rd. Camb —1M 69
Harcourt Rd. T Hth —5K 45
Harcourt Rd. Wall —1F 62
Harcourt Rd. Wind —4B 4
Harcourt Ter. SW10 —1N 13
Harcourt Way. S God —6H 125
Hardcastle Clo. Croy —5D 46
Hardcourts Clo. W Wick —1L 65
Hardell Clo. Egh —6C 20
Hardel Ri. SW2 —2M 29
Hardel Wlk. SW2 —1L 29
Harden Farm Clo. Coul —8G 83
Hardham Clo. Craw —1M 181
Harding Clo. Croy —9C 46
Harding Rd. Eps —6D 80
Harding's Clo. King T —9M 25 (1M 203)
Hardings Rd. Dock —2A 148
Hardman Rd. King T —1L 41 (3L 203)
Hardwell Way. Brack —3C 32
Hardwick Clo. Oxs —2C 78
Hardwicke Av. Houn —4A 10
Hardwicke Rd. Reig —2M 121
Hardwicke Rd. Rich —5J 25
Hardwick La. Lyne —6E 36
Hardwick Rd. Red —5B 122
Hardwicks Way. SW18 —8M 13
Hardy Av. Yat —2B 68
Hardy Clo. Craw —2G 182
Hardy Clo. Horl —8C 142
Hardy Clo. H'ham —4H 197
Hardy Clo. N Holm —9H 119
Hardy Grn. Crowt —3G 48
Hardy Ho. SW4 —1G 29
Hardy Rd. SW19 —8N 27
Hardys Clo. E Mol —3E 40
Harebell Hill. Cobh —1L 77
Harecroft. Dork —8J 119
Harecroft. Fet —2B 98
Harefield. Esh —9E 40
Harefield Av. Sutt —5K 61
Harefield Rd. SW16 —8K 29
Hare Hill. Add —3G 55
Harehill Clo. Pyr —2J 75
Harelands Clo. Wok —4M 73
Harelands La. Wok —5M 73
(in two parts)
Hare La. Clay —2D 58
Hare La. Craw —9N 161
Hare La. G'ming —5J 133
Hare La. Ling —7F 144
Harendon. Tad —8H 81
Hares Bank. New Ad —6N 65
Harestone Dri. Cat —2C 104
Harestone Hill. Cat —4C 104
Harestone La. Cat —3B 104
(in two parts)
Harestone Valley Rd. Cat —4B 104
Hareward Rd. Guild —1E 114
Harewood Clo. Craw —9E 162
Harewood Clo. Reig —9A 102
Harewood Gdns. S Croy —2E 84
Harewood Rd. SW19 —7C 28
Harewood Rd. Iswth —3F 10
Harewood Rd. S Croy —3B 64
Harfield Rd. Sun —1L 39
Harkness Clo. Eps —3H 81
Harland Av. Croy —9C 46
Harland Clo. SW19 —2N 43
Harlands Gro. Orp —1K 67
Harlech Gdns. Houn —2K 9
Harlech Rd. B'water —2J 69
Harlequin Av. Bren —2G 11
Harlequin Cen. S'hall —1K 9
Harlequin Clo. Iswth —8E 10
Harlequin Rd. Tedd —8H 25
Harlequins R.U.F.C. —1E 24
Harlequin Theatre. —2D 122
Harley Gdns. Orp —1N 67
Harlington. —2E 8
Harlington Cen., The. Fleet —4A 88
(off Fleet Rd.)
Harlington Clo. Hayes —3D 8
Harlington Corner. (Junct.) —4E 8
Harlington Rd. E. Felt —1J 23
Harlington Rd. W. Felt —9J 9
Harlington Way. Fleet —4A 88
Harlow Ct. Reig —3B 122
(off Wray Comn. Rd.)
Harman Pl. Purl —7M 63
Harmans Dri. E Grin —9D 166
Harmans Mead. E Grin —9D 166
Harmanswater. —3C 32
Harman's Water Rd. Brack —4A 32
Harmar Clo. Wokgm —2D 30
Harmondsworth. —2M 7
Harmondsworth La. W Dray —2N 7
Harmondsworth Rd. W Dray —1N 7
Harmony Clo. Bew —5K 181
Harmony Clo. Wall —5H 63
Harms Gro. Guild —9E 94
Harold Rd. SE19 —8N 29
Harold Rd. Sutt —1B 62
Harold Rd. Worth —3J 183
Haroldslea. Horl —1H 163
(in two parts)
Haroldslea Clo. Horl —1G 163
Haroldslea Dri. Horl —1G 162
Harold Wilson Ho. SW6 —2L 13
(off Clem Attlee Ct.)
Harpenden Rd. SE27 —4M 29
Harper Dri. M'bowr —7G 182
Harper M. SW17 —4A 28
Harper's Rd. As —1G 111
Harpesford Av. Vir W —4L 35
Harps Oak La. Red —3D 102
Harpton Clo. Yat —8C 48
Harpton Pde. Yat —8C 48
Harpurs. Tad —9J 81
Harrier Clo. Cranl —6N 155
Harrier Ct. Craw —9H 163
(off Bristol Clo.)
Harrier Ct. Houn —6M 9
Harriet Gdns. Croy —8D 46
Harriet Ho. SW6 —3N 13
(off Wandon Rd.)
Harriet Tubman Clo. SW2 —1K 29
Harrington Clo. Croy —8J 45
Harrington Clo. Leigh —1F 140
Harrington Clo. Wind —7C 4

Harrington Ct.—Headley Heath App.

Harrington Ct. Croy —8A 46 (3E 200)
Harrington Gdns. SW7 —1N 13
Harrington Rd. SE25 —3D 46
Harriott's Clo. Asht —7J 79
Harriott's La. Asht —6J 79
Harris Clo. Craw —6N 181
Harris Clo. Houn —4A 10
Harrison Clo. Reig —4N 121
Harrison Ct. Shep —4C 38
Harrison's Ri. Croy —9M 45 (4A 200)
Harris Path. Craw —6N 181
Harris Way. Sun —9F 22
Harrogate Ct. Slou —1C 6
Harrow Bottom Rd. Vir W —5B 36
Harrow Clo. Add —8K 37
Harrow Clo. Chess —4K 59
Harrow Clo. Dork —6G 119
Harrow Clo. Eden —9L 127
Harrowdene. Cranl —6N 155
Harrowdene Gdns. Tedd —7G 25
Harrow Gdns. Warl —3J 85
Harrowgate Gdns. Dork —7H 119
Harrowlands Pk. Dork —6H 119
Harrow La. G'ming —4H 133
Harrow Rd. Cars —3C 62
Harrow Rd. Felt —3B 22
Harrow Rd. Warl —2J 85
Harrow Rd. E. Dork —7H 119
Harrow Rd. W. Dork —7G 118
Harrowsley Ct. Horl —7F 142
Harrowsley Grn. La. Horl —9G 143
Harrow Way. Shep —1D 38
Hart Cen., The. Fleet —4A 88
Hart Clo. Blet —2B 124
Hart Clo. Brack —8M 15
Hart Clo. Farn —6K 69
Hart Dene Ct. Bag —4J 51
Hart Dyke Clo. Wokgm —6A 30
Harte Rd. Houn —5N 9
Hartfield Cres. SW19 —8L 27
Hartfield Cres. W Wick —1C 66
Hartfield Rd. SW19 —8L 27
Hartfield Rd. Chess —2K 59
Hartfield Rd. F Row —6H 187
Hartfield Rd. M Grn —5M 147
Hartfield Rd. W Wick —1C 66
Hartford Ri. Camb —9B 50
Hartford Rd. Eps —3A 60
Hart Gdns. Dork —4H 119 (1L 201)
Hartham Clo. Iswth —4G 10
Hartham Rd. Iswth —4F 10
Harting Ct. Craw —6L 181
Hartington Clo. F'boro —2L 67
Hartington Ct. W4 —3A 12
Hartington Pl. Reig —1M 121
Hartington Rd. W4 —3A 12
Hartington Rd. Twic —1H 25
Hartismere Rd. SW6 —3L 13
Hartland Clo. New H —6L 55
Hartland Pl. Farn —8M 69
Hartland Rd. Add —4J 55
Hartland Rd. Hamp H —5B 24
Hartland Rd. Iswth —6G 11
Hartland Rd. Mord —6M 43
Hartlands, The. Houn —2J 9
Hartland Way. Croy —9H 47
Hartland Way. Mord —6L 43
Hartley Clo. B'water —1G 69
Hartley Copse. Old Win —9K 5
Hartley Down. Purl —2K 83
Hartley Farm. Purl —2K 83
Hartley Hill. Purl —2K 83
Hartley Old Rd. Purl —2K 83
Hartley Rd. Croy —6N 45
Hartley Rd. W'ham —3M 107
Hartley Way. Purl —2K 83
Hartop Point. SW6 —3K 13
(off Pellant Rd.)
Hart Rd. Byfl —9N 55
Hart Rd. Dork —4H 119 (1L 201)
Harts Cft. Croy —5H 65
Harts Gdns. Guild —9L 93
Hartsgrove. C'fold —4E 172
Harts Hill. Guild —2G 113
Hartshill Wlk. Wok —3L 73
Harts La. S God —5G 124
Hartsleaf Clo. Fleet —5A 88
Harts Leap Clo. Sand —6G 48
Harts Leap Rd. Sand —7F 48
Hartspiece Rd. Red —5E 122
Hartswood. N Holm —8J 119
Hartswood Av. Reig —7M 121
Harts Yd. Farnh —1G 129
Harts Yd. G'ming —7H 133
Hart, The. Farnh —1G 128
Harvard Hill. W4 —2A 12
Harvard La. W4 —1B 12
Harvard Rd. W4 —1A 12
Harvard Rd. Iswth —4E 10
Harvard Rd. Owl —6K 49
Harvest Bank Rd. W Wick —1B 66
Harvest Clo. Yat —2A 68
Harvest Ct. Esh —8A 40
Harvest Ct. Shep —3B 38
Harvest Cres. Fleet —9C 68
Harvester Rd. Eps —6C 60
Harvesters. H'ham —4K 197
Harvesters Clo. Iswth —8D 10
Harvest Hill. E Grin —1A 186
Harvest Hill. G'ming —7G 132
Harvest La. Th Dit —5G 40
Harvest Ride. Brack —7M 15
(in two parts)
Harvest Rd. Eng G —6N 19
Harvest Rd. Felt —5H 23
Harvest Rd. M'bowr —5G 183
Harvestside. Horl —7G 142
Harvey Clo. Craw —8M 181
Harvey Ct. Eps —5A 60
Harvey Dri. Hamp —9B 24
Harvey Ho. Bren —1L 11
Harvey Rd. Farn —9H 69
Harvey Rd. Guild —5A 114 (6E 202)
Harvey Rd. Houn —1N 23
Harvey Rd. W on T —6G 39
Harwood Av. Mitc —2C 44
Harwood Ct. SW15 —7H 13
Harwood Gdns. Old Win —1L 19
Harwood M. SW6 —3M 13
(off Moore Pk. Rd.)
Harwood Pk. Red —3E 142
Harwood Rd. SW6 —3M 13
Harwood Rd. H'ham —5L 197
Harwoods Clo. E Grin —2B 186
Harwoods La. E Grin —2B 186
Harwood Ter. SW6 —4N 13
Hascombe. —6N 153
Hascombe Cotts. Hasc —5M 153
Hascombe Ct. Craw —4M 181
Hascombe Ct. Hasc —6M 153
Hascombe Rd. Cranl —9E 154
Hascombe Rd. G'ming —1K 153
Haslam Av. Sutt —7K 43
Hasle Dri. Hasl —2F 188
Haslemere. —2G 189
Haslemere and Heathrow Est., The. Houn —5J 9
Haslemere Av. SW18 —3N 27
Haslemere Av. Houn —5K 9
Haslemere Av. Mitc —1B 44
Haslemere Clo. Frim —3G 70
Haslemere Clo. Hamp —6N 23
Haslemere Clo. Wall —2J 63
Haslemere Educational Mus. —1H 189
Haslemere Ind. Est. SW18 —3N 27
Haslemere Ind. Est. Hasl —1G 188
Haslemere Rd. Brook & Wmly —4M 171
Haslemere Rd. Fern —7F 188
Haslemere Rd. T Hth —4M 45
Haslemere Rd. Wind —4D 4
Haslemere Rd. Witl & Milf —6N 151
Haslett Av. E. Craw —3C 182
Haslett Av. W. Craw —3B 182
Haslett Rd. Shep —1F 38
Hassocks Ct. Craw —6L 181
Hassocks Rd. SW16 —9H 29
Hassock Wood. Kes —1F 66
Haste Hill. Hasl —3H 189
Hastings Clo. Frim —7E 70
Hastings Ct. Tedd —6D 24
Hastings Dri. Surb —5J 41
Hastings Rd. Craw —3G 182
Hastings Rd. Croy —7C 46
Hatch Clo. Add —9K 37
Hatch Clo. Alf —6J 175
Hatch End. F Row —7H 187
Hatch End. W'sham —3N 51
Hatches, The. Farnh —3E 128
Hatches, The. Frim G —8B 70
(in two parts)
Hatchet La. Asc & Wink —6L 17
Hatchett Rd. Felt —2D 22
Hatchetts Dri. Hasl —2A 188
Hatch Farm M. Add —9L 37
Hatchford. —6F 76
Hatchford End. —6D 76
Hatch Gdns. Tad —7J 81
Hatchgate. Horl —9D 142
Hatchgate Copse. Brack —5K 31
Hatch Hill. Hasl —7F 188
Hatchlands. —9A 96
Hatchlands. Capel —5J 159
Hatchlands. H'ham —1N 197
Hatchlands Pk. —8A 96
Hatchlands Rd. Red —3C 122
Hatch La. Coul —2D 82
Hatch La. Hasl —6F 188
Hatch La. Ock —5C 76
(Elm La.)
Hatch La. Ock —7C 76
(Ockham La.)
Hatch La. Out —2K 143
Hatch La. W Dray —3M 7
Hatch La. Wind —6D 4
Hatch La. Wmly —1A 172
Hatch Pl. King T —6M 25
Hatch Ride. Crowt —9G 31
Hatch Rd. SW16 —1J 45
Hatfield Clo. Mitc —3B 44
Hatfield Clo. Sutt —5N 61
Hatfield Clo. W Byf —8K 55
Hatfield Gdns. Farn —2C 90
Hatfield Mead. Mord —4M 43
Hatfield Rd. Asht —6M 79
Hatfield Wlk. Craw —6K 181
Hathaway Ct. Red —2E 122
(off St Anne's Ri.)
Hathaway Rd. Croy —6M 45
Hatherleigh Clo. Chess —2K 59
Hatherleigh Clo. Mord —3M 43
Hatherley Rd. Rich —4M 11
Hatherop Rd. Hamp —8N 23
Hathersham Clo. Small —7L 143
Hathersham La. Small —4H 143
Hatherwood. Lea —8K 79
Hatherwood. Yat —1E 68
Hatton. —7G 8
Hatton Ct. Wind —5F 4
Hatton Cross. (Junct.) —6G 8
Hatton Gdns. Mitc —4D 44
Hatton Grn. Felt —7H 9
Hatton Hill. W'sham —1M 51
Hatton Ho. King T —4N 203
Hatton Rd. Croy —7L 45
Hatton Rd. Felt —1D 22
Hatton Rd. S. Felt —7G 8
Havana Rd. SW19 —3M 27
Havelock Rd. SW19 —6A 28
Havelock Rd. Croy —8C 46
Havelock Rd. Wokgm —2A 30
Havelock St. Wokgm —2A 30
Havenbury Est. Dork —4G 118 (1J 201)
Haven Clo. SW19 —4J 27
Haven Ct. Beck —1M 47
Haven Ct. Surb —5M 41
Haven Gdns. Craw D —9E 164
Havengate. H'ham —3M 197
Haven Rd. Afrd —4C 22
Haven Rd. Rud & Bil —2D 194
Haven, The. —6E 194
Haven, The. Rich —6N 11
Haven, The. Sun —8H 23
Haven Way. Farnh —8J 109
Haverfield Gdns. Rich —3N 11
Haverhill Rd. SW12 —2G 28
Havers Av. W on T —2L 57
Haversham Clo. Craw —3D 182
Haversham Clo. Twic —9K 11
Haversham Dri. Brack —5N 31
Havisham Pl. SE19 —8M 29
Hawarden Clo. Craw D —1F 184
Hawarden Gro. SE24 —1N 29
Hawarden Rd. Cat —8N 83
Hawes La. W Wick —7M 47
Hawes Rd. Tad —7J 81
Haweswater Ct. Ash V —8D 90
(off Lakeside Clo.)
Hawker Clo. Wall —4J 63
Hawker Ct. King T —3N 203
Hawker Rd. Ash V —8D 90
Hawkesbourne Rd. H'ham —3M 197
Hawkesbury Rd. SW15 —8G 12
Hawkes Leap. W'sham —1M 51
Hawkesley Clo. Twic —5G 24
Hawkesmoor Rd. Craw —5K 181
Hawkes Rd. Felt —1H 23
Hawkes Rd. Mitc —9D 28
Hawkesworth Dri. Bag —6H 51
Hawkewood Rd. Sun —2H 39
Hawkfield Ct. Iswth —5E 10
Hawkhirst Rd. Kenl —2A 84
Hawkhurst. Cobh —1A 78
Hawkhurst Gdns. Chess —1L 59
Hawkhurst Rd. SW16 —9H 29
Hawkhurst Rd. Kenl —4B 84
Hawkhurst Wlk. Craw —5F 182
Hawkhurst Way. N Mald —4C 42
Hawkhurst Way. W Wick —8L 47
Hawkins Clo. Brack —1E 32
Hawkins Rd. Craw —6C 182
Hawkins Rd. Tedd —7H 25
Hawkins Way. Fleet —5D 88
Hawkins Way. Wokgm —2D 30
Hawk La. Brack —3B 32
Hawkley Gdns. SE27 —3M 29
Hawkridge Ct. Brack —3C 32
Hawksbrook La. Beck —5L 47
(in two parts)
Hawkshaw Clo. SW2 —1J 29
Hawk's Hill. Lea —1F 98
Hawkshill Clo. Esh —3A 58
Hawks Hill Clo. Fet —1F 98
Hawk's Hill Ct. Fet —1F 98
Hawkshill Pl. Esh —3A 58
Hawkshill Way. Esh —3N 57
Hawksmoore Dri. Bear G —7J 139
Hawksmoor St. W6 —2J 13
Hawks Pas. King T —3M 203
Hawks Rd. King T —1M 41 (4N 203)
Hawksview. Cobh —9N 57
Hawks Way. Stai —4H 21
Hawkswell Clo. Wok —4J 73
Hawkswell Wlk. Wok —4J 73
Hawkswood Av. Frim —4D 70
Hawkswood Ho. Brack —9K 15
Hawkwell. C Crook —9C 88
Hawkwood Dell. Bookh —4A 98
Hawkwood Ri. Bookh —4A 98
Hawley. —3K 69
Hawley Clo. Hamp —7N 23
Hawley Ct. Farn —6K 69
Hawley Grn. B'water —3K 69
Hawley Lane. —6N 69
Hawley La. Farn —5M 69
(in three parts)
Hawley La. Ind. Est. Farn —6N 69
Hawley Rd. B'water —2J 69
Hawley's Corner. —8K 87
Hawley Way. Afrd —6B 22
Hawmead. Craw D —1F 184
Haworth Rd. M'bowr —4F 182
Haws La. Stai —9J 7
Hawth Av. Craw —5C 182
Hawth Clo. Craw —5C 182
Hawthorn Clo. Alder —4C 110
Hawthorn Clo. Bans —1K 81
Hawthorn Clo. Brack —9M 15
Hawthorn Clo. Craw —9A 162
Hawthorn Clo. Eden —1K 147
Hawthorn Clo. Hamp —6A 24
Hawthorn Clo. H'ham —4J 197
Hawthorn Clo. Houn —3J 9
Hawthorn Clo. Red —8E 122
Hawthorn Clo. Wok —7A 74
Hawthorn Ct. Rich —4A 12
Hawthorn Cres. SW17 —6E 28
Hawthorn Cres. S Croy —7F 64
Hawthorn Dri. W Wick —1A 66
Hawthorne Av. Big H —2F 86
Hawthorne Av. Cars —4E 62
Hawthorne Av. Mitc —1B 44
Hawthorne Av. T Hth —9M 29
Hawthorne Av. Wink —3M 17
Hawthorne Clo. Sutt —8A 44
Hawthorne Ct. Stanw —1M 21
(off Hawthorne Way)
Hawthorne Cres. B'water —2K 69
Hawthorne Dri. Wink —3M 17
Hawthorne Pl. Eps —8D 60 (5N 201)
Hawthorne Rd. Stai —6E 20
Hawthorne Way. Guild —8D 94
Hawthorne Way. Stanw —1M 21
Hawthorne Way. Wink —2M 17
Hawthorn Hatch. Bren —3H 11
Hawthorn Hill. —1B 16
Hawthorn La. Rowl —8E 128
Hawthorn La. Warf —1B 16
Hawthorn Rd. Bren —3H 11
Hawthorn Rd. Frim —4D 70
Hawthorn Rd. G'ming —9E 132
Hawthorn Rd. Rip —2J 95
Hawthorn Rd. Sutt —3C 62
Hawthorn Rd. Wall —4F 62
Hawthorn Rd. Wok —7N 73
Hawthorns. S Croy —7A 200
Hawthorns, The. Coln —4H 7
Hawthorns, The. Eps —4E 60
Hawthorns, The. Oxt —2C 126
Hawthorn Way. Bisl —3D 72
Hawthorn Way. New H —6L 55
Hawthorn Way. Red —5F 122
Hawthorn Way. Shep —3E 38
Hawth Theatre. —4D 182
Hawtrey Rd. Wind —5F 4
Haxted. —3G 147
Haxted Mill & Mus. —3F 146
Haxted Rd. Ling & Eden —5A 146
Haybarn Dri. H'ham —1L 197
Haycroft Clo. Coul —5M 83
Haycroft Rd. Surb —8K 41
Hayden Ct. New H —7K 55
Haydn Av. Purl —1L 83
Haydon Pk. Rd. SW19 —6M 27
Haydon Pl. Guild —4N 113 (4C 202)
Haydon Pl. Yat —9D 48
Haydons Rd. SW19 —6N 27
Hayes Barton. Wok —3F 74
Hayes Chase. W Wick —5N 47
Hayes Ct. SW2 —2J 29
Hayes Cres. Sutt —1J 61
Hayes Hill. Brom —7N 47
Hayes La. Beck —2M 47
Hayes La. Kenl —3M 83
Hayes La. Slin —8H 195
Hayes, The. Eps —6D 80
Hayes Wlk. Small —7L 143
Hayes Way. Beck —3M 47
Hayfields. Horl —7F 142
Haygarth Pl. SW19 —6J 27
Haygreen Clo. King T —7A 26
Haylett Gdns. King T —3K 41 (8J 203)
Hayley Grn. Warf —6D 16
Hayling Av. Felt —4H 23
Hayling Ct. Craw —6A 182
Hayling Ct. Sutt —1H 61
Haymeads Dri. Esh —3C 58
Haymer Gdns. Wor Pk —9F 42
Hayne Rd. Beck —1J 47
Haynes Clo. Rip —9K 75
Haynes Clo. Slou —1B 6
Haynt Wlk. SW20 —2K 43
Hays Bri. Bus. Cen. S God —4F 144
Hays Bri. Houses. God —4E 144
Hayse Hill. Wind —4A 4
Haysleigh Gdns. SE20 —1D 46
Hays Wlk. Sutt —6J 61
Haywain. Oxt —8N 105
Hayward Clo. SW19 —8N 27
Haywardens. Ling —6N 145
Hayward Gdns. SW15 —9H 13
Hayward Rd. Th Dit —7F 40
Haywards. Craw —9H 163
Haywards Mead. Eton W —1C 4
Haywood. Brack —6A 32
Haywood Dri. Fleet —6B 88
Haywood Ri. Orp —2N 67
Hazel Av. Farn —2L 89
(in three parts)
Hazel Av. Guild —8M 93
Hazel Bank. SE25 —1B 46
Hazel Bank. Surb —7B 42
Hazelbank Ct. Cher —7L 37
Hazelbank Rd. Cher —7L 37
Hazelbourne Rd. SW12 —1F 28
Hazelbury Clo. SW19 —1M 43
Hazel Clo. Bren —3H 11
Hazel Clo. Craw —9A 162
Hazel Clo. Craw D —1F 184
Hazel Clo. Croy —6G 46
Hazel Clo. Eng G —7L 19
Hazel Clo. Mitc —3H 45
Hazel Clo. Reig —5A 122
Hazel Clo. Twic —1C 24
Hazel Ct. Guild —8N 93
Hazel Dene. Add —2L 55
Hazeldene Ct. Kenl —2A 84
Hazel Dri. Rip —3H 95
Hazel Gro. Hind —7C 170
Hazel Gro. Stai —7K 21
Hazelhurst. Beck —1N 47
Hazelhurst. Horl —7G 143
Hazelhurst Clo. Guild —7D 94
Hazelhurst Cres. H'ham —7F 196
Hazelhurst Dri. Worth —3J 183
Hazelhurst Rd. SW17 —5A 28
Hazel La. Rich —3L 25
Hazell Hill. Brack —2A 32
Hazell Rd. Farnh —1E 128
Hazel Mead. Eps —6F 60
Hazelmere Clo. Felt —9F 8
Hazelmere Clo. Lea —6H 79
Hazelmere Ct. SW2 —2K 29
Hazel Pde. Fet —9C 78
Hazel Rd. Ash G —5G 111
Hazel Rd. Myt —3E 90
Hazel Rd. Reig —5A 122
Hazel Rd. W Byf —1J 75
Hazel Wlk. N Holm —8J 119
Hazel Way. Coul —6D 82
Hazel Way. Craw D —1F 184
Hazel Way. Fet —9C 78
Hazelwick Av. Craw —1E 182
Hazelwick Ct. Craw —1E 182
Hazelwick Mill La. Craw —1E 182
(in two parts)
Hazelwick Rd. Craw —2E 182
Hazelwood. —7M 67
Hazelwood. Craw —3M 181
Hazelwood. Dork —6H 119
Hazelwood. Elst —7J 131
Hazelwood Av. Mord —3N 43
Hazelwood Clo. Craw D —1C 184
Hazelwood Cotts. G'ming —7G 132
Hazelwood Ct. Surb —5L 41
Hazelwood Gro. S Croy —9E 64
Hazelwood Heights. Oxt —9C 106
Hazelwood Houses. Short —2N 47
Hazelwood La. Binf —6L 15
(in two parts)
Hazelwood La. Coul —5C 82
Hazelwood Rd. Cud —8M 67
Hazelwood Rd. Knap —5H 73
Hazelwood Rd. Oxt —1D 126
Hazlebury Rd. SW6 —5N 13
Hazledean Rd. Croy —8A 46 (3E 200)
Hazledene Rd. W4 —2B 12
Hazlemere Gdns. Wor Pk —7F 42
Hazlewell Rd. SW15 —8H 13
Hazlitt Clo. Felt —5M 23
Hazon Way. Eps —8B 60 (5J 201)
Headcorn Pl. T Hth —3K 45
Headcorn Rd. T Hth —3K 45
Headington Clo. Wokgm —9C 14
Headington Ct. Croy —7B 200
Headington Dri. Wokgm —9C 14
Headington Rd. SW18 —3A 28
Headlam Rd. SW4 —1H 29
(in two parts)
Headland Way. Ling —7M 145
Headley. —4D 168
(Bordon)
Headley. —3B 100
(Epsom)
Headley Av. Wall —2K 63
Headley Clo. Craw —9H 163
Headley Clo. Eps —3N 59
Headley Comn. Rd. H'ley —4C 100
Headley Ct. Eden —1M 147
Headley Ct. H'ley —1A 100
Headley Down. —5H 169
Headley Dri. Eps —6G 81
Headley Dri. New Ad —4L 65
Headley Fields. Head —4D 168
Headley Gro. Tad —7H 81
Headley Heath. —6A 100
Headley Heath App. Tad —8A 100

Headley Hill Rd.—High Beech

Headley Hill Rd. *Head* —4E **168**
Headley La. *Mick* —7J **99**
Headley La. *Pass* —8D **168**
Headley Pk. Cotts. *Head* —9B **148**
Headley Rd. *Eps* —5A **80**
(in two parts)
Headley Rd. *Gray* —5K **169**
Headley Rd. *Lea & Eps* —9J **79**
Headley Rd. *Lind* —4B **168**
Headon Ct. *Farnh* —2J **129**
Headway Clo. *Rich* —5J **25**
Headway, The. *Eps* —5E **60**
Healy Dri. *Orp* —1N **67**
Hearmon Clo. *Yat* —9D **48**
Hearn. —1F 168
Hearne Rd. *W4* —2N **11**
Hearn Va. *Head D* —2F **168**
Hearnville Rd. *SW12* —2E **28**
Hearn Wlk. *Brack* —9C **16**
Hearsey Gdns. *B'water* —9G **49**
(in two parts)
Heathacre. *Coln* —4G **6**
Heatham Pk. *Twic* —1F **24**
Heathbridge. *Wey* —4B **56**
Heathbridge App. *Wey* —3B **56**
Heath Bus. Cen. *Houn* —7C **10**
Heath Bus. Cen. *Salf* —4F **142**
Heath Clo. *Bans* —1N **81**
Heath Clo. *Broad H* —5E **196**
Heath Clo. *Farnh* —5H **109**
Heath Clo. *Hayes* —3E **8**
Heath Clo. *Hind* —2A **170**
Heath Clo. *Ott* —2D **54**
Heath Clo. *Stanw* —9L **7**
Heath Clo. *Vir W* —3N **35**
Heath Clo. *Wokgm* —4A **30**
Heathcote. *Tad* —8J **81**
Heathcote Clo. Ash V —1E 110
(off Church Path)
Heathcote Dri. *E Grin* —8L **165**
Heathcote Rd. *As* —1F **110**
Heathcote Rd. *Camb* —1B **70**
Heathcote Rd. *Eps* —1C **80** (8L **201**)
Heathcote Rd. *Twic* —9H **11**
Heath Cotts. *Hind* —3A **170**
Heath Cotts. *Lwr Bo* —8J **129**
Heath Ct. *Bag* —4J **51**
Heath Ct. *Broad H* —5E **196**
Heath Ct. *Croy* —7D **200**
Heath Ct. *Houn* —7N **9**
Heathcroft Av. *Sun* —8G **22**
Heathdale Av. *Houn* —6M **9**
Heathdene. *Tad* —5K **81**
Heathdene Rd. *SW16* —8K **29**
Heathdene Rd. *Wall* —4F **62**
Heathdown Rd. *Wok* —2F **74**
Heath Dri. *SW20* —3H **43**
Heath Dri. *Brkwd* —7D **72**
Heath Dri. *Send* —9D **74**
Heath Dri. *Sutt* —5A **62**
Heath Dri. *Tad* —3F **100**
Heath End. —5H 109
Heather Clo. *Alder* —3K **109**
Heather Clo. *Ash V* —8F **90**
Heather Clo. *Copt* —8M **163**
Heather Clo. *Farnh* —5E **128**
Heather Clo. *Guild* —2L **113**
Heather Clo. *Hamp* —9N **23**
Heather Clo. *H'ham* —3K **197**
Heather Clo. *Iswth* —8D **10**
Heather Clo. *New H* —6K **55**
Heather Clo. *Red* —9F **102**
Heather Clo. *Tad* —9K **81**
Heather Clo. *Wok* —2M **73**
Heather Cotts. *Hind* —1B **170**
Heather Ct. *Hind* —5D **170**
Heatherdale Clo. *King T* —7N **25**
Heatherdale Rd. *Camb* —2A **70**
Heatherdene. *W Hor* —3E **96**
Heatherdene Av. *Crowt* —3D **48**
Heatherdene Clo. *Mitc* —3B **44**
Heather Dri. *Asc* —6E **34**
Heather Dri. *C Crook* —8A **88**
Heather Dri. *Lind* —4A **168**
Heatherfields. *New H* —6K **55**
Heather Gdns. *Farn* —3J **89**
Heather Gdns. *Sutt* —3M **61**
Heatherlands. *Horl* —7F **142**
(in two parts)
Heatherlands. *Sun* —7H **23**
Heatherley Clo. *Camb* —1N **69**
Heatherley Rd. *Camb* —1N **69**
Heather Mead. *Frim* —4D **70**
Heather Mead Ct. *Frim* —4D **70**
Heathermount. *Brack* —3C **32**
Heathermount Dri. *Crowt* —1E **48**
Heathermount Gdns. *Crowt* —1E **48**
Heather Pl. *Esh* —1B **58**
Heather Ridge Arc. *Camb* —2G **71**
Heatherset Clo. *Esh* —2C **58**
Heatherset Gdns. *SW16* —8K **29**
Heatherside. —2G 71
Heatherside Clo. *Bookh* —3N **97**
Heatherside Dri. *Vir W* —5K **35**
Heatherside Rd. *Eps* —4C **60**
Heathersland. *Dork* —8J **119**
Heathers, The. *Stai* —1A **22**
Heathervale Cvn. Pk. *New H* —6L **55**
Heathervale Rd. *New H* —6K **55**
Heathervale Way. *New H* —6L **55**
Heather Vw. Cotts. *Fren* —1H **149**
Heather Wlk. *Brkwd* —8A **72**
Heather Wlk. *Craw* —6N **181**
Heather Wlk. *Small* —8N **143**
Heather Wlk. Twic —1A 24
(off Stephenson Rd.)
Heather Wlk. *W Vill* —6F **56**
Heather Way. *Chob* —4H **53**
Heatherway. *Crowt* —2F **48**
Heatherway. *Felb* —3J **165**
Heather Way. *Hind* —5D **170**
Heather Way. *S Croy* —5G **65**
Heathfield. *Cobh* —1A **78**
Heathfield. *Craw* —9H **163**
(in two parts)
Heathfield Av. *SW18* —1B **28**
Heathfield Av. *Asc* —4B **34**
Heathfield Clo. *G'ming* —9H **133**
Heathfield Clo. *Kes* —2E **66**
Heathfield Clo. *Wok* —5C **74**
Heathfield Ct. *W4* —1C **12**
Heathfield Ct. *Fleet* —6A **88**
Heathfield Dri. *Mitc* —9C **28**
Heathfield Dri. *Red* —8C **122**
Heathfield Gdns. *W4* —1B **12**
Heathfield Gdns. *Croy*
—1A **64** (6C **200**)
Heathfield N. *Twic* —1E **24**
Heathfield Rd. *SW18* —1B **28**
Heathfield Rd. *Croy* —1A **64** (6D **200**)
Heathfield Rd. *Kes* —2E **66**
Heathfield Rd. *W on T* —1M **57**
Heathfield Rd. *Wok* —5C **74**
Heathfields Ct. *Houn* —8M **9**
Heathfield S. *Twic* —1F **24**
Heathfield Sq. *SW18* —1B **28**
Heathfield Ter. *W4* —1B **12**
Heathfield Va. *S Croy* —5G **65**
Heath Gdns. *Twic* —2F **24**
Heath Gro. *Sun* —8G **23**
Heath Hill. *Dock* —7D **148**
Heath Hill. *Dork* —5H **119** (2M **201**)
Heath Hill Rd. N. *Crowt* —2G **48**
Heath Hill Rd. S. *Crowt* —2G **49**
Heath Ho. Rd. *Wok* —9G **73**
Heathhurst Rd. *S Croy* —5A **64**
Heathlands. *Brack* —3M **31**
Heathlands. *Tad* —9J **81**
Heathlands Clo. *Sun* —1H **39**
Heathlands Clo. *Twic* —3F **24**
Heathlands Clo. *Wok* —1A **74**
Heathlands Ct. *Wokgm* —8E **30**
Heathlands Ct. *Yat* —2D **68**
Heathlands Rd. *Wokgm* —5E **30**
Heathland St. *Alder* —2M **109**
Heathlands Way. *Houn* —8M **9**
Heath La. *Alb* —1N **135**
Heath La. *Cron & Ews* —6A **108**
Heath La. *Farnh* —5H **109**
Heath La. *G'ming* —9K **133**
Heathmans Rd. *SW6* —4L **13**
Heath Mead. *SW19* —4J **27**
Heath Mill La. *Worp* —3E **92**
(in two parts)
Heathmoors. *Brack* —4A **32**
Heathpark Dri. *W'sham* —3B **52**
Heath Pl. *Bag* —4J **51**
Heath Ride. *Finch & Crowt* —1A **48**
Heath Ridge Grn. *Cobh* —9A **58**
Heath Ri. *SW15* —9J **13**
Heath Ri. *Camb* —1B **70**
Heath Ri. *Rip* —1K **95**
Heath Ri. *Vir W* —3N **35**
Heath Ri. *Westc* —7C **118**
Heath Rd. *Bag* —4J **51**
Heath Rd. *Cat* —1A **104**
Heath Rd. *Hasl* —3B **188**
Heath Rd. *Houn* —7B **10**
Heath Rd. *Oxs* —8C **58**
Heath Rd. *T Hth* —2N **45**
Heath Rd. *Twic* —2F **24**
Heath Rd. *Wey* —1B **56**
Heath Rd. *Wok* —2B **74**
Heathrow. *Gom* —8D **116**
Heathrow Airport. —6C 8
Heathrow Boulevd. *W Dray* —3A **8**
(in two parts)
Heathrow Causeway Cen. *Houn*
—6H **9**
Heathrow Clo. *W Dray* —4K **7**
Heathrow International Trad. Est.
Houn —6J **9**
Heathside. *Esh* —9E **40**
Heathside. *Houn* —1N **23**
Heathside. *Wey* —2C **56**
Heathside Clo. *Esh* —9E **40**
Heathside Ct. *Tad* —1H **101**
Heathside Cres. *Wok* —4B **74**
Heathside Gdns. *Wok* —4C **74**
Heathside La. *Hind* —3B **170**
Heathside Pk. *Camb* —8G **50**
Heathside Pk. Rd. *Wok* —5B **74**
Heathside Pl. *Eps* —5J **81**
Heathside Rd. *Wok* —5B **74**
Heath, The. —3C 56
Heath, The. *Cat* —2N **103**
Heath, The. *P'ham* —8A **112**
Heath Va. Bri. Rd. *Ash V* —7E **90**
Heath Vw. *E Hor* —3G **97**
Heathview Gdns. *SW15* —1H **27**
Heathview Rd. *Milf* —3B **152**
Heathview Rd. *T Hth* —3L **45**
Heathway. *Asc* —9J **17**
Heathway. *Camb* —1B **70**
Heathway. *Cat* —3N **103**
Heathway. *Croy* —9J **47**
Heathway. *E Hor* —2G **97**
Heath Way. *H'ham* —3K **197**
Heathway Clo. *Camb* —1B **70**
Heathwood Clo. *Yat* —8C **48**
Heathyfields Rd. *Farnh* —6E **108**
Heaton Rd. *Mitc* —8E **28**
Hebbecastle Down. *Warf* —7N **15**
Hebdon Rd. *SW17* —4C **28**
Heber Mans. W14 —2K 13
(off Queen's Club Gdns.)
Heckfield Pl. *SW6* —3M **13**
Heddon Clo. *Iswth* —7G **10**
Heddon Wlk. *Farn* —7M **69**
Hedgecourt Pl. *Felb* —6H **165**
Hedge Cft. *Yat* —9A **48**
Hedgecroft Cotts. *Rip* —8K **75**
Hedgehog La. *Hasl* —2F **188**
Hedgerley Ct. *Wok* —4M **73**
Hedger's Almshouses. Guild —2F 114
(off Wykeham Rd.)
Hedgeside. *Craw* —8A **182**
Hedgeway. *Guild* —5K **113**
Hedingham Clo. *Horl* —7G **142**
Hedley Rd. *Twic* —1A **24**
Heenan Clo. *Frim G* —7C **70**
Heidegger Cres. *SW13* —3G **13**
Heighton Gdns. *Croy*
—2M **63** (8A **200**)
Heights Clo. *SW20* —8G **27**
Heights Clo. *Bans* —3K **81**
Heights, The. *Wey* —6B **56**
Helby Rd. *SW4* —1H **29**
Helder St. *S Croy* —3A **64**
Heldmann Clo. *Iswth* —7D **10**
Helena Clo. *Wall* —4J **63**
Helena Rd. *Wind* —5G **4**
Helen Av. *Felt* —1J **23**
Helen Clo. *W Mol* —3B **40**
Helen Ct. *Farn* —1N **89**
Helford Wlk. *Wok* —5K **73**
Helgiford Gdns. *Sun* —8F **22**
Helicon Ho. *Craw* —4A **182**
Helix Bus. Pk. *Camb* —3N **69**
Helix Rd. *SW2* —1K **29**
Helm Clo. *Eps* —8N **59**
Helme Clo. *SW19* —6L **27**
Helmsdale. *Brack* —4B **32**
Helmsdale. *Wok* —5L **73**
Helmsdale Rd. *SW16* —9H **29**
Helston Clo. *Frim* —7E **70**
Helston La. *Wind* —4E **4**
Helvellyn Clo. *Egh* —8D **20**
Hemingford Rd. *Sutt* —1H **61**
Hemlock Clo. *Kgswd* —1K **101**
Hemming Clo. *Hamp* —9A **24**
Hemmyng Corner. *Warf* —7A **16**
Hempshaw Av. *Bans* —3D **82**
Hemsby Rd. *Chess* —3M **59**
Hemsby Wlk. *Craw* —5F **182**
Hemsley Ct. *Guild* —9K **93**
Hemwood Rd. *Wind* —6A **4**
Henbane Ct. *Craw* —7M **181**
Henbit Clo. *Tad* —6G **81**
Henchley Dene. *Guild* —9F **94**
Henderson Av. *Guild* —8L **93**
Henderson Rd. *SW18* —1C **28**
Henderson Rd. *Big H* —8E **66**
Henderson Rd. *Craw* —8N **181**
Henderson Rd. *Croy* —5A **46**
Henderson Way. *H'ham* —8F **196**
Hendham Rd. *SW17* —3C **28**
Hendon Gro. *Eps* —5N **59**
Hendon Way. *Stanw* —9M **7**
Hendrick Av. *SW12* —1D **28**
Heneage Cres. *New Ad* —6M **65**
Henfield Rd. *SW19* —9L **27**
Henfold Cotts. *Newd* —9N **139**
Henfold Dri. *Bear G* —8K **139**
Henfold La. *Holmw* —4L **139**
Henfold La. *Newd* —7M **139**
Hengelo Gdns. *Mitc* —3B **44**
Hengist Clo. *H'ham* —7G **197**
Hengist Way. *Brom* —3N **47**
Hengrove Cres. *Afrd* —4M **21**
Henhurst Cross La. *Cold* —8G **138**
Henhurst La. *Cold* —8G **138**
Henley Av. *Sutt* —9K **43**
Henley Bank. *Guild* —5K **113**
Henley Clo. *Farn* —6K **69**
Henley Clo. *Iswth* —4F **10**
Henley Clo. *M'bowr* —6H **183**
Henley Ct. *Wok* —7D **74**
Henley Dri. *Frim G* —7C **70**
Henley Dri. *King T* —8E **26**
Henley Fort Bungalows. *Guild*
—6K **113**
Henley Gdns. *Yat* —1C **68**
Henley Ga. *Norm & Pirb* —5N **91**
Henley Pk. *Norm* —7N **91**
Henley Way. *Felt* —6L **23**
Henlow Pl. *Rich* —3K **25**
Henlys Roundabout. (Junct.) —5K **9**
Hennessey Ct. *Wok* —9E **54**
Henrietta Ho. W6 —1H 13
(off Queen Caroline St.)
Henry Doulton Dri. *SW17* —5E **28**
Henry Hatch Wlk. *Sutt* —4A **62**
Henry Jackson Rd. *SW15* —6J **13**
Henry Macaulay Av. *King T*
—9K **25** (2J **203**)
Henry Peters Dri. *Tedd* —6E **24**
Henshaw Clo. *Craw* —5L **181**
Henslow Way. *Wok* —1F **74**
Henson Rd. *Craw* —2F **182**
Hensworth Rd. *Afrd* —6M **21**
Henty Clo. *Craw* —6K **181**
Henty Wlk. *SW15* —8G **12**
Hepple Clo. *Iswth* —5H **11**
Hepplestone Clo. *SW15* —9G **13**
Hepplewhite Clo. *Craw* —8N **181**
Hepworth Cft. *Coll T* —9K **49**
Hepworth Rd. *SW16* —8J **29**
Hepworth Way. *W on T* —7G **39**
Heracles Clo. *Wall* —4J **63**
Herald Ct. *Alder* —3N **109**
Herald Gdns. *Wall* —8F **44**
Herbert Clo. *Brack* —4N **31**
Herbert Cres. *Knap* —5H **73**
Herbert Gdns. *W4* —2A **12**
Herbert Morrison Ho. SW6 —2L 13
(off Clem Attlee Ct.)
Herbert Rd. *SW19* —8L **27**
(in two parts)
Herbert Rd. *King T* —2M **41** (6M **203**)
Herbs End. *Farn* —9H **69**
Hereford Clo. *Craw* —7C **182**
Hereford Clo. *Eps* —9C **60** (7L **201**)
Hereford Clo. *Guild* —1J **113**
Hereford Clo. *Stai* —9K **21**
Hereford Copse. *Wok* —6L **73**
Hereford Ct. *Sutt* —4M **61**
Hereford Gdns. *Twic* —2C **24**
Hereford Ho. SW10 —3N 13
(off Fulham Rd.)
Hereford La. *Farnh* —6G **109**
Hereford Mead. *Fleet* —1C **88**
Hereford Rd. *Felt* —2K **23**
Hereford Sq. *SW7* —1N **13**
Hereford Way. *Chess* —2J **59**
Hereward Av. *Purl* —7L **63**
Hereward Rd. *SW17* —5D **28**
Heriot Rd. *Cher* —6J **37**
Heritage Hill. *Kes* —2E **66**
Heritage Lawn. *Horl* —7G **142**
Herlwyn Gdns. *SW17* —5D **28**
Herm Clo. *Craw* —7M **181**
Herm Clo. *Iswth* —3C **10**
Hermes Clo. *Fleet* —4D **88**
Hermes Way. *Wall* —4H **63**
Hermitage Bri. Cotts. *Wok* —6F **72**
Hermitage Clo. *Clay* —3G **58**
Hermitage Clo. *Farn* —4B **90**
Hermitage Clo. *Frim* —5D **70**
Hermitage Clo. *Shep* —3B **38**
Hermitage Dri. *Asc* —1J **33**
Hermitage Gdns. *SE19* —8N **29**
Hermitage Grn. *SW16* —9J **29**
Hermitage La. *SE25* —5D **46**
(in two parts)
Hermitage La. *SW16* —8K **29**
Hermitage La. *E Grin* —1B **186**
Hermitage La. *Wind* —6D **4**
Hermitage Pde. *Asc* —2M **33**
Hermitage Path. *SW16* —9J **29**
Hermitage Rd. *SE19* —8N **29**
Hermitage Rd. *E Grin* —7N **165**
Hermitage Rd. *Kenl* —2N **83**
Hermitage Rd. *Wok* —6G **72**
Hermitage, The. *SW13* —4E **12**
Hermitage, The. *Felt* —4G **23**
Hermitage, The. *King T*
—3K **41** (7J **203**)
Hermitage, The. *Rich* —8L **11**
Hermitage, The. *Warf* —6B **16**
Hermitage Woods Cres. *Wok* —6H **73**
Hermitage Woods Est. *Wok* —6H **73**
Hermits Rd. *Craw* —2D **182**
Hermongers. —8H 177
Hermonger's La. *Rud* —7G **176**
Hernbrook Dri. *H'ham* —8L **197**
Herndon Clo. *Egh* —5C **20**
Herndon Rd. *SW18* —8N **13**
Herne Rd. *Surb* —8K **41**
Heron Clo. *Asc* —9H **17**
Heron Clo. *C Crook* —7D **88**
Heron Clo. *Craw* —1A **182**
Heron Clo. *Eden* —9L **127**
Heron Clo. *Guild* —9L **93**
Heron Clo. *Myt* —1D **90**
Heron Clo. *Sutt* —2L **61**
Heron Ct. *Dork* —1K **201**
Heron Ct. *Eps* —1F **80**
Heron Ct. *King T* —2L **41** (6K **203**)
Heron Dale. *Add* —2M **55**
Herondale. *Brack* —6A **32**
Herondale. *Hasl* —2C **188**
Herondale. *S Croy* —5G **65**
Herondale Av. *SW18* —2B **28**
Heronfield. *Eng G* —7M **19**
Heron Pl. *E Grin* —1B **186**
Heron Rd. *Croy* —8B **46**
Heron Rd. *Twic* —7G **11**
Heronry, The. *W on T* —3H **57**
Heronsbrook. *Asc* —1B **34**
Herons Clo. *Copt* —5D **164**
Herons Ct. *Light* —7N **51**
Herons Cft. *Wey* —3D **56**
Heron Shaw. *Cranl* —9N **155**
Herons Lea. *Copt* —5D **164**
Heron's Pl. *Iswth* —6H **11**
Heron Sq. *Rich* —8K **11**
Herons Way. *Brkwd* —8A **72**
Heron's Way. *Wokgm* —1D **30**
Herons Wood Ct. *Horl* —7F **142**
Herontye Dri. *E Grin* —1B **186**
Heron Wlk. *Wok* —1E **74**
Heron Way. *H'ham* —6N **197**
Heron Wood Rd. *Alder* —4B **110**
Herretts Gdns. *Alder* —3B **110**
Herrett St. *Alder* —4B **110**
Herrick Clo. *Craw* —1G **182**
Herrick Clo. *Frim* —3G **70**
Herrings La. *Cher* —5J **37**
Herrings La. *W'sham* —2A **52**
Herriot Ct. *Yat* —2B **68**
Herschel Grange. *Warf* —6B **16**
Herschel Wlk. *Craw* —8N **181**
Hersham. —2L 57
Hersham By-Pass. *W on T* —2J **57**
Hersham Clo. *SW15* —1F **26**
Hersham Gdns. *W on T* —1J **57**
Hersham Green. —2L 57
Hersham Grn. Shop. Cen. *W on T*
—2L **57**
Hersham Pl. *W on T* —2L **57**
Hersham Rd. *W on T* —7H **39**
Hersham Trad. Est. *W on T* —8M **39**
Hershell Ct. *SW14* —7A **12**
Hertford Av. *SW14* —8C **12**
Hertford Sq. *Mitc* —3J **45**
Hertford Way. *Mitc* —3J **45**
Hesiers Hill. *Warl* —4A **86**
Hesiers Rd. *Warl* —3A **86**
Hesketh Clo. *Cranl* —7N **155**
Heslop Rd. *SW12* —2D **28**
Hesper M. *SW5* —1N **13**
Hessle Gro. *Eps* —7E **60**
Hestercombe Av. *SW6* —5K **13**
Hesterman Way. *Croy* —7K **45**
Hester Ter. *Rich* —6N **11**
Heston. —3A 10
Heston Av. *Houn* —2M **9**
Heston Cen., The. *Houn* —1K **9**
Heston Grange. *Houn* —2N **9**
Heston Grange La. *Houn* —2N **9**
Heston Ind. Cen. *Houn* —2K **9**
Heston Ind. Mall. *Houn* —3N **9**
Heston Rd. *Houn* —3A **10**
Heston Rd. *Red* —7D **122**
Heston Wlk. *Red* —7D **122**
Hetherington Rd. *Shep* —1D **38**
Hethersett Clo. *Reig* —9A **102**
Hever Rd. *Eden* —3M **147**
Hevers Av. *Horl* —7D **142**
Hevers Corner. *Horl* —7D **142**
Hewers Way. *Tad* —7G **81**
Hewitt Clo. *Croy* —9K **47**
Hewitts Ind. Est. *Cranl* —7K **155**
Hewlett Pl. *Bag* —4K **51**
Hexham Clo. *Owl* —5J **49**
Hexham Clo. *Worth* —3J **183**
Hexham Gdns. *Iswth* —3G **11**
Hexham Rd. *SE27* —3N **29**
Hexham Rd. *Mord* —7N **43**
Hextalls La. *Blet* —6A **104**
Heybridge Av. *SW16* —8J **29**
Heyford Av. *SW20* —2L **43**
Heyford Rd. *Mitc* —1C **44**
Heymede. *Lea* —1J **99**
Heythorpe Clo. *Wok* —4J **73**
Heythorp St. *SW18* —2L **27**
Heywood Ct. *G'ming* —4F **132**
Heywood Dri. *Bag* —5G **51**
Hibbert's All. *Wind* —4G **4**
Hibernia Gdns. *Houn* —7A **10**
Hibernia Rd. *Houn* —7A **10**
Hibiscus Gro. *Bord* —7A **168**
Hickey's Almshouses. *Rich* —7M **11**
Hickling Wlk. *Craw* —5F **182**
Hickmans Clo. *God* —1F **124**
Hicks La. *B'water* —1G **69**
Hidcote Clo. *Wok* —3D **74**
Hidcote Gdns. *SW20* —2G **42**
Higgins Wlk. Hamp —7M 23
(off Abbott Clo.)
Higgs La. *Bag* —4H **51**
(in two parts)
Highacre. *Dork* —8H **119**
Highams Hill. *Craw* —4L **181**
Highams Hill. *Warl* —8C **66**
Highams La. *Chob* —3D **52**
High Barn Rd. *Eff & Ran C* —7L **97**
Highbarrow Rd. *Croy* —7D **46**
High Beech. *Brack* —3D **32**

High Beech—Hinchley Wood

High Beech. S Croy —4B 64
High Beeches. Bans —1H 81
High Beeches. Frim —4B 70
High Beeches Clo. Purl —6H 63
Highbirch Clo. H'ham —3A 198
High Broom Cres. W Wick —6L 47
Highbury Av. T Hth —1L 45
Highbury Clo. N Mald —3B 42
Highbury Clo. W Wick —8L 47
Highbury Cres. Camb —8E 50
Highbury Gro. Hasl —9G 170
Highbury Rd. SW19 —6K 27
High Button. —3H 171
High Cedar Dri. SW20 —8H 27
High Clandon. —2N 115
Highclere. Asc —4A 34
Highclere. Guild —1C 114
Highclere Clo. Brack —1C 32
Highclere Clo. Kenl —2N 83
Highclere Ct. Knap —4F 72
Highclere Dri. Camb —8E 50
Highclere Gdns. Knap —4F 72
Highclere Rd. Alder —4B 110
Highclere Rd. Knap —4F 72
Highclere Rd. N Mald —2C 42
Highcliffe Dri. SW15 —9E 12
High Coombe Pl. King T —7C 26
High Copse. Farnh —6F 108
Highcotts La. Send —3H 95
(in two parts)
Highcroft. Milf —2B 152
Highcroft. Sham G —7G 134
Highcroft Ct. Bookh —1A 98
Highcroft Dri. Rud —8F 176
Highcross Way. SW15 —2F 26
High Curley. —8J 51
Highdaun Dri. SW16 —3K 45
Highdown. Fleet —3B 88
Highdown. Wor Pk —8D 42
Highdown Ct. Craw —6F 182
Highdown La. Sutt —7N 61
Highdown Rd. SW15 —9G 12
Highdown Way. H'ham —2M 197
High Dri. N Mald —9B 26
High Dri. Oxs —1D 78
High Dri. Wold —9J 85
High Elms Rd. Dow & Orp —7J 67
Higher Alham. Brack —6C 32
Highercombe Rd. Hasl —9J 171
Higher Dri. Bans —8J 61
Higher Dri. E Hor —5F 96
Higher Dri. Purl —9L 63
Higher Grn. Eps —9F 60
Highfield. Bans —4C 82
Highfield. Brack —5L 31
Highfield. Felt —2H 23
Highfield. Shalf —2B 134
Highfield Av. Alder —5M 109
Highfield Clo. Alder —4N 109
Highfield Clo. Farn —1L 89
Highfield Clo. Farnh —4G 128
Highfield Clo. Oxs —7D 58
Highfield Clo. Surb —7J 41
Highfield Clo. W Byf —9J 55
Highfield Clo. Wokgm —2A 30
Highfield Cres. Hind —5C 170
Highfield Dri. Eps —3E 60
Highfield Dri. W Wick —8L 47
Highfield Gdns. Alder —4M 109
Highfield Ho. Craw —2B 182
(off Town Mead)
Highfield La. P'ham —9L 111
Highfield La. Thur —9F 150
Highfield Path. Farn —1L 89
Highfield Rd. Big H —4E 86
Highfield Rd. Cat —9D 84
Highfield Rd. Cher —7J 37
Highfield Rd. E Grin —7N 165
Highfield Rd. Eng G —7M 19
Highfield Rd. Farn —1L 89
Highfield Rd. Felt —3H 23
Highfield Rd. Iswth —4F 10
Highfield Rd. Purl —6K 63
Highfield Rd. Sun —4G 38
Highfield Rd. Surb —6B 42
Highfield Rd. Sutt —2C 62
Highfield Rd. W on T —7H 39
Highfield Rd. W Byf —9J 55
Highfield Rd. Wind —6C 4
High Fields. Asc —4C 34
Highfields. Asht —6K 79
Highfields. E Hor —6G 96
Highfields. Fet —2D 98
Highfields. F Row —7H 187
Highfields. Sutt —8M 43
Highfields Rd. Eden —7L 127
High Foleys. Clay —4H 59
High Gables. Brom —1N 47
High Gdns. Wok —6L 73
High Garth. Esh —3C 58
Highgate. —8G 187
Highgate Ct. Craw —7A 182
Highgate La. Farn —9A 70
Highgate Rd. F Row —8G 187
Highgate Works. F Row —8G 187
High Grove. —2L 185
Highgrove. Farn —7N 69
Highgrove Ct. Sutt —3M 61
Highgrove Ho. Guild —1E 114
Highgrove M. Cars —9D 44
High Hill Rd. Warl —2M 85
Highland Cotts. Wall —1G 62
Highland Dri. Fleet —1C 88
Highland Pk. Felt —5G 23
Highland Rd. Alder —2B 110
Highland Rd. Bear G —8J 139
Highland Rd. Camb —7C 50
Highland Rd. Purl —1L 83
Highlands. Asht —6J 79
Highlands Av. H'ham —6L 197
Highlands Av. Lea —9J 79
Highlands Clo. Farnh —4G 128
Highlands Clo. Houn —4B 10
Highlands Clo. Lea —9H 79
Highlands Cres. H'ham —6L 197
Highlands Heath. SW15 —1H 27
Highlands La. Wok —8A 74
Highlands Pk. Lea —1K 99
Highlands Rd. Farnh —5H 109
Highlands Rd. H'ham —6L 197
Highlands Rd. Lea —9H 79
Highlands Rd. Reig —2B 122
Highlands, The. E Hor —3F 96
Highland Vw. Cranl —3L 155
High La. Hasl —9G 170
High La. Warl —5J 85
(in two parts)
High Loxley Rd. Loxh —1C 174
High Mead. Cars —7B 62
(off Pine Cres.)
High Mead. W Wick —8N 47
High Mdw. Clo. Dork —6H 119 (4L 201)
High Mdw. Pl. Cher —5H 37
High Oaks. Craw —5N 181
High Pde., The. SW16 —4J 29
High Pk. Av. E Hor —4G 96
(in two parts)
High Pk. Av. Rich —4N 11
High Pk. Rd. Farnh —9G 109
High Pk. Rd. Rich —4N 11
High Path. SW19 —9N 27
High Path Rd. Guild —3E 114
High Pewley. Guild —5A 114 (7E 202)
High Pine Clo. Wey —2D 56
High Pines. Warl —6F 84
High Pines Cvn. Site. Maid G —4F 16
High Pitfold. Gray —7B 170
Highpoint. Wey —2B 56
High Ridge. G'ming —9F 132
Highridge Clo. Eps —1D 80
Highridge La. Bet —9A 120
High Rd. Byfl —8M 55
High Rd. Reig & Coul —5A 102
High Standing. Cat —3N 103
High St. Bans —2M 81
High St. SE25 —3C 46
High St. SW19 —6J 27
High St. Add —1K 55
High St. Alder —2M 109
High St. Asc —2J 33
High St. Bag —4J 51
High St. Beck —1K 47
High St. Blet —2N 123
High St. Bookh —3B 98
High St. Brack —1N 31
(in two parts)
High St. Brmly —5B 134
High St. Bren —3J 11
High St. Camb —9B 50
High St. Cars —2E 62
High St. Cat —1B 104
High St. Cheam —3K 61
High St. C'fold —8H 173
High St. Chob —7H 53
High St. Clay —3F 58
High St. Cobh —1J 77
High St. Coln —3E 6
High St. Cran —4H 9
High St. Cranl —7L 155
High St. Craw —3B 182
(in three parts)
High St. Crowt —3H 49
High St. Croy —8N 45 (3C 200)
(in two parts)
High St. Dat —4L 5
High St. Dork —5H 119 (2L 201)
High St. Dow —7J 67
High St. E Grin —1B 186
High St. Eden —2L 147
High St. Egh —6B 20
High St. Eps —9C 60 (7K 201)
High St. Esh —1B 58
High St. Eton —2G 4
High St. Ewe —5E 60
High St. F'boro —2K 67
High St. Farn —5B 90
High St. Felt —4G 23
High St. God —8E 104
High St. G'ming —7G 133
High St. G Str —4N 67
High St. Guild —5M 113 (6B 202)
(in four parts)
High St. Hamp —9C 24
High St. Hamp H —7C 24
High St. Hamp W —9J 25
High St. Hand —8N 199
High St. Harm —2M 7
High St. Hasl —2H 189
High St. Hayes —2E 8
High St. Head —4D 168
High St. Horl —8F 142
High St. Hors —2L 73
High St. Houn —6B 10
High St. King T —2K 41 (5J 203)
High St. Knap —4F 72
High St. Lea —9H 79
(in two parts)
High St. Limp —6C 106
High St. Ling —7N 145
High St. L Sand —6E 48
High St. Loxw —5H 193
High St. N Mald —3D 42
High St. Nutf —2K 123
High St. Old Wok —8C 74
High St. Oxs —9D 58
High St. Oxt —8N 105
High St. Purl —7L 63
High St. Red —3D 122
High St. Reig —3M 121
High St. Rip —8L 75
High St. Rowl —8D 128
High St. Rusp —2C 180
High St. Sand —6E 48
High St. Shep —5C 38
High St. Slou —1B 6
High St. Stai —5G 21
High St. Stanw —9M 7
High St. S'dale —4D 34
High St. S'hill —4A 34
High St. Sutt —1N 61
High St. Tad —1H 101
High St. Tedd —6F 24
High St. Th Dit —5G 40
High St. T Hth —3N 45
High St. W on T —7H 39
High St. W End —8C 52
High St. W'ham —5L 107
High St. W Mol —3A 40
High St. W Wick —7L 47
High St. Wey —1B 56
High St. Whit —1C 24
High St. Wind —4G 4
High St. Wok —4B 74
High St. Wray —9A 6
High St. Colliers Wood. SW19 —8B 28
Highstreet Green. —7K 173
High St. M. SW19 —6K 27
High Thicket Rd. Dock —6C 148
High Tree Clo. Add —2J 55
High Trees. SW2 —2L 29
High Trees. Croy —7H 47
High Trees Clo. Cat —9C 84
High Trees Rd. Reig —4A 122
Highview. Cat —2B 104
High Vw. G'ming —7H 133
(off Flambard Way)
High Vw. Gom —8D 116
Highview. Knap —4H 73
High Vw. Sutt —7L 61
Highview Av. Wall —2K 63
High Vw. Clo. SE19 —1C 46
High Vw. Clo. Farn —1M 89
Highview Ct. Reig —3B 122
(off Wray Comn. Rd.)
Highview Cres. Camb —6D 50
High Vw. Lodge. Alder —2M 109
Highview Path. Bans —2M 81
High Vw. Rd. Dow —6J 67
High Vw. Rd. Farn —1M 89
High Vw. Rd. Guild —6G 113
High Vw. Rd. Light —7J 51
Highway. Crowt —2F 48
Highwayman's Ridge. W'sham —1M 51
Highway, The. Sutt —5A 62
Highwold. Coul —5E 82
Highwood. Brom —2N 47
Highwood Clo. Kenl —4N 83
Highwood Clo. Yat —2B 68
Highwoods. Cat —3B 104
Highwoods. Lea —8J 79
Highworth. H'ham —7M 197
Hilary Av. Mitc —2E 44
Hilary Clo. SW6 —3N 13
Hilbert Rd. Sutt —9J 43
Hilborough Way. Orp —2M 67
Hilda Ct. Surb —6K 41
Hilda Va. Clo. Orp —1K 67
Hilda Va. Rd. Orp —1J 67
Hildenlea Pl. Brom —1N 47
Hildenley Clo. Red —6H 103
Hildens, The. Dork —7B 118
Hilder Gdns. Farn —2B 90
Hilderley Ho. King T —5M 203
Hilders Clo. Eden —8K 127
Hilders La. Eden —8H 127
Hilders, The. Asht —4A 80
Hildreth St. SW12 —2F 28
Hildyard Rd. SW6 —2M 13
Hilfield. Yat —1E 68
Hilgay. Guild —3B 114
Hilgay Clo. Guild —3B 114
Hilland Ri. Head —5E 168
Hillars Heath Rd. Coul —2J 83
Hillary Clo. E Grin —7C 166
Hillary Clo. Farnh —3G 129
Hillary Cres. W on T —7K 39
Hillary Dri. Crowt —1G 49
Hillary Rd. Farnh —4G 128
Hill Barn. S Croy —7B 64
Hillberry. Brack —6A 32
Hillborne Clo. Hayes —1H 9
Hillborough Clo. SW19 —8A 28
Hillbrook Gdns. Wey —4B 56
Hillbrook Ri. Farnh —6G 108
Hillbrook Rd. SW17 —4D 28
Hillbrow. N Mald —2E 42
Hillbrow. Reig —3A 122
Hillbrow Clo. Wood S —2E 112
Hillbrow Ct. God —1F 124
Hillbrow Rd. Esh —1C 58
Hillbury Clo. Warl —5F 84
Hillbury Gdns. Warl —5F 84
Hillbury Rd. SW17 —4F 28
Hillbury Rd. Warl —4D 84
Hill Clo. Purl —9N 63
Hill Clo. Wok —3N 73
Hill Clo. Won —5D 134
Hill Copse Vw. Brack —9C 16
Hill Corner Farm Cvn. Pk. Farn —7J 69
Hillcote Av. SW16 —8L 29
Hill Ct. G'ming —4H 133
Hill Ct. Hasl —2F 188
Hill Cres. Surb —4M 41 (8N 203)
Hill Cres. Wor Pk —8H 43
Hill Crest. Dor P —4A 166
Hill Crest. Elst —8H 131
(in two parts)
Hillcrest. Farnh —4J 109
Hillcrest. Fleet —2B 88
Hill Crest. Surb —6L 41
Hillcrest. Wey —1C 56
Hillcrest Av. Cher —9G 36
Hillcrest Clo. Beck —5J 47
Hillcrest Clo. Craw —3H 183
Hillcrest Clo. Eps —2E 80
Hillcrest Ct. Sutt —3B 62
Hill Crest Dri. Farnh —5E 128
Hillcrest Gdns. Esh —9F 40
Hillcrest Ho. Guild —1E 114
Hillcrest Mobile Home Pk. Tad —9A 100
Hillcrest Pde. Coul —1F 82
Hillcrest Rd. Big H —3F 86
Hillcrest Rd. Camb —8F 50
Hillcrest Rd. Eden —8L 127
Hillcrest Rd. Guild —2J 113
Hillcrest Rd. Purl —6K 63
Hillcrest Rd. Whyt —4C 84
Hillcrest Vw. Beck —5J 47
Hillcroft Av. Purl —9G 63
Hillcroome Rd. Sutt —3B 62
Hillcross Av. Mord —5J 43
Hilldale Rd. Sutt —1L 61
Hilldeane Rd. Purl —5L 63
Hilldown Ct. SW16 —8J 29
Hilldown Rd. SW16 —8J 29
Hill Dri. SW16 —2K 45
Hillersdon Av. SW13 —5F 12
Hilley Fld. La. Fet —9C 78
Hill Farm Clo. Hasl —3D 188
Hill Farm La. Binf —5K 15
Hillfield Av. Mord —5C 44
Hillfield Clo. Guild —1E 114
Hillfield Clo. Red —3E 122
Hillfield Cotts. Itch —8B 196
Hillfield Ct. Esh —2B 58
Hill Fld. Rd. Hamp —8N 23
Hillfield Rd. Red —3E 122
Hillford Pl. Red —9E 122
Hillgarth. Hind —4B 170
Hillgate Pl. SW12 —1F 28
Hillgrove. —9B 190
Hill Gro. Felt —3N 23
Hill Ho. Clo. Turn H —4D 184
Hill Ho. Dri. Hamp —9A 24
Hill Ho. Dri. Reig —5N 121
Hill Ho. Dri. Wey —7B 56
Hillhouse La. Rud —8N 175
Hill Ho. Rd. SW16 —6K 29
Hillhurst Gdns. Cat —7B 84
Hillier Gdns. Croy —2L 63
Hillier Ho. Guild —5L 113
Hillier Lodge. Tedd —6D 24
Hillier Pl. Chess —3K 59
Hillier Rd. SW11 —1D 28
Hillier Rd. Guild —3C 114
Hilliers La. Croy —9J 45
Hillingdale. Big H —5D 86
Hillingdale. Craw —8A 182
Hillingdon Av. Stai —2N 21
Hill La. Kgswd —8K 81
Hillmead. Craw —4L 181
Hill Mead. H'ham —5G 197
Hillmont Rd. Esh —9E 40
Hillmount. Wok —5A 74
(off Constitution Hill)
Hill Park. —1K 107
Hill Pk. Lea —6F 78
Hill Pk. Dri. Lea —6F 78
Hill Path. SW16 —6K 29
Hill Pl. Craw —5A 182
Hill Ri. Dork —3G 118
Hill Ri. Esh —8H 41
Hill Ri. Rich —8K 11
Hill Ri. Slou —2C 6
Hill Ri. W on T —6G 39
Hill Rd. Cars —3C 62
Hill Rd. Farnh —5H 109
Hill Rd. Fet —9B 78
Hill Rd. Gray —6A 170
Hill Rd. Hasl —2G 188
Hill Rd. Hind —3A 170
Hill Rd. Mitc —9F 28
Hill Rd. Purl —8K 63
Hill Rd. Sutt —2N 61
Hillsborough Ct. Farn —6K 69
Hillsborough Pk. Camb —1G 70
Hills Farm La. H'ham —7F 196
Hillside. SW19 —7J 27
Hillside. Asc —4N 33
Hillside. Bans —2K 81
Hillside. Camb —8L 49
Hillside. Craw D —1E 184
Hillside. Esh —2B 58
Hillside. F Row —6H 187
Hillside. H'ham —6G 196
Hillside. Vir W —5M 35
Hillside. Wok —7N 73
Hillside Av. Purl —9M 63
Hillside Clo. Bans —3K 81
Hillside Clo. Brock —4N 119
Hillside Clo. Craw —5N 181
Hillside Clo. E Grin —7A 166
Hillside Clo. Head D —3F 168
Hillside Clo. Knap —4G 72
Hillside Clo. Mord —3K 43
Hillside Ct. Guild —4A 114 (5F 202)
Hillside Cres. Frim —7D 70
Hillside Dri. Binf —7H 15
Hillside Gdns. SW2 —3L 29
Hillside Gdns. Add —2H 55
Hillside Gdns. Brock —3N 119
Hillside Gdns. Wall —4G 63
Hillside Ho. Croy —6A 200
Hillside La. Farnh —4J 109
Hillside Pk. S'dale —7C 34
Hillside Pas. SW16 —3K 29
Hillside Rd. SW2 —3K 29
Hillside Rd. Alder —4L 109
Hillside Rd. Asht —4M 79
Hillside Rd. Ash V —1F 110
Hillside Rd. Coul —5J 83
Hillside Rd. Croy —2M 63 (8A 200)
Hillside Rd. Eps —6H 61
Hillside Rd. Farnh —5K 109
Hillside Rd. Fren —8H 129
Hillside Rd. Hasl —3D 188
Hillside Rd. Surb —3M 41 (8N 203)
Hillside Rd. Sutt —4L 61
Hillside Rd. Tats —6G 87
Hillside Rd. Whyt —5D 84
Hillside Way. G'ming —4G 133
Hillsmead Way. S Croy —9D 64
Hills Pl. H'ham —6G 197
Hillspur Clo. Guild —2J 113
Hillspur Rd. Guild —2J 113
Hill St. Rich —8K 11
Hillswood Dri. Cher —1E 54
Hill, The. Cat —2C 104
Hill Top. Mord —5M 43
Hill Top. Sutt —6L 43
Hilltop Clo. Asc —1B 34
Hilltop Clo. Guild —8J 93
Hilltop Clo. Lea —1J 99
Hilltop La. Cat —4L 103
Hilltop Ri. Bookh —4C 98
Hilltop Rd. Reig —5N 121
Hilltop Rd. Whyt —4B 84
Hilltop Vw. Yat —1A 68
Hilltop Wlk. Wold —7H 85
Hillview. SW20 —8G 26
Hill Vw. F Row —8H 187
Hillview. Whyt —5D 84
(off Hillside Rd.)
Hillview Clo. Purl —7M 63
Hill Vw. Clo. Tad —8H 81
Hillview Ct. Wok —5B 74
Hill Vw. Cres. Guild —1J 113
Hillview Dri. Red —4E 122
Hillview Gdns. Craw —9A 182
Hill Vw. Rd. Clay —4G 59
Hill Vw. Rd. Farnh —1E 128
Hillview Rd. Sutt —9A 44
Hill Vw. Rd. Twic —9G 10
Hill Vw. Rd. Wok —5B 74
Hillview Rd. Wray —9N 5
Hillworth. Beck —1L 47
Hillworth Rd. SW2 —1L 29
Hillybarn Rd. If'd —9H 161
Hilton Ct. Horl —7G 143
Hilton Way. S Croy —2E 84
Himley Rd. SW17 —6C 28
Hinchley Clo. Esh —1F 58
Hinchley Dri. Esh —9F 40
Hinchley Way. Esh —9G 40
Hinchley Wood. —9F 40

Hindell Clo.—Hope Way

Hindell Clo. Farn —6M 69
Hindhead. —5D 170
Hindhead Clo. Craw —5A 182
Hindhead Common. —4E 170
Hindhead Rd. Hasl & Hind —1C 188
Hindhead Way. Wall —2J 63
Hine Clo. Coul —9G 83
Hinkler Clo. Wall —4J 63
(in two parts)
Hinstock Clo. Farn —2M 89
Hinton Av. Houn —7L 9
Hinton Clo. Crowt —9G 31
Hinton Dri. Crowt —9G 31
Hinton Rd. Hurst —1A 14
Hinton Rd. Wall —3G 63
Hipley Ct. Guild —4C 114
Hipley St. Wok —7D 74
Hitchcock Clo. Shep —2A 38
Hitchings Way. Reig —7M 121
Hitherbury Clo. Guild —6M 113 (8B 202)
Hitherfield Rd. SW16 —3K 29
Hitherhooks Hill. Binf —9K 15
Hithermoor Rd. Stai —9H 7
Hitherwood. Cranl —8N 155
Hitherwood Clo. Reig —1B 122
H. Jones Cres. Alder —1A 110
Hoadlands Cotts. Hand —6N 199
Hoadly Rd. SW16 —4H 29
Hobart Ct. S Croy —8E 200
Hobart Gdns. T Hth —2A 46
Hobart Pl. Rich —1M 25
Hobart Rd. Wor Pk —9G 42
Hobbes Wlk. SW15 —8G 12
Hobbs Clo. W Byf —9K 55
Hobbs Ind. Est. Newc —2H 165
Hobbs Rd. SE27 —5N 29
Hobbs Rd. Broadf —7M 181
Hobill Wlk. Surb —5M 41
Hocken Mead. Craw —1H 183
Hockering Est. Wok —5D 74
Hockering Gdns. Wok —5C 74
Hockering Rd. Wok —5C 74
Hockford Clo. Pirb —4E 92
Hodge La. Wink —6L 17
(in two parts)
Hodges Clo. Bag —6H 51
Hodgkin Clo. M'bowr —4G 182
Hodgson Gdns. Guild —9C 94
Hoe. —3F 136
Hoebrook Clo. Wok —8N 73
Hoe La. Hasc —6N 153
Hoe La. Peasl & Ab H —3F 136
Hoffman Clo. Brack —7B 16
Hogarth Av. Afrd —7D 22
Hogarth Bus. Cen. W4 —2D 12
Hogarth Clo. Coll T —9K 49
Hogarth Ct. Houn —3M 9
Hogarth Cres. SW19 —9B 28
Hogarth Cres. Croy —6N 45
Hogarth Gdns. Houn —3A 10
Hogarth La. W4 —2D 12
Hogarth Pl. SW5 —1N 13
(off Hogarth Rd.)
Hogarth Rd. SW5 —1N 13
Hogarth Rd. Craw —6D 182
Hogarth Roundabout. (Junct.) —2E 12
Hogarth's House. —2D 12
(off Hogarth La.)
Hogarth Ter. W4 —2D 12
Hogarth Way. Hamp —9C 24
Hogden Clo. Tad —3L 101
Hogden La. Ran C —9M 97
(in four parts)
Hog Hatch. —6F 108
Hoghatch La. Farnh —6F 108
Hog's Back. Guild —6H 113 (8A 202)
Hog's Back. P'ham —7L 111
Hog's Back. Seale —8B 110
(in two parts)
Hog's Back Brewery. —7D 110
Hogscross La. Coul —1D 102
Hog's Hill. Craw —6B 182
Hogs Hill. Fern —9F 188
Hogshill La. Cobh —1J 77
(in three parts)
Hogsmill Ho. King T —5M 203
Hogsmill Wlk. King T —5K 203
Hogsmill Way. Eps —2B 60
Hogtrough La. God —5K 105
(in two parts)
Hogtrough La. S Nut —4G 123
Hogwood Rd. Loxw —5E 192
Holbeach M. SW12 —2F 28
Holbeche Clo. Yat —1A 68
Holbeck. Brack —5L 31
Holbein Rd. Craw —6D 182
Holborn Way. Mitc —1D 44
Holbreck Pl. Wok —5B 74
Holbrook. —9L 179
Holbrook Clo. Farnh —4L 109
Holbrooke Pl. Rich —8K 11
Holbrook Mdw. Egh —7E 20
Holbrook School La. H'ham —1L 197
Holbrook Way. Alder —5N 109
Holcombe Clo. W'ham —4M 107
Holcombe St. W6 —1G 13
Holcon Ct. Red —9E 102
Holcroft Ct. E Grin —6B 166
Holden Brook La. Ockl —7M 157
Holdernesse Clo. Iswth —4G 10
Holdernesse Rd. SW17 —4D 28
Holderness Way. SE27 —6M 29
Holder Rd. Alder —3C 110
Holder Rd. M'bowr —6F 182
Holdfast La. Hasl —9K 171
Hole Hill. —5B 118
Holehill La. Westc —4A 118
Hole La. Eden —5H 127
Holford Rd. Guild —3E 114
Holland. —2C 126
Holland Av. SW20 —9E 26
Holland Av. Sutt —5M 61
Holland Clo. Farnh —3K 129
Holland Clo. Red —3D 122
Holland Ct. Surb —6K 41
Holland Cres. Oxt —2C 126
Holland Gdns. Egh —1H 37
Holland Gdns. Fleet —5B 88
Holland La. Oxt —2C 126
Holland Pines. Brack —6L 31
Holland Rd. SE25 —4D 46
Holland Rd. Oxt —2C 126
Hollands Field. Broad H —4E 196
Hollands, The. Felt —5L 23
Hollands, The. Wok —5A 74
Hollands, The. Wor Pk —7E 42
Hollands Way. E Grin —6C 166
Hollands Way. Warn —9F 178
Hollerith Ri. Brack —5N 31
Holles Clo. Hamp —7A 24
Hollies Av. W Byf —9H 55
Hollies Clo. SW16 —7L 29
Hollies Clo. Twic —3F 24
Hollies Ct. Add —2L 55
Hollies, The. Add —2L 55
(off Crockford Pk. Rd.)
Hollies, The. B'water —5M 69
Hollies Way. SW12 —1E 28
Hollin Ct. Craw —9C 162
Hollingbourne Cres. Craw —9A 182
Hollingsworth Ct. Surb —6K 41
Hollingsworth Rd. Croy —3E 64
Hollington Cres. N Mald —5E 42
Hollingworth Clo. W Mol —3N 39
Hollingworth Way. W'ham —4M 107
Hollis Row. Red —5D 122
Hollis Wood Dri. Wrec —6D 128
Hollman Gdns. SW16 —7M 29
Holloway Clo. W Dray —1N 7
Holloway Dri. Vir W —3A 36
Holloway Hill. —9H 133
Holloway Hill. Cher —9E 36
Holloway Hill. G'ming —7G 133
Holloway La. W Dray —2N 7
Holloway St. Houn —6B 10
Hollow Clo. Guild —4L 113
Hollow La. D'land & E Grin —1D 166
Hollow La. Head —3D 168
Hollow La. Vir W —2M 35
Hollow La. Wott —9L 117
Hollows, The. Bren —2M 11
Hollow, The. Craw —4L 181
Hollow, The. Ews —5A 108
Hollow, The. Lwr E —7C 132
Hollow Way. Gray —5A 170
Holly Acre. Yat —1C 68
Holly Av. Frim —3F 70
Holly Av. New H —6J 55
Holly Av. W on T —7L 39
Hollybank. W End —9C 52
Hollybank Clo. Hamp —6A 24
Holly Bank Rd. W Byf —1J 75
Holly Bank Rd. Wok —8L 73
Hollybrook Pk. Bord —6A 168
Hollybush Clo. Craw —2C 182
Hollybush Ind. Est. Alder —8C 90
Hollybush La. Alder —8C 90
Hollybush La. Fren —1H 149
Holly Bush La. Hamp —8N 23
Hollybush La. Rip —6M 75
Hollybush Ride. Finch —3B 48
(in two parts)
Hollybush Ride. W'sham —9K 33
Hollybush Rd. Craw —2C 182
Hollybush Rd. King T —6L 25
Holly Clo. Alder —2A 110
Holly Clo. Beck —3M 47
Holly Clo. Craw —1E 182
Holly Clo. Eng G —7L 19
Holly Clo. Farn —1M 89
Holly Clo. Felt —6M 23
Holly Clo. Head —4H 169
Holly Clo. H'ham —3A 198
Holly Clo. Longc —9K 35
Holly Clo. Wall —4F 62
Holly Clo. Wok —6L 73
Hollycombe. Eng G —5M 19
Holly Ct. Cher —7H 37
(off King St.)
Holly Ct. Crowt —3D 48
Holly Ct. Sutt —4M 61
Holly Cres. Beck —4J 47
Holly Cres. Wind —5A 4
Hollycroft Clo. S Croy —2B 64
Hollycroft Clo. W Dray —2B 8
Hollycroft Gdns. W Dray —2B 8
Hollydale Dri. Brom —1H 67
Holly Dri. Old Win —9H 5
Holly Farm Rd. S'hall —1M 9
Hollyfield Rd. Surb —6M 41
Hollyfields Clo. Camb —1N 69
Holly Grn. Wey —1E 56
Hollygrove Clo. Houn —7N 9
Holly Hedge Clo. Frim —4C 70
Hollyhedge Rd. Cobh —1J 77
Holly Hedge Rd. Frim —4C 70
Holly Hill Dri. Bans —4M 81
Hollyhock Dri. Bisl —2D 72
Hollyhook Clo. Crowt —1F 48
Holly Ho. Brack —5N 31
Holly Ho. Bren —2J 11
Holly La. Bans —3M 81
Holly La. G'ming —8F 132
Holly La. Worp —7F 92
Holly La. E. Bans —3N 81
Holly La. W. Bans —4M 81
Holly Lea. Guild —6N 93
Holly Lodge Mobile Home Pk. Tad —4K 101
Hollymead. Cars —9D 44
Hollymead Rd. Coul —5E 82
Hollymeoak Rd. Coul —6F 82
Hollymoor La. Eps —6C 60
Hollyridge. Hasl —2F 188
Holly Rd. W4 —1C 12
Holly Rd. Alder —2A 110
Holly Rd. Farn —1L 89
Holly Rd. Hamp —7C 24
Holly Rd. Houn —7B 10
Holly Rd. Reig —5N 121
Holly Rd. Twic —2F 24
Holly Spring Cotts. Brack —8B 16
Holly Spring La. Brack —9A 16
Holly Tree Clo. SW19 —2J 27
Hollytree Gdns. Frim —6B 70
Holly Tree Rd. Cat —9B 84
Holly Wlk. Wind —5B 18
Hollywater. —8A 168
Hollywater Rd. Bord —8A 168
Hollywater Rd. Pass —9A 168
Holly Way. B'water —2J 69
Holly Way. Mitc —3H 45
Hollywood M. SW10 —2N 13
Hollywood Rd. SW10 —2N 13
Hollywoods. Croy —5J 65
Holman Clo. Craw —9N 181
Holman Ct. Eps —5F 60
Holman Hunt Ho. W6 —1K 13
(off Field Rd.)
Holman Rd. Eps —2B 60
Holmbank Dri. Shep —3F 38
Holmbrook Clo. Farn —1H 89
Holmbrook Gdns. Farn —1H 89
Holmbury Av. Crowt —9F 30
Holmbury Clo. Craw —5A 182
Holmbury Ct. SW17 —4D 28
Holmbury Ct. S Croy —2B 64
Holmbury Dri. N Holm —8J 119
Holmbury Gro. Croy —4J 65
Holmbury Hill Rd. Holm M —9J 137
Holmbury Keep. Horl —7G 142
(off Langshott La.)
Holmbury La. Holm M —1L 157
Holmbury St Mary. —6K 137
Holmbush Clo. H'ham —2K 197
Holmbush Ct. Fay —8G 181
Holmbush Potteries Ind. Est. Fay —8H 181
Holmbush Rd. SW15 —9K 13
Holm Clo. Wdhm —8G 55
Holm Ct. G'ming —4G 132
Holmcroft. Craw —4C 182
Holmcroft. Tad —3G 101
Holmdene Clo. Beck —1M 47
Holmead Rd. SW6 —3N 13
Holme Chase. Wey —3D 56
Holme Clo. Crowt —9F 30
Holme Green. —5E 30
Holmes Clo. Asc —5N 33
Holmes Clo. Wok —8B 74
Holmesdale Av. SW14 —6A 12
Holmesdale Clo. SE25 —2C 46
Holmesdale Clo. Guild —2D 114
Holmesdale Pk. Nutf —3K 123
Holmesdale Rd. Croy & SE25 —4A 46
Holmesdale Rd. N Holm —9H 119
Holmesdale Rd. Reig —2M 121
Holmesdale Rd. Rich —4M 11
Holmesdale Rd. S Nut —5K 123
Holmesdale Rd. Tedd —8J 25
Holmesdale Ter. N Holm —9H 119
Holmesdale Vs. Mid H —2H 139
Holmes Rd. SW19 —8A 28
Holmes Rd. Twic —3F 24
Holmethorpe. —9F 102
Holmethorpe Av. Red —9F 102
Holmethorpe Ind. Est. Red —9F 102
Holmewood Clo. Wokgm —6A 30
Holmewood Gdns. SW2 —1K 29
Holmewood Rd. SE25 —2B 46
Holmewood Rd. SW2 —1J 29
Holming End. H'ham —3A 198
Holmlea Ct. Croy —6E 200
Holmlea Rd. Dat —4N 5
Holmlea Wlk. Dat —4M 5
Holmoak Clo. SW15 —9L 13
Holmoaks Ho. Beck —1M 47
Holmside Rd. SW12 —1E 28
Holmsley Clo. N Mald —5E 42
Holmsley Ho. SW15 —1E 26
(off Tangley Gro.)
Holm Ter. Dork —8H 119
Holmwood Av. S Croy —9C 64
Holmwood Clo. Add —2J 55
Holmwood Clo. E Hor —6F 96
Holmwood Clo. Sutt —5J 61
Holmwood Common. —3J 139
Holmwood Corner. —6K 139
Holmwood Gdns. Wall —3F 62
Holmwood Rd. Chess —2K 59
Holmwood Rd. Sutt —5H 61
Holmwood Vw. Rd. Mid H —2H 139
Holne Chase. Mord —5L 43
Holroyd Clo. Clay —5F 58
Holroyd Rd. SW15 —7H 13
Holroyd Rd. Clay —5F 58
Holsart Clo. Tad —9G 81
Holstein Av. Wey —1B 56
Holst Mans. SW13 —2H 13
Holsworthy Way. Chess —2J 59
Holt Clo. Farn —7A 70
Holt La. Wokgm —1A 30
Holton Heath. Brack —3D 32
Holt Pound. —7C 128
Holt Pound Cotts. Rowl —7B 128
Holt Pound La. Holt P —6B 128
Holt, The. Mord —3M 43
Holt, The. Wall —1G 62
Holtwood Rd. Oxs —9C 58
Holtye. —7N 167
Holtye Av. E Grin —7B 166
Holtye Common. —6N 167
Holtye Rd. E Grin —8B 166
Holtye Wlk. Craw —5E 182
Holwood Clo. W on T —8K 39
Holwood Pk. Av. Orp —1H 67
Holybourne Av. SW15 —1F 26
Holyhead Ct. King T —8J 203
Holyoake Av. Wok —4M 73
Holyoake Cres. Wok —4M 73
Holyport Rd. SW6 —3J 13
Holyrood. E Grin —2C 186
Holyrood Pl. Craw —7N 181
Holywell Clo. Farn —7M 69
Holywell Clo. Stai —2N 21
Holywell Way. Stai —2N 21
Hombrook Dri. Brack —9K 15
Hombrook Ho. Brack —9K 15
Homebeech Ho. Wok —5A 74
(off Mt. Hermon Rd.)
Home Clo. Cars —8D 44
Home Clo. Craw —1G 183
Home Clo. Fet —8D 78
Home Clo. Vir W —5N 35
Home Ct. Felt —2H 23
Home Ct. Surb —4K 41 (8J 203)
Home Farm Clo. Bet —4D 120
Home Farm Clo. Eps —4J 81
Home Farm Clo. Esh —3B 58
Home Farm Clo. Farn —8B 70
Home Farm Clo. Ott —4C 54
Home Farm Clo. Shep —3F 38
Home Farm Clo. Th Dit —6F 40
Home Farm Cotts. Pep H —6N 131
Home Farm Gdns. W on T —8K 39
Home Farm Rd. G'ming —9H 133
Homefield. Mord —3M 43
Homefield. Thur —7G 150
Homefield Av. W on T —1L 57
Homefield Clo. Horl —7F 142
Homefield Clo. Lea —8J 79
Homefield Clo. Wdhm —8G 55
Homefield Ct. SW16 —4J 29
Homefield Gdns. Mitc —1A 44
Homefield Gdns. Tad —7H 81
Homefield Pk. Sutt —3N 61
Homefield Rd. SW19 —7J 27
Homefield Rd. W4 —1E 12
Homefield Rd. Coul & Cat —6M 83
Homefield Rd. W on T —6M 39
Homefield Rd. Warl —6F 84
Homegreen Ho. Hasl —2E 188
Homeland Dri. Sutt —5N 61
Homelands. Lea —8J 79
Home La. Orp —2N 67
Homelea Clo. Farn —6N 69
Homeleigh Cres. Ash V —5E 90
Home Mdw. Bans —3M 81
Homemead Rd. Croy —5G 45
Home Pk. Oxt —9C 106
Home Pk. Clo. Brmly —5B 134
Home Pk. Ct. King T —8J 203
Homepark Ho. Farnh —1H 129
Home Pk. Pde. King T —3H 203
Home Pk. Rd. SW19 —5L 27
Home Pk. Rd. Yat —9C 48
Home Pk. Ter. King T —3H 203
Home Pk. Wlk. King T —3K 41 (8J 203)
Homer Rd. Croy —5G 47
Homersham Rd. King T —1N 41
Homers Rd. Wind —4A 4
Homesdale Rd. Cat —1A 104
Homestall. Guild —3G 113
Homestall Rd. Ash W —9G 166
Homestead. Cranl —6A 156
Homestead & Middle Vw. Mobile Home Pk. Norm —9B 92
Homestead Gdns. Clay —2E 58
Homestead Rd. SW6 —3L 13
Homestead Rd. Cat —1A 104
Homestead Rd. Eden —7K 127
Homestead Rd. Stai —7K 21
Homestead Way. New Ad —7M 65
Homestream Ho. H'ham —7H 197
Homethorne Ho. Craw —4A 182
Home Vs. Alb —3L 135
Homewater Ho. Eps —9D 60 (6M 201)
Homewaters Av. Sun —9G 23
Homewood. Cranl —7B 156
Homewood Clo. Hamp —7N 23
Homewoods. SW12 —1G 28
Homeworth Ho. Wok —5A 74
(off Mt. Hermon Rd.)
Hone Hill. Sand —7G 48
Hones Yd. Bus. Pk. Farnh —1J 129
Honeybrook Rd. SW12 —1G 28
Honeycrock Ct. Red —1E 142
Honeycrock La. Red —1E 142
Honeydown Cotts. N'chap —8E 190
Honey Hill. Wokgm —6E 30
Honeyhill Rd. Brack —9M 15
Honey La. Rowh & Oke H —6M 177
Honeypot La. Eden —8F 126
Honeypots Rd. Wok —9N 73
Honeysuckle Bottom. E Hor —3F 116
Honeysuckle Clo. Crowt —9F 30
Honeysuckle Clo. Horl —7G 143
Honeysuckle Clo. Yat —9A 48
Honeysuckle Gdns. Croy —6G 46
Honeysuckle La. Craw —9A 162
Honeysuckle La. Head D —4G 168
Honeysuckle La. N Holm —8J 119
Honeysuckle Wlk. H'ham —3N 197
Honeywood Heritage Cen. —1D 62
Honeywood La. Oke H —4M 177
Honeywood Rd. H'ham —4N 197
Honeywood Rd. Iswth —7G 10
Honeywood Wlk. Cars —1D 62
Honister Gdns. Fleet —3D 88
Honister Heights. Purl —1A 84
Honister Wlk. Camb —2H 71
Honnor Gdns. Iswth —5D 10
Honnor Rd. Stai —8M 21
Hood Av. SW14 —8B 12
Hood Clo. Croy —7M 45 (1A 200)
Hood Rd. SW20 —8E 26
Hook. —2K 59
Hooke Rd. E Hor —3G 97
Hookfield. Eps —9B 60 (7H 201)
Hookfield M. Eps —9B 60 (6H 201)
Hook Heath. —8L 73
Hook Heath Av. Wok —6L 73
Hook Heath Gdns. Wok —8J 73
Hook Heath Rd. Wok —8H 73
Hook Hill. S Croy —6B 64
(in two parts)
Hook Hill La. Wok —8L 73
Hook Hill Pk. Wok —8L 73
Hook Ho. La. Duns —3M 173
Hookhouse Rd. Duns —1N 173
Hook Junction. (Junct.) —9K 41
Hook La. Bisl —9N 51
Hook La. P'ham —8N 111
Hook La. Shere —1B 136
Hookley Clo. Elst —8J 131
Hookley La. Elst —8J 131
Hook Mill La. Light —5A 52
Hook Ri. Bus. Cen. Chess —9N 41
Hook Ri. N. Surb —9L 41
Hook Ri. S. Surb —9L 41
Hook Ri. S. Ind. Pk. Chess —9M 41
Hook Rd. Chess & Surb —2K 59
Hook Rd. Eps —4B 60 (5L 201)
Hookstile La. Farnh —2H 129
Hookstone La. W End —7C 52
Hook St. Alf —8K 175
Hookwood. —9B 142
Hookwood Corner. Oxt —6D 106
Hookwood Park. —6D 106
Hookwood Pk. Oxt —6D 106
Hooley. —8F 82
Hooley La. Red —4D 122
Hope Av. Brack —6C 32
Hope Clo. Bren —1L 11
Hope Clo. Sutt —2A 62
Hope Cotts. Brack —2A 32
Hope Ct. Craw —8N 181
Hope Fountain. Camb —2E 70
Hope Grant's Rd. Alder —9M 89
(in two parts)
Hope Ho. Croy —6F 200
Hope La. Farnh —6G 108
Hopeman Clo. Coll T —7J 49
Hopes Clo. Houn —2A 10
Hope St. Elst —7H 131
Hope Way. Alder —1L 109

Imberhorne Bus. Cen.—Kelvedon Av.

Imberhorne Bus. Cen. E Grin —8L 165
Imberhorne La. E Grin —7L 165
Imberhorne Way. E Grin —7L 165
Imber Pk. Rd. Esh —7D 40
Imjin Clo. Alder —1N 109
Impact Ct. SE20 —1E 46
Imperial Ct. Wind —6D 4
Imperial Gdns. Mitc —2F 44
Imperial Rd. SW6 —4N 13
Imperial Rd. Felt —1F 22
Imperial Rd. Wind —6D 4
Imperial Sq. SW6 —4N 13
Imperial Way. Croy —3K 63
Imran Ct. Alder —3A 110
Ince Rd. W on T —3F 56
Inchwood. Brack —7A 32
Inchwood. Croy —1L 65
Independant Bus. Pk., The. E Grin —7K 165
Ingatestone Rd. SE25 —3E 46
Ingham Clo. S Croy —5G 64
Ingham Rd. S Croy —5F 64
Ingleboro Dri. Purl —9A 64
Ingleby Way. Wall —5H 63
Ingle Dell. Camb —2B 70
Inglehurst. New H —6K 55
Inglemere Rd. Mitc —8D 28
Ingleside. Coln —4G 7
Inglethorpe St. SW6 —4J 13
Ingleton. Brack —2M 31
Ingleton Rd. Cars —5C 62
Inglewood. Cher —9H 37
Inglewood. Croy —5H 65
Inglewood. Wok —5L 73
Inglewood Av. Camb —2G 71
Inglis Rd. Croy —7C 46
Ingram Clo. H'ham —6G 197
Ingram Rd. T Hth —9N 29
Ingrams Clo. W on T —2K 57
Ingress St. W4 —1D 12
Inholmes. Craw —3E 182
Inholms La. N Holm —9H 119
Inkerman Rd. Eton W —1C 4
Inkerman Rd. Knap —5H 73
Inkerman Way. Wok —5H 73
Inkpen La. F Row —8H 187
Ink, The. Yat —8B 48
Inman Rd. SW18 —1A 28
Inner Pk. Rd. SW19 —2J 27
Inner Ring E. H'row A —6C 8
Inner Ring W. H'row A —6B 8
Innes Clo. SW20 —1K 43
Innes Gdns. SW15 —9G 13
Innes Rd. H'ham —4M 197
Innes Yd. Croy —9N 45 (5C 200)
Innings La. Warf —9B 16
Innisfail Gdns. Alder —4L 109
Institute Rd. Alder —6A 90 (GU11)
Institute Rd. Alder —3B 110 (GU12)
Institute Rd. Westc —6C 118
Institute Wlk. E Grin —9A 166
Instone Clo. Wall —4J 63
Instow Gdns. Farn —7M 69
Interface Ho. Houn —6A 10 (off Staines Rd.)
International Av. Houn —1K 9
Inval. —8G 170
Invall. —6G 171
Inval Hill. Hasl —9G 170
Inveresk Gdns. Wor Pk —9F 42
Inverness Rd. Houn —7N 9
Inverness Rd. Wor Pk —7J 43
Inverness Way. Coll T —8J 49
Invicta Clo. Felt —2G 22
Invincible Rd. Farn —3M 89
Inwood Av. Coul —7L 83
Inwood Av. Houn —6C 10
Inwood Bus. Cen. Houn —7B 10
Inwood Clo. Croy —8H 47
Inwood Ct. W on T —8K 39
Inwood Rd. Houn —7B 10
Iona Clo. Craw —6N 181
Iona Clo. Mord —6N 43
Ipswich Rd. SW17 —7E 28
Irene Rd. SW6 —4M 13
Irene Rd. Stoke D —1B 78
Ireton Av. W on T —8F 38
Iris Clo. Croy —7G 46
Iris Clo. Surb —6M 41
Iris Dri. Bisl —2D 72
Iris Rd. Bisl —2D 72
Iris Rd. W Ewe —2A 60
Iron La. Brmly —6N 133
Iron Mill Pl. SW18 —9N 13
Iron Mill Rd. SW18 —9N 13
Irons Bottom. —3L 141
Irons Bottom Rd. Leigh —3L 141
Irvine Dri. Farn —6K 69
Irvine Pl. Vir W —4A 36
Irving Mans. W14 —2K 13 (off Queen's Club Gdns.)
Irving Wlk. Craw —6C 182
Irwin Dri. H'ham —5G 196
Irwin Rd. Guild —4K 113
Isabel Hill Clo. Hamp —9B 24
Isabella Ct. Rich —9M 11 (off Kings Mead)
Isabella Dri. Orp —1L 67
Isabella Ho. W6 —1H 13 (off Queen Caroline St.)
Isabella Plantation. —5A 26
Isbells Dri. Reig —4N 121
Isham Rd. SW16 —1J 45
Isis Clo. SW15 —7H 13
Isis Ct. W4 —3A 12
Isis St. SW18 —3A 28
Isis Way. Sand —7J 49
Island Clo. Stai —5G 20
Island Farm Av. W Mol —4N 39
Island Farm Rd. W Mol —4N 39
Island Rd. Mitc —8D 28
Islandstone La. Hurst —3A 14
Island, The. Th Dit —5G 40
Island, The. W Dray —3L 7
Island, The. Wray —4C 20
Islay Gdns. Houn —8L 9
Isleworth. —6G 11
Isleworth Bus. Complex. Iswth —5F 10
Isleworth Promenade. Twic —7H 11
Itchingfield. —9A 196
Itchingfield Rd. Slin & Itch —8A 196
Itchingwood Comn. Rd. Oxt —2E 126
Ivanhoe Clo. Craw —9B 162
Ivanhoe Rd. Houn —6L 9
Ivatt Pl. W14 —1L 13
Iveagh Clo. Craw —8A 182
Iveagh Ct. Beck —2M 47
Iveagh Ct. Brack —4B 32
Iveagh Ho. SW10 —3N 13 (off King's Rd.)
Iveagh Rd. Guild —4L 113
Iveagh Rd. Wok —5J 73
Ively Rd. Farn —2K 89 (in two parts)
Iverna Gdns. Felt —8E 8
Ivers Way. New Ad —4L 65
Ives Clo. Yat —8A 48
Ivor Clo. Guild —4B 114
Ivory Ct. Felt —3H 23
Ivory Wlk. Craw —5K 181
Ivybank. G'ming —5H 133
Ivybridge Clo. Twic —1G 24
Ivy Clo. Sun —1K 39
Ivydale Rd. Cars —8D 44
Ivyday Gro. SW16 —4K 29
Ivydene. Knap —5E 72
Ivydene. W Mol —4N 39
Ivydene Clo. Red —8F 122
Ivydene Clo. Sutt —1A 62
Ivy Dene La. Ash W —3F 186
Ivy Dri. Light —8L 51
Ivy Gdns. Mitc —2H 45
Ivyhouse Cotts. Newd —6F 160
Ivy La. Farnh —1G 129
Ivy La. Houn —7N 9
Ivy La. Wok —4D 74
Ivy Mill Clo. God —1E 124
Ivy Mill La. God —1D 124
Ivymount Rd. SE27 —4L 29
Ivy Rd. SW17 —6C 28
Ivy Rd. Alder —2B 110
Ivy Rd. Houn —7B 10
Ivy Rd. Surb —7N 41

Jacaranda Clo. N Mald —2D 42
Jackass La. Kes —2D 66
Jackass La. Tand —9J 105
Jackdaw Clo. Craw —1A 182
Jackdaw La. H'ham —3L 197
Jack Goodchild Way. King T —2A 42
Jackmans La. Wok —6K 73 (in two parts)
Jackson Clo. Brack —4N 31
Jackson Clo. Cranl —8H 155
Jackson Clo. Eps —1C 80
Jackson Rd. Craw —9N 181
Jacksons Pl. Croy —7A 46 (1E 200)
Jackson's Way. Croy —9K 47
Jackson Way. Eps —5N 59
Jacob Clo. Brack —1J 31
Jacob Clo. Wind —4B 4
Jacobean Clo. Craw —4G 183
Jacob Rd. Coll T —8M 49
Jacob's Ladder. Warl —6D 84
Jacob's Wlk. Ab C —6A 138
Jacobs Well. —6N 93
Jacob's Well Rd. Guild —7N 93
Jaffray Pl. SE27 —5M 29
Jaggard Way. SW12 —1D 28
Jail La. Big H —3F 86
Jamaica Rd. T Hth —5M 45
James Boswell Clo. SW16 —5K 29
James Est. Mitc —1D 44
James Hockey Gallery. —1G 128
James Rd. Alder —6B 90
James Rd. Camb —4N 69
James Rd. P'mrsh —2M 133
James's Cotts. Rich —3N 11
James Searle Ind. Est. H'ham —4L 197
James St. Houn —6D 10
James St. Wind —4G 4
James Ter. SW14 —6C 12 (off Church Path)
James Terry Ct. S Croy —8B 200
Jameston. Brack —7A 32
James Watt Way. Craw —7E 162
James Way. Camb —4N 69
Jamieson Ho. Houn —9N 9
Jamnagar Clo. Stai —7H 21
Janoway Hill La. Wok —6M 73
Japonica Clo. Wok —5M 73
Japonica Ct. As —3D 110
Jarrett Clo. SW2 —2M 29
Jarrow Clo. Mord —4N 43
Jarvis Clo. Craw —9N 181
Jarvis Rd. S Croy —3A 64
Jasmine Clo. Red —8E 122
Jasmine Clo. Wok —3J 73
Jasmine Ct. SW19 —6M 27
Jasmine Ct. H'ham —6J 197
Jasmine Gdns. Croy —9L 47
Jasmine Way. E Mol —3E 40
Jasmin Rd. Eps —2A 60
Jason Clo. Red —8C 122
Jason Clo. Wey —2D 56
Jasons Dri. Guild —9E 94
Javelin Ct. Craw —9H 163
Jay Av. Add —9N 37
Jay Clo. Ews —5C 108
Jay's La. Hasl —6M 189
Jays Nest Clo. B'water —2J 69
Jay Wlk. Turn H —4F 184
Jeal Oakwood Ct. Eps —1D 80 (8M 201)
Jealott's Hill. —2N 15
Jean Batten Clo. Wall —4K 63
Jean Orr Ct. C Crook —8B 88
Jeans Ct. Craw —8N 181
Jebb Av. SW2 —1J 29 (in two parts)
Jeddere Cotts. D'land —9C 146
Jefferson Clo. Slou —1C 6
Jefferson Rd. Brkwd —7N 71
Jeffries Pas. Guild —4N 113 (5D 202)
Jeffries Rd. W Hor —9C 96
Jeffs Clo. Hamp —7B 24
Jeffs Rd. Sutt —1L 61
Jemmett Clo. King T —9A 26
Jengar Clo. Sutt —1N 61
Jenkins Hill. Bag —5H 51
Jenkins Pl. Farn —5B 90
Jenner Dri. W End —9D 52
Jenner Pl. SW13 —2G 12
Jenner Rd. Craw —7D 162
Jenner Rd. Guild —4A 114 (5E 202)
Jenners Clo. Ling —7N 145
Jenner Way. Eps —5N 59
Jennett Rd. Croy —9L 45
Jennings Clo. New H —5L 55
Jennings Clo. Surb —6J 41
Jennings Way. Horl —8H 143
Jenny La. Ling —7M 145
Jennys Wlk. Yat —9D 48
Jennys Way. Coul —9G 83
Jephtha Rd. SW18 —9M 13
Jeppos La. Mitc —3D 44
Jepson Ho. SW6 —4N 13 (off Pearscroft Rd.)
Jerdan Pl. SW6 —3M 13
Jerome Corner. Crowt —4H 49
Jerome Ho. Hamp W —3H 203
Jersey Clo. Cher —9H 37
Jersey Clo. Fleet —1C 88
Jersey Clo. Guild —7D 94
Jersey Rd. SW17 —7F 28
Jersey Rd. Craw —7M 181
Jersey Rd. Houn —4B 10
Jerviston Gdns. SW16 —7L 29
Jesmond Clo. Mitc —2F 44
Jesmond Rd. Croy —6C 46
Jessamy Rd. Wey —8C 38
Jesse Clo. Yat —1E 68
Jessel Mans. W14 —2K 13 (off Queen's Club Gdns.)
Jesses La. Peasl —4D 136
Jessett Dri. C Crook —9A 88
Jessiman Ter. Shep —4B 38
Jessop Av. S'hall —1N 9
Jessops Way. Croy —5G 45
Jevington. Brack —7A 32
Jewels Hill. Big H —8C 66
Jewel Wlk. Craw —6M 181
Jew's Row. SW18 —7N 13
Jeypore Pas. SW18 —9N 13 & 1B 28
Jeypore Rd. SW18 —1A 28
Jig's La. N. Warf —7C 16
Jig's La. S. Warf —9C 16
Jillian Clo. Hamp —8A 24
Jim Griffiths Ho. SW6 —2L 13 (off Clem Attlee Ct.)
Joanna Ho. W6 —1H 13 (off Queen Caroline St.)
Jobson's La. Hasl —9M 189
Jocelyn Rd. Rich —6L 11
Jockey Mead. H'ham —7G 197
Jock's La. Brack —9K 15
Jodrell Clo. Iswth —4G 10
Joe Hunte Ct. SE27 —6M 29
John Austin Clo. King T —9M 25 (2M 203)
John Clo. Alder —4K 109
John Cobb Rd. Wey —4B 56
John F. Kennedy Memorial. —3M 19
John Gale Ct. Eps —5E 60 (off West St.)
John Knight Lodge. SW6 —3M 13 (off Vanston Pl.)
John Nike Way. Brack —1H 31
John Pound Ho. SW18 —1N 27
John Pound's Ho. Craw —5A 182
John Russell Clo. Guild —9K 93
John's Clo. Afrd —5D 22
John's Ct. Sutt —3N 61
Johnsdale. Oxt —7B 106
John's La. Mord —4A 44
John Smith Av. SW6 —3L 13
Johnson Dri. Finch —9A 30
Johnson Mans. W14 —2K 13 (off Queen's Club Gdns.)
Johnson Rd. Croy —6A 46
Johnson Rd. Houn —3K 9
Johnsons Clo. Cars —8D 44
Johnson's Common. —1K 161
Johnsons Dri. Hamp —9C 24
Johnson Wlk. Craw —6C 182
Johnson Way. C Crook —8B 88
John's Rd. Tats —7F 86
John's Ter. Croy —7B 46 (1F 200)
Johnston Grn. Guild —8K 93
Johnston Wlk. Guild —8K 93
John Strachey Ho. SW6 —2L 13 (off Clem Attlee Ct.)
John St. SE25 —3D 46
John St. Houn —5M 9
Johns Wlk. Whyt —6D 84
John Watkin Clo. Eps —5A 60
John Wesley Ct. Twic —2G 24
John Wheatley Ho. SW6 —2L 13 (off Clem Attlee Ct.)
John Williams Clo. King T —9K 25 (1J 203)
John Wiskar Dri. Cranl —7M 155
Joinville Pl. Add —1M 55
Jolesfield Ct. Craw —6L 181
Jolive Ct. Guild —4C 114
Jolliffe Rd. Mers —4G 102
Jones Corner. Asc —9J 17
Jones M. SW15 —7K 13
Jones Wlk. Rich —9M 11
Jonquil Gdns. Hamp —7A 24
Jonson Clo. Mitc —3F 44
Jordan Clo. S Croy —7C 64
Jordans Clo. Craw —1B 182
Jordans Clo. Guild —2C 114
Jordans Clo. Iswth —4E 10
Jordans Clo. Red —8E 122
Jordans Clo. Stanw —1L 21
Jordans Cres. Craw —9B 162
Jordans M. Twic —3E 24
Jordans, The. —7C 160
Jordans, The. E Grin —1A 186
Joseph Ct. Warf —7C 16
Josephine Av. Tad —4L 101
Josephine Clo. Tad —5L 101
Joseph Locke Way. Esh —8A 40
Joseph Powell Clo. SW12 —1F 28
Joseph's Rd. Guild —2N 113 (1C 202)
Jourdelays Pas. Eton —2G 4
Jubilee Arch. Wind —4G 4
Jubilee Av. Asc —9J 17
Jubilee Av. Twic —2C 24
Jubilee Av. Wokgm —1A 30
Jubilee Clo. Asc —9J 17
Jubilee Clo. Farn —1J 89
Jubilee Clo. King T —9J 25
Jubilee Clo. Stanw —1L 21
Jubilee Ct. Brack —2A 32
Jubilee Ct. Houn —6C 10 (off Bristow Rd.)
Jubilee Ct. Stai —6J 21
Jubilee Cres. Add —2M 55
Jubilee Dri. Ash V —7E 90
Jubilee Est. H'ham —4L 197
Jubilee Hall Rd. Farn —1A 90
Jubilee La. Gray —6A 170
Jubilee La. Wrec —7F 128
Jubilee Rd. Alder —5N 109
Jubilee Rd. Myt —3E 90
Jubilee Rd. Rud —9E 176
Jubilee Rd. Sutt —4J 61
Jubilee Ter. Dork —4H 119 (1M 201)
Jubilee Ter. Str G —7B 120
Jubilee Vs. Esh —7D 40
Jubilee Wlk. Craw —3E 182
Jubilee Way. SW19 —9N 27
Jubilee Way. Chess —1N 59
Jubilee Way. Felt —2H 23
Judge's Ter. E Grin —1A 186
Judge Wlk. Clay —3E 58
Jug Hill. Big H —3F 86
Jugshill La. Oke H —2B 178
Julian Clo. Wok —5M 73
Julian Hill. Wey —4B 56
Julien Rd. Coul —2H 83
Juliet Gdns. Warf —9D 16
Julius Hill. Warf —9D 16
Jumps Rd. Churt —7K 149
Junction Pl. Hasl —2D 188
Junction Rd. W5 —1J 11
Junction Rd. Afrd —6D 22
Junction Rd. Dork —5G 119 (2K 201)
Junction Rd. Light —6M 51
Junction Rd. S Croy —2A 64
June Clo. Coul —1F 82
June La. Red —1F 142
Junewood Clo. Wdhm —7H 55
Juniper. Brack —7A 32
Juniper Clo. Big H —4G 87
Juniper Clo. Chess —2M 59
Juniper Clo. Guild —7L 93
Juniper Clo. Reig —5A 122
Juniper Ct. Houn —7B 10 (off Grove Rd.)
Juniper Dri. Bisl —2D 72
Juniper Gdns. SW16 —9G 28
Juniper Gdns. Sun —7G 23
Juniper Pl. Shalf —1N 133
Juniper Rd. Craw —9A 162
Juniper Rd. Farn —9H 69
Juniper Rd. Reig —5A 122
Juniper Wlk. Brock —5B 120
Jura Clo. Craw —6N 181
Justin Clo. Bren —3K 11
Jutland Gdns. Coul —7K 83
Jutland Pl. Egh —6E 20
Juxon Clo. Craw —5L 181

Kalima Cvn. Site. Chob —6L 53
Karenza Ct. H'ham —5L 197
Kashmir Clo. New H —5M 55
Kashmir Ct. Farn —4A 90
Katharine Ho. Croy —4C 200
Katharine St. Croy —9N 45 (4C 200)
Katherine Clo. Add —3J 55
Katherine Rd. Eden —3L 147
Katherine Rd. Twic —2G 24
Kathleen Godfree Ct. SW19 —7M 27
Kay Av. Add —9N 37
Kay Cres. Head D —3F 168
Kaye Ct. Guild —9M 93
Kaye Don Way. Wey —6B 56
Kayemoor Rd. Sutt —3B 62
Kaynes Pk. Asc —9J 17
Keable Rd. Wrec —4E 128
Kean Ho. Twic —9K 11 (off Arosa Rd.)
Kearton Clo. Kenl —4N 83
Kearton Pl. Cat —9D 84
Keates Grn. Brack —9N 15
Keates La. Eton C —2F 4
Keats Av. Red —1E 122
Keats Clo. SW19 —7B 28
Keats Clo. H'ham —1M 197
Keats Gdns. Fleet —4C 88
Keats Pl. E Grin —9N 165
Keats Way. Crowt —9G 30
Keats Way. Croy —5F 46
Keats Way. Yat —2A 68
Keble Clo. Craw —9H 163
Keble Clo. Wor Pk —7E 42
Keble St. SW17 —5A 28
Keble Way. Owl —5K 49
Kedeston Ct. Sutt —7N 43
Keeler Clo. Wind —6B 4
Keeley Rd. Croy —8N 45 (2B 200)
Keens Clo. SW16 —6H 29
Keens La. Guild —8J 93
Keens Pk. Rd. Guild —8J 93
Keens Rd. Croy —1N 63 (6C 200)
Keepers Clo. Guild —9F 94
Keepers Coombe. Brack —5B 32
Keeper's Corner. —4N 163
Keepers Ct. S Croy —8B 200
Keepers Farm Clo. Wind —5B 4 (in two parts)
Keepers M. Tedd —7J 25
Keepers Wlk. Vir W —4N 35
Keephatch Rd. Wokgm —9D 14
Keep, The. King T —7M 25
Keevil Dri. SW19 —1J 27
Keir Hardie Ho. Craw —8N 181
Keir, The. SW19 —6H 27
Keith Lucas Rd. Farn —3L 89
Keith Pk. Cres. Big H —8D 66
Keldholme. Brack —2M 31
Kelling Gdns. Croy —6M 45
Kellino St. SW17 —5D 28
Kelly Clo. Shep —1F 38
Kelmscott Ri. Craw —9N 181
Kelsall Pl. Asc —6M 33
Kelsey Clo. Horl —8D 142
Kelsey Ga. Beck —1L 47
Kelsey Gro. Yat —1D 68
Kelsey La. Beck —1K 47 (in two parts)
Kelsey Pk. Av. Beck —1L 47
Kelsey Pk. Rd. Beck —1K 47
Kelsey Sq. Beck —1K 47
Kelsey Way. Beck —2K 47
Kelso Clo. Worth —2J 183
Kelso Rd. Cars —6A 44
Kelvedon Av. W on T —4F 56

Kelvedon Clo. *King T* —7N **25**
Kelvedon Rd. *SW6* —3L **13**
Kelvin Av. *Lea* —6F **78**
Kelvin Av. *Tedd* —7E **24**
Kelvinbrook. *W Mol* —2B **40**
Kelvin Bus. Cen. *Craw* —9D **162**
Kelvin Clo. *Eps* —3N **59**
Kelvin Ct. *Iswth* —5E **10**
Kelvin Dri. *Twic* —9H **11**
Kelvin Gdns. *Croy* —6J **45**
Kelvin Gro. *Chess* —9K **41**
Kelvington Clo. *Croy* —6H **47**
Kelvin La. *Craw* —8D **162**
Kelvin Way. *Craw* —8D **162**
Kemble Clo. *Wey* —1E **56**
Kemble Cotts. *Add* —1J **55**
Kemble Rd. *Croy* —9M **45**
Kembleside Rd. *Big H* —5E **86**
Kemerton Rd. *Beck* —1L **47**
Kemerton Rd. *Croy* —6C **46**
Kemishford. *Wok* —1K **93**
Kemnal Pk. *Hasl* —1H **189**
Kemp Ct. *Bag* —5K **51**
Kemp Gdns. *Croy* —5N **45**
Kempsford Gdns. *SW5* —1M **13**
Kempshott Rd. *SW16* —8H **29**
Kempshott Rd. *H'ham* —4H **197**
Kempson Rd. *SW6* —4M **13**
Kempton Av. *Sun* —9J **23**
Kempton Ct. *Farn* —3L **89**
Kempton Ct. *Sun* —9J **23**
Kempton Pk. Racecourse. —8K 23
Kempton Rd. *Hamp* —1N **39**
(in three parts)
Kempton Wlk. *Croy* —5H **47**
Kemsing Clo. *T Hth* —3N **45**
Kemsley Rd. *Tats* —6F **86**
Kendal Clo. *Farn* —1K **89**
Kendal Clo. *Felt* —2G **22**
Kendal Clo. *Reig* —2B **122**
Kendale Clo. *M'bowr* —7G **183**
Kendal Gdns. *Sutt* —8A **44**
Kendal Gro. *Camb* —2H **71**
Kendal Ho. SE20 —1D ***46***
(off Derwent Rd.)
Kendall Av. *Beck* —1H **47**
Kendall Av. *S Croy* —5A **64**
Kendall Av. S. *S Croy* —6N **63**
Kendall Ct. *SW19* —7B **28**
Kendall Rd. *Beck* —1H **47**
Kendall Rd. *Iswth* —5G **10**
Kendal Pl. *SW15* —8L **13**
Kendor Av. *Eps* —7B **60**
Kendra Hall Rd. *S Croy* —4M **63**
Kendrey Gdns. *Twic* —1E **24**
Kendrick Clo. *Wokgm* —3B **30**
Keneally. *Wind* —5A **4**
Kenilford Rd. *SW12* —1F **28**
Kenilworth Av. *SW19* —6M **27**
Kenilworth Av. *Brack* —9A **16**
Kenilworth Av. *Stoke D* —1B **78**
Kenilworth Clo. *Bans* —3N **81**
Kenilworth Clo. *Craw* —7N **181**
Kenilworth Cres. *Fleet* —3D **88**
Kenilworth Dri. *W on T* —9L **39**
Kenilworth Gdns. *Stai* —6L **21**
Kenilworth Rd. *Afrd* —4M **21**
Kenilworth Rd. *Eps* —2F **60**
Kenilworth Rd. *Farn* —9H **69**
Kenilworth Rd. *Fleet* —4C **88**
Kenley. —1N 83
Kenley Clo. *Cat* —7A **84**
(in two parts)
Kenley Ct. *Kenl* —2M **83**
Kenley Gdns. *T Hth* —3M **45**
Kenley La. *Kenl* —1N **83**
Kenley Rd. *SW19* —1M **43**
Kenley Rd. *Head D* —4G **169**
Kenley Rd. *King T* —1A **42**
Kenley Rd. *Twic* —9H **11**
Kenley Wlk. *Sutt* —1J **61**
Kenlor Rd. *SW17* —6B **28**
Kenmara Clo. *Craw* —9E **162**
Kenmara Ct. *Craw* —8E **162**
Kenmare Dri. *Mitc* —8D **28**
Kenmare Rd. *T Hth* —5L **45**
Kenmore Clo. *C Crook* —8C **88**
Kenmore Clo. *Frim* —6B **70**
Kenmore Clo. *Rich* —3N **11**
Kenmore Rd. *Kenl* —1M **83**
Kennard Ct. *F Row* —6G **187**
Kenneally Clo. *Wind* —5A **4**
Kenneally Pl. *Wind* —5A **4**
Kenneally Row. Wind —5A ***4***
(off Liddell Sq.)
Kenneally Wlk. Wind —5A ***4***
(off Guards Rd.)
Kennedy Av. *E Grin* —7N **165**
Kennedy Clo. *Mitc* —9E **28**
Kennedy Ct. *Beck* —5J **47**
Kennedy Rd. *H'ham* —7K **197**
Kennel Av. *Asc* —9K **17**
Kennel Clo. *Asc* —7K **17**
Kennel Clo. *Fet* —2C **98**
Kennel Grn. *Asc* —9J **17**
Kennel La. *Brack* —8N **15**
Kennel La. *Fet* —9B **78**
(in two parts)
Kennel La. *Fren* —9H **129**
Kennel La. *Hkwd* —9B **142**
Kennel La. *W'sham* —2N **51**
Kennel Ride. *Asc* —9K **17**
Kennels La. *Farn* —2G **88**
Kennel Wood. *Asc* —9K **17**
Kennel Wood Cres. *New Ad* —7N **65**
Kennet Clo. *As* —3E **110**
Kennet Clo. *Craw* —4L **181**
Kennet Clo. *Farn* —8K **69**
Kenneth Rd. *Bans* —2B **82**
Kenneth Younger Ho. SW6 —2L ***13***
(off Clem Attlee Ct.)
Kennet Rd. *Iswth* —6F **10**
Kennet Sq. *SW19* —9B **28**
Kennett Ct. *W4* —3A **12**
Kenny Dri. *Cars* —5E **62**
Kenrick Sq. *Blet* —2B **124**
Kensington Av. *T Hth* —9L **29**
Kensington Gdns. *King T*
(in two parts) —2K **41** (6J **203**)
Kensington Hall Gdns. *W14* —1L **13**
Kensington Mans. SW5 —1M ***13***
(off Trebovir Rd., in two parts)
Kensington Rd. *Craw* —7N **181**
Kensington Ter. *S Croy* —4A **64**
Kensington Village. *W14* —1L **13**
Kent Clo. *Mitc* —3J **45**
Kent Clo. *Orp* —3N **67**
Kent Clo. *Stai* —7M **21**
Kent Dri. *Tedd* —6E **24**
Kent Folly. *Warf* —7D **16**
Kent Ga. Way. *Croy* —3J **65**
Kent Hatch. —9K 107
Kent Hatch Rd. *Oxt* —7E **106**
Kent Ho. W4 —1D ***12***
(off Devonshire St.)
Kentigern Dri. *Crowt* —2J **49**
Kenton Av. *Sun* —1L **39**
Kenton Clo. *Brack* —1B **32**
Kenton Clo. *Frim* —4D **70**
Kenton Ct. *Twic* —9K **11**
Kentone Ct. *SE25* —3E **46**
Kentons La. *Wind* —5B **4**
Kenton Way. *Wok* —4J **73**
Kent Rd. *E Mol* —3C **40**
Kent Rd. *Fleet* —4C **88**
Kent Rd. *King T* —2K **41** (5J **203**)
Kent Rd. *Rich* —3N **11**
Kent Rd. *W Wick* —7L **47**
Kent Rd. *W'sham* —2A **52**
Kent Rd. *Wok* —3D **74**
Kent's Pas. *Hamp* —9N **23**
Kent Way. *Surb* —9L **41**
Kentwode Grn. *SW13* —3F **12**
Kentwyns Dri. *H'ham* —8L **197**
Kentwyns Ri. *S Nut* —4K **123**
Kenward Ct. *Str G* —7B **120**
Kenway Rd. *SW5* —1N **13**
Kenwith Av. *Fleet* —4D **88**
Kenwood Clo. *W Dray* —2B **8**
Kenwood Dri. *Beck* —2M **47**
Kenwood Dri. *W on T* —3J **57**
Kenwood Pk. *Wey* —3E **56**
Kenwood Ridge. *Kenl* —4M **83**
Kenworth Gro. *Light* —6L **51**
Kenwyn Rd. *SW20* —9H **27**
Kenya Ct. *Horl* —7D **142**
Kenya Ter. *Deep* —6J **71**
Kenyngton Ct. *Sun* —6H **23**
Kenyngton Dri. *Sun* —6H **23**
Kenyon Mans. W14 —2K ***13***
(off Queen's Club Gdns.)
Kenyons. *W Hor* —6C **96**
Kenyon St. *SW6* —4J **13**
Keogh Clo. *Ash V* —3F **90**
Keple Pl. *SW13* —2G **13**
Keppel Rd. *Dork* —3H **119**
Keppel Spur. *Old Win* —1L **19**
Kepple Pl. *Bag* —4J **51**
Kepple St. *Wind* —5G **5**
Kerria Way. *W End* —9B **52**
Kerrill Av. *Coul* —6L **83**
Kerry Clo. *Fleet* —1C **88**
Kerry Ter. *Wok* —3D **74**
Kersey Dri. *S Croy* —8F **64**
Kersfield Rd. *SW15* —9J **13**
Kershaw Clo. *SW18* —1B **28**
Kersland Cotts. *G'ming* —4C **132**
Kerves La. *H'ham* —9K **197**
Keston. —2E 66
Keston Av. *Coul* —6L **83**
Keston Av. *Kes* —2E **66**
Keston Av. *New H* —7J **55**
Keston Ct. *Surb* —8M **203**
Keston Gdns. *Kes* —1E **66**
Keston Mark. —1G 67
Keston Mark. (Junct.) —1F **66**
Keston Pk. Clo. *Kes* —1H **67**
Keston Rd. *T Hth* —5L **45**
Kestrel Av. *Stai* —4H **21**
Kestrel Clo. *Craw* —1A **182**
Kestrel Clo. *Eden* —9L **127**
Kestrel Clo. *Eps* —7A **60**
Kestrel Clo. *Ews* —5C **108**
Kestrel Clo. *Guild* —1F **114**
Kestrel Clo. *H'ham* —3L **197**
Kestrel Clo. *King T* —5K **25**
Kestrel Ct. *S Croy* —3N **63**
Kestrel Wlk. *Turn H* —4F **184**
Kestrel Way. *New Ad* —5N **65**
Kestrel Way. *Wok* —2L **73**
Keswick Av. *SW15* —6D **26**
Keswick Av. *SW19* —1M **43**
Keswick Av. *Shep* —2F **38**
Keswick Clo. *Camb* —2H **71**
Keswick Clo. *If'd* —5J **181**
Keswick Clo. *Sutt* —1A **62**
Keswick Dri. *Light* —7M **51**
Keswick Rd. *SW15* —8K **13**
Keswick Rd. *Bookh* —3B **98**
Keswick Rd. *Egh* —8D **20**
Keswick Rd. *Fet* —2C **98**
Keswick Rd. *Twic* —9C **10**
Keswick Rd. *W Wick* —8N **47**
Keswick Rd. *Witl* —4A **152**
Ketcher Grn. *Binf* —5H **15**
Kettering St. *SW16* —7G **28**
Kettlewell Clo. *Wok* —1N **73**
Kettlewell Dri. *Wok* —1A **74**
Kettlewell Hill. *Wok* —1A **74**
Ketton Grn. *Red* —6H **103**
Kevan Dri. *Send* —3G **95**
Kevin Clo. *Houn* —5L **9**
Kevins Dri. *Yat* —8D **48**
Kevins Gro. *Fleet* —4C **88**
Kew. —3N 11
Kew Bridge. (Junct.) —2N **11**
Kew Bri. *Bren* —2M **11**
Kew Bri. Arches. *Rich* —2N **11**
Kew Bri. Ct. *W4* —1N **11**
Kew Bri. Distribution Cen. *Bren* —1M **11**
Kew Bri. Rd. *Bren* —2M **11**
Kew Bridge Steam Mus. —1M 11
Kew Cres. *Sutt* —9K **43**
Kew Foot Rd. *Rich* —7L **11**
Kew Gardens Plants & People Exhibition. —3M 11
Kew Gdns. Rd. *Rich* —3M **11**
Kew Green. (Junct.) —3M **11**
Kew Grn. *Rich* —2M **11**
Kew Mdw. Path. *Rich* —4A **12**
(in two parts)
Kew Palace. —2L 11
Kew Retail Pk. *Rich* —4A **12**
Kew Rd. *Rich* —2N **11**
Keymer Clo. *Big H* —3E **86**
Keymer Rd. *SW2* —3K **29**
Keymer Rd. *Craw* —5A **182**
Keynes Clo. *C Crook* —9C **88**
Keynsham Rd. *Mord* —7N **43**
Keynsham Wlk. *Mord* —7N **43**
Keynsham Way. *Owl* —5J **49**
Keys Ct. *Croy* —5D **200**
Keysham Av. *Houn* —4H **9**
Keywood Dri. *Sun* —7H **23**
Khama Rd. *SW17* —5C **28**
Khartoum Rd. *SW17* —5B **28**
Khartoum Rd. *Witl* —4B **152**
Kibble Grn. *Brack* —5A **32**
Kidborough Down. *Bookh* —5A **98**
Kidborough Rd. *Craw* —4L **181**
Kidbrooke Park. —8F 186
Kidbrooke Pk. —8F 186
Kidbrooke Ri. *F Row* —7G **187**
Kidderminster Pl. *Croy* —7M **45**
Kidderminster Rd. *Croy* —7M **45**
Kidmans Clo. *H'ham* —3M **197**
Kidworth Clo. *Horl* —6D **142**
Kielder Wlk. *Camb* —2G **71**
Kier Pk. *Asc* —2N **33**
Kilberry Clo. *Iswth* —4D **10**
Kilburns Mill Clo. *Wall* —8F **44**
Kilcorral Clo. *Eps* —1F **80**
Kilkie St. *SW6* —5N **13**
Killarney Rd. *SW18* —9N **13** & 1A **28**
Killasser Ct. *Tad* —1H **101**
Killester Gdns. *Wor Pk* —1G **61**
Killick Ho. *Sutt* —1N **61**
Killicks. *Cranl* —6A **156**
Killieser Av. *SW2* —3J **29**
Killinghurst La. *Hasl & C'fold* —2N **189**
Killinghurst Park. —1A 190
Killy Hill. *Chob* —4H **53**
Kilmaine Rd. *SW6* —3K **13**
Kilmarnock Pk. *Reig* —2N **121**
Kilmartin Av. *SW16* —2L **45**
Kilmartin Gdns. *Frim* —5D **70**
Kilmington Clo. *Brack* —6C **32**
Kilmington Rd. *SW13* —2F **12**
Kilmiston Av. *Shep* —5D **38**
Kilmore Dri. *Camb* —2F **70**
Kilmorey Gdns. *Twic* —8H **11**
Kilmorey Rd. *Twic* —7H **11**
Kilmuir Clo. *Coll T* —8J **49**
Kiln Clo. *Craw D* —2E **184**
Kiln Clo. *Hayes* —2E **8**
Kiln Copse. *Cranl* —6N **155**
Kiln Cotts. *Newd* —7C **140**
Kilnfield Rd. *Rud* —9E **176**
Kiln Fields. *Hasl* —9G **171**
Kiln La. *Asc* —4D **34**
Kiln La. *Bisl* —4E **72**
Kiln La. *Brack* —1M **31**
Kiln La. *Brock* —4A **120**
Kiln La. *Eps* —7D **60**
Kiln La. *Horl* —6E **142**
Kiln La. *Lwr Bo* —5G **129**
Kiln La. *Rip* —2J **95**
Kiln La. *Wink* —7M **17**
Kilnmead. *Craw* —2C **182**
Kilnmead Clo. *Craw* —2C **182**
Kiln Meadows. *Guild* —8F **92**
Kiln M. *SW17* —6B **28**
Kiln Ride. *Finch* —8A **30**
Kiln Ride Extension. *Finch* —1A **48**
Kiln Rd. *Craw D* —2E **184**
Kilnside. *Clay* —4G **58**
Kiln Wlk. *Red* —8E **122**
Kiln Way. *Alder* —5N **109**
Kiln Way. *Gray* —4K **169**
Kilnwood La. *Fay* —6E **180**
Kilross Rd. *Felt* —2E **22**
Kilrue La. *W on T* —1G **57**
Kilrush Ter. *Wok* —3C **74**
Kilsha Rd. *W on T* —5K **39**
Kimbell Gdns. *SW6* —4K **13**
Kimber Clo. *Wind* —6D **4**
Kimber Ct. *Guild* —1F **114**
Kimberley. *Brack* —7A **32**
Kimberley. *C Crook* —9C **88**
Kimberley Clo. *Horl* —8C **142**
Kimberley Clo. *Slou* —1B **6**
Kimberley Pl. *Purl* —7L **63**
Kimberley Ride. *Cobh* —9B **58**
Kimberley Rd. *Beck* —1G **47**
Kimberley Rd. *Craw* —2F **182**
Kimberley Rd. *Croy* —5M **45**
Kimberley Wlk. *W on T* —6J **39**
Kimber Rd. *SW18* —1M **27**
Kimbers La. *Farnh* —9J **109**
Kimble Rd. *SW19* —7B **28**
Kimmeridge. *Brack* —5C **32**
Kimpton Ind. Est. *Sutt* —8L **43**
Kimpton Rd. *Sutt* —8L **43**
Kinburn Dri. *Egh* —6A **20**
Kincha Lodge. *King T* —1M **203**
Kindersley Clo. *E Grin* —7D **166**
Kinfauns Rd. *SW2* —3L **29**
King Acre Ct. *Stai* —4G **20**
King Charles Cres. *Surb* —6M **41**
King Charles Ho. SW6 —3N ***13***
(off Wandon Rd.)
King Charles Rd. *Surb* —4M **41**
King Charles Wlk. *SW19* —2K **27**
Kingcup Clo. *Croy* —6G **46**
Kingcup Dri. *Bisl* —2D **72**
King Edward Clo. *C Hosp* —9D **196**
King Edward Ct. *Wind* —4G **4**
King Edward Dri. *Chess* —9L **41**
King Edward M. *SW13* —4F **12**
King Edward Rd. *C Hosp* —9D **196**
King Edward's Clo. *Asc* —9J **17**
King Edward VII Av. *Wind* —3H **5**
King Edwards Gro. *Tedd* —7H **25**
King Edwards Mans. SW6 —3M ***13***
(off Fulham Rd.)
King Edward's Ri. *Asc* —8J **17**
King Edward's Rd. *Asc* —9J **17**
Kingfield. —7C 74
Kingfield Clo. *Wok* —7B **74**
Kingfield Dri. *Wok* —7B **74**
Kingfield Gdns. *Wok* —7B **74**
Kingfield Green. —7B 74
Kingfield Rd. *Wok* —7A **74**
Kingfisher Clo. *Bord* —7A **168**
Kingfisher Clo. *C Crook* —8B **88**
Kingfisher Clo. *Craw* —8E **162**
Kingfisher Clo. *Farn* —8H **69**
Kingfisher Clo. *W on T* —2M **57**
Kingfisher Ct. *SW19* —3J **27**
Kingfisher Ct. *Dork* —1K **201**
Kingfisher Ct. *Houn* —8B **10**
Kingfisher Ct. *Wok* —1E **74**
Kingfisher Dri. *Guild* —1E **114**
Kingfisher Dri. *Red* —9E **102**
Kingfisher Dri. *Rich* —5H **25**
Kingfisher Dri. *Stai* —5H **21**
Kingfisher Dri. *Yat* —9A **48**
Kingfisher Gdns. *S Croy* —7G **65**
Kingfisher La. *Turn H* —4F **184**
Kingfisher Ri. *E Grin* —1B **186**
Kingfisher Wlk. *As* —1D **110**
Kingfisher Way. *Beck* —4G **46**
Kingfisher Way. *H'ham* —3J **197**
King Gdns. *Croy* —2M **63** (8A **200**)
King George Av. *E Grin* —7M **165**
King George Av. *W on T* —7L **39**
King George Clo. *Sun* —6F **22**
King George's Dri. *New H* —6J **55**
King George's Hill. —5N 137
King George VI Av. *Big H* —3F **86**
King George VI Av. *Mitc* —3D **44**
King George's Trad. Est. *Chess* —1N **59**
Kingham Clo. *SW18* —1A **28**
King Henry M. *Orp* —2N **67**
King Henry's Dri. *New Ad* —5L **65**
King Henry's Reach. *W6* —2H **13**
King Henry's Rd. *King T* —2A **42**
King John's Clo. *Wray* —9M **5**
Kinglake Ct. *Wok* —5H **73**
Kingpost Pde. *Guild* —9D **94**
Kings Acre. *S Nut* —6K **123**
Kings Arbour. *S'hall* —1M **9**
King's Arms All. *Bren* —2K **11**
Kings Arms Way. *Cher* —7H **37**
Kings Av. *SW12 & SW4* —2H **29**
King's Av. *Brkwd* —6A **72**
Kings Av. *Byfl* —8M **55**
King's Av. *Cars* —4C **62**
Kings Av. *Houn* —4B **10**
Kings Av. *N Mald* —3D **42**
Kings Av. *Red* —5C **122**
King's Av. *Sun* —6G **23**
Kings Av. *Tong* —4C **110**
Kingsbridge Cotts. *Wokgm* —9C **30**
Kingsbridge Rd. *Mord* —5J **43**
Kingsbridge Rd. *S'hall* —1N **9**
Kingsbridge Rd. *W on T* —6J **39**
Kingsbrook. *Lea* —5G **79**
Kingsbury Cres. *Stai* —5F **20**
Kingsbury Dri. *Old Win* —1K **19**
Kings Chase. *E Mol* —2C **40**
Kingsclear Pk. *Camb* —2B **70**
Kingsclere Clo. *SW15* —1F **26**
Kingscliffe Gdns. *SW19* —2L **27**
Kings Clo. *Stai* —8M **21**
Kings Clo. *Th Dit* —5G **41**
Kings Clo. *W on T* —7J **39**
Kings Copse. *E Grin* —1B **186**
Kingscote. —5J 185
Kingscote Hill. *Craw* —5N **181**
Kingscote Rd. *Croy* —6E **46**
Kingscote Rd. *N Mald* —2C **42**
Kings Ct. *W6* —1F **12**
Kings Ct. *Byfl* —7M **55**
King's Ct. *H'ham* —5L **197**
King's Ct. *Tad* —9G **81**
Kings Ct. *Tong* —4C **110**
Kingscourt Rd. *SW16* —4H **29**
King's Cres. *Camb* —7A **50**
Kingscroft. *Fleet* —5B **88**
Kingscroft La. *Warf* —3D **16**
Kingscroft Rd. *Bans* —2B **82**
Kingscroft Rd. *Lea* —7H **79**
Kings Cross La. *S Nut* —5H **123**
Kingsdene. *Tad* —8G **80**
Kingsdown Av. *S Croy* —6M **63**
Kingsdowne Rd. *Surb* —6L **41**
Kingsdown Rd. *Eps* —9F **60**
Kingsdown Rd. *Sutt* —2K **61**
Kings Dri. *Surb* —6N **41**
Kings Dri. *Tedd* —6D **24**
Kings Dri. *Th Dit* —6H **41**
Kings Dri. *W on T* —5G **57**
Kings Farm Av. *Rich* —7N **11**
Kingsfield. *Alb* —4N **135**
Kingsfield. *Wind* —4A **4**
Kingsfold. —3H 179
Kingsfold Ct. *K'fold* —4H **179**
Kingsford Av. *Wall* —4J **63**
Kingsgate. *Craw* —3C **182**
Kings Ga. G'ming —5J ***133***
(off King's Rd.)
Kingsgate Bus. Cen. *King T* —9L **25** (1K **203**)
Kingsgate Rd. *King T* —9L **25** (2K **203**)
Kingsgrove Ind. Est. *Farn* —2M **89**
Kings Head La. *Byfl* —7M **55**
Kingshill Av. *Wor Pk* —6F **42**
Kings Keep. *SW15* —8J **13**
Kings Keep. *Fleet* —7B **88**
Kings Keep. *King T* —3L **41** (8K **203**)
King's Keep. *Sand* —6G **49**
Kingsland. —2N 159
Kingsland. *Newd* —2N **159**
Kingsland Ct. *Craw* —3E **182**
Kings La. *Eng G* —6A **20**
(Egham)
Kings La. *Eng G* —6K **19**
(Englefield Green)
Kings La. *Sutt* —3B **62**
Kings La. *W'sham* —2B **52**
Kings La. *Wrec* —5E **128**
Kingslawn Clo. *SW15* —8G **13**
Kingslea. *H'ham* —5L **197**
Kingslea. *Lea* —7G **79**
Kingsleigh Pl. *Mitc* —2D **44**
Kingsley Av. *Bans* —2M **81**
Kingsley Av. *Camb* —2A **70**
Kingsley Av. *Eng G* —7L **19**
Kingsley Av. *Houn* —5C **10**
Kingsley Av. *Sutt* —1B **62**
Kingsley Clo. *Crowt* —4G **49**
Kingsley Clo. *Horl* —6D **142**
Kingsley Ct. *Sutt* —4N **61**
Kingsley Ct. Wor Pk —8E ***42***
(off Avenue, The)
Kingsley Dri. *Wor Pk* —8E **42**
Kingsley Green. —6E 188
Kingsley Gro. *Reig* —6M **121**
Kingsley Mans. W14 —2K ***13***
(off Greyhound Rd.)
Kingsley Rd. *SW19* —6N **27**
Kingsley Rd. *Craw* —6M **181**
Kingsley Rd. *Croy* —7L **45**
Kingsley Rd. *Farn* —8L **69**

Kingsley Rd.—Lammas Clo.

Kingsley Rd. Horl —6D 142
Kingsley Rd. Houn —4B 10
Kingsley Rd. Orp —4N 67
Kingslyn Cres. SE19 —1B 46
Kings Mall. W6 —1H 13
Kingsmead. Big H —3F 86
Kings Mead. Cranl —7N 155
Kingsmead. Farn —1N 89
Kingsmead. Frim G —7C 70
Kings Mead. Rich —9M 11
Kings Mead. Small —8M 143
Kingsmead. S Nut —5J 123
Kingsmead. Wok —3C 74
Kingsmead Av. Mitc —2G 45
Kingsmead Av. Sun —1K 39
Kingsmead Av. Surb —8N 41
Kingsmead Av. Wor Pk —8G 42
Kingsmead Clo. Eps —4C 60
Kingsmead Clo. H'ham —2A 198
Kingsmead Clo. Tedd —7H 25
Kings Mead Pk. Clay —4E 58
Kingsmead Pl. Broad H —5C 196
Kingsmead Rd. SW2 —3L 29
Kingsmead Rd. Broad H —5D 196
Kingsmead Shop. Cen. Farn —1N 89
Kingsmere Clo. SW15 —6J 13
Kingsmere Rd. SW19 —3J 27
Kingsmere Rd. Brack —9L 15
Kings Mill La. Red & S Nut —8F 122
Kingsnympton Pk. King T —8A 26
King's Paddock. Hamp —9C 24
King's Pde. Cars —9D 44 (off Wrythe La.)
Kings Pde. Fleet —3B 88
Kings Pas. King T —1K 41 (4J 203)
King's Pas. King T —9K 25 (1J 203)
Kings Peace, The. Gray —6A 170
King's Pl. W4 —1B 12
King's Ride. Asc —4G 32
King's Ride. Camb —6B 50 (in two parts)
Kings Ride Ga. Rich —7N 11
Kingsridge. SW19 —3K 27
Kings Rd. SE25 —2D 46
King's Rd. SW6, SW10 & SW3 —3N 13
Kings Rd. SW14 —6C 12
Kings Rd. SW19 —7M 27
King's Rd. Alder —3K 109
King's Rd. Asc —4A 34
Kings Rd. Big H —3E 86
Kings Rd. Cranl —8N 155
King's Rd. Crowt —3G 49
Kings Rd. Egh —5C 20
Kings Rd. Felt —2K 23
Kings Rd. Fleet —3B 88
King's Rd. G'ming —5J 133
King's Rd. Guild —3N 113 (3D 202)
King's Rd. Hasl —2D 188
Kings Rd. Horl —8E 142
Kings Rd. H'ham —5L 197
King's Rd. King T —9L 25 (1K 203)
Kings Rd. Mitc —2E 44
Kings Rd. New H —6K 55
King's Rd. Orp —1N 67
Kings Rd. Rich —9M 11
Kings Rd. Rud —9E 176
Kings Rd. Shalf —1A 134
King's Rd. Surb —7J 41
Kings Rd. Sutt —6M 61
King's Rd. Tedd —6D 24
Kings Rd. Twic —9H 11
Kings Rd. W on T —8J 39
Kings Rd. W End —1D 72
King's Rd. Wind —7G 4
Kings Rd. Wok —3C 74
King's Rd. Ind. Est. Hasl —2D 188
King's Shade Wlk. Eps —9C 60 (7L 201)
Kingstable St. Eton —3G 4
Kings Ter. Fren —1J 149
King's Ter. Iswth —7G 11
Kingston Av. E Hor —4F 96
Kingston Av. Felt —9F 8
Kingston Av. Lea —8H 79
Kingston Av. Sutt —9K 43
Kingston Bri. King T —1K 41 (3H 203)
Kingston Bus. Cen. Chess —9L 41
Kingston By-Pass. SW15 & SW20 —5D 26
Kingston By-Pass. Surb —9K 41
Kingston By-Pass Rd. Esh —8E 40
Kingston Clo. Tedd —7H 25
Kingston Cres. Afrd —6L 21
Kingston Cres. Beck —1J 47
Kingston Gdns. Croy —9J 45
Kingston Hall Rd. King T —2K 41 (5J 203)
Kingston Hill. King T —9N 25
Kingston Hill Pl. King T —5B 26
Kingston Ho. King T —7J 203
Kingston Ho. Est. Surb —5H 41
Kingston Ho. Gdns. Lea —8H 79
Kingstonian F.C. —2A 42
Kingston La. Tedd —6G 25
Kingston La. W Hor —5B 96
Kingston Ri. New H —6J 55
Kingston Rd. SW15 & SW19 —3F 26
Kingston Rd. SW20 & SW19 —1J 43
Kingston Rd. Camb —7D 50
Kingston Rd. Eps —5E 60
Kingston Rd. King T & N Mald —2A 42
Kingston Rd. Lea —8G 79 (in two parts)
Kingston Rd. Stai & Afrd —5J 21 (in two parts)
Kingston Rd. Surb & Eps —8A 42
Kingston Rd. Tedd —6H 25
Kingstons Ind. Est. Alder —2C 110
Kingston Upon Thames. —1K 41 (4K 203)
Kingston upon Thames Crematorium. King T —2N 41
Kingston upon Thames Library, Art Gallery and Mus. —1L 41 (4L 203)
Kingston Vale. —5D 26
Kingston Va. SW15 —5C 26
King St. W6 —1F 12
King St. Cher —7J 37
King St. E Grin —9A 166
King St. Rich —8K 11
King St. Twic —2G 24
King St. Cloisters. W6 —1G 13 (off Clifton Wlk.)
King St. Pde. Twic —2G 24 (off King St.)
King's Wlk. Coll T —9L 49
Kings Wlk. S Croy —1E 84
Kings Warren. Oxs —7C 58
Kingsway. SW14 —6A 12
Kingsway. Alder —3K 109
Kingsway. B'water —1J 69
King's Way. Croy —2K 63
Kingsway. N Mald —3H 43
Kingsway. Stai —2M 21
Kingsway. W Wick —1A 66
Kingsway. Wok —5N 73
Kingsway Av. S Croy —5F 64
Kingsway Av. Wok —5N 73
Kingsway Bus. Pk. Hamp —9N 23
Kingsway Rd. Sutt —4K 61
Kingsway Ter. Wey —5B 56
Kingsway, The. Eps —7D 60
Kingswey Bus. Pk. Wok —1E 74
Kingswick Clo. Asc —3B 34
Kingswick Dri. Asc —3A 34
Kingswood. —1L 101
Kingswood Av. Brom —2N 47
Kingswood Av. Hamp —7B 24
Kingswood Av. Houn —4N 9
Kingswood Av. S Croy —2E 84
Kingswood Av. T Hth —4L 45
Kingswood Bus. Cen. Red —4E 122
Kingswood Clo. Broadf —9A 182
Kingswood Clo. Eng G —5N 19
Kingswood Clo. Guild —2E 114
Kingswood Clo. N Mald —5E 42
Kingswood Clo. Surb —6L 41
Kingswood Clo. Wey —4C 56
Kingswood Ct. Kgswd —2K 101
Kingswood Ct. Wok —3A 74
Kingswood Creek. Wray —8N 5
Kingswood Dri. Cars —7D 44
Kingswood Dri. Sutt —5N 61
Kingswood Firs. Gray —7N 169
Kingswood La. Hind —7A 170
Kingswood La. Warl —2F 84 (in two parts)
Kingswood Pk. Tad —8K 81
Kingswood Ri. Eng G —6N 19
Kingswood Rd. SW2 —1J 29
Kingswood Rd. SW19 —8L 27
Kingswood Rd. Brom —3N 47
Kingswood Rd. Tad —8G 80
Kingswood Way. S Croy —9F 64 (in two parts)
Kingswood Way. Wall —2J 63
Kingsworth Clo. Beck —4H 47
Kingsworthy Clo. King T —2M 41 (5N 203)
Kings Yd. SW15 —6H 13 (off Lwr. Richmond Rd.)
Kings Yd. Asc —3J 33
Kingwood Rd. SW6 —4K 13
Kinloss Rd. Cars —6A 44
Kinnaird Av. W4 —3B 12
Kinnersley Wlk. Reig —8M 121
Kinnibrugh Dri. D'land —1C 166
Kinnoul Rd. W6 —2K 13
Kinross Av. Asc —4K 33
Kinross Av. Wor Pk —8F 42
Kinross Clo. Sun —6G 23
Kinross Ct. Asc —4K 33
Kinross Dri. Sun —6G 22
Kinsella Gdns. SW19 —6G 26
Kintyre Clo. SW16 —1K 45
Kintyre Ct. SW2 —1J 29
Kipings. Tad —8J 81
Kipling Clo. Craw —1G 182
Kipling Clo. Yat —2B 68
Kipling Ct. H'ham —4N 197
Kipling Ct. Wind —5E 4
Kipling Dri. SW19 —7B 28
Kipling Way. E Grin —9M 165
Kirby Clo. Eps —2E 60
Kirby Rd. Wok —4M 73
Kirby Way. W on T —5K 39
Kirdford Clo. Craw —1M 181
Kirkefields. Guild —9K 93
Kirkgate, The. Eps —9D 60 (6M 201)
Kirkham Clo. Owl —5J 49
Kirk Knoll. Head —4E 168
Kirkland Av. Wok —3H 73
Kirkleas Rd. Surb —7L 41
Kirklees Rd. T Hth —4L 45
Kirkley Rd. SW19 —9M 27
Kirkly Clo. S Croy —5B 64
Kirk Ri. Sutt —9N 43
Kirkstall Gdns. SW2 —2J 29
Kirkstall Rd. SW2 —2H 29
Kirksted Rd. Mord —7N 43
Kirkstone Clo. Camb —2H 71
Kirrane Clo. N Mald —4E 42
Kirriemuir Gdns. As —1H 111
Kirton Lodge. SW18 —9N 13
Kitchener Rd. Alder —7B 90
Kitchener Rd. T Hth —2A 46
Kites Clo. Craw —3A 182
Kithurst Clo. Craw —5B 182
Kitley Gdns. SE19 —1C 46
Kitsmead. Copt —8L 163
Kitsmead La. Longc —7M 35
Kitson Rd. SW13 —4F 12
Kittiwake Clo. If'd —5J 181
Kittiwake Clo. S Croy —6H 65
Kittiwake Pl. Sutt —2L 61
Kitts La. Churt —9K 149
Klondyke Vs. G'wood —8L 171
Knaphill. —4G 72
Knapp Rd. Afrd —5A 22
Knapton M. SW17 —7E 28
Knaresborough Dri. SW18 —2N 27
Kneller Gdns. Iswth —9D 10
Kneller Rd. N Mald —6D 42
Kneller Rd. Twic —9C 10
Knepp Clo. Craw —3G 182
Knighton Clo. Craw —8H 163
Knighton Clo. S Croy —5M 63
Knighton Rd. Red —5E 122
Knightons La. Duns —5B 174
Knightsbridge Cres. Stai —7K 21
Knightsbridge Gro. Camb —8C 50
Knightsbridge Ho. Guild —4B 114 (off St Lukes Sq.)
Knightsbridge Rd. Camb —8C 50
Knights Clo. Egh —7F 20
Knights Clo. Wind —4A 4
Knights Ct. King T —2L 41 (5K 203)
Knights Hill. SE27 —6M 29
Knight's Hill Sq. SE27 —5M 29
Knight's Pk. King T —2L 41 (5L 203)
Knights Pl. Red —2E 122
Knights Pl. Wind —6F 4
Knights Rd. Farnh —5K 109
Knights Way. Camb —2G 70
Knightswood. Brack —7N 31
Knightswood. Wok —5J 73
Knightwood Clo. Reig —5M 121
Knightwood Cres. N Mald —5D 42
Knipp Hill. Cobh —9N 57
Knivet Rd. SW6 —2M 13
Knobfield. Ab H —3G 136
Knob Hill. Warn —9F 178
Knockholt Clo. Sutt —6N 61
Knockholt Main Rd. Knock —6N 87
Knockhundred La. Bram C —9N 169
Knole Clo. Croy —5F 46
Knole Clo. Worth —2H 183
Knole Gro. E Grin —7M 165
Knole Wood. Asc —7B 34
Knoll Clo. Fleet —3B 88
Knoll Ct. Fleet —2B 88
Knoll Farm Rd. Capel —7G 159
Knollmead. Surb —7B 42
Knoll Pk. Rd. Cher —7H 37
Knoll Quarry. G'ming —5H 133
Knoll Rd. SW18 —8N 13
Knoll Rd. Camb —9B 50
Knoll Rd. Dork —7G 118
Knoll Rd. Fleet —3B 88
Knoll Rd. G'ming —5G 133
Knoll Roundabout. (Junct.) —8J 79
Knoll Roundabout. Lea —8J 79
Knolls Clo. Wor Pk —9G 42
Knolls, The. Eps —3H 81
Knoll, The. Beck —1L 47
Knoll, The. Cher —7H 37
Knoll, The. Cobh —9A 58
Knoll, The. Lea —8J 79
Knoll Wlk. Camb —9B 50
Knoll Wood. G'ming —5G 133
Knollys Clo. SW16 —4L 29
Knollys Rd. SW16 —4K 29
Knollys Rd. Alder —1L 109
Knook, The. Coll T —8J 49
Knowle Clo. Copt —7N 163
Knowle Dri. Copt —7M 163
Knowle Gdns. W Byf —9H 55
Knowle Green. —6K 21
Knowle Grn. Stai —6J 21
Knowle Gro. Vir W —6M 35
Knowle Gro. Clo. Vir W —6M 35
Knowle Hill. —6M 35
Knowle Hill. Vir W —6L 35
Knowle La. Cranl & Rud —8M 155
Knowle Pk. Cobh —3M 77
Knowle Pk. Av. Stai —7K 21
Knowle Rd. Twic —2E 24
Knowles Av. Crowt —2E 48
Knowle, The. Tad —8H 81
Knowl Hill. Wok —6D 74
Knox Grn. Binf —6H 15
Knox Rd. Guild —7L 93
Kohat Ct. Alder —2L 109
Kohat Rd. SW19 —6N 27
Kohima Clo. Alder —1N 109
Koonowla Clo. Big H —2F 86
Kooringa. Warl —6E 84
Korda Clo. Shep —2A 38
Korea Cotts. Cobh —3L 77
Kotan Dri. Stai —5E 20
Kramer M. SW5 —1M 13
Kreisel Wlk. Rich —2M 11
Kristina Ct. Sutt —3M 61 (off Overton Rd.)
Krooner Rd. Camb —3N 69
Kuala Gdns. SW16 —9K 29
Kyle Clo. Brack —2N 31
Kynaston Av. T Hth —4N 45
Kynaston Ct. Cat —3B 104
Kynaston Cres. T Hth —4N 45
Kynaston Rd. T Hth —4N 45
Kynnersley Clo. Cars —9D 44

Laburnum Av. Sutt —9C 44
Laburnum Clo. Alder —3M 109
Laburnum Clo. Guild —9M 93
Laburnum Ct. SE19 —1C 46
Laburnum Ct. (Cvn. Pk.) Small —1N 163
Laburnum Cres. Sun —9J 23
Laburnum Gdns. C Crook —8C 88
Laburnum Gdns. Croy —6G 46
Laburnum Gro. Houn —7N 9
Laburnum Gro. N Mald —1C 42
Laburnum Gro. Slou —2D 6
Laburnum Ho. Short —1N 47
Laburnum Pas. Alder —2M 109
Laburnum Pl. Eng G —7L 19
Laburnum Rd. SW19 —8A 28
Laburnum Rd. Alder —3M 109
Laburnum Rd. Cher —7J 37
Laburnum Rd. Eps —9D 60 (7M 201)
Laburnum Rd. Farnh —5K 109
Laburnum Rd. Hayes —1H 9
Laburnum Rd. Mitc —1E 44
Laburnum Rd. Wok —7N 73
Laburnums, The. B'water —1G 68
Laburnum Way. Stai —2A 22
Lacey Av. Coul —7L 83
Lacey Clo. Egh —8F 20
Lacey Dri. Coul —7L 83
Lacey Dri. Hamp —9N 23
Lacey Grn. Coul —7L 83
Lackford Rd. Coul —5D 82
Lacock Clo. SW19 —7A 28
Lacrosse Way. SW16 —9H 29
Lacy Rd. SW15 —7J 13
Ladas Rd. SE27 —5N 29
Ladbroke Cotts. Red —2E 122 (off Ladbroke Rd.)
Ladbroke Ct. Red —1E 122
Ladbroke Gro. Red —2E 122
Ladbroke Hurst. D'land —1C 166
Ladbroke Rd. Eps —1C 80 (8L 201)
Ladbroke Rd. Horl —6F 142
Ladbroke Rd. Red —2E 122
Ladbrook Rd. SE25 —3A 46
Ladderstile Ride. King T —6A 26
Ladybank. Brack —7N 31
Lady Booth Rd. King T —1L 41 (4K 203)
Ladycroft Gdns. Orp —2L 67
Ladycroft Way. Orp —2L 67
Ladycross. Milf —2B 152
Ladyegate Clo. Dork —4K 119
Ladyegate Rd. Dork —5J 119
Lady Elizabeth Ho. SW14 —6B 12
Lady Forsdyke Way. Eps —5N 59
Ladygate Dri. Gray —6M 169
Ladygrove. Croy —5H 65
Ladygrove Dri. Guild —7C 94
Lady Harewood Way. Eps —5N 59
Lady Hay. Wor Pk —8E 42
Lady Margaret Rd. Asc —7C 34
Lady Margaret Rd. Craw —2M 181
Lady Margaret Wlk. Craw —2M 181
Ladymead. Guild —2M 113 (1B 202)
Ladymead Clo. M'bowr —6G 183
Ladymead Retail Cen. Guild —2M 113 (1A 202)
Ladythorpe Clo. Add —1K 55
Ladywood Av. Farn —1H 89
Ladywood Rd. Surb —8N 41
Laffan's Rd. Alder —7H 89
Lafone Av. Felt —3K 23
Lagham Pk. S God —6H 125
Lagham Rd. S God —7H 125
Laglands Clo. Reig —1A 122
Laings Av. Mitc —1D 44
Lainlock Pl. Houn —4B 10
Lainson St. SW18 —1M 27
Lairdale Clo. SE21 —2N 29
Laird Ct. Bag —6J 51
Laitwood Rd. SW12 —2F 28
Lake Clo. SW19 —6L 27
Lake Clo. Byfl —8M 55
Lake Dri. Bord —6A 168
Lake End Way. Crowt —3F 48
Lake Gdns. Rich —3H 25
Lake Gdns. Wall —9F 44
Lakehall Gdns. T Hth —4M 45
Lakehall Rd. T Hth —4M 45
Lakehurst Rd. Eps —2D 60
Lakeland Dri. Frim —5C 70
Lake La. Dock —4D 148
Lake La. Horl —6G 142
Lake Rd. SW19 —6L 27
Lake Rd. Croy —8J 47
Lake Rd. Deep —8E 70
Lake Rd. Vir W —4L 35
Laker Pl. SW15 —9K 13
Laker's Green. —5H 175
Lakers Lea. Loxw —7H 193
Lakers Ri. Bans —3C 82
Lakes Clo. Chil —9D 114
Lakeside. Beck —2L 47
Lakeside. Brack —8A 16
Lakeside. Eps —3D 60
Lakeside. H'ham —3J 197
Lakeside. Red —1E 122
Lakeside. Wall —1F 62
Lakeside. Wey —8F 38
Lakeside. Wok —6H 73
Lakeside Bus. Pk. Sand —8F 48
Lakeside Clo. SE25 —1D 46
Lakeside Clo. Ash V —9D 90
Lakeside Clo. Wok —6H 73
Lakeside Ct. Fleet —2C 88
Lakeside Dri. Brom —1G 67
Lakeside Dri. Esh —3C 58
Lakeside Gdns. Farn —7J 69
Lakeside Grange. Wey —9D 38
Lakeside Ind. Est. Coln —3H 7
Lakeside Rd. Ash V —9C 90
Lakeside Rd. Coln —3H 7
Lakeside Rd. Farn —6M 89
Lakeside, The. B'water —2J 69
Lakes Rd. Kes —2E 66
Lakestreet Grn. Oxt —7F 106
Lake Vw. Dor P —5B 166
Lake Vw. N Holm —8J 119
Lake Vw. Cvn. Site. Wink —2J 17
Lakeview Rd. SE27 —6L 29
Lake Vw. Rd. Felb —7E 164
Laleham. —2L 37
Laleham Clo. Stai —9K 21
Laleham Ct. Wok —3A 74
Laleham Reach. —2J 37
Laleham Reach. Cher —1K 37
Laleham Rd. Shep —3A 38
Laleham Rd. Stai —6H 21
Lalor St. SW6 —5K 13
Lamberhurst Rd. SE27 —5L 29
Lamberhurst Wlk. Craw —4E 182
Lambert Av. Rich —6N 11
Lambert Clo. Big H —3F 86
Lambert Cotts. Blet —2B 124
Lambert Cres. B'water —2H 69
Lambert Lodge. Bren —1K 11 (off Layton Rd.)
Lambert Rd. Bans —1M 81
Lambert's Pl. Croy —7A 46
Lamberts Rd. Surb —4L 41
Lambeth Clo. Craw —7N 181
Lambeth Crematorium. SW17 —5A 28
Lambeth Rd. Croy —6L 45
Lambeth Wlk. Craw —7N 181
Lambly Hill. Vir W —2A 36
Lamborne Clo. Sand —6F 48
Lambourn Clo. E Grin —7A 166
Lambourne Av. SW19 —5L 27
Lambourne Clo. Craw —5D 182
Lambourne Cres. Wok —9F 54
Lambourne Dri. Bag —5H 51
Lambourne Dri. Cobh —2L 77
Lambourne Gro. Brack —1C 32
Lambourne Way. Tong —5C 110
Lambourn Gro. King T —1A 42
Lamb Pas. Bren —2M 11
Lambrook Ter. SW6 —4K 13
Lambs Bus. Pk. S God —7E 124
Lambs Cres. H'ham —3M 197
Lambs Farm Clo. H'ham —3N 197
Lambs Farm Rd. H'ham —3M 197
Lambs Green. —3E 180
Lambs Grn. Rusp —4E 180
Lambton Rd. SW20 —9H 27
Lambyn Cft. Horl —7G 143
Lammas Av. Mitc —1E 44
Lammas Clo. G'ming —5K 133

Leaveland Clo.—Links Way

Leaveland Clo. Beck —3K 47
Leavesden Rd. Wey —2C 56
Leaves Green. —7F 66
Leaves Grn. Brack —5B 32
Leaves Grn. Cres. Kes —7E 66
Leaves Grn. Rd. Kes —7F 66
Lea Way. Alder —1D 110
Leaway. Bad L —7M 109
Leawood Rd. Fleet —6A 88
Leazes Av. Cat —1L 103
Leazes La. Cat —1L 103
Lebanon Av. Felt —6L 23
Lebanon Dri. Cobh —9A 58
Lebanon Gdns. SW18 —9M 13
Lebanon Gdns. Big H —4F 86
Lebanon Pk. Twic —1H 25
Lebanon Rd. SW18 —8M 13
Lebanon Rd. Croy —7B 46
Le Chateau. Croy —5E 200
Lechford Rd. Horl —9E 142
Leckford Rd. SW18 —3A 28
Leckhampton Pl. SW2 —1L 29
Leconfield Av. SW13 —6E 12
Ledbury Pl. Croy —1N 63 (7C 200)
Ledbury Rd. Croy —1A 64 (8C 200)
Ledbury Rd. Reig —3M 121
Ledger Clo. Guild —1D 114
Ledger Dri. Add —2H 55
Ledgers La. Warl —4L 85
Ledgers Rd. Warl —3K 85
Lee Acre. Dork —7J 119
Leechcroft Rd. Wall —9E 44
Leech La. Dork & H'ley —4A 100
Leechpool La. H'ham —4N 197
Lee Ct. Alder —4A 110
Leegate Clo. Wok —3L 73
Lee Grn. La. H'ley —2A 100
Leehurst. Milf —1B 152
Lee Rd. SW19 —9N 27
Lee Rd. Alder —2K 109
Leeside. Rusp —3B 180
Leeson Gdns. Eton W —1B 4
Leeson Ho. Twic —1H 25
Lees, The. Croy —8J 47
Lee St. Horl —8C 142
Leeward Gdns. SW19 —6K 27
Leeways, The. Sutt —3K 61
Leewood Way. Eff —5K 97
Lefroy Pk. Fleet —4A 88
Leger Clo. C Crook —8A 88
Legge Cres. Alder —3K 109
Leggyfield Ct. H'ham —3H 197
Legion Ct. Mord —5M 43
Legoland. —8A 4
Legrace Av. Houn —5L 9
Legsheath La. E Grin —8M 185
Leicester. Brack —6C 32
Leicester Av. Mitc —3J 45
Leicester Clo. Wor Pk —1H 61
Leicester Ct. Craw —3H 183
Leicester Ct. Twic —9K 11
(off Clevedon Rd.)
Leicester Rd. Croy —6B 46
Leigh. —1F 140
Leigham Av. SW16 —4J 29
Leigham Clo. SW16 —4K 29
Leigham Ct. Rd. SW16 —3J 29
Leigham Dri. Iswth —3E 10
Leigham Hall Pde. SW16 —4J 29
(off Streatham High Rd.)
Leigham Va. SW16 & SW2 —4K 29
Leigh Clo. Add —4H 55
Leigh Clo. N Mald —3B 42
Leigh Clo. Ind. Est. N Mald —3C 42
Leigh Corner. Cobh —2K 77
Leigh Ct. Clo. Cobh —1K 77
Leigh Cres. New Ad —4L 65
Leigh Hill Rd. Cobh —2K 77
Leighlands. Craw —1G 183
Leigh La. Farnh —3K 129
Leigh Orchard Clo. SW16 —4K 29
Leigh Pk. Dat —3L 5
Leigh Pl. Cobh —2K 77
Leigh Pl. Cotts. Leigh —9F 120
Leigh Pl. La. God —1G 125
Leigh Pl. Rd. Leigh —9F 120
Leigh Rd. Bet —9B 120
Leigh Rd. Cobh —1J 77
Leigh Rd. Houn —7D 10
Leigh Sq. Wind —5A 4
Leighton Gdns. Croy —7M 45
Leighton Gdns. S Croy —9E 64
Leighton Mans. W14 —2K 13
(off Greyhound Rd.)
Leighton St. Croy —7M 45 (1A 200)
Leighton Way. Eps —1C 80 (8L 201)
Leinster Av. SW14 —6B 12
Leipzig Rd. C Crook —1C 108
Leisure La. W Byf —8K 55
Leisure West. Felt —3J 23
Leith Clo. Crowt —9F 30
Leithcote Gdns. SW16 —5K 29
Leithcote Path. SW16 —4K 29
Leith Dri. Alder —1L 109
Leith Gro. Bear G —7K 139
Leith Hill La. Ab C —4M 137
Leith Hill Place. (East) —9B 138
Leith Hill Place. (West) —1N 157
Leith Hill Rd. Holm M —9A 138
Leith Hill Tower. —8B 138
Leith Lea. Bear G —7K 139
Leith Rd. Bear G —8J 139
Leith Rd. Eps —8D 60
Leith Towers. Sutt —4N 61
Leith Va. Cotts. Ockl —7A 158
Leith Vw. N Holm —9J 119
Leith Vw. Cotts. K'fold —3H 179
Leith Vw. Rd. H'ham —3N 197
Lela Av. Houn —5K 9
Le Marchant Rd. Frim & Camb —3D 70
Le May Clo. Horl —7E 142
Lemington Gro. Brack —5N 31
Lemmington Way. H'ham —1M 197
Lemon's Farm Rd. Ab C —5N 137
Lemuel St. SW18 —9N 13
Lendore Rd. Frim —6B 70
Lenelby Rd. Surb —7N 41
Leney Clo. Wokgm —9C 14
Len Freeman Pl. SW6 —2L 13
Lenham Rd. Sutt —1N 61
Lenham Rd. T Hth —1A 46
Lennard Rd. Croy —7N 45 (1B 200)
Lennel Gdns. C Crook —7D 88
Lennox Ct. Red —2E 122
(off St Anne's Ri.)
Lennox Gdns. Croy —1M 63 (7A 200)
Lennox Ho. Twic —9K 11
(off Clevedon Rd.)
Lenten Clo. Peasl —2E 136
Lenton Ri. Rich —6L 11
Leo Ct. Bren —3K 11
Leominster Rd. Mord —5A 44
Leominster Wlk. Mord —5A 44
Leonard Av. Mord —4A 44
Leonard Clo. Frim —6B 70
Leonard Rd. SW16 —9G 28
Leonardslee Ct. Craw —5F 182
Leonard Way. H'ham —6M 197
Leopold Av. SW19 —6L 27
Leopold Av. Farn —9N 69
Leopold Rd. SW19 —5L 27
Leopold Rd. Craw —3A 182
Leopold Ter. SW19 —6L 27
Le Personne Homes. Cat —9A 84
(off Banstead Rd.)
Le Personne Rd. Cat —9A 84
Leppington. Brack —7N 31
Leret Way. Lea —8H 79
Lerry Clo. W14 —2L 13
Lesbourne Rd. Reig —4N 121
Leslie Dunne Ho. Wind —5B 4
Leslie Gdns. Sutt —3M 61
Leslie Gro. Croy —7B 46 (1E 200)
Leslie Gro. Pl. Croy —7B 46 (1F 200)
Leslie Pk. Rd. Croy —7B 46 (1F 200)
Leslie Rd. Chob —6H 53
Leslie Rd. Dork —3K 119
Lessingham Av. SW17 —5D 28
Lessness Rd. Mord —5A 44
Lestock Way. Fleet —4D 88
Letchworth Av. Felt —1G 22
Letchworth Ct. Bew —6K 181
Letchworth St. SW17 —5D 28
Letcombe Sq. Brack —3C 32
Letterstone Rd. SW6 —3L 13
Lettice St. SW6 —4L 13
Levana Clo. SW19 —2K 27
Levehurst Ho. SE27 —6N 29
Leveret Clo. New Ad —7N 65
Leveret La. Craw —1N 181
Leverkusen Rd. Brack —2N 31
Levern Dri. Farnh —6H 109
Leverson St. SW16 —7G 28
Levett Rd. Lea —7H 79
Levylsdene. Guild —3E 114
Levylsdene Ct. Guild —3F 114
Lewes Clo. Craw —3G 183
Lewesdon Clo. SW19 —2J 27
Lewes Rd. E Grin & F Row —1B 186
Lewes Rd. F Row —9G 186
Lewin Rd. SW14 —6C 12
Lewin Rd. SW16 —7H 29
Lewins Rd. Eps —1A 80
Lewis Clo. Add —1L 55
Lewisham Clo. Craw —7A 182
Lewisham Way. Owl —6J 49
Lewis Ho. Brack —5N 31
Lewis Rd. Mitc —1B 44
(in two parts)
Lewis Rd. Rich —8K 11
Lewis Rd. Sutt —1N 61
Leworth Pl. Wind —4G 4
Lexden Rd. Mitc —3H 45
Lexington Ct. Purl —6N 63
Lexton Gdns. SW12 —2H 29
Leyborne Pk. Rich —4N 11
Leybourne Av. Byfl —9A 56
Leybourne Clo. Byfl —9A 56
Leybourne Clo. Craw —8A 182
Leyburn Gdns. Croy —8B 46
Leycester Clo. W'sham —1M 51
Leyfield. Wor Pk —7D 42
Leylands La. Stai —7H 7
(in two parts)
Ley Rd. Farn —6M 69
Leyside. Crowt —2F 48
Leys Rd. Oxs —8D 58
Leys, The. W on T —1N 57
Leyton Rd. SW19 —8A 28
Lezayre Rd. Orp —3N 67
Liberty Av. SW19 —9A 28
Liberty Hall Rd. Add —2J 55
Liberty La. Add —2J 55
Liberty M. SW12 —1F 28
Liberty Ri. Add —3J 55
Library Way. Twic —1C 24
Lichfield Ct. Rich —7L 11
Lichfield Ct. Surb —8K 203
Lichfield Gdns. Rich —7L 11
Lichfield Rd. Houn —6K 9
Lichfield Rd. Rich —4M 11
Lichfields. Brack —1C 32
Lichfield Ter. Rich —8L 11
Lichfield Way. S Croy —6G 65
Lickey Ho. W14 —2L 13
(off N. End Rd.)
Lickfolds Rd. Rowl —9D 128
Liddell. Wind —6A 4
Liddell Pl. Wind —5A 4
Liddell Sq. Wind —5A 4
Liddell Way. Asc —4K 33
Liddell Way. Wind —6A 4
Liddington Hall Dri. Guild —9H 93
Liddington New Rd. Guild —9H 93
Lidiard Rd. SW18 —3A 28
Lido Rd. Guild —2N 113 (1D 202)
Lidsey Clo. M'bowr —5G 183
Lidstone Clo. Wok —4L 73
Lifetimes Mus. —9N 45 (4C 200)
(off High St.)
Liffords Pl. SW13 —5E 12
Lifford St. SW15 —7J 13
Lightermans Wlk. SW18 —7M 13
Lightwater. —6L 51
Lightwater By-Pass. Light —5L 51
Lightwater Country Pk. & Vis. Cen. —6K 51
Lightwater Mdw. Light —7M 51
Lightwater Rd. Light —7M 51
Lightwood. Brack —5B 32
Lilac Av. Wok —7N 73
Lilac Clo. Guild —8M 93
Lilac Ct. Tedd —5F 24
Lilac Gdns. Croy —9K 47
Lilian Rd. SW16 —9G 28
Lille Barracks. Alder —6B 90
Lilleshall Rd. Mord —5B 44
Lilley Ct. Crowt —3G 49
Lilley Dri. Kgswd —9N 81
Lillian Rd. SW13 —2F 12
Lillie Mans. W14 —2K 13
(off Lillie Rd.)
Lillie Rd. SW6 —2J 13
Lillie Rd. Big H —5F 86
Lillie Yd. SW6 —2M 13
Lilliot's La. Lea —6G 79
Lily Clo. W14 —1J 13
(in two parts)
Lily Ct. Wokgm —2A 30
Lilyfields Chase. Ewh —6F 156
Lily Hill Dri. Brack —1C 32
Lily Hill Rd. Brack —1C 32
Lilyville Rd. SW6 —4L 13
Lime Av. Asc —5F 32
Lime Av. Camb —9E 50
Lime Av. H'ham —4N 197
Lime Av. Wind —4J 5
(Windsor)
Lime Av. Wind —4C 18
(Windsor Great Park)
Limebush Clo. New H —5L 55
Lime Clo. Cars —8D 44
Lime Clo. Copt —7M 163
Lime Clo. Craw —9A 162
Lime Clo. Reig —6N 121
Lime Clo. W Cla —6K 95
Lime Ct. Mitc —1B 44
Lime Cres. As —2F 110
Lime Cres. Sun —1K 39
Limecroft. Yat —1B 68
Limecroft Clo. Eps —4C 60
Limecroft Rd. Knap —4E 72
Lime Dri. Fleet —1D 88
Lime Gro. Add —1J 55
Lime Gro. Guild —8L 93
Lime Gro. N Mald —2C 42
Lime Gro. Twic —9F 10
Lime Gro. Warl —5H 85
Lime Gro. W Cla —6J 95
Lime Gro. Wok —8A 74
Lime Mdw. Av. S Croy —9D 64
Limerick Clo. SW12 —1G 28
Limerick Clo. Brack —9M 15
Lime Rd. Rich —7M 11
Limes Av. SW13 —5E 12
Limes Av. Cars —7D 44
Limes Av. Croy —9L 45
Limes Av. Horl —9F 142
Limes Clo. Afrd —6B 22
Limes Fld. Rd. SW14 —6D 12
Limes Gdns. SW18 —9M 13
Limes M. Egh —6B 20
Limes Pl. Croy —6A 46
Limes Rd. Beck —1L 47
Limes Rd. Croy —5A 46
Limes Rd. Egh —6B 20
Limes Rd. Farn —9H 69
Limes Rd. Wey —1B 56
Limes Row. F'boro —2K 67
Limes, The. SW18 —9M 13
Limes, The. E Mol —3B 40
Limes, The. Eden —2L 147
Limes, The. Felb —5K 165
Limes, The. Hors —2N 73
Limes, The. Lea —1H 99
Limes, The. Wind —4A 4
Lime St. Alder —2L 109
Lime Tree Av. Esh —7D 40
Limetree Clo. SW2 —2K 29
Lime Tree Clo. Bookh —2A 98
Lime Tree Ct. Asht —5L 79
Lime Tree Ct. S Croy —3N 63
Lime Tree Gro. Croy —9J 47
Lime Tree Pl. Mitc —9F 28
Lime Tree Rd. Houn —4B 10
Limetree Wlk. SW17 —6E 28
Lime Tree Wlk. Vir W —3A 36
Lime Tree Wlk. W Wick —1B 66
Lime Wlk. Brack —3A 32
Lime Wlk. Shere —8A 116
Limeway Ter. Dork —3G 118
Limewood Clo. Beck —4M 47
Limewood Clo. Wok —7G 73
Lime Works Rd. Mers —4G 102
Limpsfield. —7D 106
Limpsfield Av. SW19 —3J 27
Limpsfield Av. T Hth —4K 45
Limpsfield Chart. —8G 107
Limpsfield Chart. —9H 107
Limpsfield Common. —8D 106
Limpsfield Rd. S Croy —8D 64
Linacre Ct. W6 —1J 13
(off Talgarth Rd.)
Linacre Dri. Rud & Cranl —7D 176
Lince La. Westc —5D 118
Linchfield Rd. Dat —4M 5
Linchmere. —6A 188
Linchmere Pl. Craw —2M 181
Linchmere Rd. Hasl —5A 188
Lincoln Av. SW19 —4J 27
Lincoln Av. Twic —3C 24
Lincoln Clo. SE25 —5D 46
Lincoln Clo. Ash V —8D 90
Lincoln Clo. Camb —2F 70
Lincoln Clo. Craw —6C 182
Lincoln Clo. Horl —9E 142
Lincoln Ct. S Croy —8C 200
Lincoln Dri. Wok —2G 74
Lincoln M. SE21 —3N 29
Lincoln Rd. SE25 —2E 46
Lincoln Rd. Dork —3J 119
Lincoln Rd. Felt —4N 23
Lincoln Rd. Guild —1J 113
Lincoln Rd. Mitc —4J 45
Lincoln Rd. N Mald —2B 42
Lincoln Rd. Wor Pk —7G 42
Lincolnshire Gdns. Warf —8C 16
Lincolns Mead. Ling —8M 145
Lincoln Wlk. Eps —6C 60
(in two parts)
Lincoln Way. Sun —9F 22
Lincombe Ct. Add —2K 55
Lindale Clo. Vir W —3J 35
Lindbergh Rd. Wall —4J 63
Linden. Brack —4D 32
Linden Av. Coul —3F 82
Linden Av. E Grin —8M 165
Linden Av. Houn —8B 10
Linden Av. T Hth —3M 45
Linden Clo. Craw —6E 182
Linden Clo. H'ham —4L 197
Linden Clo. New H —7J 55
Linden Clo. Tad —7J 81
Linden Clo. Th Dit —6F 40
Linden Ct. Camb —8D 50
Linden Ct. Eng G —7L 19
Linden Ct. Lea —8H 79
Linden Cres. King T —1M 41 (4N 203)
Linden Dri. Cat —2N 103
Linden Gdns. W4 —1D 12
Linden Gdns. Lea —8J 79
Linden Gro. N Mald —2D 42
Linden Gro. Tedd —6F 24
Linden Gro. W on T —8G 39
Linden Gro. Warl —5H 85
Lindenhill Rd. Brack —9L 15
Linden Ho. Hamp —7A 24
Linden Ho. Slou —1D 6
Linden Lea. Dork —7J 119
Linden Leas. W Wick —8N 47
Linden Pit Path. Lea —7J 79
(Linden Gdns.)
Linden Pit Path. Lea —8H 79
(Linden Rd.)
Linden Pl. E Hor —4F 96
Linden Pl. Eps —8D 60 (5N 201)
Linden Pl. Mitc —3C 44
Linden Pl. Stai —5J 21
Linden Rd. Guild —3N 113 (2C 202)
Linden Rd. Hamp —8A 24
Linden Rd. Head D —4G 169
Linden Rd. Lea —8H 79
Linden Rd. Wey —5D 56
Lindens Clo. Eff —6M 97
Lindens, The. W4 —4B 12
Lindens, The. Copt —7M 163
Lindens, The. Farnh —2J 129
Lindens, The. New Ad —3M 65
Linden Way. Purl —6G 63
Linden Way. Rip —3H 95
Linden Way. Shep —4D 38
Linden Way. Wok —8B 74
Lindfield Gdns. Guild —2B 114
Lindfield Rd. Croy —5C 46
Lindford. —3A 168
Lindford Chase. Lind —4A 168
Lindford Rd. Bord —3A 168
Lindford Wey. Lind —4A 168
Lindgren Wlk. Craw —8N 181
Lindisfarne Rd. SW20 —8F 26
Lindley Ct. King T —9J 25
Lindley Pl. Kew —4N 11
Lindley Rd. God —8F 104
Lindley Rd. W on T —9L 39
Lindores Rd. Cars —6A 44
Lind Rd. Sutt —2A 62
Lindrop St. SW6 —5N 13
Lindsay Clo. Chess —4L 59
Lindsay Clo. Eps —9B 60 (7H 201)
Lindsay Clo. Stanw —8M 7
Lindsay Ct. Croy —6D 200
Lindsay Dri. Shep —5E 38
Lindsay Rd. Hamp H —5B 24
Lindsay Rd. New H —6J 55
Lindsay Rd. Wor Pk —8G 43
Lindsey Clo. Mitc —3J 45
Lindsey Gdns. Felt —1E 22
Lindum Clo. Alder —3M 109
Lindum Dene. Alder —3M 109
Lindum Rd. Tedd —8J 25
Lindway. SE27 —6M 29
Linersh Dri. Brmly —5C 134
Linersh Wood Clo. Brmly —6C 134
Linersh Wood Rd. Brmly —5C 134
Lines Rd. Hurst —5A 14
Linfield Clo. W on T —2J 57
Ling Cres. Head D —3G 169
Ling Dri. Light —8K 51
Lingfield. —7N 145
Lingfield Av. King T —3L 41 (8L 203)
Lingfield Common. —6M 145
Lingfield Comn. Rd. Ling —6M 145
Lingfield Dri. Worth —2J 183
Lingfield Gdns. Coul —6M 83
Lingfield Park Racecourse. —9A 146
Lingfield Rd. SW19 —6J 27
Lingfield Rd. E Grin —6N 165
Lingfield Rd. Eden —3H 147
Lingfield Rd. Wor Pk —9H 43
Lingmala Gro. C Crook —8C 88
Lings Coppice. SE21 —3N 29
Lingwell Rd. SW17 —4C 28
Lingwood. Brack —5A 32
Lingwood Gdns. Iswth —3E 10
Link Av. Wok —2F 74
Linkfield. W Mol —2B 40
Linkfield Corner. Red —3B 122
(Hatchlands Rd.)
Linkfield Corner. Red —3C 122
(Linkfield St.)
Linkfield Gdns. Red —3C 122
Linkfield La. Red —2C 122
Linkfield Rd. Iswth —5F 10
Linkfield St. Red —3C 122
Link La. Wall —3H 63
Link Rd. Add —1N 55
Link Rd. Dat —4M 5
Link Rd. Felt —1G 23
Link Rd. Wall —7E 44
Links Av. Mord —3M 43
(in two parts)
Links Brow. Fet —2E 98
Links Clo. Asht —4J 79
Links Clo. Ewh —4F 156
Linkscroft Av. Afrd —7C 22
Links Gdns. SW16 —8L 29
Links Grn. Way. Cobh —1A 78
Linkside. —2N 169
Linkside. N Mald —1D 42
Linkside E. Hind —2A 170
Linkside N. Hind —2N 169
Linkside S. Hind —3A 170
Linkside W. Hind —2N 169
Links Pl. Asht —4K 79
Links Rd. SW17 —7E 28
Links Rd. Afrd —6N 21
Links Rd. Asht —5J 79
Links Rd. Brmly —4A 134
Links Rd. Eps —9F 60
Links Rd. W Wick —7M 47
Links, The. Asc —1J 33
Links, The. W on T —8H 39
Links Vw. Av. Brock —3N 119
Links Vw. Ct. Hamp —5D 24
Links Vw. Rd. Croy —9K 47
Links Vw. Rd. Hamp H —6C 24
Links Way. Beck —5K 47
Links Way. Bookh —6M 97

Links Way—Longwood Dri.

Links Way. Farn —2H 89
Link, The. Craw —3B 182
(in two parts)
Link, The. Tedd —7F 24
Linkway. SW20 —3G 43
Linkway. Camb —2A 70
Linkway. Crowt —2E 48
Linkway. Fleet —7A 88
Linkway. Guild —2J 113
Linkway. Rich —3H 25
Link Way. Stai —7K 21
Linkway. Wok —4E 74
Linkway Pde. Fleet —7A 88
Linkway, The. Sutt —5A 62
Linley Ct. Sutt —1A 62
Linnell Clo. Craw —9N 181
Linnell Rd. Red —4E 122
Linnet Clo. S Croy —6G 65
Linnet Clo. Turn H —4F 184
Linnet Gro. Guild —1F 114
Linnet M. SW12 —1E 28
Linsford Bus. Pk. Myt —2C 90
Linsford La. Myt —2D 90
Linslade Clo. Houn —8M 9
Linstead Rd. Farn —6K 69
Linstead Way. SW18 —1K 27
Linsted La. Head —2C 168
Lintaine Clo. SW6 —2K 13
Linton Clo. Mitc —6D 44
Linton Glade. Croy —5H 65
(in two parts)
Linton Gro. SE27 —6M 29
Lintons La. Eps —8D 60
Lintott Ct. Stanw —9M 7
Lintott Gdns. H'ham —5L 197
Linver Rd. SW6 —5M 13
Lion & Lamb Way. Farnh —1G 128
Lion & Lamb Yd. Farnh —1G 129
Lion Av. Twic —2F 24
Lion Clo. Hasl —1D 188
Lion Clo. Shep —2N 37
Lionel Rd. N. Bren —1L 11
Lionel Rd. S. Bren —1M 11
Lion Ga. Gdns. Rich —6M 11
Liongate M. E Mol —2F 40
Lion Grn. Hasl —2D 188
Lion Grn. Rd. Coul —3H 83
Lion La. Gray & Hasl —8D 170
Lion La. Red —2D 122
Lion La. Turn H —5D 184
Lion Mead. Hasl —2D 188
Lion Pk. Av. Chess —1N 59
Lion Retail Pk. Wok —3D 74
Lion Rd. Croy —4N 45
Lion Rd. Twic —2F 24
Lion's La. Alf —3K 175
(in two parts)
Lion Way. Bren —3K 11
Lion Way. C Crook —8C 88
Lion Wharf Rd. Iswth —6H 11
Lipcombe Cotts. Alb —3L 135
Liphook Rd. Hasl —2C 188
Liphook Rd. Head & Pass —6D 168
Liphook Rd. Lind —4A 168
Liphook Rd. Pass & Hasl —4A 188
Liphook Rd. W'hill —9A 168
Lipscomb's Corner. —1M 179
Lipsham Clo. Bans —9B 62
Lisbon Av. Twic —3C 24
Liscombe. Brack —6N 31
Liscombe Ho. Brack —6N 31
Lisgar Ter. W14 —1L 13
Liskeard Dri. Farn —8M 69
Lisle Clo. SW17 —5F 28
Lismore. SW19 —6L 27
(off Woodside)
Lismore Clo. Iswth —5G 10
Lismore Cres. Craw —6N 181
Lismore Rd. S Croy —3B 64
Lismoyne Clo. Fleet —3A 88
Lissoms Rd. Coul —5E 82
Lister Av. E Grin —3A 186
Lister Clo. Mitc —9C 28
Listergate Ct. SW15 —7H 13
Lister Ho. Hayes —1F 8
Litchfield Av. Mord —6L 43
Litchfield Rd. Sutt —1A 62
Litchfield Way. Guild —5J 113
Lithgow's Rd. H'row A —7F 8
Little Acre. Beck —2K 47
Lit. Austins Rd. Farnh —3J 129
Little Benty. W Dray —1M 7
Lit. Birch Clo. New H —5M 55
Little Birketts. —1L 157
Lit. Boltons, The. SW5 & SW10 —1N 13
Little Bookham. —2N 97
Little Bookham Common. —9M 77
Lit. Bookham St. Bookh —1N 97
Little Borough. Brock —4N 119
Littlebrook Clo. Croy —5G 47
Lit. Browns La. Eden —8G 127
Little Buntings. Wind —6C 4
Little Collins. Out —4M 143
Littlecombe Clo. SW15 —9J 13
Lit. Common La. Blet —1M 123
Little Comptons. H'ham —6M 197
Little Copse. Fleet —6A 88
Little Copse. Yat —8C 48
Littlecote Clo. SW19 —1K 27
Little Ct. W Wick —8N 47
Little Crabtree. Craw —2A 182
Lit. Cranmore La. W Hor —6C 96
Little Cft. Yat —1C 68
Littlecroft Rd. Egh —6B 20
Littledale Clo. Brack —2C 32
Little Dimocks. SW12 —3F 28
Little Elms. Hayes —3E 8
Lit. Ferry Rd. Twic —2H 25
Littlefield Clo. As —3E 110
Littlefield Clo. Guild —8G 92
Littlefield Clo. King T —1L 41 (4L 203)
Littlefield Common. —7E 92
Littlefield Gdns. As —3E 110
Littlefield Ho. King T —4K 203
Littlefield Way. Guild —8F 92
Littleford La. B'hth —2G 134
Little Fryth. Finch —1B 48
Little Grebe. H'ham —3J 197
Little Grn. Rich —7K 11
Lit. Green La. Cher —9G 36
Lit. Green La. Farnh —4F 128
Lit. Green La. Farm Est. Cher —1F 54
Little Gro. Dork —7J 119
(off Stubs Hill)
Little Halliards. W on T —5H 39
Little Hatch. H'ham —3M 197
Little Haven. —3M 197
Lit. Haven La. H'ham —3M 197
Littleheath La. Cobh —1A 78
Lit. Heath Rd. Chob —5H 53
Littleheath Rd. S Croy —4E 64
Little Hide. Guild —1D 114
Lit. Holland Bungalows. Cat —1A 104
Little Kiln. G'ming —3H 133
Lit. King St. E Grin —9A 166
Little Kings Wood. —5E 116
Little London. —1A 136
Little London. Alb —1N 135
Little London. Witl —5B 152
Lit. London Hill. Warn —8G 179
Little Lullenden. Ling —6N 145
Lit. Manor Gdns. Cranl —8M 155
Little Mead. Cranl —8K 155
Littlemead. Esh —1D 58
Little Mead. Wok —3J 73
Lit. Mead Ind. Est. Cranl —7K 155
Little Moor. Sand —6H 49
Lit. Moreton Clo. W Byf —8K 55
Little Orchard. Wok —1C 74
Little Orchard. Wdhm —7J 55
Little Orchards. Eps —8M 201
Lit. Orchard Way. Shalf —1A 134
Little Paddock. Camb —7E 50
Lit. Park Dri. Felt —3M 23
Little Parrock. —8M 187
Little Platt. Guild —2G 112
Lit. Queen's Rd. Tedd —7F 24
Little Ringdale. Brack —3C 32
Lit. Roke Av. Kenl —1M 83
Lit. Roke Rd. Kenl —1N 83
Littlers Clo. SW19 —9A 28
Lit. St Leonard's. SW14 —6B 12
Little Sandhurst. —6F 48
Little St. Guild —8L 93
Lit. Sutton La. Slou —1E 6
Little Thatch. G'ming —5J 133
Lit. Thurbans Clo. Farnh —5F 128
Littleton. —8K 113
(Guildford)
Littleton. —2B 38
(Shepperton)
Littleton Common. —8D 22
Littleton La. Guild —8K 113
Littleton La. Reig —5J 121
Littleton La. Shep —6M 37
Littleton Rd. Afrd —8D 22
Littleton St. SW18 —3A 28
Lit. Tumners Ct. G'ming —4H 133
Little Vigo. Yat —2A 68
Lit. Warkworth Ho. Iswth —5H 11
Lit. Warren Clo. Guild —5D 114
Lit. Wellington St. Alder —2M 109
Littlewick. —3J 73
Littlewick Rd. Knap & Wok —3H 73
Littlewood. Cranl —7A 156
Little Woodcote. —7E 62
Lit. Woodcote Est. Cars —7E 62
Lit. Woodcote La. Cars —8F 62
Little Woodlands. Wind —6C 4
Lit. Wood St. King T —1K 41 (3J 203)
Littleworth Av. Esh —2D 58
Littleworth Comn. Rd. Esh —9D 40
Littleworth La. Esh —1D 58
Littleworth Pl. Esh —1D 58
Littleworth Rd. Esh —2D 58
Littleworth Rd. Seale —2C 130
Liverpool Rd. King T —8N 25
Liverpool Rd. T Hth —2N 45
Livesey Clo. King T —2M 41 (5M 203)
Livingstone Mans. W14 —2K 13
(off Queen's Club Gdns.)
Livingstone Rd. Cat —9A 84
Livingstone Rd. Craw —5C 182
Livingstone Rd. H'ham —7K 197
Livingstone Rd. Houn —7C 10
Livingstone Rd. T Hth —1N 45
Llanaway Clo. G'ming —5J 133
Llanaway Rd. G'ming —5J 133
Llangar Gro. Crowt —2F 48
Llanthony Rd. Mord —4B 44
Llanvair Clo. Asc —5L 33
Llanvair Dri. Asc —5K 33
Lloyd Av. SW16 —9J 29
Lloyd Av. Coul —1E 82
Lloyd Pk. Av. Croy —1C 64
Lloyd Rd. Wor Pk —9H 43
Lloyds Ct. Craw —9C 162
Lloyds Way. Beck —4H 47
Lobelia Rd. Bisl —2D 72
Lochaline St. W6 —2H 13
Lochinvar St. SW12 —1F 28
Lochinver. Brack —6N 31
Lock Clo. Wdhm —8G 55
Locke King Clo. Wey —4B 56
Locke King Rd. Wey —4B 56
Lockesley Sq. Surb —5K 41
Lockets Clo. Wind —4A 4
Locke Way. Wok —4B 74
Lockfield Dri. Knap —3H 73
Lockfield Dri. Wok —5J 73
Lockhart Rd. Cobh —9K 57
Lockhurst Hatch La. Alb —5N 135
Lockie Pl. SE25 —2D 46
Lock La. Wok —3K 75
Lockner Holt. —9H 115
Lock Path. Dor —2A 4
(in two parts)
Lock Rd. Alder —8B 90
Lock Rd. Guild —9N 93
Lock Rd. Rich —5J 25
Locksbottom. —1J 67
Locks La. Mitc —9D 28
Locksley Dri. Wok —4J 73
Locksmeade Rd. Rich —5J 25
Locks Mdw. D'land —1C 166
Locks Ride. Asc —9F 16
Lockswood. —5H 193
Lockswood. Brkwd —7E 72
Lockton Chase. Asc —2H 33
Lockwood Clo. Farn —6K 69
Lockwood Clo. H'ham —3N 197
Lockwood Ct. Craw —1D 182
Lockwood Path. Wok —9F 54
Lockwood Way. Chess —2N 59
Lockyer Ho. SW15 —6J 13
Locomotive Dri. Felt —2H 23
Loddon Clo. Camb —9E 50
Loddon Rd. Farn —8J 69
Loddon Way. As —3E 110
Loder Clo. Wok —9F 54
Lodge Av. SW14 —6D 12
Lodge Av. Croy —9L 45
Lodgebottom Rd. Mick —5N 99
Lodge Clo. Alder —4A 110
Lodge Clo. Craw —3A 182
Lodge Clo. E Grin —9M 165
Lodge Clo. Eng G —6N 19
Lodge Clo. Eps —6H 61
Lodge Clo. Fet —9D 78
Lodge Clo. Iswth —4H 11
Lodge Clo. N Holm —9J 119
Lodge Clo. Stoke D —3N 77
Lodge Clo. Wall —7E 44
Lodge Gdns. Beck —4J 47
Lodge Gro. Yat —9E 48
Lodge Hill. Purl —2L 83
Lodge Hill Clo. Lwr Bo —5J 129
Lodge Hill Rd. Lwr Bo —5J 129
Lodge La. Holmw —4L 139
Lodge La. New Ad —3K 65
Lodge La. Red —3C 142
Lodge La. W'ham —5L 107
Lodge Pl. Sutt —2N 61
Lodge Rd. Croy —5M 45
Lodge Rd. Fet —9C 78
Lodge Rd. Wall —2F 62
Lodge Wlk. Horl —8D 142
(off Thornton Pl.)
Lodge Way. Afrd —3N 21
Lodge Way. Shep —1D 38
Lodge Way. Wind —6B 4
Lodkin Hill. Hasc —4N 153
Lodsworth. Farn —2J 89
Loft Ho. Pl. Chess —3J 59
Logan Clo. Houn —6N 9
Logmore La. Westc & Dork —7B 118
Lois Dri. Shep —4C 38
Lollesworth La. W Hor —4D 96
(in two parts)
Loman Rd. Myt —1E 90
Lomas Clo. Croy —4M 65
Lombard Bus. Pk. Croy —6K 45
Lombard Rd. SW19 —1N 43
Lombard Roundabout. (Junct.) —6K 45
Lombard St. Shack —5K 131
Lombardy Clo. Wok —4J 73
Lomond Gdns. S Croy —4H 65
Loncin Mead Av. New H —5L 55
London Biggin Hill Airport. —1F 86
London Biggin Hill Civil Airport. —8F 66
London Butterfly House. —4H 11
London Fields Ho. Craw —8A 182
London-Gatwick Airport. —4D 162
London-Gatwick Airport. Gat A —4C 162
London Gatwick Airport, North Terminal. —2C 162
London Gatwick Airport, South Terminal. —3E 162
London Heathrow Airport. —6C 8
London Heathrow Airport. —6C 8
London-Heathrow Airport. H'row A —5N 7
London La. E Hor —9G 97
London La. Shere —7B 116
London Rd. SW16 —9K 29
London Rd. SW17 & Mitc —8D 28
London Rd. Asc & S'hill —2M 33
London Rd. Asc & Vir W —7B 34
London Rd. Bag & W'sham —2K 51
London Rd. B'water & Camb —2J 69
London Rd. Brack & Asc —1B 32
London Rd. Brack & Binf —1G 31
London Rd. Camb & Bags —9A 50
London Rd. Cat —1A 104
London Rd. Craw —2B 182
London Rd. Dat —3L 5
(in two parts)
London Rd. Dork —4H 119 (1M 201)
London Rd. E Grin —6K 165
London Rd. Eve & B'water —4A 68
London Rd. Ewe —5E 60
London Rd. F Row —5G 186
London Rd. Guild —4A 114 (4E 202)
(in two parts)
London Rd. Hind —5D 170
London Rd. H'ham —6J 197
London Rd. Houn —6C 10
London Rd. Iswth & Bren —5F 10
London Rd. Iswth & Twic —8G 10
London Rd. King T —1L 41 (3L 203)
(in two parts)
London Rd. Mitc & Wall —6E 44
London Rd. Mord —4M 43
London Rd. Red —2D 122
London Rd. Reig —3M 121
London Rd. Slou & Coln —1A 6
London Rd. Stai & Afrd —5J 21
London Rd. S'dale —3D 34
London Rd. T Hth & Croy —4L 45 (1A 200)
London Rd. Vir W & Eng G —1K 35
London Rd. W'ham —1L 107
London Rd. W'sham & Asc —9M 33
London Rd. Wokgm —2C 30
London Rd. N. Mers —4F 102
London Road Roundabout. (Junct.) —9G 10
London Rd. S. Mers —8E 102
London Scottish & Richmond R.U.F.C. —6K 11
London Sq. Guild —3A 114 (3F 202)
London Stile. W4 —1N 11
London St. Cher —6J 37
Loneacre. W'sham —3B 52
Lone Oak. Small —1M 163
Lonesome. —9G 28
Lonesome La. Reig —7N 121
Lonesome Way. SW16 —9F 28
Longacre. As —2E 110
Long Acre. Craw D —1D 184
Longacre Pl. Cars —3E 62
Long Beech Dri. Farn —2H 89
Longbourne Grn. G'ming —3H 133
Longbourne Way. Cher —5H 37
Longboyds. Cobh —2J 77
Long Bri. Farnh —1H 129
Longbridge Ga. Gat A —2C 162
(off Gatwick Way)
Longbridge Roundabout. Horl —9C 142
Longbridge Wlk. Horl —1D 162
Longbridge Way. Horl —1D 162
Longbridge Way. Gat A —1D 162
Longchamp Clo. Horl —8G 143
Long Clo. Craw —3H 183
Long Comn. Sham G —8E 134
Long Copse Clo. Bookh —1B 98
Longcroft Av. Bans —1A 82
Longcross. —9K 35
Long Cross Hill. Head —4D 168
Longcross Rd. Longc —9J 35
Longdene Rd. Hasl —2F 188
Long Ditton. —7J 41
Longdon Wood. Kes —1G 66
Longdown. Fleet —7A 88
Longdown Chase Cotts. Gray —6E 170
Longdown Clo. Lwr Bo —5H 129
Longdown La. N. Eps —1F 80
Longdown La. S. Eps —1F 80
Longdown Lodge. Sand —7G 48
Longdown Rd. Eps —1F 80
Longdown Rd. Guild —6D 114
Longdown Rd. Lwr Bo —6G 128
Longdown Rd. Sand —6F 48
Long Dyke. Guild —1D 114
Longfellow Clo. H'ham —1L 197
Longfellow Rd. Wor Pk —8F 42
Longfield Av. Wall —7E 44
Longfield Clo. Farn —6M 69
Longfield Cres. Tad —7H 81
Longfield Dri. SW14 —8A 12
Longfield Dri. Mitc —8C 28
Longfield Rd. As —2E 110
Longfield Rd. Dork —6F 118
Longfield Rd. H'ham —8G 196
Longfield St. SW18 —1M 27
Longford. —4K 7
Longford Av. Felt —9F 8
Longford Av. Stai —2N 21
Longford Cir. W Dray —4K 7
Longford Clo. Camb —2B 70
Longford Clo. Hamp H —5A 24
Longford Clo. Hanw —4M 23
Longford Ct. Eps —1B 60
Longford Gdns. Sutt —9A 44
Longford Ho. Hamp —5A 24
Longfordmoor. —4J 7
Longford Rd. Twic —2A 24
Longford Wlk. SW2 —1L 29
Longford Way. Stai —2N 21
Long Garden M. Farnh —1G 129
(off Long Garden Wlk.)
Long Garden Pl. Farnh —9G 109
Long Garden Wlk. E. Farnh —9G 109
Long Garden Wlk. W. Farnh —9G 108
Long Garden Way. Farnh —1G 128
Long Gore. G'ming —2H 133
Long Gro. Rd. Eps —6A 60
Longheath Gdns. Croy —4F 46
Long Hedges. Houn —5A 10
Long Hill. Seale —2C 130
Long Hill. Wold —8G 85
(in three parts)
Long Hill Rd. Asc —1E 32
Longhope Dri. Wrec —5F 128
Long Houses. Pirb —2A 92
Longhurst Rd. Craw —8M 181
Longhurst Rd. Croy —5E 46
Longhurst Rd. E Hor —7F 96
Longlands Av. Coul —1E 82
Longlands Way. Camb —1H 71
Long La. Croy —5E 46
Long La. Stai & Stanw —3A 22
Long La. Wokgm —7E 14
Longleat Sq. Farn —2C 90
Longleat Way. Felt —1E 22
Longley Rd. SW17 —7C 28
Longley Rd. Croy —6M 45
Longley Rd. Farnh —2J 129
Longley Trad. Est. Craw —4C 182
Long Lodge Dri. W on T —9K 39
Longmead. Fleet —7B 88
Longmead. Guild —3E 114
Longmead. Wind —4B 4
Longmead Bus. Cen. Eps —7C 60
Longmead Clo. Cat —9B 84
Longmead Ho. SE27 —6N 29
Longmeadow. Bookh —3N 97
Longmeadow. Frim —3D 70
Long Mdw. Clo. W Wick —6M 47
Long Mdw. Vs. Charl —5K 161
Longmead Rd. SW17 —6D 28
Longmead Rd. Eps —7C 60
Longmead Rd. Th Dit —6E 40
Longmere Gdns. Tad —6H 81
Longmere Rd. Craw —1B 182
Long Mickle. Sand —6F 48
Longmoors. Brack —9K 15
Longmore Rd. W on T —1M 57
Longpoles Rd. Cranl —8A 156
Long Reach. Ock & W Hor —1B 96
Longridge Gro. Wok —1H 75
Longridge Rd. SW5 —1M 13
Longridge Rd. Rich —9M 11
Long Rd., The. Rowl —8E 128
Longs Clo. Wok —3J 75
Longs Ct. Rich —7M 11
Longsdon Way. Cat —2D 104
Long Shaw. Lea —7G 78
Longshot Ind. Est. Brack —1K 31
Longshot La. Brack —2K 31
(in two parts)
Longshott Ct. SW5 —1M 13
(off W. Cromwell Rd.)
Longside Clo. Egh —9E 20
Longstaff Cres. SW18 —9M 13
Longstaff Rd. SW18 —9M 13
Longstone Rd. SW17 —6F 28
Long's Way. Wokgm —1D 30
Longthornton Rd. SW16 —1G 45
Long Wlk. SW13 —5D 12
Long Wlk. Crock H —9K 107
Long Wlk. E Clan —8N 95
Long Wlk. Eps —6H 81
Long Wlk. N Mald —2B 42
Long Wlk. W Byf —1L 75
Long Wlk., The. Wind —2G 19
Longwater Ho. King T —6J 203
Longwater Rd. Brack —5A 32
Long Ways. Stai —9G 21
Longwood Dri. SW15 —9F 12

Longwood Rd. Kenl —3A 84 (in two parts)
Longwood Vw. Craw —6E 182
Longyard Ho. Horl —6F 142
Lonsdale Ct. Surb —6K 41
Lonsdale Gdns. SW16 —3K 45
Lonsdale M. Rich —4N 11
Lonsdale Rd. SE25 —3E 46
Lonsdale Rd. SW13 —4E 12
Lonsdale Rd. Dork —4H 119 (1M 201)
Lonsdale Rd. Wey —4B 56
Look Out Countryside & Heritage Cen., The. —7B 32
Loop Rd. Eps —3B 80
Loop Rd. Wok —7B 74
Loppets Rd. Craw —5D 182
Lorac Ct. Sutt —4M 61
Loraine Gdns. Asht —4L 79
Loraine Ho. Wall —1F 62
Loraine Rd. W4 —2A 12
Lord Chancellor Wlk. King T —9B 26
Lordell Pl. SW19 —7H 27
Lord Knyvett Clo. Stanw —9M 7
Lord Knyvetts Ct. Stanw —9M 7
Lord Napier Pl. W6 —1F 12
Lord Roberts M. SW6 —3N 13
Lordsbury Fld. Wall —6G 62
Lords Clo. SE21 —3N 29
Lords Clo. Felt —3M 23
Lordsgrove Clo. Tad —7G 81
Lordshill Common. —7E 134
Lords Hill Cotts. Sham G —7E 134
Lordshill Rd. Sham G —6E 134
Lords Wood Ho. Coul —9H 83
Loretto Clo. Cranl —7A 156
Lorian Dri. Reig —2A 122
Loriners. Craw —6B 182
Loriners Clo. Cobh —1H 77
Loring Rd. Iswth —5F 10
Loring Rd. Wind —4C 4
Lorne Av. Croy —6G 47
Lorne Gdns. Croy —6G 47
Lorne Gdns. Knap —6G 72
Lorne Rd. Rich —8M 11
Lorne, The. Bookh —4A 98
Lorraine Rd. Camb —7D 50
Lory Ridge. Bag —3J 51
Loseberry Rd. Clay —2D 58
Loseley House. —9H 113
Loseley Park. —9J 113
Loseley Pk. Farm. —9J 113
Loseley Rd. G'ming —3H 133
Losfield Rd. Wind —4B 4
Lothian Rd. Brkwd —8L 71
Lothian Wood. Tad —9G 80
Lots Rd. SW10 —3N 13
Lotus Clo. SE21 —4N 29
Lotus Rd. Big H —5H 87
Loubet St. SW17 —7D 28
Loudwater Clo. Sun —3H 39
Loudwater Rd. Sun —3H 39
Loughborough. Brack —5C 32
Louisa Ct. Twic —3E 24
Louise Margaret Rd. Alder —1A 110
Louis Fields. Guild —8F 92
Louisville Rd. SW17 —4E 28
Lovatt Ct. SW12 —2F 28
Lovat Wlk. Houn —3M 9
Lovedean Ct. Brack —5C 32
Lovejoy La. Wind —5A 4
Lovekyn Clo. King T —1L 41 (3M 203)
Lovelace Clo. Eff J —1H 97
Lovelace Dri. Wok —3G 75
Lovelace Gdns. Surb —6K 41
Lovelace Gdns. W on T —2K 57
Lovelace Rd. SE21 —3N 29
Lovelace Rd. Brack —3K 31
Lovelace Rd. Surb —6J 41
Lovelands La. Chob —9F 52
Lovelands La. Tad —5N 101
Love La. God —1F 124
Love La. SE25 —2E 46 (in two parts)
Love La. As —2F 110
Love La. Mitc —2C 44 (in two parts)
Love La. Mord —6M 43
Love La. Ockl —6C 158
Love La. Surb —8J 41
Love La. Sutt —3K 61
Love La. Tad —4E 100
Love La. Yat —9A 48
Loveletts. Craw —4M 181
Lovel La. Wink —5L 17
Lovell Path. If'd —4K 181
Lovell Rd. Rich —4J 25
Lovells Clo. Light —6M 51
Lovelock Clo. Kenl —4N 83
Lovel Rd. Wink —5K 17
Lovers La. Fren —3H 149
Lovers La. H'ham —9J 197
Lovett Dri. Cars —6A 44
Lovett Rd. Stai —5D 20
Lovibonds Av. Orp —1K 67
Lowbury. Brack —3C 32
Lowburys. Dork —8H 119
Lowdell's Clo. E Grin —6M 165
Lowdell's Dri. E Grin —6M 165
Lowdell's La. E Grin —6L 165
Lowe Clo. Alder —1L 109
Lowe Clo. Craw —9N 181
Lwr. Addiscombe Rd. Croy —7B 46 (1F 200)
Lower Ashtead. —6K 79
Lwr. Barn Clo. H'ham —3M 197
Lwr. Barn Rd. Purl —8N 63
Lower Bourne. —4J 129
Lwr. Breache Rd. Ewh —6H 157
Lwr. Bridge Rd. Red —3D 122
Lwr. Broadmoor Rd. Crowt —3H 49
Lower Canes. Yat —9A 48
Lwr. Charles St. Camb —9A 50
Lwr. Church La. Farnh —1G 129
Lwr. Church Rd. Sand —6D 48
Lwr. Church St. Croy —8M 45 (3A 200)
Lwr. Common S. SW15 —6G 13
Lwr. Coombe St. Croy —1N 63 (6B 200)
Lwr. Court Rd. Eps —7B 60
Lower Dene. E Grin —9C 166
Lwr. Downs Rd. SW20 —9J 27
Lwr. Drayton Pl. Croy —8M 45 (3A 200)
Lower Dunnymans. Bans —1L 81
Lower Eashing. —7C 132
Lower Eashing. Lwr E —7B 132
Lwr. Edgeborough Rd. Guild —4B 114
Lwr. Farm Rd. Eff —2J 97
Lwr. Farnham Rd. Alder —5N 109
Lower Feltham. —4G 23
Lower Forecourt. Gat A —3F 162 (off Ring Rd. S.)
Lwr. George St. Rich —8K 11
Lower Green. —8B 40
Lwr. Green Rd. Esh —8B 40
Lwr. Green W. Mitc —2C 44
Lwr. Grove Rd. Rich —9M 11
Lwr. Guildford Rd. Knap —4G 72
Lower Halliford. —5E 38
Lwr. Ham La. Elst —7J 131
Lwr. Hampton Rd. Sun —2K 39
Lwr. Ham Rd. King T —6K 25 (1K 203)
Lower Hanger. Hasl —2A 188
Lwr. Hill Rd. Eps —8A 60
Lowerhouse La. Wal W —7K 157
Lwr. House Rd. Brook —9K 151
Lower Kingswood. —5L 101
Lower Mall. W6 —1G 12
Lwr. Manor Rd. G'ming —5H 133
Lwr. Manor Rd. Milf —1B 152
Lwr. Marsh La. King T (in two parts) —3M 41 (7M 203)
Lower Mere. E Grin —1B 186
Lower Mill. Eps —4E 60
Lwr. Mill Fld. Bag —5H 51
Lower Moor. Yat —1C 68
Lwr. Morden La. Mord —5H 43
Lwr. Mortlake Rd. Rich —7L 11
Lwr. Moushill La. Milf —1A 152
Lwr. Nelson St. Alder —2M 109
Lwr. Newport Rd. Alder —4B 110
Lower Northfield. Bans —1L 81
Lower Nursery. Asc —4D 34
Lwr. Park Rd. Coul —5C 82
Lower Peryers. E Hor —6F 96
Lwr. Pillory Downs. Cars —9F 62
Lwr. Pyrford Rd. Wok —3K 75
Lwr. Richmond Rd. SW15 —6G 13
Lwr. Richmond Rd. Rich & SW14 —6N 11
Lower Rd. Bookh —3A 98
Lower Rd. Eff —5L 97
Lower Rd. F Row —6H 187
Lower Rd. G'wood —7K 171
Lower Rd. Kenl —9M 63
Lower Rd. Red —5B 122
Lower Rd. Sutt —1A 62
Lower Sandfields. Send —2F 94
Lwr. Sandhurst Rd. Finch & Sand —5A 48
Lwr. Sawley Wood. Bans —1L 81
Lower Shott. Bookh —4A 98
Lower South Park. —9D 124
Lwr. South Pk. S God —9D 124
Lwr. South St. G'ming —7G 133
Lwr. South Vw. Farnh —9H 109
Lower Sq. F Row —6H 187
Lower Sq. Iswth —6H 11
Lower Sq., The. Sutt —2N 61
Lower St. Hasl —2F 188
Lower St. Shere —8B 116
Lwr. Sunbury Rd. Hamp —1N 39
Lwr. Tanbridge Way. H'ham —6H 197
Lwr. Teddington Rd. King T —9K 25 (1H 203)
Lwr. Village Rd. Asc —4M 33
Lwr. Weybourne La. Farnh & Bad L —6L 109
Lwr. Wokingham Rd. Finch & Crowt —1C 48
Lwr. Wood Rd. Clay —3H 59
Lowestoft Wlk. Craw —5F 182
Loweswater Wlk. Camb —2H 71
Lowfield Clo. Light —7L 51
Lowfield Heath. —5C 162
Lowfield Heath Ind. Est. Low H —5C 162
Lowfield Heath Postmill. —4H 161
Lowfield Heath Rd. Charl —4L 161
Lowfield Rd. Slin —5L 195
Lowfield Way. Low H —5C 162
Lowicks Rd. Tilf —4N 149
Lowlands Dri. Stanw —8M 7
Lowlands Rd. B'water —2H 69
Low La. Bad L —6N 109
Lowndes Bldgs. Farnh —9G 108
Lowry Clo. Coll T —9J 49
Lowry Cres. Mitc —1C 44
Lowther Rd. SW13 —4E 12
Lowther Rd. King T —9M 25 (1N 203)
Lowthorpe. Wok —5K 73
Loxford Ct. Cranl —8H 155
Loxford Ho. Eps —8D 60 (5N 201)
Loxford Rd. Cat —3C 104
Loxford Way. Cat —3C 104
Loxhill. —9A 154
Loxley Rd. SW18 —2B 28
Loxley Rd. Hamp —5N 23
Loxwood. —4H 193
Loxwood Av. C Crook —6A 88
Loxwood Clo. Felt —2E 22
Loxwood Farm Pl. Loxw —4H 193
Loxwood Rd. Alf —9H 175
Loxwood Rd. Plais —6B 192
Loxwood Rd. Rud —4N 193
Loxwood Wlk. Craw —1L 181 (in two parts)
Lucan Dri. Stai —8M 21
Lucas Clo. E Grin —9C 166
Lucas Clo. Yat —1C 68
Lucas Dri. Yat —1C 68
Lucas Fld. Hasl —2C 188
Lucas Grn. Rd. W End —2A 72
Lucas Rd. Warn —9E 178
Lucerne Clo. Wok —6A 74
Lucerne Dri. M'bowr —6H 183
Lucerne Rd. T Hth —4M 45
Lucie Av. Afrd —7C 22
Lucien Rd. SW17 —5E 28
Lucien Rd. SW19 —3N 27
Lucilina Dri. Eden —3L 147
Luckley Path. Wokgm —2B 30 (in two parts)
Luckley Rd. Wokgm —5A 30
Luckley Wood. Wokgm —5A 30
Luddington Av. Vir W —1B 36
Ludford Clo. Croy —9M 45 (6A 200)
Ludgrove. Wokgm —5C 30
Ludlow. Brack —6N 31
Ludlow Clo. Frim —7E 70
Ludlow Rd. Felt —5H 23
Ludlow Rd. Guild —4L 113
Ludovick Wlk. SW15 —7D 12
Ludshott Common. —6J 169
Ludshott Gro. Head D —4G 169
Luff Clo. Wind —6B 4
Luffs Mdw. N'chap —9D 190
Luke Rd. Alder —4K 109
Luke Rd. E. Alder —4K 109
Lullarook Clo. Big H —3E 86
Lullenden. —5H 167
Lulworth Av. Houn —4B 10
Lulworth Clo. Craw —6M 181
Lulworth Clo. Farn —7M 69
Lulworth Cres. Mitc —1C 44
Lumley Ct. Horl —7E 142
Lumley Gdns. Sutt —2K 61
Lumley Rd. Horl —7E 142
Lumley Rd. Sutt —2K 61
Lunar Clo. Big H —3F 86
Luna Rd. T Hth —2N 45
Lundy Clo. Craw —6A 182
Lundy Dri. Hayes —1F 8
Lunghurst Rd. Wold —7J 85
Lupin Clo. SW2 —3M 29
Lupin Clo. Bag —6G 51
Lupin Clo. Croy —7G 46
Lupin Clo. W Dray —1M 7
Lupin Ride. Crowt —8G 30
Lurgan Av. W6 —2J 13
Luscombe Ct. Brom —1N 47
Lushington Dri. Cobh —1J 77
Lushington Ho. W on T —5K 39
Lusted Hall La. Tats —7D 86
Lusteds Clo. Dork —8J 119
Lutea Ho. Sutt —4A 62 (off Walnut M.)
Luther Rd. Tedd —6F 24
Lutterworth Clo. Brack —8A 16
Luttrell Av. SW15 —8G 13
Lutyens Clo. Craw —5K 181
Luxford Clo. H'ham —3M 197
Luxford's La. E Grin —4D 186
Luxted. —1J 87
Luxted Rd. Dow —8J 67
Lyall Pl. Farnh —5G 108
Lychett Minster Clo. Brack —3D 32
Lych Ga. Clo. Sand —7E 48
Lych Ga. Ct. Eden —2L 147
Lych Way. Wok —3N 73
Lyconby Gdns. Croy —6H 47
Lydbury. Brack —2D 32
Lydden Gro. SW18 —1N 27
Lydden Rd. SW18 —1N 27
Lydele Clo. Wok —2B 74
Lydens La. Hever —6N 147
Lydford Clo. Farn —7M 69
Lydford Clo. Frim —7E 70
Lydhurst Av. SW2 —3K 29
Lydney. Brack —6N 31
Lydney Clo. SW19 —3K 27
Lydon Ho. Craw —9B 162
Lye Copse Av. Farn —6N 69
Lyefield La. F Grn —4K 157
Lyell Pl. E. Wind —6A 4
Lyell Pl. W. Wind —6A 4
Lyell Rd. Wind —6A 4
Lyell Wlk. E. Wind —6A 4
Lyell Wlk. W. Wind —6A 4
Lye, The. Tad —9H 81
Lyfield. Oxs —1B 78
Lyford Rd. SW18 —1B 28
Lygon Ho. SW6 —4K 13 (off Fulham Pal. Rd.)
Lyham Clo. SW2 —1J 29
Lyle Clo. Mitc —6E 44
Lymbourne Clo. Sutt —6M 61
Lymden Gdns. Reig —4N 121
Lyme Regis Rd. Bans —4L 81
Lymescote Gdns. Sutt —8M 43
Lyminge Gdns. SW18 —2C 28
Lymington Av. Yat —1A 68
Lymington Clo. SW16 —1H 45
Lymington Ct. Sutt —9N 43
Lymington Gdns. Eps —2E 60
Lynchborough Rd. Pass —9C 168
Lynchen Clo. Houn —4J 9
Lynchford La. Farn —5C 90
Lynchford Rd. Ash V —5D 90
Lynchford Rd. Farn —6N 89 (in two parts)
Lynch Rd. Farnh —1J 129
Lyncroft Gdns. Eps —5E 60
Lyncroft Gdns. Houn —8C 10
Lyndale. Th Dit —6E 40
Lyndale Ct. Red —9E 102
Lyndale Ct. W Byf —9J 55
Lyndale Dri. Fleet —4E 88
Lyndale Rd. Red —9D 102
Lynde Ho. W on T —5K 39
Lynden Hyrst. Croy —8C 46
Lyndford Ter. Fleet —6A 88
Lyndhurst Av. SW16 —1H 45
Lyndhurst Av. Alder —6A 110
Lyndhurst Av. B'water —9H 49
Lyndhurst Av. Sun —2H 39
Lyndhurst Av. Surb —7A 42
Lyndhurst Av. Twic —2N 23
Lyndhurst Clo. Brack —2E 32
Lyndhurst Clo. Craw —4B 182
Lyndhurst Clo. Croy —9C 46
Lyndhurst Clo. Orp —1K 67
Lyndhurst Clo. Wok —2N 73
Lyndhurst Ct. Sutt —4M 61 (off Grange Rd.)
Lyndhurst Dri. N Mald —6D 42
Lyndhurst Farm Clo. Felb —6G 165
Lyndhurst Rd. Asc —3L 33
Lyndhurst Rd. Coul —3E 82
Lyndhurst Rd. Reig —6M 121
Lyndhurst Rd. T Hth —3L 45
Lyndhurst Vs. Red —9D 102
Lyndhurst Way. Cher —9G 36
Lyndhurst Way. Sutt —5M 61
Lyndon Av. Wall —9E 44
Lyndsey Clo. Farn —1G 88
Lyndum Pl. Lind —4A 168
Lyndwood Dri. Old Win —9K 5
Lyne. —5C 36
Lyne Clo. Vir W —5B 36
Lyne Crossing Rd. Lyne —5C 36
Lynegrove Av. Afrd —6D 22
Lyneham Rd. Crowt —2G 48
Lyne La. Vir W —5C 36 (in two parts)
Lyne Rd. Vir W —5N 35
Lynford Ct. Croy —7F 200
Lynmead Clo. Eden —8K 127
Lynmouth Av. Mord —5J 43
Lynmouth Gdns. Houn —3L 9
Lynn Clo. Afrd —6E 22
Lynn Ct. Whyt —5C 84
Lynne Clo. Orp —3N 67
Lynne Clo. S Croy —7F 64
Lynne Ct. S Croy —7F 200
Lynne Wlk. Esh —2C 58
Lynn Rd. SW12 —1F 28
Lynn Wlk. Reig —6N 121
Lynn Way. Farn —7L 69
Lynscott Way. S Croy —5M 63
Lynstead Ct. Beck —1H 47
Lynton Clo. Chess —1L 59
Lynton Clo. E Grin —8C 166
Lynton Clo. Farnh —4F 128
Lynton Clo. Iswth —7F 10
Lynton Pk. Av. E Grin —8B 166
Lynton Rd. Croy —5L 45
Lynton Rd. N Mald —4C 42
Lynwick St. Rud —1C 194
Lynwood. Guild —4L 113
Lynwood Av. Coul —2F 82
Lynwood Av. Egh —7A 20
Lynwood Av. Eps —1E 80
Lynwood Chase. Brack —8A 16
Lynwood Clo. Lind —4B 168
Lynwood Clo. Wok —9F 54
Lynwood Ct. Eps —9E 60
Lynwood Ct. H'ham —5J 197
Lynwood Ct. King T —1A 42
Lynwood Cres. Asc —5B 34
Lynwood Dri. Myt —2E 90
Lynwood Dri. Wor Pk —8F 42
Lynwood Gdns. Croy —1K 63
Lynwood Rd. SW17 —4D 28
Lynwood Rd. Eps —1E 80
Lynwood Rd. Red —1E 122
Lynwood Rd. Th Dit —8F 40
Lynx Hill. E Hor —6G 96
Lyon Clo. M'bowr —7G 183
Lyon Ct. H'ham —6L 197
Lyon Oaks. Warf —7N 15
Lyon Rd. SW19 —9A 28
Lyon Rd. Crowt —1H 49
Lyon Rd. W on T —8M 39
Lyons Clo. Slin —5L 195
Lyons Ct. Dork —5H 119 (2L 201)
Lyonsdene. Tad —5L 101
Lyons Dri. Guild —7K 93
Lyons Rd. Slin —5L 195
Lyon Way. Frim —5A 70
Lyon Way Ind. Est. Frim —5A 70
Lyric Clo. M'bowr —5H 183
Lyric Rd. SW13 —4E 12
Lyric Theatre. —1H 13
Lysander Gdns. Surb —5M 41
Lysander Rd. Croy —3K 63
Lysias Rd. SW12 —1F 28
Lysia St. SW6 —3J 13
Lysons Av. Ash V —5D 90
Lyson's Rd. Alder —3M 109
Lysons Wlk. SW15 —7F 12
Lyster M. Cobh —9K 57
Lytchgate Clo. S Croy —4B 64
Lytcott Dri. W Mol —2N 39
Lytham. Brack —5K 31
Lytham Ct. S'hill —4N 33
Lythe Hill. —2L 189
Lythe Hill Pk. Hasl —3J 189
Lytton Dri. Craw —2H 183
Lytton Gdns. Wall —1H 63
Lytton Gro. SW15 —8J 13
Lytton Pk. Cobh —8N 57
Lytton Rd. Wok —3D 74
Lyveden Rd. SW17 —7D 28
Lywood Clo. Tad —9H 81

Mabbotts. Tad —8J 81
Mabel St. Wok —5N 73
Maberley Rd. Beck —2G 46
Mablethorpe Rd. SW6 —3K 13
Macadam Av. Crowt —9H 31
McAlmont Ridge. G'ming —4G 132
Macaulay Av. Esh —8F 40
Macaulay Rd. Cat —9B 84
Macbeth Ct. Warf —9C 16
Macbeth St. W6 —1G 13
McCarthy Rd. Felt —6L 23
Macclesfield Rd. SE25 —4E 46
MacDonald Rd. Farnh —5G 109
Macdonald Rd. Light —8K 51
McDonalds Almshouses. Farnh —2F 128
McDonough Clo. Chess —1L 59
Mace La. Cud —9M 67
Macfarlane La. Iswth —2F 10
McGrigor Barracks. Alder —1N 109
McIndoe Rd. E Grin —7N 165
McIntosh Clo. Wall —4J 63
McIver Clo. Felb —6J 165
McKay Clo. Alder —1A 110
McKay Rd. SW20 —8G 27
McKay Trad. Est. Coln —5G 7
Mackenzie Rd. Beck —1F 46
McKenzie Way. Eps —5N 59
McKernan Ct. Sand —7E 48
Mackie Rd. SW2 —1L 29
Mackies Hill. Peasl —4E 136
Mackrells. Red —6A 122
Maclaren M. SW15 —7H 13
Macleod Rd. H'ham —7L 197
MacNaghten Woods. Camb —9C 50
McNaughton Clo. Farn —2H 89
Macphail Clo. Wokgm —9D 14
McRae La. Mitc —6D 44
Macrae Rd. Yat —9B 48
Madan Rd. W'ham —3M 107
Madans Wlk. Eps —2C 80 (8L 201) (in two parts)
Maddison Clo. Tedd —7F 24
Maddox La. Bookh —9M 77 (in two parts)
Maddox Pk. Bookh —1M 97

Madehurst Ct.—Margaret Ingram Clo.

Madehurst Ct. *Craw* —6L **181**
Madeira Av. *H'ham* —6J **197**
Madeira Clo. *W Byf* —9J **55**
Madeira Cres. *W Byf* —9H **55**
Madeira Rd. *SW16* —6J **29**
Madeira Rd. *Mitc* —3D **44**
Madeira Rd. *W Byf* —9H **55**
Madeira Wlk. *Reig* —2B **122**
Madeira Wlk. *Wind* —4G **5**
Madeley Rd. *C Crook* —7C **88**
Madgehole La. *Sham G* —7J **135**
Madingley. *Brack* —7N **31**
Madox Brown End. *Coll T* —8K **49**
Madrid Rd. *SW13* —4F **12**
Madrid Rd. *Guild* —4L **113**
Maesmaur Rd. *Tats* —8F **86**
Mafeking Av. *Bren* —2L **11**
Mafeking Rd. *Wray* —3D **20**
Magazine Pl. *Lea* —9H **79**
Magazine Rd. *Cat* —9M **83**
Magdala Rd. *Iswth* —6G **11**
Magdala Rd. *S Croy* —4A **64**
Magdalen Clo. *Byfl* —1N **75**
Magdalen Cres. *Byfl* —1N **75**
Magdalene Clo. *Craw* —9G **162**
Magdalene Rd. *Owl* —5L **49**
Magdalene Rd. *Shep* —3A **38**
Magdalen Rd. *SW18* —2A **28**
Magellan Ter. *Craw* —8E **162**
Magna Carta La. *Wray* —2N **19**
Magna Carta Monument. —3N 19
Magna Rd. *Eng G* —7L **19**
Magnolia Clo. *King T* —7A **26**
Magnolia Clo. *Owl* —6J **49**
Magnolia Ct. *Horl* —8E **142**
Magnolia Ct. *Rich* —4A **12**
*Magnolia Ct. Sutt —4M **61***
(off Grange Rd.)
Magnolia Ct. *Wall* —2F **62**
Magnolia Dri. *Big H* —3F **86**
Magnolia Pl. *Guild* —9M **93**
Magnolia Rd. *W4* —2A **12**
Magnolia St. *W Dray* —1M **7**
Magnolia Way. *Eps* —2B **60**
Magnolia Way. *Fleet* —6B **88**
Magnolia Way. *N Holm* —8K **119**
Magpie Clo. *Bord* —7A **168**
Magpie Clo. *Coul* —5G **83**
Magpie Clo. *Ews* —4C **108**
Magpie Grn. *Eden* —9L **127**
Magpie Wlk. *Craw* —1D **182**
Maguire Dri. *Frim* —3G **71**
Maguire Dri. *Rich* —5J **25**
Mahonia Clo. *W End* —9C **52**
Maida Rd. *Alder* —9N **89**
Maidenbower. —5G 183
Maidenbower Dri. *M'bowr* —5G **182**
Maidenbower La. *M'bowr* —5F **182**
(in two parts)
Maidenbower Pl. *M'bowr* —5G **183**
Maidenbower Sq. *M'bowr* —5G **183**
Maidenhead Rd. *Warf* —3N **15**
Maidenhead Rd. *Wind* —3A **4**
Maidenhead Rd. *Wokgm* —6C **14**
Maiden La. *Craw* —1A **182**
Maiden's Green. —3F 16
Maiden's Grn. *Wink* —3F **16**
Maidenshaw Rd. *Eps* —8C **60** (5K **201**)
Maids of Honour Row. *Rich* —8K **11**
Main Dri. *Brack* —8D **16**
Mainprize Rd. *Brack* —9C **16**
Main Rd. *Big H & Kes* —9E **66**
Main Rd. *Crock H & Eden* —6K **127**
Main Rd. *K'ley* —9A **148**
Main Rd. *Wind* —3A **4**
Mainstone Clo. *Deep* —7G **71**
Mainstone Cres. *Brkwd* —8A **72**
Mainstone Rd. *Bisl* —3C **72**
Main St. *Add* —9N **37**
Main St. *Felt* —6L **23**
Main St. *Yat* —8C **48**
Maisie Webster Clo. *Stanw* —1L **21**
Maisonettes, The. *Sutt* —2L **61**
Maitland Clo. *Houn* —6N **9**
Maitland Clo. *W on T* —8M **39**
Maitland Clo. *W Byf* —9J **55**
Maitland Rd. *Farn* —5N **89**
Maitlands Clo. *Tong* —6C **110**
Maize Cft. *Horl* —7G **142**
Maize La. *Warf* —7B **16**
Majestic Way. *Mitc* —1D **44**
Majors Farm Rd. *Dat* —3M **5**
Major's Hill. *Worth* —4N **183**
Makepiece Rd. *Brack* —8N **15**
Malacca Farm. *W Cla* —5K **95**
Malan Clo. *Big H* —4G **87**
Malbrook Rd. *SW15* —7G **13**
Malcolm Dri. *Surb* —7K **41**
Malcolm Gdns. *Hkwd* —1B **162**
Malcolm Gavin Clo. *SW17* —3C **28**
Malcolm Rd. *SE25* —5D **46**
Malcolm Rd. *SW19* —7K **27**
Malcolm Rd. *Coul* —2H **83**
Malden Av. *SE25* —3E **46**
Malden Ct. *N Mald* —2G **42**
Malden Green. —7F 42
Malden Grn. Av. *Wor Pk* —7E **42**
Malden Hill. *N Mald* —2E **42**
Malden Hill Gdns. *N Mald* —2E **42**
Malden Junction. (Junct.) —4D **42**
Malden Pk. *N Mald* —5E **42**
Malden Rd. *N Mald* —4D **42**
Malden Rd. *Sutt* —1H **61**
Malden Rushett. —7J 59
Malden Way. *N Mald* —5C **42**
Maldon Ct. *Wall* —2G **62**
Maldon Rd. *Wall* —2F **62**
Malet Clo. *Egh* —7F **20**
Maley Av. *SE27* —3M **29**
Malham Clo. *M'bowr* —6G **183**
Malham Fell. *Brack* —3M **31**
Mallard Clo. *As* —1D **110**
Mallard Clo. *Hasl* —2C **188**
Mallard Clo. *Horl* —6E **142**
Mallard Clo. *H'ham* —3J **197**
Mallard Clo. *Red* —9E **102**
Mallard Clo. *Twic* —1A **24**
Mallard Ct. *Dork* —1K **201**
Mallard Pl. *E Grin* —1B **186**
Mallard Pl. *Twic* —4G **24**
Mallard Rd. *S Croy* —6G **65**
Mallards Reach. *Wey* —8E **38**
Mallards, The. *Frim* —4D **70**
Mallards, The. *Stai* —1K **37**
Mallards Way. *Light* —7L **51**
Mallard Wlk. *Beck* —4G **47**
Mallard Way. *Eden* —9L **127**
Mallard Way. *Wall* —5G **63**
Mallard Way. *Yat* —9A **48**
Malling Clo. *Croy* —5F **46**
Malling Gdns. *Mord* —5A **44**
Mallinson Rd. *Croy* —9H **45**
Mallow Clo. *Croy* —7G **46**
Mallow Clo. *H'ham* —2L **197**
Mallow Clo. *Lind* —4B **168**
Mallow Clo. *Tad* —7G **81**
Mallow Cres. *Guild* —9D **94**
Mallowdale Rd. *Brack* —6C **32**
Mall Rd. *W6* —1G **13**
Mall, The. *SW14* —8B **12**
Mall, The. *Bren* —2K **11**
Mall, The. *Croy* —8N **45** (2B **200**)
Mall, The. *Surb* —4K **41**
Mall, The. *W on T* —2L **57**
Malmains Clo. *Beck* —3N **47**
Malmains Way. *Beck* —3M **47**
Malmesbury Rd. *Mord* —6A **44**
Malmstone Av. *Red* —6G **103**
Malta Barracks. *Alder* —8L **89**
Malta Rd. *Deep* —6J **71**
Maltby Rd. *Chess* —3N **59**
Malt Hill. *Egh* —6A **20**
Malt Hill. *Warf* —5C **16**
Malthouse Clo. *C Crook* —8A **88**
Malt Ho. Clo. *Old Win* —1L **19**
Malthouse Ct. *W End* —8C **52**
Malthouse Dri. *W4* —2E **12**
Malthouse Dri. *Felt* —6L **23**
Malthouse La. *Hamb* —9F **152**
Malthouse La. *W End* —1E **92**
(Chapel La., in two parts)
Malthouse La. *W End* —9C **52**
(Commonfields)
Malthouse Mead. *Witl* —5C **152**
*Malthouse Pas. SW13 —5E **12***
(off Maltings Clo.)
Malthouse Rd. *Craw* —5B **182**
Malthouses, The. *Cranl* —7N **155**
Malt Ho., The. *Tilf* —8A **130**
Maltings. *W4* —1N **11**
Maltings Clo. *SW13* —5E **12**
*Maltings Lodge. W4 —2D **12***
(off Corney Reach Way)
Maltings Pl. *SW6* —4N **13**
Maltings, The. *Byfl* —9A **56**
Maltings, The. *Oxt* —9B **106**
Maltings, The. *Stai* —5G **20**
Malting Way. *Iswth* —6F **10**
Malus Clo. *Add* —4H **55**
Malus Dri. *Add* —4H **55**
Malva Clo. *SW18* —8N **13**
Malvern Clo. *SE20* —1D **46**
Malvern Clo. *Mitc* —2G **44**
Malvern Clo. *Ott* —3E **54**
Malvern Clo. *Surb* —7L **41**
Malvern Ct. *Eps* —1C **80** (8L **201**)
Malvern Ct. *Slou* —2C **6**
Malvern Ct. *Sutt* —4M **61**
Malvern Dri. *Felt* —6L **23**
Malvern Rd. *Craw* —4A **182**
Malvern Rd. *Farn* —7J **69**
Malvern Rd. *Hamp* —8A **24**
Malvern Rd. *Hayes* —3F **8**
Malvern Rd. *Surb* —8L **41**
Malvern Rd. *T Hth* —3L **45**
Malwood Rd. *SW12* —1F **28**
Malyons, The. *Shep* —5E **38**
Manatee Pl. *Wall* —9H **45**
Manawey Bus. Units. *Alder* —3C **110**
Manbre Rd. *W6* —2H **13**
Manchester Rd. *T Hth* —2N **45**
Mandeville Clo. *SW19* —8K **27**
Mandeville Clo. *Guild* —9K **93**
Mandeville Ct. *Egh* —5C **20**
Mandeville Dri. *Surb* —7K **41**
Mandeville Rd. *Iswth* —5G **10**
Mandeville Rd. *Shep* —4B **38**
Mandora Rd. *Alder* —9N **89**
Mandrake Rd. *SW17* —4D **28**
Manfield Pk. *Cranl* —5K **155**
Manfield Rd. *As* —2E **110**
Manfred Rd. *SW15* —8L **13**
Mangles Ct. *Guild* —4M **113** (4B **202**)
Mangles Rd. *Guild* —1N **113**
Manitoba Gdns. *G Str* —3N **67**
Manley Bri. Rd. *Rowl* —6D **128**
Mannamead. *Eps* —6D **80**
Mannamead Clo. *Eps* —6D **80**
Mann Clo. *Craw* —9N **181**
Mann Clo. *Croy* —9N **45** (4B **200**)
Manning Clo. *E Grin* —7N **165**
Manning Pl. *Rich* —9M **11**
Mannings Clo. *Craw* —9H **163**
Mannings Heath. —9C 198
Mannings Hill. *Cranl* —4M **155**
Manningtree Clo. *SW19* —2K **27**
Mann's Clo. *Iswth* —8F **10**
*Manny Shinwell Ho. SW6 —2L **13***
(off Clem Attlee Ct.)
Manoel Rd. *Twic* —3C **24**
Manor Av. *Cat* —2B **104**
Manor Av. *Houn* —6L **9**
Manor Chase. *Wey* —2C **56**
Manor Circus. (Junct.) —6M **11**
Manor Clo. *Brack* —8M **15**
Manor Clo. *E Hor* —6F **96**
Manor Clo. *Hasl* —2C **188**
Manor Clo. *Horl* —8D **142**
Manor Clo. *Tong* —5D **110**
Manor Clo. *Warl* —4H **85**
Manor Clo. *Wok* —4H **75**
Manor Clo. *Wor Pk* —7D **42**
Manor Ct. *SW6* —4N **13**
Manor Ct. *SW16* —4J **29**
Manor Ct. *W3* —1N **11**
Manor Ct. *C Crook* —9B **88**
Manor Ct. *Craw* —9D **162**
Manor Ct. *H'ham* —3N **197**
Manor Ct. *King T* —9N **25**
Manor Ct. *Twic* —3C **24**
Manor Ct. *W Mol* —3A **40**
Manor Ct. *W Wick* —7L **47**
Manor Ct. *Wey* —1C **56**
Manor Cres. *Brkwd* —7A **72**
Manor Cres. *Byfl* —9A **56**
Manor Cres. *Eps* —8N **59**
Manor Cres. *Guild* —1L **113**
Manor Cres. *Hasl* —2C **188**
Manor Cres. *Surb* —5N **41**
Manorcrofts Rd. *Egh* —7C **20**
Manordene Clo. *Th Dit* —7G **40**
Manor Dri. *Eps* —3D **60**
Manor Dri. *Esh* —8F **40**
Manor Dri. *Felt* —6L **23**
Manor Dri. *Horl* —8D **142**
Manor Dri. *New H* —6J **55**
Manor Dri. *Sun* —1H **39**
Manor Dri. *Surb* —5M **41**
Manor Dri. N. *N Mald & Wor Pk* —6C **42**
Manor Dri., The. *Wor Pk* —7D **42**
Manor Farm. *Wanb* —6N **111**
Manor Farm Av. *Shep* —5C **38**
Mnr. Farm Bus. Cen. *Tong* —7D **110**
Mnr. Farm Clo. *As* —3D **110**
Mnr. Farm Clo. *Wind* —6C **4**
Mnr. Farm Clo. *Wor Pk* —7D **42**
Mnr. Farm Cotts. *Wanb* —6N **111**
Mnr. Farm Ct. *Egh* —6C **20**
Manor Farm Estate. —1M 19
Mnr. Farm La. *Egh* —6C **20**
Mnr. Farm Rd. *SW16* —1L **45**
Manor Fields. *SW15* —9J **13**
Manorfields. *Craw* —7J **181**
Manor Fields. *H'ham* —4N **197**
Manor Fields. *Milf* —9B **132**
Manor Fields. *Seale* —7F **110**
Manor Gdns. *SW20* —1L **43**
Manor Gdns. *W4* —1D **12**
Manor Gdns. *Chil* —9E **114**
Manor Gdns. *Eff* —6L **97**
Manor Gdns. *G'ming* —4H **133**
Manor Gdns. *Guild* —1L **113**
Manor Gdns. *Hamp* —8B **24**
Manor Gdns. *Lwr Bo* —6J **129**
Manor Gdns. *Rich* —7M **11**
Manor Gdns. *S Croy* —3C **64**
Manor Gdns. *Sun* —9H **23**
Manorgate Rd. *King T* —9N **25**
Manor Grn. *Milf* —1B **152**
Mnr. Green Rd. *Eps* —9A **60**
Manor Gro. *Beck* —1L **47**
Manor Gro. *Rich* —7N **11**
Manor Hill. *Bans* —2D **82**
Manor Ho. Ct. *Eps* —9B **60** (7J **201**)
Manor Ho. Ct. *Shep* —6C **38**
Manor Ho. Dri. *Asc* —8L **17**
Manor Ho. Flats. *Tong* —6C **110**
Manor Ho. Gdns. *Eden* —2L **147**
Manorhouse La. *Bookh* —4M **97**
Manor Ho. La. *Dat* —3L **5**
Manor Ho., The. *Kgswd* —1A **102**
Manor Ho. Way. *Iswth* —6H **11**
Manor La. *Felt* —3H **23**
Manor La. *Hayes* —2E **8**
Manor La. *H'ham* —8A **198**
Manor La. *Sham G* —8G **134**
Manor La. *Sun* —1H **39**
Manor La. *Sutt* —2A **62**
Manor La. *Tad* —7M **101**
Manor Lea. *Hasl* —2C **188**
Manor Lea Clo. *Milf* —9B **132**
Manor Lea Rd. *Milf* —9B **132**
Manor Leaze. *Egh* —6D **20**
Manor Lodge. *Guild* —1L **113**
Manor Pk. *Rich* —7M **11**
Mnr. Park Clo. *W Wick* —7L **47**
Manor Pk. Dri. *Yat* —1C **68**
Manor Pk. Ind. Est. *Alder* —3A **110**
Mnr. Park Rd. *Sutt* —2A **62**
Mnr. Park Rd. *W Wick* —7L **47**
Manor Pl. *Bookh* —4A **98**
Manor Pl. *Felt* —2H **23**
Manor Pl. *Mitc* —2G **45**
Manor Pl. *Stai* —6K **21**
Manor Pl. *Sutt* —1N **61**
Manor Pl. *W on T* —6G **39**
Manor Rd. *SE25* —3D **46**
Manor Rd. *SW20* —1L **43**
Manor Rd. *Alder* —4L **109**
Manor Rd. *Afrd* —6A **22**
Manor Rd. *Beck* —1L **47**
Manor Rd. *E Grin* —8M **165**
Manor Rd. *E Mol* —3D **40**
Manor Rd. *Eden* —2K **147**
Manor Rd. *Farn* —1B **90**
Manor Rd. *Farnh* —8K **109**
Manor Rd. *Guild* —1L **113**
Manor Rd. *H'ham* —3N **197**
Manor Rd. *Mitc* —3G **44**
Manor Rd. *Red* —7G **102**
Manor Rd. *Reig* —1L **121**
Manor Rd. *Rich* —7N **11**
Manor Rd. *Rip* —1H **95**
Manor Rd. *Shur R* —1F **14**
Manor Rd. *Sutt* —4L **61**
Manor Rd. *Tats* —7G **86**
Manor Rd. *Tedd* —6G **25**
(in two parts)
Manor Rd. *Tong & Ash* —5D **110**
Manor Rd. *Twic* —3C **24**
Manor Rd. *Wall* —1F **62**
Manor Rd. *W on T* —6G **39**
Manor Rd. *W Wick* —8L **47**
Manor Rd. *Wind* —5B **4**
Manor Rd. *Wok* —3M **73**
Manor Rd. *Wokgm* —6A **30**
Manor Rd. N. *Esh* —9F **40**
Manor Rd. N. *Wall* —1F **62**
Manor Rd. S. *Esh* —1E **58**
Manor Royal. *Craw* —9C **162**
Mnr. Royal Ind. Est. *Craw* —8C **162**
Manor Ter. *G'ming* —5J **133**
Manor, The. *Milf* —1C **152**
Manor Va. *Bren* —1J **11**
Manor Wlk. *Alder* —3N **109**
(in two parts)
*Manor Wlk. Horl —8D **142***
(off Manor Dri.)
Manor Wlk. *Wey* —2C **56**
Manor Way. *Bag* —5J **51**
Manor Way. *Bans* —3D **82**
Manor Way. *Beck* —1K **47**
Manor Way. *Egh* —7B **20**
Manor Way. *Guild* —6H **113**
Manor Way. *Mitc* —2G **44**
Manor Way. *Old Wok* —8D **74**
Manor Way. *Oxs* —2C **78**
Manor Way. *Purl* —8J **63**
Manor Way. *S Croy* —3B **64**
Manor Way. *Wor Pk* —7D **42**
Manor Way, The. *Wall* —1F **62**
Mnr. Wood Rd. *Purl* —9J **63**
Mansard Beeches. *SW17* —6E **28**
Manse Clo. *Hayes* —2E **8**
Mansel Clo. *Guild* —7L **93**
Mansell Clo. *Wind* —4B **4**
Mansell Way. *Cat* —9A **84**
Mansel Rd. *SW19* —7K **27**
Mansfield Clo. *Asc* —9H **17**
Mansfield Cres. *Brack* —5N **31**
Mansfield Dri. *Red* —6H **103**
Mansfield Pl. *Asc* —1H **33**
Mansfield Pl. *S Croy* —3A **64**
Mansfield Rd. *Chess* —2J **59**
Mansfield Rd. *S Croy* —3A **64**
Manship Rd. *Mitc* —8E **28**
Mansions, The. *SW5* —1N **13**
Manston Av. *S'hall* —1A **10**
Manston Clo. *SE20* —1F **46**
Manston Dri. *Brack* —5A **32**
Manston Gro. *King T* —6K **25**
Manston Rd. *Guild* —8C **94**
Mantilla Rd. *SW17* —5E **28**
Mantlet Clo. *SW16* —8G **29**
Manville Gdns. *SW17* —4F **28**
Manville Rd. *SW17* —3E **28**
Manygate La. *Shep* —6D **38**
*Manygate Mobile Home Est. Shep —5E **38***
(off Mitre Clo.)
Manygates. *SW12* —3F **28**
Maori Rd. *Guild* —3B **114**
Maple Clo. *Ash V* —6D **90**
Maple Clo. *B'water* —1H **69**
Maple Clo. *Craw* —9A **162**
Maple Clo. *Hamp* —7M **23**
Maple Clo. *H'ham* —3N **197**
Maple Clo. *Mitc* —9F **28**
Maple Clo. *Sand* —6E **48**
Maple Clo. *Whyt* —4C **84**
Maple Ct. *Brack* —3D **32**
Maple Ct. *Croy* —6C **200**
Maple Ct. *Croy* —6B **200**
Maple Ct. *Eng G* —7L **19**
Maple Ct. *Hors* —3M **73**
Maple Ct. *N Mald* —2C **42**
Mapledale Av. *Croy* —8D **46**
Mapledrakes Clo. *Ewh* —5F **156**
Mapledrakes Rd. *Ewh* —5F **156**
Maple Dri. *Crowt* —9H **31**
Maple Dri. *E Grin* —9C **166**
Maple Dri. *Light* —7K **51**
Maple Dri. *Red* —9D **122**
Maple Gdns. *Stai* —3N **21**
Maple Gdns. *Yat* —1C **68**
Maplegreen. *Craw* —4A **182**
Maple Gro. *Bren* —3H **11**
Maple Gro. *Guild* —1N **113**
Maple Gro. *Wok* —8A **74**
Maple Gro. Bus. Cen. *Houn* —7K **9**
Maplehatch Clo. *G'ming* —9H **133**
Maple Ho. *King T* —8K **203**
Maplehurst. *Brom* —1N **47**
Maplehurst. *Lea* —1D **98**
Maplehurst Clo. *King T* —3L **41** (8K **203**)
Maple Ind. Est. *Felt* —4H **23**
Maple Leaf Clo. *Big H* —3F **86**
Maple Leaf Clo. *Farn* —2L **89**
Mapleleaf Clo. *S Croy* —7F **64**
Maple Lodge. *Hasl* —4J **189**
Maple M. *SW16* —6K **29**
Maple Pl. *Bans* —1J **81**
Maple Rd. *SE20* —1E **46**
Maple Rd. *Asht* —6K **79**
Maple Rd. *Red* —7D **122**
Maple Rd. *Rip* —2J **95**
Maple Rd. *Surb* —5K **41** (8K **203**)
Maple Rd. *Whyt* —4C **84**
Maplestead Rd. *SW2* —1K **29**
Maples, The. *Bans* —1N **81**
Maples, The. *Clay* —4G **59**
Maples, The. *Ott* —3D **54**
Maples, The. *Tedd* —8J **25**
Maplethorpe Rd. *T Hth* —3L **45**
Mapleton Cres. *SW18* —9N **13**
Mapleton Rd. *SW18* —9M **13**
(in two parts)
Mapleton Rd. *W'ham* —8N **107**
Maple Wlk. *Alder* —4B **110**
Maple Wlk. *Sutt* —6N **61**
Maple Way. *Coul* —8F **82**
Maple Way. *Felt* —4H **23**
Maple Way. *Head D* —3G **169**
Marbeck Clo. *Wind* —4A **4**
Marble Hill Clo. *Twic* —1H **25**
Marble Hill Gdns. *Twic* —1H **25**
Marble Hill House. —1J 25
Marbles Way. *Tad* —6J **81**
Marbull Way. *Warf* —7N **15**
Marchbank Rd. *W14* —2L **13**
March Ct. *SW15* —7G **12**
Marcheria Clo. *Brack* —5N **31**
Marches Rd. *Warn & K'fold* —5D **178**
Marches, The. *K'fold* —4H **179**
Marchmont Rd. *Rich* —8M **11**
Marchmont Rd. *Wall* —4G **62**
March Rd. *Twic* —1G **24**
March Rd. *Wey* —2B **56**
Marchside Clo. *Houn* —4L **9**
Marcuse Rd. *Cat* —1A **104**
Marcus St. *SW18* —9N **13**
Marcus Ter. *SW18* —9N **13**
Mardale. *Camb* —2G **71**
Mardell Rd. *Croy* —4G **46**
Marden Cres. *Croy* —5K **45**
Marden Park. —1H 105
Marden Rd. *Croy* —5K **45**
Mardens, The. *Craw* —2N **181**
Mare La. *Binf* —1K **15**
(in two parts)
Mare La. *Hasc* —6L **153**
Mareschal Rd. *Guild* —5M **113** (7A **202**)
Mares Fld. *Croy* —9B **46**
*Maresfield Ho. Guild —2F **114***
(off Merrow St.)
Mareshall Av. *Warf* —7N **15**
Mare St. *Hasc* —6N **153**
Mareth Clo. *Alder* —2N **109**
Marfleet Clo. *Cars* —8C **44**
Margaret Clo. *Stai* —8M **21**
*Margaret Herbison Ho. SW6 —2L **13***
(off Clem Attlee Ct.)
*Margaret Ho. W6 —1H **13***
(off Queen Caroline St.)
*Margaret Ingram Clo. SW6 —2L **13***
(off Rylston Rd.)

Margaret Lockwood Clo.—Meadowside

Margaret Lockwood Clo. King T —3M 41 (7N 203)
Margaret Rd. Guild —4M 113 (4B 202)
Margaret Way. Coul —6M 83
Margery. —7M 101
Margery Gro. Tad —7K 101
Margery La. Lwr K & Tad —7L 101
Margin Dri. SW19 —6J 27
Margravine Gdns. W6 —1J 13
Margravine Rd. W6 —1J 13
Marham Gdns. SW18 —2C 28
Marham Gdns. Mord —5A 44
Marian Ct. Sutt —2N 61
Marian Rd. SW16 —9G 29
Maria Theresa Clo. N Mald —4C 42
Mariette Way. Wall —5J 63
Marigold Clo. Crowt —9E 30
Marigold Ct. Guild —9A 94
Marigold Dri. Bisl —2D 72
Marigold Way. Croy —7G 46
Marina Av. N Mald —4G 42
Marina Clo. Cher —7L 37
Marina Way. Tedd —8K 25
Marinefield Rd. SW6 —5N 13
Mariner Gdns. Rich —4J 25
Mariners Dri. Farn —8A 70
Mariners Dri. Norm —9M 91
Marion Av. Shep —4C 38
Marion Rd. Craw —5F 182
Marion Rd. T Hth —4N 45
Marius Pas. SW17 —3E 28
Marius Rd. SW17 —3E 28
Marjoram Clo. Farn —1G 89
Marjoram Clo. Guild —8K 93
Marke Clo. Kes —1G 66
Markedge La. Coul —2C 102
Markenfield Rd. Guild —3N 113 (3C 202)
Markenhorn. G'ming —4G 132
Market Cen., The. S'hall —1J 9
Marketfield Rd. Red —3D 122
Marketfield Way. Red —3D 122
Market Pde. Felt —4M 23
Market Pl. Brack —1N 31
Market Pl. Bren —3J 11
Market Pl. Coln —3E 6
Market Pl. King T —1K 41 (3J 203)
Market Pl. Wokgm —2B 30
Market Rd. Rich —6N 11
Market Sq. H'ham —7J 197
Market Sq. Stai —6G 21
Market Sq. W'ham —4M 107
Market Sq. Wok —4A 74
Market St. Brack —1N 31
Market St. Guild —4N 113 (5C 202)
Market St. Wind —4G 5
Market Ter. Bren —2L 11 (off Albany Rd.)
Market, The. Sutt —7A 44
Market Way. W'ham —4M 107
Markfield. Croy —6J 65 (in three parts)
Markfield Rd. Cat —4E 104
Markham Ct. Camb —9B 50
Markham M. Wokgm —2A 30
Markham Rd. Capel —5J 159
Markhole Clo. Hamp —8N 23
Mark Oak La. Fet —9A 78
Marksbury Av. Rich —6N 11
Marks Rd. Warl —5H 85
Marks Rd. Wokgm —9A 14
Marks St. Reig —2N 121
Markville Gdns. Cat —3D 104
Mark Way. G'ming —3E 132
Markway. Sun —1K 39
Markwick La. Loxh —6L 153
Marlborough Clo. SW19 —7C 28
Marlborough Clo. Craw —7A 182
Marlborough Clo. Fleet —5E 88
Marlborough Clo. H'ham —3K 197
Marlborough Clo. W on T —9L 39
Marlborough Ct. Dork —5H 119 (3L 201)
Marlborough Ct. S Croy —7F 200
Marlborough Ct. Wall —4G 62
Marlborough Ct. W'ham —5L 107 (off Croydon Rd.)
Marlborough Ct. Wokgm —1C 30
Marlborough Dri. Wey —9D 38
Marlborough Gdns. Surb —6K 41
Marlborough Hill. Dork —5H 119 (3L 201)
Marlborough Park. —6B 90
Marlborough Ri. Camb —9C 50
Marlborough Rd. SW19 —7C 28
Marlborough Rd. W4 —1B 12
Marlborough Rd. Afrd —6M 21
Marlborough Rd. Dork —5H 119 (2L 201)
Marlborough Rd. Felt —3L 23
Marlborough Rd. Hamp —7A 24
Marlborough Rd. Iswth —4H 11
Marlborough Rd. Rich —9M 11
Marlborough Rd. Slou —1N 5
Marlborough Rd. S Croy —4N 63
Marlborough Rd. Sutt —9M 43
Marlborough Rd. Wok —3C 74
Marlborough Vw. Farn —9H 69
Marld, The. Asht —5M 79
Marles La. Bil —7D 194 (in two parts)
Marlet Corner. Rud —1E 194
Marley Av. Hasl —5C 188
Marley Clo. Add —3H 55
Marley Combe Rd. Hasl —3D 188
Marley Common & Wood. —5D 188
Marley Hanger. Hasl —5E 188
Marley La. Hasl —3C 188
Marley Ri. Dork —8G 119
Marlhurst. Eden —8K 127
Marlin Clo. Sun —7F 22
Marlingdene Clo. Hamp —7A 24
Marlings Clo. Whyt —4B 84
Marlins Clo. Sutt —2A 62
Marlow Clo. SE20 —2E 46
Marlow Ct. Craw —2B 182
Marlow Cres. Twic —9F 10
Marlow Dri. Sutt —8J 43
Marlowe Ho. King T —8J 203
Marlowe Sq. Mitc —3G 44
Marlowe Way. Croy —8J 45
Marlow Ho. Surb —8L 203
Marlow Ho. Tedd —5G 25
Marlow Rd. SE20 —2E 46
Marlpit Av. Coul —4J 83
Marlpit Clo. E Grin —7A 166
Marlpit Clo. Eden —8L 127
Marlpit Hill. —8K 127
Marlpit La. Coul —3H 83
Marl Rd. SW18 —7N 13
Marlyns Clo. Guild —9C 94
Marlyns Dri. Guild —8C 94
Marmot Rd. Houn —6L 9
Marnell Way. Houn —6L 9
Marneys Clo. Eps —2N 79
Marnfield Cres. SW2 —2L 29
Marnham Pl. Add —1L 55
Marqueen Towers. SW16 —8J 29
Marquis Ct. King T —8J 203
Marrick Clo. SW15 —7F 12
Marriott Clo. Felt —9E 8
Marriott Lodge Clo. Add —1L 55
Marrowbrook Clo. Farn —2M 89
Marrowbrook La. Farn —3L 89
Marrowells. Wey —9G 38
Marryat Pl. SW19 —5K 27
Marryat Rd. SW19 —6J 27
Marryat Sq. SW6 —4K 13
Marshall Clo. SW18 —9N 13 & 1A 28
Marshall Clo. Farn —7L 69
Marshall Clo. Frim —4H 71
Marshall Clo. Houn —8N 9
Marshall Clo. S Croy —9D 64
Marshall Pde. Wok —2H 75
Marshall Pl. New H —5L 55
Marshall Rd. Coll T —8J 49
Marshall Rd. G'ming —6H 133
Marshall Rd. M'bowr —5G 182
Marshalls Clo. Eps —9B 60 (6J 201)
Marshall's Rd. Sutt —1N 61
Marsham Ho. Brack —8N 15
Marsh Av. Eps —6D 60
Marsh Av. Mitc —1D 44
Marsh Clo. Bord —6A 168
Marsh Ct. Craw —8N 181
Marsh Farm Rd. Twic —2F 24
Marshfield. Dat —4M 5
Marsh Green. —6L 147
Marsh Grn. Rd. M Grn —8G 147
Marshlands Cotts. Newd —7B 160
Marsh La. Add —1K 55
Marshwood Rd. Light —7A 52
Marston. Eps —7B 60
Marston Av. Chess —3L 59
Marston Ct. W on T —7K 39
Marston Dri. Farn —7N 69
Marston Dri. Warl —5H 85
Marston Rd. Farnh —1E 128
Marston Rd. Tedd —6H 25
Marston Rd. Wok —4L 73
Marston Way. SE19 —8M 29
Marston Way. Asc —1J 33
Martel Clo. Camb —8G 50
Martell Rd. SE21 —4N 29
Martens Pl. G'ming —5H 133
Martin Clo. Craw —1B 182
Martin Clo. S Croy —7G 64
Martin Clo. Warl —3E 84
Martin Clo. Wind —4A 4
Martin Ct. S Croy —8F 200
Martin Cres. Croy —7L 45
Martindale. SW14 —8B 12
Martindale Av. Camb —2G 71
Martindale Clo. Guild —1F 114
Martindale Rd. SW12 —1F 28
Martindale Rd. Houn —6M 9
Martindale Rd. Wok —5K 73
Martineau Clo. Esh —1D 58
Martineau Dri. Dork —7H 119
Martingale Clo. Sun —3H 39
Martingale Ct. Alder —2K 109
Martingales Clo. Rich —4K 25
Martin Gro. Mord —2M 43
Martin Rd. Guild —1K 113
Martins Clo. B'water —2J 69
Martins Clo. Guild —2E 114
Martins Clo. W Wick —7N 47
Martin's Dri. Wokgm —9A 14
Martin's Heron. —2D 32
Martin's La. Brack —2C 32
Martins Pk. Cvn. Pk. Farn —7J 69
Martins, The. Craw D —1F 184
Martins Wood. Milf —3B 152
Martinsyde. Wok —4E 74
Martin Way. SW20 & Mord —2K 43
Martin Way. Frim —5C 70
Martin Way. Wok —5K 73
Martlets Clo. H'ham —3J 197
Martlets, The. Craw —3C 182
Marts, The. Rud —1E 194
Martyns Pl. E Grin —1B 186
Martyr Rd. Guild —4N 113 (5C 202)
Martyrs Av. Craw —9A 162
Martyr's Green. —7E 76
Martyr's La. Wok —8D 54
Marvell Clo. Craw —1G 182
Marville Rd. SW6 —3L 13
Marwell. W'ham —4K 107
Mary Adelaide Clo. SW15 —5D 26
Mary Drew Almshouses. Egh —7N 19
Mary Flux Ct. SW5 —1N 13 (off Bramham Gdns.)
Maryhill Clo. Kenl —4N 83
Mary Ho. W6 —1H 13 (off Queen Caroline St.)
Maryland Rd. T Hth —9M 29
Maryland Way. Sun —1H 39
Mary Macarthur Ho. W6 —2K 13
Mary Mead. Warf —7B 16
Mary Rd. Guild —4M 113 (4B 202)
Mary Rose Clo. Hamp —9A 24
Mary Smith Ct. SW5 —1M 13 (off Trebovir Rd.)
Mary's Ter. Twic —1G 24 (in two parts)
Mary Va. G'ming —9G 133
Marzena Ct. Houn —9C 10
Masault Ct. Rich —7L 11 (off Kew Foot Rd.)
Mascotte Rd. SW15 —7J 13
Masefield Ct. Surb —6K 41
Masefield Gdns. Crowt —4G 48
Masefield Rd. Craw —6K 181
Masefield Rd. Hamp —5N 23
Masefield Way. Stai —2A 22
Maskall Clo. SW2 —2L 29
Maskani Wlk. SW16 —8G 29
Maskell Rd. SW17 —4A 28
Maskell Way. Farn —2H 89
Mason Clo. E Grin —8A 166
Mason Clo. Hamp —9N 23
Mason Clo. Yat —1D 68
Masonettes. Eps —6C 60 (off Sefton Rd.)
Masonic Hall Rd. Cher —5H 37
Mason Pl. Sand —7E 48
Mason Rd. Craw —5C 182
Mason Rd. Farn —8K 69
Mason Rd. Sutt —2N 61
Mason's Av. Croy —9N 45 (5C 200)
Mason's Bri. Rd. Red —8F 122
Masons Fld. Man H —9B 198
Masons Paddock. Dork —3G 118
Masons Pl. Mitc —9D 28
Mason's Yd. SW19 —6J 27
Mason Way. Alder —5N 109
Massetts Rd. Horl —9D 142
Massingberd Way. SW17 —5F 28
Master Clo. Oxt —7A 106
Maswell Park. —8C 10
Maswell Pk. Cres. Houn —8C 10
Maswell Pk. Rd. Houn —8B 10
Matcham Ct. Twic —9K 11 (off Clevedon Rd.)
Matham Rd. E Mol —4D 40
Matheson Rd. W14 —1L 13
Mathew Ter. Alder —2A 110
Mathias Clo. Eps —9B 60 (7J 201)
Mathisen Way. Coln —4G 7
Mathon Ct. Guild —3B 114
Matilda Clo. SE19 —8N 29
Matlock Cres. Sutt —1K 61
Matlock Gdns. Sutt —1K 61
Matlock Pl. Sutt —1K 61
Matlock Rd. Cat —8B 84
Matlock Way. N Mald —9C 26
Maton Ho. SW6 —3L 13 (off Estcourt Rd.)
Matthew Arnold Clo. Cobh —1H 77
Matthew Arnold Clo. Stai —7L 21
Matthew Ct. Mitc —4H 45
Matthew Rd. Alder —4K 109
Matthews Chase. Binf —8L 15
Matthews Clo. Farn —5C 90
Matthews Ct. Asc —3A 34
Matthews Dri. M'bowr —7F 182
Matthews Gdns. New Ad —7N 65
Matthewsgreen. —9A 14
Matthewsgreen Rd. Wokgm —9A 14
Matthews La. Stai —5H 21
Matthews Rd. Camb —7A 50
Matthews St. Reig —7M 121
Matthews Way. Fleet —3A 88
Matthey Pl. Craw —9H 163
Maudsley Ho. Bren —1L 11
Maultway Clo. Camb —7F 50
Maultway Cres. Camb —7F 50
Maultway N. Camb —6E 50 (in two parts)
Maultway, The. Camb —7F 50
Maunsell Pk. Craw —3F 182
Maureen Ct. Beck —1F 46
Maurice Av. Cat —9A 84
Maurice Ct. Bren —3K 11
Mavins Rd. Farnh —3J 129
Mavis Av. Eps —2D 60
Mavis Clo. Eps —2D 60
Mawbey Rd. Ott —3F 54
Mawson Clo. SW20 —1K 43
Mawson La. W4 —2E 12
Maxine Clo. Sand —6G 48
Maxton Wlk. Craw —8N 181
Maxwell Clo. Croy —7J 45
Maxwell Dri. W Byf —7L 55
Maxwell Rd. SW6 —3N 13
Maxwell Rd. Afrd —7D 22
Maxwell Way. Craw —9E 162
May Bate Av. King T —9K 25 (1J 203)
Maybelle Clo. Bear G —8K 139
Mayberry Pl. Surb —6M 41
Maybourne Ri. Wok —2N 93
Maybrick Clo. Sand —6E 48
Maybury. —3E 74
Maybury Clo. Frim —6B 70
Maybury Clo. Tad —6K 81
Maybury Ct. S Croy —8A 200
Maybury Est. Wok —3E 74
Maybury Hill. Wok —3D 74
Maybury Rd. Wok —4B 74
Maybury St. SW17 —6C 28
May Clo. Chess —3M 59
May Clo. G'ming —9E 132
May Clo. Head —5D 168
May Clo. Owl —7J 49
May Cres. As —3C 110
Maycross Av. Mord —3L 43
Mayday Rd. T Hth —5M 45
Maydwell Av. Slin —6J 195
Mayell Clo. Lea —1J 99
Mayes Clo. M'bowr —4G 182
Mayes Clo. Warl —5G 85
Mayes Green. —7M 157
Mayes La. Warn —7E 178
Mayfair Av. Twic —1C 24
Mayfair Av. Wor Pk —7F 42
Mayfair Clo. Surb —7L 41
Mayfield. Craw —3H 183
Mayfield. D'land —1C 166
Mayfield. Lea —8J 79
Mayfield. Rowl —8E 128
Mayfield Av. W4 —1D 12
Mayfield Av. New H —6K 55
Mayfield Clo. SE20 —1E 46
Mayfield Clo. Afrd —7C 22
Mayfield Clo. Bad L —6N 109
Mayfield Clo. New H —6L 55
Mayfield Clo. Red —9E 122
Mayfield Clo. Th Dit —7H 41
Mayfield Clo. W on T —1H 57
Mayfield Ct. Red —8D 122
Mayfield Cres. T Hth —3K 45
Mayfield Gdns. Stai —7H 21
Mayfield Gdns. W on T —1H 57
Mayfield Grn. Bookh —5A 98
Mayfield Rd. SW19 —9L 27
Mayfield Rd. Camb —5N 69
Mayfield Rd. Farn —7L 69
Mayfield Rd. S Croy —5A 64
Mayfield Rd. Sutt —3B 62
Mayfield Rd. T Hth —3K 45
Mayfield Rd. W on T —1H 57
Mayfield Rd. Wey —2A 56
Mayflower Clo. Craw —4H 183
Mayflower Dri. Yat —8A 48
Mayford. —9M 73
Mayford Clo. SW12 —1D 28
Mayford Clo. Beck —2G 47
Mayford Clo. Wok —9N 73
Mayford Rd. SW12 —1D 28
Mayhurst Av. Wok —3E 74
Mayhurst Clo. Wok —3E 74
Mayhurst Cres. Wok —3E 74
Maynard Clo. SW6 —3N 13
Maynard Clo. Copt —6N 163
Maynard Ct. Stai —5J 21
Maynooth Gdns. Cars —6D 44
Mayo Rd. Croy —4A 46
Mayo Rd. W on T —6H 39
Maypole Rd. Ash W —3G 186
Maypole Rd. E Grin —8N 165
May Rd. Twic —2E 24
Mayroyd Av. Surb —8N 41
Mays Clo. Wey —6A 56
Mays Cft. Brack —3M 31
Maysfield Rd. Send —1F 94
May's Green. —7F 76
Mays Gro. Send —1F 94
Mays Hill Rd. Brom —1N 47
Mays Rd. Tedd —6D 24
May's Rd. Wokgm —2D 30
May St. W14 —1L 13
Maytree Clo. Guild —8M 93
Maytrees. Knap —4F 72
Maytree Wlk. SW2 —3L 29
Maywater Clo. S Croy —7A 64
Maywood Dri. Camb —8F 50
Maze Rd. Rich —3N 11
Meachen Ct. Wokgm —2B 30
Mead Av. Red —2E 142
Mead Clo. Cranl —8N 155
Mead Clo. Egh —7D 20
Mead Clo. Red —9E 102
Mead Ct. Egh —7E 20
Mead Ct. Knap —3H 73
Mead Cres. Bookh —3A 98
Mead Cres. Sutt —9C 44
Meade Clo. W4 —2N 11
Meade Ct. Bag —4K 51
Meade Ct. Tad —2F 100
Mead End. Asht —4M 79
Meades Clo. D'land —1D 166
Meades, The. D'land —1C 166
Meades, The. Wey —3D 56
Meadfoot Rd. SW16 —8G 28
Meadhurst Pk. Sun —7F 22
Meadhurst Rd. Cher —7K 37
Meadlands Dri. Rich —3K 25
Mead La. Cher —6K 37
Mead La. Farnh —1G 128
Mead La. Cvn. Pk. Cher —7L 37
Meadow App. Copt —7L 163
Meadow Av. Croy —5G 47
Meadow Bank. E Hor —5G 96
Meadow Bank. Farnh —1G 128
Meadowbank. Surb —5M 41
Meadowbank Clo. SW6 —3H 13
Meadowbank Gdns. Houn —4H 9
Meadowbank Rd. Light —6N 51
Meadow Brook. Oxt —8M 105
Meadow Brook Clo. Coln —4H 7
Meadowbrook Ct. Iswth —6E 10
Meadow Brook Ind. Cen. Craw —9E 162
Meadowbrook Rd. Dork —4G 119 (1K 201)
Meadow Clo. SW20 —3H 43
Meadow Clo. Ash V —4D 90
Meadow Clo. B'water —2J 69
Meadow Clo. Copt —7L 163
Meadow Clo. Esh —9F 40
Meadow Clo. G'ming —4H 133
Meadow Clo. H'ham —3N 197
Meadow Clo. Houn —9A 10
Meadow Clo. Milf —1D 152
Meadow Clo. Old Win —9L 5
Meadow Clo. Purl —9H 63
Meadow Clo. Rich —2L 25
Meadow Clo. Sutt —8A 44
Meadow Clo. W on T —1N 57
Meadow Cotts. W End —8C 52
Meadow Ct. Eps —9B 60 (7J 201)
Meadow Ct. Farn —1L 89
Meadow Ct. Fleet —4A 88
Meadow Ct. Houn —9B 10
Meadow Ct. Stai —4G 20
Meadowcroft. W4 —1N 11 (off Brooks Rd.)
Meadowcroft Clo. Craw —4L 181
Meadowcroft Clo. E Grin —8M 165
Meadow Cft. Clo. Horl —2G 162
Meadow Dri. Rip —1H 95
Mdw. Farm La. H'ham —1M 197
Meadow Gdns. Stai —6F 20
Meadow Ga. Asht —4L 79 (off Meadow Rd.)
Meadow Hill. Coul —1G 82
Meadow Hill. N Mald —5D 42
Meadow Ho. Guild —2F 114 (off Merrow St.)
Meadowlands. Cobh —9H 57
Meadowlands. Craw —3A 182
Meadowlands. Oxt —3C 126
Meadowlands. W Cla —8K 95
Meadowlands Cvn. Pk. Add —9N 37
Meadow La. Eden —8K 127
Meadow La. Eton —2E 4
Meadow La. Fet —9C 78
Meadow La. Stai —5H 21
Meadowlea Clo. Harm —2M 7
Meadow Pl. W4 —3D 12
Meadow Ri. Coul —9H 63
Meadow Ri. Knap —4F 72
Meadow Rd. SW19 —8A 28
Meadow Rd. Afrd —6E 22
Meadow Rd. Asht —4L 79
Meadow Rd. Clay —3E 58
Meadow Rd. Farn —7N 69
Meadow Rd. Felt —3M 23
Meadow Rd. Guild —8C 94
Meadow Rd. Sutt —1C 62
Meadow Rd. Vir W —4H 35
Meadow Rd. Wokgm —2A 30
Meadows End. Sun —9H 23
Meadowside. Bookh —1A 98
Meadowside. Horl —7F 142
Meadowside. Stai —6J 21
Meadowside. Twic —1K 25
Meadowside. W on T —8K 39

Meadowside. (Mobile Homes Pk.)
Ling —5M 145
Meadowside Rd. Sutt —5K 61
Meadows Leigh Clo. Wey —9C 38
Meadows, The. As —2F 110
(off Chester Rd.)
Meadows, The. Camb —1K 69
Meadows, The. Churt —9L 149
Meadows, The. Guild
—6M 113 (8B 202)
Meadows, The. Warl —4G 85
Meadow Stile. Croy
—9N 45 (5C 200)
Meadowsweet Clo. SW20 —3H 43
Meadow, The. Copt —7L 163
Meadow Va. Hasl —2E 188
Meadow Vw. Bord —6A 168
Meadow Vw. Small —8N 143
Meadow Vw. Stai —8H 7
Meadowview Rd. Eps —5D 60
Meadow Vw. Rd. T Hth —4M 45
Meadow Wlk. Eps —3D 60
(in two parts)
Meadow Wlk. Tad —2G 100
Meadow Wlk. Wall —9F 44
Meadow Wlk. Wokgm —2A 30
Meadow Way. Add —1K 55
Meadow Way. Alder —1D 110
Meadow Way. B'water —1H 69
Meadow Way. Bookh —1B 98
Meadow Way. Brack —8M 15
Meadow Way. Chess —2L 59
Meadow Way. Old Win —9L 5
Meadow Way. Orp —1J 67
Meadow Way. Reig —7N 121
Meadow Way. Rowl —8E 128
Meadow Way. Tad —4K 81
Meadow Way. W End —8C 52
Meadow Way. W Hor —3E 96
Meadow Way. Wokgm —3A 30
Meadow Waye. Houn —2M 9
Mead Path. SW17 —5A 28
Mead Pl. Croy —7N 45 (1A 200)
Mead Rd. Cat —1C 104
Mead Rd. Cranl —7N 155
Mead Rd. Craw —2D 182
Mead Rd. Eden —4M 147
Mead Rd. Hind —5D 170
Mead Rd. Rich —4J 25
Mead Rd. W on T —1M 57
Meadrow. G'ming —6J 133
Meadrow Ct. G'ming —5K 133
Meadside Clo. Beck —1H 47
Meads Rd. Guild —3D 114
Meads, The. E Grin —2A 186
Meads, The. Hasl —2D 188
Meads, The. Mord —4C 44
Meads, The. Sutt —9K 43
Mead, The. Asht —6L 79
Mead, The. Beck —1M 47
Mead, The. Dork —8J 119
Mead, The. Farn —2N 89
Mead, The. Wall —3H 63
Mead, The. W Wick —7N 47
Mead Vale. —5B 122
Meadvale. H'ham —6F 196
Meadvale Rd. Croy —6C 46
Mead Way. SW20 —3H 43
Meadway. Afrd —5B 22
Meadway. Beck —1M 47
Mead Way. Coul —5J 83
Mead Way. Croy —8H 47
Meadway. Eff —6M 97
Meadway. Eps —8B 60 (5H 201)
Meadway. Esh —5B 58
Meadway. Frim —4D 70
Mead Way. Guild —7E 94
Meadway. Hasl —2D 188
Meadway. Oxs —1E 78
Meadway. Stai —8J 21
Meadway. Surb —7B 42
Meadway. Twic —2D 24
Meadway. Warl —3F 84
Meadway Clo. Stai —8H 21
Meadway Ct. Tedd —6J 25
Meadway Dri. Add —4L 55
Meadway Dri. Wok —3M 73
Meadway, The. Horl —8G 142
Meare Clo. Tad —1H 101
Meath Green. —6D 142
Meath Grn. Av. Horl —6D 142
Meath Grn. La. Horl —3C 142
Medawar Rd. Sur R —4G 113
Medcroft Gdns. SW14 —7B 12
Mede Clo. Wray —2N 19
Mede Ct. Stai —4G 20
Mede Fld. Fet —2D 98
Medfield St. SW15 —1F 26
Medhurst Clo. Chob —5J 53
Medieval Undercroft.
(off Chapel St.) —5N 113 (6C 202)
Medina Av. Esh —9E 40
Medina Sq. Eps —5N 59
Medlake Rd. Egh —7E 20
Medland Clo. Wall —7E 44
Medlar Clo. Craw —9A 162
Medlar Clo. Guild —1M 113
Medlar Dri. B'water —3L 69
Medmenham. Cars —7B 62
(off Pine Cres.)
Medonte Clo. Fleet —5C 88
Medora Rd. SW2 —1K 29
Medway. Turn H —4D 184
Medway Clo. Croy —5F 46
Medway Clo. F Row —7J 187
Medway Ct. H'ham —3A 198
Medway Dri. E Grin —3N 185
Medway Dri. Farn —8K 69
Medway Dri. F Row —7J 187
Medway Ho. King T —9K 25 (1J 203)
Medway Rd. Craw —4L 181
Medway Vw. F Row —7J 187
Medwin Wlk. H'ham —6J 197
Medwin Way. H'ham —6J 197
Meek Rd. SW10 —3N 13
Melancholy Wlk. Rich —3J 25
Melbourne Clo. Wall —2G 62
Melbourne Mans. W6 —2K 13
(off Musard Rd.)
Melbourne Rd. SW19 —9M 27
Melbourne Rd. Tedd —7J 25
Melbourne Rd. Wall —2F 62
Melbourne Ter. SW6 —3N 13
(off Moore Pk. Rd.)
Melbourne Way. H'ham —3M 197
Melbray M. SW6 —5L 13
Melbury Clo. Cher —6J 37
Melbury Clo. Clay —3H 59
Melbury Clo. W Byf —1J 75
Melbury Gdns. SW20 —9G 26
Meldon Clo. SW6 —4N 13
Meldone Clo. Surb —6A 42
Meldrum Clo. Oxt —1B 126
Melford Clo. Chess —2M 59
Melfort Av. T Hth —2M 45
Melfort Rd. T Hth —2M 45
Melina Ct. SW15 —6F 12
Melksham Clo. H'ham —7L 197
Melksham Clo. Owl —6J 49
Meller Clo. Croy —9J 45
Mellersh Hill Rd. Won —4D 134
Mellison Rd. SW17 —6C 28
Mellor Clo. W on T —6N 39
Mellor Wlk. Wind —4G 4
(off Batchelors Acre)
Mellow Clo. Bans —1A 82
Mellows Rd. Wall —2H 63
Melody Rd. SW18 —8N 13
Melody Rd. Big H —5E 86
Melrose. Brack —7N 31
Melrose Av. SW16 —2K 45
Melrose Av. SW19 —3L 27
Melrose Av. Farn —9H 69
Melrose Av. Mitc —8F 28
Melrose Av. Twic —1B 24
Melrose Cres. Orp —1M 67
Melrose Gdns. N Mald —2C 42
Melrose Gdns. W on T —2K 57
Melrose Rd. SW13 —5E 12
Melrose Rd. SW18 —9L 13
Melrose Rd. SW19 —1M 43
Melrose Rd. Big H —3E 86
Melrose Rd. Coul —2F 82
Melrose Rd. Wey —2B 56
Melrose Tudor. Wall —2J 63
(off Plough La.)
Melsa Rd. Mord —5A 44
Melton Ct. Sutt —4A 62
Melton Fields. Eps —5C 60
Melton Pl. Eps —5C 60
Melton Rd. Red —8G 102
Melville Av. SW20 —8F 26
Melville Av. Frim —5D 70
Melville Av. S Croy —2C 64
Melville Ct. Guild —6M 113 (8B 202)
Melville Rd. SW13 —4F 12
Melville Ter. Farnh —1G 128
(off Fox Yd.)
Melvin Rd. SE20 —1F 46
Melvinshaw. Lea —8J 79
Membury Clo. Frim —7E 70
Membury Wlk. Brack —3C 32
Memorial Clo. Houn —2N 9
Mendip Clo. SW19 —3K 27
Mendip Clo. Hayes —3E 8
Mendip Clo. Slou —1C 6
Mendip Clo. Wor Pk —7H 43
Mendip Rd. Brack —4C 32
Mendip Rd. Farn —7K 69
Mendip Wlk. Craw —3N 181
Mendora Rd. SW6 —3K 13
Menin Way. Farnh —2J 129
Menlo Gdns. SE19 —8N 29
Meon Clo. Farn —8J 69
Meon Clo. Tad —9G 80
Meon Ct. Iswth —5E 10
Meopham Rd. Mitc —9G 28
Merantun Way. SW19 —9N 27
Mercer Clo. M'bowr —6G 182
Mercer Clo. Th Dit —6G 40
Mercer Rd. Warn —9J 179
Mercia Wlk. Wok —4B 74
Mercier Rd. SW15 —8K 13
Mercury Cen. Felt —8H 9
Mercury Clo. Bord —6A 168
Mercury Clo. Craw —6K 181
Mercury Ho. Bren —2J 11
(off Glenhurst Rd.)
Mercury Rd. Bren —2J 11
Merebank. Bear G —7K 139
Merebank La. Croy —2K 63
Mere Clo. SW15 —1J 27
Meredyth Rd. SW13 —5F 12
Mere End. Croy —6G 47
Merefield Gdns. Tad —6J 81
Mere Rd. Shep —5C 38
Mere Rd. Tad —2G 101
Mere Rd. Wey —9E 38
Mereside Pl. Vir W —7K 35
(Knowle Hill)
Mereside Pl. Vir W —4N 35
(Virginia Water)
Merevale Cres. Mord —5A 44
Mereway Rd. Twic —2D 24
Mereworth Dri. Craw —1H 183
Meridian Clo. Bew —6L 181
Meridian Ct. S'dale —7M 33
Meridian Gro. Horl —7G 143
Meridian Way. E Grin —7B 166
Merivale Rd. SW15 —7K 13
Merland Clo. Tad —7H 81
Merland Grn. Tad —7H 81
Merland Ri. Eps —6H 81
Merle Common. —5D 126
Merle Comn. Rd. Oxt —4C 126
Merle Way. Fern —9E 188
Merlewood. Brack —4B 32
Merlewood Clo. Cat —7A 84
Merlin Cen. Craw —8A 162
Merlin Clo. Croy —1B 64 (6F 200)
Merlin Clo. If'd —3K 181
Merlin Clo. Mitc —2C 44
Merlin Clo. Slou —2D 6
Merlin Clo. Wall —3K 63
Merlin Clove. Wink R —7F 16
Merlin Ct. Frim —5B 70
Merlin Ct. Wok —1E 74
Merling Clo. Chess —2J 59
Merlin Gro. Beck —3J 47
Merlins Clo. Farnh —2H 129
Merlin Way. E Grin —7C 166
Merlin Way. Farn —2J 89
Merredene St. SW2 —1K 29
Merrilands Rd. Wor Pk —7H 43
Merrilyn Clo. Clay —3G 58
Merrington Rd. SW6 —2M 13
Merritt Gdns. Chess —3J 59
Merrivale Gdns. Wok —4M 73
Merron Clo. Yat —1B 68
Merrow. —2D 114
Merrow Bus. Cen. Guild —9F 94
Merrow Chase. Guild —3E 114
Merrow Comn. Rd. Guild —9E 94
Merrow Copse. Guild —2D 114
Merrow Ct. Guild —3F 114
Merrow Ct. Mitc —1B 44
Merrow Cft. Guild —2E 114
Merrow Downs. —4F 114
Merrow La. Guild —7E 94
Merrow Pl. Guild —1F 114
Merrow Rd. Sutt —5J 61
Merrow St. Guild —1F 114
Merrow Way. Guild —2F 114
Merrow Way. New Ad —3M 65
Merrow Woods. Guild —1D 114
Merryacres. Witl —4B 152
Merryfield Dri. H'ham —5G 197
Merryhill Rd. Brack —8M 15
Merryhills Clo. Big H —3F 86
Merryhills La. Loxw —3J 193
Merrylands. Cher —9G 37
Merrylands Rd. Bookh —1N 97
Merryman Dri. Crowt —1E 48
Merrymeet. Bans —1D 82
Merryweather Ct. N Mald —4D 42
Merrywood Gro. Tad —8K 101
Merrywood Pk. Camb —2D 70
Merrywood Pk. Reig —1N 121
Merrywood Pk. Cvn. Site. Tad
—8A 100
Merryworth Clo. As —3D 110
Mersey Ct. King T —9K 25 (1J 203)
Mersham Rd. T Hth —2A 46
Merstham. —6G 102
Merstham Rd. Mers —7L 103
Merthyr Ter. SW13 —2G 13
Merton. —8A 28
Merton Av. W4 —1E 12
Merton Clo. Owl —5L 49
Merton Gdns. Tad —6J 81
Merton Hall Gdns. SW20 —9K 27
Merton Hall Rd. SW19 —8K 27
Merton High St. SW19 —8N 27
Merton Ind. Pk. SW19 —9N 27
Merton Mans. SW20 —1J 43
Merton Park. —1M 43
Merton Pk. Pde. SW19 —9L 27
Merton Pl. SW19 —9A 28
(off Nelson Gro. Rd.)
Merton Rd. SE25 —4D 46
Merton Rd. SW18 —9M 13
Merton Rd. SW19 —8N 27
Merton Rd. Craw —9N 181
Merton Wlk. Lea —5G 79
Merton Way. Lea —6G 79
Merton Way. W Mol —3B 40
Mervyn Rd. Shep —6D 38
Merwin Way. Wind —5A 4
Metana Ho. Craw —7E 162
Metcalf Rd. Afrd —6C 22
Metcalf Wlk. Felt —5M 23
Metcalf Way. Craw —8B 162
Meteor Way. Wall —4J 63
Metro Ind. Cen. Iswth —5E 10
Meudon Av. Farn —2N 89
Mews Ct. E Grin —3B 186
Mews End. Big H —5F 86
Mews, The. Charl —3K 161
Mews, The. Duns —4B 174
Mews, The. Guild —4M 113 (4A 202)
Mews, The. Reig —2N 121
Mews, The. Twic —9H 11
Mexfield Rd. SW15 —8L 13
Meyrick Clo. Knap —3H 73
Michael Cres. Horl —1E 162
Michael Fields. F Row —7G 186
Michaelmas Clo. SW20 —2H 43
Michaelmas Clo. Yat —2C 68
Michael Rd. SE25 —2B 46
Michael Rd. SW6 —4N 13
Michael Stewart Ho. SW6 —2L 13
(off Clem Attlee Ct.)
Micheldever Way. Brack —5D 32
Michelet Clo. Light —6M 51
Michelham Gdns. Tad —7H 81
Michelham Gdns. Twic —4F 24
Michell Clo. H'ham —6G 197
Michelsdale Dri. Rich —7L 11
Michel's Row. Rich —7L 11
Mickleham. —6J 99
Mickleham By-Pass. Mick —6H 99
Mickleham Downs. —4K 99
Mickleham Downs. —5K 99
Mickleham Dri. Mick —4J 99
Mickleham Gdns. Sutt —3K 61
Mickleham Way. New Ad —4N 65
Mickle Hill. Sand —6F 48
Micklethwaite Rd. SW6 —2M 13
Mick Mill's Race. H'ham —7E 198
Midas Metropolitan Ind. Est. Mord
—6H 43
Middle Av. Farnh —3J 129
Middle Bourne. —4H 129
Middle Bourne La. Lwr Bo —5G 129
Middle Church La. Farnh —1G 129
Middle Clo. Camb —9F 50
Middle Clo. Coul —7L 83
Middle Clo. Eps —8D 60
Middle Farm Clo. Eff —5L 97
Middle Farm Pl. Eff —5K 97
Middlefield. Farnh —4F 128
(in two parts)
Middlefield. Horl —7G 143
Middlefield Clo. Farnh —3F 128
Middlefields. Croy —5H 65
Middle Gordon Rd. Camb —1A 70
Middle Grn. Brock —5A 120
Middle Grn. Stai —8M 21
Middle Grn. Clo. Surb —5M 41
Middle Hill. Alder —1M 109
Middle Hill. Eng G —5M 19
Middle La. Eps —8D 60
Middle La. Tedd —7F 24
Middlemarch. Witl —5B 152
Middlemead Clo. Bookh —3A 98
Middlemead Rd. Bookh —3N 97
Middle Mill Hall. King T
—2M 41 (6L 203)
Middlemoor Rd. Frim —5C 70
Middle Old Pk. Farnh —8E 108
Middle Rd. SW16 —1H 45
Middle Rd. Lea —8H 79
Middle Row. E Grin —1B 186
Middlesex Ct. W4 —1E 12
Middlesex Ct. Add —2L 55
(off Marnham Pl.)
Middlesex Rd. Mitc —4J 45
Middle St. Brock & Str G —4A 120
Middle St. Croy —8N 45 (3C 200)
(in two parts)
Middle St. H'ham —6J 197
Middle St. Shere —8B 116
Middleton Gdns. Farn —8K 69
Middleton Rd. Camb —9C 50
Middleton Rd. D'side —6J 77
Middleton Rd. Eps —6C 60
Middleton Rd. H'ham —6G 197
Middleton Rd. Mord —5N 43
Middleton Rd. N Mald —2B 42
Middleton Way. If'd —4K 181
Middle Wlk. Wok —4A 74
Middle Way. SW16 —1H 45
Midgarth Clo. Oxs —1C 78
Midgeley Rd. Craw —1D 182
Midholm Rd. Croy —9H 47
Mid Holmwood. —2H 139
Mid Holmwood La. Mid H —2H 139
Midhope Clo. Wok —6A 74
Midhope Gdns. Wok —6A 74
Midhope Rd. Wok —6A 74
Midhurst Av. Croy —6L 45
Midhurst Clo. Craw —2M 181
Midhurst Rd. Hasl —4E 188
Midleton Clo. Milf —9C 132
Midleton Ind. Est. Guild —3L 113
Midleton Ind. Est. Rd. Guild —2L 113
Midleton Rd. Guild —2L 113
Midmoor Rd. SW12 —2G 29
Midmoor Rd. SW19 —9J 27
Mid St. S Nut —6K 123
Midsummer Av. Houn —7N 9
Midsummer Wlk. Wok —3N 73
Midway. Sutt —6L 43
Midway. W on T —8J 39
Midway Av. Cher —2J 37
Midway Av. Egh —2D 36
Midway Clo. Stai —4K 21
Miena Way. Asht —4K 79
Mike Hawthorn Dri. Farnh —9H 109
Milbanke Ct. Brack —1L 31
Milbanke Way. Brack —1L 31
Milborne Rd. M'bowr —7G 182
Milbourne La. Esh —3C 58
Milbrook. Esh —3C 58
Milburn Wlk. Eps —2D 80
Milbury Grn. Warl —5N 85
Milcombe Clo. Wok —5M 73
Milden Clo. Frim G —8E 70
Milden Gdns. Frim G —8D 70
Mile Path. Wok —8J 73
(in two parts)
Mile Rd. Wall —7F 44
Miles Ct. Croy —3A 200
Miles La. Cobh —9M 57
Miles La. Tand —5J 125
Miles Pl. Light —8K 51
Miles Pl. Surb —3M 41 (8M 203)
Miles Rd. As —1F 110
Miles Rd. Eps —8C 60
Miles Rd. Mitc —2C 44
Miles's Hill. Holm M —8K 137
Milestone Clo. Rip —9J 75
Milestone Clo. Sutt —4B 62
Milestone Green. (Junct.) —7C 12
Milestone Ho. King T —6J 203
Milford. —1C 152
Milford By-Pass Rd. Milf —2A 152
Milford Gdns. Croy —4F 46
Milford Gro. Sutt —1A 62
Milford Heath Rd. Milf —2B 152
Milford Lodge. Milf —2C 152
Milford M. SW16 —4K 29
Milford Rd. Elst —7H 131
Milkhouse Ga. Guild
—5N 113 (6D 202)
Milking La. Kes —7F 66
(in two parts)
Millais. H'ham —5N 197
Millais Clo. Craw —7L 181
Millais Ct. H'ham —4N 197
Millais Rd. N Mald —6D 42
Millais Way. Eps —1B 60
Millan Clo. New H —6K 55
Millbank, The. Craw —3L 181
Millbay La. H'ham —7H 197
Mill Bottom. —4K 139
Millbourne Rd. Felt —5M 23
Millbridge. —9J 129
Mill Bri. Rd. Yat —7A 48
Millbrook. Guild —5N 113 (6B 202)
Millbrook. Wey —1F 56
Millbrook Way. Coln —5G 7
Mill Chase Rd. Bord —5A 168
Mill Clo. Bag —4H 51
Mill Clo. Bookh —2A 98
Mill Clo. Cars —8E 44
Mill Clo. E Grin —2A 186
Mill Clo. Hasl —2C 188
Mill Clo. Horl —7C 142
Mill Copse Rd. Hasl —4F 188
Mill Corner. Fleet —1D 88
Mill Cotts. E Grin —2A 186
Mill Cotts. Rud —3E 194
Mill Ct. Red —9G 103
Millennium Cotts. Alb —8L 115
Millennium Ho. Bew —6L 181
(off Meridian Clo.)
Millennium Ho. Farnh —2F 128
Miller Clo. Mitc —6D 44
Miller Rd. SW19 —7B 28
Miller Rd. Croy —7K 45
Miller Rd. Guild —9E 94
Millers Clo. Stai —6K 21
Millers Copse. Eps —6C 80
Millers Copse. Out —4M 143
Miller's Ct. W4 —1E 12
Millers Ct. Egh —7F 20
Millers Ga. H'ham —3K 197
Miller's La. Old Win —9J 5
Miller's La. Out —4M 143
Mill Farm Av. Sun —8F 22
Mill Farm Bus. Pk. Houn —1M 23
Mill Farm Cres. Houn —2M 23
Mill Farm Rd. H'ham —4N 197
Millfield. —7M 177
Mill Fld. Bag —4H 51
Millfield. King T —2M 41 (5M 203)
Millfield. Sun —9E 22
Millfield La. Tad —3L 101
Millfield Rd. Houn —2M 23

Millford—More Circ.

Millford. Wok —4L 73
Millgate Ct. Farnh —9J 109
Mill Grn. Binf —8K 15
Mill Grn. Mitc —6E 44
Mill Grn. Bus. Pk. Mitc —6E 44
Mill Grn. Rd. Mitc —6E 44
Millhedge Clo. Cobh —3M 77
Mill Hill. SW13 —5F 12
Mill Hill. Brock —4B 120
Mill Hill. Eden —3L 147
Mill Hill La. Brock —3A 120
Mill Hill Rd. SW13 —5F 12
Millholme Wlk. Camb —2G 71
Mill Ho. La. Egh & Cher —3D 36
Millhouse Pl. SE27 —5M 29
Millins Clo. Owl —6K 49
Mill La. Asc —1C 34
Mill La. Brack —3L 31
Mill La. Brmly —5B 134
Mill La. Byfl —9A 56
Mill La. Cars —1D 62
Mill La. C'fold —7D 172
Mill La. Chil —8H 115
Mill La. Copt —7B 164
Mill La. Cron —3G 148
Mill La. Croy —9K 45
Mill La. Dork —4H 119 (1L 201)
Mill La. Duns —4A 174
Mill La. Egh —3E 36
Mill La. Eps —5E 60
Mill La. Felb —5H 165
Mill La. Fet —9G 78
Mill La. F Grn —3L 157
Mill La. G'ming —7G 132
Mill La. Guild —5N 113 (6C 202)
Mill La. Hasl —4G 188
Mill La. Hkwd —8B 142
Mill La. Hort —6D 6
Mill La. If'd —1M 181
Mill La. Itch —8B 196
Mill La. Limp C —9H 107
Mill La. Lind —5B 168
Mill La. Ling —1B 166
Mill La. Newd —7C 140
(in two parts)
Mill La. Orp —6J 67
Mill La. Oxt —1B 126
Mill La. P'mrsh —2M 133
Mill La. Pirb —2A 92
Mill La. Red —9G 103
Mill La. Rip —6M 75
Mill La. W'ham —5L 107
Mill La. Wind —3D 4
Mill La. Witl —5C 152
Mill La. Yat & Sand —7C 48
Millmead. Byfl —8A 56
Millmead. Esh —8A 40
Millmead. Guild —5M 113 (6B 202)
Mill Mead. Stai —5H 21
Millmead Ct. Guild —5M 113 (7B 202)
Millmead Ter. Guild —5M 113 (7B 202)
Millmere. Yat —8C 48
Mill Pl. Dat —5N 5
Mill Pl. King T —2M 41 (5L 203)
Mill Pl. Cvn. Pk. Dat —5N 5
Mill Plat. Iswth —5G 10
(in two parts)
Mill Plat Av. Iswth —5G 10
Millpond Ct. Add —2N 55
Mill Pond Rd. W'sham —1M 51
Mill Ride. Asc —9G 17
Mill Rd. SW19 —8A 28
Mill Rd. Cobh —2K 77
Mill Rd. Craw —2F 182
Mill Rd. Eps —8E 60 (5N 201)
Mill Rd. Esh —8A 40
Mill Rd. Holmw —4J 139
Mill Rd. P'mrsh —2M 133
Mill Rd. Tad —1J 101
Mill Rd. Twic —3C 24
Mill Shaw. Oxt —1B 126
Millshot Clo. SW6 —4H 13
Millside. Cars —8D 44
Millside Ct. Bookh —3A 98
Millside Pl. Iswth —5H 11
Mills Rd. W on T —2K 57
Mills Row. W4 —1C 12
Mills Spur. Old Win —1L 19
Millstead Clo. Tad —9G 81
Mill Stream. Farnh —6K 109
Millstream, The. Hasl —3C 188
Mill St. Coln —3F 6
Mill St. King T —2L 41 (5L 203)
Mill St. Red —4C 122
Mill St. W'ham —5M 107
Millthorpe Rd. H'ham —4M 197
Mill Vw. Clo. Ewe —4E 60
Mill Vw. Clo. Reig —1B 122
Mill Vw. Gdns. Croy —9G 46
Mill Way. Dork —2M 99
Mill Way. E Grin —2A 186
Mill Way. Felt —8J 9
Mill Way. Reig —3B 122
Millwood. Turn H —4H 185
Millwood Rd. Houn —8C 10
Milman Clo. Brack —1E 32
Milne Clo. Craw —6K 181
Milne Pk. E. New Ad —7N 65
Milne Pk. W. New Ad —7N 65
Milner App. Cat —8D 84
Milner Clo. Cat —9C 84
Milner Dri. Cobh —8N 57
Milner Dri. Twic —1D 24
Milner Pl. Cars —1E 62
Milner Rd. SW19 —9N 27
Milner Rd. Cat —9D 84
Milner Rd. King T —2K 41 (6J 203)
Milner Rd. Mord —4B 44
Milner Rd. T Hth —2A 46
Milnthorpe Rd. W4 —2C 12
Milnwood Rd. H'ham —5J 197
Milton Av. Croy —6A 46
Milton Av. Sutt —9B 44
Milton Av. Westc —6D 118
Milton Clo. Brack —5N 31
Milton Clo. Hort —6C 6
Milton Clo. Sutt —9B 44
Milton Ct. SW18 —8M 13
Milton Ct. Dork —5E 118
Milton Ct. Twic —4E 24
Milton Ct. Wokgm —1A 30
Miltoncourt La. Dork —5E 118 (2H 201)
Milton Cres. E Grin —1M 185
Milton Dri. Shep —3N 37
Milton Dri. Wokgm —1A 30
Milton Gdns. Eps —1D 80 (8M 201)
Milton Gdns. Stai —2A 22
Milton Gdns. Wokgm —2A 30
Milton Grange. Ash V —8E 90
Milton Ho. Sutt —9M 43
Milton Lodge. Twic —1F 24
Milton Mans. W14 —2K 13
(off Queen's Club Gdns.)
Milton Mt. Craw —9H 163
Milton Mt. Av. Craw —1G 183
Milton Rd. SW14 —6C 12
Milton Rd. SW19 —7A 28
Milton Rd. Add —3J 55
Milton Rd. Cat —8A 84
Milton Rd. Craw —2G 182
Milton Rd. Croy —7A 46
Milton Rd. Egh —6B 20
Milton Rd. Hamp —8A 24
Milton Rd. H'ham —5J 197
Milton Rd. Mitc —8E 28
Milton Rd. Sutt —9M 43
Milton Rd. Wall —3G 63
Milton Rd. W on T —9L 39
Milton Rd. Wokgm —9A 14
Miltons Cres. G'ming —9E 132
Milton St. Westc —6D 118
Miltons Yd. Witl —6C 152
(off Petworth Rd.)
Milton Way. Fet —3C 98
Milton Way. W Dray —1A 8
Milward Gdns. Binf —1H 31
Mimbridge. —9K 53
Mimosa Clo. Lind —4B 168
Mimosa St. SW6 —4L 13
Mina Rd. SW19 —9M 27
Minchin Clo. Lea —9G 79
Minchin Grn. Binf —6H 15
Mincing La. Chob —4J 53
Mindelheim Av. E Grin —8D 166
Minden Rd. Sutt —8L 43
Minehead Rd. SW16 —6K 29
Minehurst Rd. Myt —1D 90
Minerva Clo. Stai —8J 7
Minerva Rd. King T —1M 41 (3M 203)
Minimax Clo. Felt —9H 9
Mink Ct. Houn —5K 9
Minley. —4C 68
Minley Clo. Farn —1K 89
Minley Ct. Reig —2M 121
Minley Gro. Fleet —2C 88
Minley La. B'water —4C 68
Minley Link Rd. Farn —1G 88
Minley Rd. B'water & Farn —6E 68
(in two parts)
Minley Rd. Fleet & B'water —7B 68
Minniedale. Surb —4M 41 (8N 203)
Minorca Av. Deep —4J 71
Minorca Rd. Deep —5J 71
Minorca Rd. Wey —1B 56
Minoru Pl. Binf —6J 15
Minstead Clo. Brack —2D 32
Minstead Dri. Yat —1B 68
Minstead Gdns. SW15 —1E 26
Minstead Way. N Mald —5D 42
Minster Av. Sutt —8M 43
Minster Ct. Camb —2L 69
Minster Dri. Croy —1B 64
Minster Gdns. W Mol —3N 39
Minsterley Av. Shep —3F 38
Minster Rd. G'ming —9H 133
Minstrel Gdns. Surb —3M 41 (8N 203)
Mint Gdns. Dork —4G 119 (1K 201)
Mint La. Lwr K —7M 101
Mint Rd. Bans —3A 82
Mint Rd. Wall —1F 62
Mint St. G'ming —7G 132
Mint, The. G'ming —7G 132
Mint Wlk. Croy —9N 45 (4C 200)
Mint Wlk. Knap —4H 73
Mint Wlk. Warl —4G 85
Mirabel Rd. SW6 —3L 13
Miranda Wlk. Bew —5K 181
Misbrooks Grn. Rd. Bear G & Capel —1L 159
Missenden Clo. Felt —2G 23
Missenden Gdns. Mord —5A 44
Mission Sq. Bren —2L 11
Mistletoe Clo. Croy —7G 46
Mistletoe Rd. Yat —2C 68
Misty's Fld. W on T —7K 39
Mitcham. —2D 44
Mitcham Garden Village. Mitc —4E 44
Mitcham Ind. Est. Mitc —9F 28
Mitcham La. SW16 —7G 28
Mitcham Pk. Mitc —3C 44
Mitcham Rd. SW17 —6D 28
Mitcham Rd. Camb —6E 50
Mitcham Rd. Croy —5J 45 (1A 200)
Mitchell Gdns. Slin —5M 195
Mitchell Pk. Farm Cotts. N'chap —8G 190
Mitchell Rd. Orp —1N 67
Mitchells Clo. Shalf —9A 114
Mitchells Rd. Craw —3D 182
Mitchells Row. Shalf —1A 134
Mitchener's La. Blet —3A 124
Mitchley Av. Purl & S Croy —9N 63
Mitchley Gro. S Croy —9D 64
Mitchley Hill. S Croy —9C 64
Mitchley Vw. S Croy —9D 64
Mitford Clo. Chess —3J 59
Mitford Wlk. Craw —6M 181
Mitre Clo. Shep —5E 38
Mitre Clo. Sutt —4A 62
Mitre Clo. Warf —7N 15
Mixbury Gro. Wey —3E 56
Mixnams La. Cher —2J 37
Mizen Clo. Cobh —1L 77
Mizen Way. Cobh —2K 77
Moat Ct. Asht —4L 79
Moated Farm Dri. Add —4L 55
Moat Rd. E Grin —8A 166
Moat Side. Felt —5K 23
Moats La. S Nut —1J 143
Moat, The. N Mald —9D 26
Moat Wlk. Craw —2G 183
Moberley Rd. SW4 —1H 29
Modder Pl. SW15 —7J 13
Model Cotts. SW14 —7B 12
Model Cotts. Pirb —8A 72
Moffat Ct. SW19 —6M 27
Moffat Rd. SW17 —5D 28
Moffat Rd. T Hth —1N 45
Moffats Clo. Sand —7F 48
Mogador. —6K 101
Mogador Rd. Lwr K —6K 101
Mogden La. Iswth —8F 10
Moir Clo. S Croy —5D 64
Mole Abbey Gdns. W Mol —2B 40
Mole Bus. Pk. Lea —8F 78
Mole Clo. Craw —1N 181
Mole Clo. Farn —8J 69
Mole Ct. Eps —1B 60
Molember Ct. E Mol —3E 40
Molember Rd. E Mol —4E 40
Mole Rd. Fet —8D 78
Mole Rd. W on T —2L 57
Moles Clo. Wokgm —3C 30
Molesey Av. W Mol —4N 39
Molesey Clo. W on T —1M 57
Molesey Dri. Sutt —8K 43
Molesey Pk. Av. W Mol —4B 40
Molesey Pk. Clo. E Mol —4C 40
Molesey Pk. Rd. W Mol —4B 40
Molesey Rd. W on T —2L 57
Molesford Rd. SW6 —4M 13
Molesham Clo. W Mol —2B 40
Molesham Way. W Mol —2B 40
Moles Hill. Oxs —7D 58
Moles Mead. Eden —1L 147
Mole St. Ockl —3A 158
Molesworth Rd. Cobh —9H 57
Mole Valley Pl. Asht —6K 79
Molins Ct. Craw —6M 181
(off Brideake Clo.)
Mollison Dri. Wall —4H 63
Molloy Ct. Wok —3C 74
Molly Huggins Clo. SW12 —1G 28
Molly Millars Bri. Wokgm —4A 30
Molly Millars Clo. Wokgm —4A 30
Molly Millars La. Wokgm —3A 30
Molyneux Dri. SW17 —5F 28
Molyneux Rd. G'ming —4J 133
Molyneux Rd. Wey —2B 56
Molyneux Rd. W'sham —3A 52
Monahan Av. Purl —8K 63
Monarch Clo. Craw —6M 181
Monarch Clo. Felt —1F 22
Monarch Clo. W Wick —1B 66
Monarch M. SW16 —6L 29
Monarch Pde. Mitc —1D 44
Monaveen Gdns. W Mol —2B 40
Moncks Row. SW15 —9L 13
(off W. Hill Rd.)
Mondial Way. Hayes —3D 8
Money Av. Cat —9B 84
Money Rd. Cat —9A 84
Mongers La. Eps —6E 60
(in two parts)
Mongomery Ct. W4 —3B 12
Monkleigh Rd. Mord —2K 43
Monks All. Binf —6G 14
Monks Av. W Mol —4N 39
Monks Clo. Asc —5M 33
Monks Clo. Farn —1A 90
Monks Ct. Reig —3N 121
Monks Cres. Add —2K 55
Monks Cres. W on T —7J 39
Monksdene Gdns. Sutt —9N 43
Monks Dri. Asc —5M 33
Monksfield. Craw —3D 182
Monks Grn. Fet —8C 78
Monks Gro. Comp —8B 112
Monkshanger. Farnh —1K 129
Monks Hood Clo. Wokgm —1D 30
Monks La. Eden —6F 126
Monks La. Oke H —4N 177
Monks Orchard. —6H 47
Monks Orchard Rd. Beck —7K 47
Monks Path. Farn —9B 70
Monks Pl. Cat —9E 84
Monks Rd. Bans —4M 81
Monks Rd. Vir W —3N 35
Monks Rd. Wind —5A 4
Monks Wlk. Asc —5M 33
Monk's Wlk. Egh & Cher —2F 36
Monk's Wlk. Farnh —4L 129
Monk's Wlk. Reig —3N 121
Monks Way. Beck —5K 47
Monks Way. Stai —8M 21
Monks Way. W Dray —2N 7
Monks Well. Farnh —2N 129
Monkswell La. Coul —2N 101
Monkton La. Farnh —7K 109
Monkton Pk. Farnh —8L 109
Monmouth Av. King T —8J 25
Monmouth Clo. Mitc —3J 45
Monmouth Gro. W5 —1L 11
Mono La. Felt —3J 23
Monro Dri. Guild —9K 93
Monroe Dri. SW14 —8A 12
Monro Pl. Eps —5N 59
Mons Barracks. Alder —8A 90
Mons Clo. Alder —6C 90
Monsell Gdns. Stai —6G 21
Monson Rd. Red —9D 102
Mons Wlk. Egh —6E 20
Montacute Clo. Farn —1B 90
Montacute Rd. Mord —5B 44
Montacute Rd. New Ad —5M 65
Montague Av. S Croy —8B 64
Montague Clo. Camb —1N 69
Montague Clo. Light —6L 51
Montague Clo. W on T —6J 39
Montague Clo. Wokgm —9D 14
Montague Dri. Cat —9N 83
Montague Rd. SW19 —8N 27
Montague Rd. Croy —7M 45 (1A 200)
Montague Rd. Houn —6B 10
Montague Rd. Rich —9L 11
Montagu Gdns. Wall —1G 62
Montagu Rd. Dat —4L 5
Montana Clo. S Croy —6A 64
Montana Gdns. Sutt —2A 62
Montana Rd. SW17 —4E 28
Montana Rd. SW20 —9H 27
Monteagle La. Yat —1A 68
Montem Rd. N Mald —3D 42
Montford Rd. Sun —3H 39
Montfort Pl. SW19 —2J 27
Montfort Ri. Red —2D 142
Montgomerie Dri. Guild —7K 93
Montgomery Av. Esh —8E 40
Montgomery Clo. Mitc —3J 45
Montgomery Clo. Sand —7G 49
Montgomery Ct. S Croy —8F 200
Montgomery of Alamein Ct. Brack —9B 16
Montgomery Path. Farn —2L 89
Montgomery Rd. Farn —2L 89
Montgomery Rd. Wok —5A 74
Montholme Rd. SW11 —1D 28
Montolieu Gdns. SW15 —8G 13
Montpelier Ct. Wind —5F 4
Montpelier Rd. Purl —6M 63
Montpelier Rd. Sutt —1A 62
Montpelier Row. Twic —1J 25
Montreal Ct. Alder —3L 109
Montrell Rd. SW2 —2J 29
Montreux Ct. Craw —3N 181
Montrose Av. Dat —3M 5
Montrose Av. Twic —1B 24
Montrose Clo. Afrd —7D 22
Montrose Clo. Fleet —5C 88
Montrose Clo. Frim —4C 70
Montrose Gdns. Mitc —1D 44
Montrose Gdns. Oxs —8D 58
Montrose Gdns. Sutt —8N 43
Montrose Rd. Felt —9E 8
Montrose Wlk. Wey —9C 38
Montrose Way. Dat —4N 5
Montrouge Cres. Eps —3H 81
Montserrat Rd. SW15 —7K 13
Monument Bri. Ind. Est. E. Wok —2D 74
Monument Bri. Ind. Est. W. Wok —2C 74
Monument Grn. Wey —9C 38
Monument Hill. Wey —1C 56
Monument Rd. Wey —1C 56
Monument Rd. Wok —1C 74
Monument Way E. Wok —2D 74
Monument Way W. Wok —2C 74
Moon Hall Rd. Ewh —1D 156
Moons Hill. Fren —9G 129
Moon's La. D'land —3F 166
Moons La. H'ham —7L 197
Moor Clo. Owl —6K 49
Moorcroft Clo. Craw —2N 181
Moorcroft Rd. SW16 —4J 29
Moordale Av. Brack —9K 15
Moore Clo. SW14 —6B 12
Moore Clo. Add —2K 55
Moore Clo. C Crook —8B 88
Moore Clo. Mitc —1F 44
Moore Clo. Tong —4D 110
Moore Clo. Wall —4J 63
Moore Ct. H'ham —7G 196
Moore Gro. Cres. Egh —7B 20
Moore Pk. Ct. SW6 —3N 13
(off Fulham Rd.)
Moore Pk. Rd. SW6 —3M 13
Moore Rd. SE19 —7N 29
Moore Rd. Brkwd —8M 71
Moore Rd. C Crook —8B 88
Moores Grn. Wokgm —9D 14
Moores La. Eton W —1C 4
Moore's Rd. Dork —4H 119 (1M 201)
Moore Way. Sutt —5M 61
Moorfield. Hasl —3D 188
Moorfield Cen., The. Sly I —8N 93
Moorfield Rd. Chess —2L 59
Moorfield Rd. Guild & Sly I —8N 93
Moorfields Clo. Stai —9G 21
Moorhayes Dri. Stai —2L 37
Moorhead Rd. H'ham —3A 198
Moorholme. Wok —6A 74
Moorhouse. —5H 107
Moorhouse Bank. —6J 107
Moorhouse Rd. Oxt & W'ham —9H 107
Moorhurst La. Holmw —7G 138
Moorings, The. Bookh —3A 98
Moorings, The. Felb —7K 165
Moorings, The. Hind —6C 170
Moor Junction. (Junct.) —3K 7
Moorland Clo. Twic —1A 24
Moorland Rd. M'bowr —6G 183
Moorland Rd. W Dray —2L 7
Moorlands Clo. Fleet —5C 88
Moorlands Clo. Hind —5C 170
Moorlands Pl. Camb —1M 69
Moorlands Rd. Camb —2M 69
Moorlands, The. Wok —8B 74
Moor La. Brack —2H 31
Moor La. Chess —1L 59
Moor La. D'land & M Grn —9D 146
Moor La. Stai —2F 20
Moor La. W Dray —2L 7
Moor La. Wok —9A 74
Moormead Dri. Eps —2D 60
Moor Mead Rd. Twic —9G 11
Moormede Cres. Stai —5H 21
Moor Pk. Horl —9F 142
(off Aurum Clo.)
Moor Pk. Cres. If'd —4J 181
Moor Pk. Gdns. King T —8D 26
Moor Pk. Ho. Brack —5K 31
(off St Andrews)
Moor Pk. La. Farnh —9K 109
(in two parts)
Moor Pk. Way. Farnh —1L 129
Moor Pl. E Grin —8N 165
Moor Pl. W'sham —2M 51
Moor Rd. Farn —6M 69
Moor Rd. Frim —6D 70
Moor Rd. Hasl —3A 188
Moorside Clo. Farn —5M 69
Moors La. Elst —8G 130
Moorsom Way. Coul —4H 83
Moors, The. Tong —5C 110
Moor, The. —3F 20
Moray Av. Coll T —7J 49
(in two parts)
Moray Ct. S Croy —8B 200
Morcote Clo. Shalf —1A 134
Mordaunt Dri. Wel C —4G 48
Morden. —2N 43
Morden Clo. Brack —3D 32
Morden Clo. Tad —7J 81
Morden Ct. Mord —3N 43
Morden Ct. Pde. Mord —3N 43
Morden Gdns. Mitc —3B 44
Morden Hall Rd. Mord —2N 43
Morden Park. —5K 43
Morden Rd. SW19 —9N 27
Morden Rd. Mord & Mitc —3A 44
Morden Way. Sutt —6M 43
More Circ. G'ming —4H 133

More Clo.—Neville Rd.

More Clo. W14 —1J 13
More Clo. Purl —7L 63
Morecombe Clo. Craw —5L 181
Morecoombe Clo. King T —8A 26
Moreland Av. Coln —3E 6
Moreland Clo. Coln —3E 6
More La. Esh —9B 40
Morella Clo. Vir W —3N 35
Morella Rd. SW12 —1D 28
More Rd. G'ming —4H 133
Moresby Av. Surb —6A 42
Moretaine Rd. Afrd —4M 21
Moreton Almshouses. W'ham —4M 107
Moreton Av. Iswth —4E 10
Moreton Clo. C Crook —9A 88
Moreton Clo. Churt —9K 149
Moreton Rd. S Croy —2A 64 (8E 200)
Moreton Rd. Wor Pk —8F 42
Morgan Ct. Afrd —6C 22
Morgan Rd. Tedd —7E 24
Morgan's Green. —7C 194
Morgan Wlk. Beck —3L 47
Morie St. SW18 —8N 13
Moring Rd. SW17 —5E 28
Morland Av. Croy —7B 46
Morland Clo. Hamp —6N 23
Morland Clo. Mitc —2C 44
Morland Rd. Alder —5N 109
Morland Rd. Croy —7B 46
Morland Rd. Sutt —2A 62
Morland's Rd. Alder —8B 90
Morley Clo. Yat —1A 68
Morley Ct. Fet —8D 78
Morley Rd. Farnh —2H 129
Morley Rd. S Croy —6C 64
Morley Rd. Sutt —7L 43
Morley Rd. Twic —9K 11
Morningside Rd. Wor Pk —8G 43
Mornington Av. W14 —1L 13
Mornington Clo. Big H —4F 86
Mornington Cres. Houn —4J 9
Mornington Rd. Afrd —6D 22
Mornington Wlk. Rich —5J 25
Morrell Av. H'ham —3M 197
Morris Clo. Croy —4H 47
Morris Gdns. SW18 —1M 27
Morrish Rd. SW2 —1J 29
Morrison Ct. Craw —8N 181
Morris Rd. Farn —5B 90
Morris Rd. Iswth —6F 10
Morris Rd. S Nut —5J 123
Morston Clo. Tad —7G 81
Morten Clo. SW4 —1H 29
Morth Gdns. H'ham —7J 197
Mortimer Clo. SW16 —3H 29
Mortimer Cres. Wor Pk —9C 42
Mortimer Ho. W14 —1K 13 (off N. End Rd.)
Mortimer Rd. Big H —8E 66
Mortimer Rd. Capel —4K 159
Mortimer Rd. Mitc —9D 28
Mortlake. —6C 12
Mortlake Clo. Croy —9J 45
Mortlake Crematorium. Rich —5B 12
Mortlake Dri. Mitc —9C 28
Mortlake High St. SW14 —6C 12
Mortlake Rd. Rich —3N 11
Mortlake Ter. Rich —3N 11 (off Mortlake Rd.)
Morton. Tad —8J 81
Morton Clo. Craw —9N 181
Morton Clo. Frim —7D 70
Morton Clo. Wall —4K 63
Morton Clo. Wok —2M 73
Morton Gdns. Wall —2G 62
Morton M. SW5 —1N 13
Morton Rd. E Grin —2A 186
Morton Rd. Mord —4B 44
Morton Rd. Wok —2M 73
Morval Clo. Farn —1K 89
Morven Rd. SW17 —4D 28
Moselle Clo. Farn —9J 69
Moselle Rd. Big H —5G 87
Mosford Clo. Horl —6D 142
Mospey Cres. Eps —2E 80
Moss End. —3N 15
Mosses Wood. —9D 138
Mossfield. Cobh —9H 57
Moss Gdns. Felt —3H 23
Moss Gdns. S Croy —4G 64
Moss La. G'ming —7G 133
Mosslea Rd. Whyt —3C 84
Mossville Gdns. Mord —2L 43
Moston Clo. Hayes —1G 8
Mostyn Ho. Brack —8N 15 (off Merryhill Rd.)
Mostyn Rd. SW19 —9L 27
Mostyn Ter. Red —4E 122
Moth Clo. Wall —4J 63
Motspur Park. —5F 42
Motspur Pk. N Mald —5E 42
Motts Hill La. Tad —1F 100
Mouchotte Clo. Big H —8D 66
Moulsham Copse La. Yat —8A 48
Moulsham Grn. Yat —8A 48
Moulsham La. Yat —8A 48
Moulton Av. Houn —5M 9
Mt. Angelus Rd. SW15 —1E 26
Mt. Ararat Rd. Rich —8L 11
Mount Arlington. Brom —1N 47 (off Park Hill Rd.)
Mount Av. Cat —2N 103
Mountbatten Clo. Craw —7A 182
Mountbatten Ct. Alder —2M 109 (off Birchett Rd.)
Mountbatten Gdns. Beck —3H 47
Mountbatten M. SW18 —1A 28
Mountbatten Ri. Sand —6E 48
Mountbatten Sq. Wind —4F 4
Mount Clo. Cars —5E 62
Mount Clo. Craw —2H 183
Mount Clo. Ewh —5F 156
Mount Clo. Fet —1E 98
Mount Clo. Kenl —3A 84
Mount Clo. Wok —8M 73
Mount Clo., The. Vir W —5N 35
Mountcombe Clo. Surb —6L 41
Mount Cotts. If'd —2H 181
Mount Ct. SW15 —6K 13
Mount Ct. Guild —5M 113 (6B 202)
Mount Ct. W Wick —8N 47
Mount Dri., The. Reig —1B 122
Mountearl Gdns. SW16 —4K 29
Mt. Ephraim La. SW16 —4H 29
Mt. Ephraim Rd. SW16 —4H 29
Mt. Felix. W on T —7G 38
Mount Hermon. —6N 73
Mt. Hermon Clo. Wok —6N 73
Mt. Hermon Rd. Wok —6N 73
Mount La. Brack —2A 32
Mount La. Turn H —5D 184
Mount Lee. Egh —6B 20
Mount M. Hamp —9B 24
Mt. Nod Rd. SW16 —4K 29
Mount Pk. Cars —4E 62
Mt. Park Av. S Croy —5M 63
Mount Pl. Guild —5M 113 (6B 202)
Mount Pleasant. SE27 —5N 29
Mount Pleasant. Big H —4F 86
Mount Pleasant. Brack —2A 32 (in two parts)
Mount Pleasant. Eff —6M 97
Mount Pleasant. Eps —6E 60
Mount Pleasant. Farnh —2F 128
Mount Pleasant. Guild —5M 113 (7B 202)
Mount Pleasant. Sand —6F 48
Mount Pleasant. W Hor —7C 96
Mount Pleasant. Wey —9B 38
Mount Pleasant. Wokgm —2A 30
Mt. Pleasant Clo. Light —6L 51
Mt. Pleasant Rd. Alder —2A 110
Mt. Pleasant Rd. Cat —1D 104
Mt. Pleasant Rd. Lind —4A 168
Mt. Pleasant Rd. Ling —7M 145
Mt. Pleasant Rd. N Mald —2B 42
Mount Ri. Red —5B 122
Mount Rd. SW19 —3M 27
Mount Rd. Chess —2M 59
Mount Rd. Chob —8L 53
Mount Rd. Cranl —8N 155
Mount Rd. Felt —4M 23
Mount Rd. Mitc —1B 44
Mount Rd. N Mald —2C 42
Mount Rd. Wok —8L 73
Mountsfield Clo. Stai —9J 7
Mounts Hill. Wink —3N 17
Mountside. Guild —5L 113 (7A 202)
Mt. Side Pl. Wok —5B 74
Mount St. Dork —5G 118 (2J 201)
Mount, The. Coul —2E 82
Mount, The. Cranl —8N 155
Mount, The. Craw —1G 180
Mount, The. Eps —6E 60
Mount, The. Esh —3A 58
Mount, The. Ewh —4F 156
Mount, The. Fet —1E 98
Mount, The. Fleet —3B 88
Mount, The. G'wood —7K 171
Mount, The. Guild —5M 113 (8A 202)
Mount, The. Head —3F 168
Mount, The. Knap —6F 72
Mount, The. N Mald —2E 42
Mount, The. S Croy —8C 200
Mount, The. Tad —4L 101
Mount, The. Vir W —5N 35
Mount, The. Warl —6D 84
Mount, The. Wey —8F 38
Mount, The. Wok —5N 73 (off Elm Rd.)
Mount, The. Wok —6K 73 (off St John's Hill Rd.)
Mount, The. Wor Pk —1G 61
Mount Vw. Alder —3M 109
Mount Vw. S'hall —1L 9
Mountview Clo. Red —5C 122
Mountview Dri. Red —5C 122
Mount Vw. Rd. Clay —4H 59
Mount Vs. SE27 —4M 29
Mount Way. Cars —5E 62
Mount Wood. W Mol —2B 40
Mountwood Clo. S Croy —6E 64
Moushill La. Milf —2B 152
Mowat Ct. Wor Pk —8E 42 (off Avenue, The)
Mowatt Rd. Gray —7B 170
Mowbray Av. Byfl —9N 55
Mowbray Cres. Egh —6C 20
Mowbray Dri. Craw —5L 181
Mowbray Gdns. Dork —3H 119
Mowbray Rd. Rich —4J 25
Mower Clo. Wokgm —1E 30
Mower Pl. Cranl —6N 155
Mowshurst. —8M 127
Moylan Rd. W6 —2K 13
Moyne Ct. Wok —5J 73
Moyne Rd. Craw —7A 182
Moys Clo. Croy —5J 45
Moyser Rd. SW16 —6F 28
Muchelney Rd. Mord —5A 44
Muckhatch La. Egh —2D 36
Muggeridge Clo. S Croy —2A 64 (8E 200)
Muggeridges Hill. Rusp —1L 179
Mugswell. —3N 101
Muirdown Av. SW14 —7C 12
Muir Dri. SW18 —1C 28
Muirfield Clo. If'd —4J 181
Muirfield Ho. Brack —5K 31 (off St Andrews)
Muirfield Rd. Wok —5K 73
Mulberries, The. Farnh —8L 109
Mulberry Av. Stai —2N 21
Mulberry Av. Wind —6J 5
Mulberry Bus. Pk. Wokgm —4A 30
Mulberry Clo. SW16 —5G 28
Mulberry Clo. Ash V —9E 90
Mulberry Clo. Crowt —3H 49
Mulberry Clo. H'ham —3J 197
Mulberry Clo. Owl —7J 49
Mulberry Clo. Wey —9C 38
Mulberry Clo. Wok —1A 74
Mulberry Ct. Brack —4C 32
Mulberry Ct. Guild —1F 114
Mulberry Ct. Surb —6K 41
Mulberry Ct. Twic —4F 24
Mulberry Ct. Wokgm —2B 30
Mulberry Cres. Bren —3H 11
Mulberry Dri. Slou —1A 6
Mulberry Ho. Brack —8N 15
Mulberry Ho. Short —1N 47
Mulberry La. Croy —7C 46
Mulberry M. Wall —3G 62
Mulberry Pl. W6 —1F 12
Mulberry Rd. Craw —9N 161
Mulberry Trees. Shep —6E 38
Mulgrave Ct. Sutt —3N 61 (off Mulgrave Rd.)
Mulgrave Rd. SW6 —2L 13
Mulgrave Rd. Croy —9A 46 (5D 200)
Mulgrave Rd. Frim —4D 70
Mulgrave Rd. Sutt —4L 61
Mulgrave Way. Knap —5H 73
Mulholland Clo. Mitc —1F 44
Mullards Clo. Mitc —7D 44
Mullein Wlk. Craw —7M 181
Mullens Rd. Egh —6D 20
Muller Rd. SW4 —1H 29
Mullins Path. SW14 —6C 12
Mulroy Dri. Camb —9E 50
Multon Rd. SW18 —1B 28
Muncaster Clo. Afrd —5B 22
Muncaster Rd. Afrd —6C 22
Munday Ct. Binf —8K 15
Munday's Boro. P'ham —8L 111
Munday's Boro Rd. P'ham —8L 111
Munden St. W14 —1K 13
Mund St. W14 —1L 13
Mundy Ct. Eton —2G 4
Munnings Dri. Coll T —9J 49
Munnings Gdns. Iswth —8D 10
Munslow Gdns. Sutt —1B 62
Munstead Heath Rd. G'ming & Brmly —1K 153
Munstead Pk. G'ming —8M 133
Munstead Vw. Guild —7L 113
Munstead Vw. Rd. Brmly —6N 133
Munster Av. Houn —8M 9
Munster Ct. SW6 —5L 13
Munster Ct. Tedd —7J 25
Munster M. SW6 —3K 13
Munster Rd. SW6 —3K 13
Munster Rd. Tedd —7H 25
Murdoch Clo. Stai —6J 21
Murdoch Rd. Wokgm —3B 30
Murfett Clo. SW19 —3K 27
Murray Av. Houn —8B 10
Murray Ct. Asc —5N 33
Murray Ct. Craw —8M 181
Murray Ct. H'ham —4A 198
Murray Ct. Twic —3D 24
Murray Grn. Wok —1E 74
Murray Ho. Ott —3E 54
Murray Rd. SW19 —7J 27
Murray Rd. W5 —1J 11
Murray Rd. Farn —2L 89
Murray Rd. Ott —3E 54
Murray Rd. Rich —3H 25
Murray Rd. Wokgm —2A 30
Murray's La. W Byf —1M 75
Murray Ter. W5 —1K 11
Murrellhill La. Binf —8H 15
Murrell Rd. As —1E 110
Murrells La. Camb —3N 69
Murrell's Wlk. Bookh —1A 98
Murreys Ct. Asht —5K 79
Murreys, The. Asht —5J 79
Murtmead La. P'ham —9L 111
Musard Rd. W6 —2K 13
Muscal. W6 —2K 13 (off Field Rd.)
Muschamp Rd. Cars —8C 44
Museum Hill. Hasl —2H 189
Mus. of Eton Life. —2G 4
Mus. of Fulham Palace. —5K 13
Mus. of Richmond. —8K 11 (off Whittaker Av.)
Mus. of Rugby, The. —9E 10
Musgrave Av. E Grin —2A 186
Musgrave Cres. SW6 —3M 13
Musgrave Rd. Iswth —4F 10
Mushroom Castle. Wink R —7F 16
Musquash Way. Houn —5K 9
Mustard Mill Rd. Stai —5H 21
Mustow Pl. SW6 —5L 13
Mutton Hill. Brack —9H 15
Mutton Hill. D'land —3C 166
Mutton Oaks. Binf —1J 31
Muybridge Rd. N Mald —1B 42
Myers Way. Frim —4H 71
Mylne Clo. W6 —1F 12
Mylne Sq. Wokgm —2C 30
Mylor Clo. Wok —1A 74
Mynn's Clo. Eps —1A 80
Mynthurst. —4G 141
Mynthurst. Leigh —4G 141
Myrke. —1J 5
Myrke, The. Dat —1J 5
Myrna Clo. SW19 —8C 28
Myrtle Av. Felt —8F 8
Myrtle Clo. Coln —4G 6
Myrtle Clo. Light —7M 51
Myrtle Dri. B'water —1J 69
Myrtle Gro. N Mald —1B 42
Myrtle Rd. Croy —9K 47
Myrtle Rd. Dork —4G 119 (1K 201)
Myrtle Rd. Hamp H —7C 24
Myrtle Rd. Houn —5C 10
Myrtle Rd. Sutt —2A 62
Mytchett. —1D 90
Mytchett Farm Cvn. Pk. Myt —3D 90
Mytchett Heath. Myt —3E 90
Mytchett Lake Rd. Myt —4E 90
Mytchett Pl. Rd. Myt & Ash V —2E 90
Mytchett Rd. Myt —1D 90
Myton Rd. SE21 —4N 29

Naafi Roundabout. Alder —2N 109
Nadine Ct. Wall —5G 62
Nailsworth Cres. Red —7H 103
Nairn Clo. Frim —4C 70
Nalderswood. —4H 141
Naldrett Clo. H'ham —4M 197
Naldretts La. Rud —3E 194
Nallhead Rd. Felt —6K 23
Namba Roy Clo. SW16 —5K 29
Namton Dri. T Hth —3K 45
Napier Av. SW6 —6L 13
Napier Clo. Alder —6C 90
Napier Clo. Crowt —2H 49
Napier Ct. SW6 —6L 13 (off Ranelagh Gdns.)
Napier Ct. Cat —9B 84
Napier Dri. Camb —8E 50
Napier Gdns. Guild —2D 114
Napier La. Ash V —9E 90
Napier Rd. SE25 —3E 46
Napier Rd. Afrd —8E 22
Napier Rd. Crowt —3H 49
Napier Rd. Iswth —7G 10
Napier Rd. H'row A —4M 7
Napier Rd. S Croy —4A 64
Napier Wlk. Afrd —8E 22
Napier Way. Craw —9E 162
Napoleon Av. Farn —8N 69
Napoleon Rd. Twic —1H 25
Napper Clo. Asc —1G 33
Napper Pl. Cranl —9N 155
Nappers Wood. Fern —9E 188
Narborough St. SW6 —5N 13
Narrow La. Warl —6E 84
Naseby. Brack —7N 31
Naseby Clo. Iswth —4E 10
Naseby Ct. W on T —8K 39
Nash. —3C 66
Nash Clo. Farn —1L 89
Nash Clo. Sutt —9B 44
Nash Dri. Red —1D 122
Nash Gdns. Asc —1J 33
Nash Gdns. Red —1D 122
Nashlands Cotts. Hand —6N 199
Nash La. Kes —4C 66
Nash Pk. Binf —7G 15
Nash Rd. Craw —6C 182
Nash Rd. Slou —1B 6
Nassau Rd. SW13 —4E 12
Nasturtium Dri. Bisl —2D 72
Natalie Clo. Felt —1E 22
Natalie M. Twic —4D 24
Natal Rd. SW16 —7H 29
Natal Rd. T Hth —2A 46
Neale Clo. E Grin —7L 165
Neale Ho. E Grin —8A 166
Neath Gdns. Mord —5A 44
Neb La. Oxt —9M 105
Needham Clo. Wind —4B 4
Needles Bank. God —9E 104 (in two parts)
Needles Clo. H'ham —7H 197
Neil Clo. Afrd —6D 22
Neil Wates Cres. SW2 —2L 29
Nella Rd. W6 —2J 13
Nell Ball. Plais —6A 192
Nell Gwynne Av. Shep —5E 38
Nell Gwynne Clo. Asc —3A 34
Nell Gwynne Clo. Eps —7N 59
Nello James Gdns. SE27 —5N 29
Nelson Clo. Alder —3A 110
Nelson Clo. Big H —4G 86
Nelson Clo. Brack —9C 16
Nelson Clo. Croy —7M 45 (1A 200)
Nelson Clo. Farnh —4J 109
Nelson Clo. Felt —2G 23
Nelson Clo. M'bowr —4G 183
Nelson Clo. W on T —7J 39
Nelson Ct. Cher —7J 37
Nelson Gdns. Guild —2C 114
Nelson Gdns. Houn —9A 10
Nelson Gro. Rd. SW19 —9A 28
Nelson Ind. Est. SW19 —9N 27
Nelson Rd. SW19 —8N 27
Nelson Rd. Afrd —6N 21
Nelson Rd. Cat —1A 104
Nelson Rd. Farnh —4J 109
Nelson Rd. H'ham —5H 197
Nelson Rd. Houn —9A 10
Nelson Rd. H'row A —4A 8
Nelson Rd. N Mald —4C 42
Nelson Rd. Wind —6C 4
Nelson Rd. M. SW19 —8N 27
Nelson's La. Hurst —4A 14
Nelson St. Alder —2M 109
Nelson Wlk. Eps —5N 59
Nelson Way. Camb —2L 69
Nene Gdns. Felt —3N 23
Nene Rd. H'row A —4C 8
Nene Rd. Roundabout. H'row A —4C 8
Nepean St. SW15 —9F 12
Neptune Clo. Bew —5K 181
Neptune Rd. Bord —7A 168
Neptune Rd. H'row A —4E 8
Nero Ct. Bren —3K 11
Nesbit Ct. Craw —6K 181
Netheravon Rd. W4 —1E 12
Netheravon Rd. S. W4 —1E 12
Netherby Pk. Wey —2F 56
Nethercote Av. Wok —4J 73
Netherfield Rd. SW17 —4E 28
Netherlands, The. Coul —6G 83
Netherleigh Pk. S Nut —6J 123
Nether Mt. Guild —5L 113
Nethern Ct. Rd. Wold —1K 105
Netherne Dri. Coul —8F 82
Netherne La. Coul —1G 102 (in two parts)
Netherne-on-the-Hill. —9G 83
Netherton. Brack —3M 31
Netherton Gro. SW10 —2N 13
Netherton Rd. Twic —8G 11
Nether Vell-Mead. C Crook —9A 88
Netherwood. Craw —5N 181
Netley Clo. Cheam —2J 61
Netley Clo. Craw —9A 182
Netley Clo. Gom —7D 116
Netley Clo. New Ad —4M 65
Netley Dri. W on T —6N 39
Netley Gdns. Mord —6A 44
Netley Pk. —6D 116
Netley Rd. Bren —2L 11
Netley Rd. Mord —6A 44
Netley St. Farn —5N 89
Nettlecombe. Brack —5B 32
Nettlecombe Clo. Sutt —5N 61
Nettlefold Pl. SE27 —4M 29
Nettles Ter. Guild —3N 113 (3C 202)
Nettleton Rd. H'row A —4C 8
Nettlewood Rd. SW16 —8H 29
Neuman Cres. Brack —5M 31
Nevada Clo. Farn —2J 89
Nevada Clo. N Mald —3B 42
Nevelle Clo. Binf —9J 15
Nevern Mans. SW5 —1M 13 (off Warwick Rd.)
Nevern Pl. SW5 —1M 13
Nevern Rd. SW5 —1M 13
Nevern Sq. SW5 —1M 13
Nevile Clo. Craw —6M 181
Neville Av. N Mald —9C 26
Neville Clo. Bans —1N 81
Neville Clo. Esh —3N 57
Neville Clo. Houn —5B 10
Neville Duke Rd. Farn —6L 69
Neville Gill Clo. SW18 —9M 13
Neville Ho. Yd. King T —1L 41 (3K 203)
Neville Rd. Croy —6A 46
Neville Rd. King T —1N 41

254 A-Z Surrey

Neville Rd.—Northfield Ct.

Neville Rd. Rich —4J 25
Neville Wlk. Cars —6C 44
Nevis Rd. SW17 —3E 28
New Addington. —6M 65
Newall Rd. H'row A —4D 8
Newark Clo. Guild —7D 94
Newark Clo. Rip —8J 75
Newark Cotts. Rip —8J 75
Newark Ct. W on T —7K 39
Newark La. Wok —6H 75
Newark Rd. Craw —1D 182
Newark Rd. S Croy —3A 64
Newark Rd. W'sham —1M 51
New Ashgate Gallery. —1G 129
New Barn Clo. Wall —3K 63
New Barn La. Newd —9B 140
New Barn La. Ockl —7A 158
Newbarn La. W'ham —5L 87
New Barn La. Whyt —3B 84
New Barns Av. Mitc —3H 45
(in two parts)
New Battlebridge La. Red —8F 102
Newberry Cres. Wind —5A 4
New Berry La. W on T —2L 57
Newbolt Av. Sutt —2H 61
Newborough Grn. N Mald —3C 42
Newbridge Clo. Broad H —5C 196
New Bridge Cotts. Cranl —7K 155
(off Elmbridge Rd.)
Newbridge Ct. Cranl —7K 155
New B'way. Hamp H —6D 24
Newbury Gdns. Eps —1E 60
Newbury Rd. Craw —3H 183
Newbury Rd. H'row A —4A 8
New Causeway. Reig —6N 121
Newchapel. —1H 165
Newchapel Rd. Ling —1J 165
New Chapel Sq. Felt —2J 23
New Clo. SW19 —2A 44
New Clo. Felt —6M 23
New Colebrooke Ct. Cars —4E 62
(off Stanley Rd.)
Newcombe Gdns. SW16 —5J 29
Newcome Pl. Alder —5B 110
Newcome Rd. Farnh —6K 109
New Coppice. Wok —6H 73
New Cotts. Pirb —9A 72
New Cotts. Turn H —5D 184
New Ct. Add —9L 37
New Cross Rd. Guild —1K 113
New Dawn Clo. Farn —2J 89
Newdigate. —1A 160
Newdigate Rd. Bear G —9K 139
Newdigate Rd. Leigh —1D 140
Newdigate Rd. Rusp —1B 180
Newell Green. —6B 16
Newell Grn. Warf —6A 16
New England Hill. W End —8A 52
Newenham Rd. Bookh —4A 98
New Farthingdale. D'land —2C 166
Newfield Av. Farn —8K 69
Newfield Clo. Hamp —9A 24
Newfield Rd. Ash V —7E 90
New Forest Ride. Brack —6C 32
Newfoundland Rd. Deep —6H 71
Newgate. Croy —7N 45
Newgate Clo. Felt —3M 23
Newhache. D'land —1C 166
Newhall Gdns. W on T —8K 39
Newhaven Cres. Afrd —6E 22
Newhaven Rd. SE25 —4A 46
New Haw. —4L 55
New Haw Rd. Add —2L 55
New Heston Rd. Houn —3N 9
New Horizons Ct. Bren —2J 11
Newhouse Bus. Cen. Fay —1B 198
Newhouse Clo. N Mald —6D 42
Newhouse Cotts. Newd —6B 160
New Ho. Farm La. Wood S —2F 112
New Ho. La. Red —2H 143
Newhouse Wlk. Mord —6A 44
Newhurst Gdns. Warf —6B 16
New Inn La. Guild —8D 94
New Kelvin Av. Tedd —7E 24
New Kings Rd. SW6 —5L 13
Newlands. Fleet —7B 88
Newlands Av. Th Dit —7E 40
Newlands Av. Wok —8B 74
Newlands Clo. Horl —6D 142
Newlands Clo. S'hall —1M 9
Newlands Clo. W on T —1M 57
Newlands Clo. Yat —1C 68
Newlands Corner. —5J 115
Newlands Corner Countryside Cen. —5J 115
Newlands Ct. Add —2K 55
(off Addlestone Pk.)
Newlands Ct. Cat —8N 83
(off Coulsdon Rd.)
Newlands Cres. E Grin —8N 165
Newlands Cres. Guild —5B 114
Newlands Dri. Ash V —9F 90
Newlands Dri. Coln —6G 7
Newlands Est. Witl —5C 152
Newlands Pk. Copt —7B 164
Newlands Pl. F Row —6H 187
Newlands Rd. SW16 —1J 45
Newlands Rd. Camb —5N 69
Newlands Rd. Craw —4A 182
Newlands Rd. H'ham —4J 197
Newlands, The. Wall —4G 63
Newlands Way. Chess —2J 59
Newlands Wood. Croy —5J 65
New La. Wok —9A 74
New Lodge Dri. Oxt —6B 106
New Malden. —3D 42
Newman Clo. M'bowr —5G 182
Newman Rd. Croy —7K 45
Newman Rd. Ind. Est. Croy —6K 45
Newmans Ct. Farnh —5F 108
Newmans La. Surb —5K 41
Newmans Pl. Asc —6E 34
Newmarket Rd. Craw —6E 182
New Mdw. Asc —9H 17
New Mile Rd. Asc —1M 33
New Mill Cotts. Hasl —2B 188
Newminster Rd. Mord —5A 44
New Moorhead Dri. H'ham —2B 198
Newnes Path. SW15 —7G 12
Newnet Clo. Cars —7D 44
Newnham Clo. T Hth —1N 45
New N. Rd. Reig —6L 121
New Pde. Afrd —5A 22
New Pk. Pde. SW2 —1J 29
(off New Pk. Rd.)
New Pk. Rd. SW2 —2H 29
New Pk. Rd. Afrd —6D 22
New Pk. Rd. Cranl —7N 155
New Pl. Croy —3K 65
New Pl. Gdns. Ling —7A 146
New Pond Rd. Comp & G'ming —1G 132
New Poplars Ct. As —3E 110
Newport Dri. Warf —7N 15
Newport Rd. SW13 —4F 12
Newport Rd. Alder —3A 110
Newport Rd. H'row A —4B 8
New Rd. Alb —8M 115
New Rd. Asc —8J 17
New Rd. Bag & W'sham —4K 51
New Rd. Bedf —9E 8
New Rd. B'water —2K 69
New Rd. Brack —1B 32
New Rd. Bren —2K 11
New Rd. Chil —1D 134
New Rd. C Crook —7C 88
New Rd. Crowt —2H 49
New Rd. Dat —4N 5
New Rd. Dork —6K 119
New Rd. E Clan —9N 95
New Rd. Esh —9C 40
New Rd. Felt —2J 23
New Rd. F Grn —4M 157
New Rd. Gom —8D 116
New Rd. Hanw —6M 23
New Rd. Hasl —3D 188
New Rd. Hayes —3D 8
New Rd. Houn —7B 10
New Rd. Hyde —4H 153
New Rd. King T —8N 25
New Rd. Limp —8D 106
New Rd. Milf —1B 152
New Rd. Mitc —7D 44
New Rd. Oxs —7F 58
New Rd. Rich —5J 25
New Rd. Sand —7F 48
New Rd. Shep —2B 38
New Rd. Small —8M 143
New Rd. Stai —6E 20
New Rd. Tad —1H 101
New Rd. Tand —5K 125
New Rd. Tong —6D 110
New Rd. W Mol —3A 40
New Rd. Wey —2D 56
New Rd. Won —3D 134
New Rd. Wmly —1C 172
New Rd. Hill. Kes —5G 67
Newry Rd. Twic —8G 11
Newsham Rd. Wok —4J 73
New Sq. Felt —2D 22
Newstead Clo. G'ming —5G 132
Newstead Ri. Cat —4E 104
Newstead Wlk. Cars —6A 44
Newstead Way. SW19 —5J 27
New St. Craw —2E 182
New St. H'ham —7K 197
New St. Stai —5J 21
New St. W'ham —5L 107
Newton Av. E Grin —3B 186
Newton Ct. Old Win —9K 5
Newton La. Old Win —9L 5
Newton Mans. W14 —2K 13
(off Queen's Club Gdns.)
Newton Rd. SW19 —8K 27
Newton Rd. Craw —8D 162
Newton Rd. Farn —8B 70
Newton Rd. Iswth —5F 10
Newton Rd. H'row A —4N 7
Newton Rd. Purl —8G 63
Newtonside Orchard. Old Win —9K 5
Newton's Yd. SW18 —8M 13
Newton Way. Tong —5C 110
Newton Wood Rd. Asht —3M 79
New Town. —7K 197
New Town. Copt —7M 163
Newtown Rd. Sand —7G 48
New Way. G'ming —7E 132
New Wickham La. Egh —8C 20
New Windsor. —6G 4
New Wokingham Rd. Wokgm & C'then —9F 30
New Zealand Av. W on T —7G 38
Nexus Pk. Ash V —5D 90
Nicholas Ct. W4 —2D 12
(off Corney Reach Way)
Nicholas Gdns. Wok —3G 75
Nicholas Rd. Croy —1J 63
Nicholes Rd. Houn —7A 10
Nicholls. Wind —6A 4
Nicholls Wlk. Wind —6A 4
Nichols Clo. Chess —3J 59
Nicholsfield. Loxw —4H 193
Nicholson M. Egh —6C 20
(off Nicholson Wlk.)
Nicholson M. King T —3L 41 (7L 203)
Nicholson Rd. Croy —7C 46
Nicholson Wlk. Egh —6C 20
Nicola Clo. S Croy —3N 63
Nicol Clo. Twic —9H 11
Nicosia Rd. SW18 —1C 28
Nicotiana Ct. C Crook —9A 88
(off Annettes Cft.)
Nigel Fisher Way. Chess —4J 59
Nigel Playfair Av. W6 —1G 12
Nightingale Av. W Hor —2E 96
Nightingale Clo. W4 —2B 12
Nightingale Clo. Big H —2E 86
Nightingale Clo. Cars —8E 44
Nightingale Clo. Cobh —7L 57
Nightingale Clo. Craw —1A 182
Nightingale Clo. E Grin —2N 185
Nightingale Clo. Eps —8N 59
Nightingale Clo. Farn —8H 69
Nightingale Ct. SW6 —4N 13
(off Maltings Pl.)
Nightingale Ct. Red —2E 122
(off St Anne's Mt.)
Nightingale Ct. Short —1N 47
Nightingale Ct. Wok —5H 73
Nightingale Cres. Brack —4A 32
Nightingale Cres. W Hor —3D 96
Nightingale Dri. Eps —3A 60
Nightingale Dri. Myt —2E 90
Nightingale Gdns. Sand —7G 48
Nightingale Ho. Eps —8D 60 (5M 201)
Nightingale Ho. Ott —3F 54
Nightingale Ind. Est. H'ham —5K 197
Nightingale La. SW12 & SW4 —1D 28
Nightingale La. Rich —1L 25
Nightingale La. Turn H —4F 184
Nightingale M. King T —5J 203
Nightingale Rd. As —1G 111
Nightingale Rd. Bord —7A 168
Nightingale Rd. Cars —9D 44
Nightingale Rd. E Hor —3G 96
Nightingale Rd. Esh —2N 57
Nightingale Rd. G'ming —6H 133
Nightingale Rd. Guild —3N 113 (2D 202)
Nightingale Rd. Hamp —6A 24
Nightingale Rd. H'ham —5K 197
Nightingale Rd. S Croy —7G 64
Nightingale Rd. W on T —6K 39
Nightingale Rd. W Mol —4B 40
Nightingales. Cranl —9N 155
Nightingales Clo. H'ham —6M 197
Nightingale Shott. Egh —7B 20
Nightingale Sq. SW12 —1E 28
Nightingales, The. Stai —1A 22
Nightingale Wlk. Wind —6F 4
Nightingale Way. Blet —3B 124
Nightjar Clo. Ews —4C 108
Nikols Wlk. SW18 —7N 13
Nimbus Rd. Eps —6C 60
Nimrod Ct. Craw —9H 163
(off Wakehams Grn. Dri.)
Nimrod Rd. SW16 —7F 28
Nineacres Way. Coul —3J 83
Nine Elms Clo. Felt —2G 23
Ninehams Clo. Cat —7A 84
Ninehams Gdns. Cat —7A 84
Ninehams Rd. Cat —8A 84
Ninehams Rd. Tats —8E 86
Nine Mile Ride. Asc —6J 33
Nine Mile Ride. Crowt & Brack —7L 31
(in two parts)
Nine Mile Ride. Wok —1A 48
Nineteenth Rd. Mitc —3J 45
Ninfield Ct. Craw —7L 181
Ninhams Wood. Orp —1J 67
Niton Rd. Rich —6N 11
Niton St. SW6 —3J 13
Niven Clo. M'bowr —4H 183
Niven Ct. S'hill —3A 34
Noahs Ct. Turn H —5D 184
Nobel Dri. Hayes —4E 8
Noble Corner. Houn —4A 10
Noble Ct. Mitc —1B 44
Nobles Way. Egh —7A 20
Noel Ct. Houn —6N 9
Noke Dri. Red —2E 122
Nonsuch Ct. Av. Eps —6G 60
Nonsuch Pl. Sutt —4J 61
Nonsuch Trad. Est. Eps —7D 60
Nonsuch Wlk. Sutt —6H 61
(in two parts)
Nook, The. Sand —7F 48
Noons Corner Rd. Ab C —3N 137
Norbiton. —1N 41
Norbiton Av. King T —9N 25
Norbiton Comn. Rd. King T —2A 42
Norbiton Hall. King T —1M 41 (3N 203)
Norbury. —1K 45
Norbury Av. SW16 —9K 29
Norbury Av. Houn —7D 10
Norbury Clo. SW16 —9L 29
Norbury Ct. Rd. SW16 —2J 45
Norbury Cres. SW16 —9K 29
Norbury Cross. SW16 —2J 45
Norbury Hill. SW16 —8L 29
Norbury Park. —4H 99
Norbury Pk. —5F 98
Norbury Ri. SW16 —2J 45
Norbury Rd. Reig —3L 121
Norbury Rd. T Hth —1N 45
Norbury Trad. Est. SW16 —1K 45
Norbury Way. Bookh —3C 98
Norcutt Rd. Twic —2E 24
Norfolk Av. S Croy —6C 64
Norfolk Chase. Warf —8D 16
Norfolk Clo. Craw —7K 181
Norfolk Clo. Horl —9E 142
Norfolk Clo. Twic —9H 11
Norfolk Ct. H'ham —3A 198
Norfolk Ct. N Holm —9K 119
Norfolk Farm Clo. Wok —3F 74
Norfolk Farm Rd. Wok —2F 74
Norfolk Gdns. Houn —8N 9
Norfolk Ho. Rd. SW16 —4H 29
Norfolk La. Mid H —2H 139
Norfolk Rd. SW19 —8C 28
Norfolk Rd. Clay —2E 58
Norfolk Rd. Dork —5G 119 (3K 201)
Norfolk Rd. Felt —2K 23
Norfolk Rd. Holmw —5J 139
Norfolk Rd. H'ham —6K 197
Norfolk Rd. T Hth —2N 45
Norfolk Ter. W6 —1K 13
Norfolk Ter. H'ham —6K 197
Norgrove St. SW12 —1E 28
Norheads La. Warl —6C 86
(in two parts)
Norhyrst Av. SE25 —2C 46
Nork. —2J 81
Nork Gdns. Bans —1K 81
Nork Ri. Bans —3J 81
Nork Way. Bans —3H 81
Norlands La. Egh —2G 36
Norley La. Sham G —6D 134
Norley Va. SW15 —2F 26
Norman Av. Eps —8E 60
Norman Av. Felt —3M 23
Norman Av. S Croy —6N 63
Norman Av. Twic —1J 25
Normanby Clo. SW15 —8L 13
Norman Clo. Bord —6A 168
Norman Clo. Tad —6G 81
Norman Colyer Ct. Eps —6C 60
Norman Ct. Eden —1K 147
Norman Ct. Farnh —2H 129
Norman Cres. Houn —3L 9
Normand Gdns. W14 —2K 13
(off Greyhound Rd.)
Normand M. W14 —2K 13
Normand Rd. W14 —2L 13
Normandy. —9M 91
Normandy. H'ham —7J 197
Normandy Barracks. Alder —9M 89
Normandy Clo. Deep —6J 71
Normandy Clo. E Grin —1B 186
Normandy Clo. M'bowr —5F 182
Normandy Common. —9L 91
Normandy Gdns. H'ham —7J 197
Normandy Wlk. Egh —6E 20
Norman Hay Ind. Est. W Dray —3A 8
Norman Ho. Felt —3N 23
(off Watermill Way)
Normanhurst. Afrd —6B 22
Normanhurst Clo. Craw —3D 182
Normanhurst Dri. Twic —8G 11
Normanhurst Rd. SW2 —3K 29
Normanhurst Rd. W on T —8L 39
Norman Keep. Warf —9D 16
Norman Rd. SW19 —8A 28
Norman Rd. Afrd —7E 22
Norman Rd. Sutt —2M 61
Norman Rd. T Hth —4M 45
Normansfield Av. Tedd —8J 25
Normans Gdns. E Grin —9A 166
Normans La. Eden —4G 147
Norman's Rd. Small —6N 143
Normanton Av. SW19 —3M 27
Normanton Rd. S Croy —2B 64 (8F 200)
Normington Clo. SW16 —6L 29
Norney. —5B 132
Norney. Shack —5B 132
Norrels Dri. E Hor —4G 96
(in two parts)
Norrels Ride. E Hor —3G 97
Norreys Av. Wokgm —2C 30
Norris Hill Rd. Fleet —5D 88
Norris Rd. Stai —5H 21
Norroy Rd. SW15 —7J 13
Norstead Pl. SW15 —3F 26
North Acre. Bans —3L 81
Northampton Clo. Brack —2B 32
Northampton Rd. Croy —8D 46
Northanger Rd. SW16 —7J 29
North Ascot. —9H 17
North Ash. H'ham —4J 197
North Av. Cars —4E 62
North Av. Farnh —5J 109
North Av. Rich —4N 11
North Av. W Vill —5F 56
Northborough Rd. SW16 —2H 45
Northbourne. G'ming —3J 133
N. Breache Rd. Ewh —4H 157
North Bridge. —3F 172
Northbrook Copse. Brack —5D 32
Northbrook Rd. Alder —4N 109
Northbrook Rd. Croy —4A 46
North Camp. —6A 90
N. Camp Sta. Roundabout. Farn —5C 90
Northchapel. —9D 190
North Cheam. —9J 43
Northcliffe Clo. Wor Pk —9D 42
North Clo. Alder —3C 110
North Clo. Craw —2D 182
North Clo. Farn —6M 69
North Clo. Felt —9E 8
North Clo. Mord —3K 43
North Clo. N Holm —9J 119
North Clo. Wind —4C 4
North Comn. Wey —1D 56
Northcote. Add —1M 55
Northcote. Oxs —1C 78
Northcote Av. Iswth —8G 10
Northcote Av. Surb —6A 42
Northcote Clo. W Hor —3D 96
Northcote Cres. W Hor —3D 96
Northcote La. Sham G —5F 134
Northcote Rd. Ash V —6D 90
Northcote Rd. Croy —5A 46
Northcote Rd. Farn —8L 69
Northcote Rd. N Mald —2B 42
Northcote Rd. Twic —8G 11
Northcote Rd. W Hor —3D 96
Northcott. Brack —7M 31
North Ct. G'ming —4E 132
Northcroft Clo. Eng G —6L 19
Northcroft Gdns. Eng G —6L 19
Northcroft Rd. Eng G —6L 19
Northcroft Rd. Eps —4D 60
Northcroft Vs. Eng G —6L 19
Northdale Ct. SE25 —2C 46
North Dene. Houn —4B 10
North Down. S Croy —7B 64
Northdown Clo. H'ham —4M 197
Northdown La. Guild —6A 114 (8F 202)
Northdown Rd. Sutt —6M 61
Northdown Rd. Wold —2K 105
Northdowns. Cranl —9N 155
N. Downs Cres. New Ad —5L 65
(in two parts)
N. Downs Rd. New Ad —6L 65
Northdown Ter. E Grin —7N 165
North Dri. SW16 —5G 28
North Dri. Beck —3L 47
North Dri. Brkwd —8N 71
North Dri. Houn —5C 10
North Dri. Orp —1N 67
North Dri. Vir W —5H 35
North East Surrey Crematorium. Mord —5H 43
North End. —7L 165
North End. Croy —8N 45 (2B 200)
North End. E Grin —7L 165
N. End Cres. W14 —1L 13
N. End Ho. W14 —1K 13
N. End La. Asc —6E 34
N. End La. Orp —7J 67
N. End Pde. W14 —1K 13
(off N. End Rd.)
N. End Rd. W14 & SW6 —1K 13
Northernhay Wlk. Mord —3K 43
Northern Perimeter Rd. H'row A —4C 8
Northern Perimeter Rd. W. H'row A —4N 7
Northey Av. Sutt —6J 61
N. Eyot Gdns. W6 —1E 12
N. Farm Rd. Farn —6L 69
North Farnborough. —1N 89
North Feltham. —9J 9
N. Feltham Trad. Est. Felt —8J 9
Northfield. Light —7M 51
Northfield. Shalf —2A 134
Northfield. Witl —6C 152
Northfield Clo. Alder —3B 110
Northfield Clo. C Crook —7D 88
Northfield Ct. Stai —9K 21

A-Z Surrey 255

Northfield Cres.—Oaksway

Northfield Cres. Sutt —1K 61
Northfield Pl. Wey —4C 56
Northfield Rd. C Crook —7C 88
Northfield Rd. Cobh —9H 57
Northfield Rd. Eton W —1C 4
Northfield Rd. Houn —2L 9
Northfield Rd. Stai —9K 21
Northfields. SW18 —7M 13
Northfields. Asht —5L 79
(in two parts)
Northfields. Eps —7D 60
Northfields Prospect Bus. Cen. SW18 —7M 13
North Fryerne. Yat —7C 48
North Gdns. SW19 —8B 28
Northgate. —2C 182
Northgate Av. Craw —3C 182
Northgate Dri. Camb —8E 50
Northgate Pl. Craw —2C 182
Northgate Rd. Craw —3B 182
N. Gate Rd. Farn —3A 90
North Grn. Brack —9B 16
North Gro. Cher —5H 37
N. Hatton Rd. H'row A —4E 8
N. Heath Clo. H'ham —3K 197
N. Heath Est. H'ham —2K 197
N. Heath La. H'ham —4K 197
N. Holmes Clo. H'ham —3A 198
North Holmwood. —9H 119
N. Hyde La. S'hall & Houn —1L 9
Northington Clo. Brack —5D 32
Northlands Av. Orp —1N 67
Northlands Bungalows. Newd —2A 160
Northlands Cotts. Warn —5D 178
Northlands Rd. H'ham —1L 197
Northlands Rd. Warn —6D 178
North La. Alder —1B 110
North La. Tedd —7F 24
N. Lodge Clo. SW15 —8J 13
N. Lodge Dri. Asc —1G 33
North Looe. —9H 61
North Mall. Fleet —4A 88
North Mall. Stai —5H 21
(off Elmsleigh Shop. Cen.)
North Mead. Craw —1C 182
Northmead. Farn —1N 89
North Mead. Red —9D 102
North Moors. Sly I —8A 94
North Munstead. —2L 153
N. Munstead La. G'ming —1K 153
Northolt Rd. H'row A —4M 7
North Pde. Chess —2M 59
North Pde. H'ham —4J 197
N. Park La. God —9D 104
North Pl. SW18 —8M 13
North Pl. Mitc —8D 28
North Pl. Tedd —7F 24
N. Pole La. Kes —3B 66
North Rd. SW19 —7A 28
North Rd. Alder —6B 90
(in two parts)
North Rd. Asc —9F 16
North Rd. Ash V —9D 90
North Rd. Bren —2L 11
North Rd. Craw —1E 182
North Rd. Felt —9E 8
North Rd. Guild —9L 93
North Rd. Reig —6L 121
North Rd. Rich —6N 11
North Rd. Surb —5K 41
North Rd. W on T —2K 57
North Rd. W Wick —7L 47
North Rd. Wok —3C 74
Northrop Rd. H'row A —4F 8
North Sheen. —6N 11
North Side. Tong —5D 110
Northspur Rd. Sutt —9M 43
N. Station App. S Nut —5K 123
Northstead Rd. SW2 —3L 29
North St. Cars —9D 44
North St. Dork —5G 119 (2K 201)
North St. Egh —6B 20
North St. G'ming —4H 133
North St. Guild —4N 113 (5C 202)
North St. H'ham —6K 197
North St. Iswth —6G 10
North St. Lea —8G 79
North St. Red —2D 122
North St. Turn H —5D 184
North St. Wink —5K 17
North Ter. Wind —3G 5
North Town. —2B 110
Northtown Trad. Est. Alder —2C 110
Northumberland Av. Iswth —4F 10
Northumberland Clo. Stanw —9N 7
Northumberland Clo. Warf —8D 16
Northumberland Cres. Felt —9F 8
Northumberland Gdns. Iswth —3G 11
Northumberland Gdns. Mitc —4H 45
Northumberland Pl. Rich —8K 11
Northumberland Row. Twic —2E 24
N. Verbena Gdns. W6 —1F 12
North Vw. SW19 —6H 27
North Vw. Brack —2H 31
N. View Cres. Eps —4G 81
North Wlk. New Ad —3L 65
(in two parts)
Northway. G'ming —4E 132
Northway. Guild —1K 113
Northway. Gat A —2D 162
(off Gatwick Way)
Northway. Mord —2K 43
Northway. Wall —1G 63
Northway Rd. Croy —5C 46
Northweald La. King T —6K 25
N. Weylands Ind. Est. W on T —8M 39
Northwood Av. Knap —5G 72
Northwood Av. Purl —8L 63
N. Wood Ct. SE25 —2D 46
Northwood Pk. Craw —8E 162
Northwood Rd. Cars —3E 62
Northwood Rd. H'row A —4M 7
Northwood Rd. T Hth —1M 45
N. Worple Way. SW14 —6C 12
Norton Av. Surb —6A 42
Norton Clo. Worp —5G 93
Norton Gdns. SW16 —1J 45
Norton La. D'side —6G 77
Norton Pk. Asc —4N 33
Norton Rd. Camb —2G 71
Norton Rd. Wokgm —3B 30
Norwich Av. Camb —3C 70
Norwich Rd. Craw —5E 182
Norwich Rd. T Hth —2N 45
Norwood Clo. Eff —6M 97
Norwood Clo. S'hall —1A 10
Norwood Clo. Twic —3D 24
Norwood Farm La. Cobh —7H 57
Norwood Grn. Rd. S'hall —1A 10
Norwood High St. SE27 —4M 29
Norwood Hill. —7J 141
Norwood Hill. Horl —9H 141
Norwood Hill Rd. Charl —8K 141
Norwood New Town. —7N 29
Norwood Pk. Rd. SE27 —6N 29
Norwood Rd. SE24 —2M 29
Norwood Rd. SE27 —3M 29
Norwood Rd. Eff —6W 97
Norwood Rd. S'hall —1N 9
Norwood Ter. S'hall —1B 10
Notley End. Eng G —8M 19
Notson Rd. SE25 —3E 46
Nottingham Clo. Wok —5J 73
Nottingham Ct. Wok —5J 73
(off Nottingham Clo.)
Nottingham Rd. SW17 —2D 28
Nottingham Rd. Iswth —5F 10
Nottingham Rd. S Croy —1N 63 (7B 200)
Nova M. Sutt —7K 43
Nova Rd. Croy —7M 45
Novello St. SW6 —4M 13
Nowell Rd. SW13 —2F 12
Nower Rd. Dork —5G 118 (3J 201)
Nower, The. Knock —6N 87
Nowhurst Bus. Pk. Broad H —2A 196
Nowhurst La. Broad H —3A 196
Noyna Rd. SW17 —4D 28
Nuffield Ct. Houn —3N 9
Nuffield Dri. Owl —6L 49
Nugee Ct. Crowt —2G 49
Nugent Clo. Duns —3B 174
Nugent Rd. SE25 —2C 46
Nugent Rd. Sur R —3G 112
Numa Ct. Bren —3K 11
Nunappleton Way. Oxt —1C 126
Nuneaton. Brack —5C 32
Nunns Fld. Capel —5J 159
Nuns Wlk. Dork —8B 98
Nuns Wlk. Vir W —4N 35
Nuptown. —2D 16
Nuptown La. Warf —2D 16
Nursery Av. Croy —8G 46
Nursery Clo. SW15 —7J 13
Nursery Clo. Capel —4J 159
Nursery Clo. Croy —8G 46
Nursery Clo. Eps —6D 60
Nursery Clo. Felt —1J 23
(in two parts)
Nursery Clo. Fleet —5E 88
Nursery Clo. Frim G —7D 70
Nursery Clo. Tad —3G 100
Nursery Clo. Wok —3M 73
Nursery Clo. Wdhm —6H 55
Nursery Gdns. Chil —9D 114
Nursery Gdns. Hamp —5N 23
Nursery Gdns. Houn —8N 9
Nursery Gdns. Stai —7K 21
Nursery Gdns. Sun —1G 39
Nursery Hill. Sham G —6F 134
Nurserylands. Craw —3M 181
Nursery La. Asc —9J 17
Nursery La. Hkwd —9B 142
Nursery Rd. SW19 —1N 43
(Merton)
Nursery Rd. SW19 —8K 27
(Wimbledon)
Nursery Rd. G'ming —4J 133
Nursery Rd. Knap —4G 73
Nursery Rd. Sun —1F 38
Nursery Rd. Sutt —1A 62
Nursery Rd. Tad —3F 100
Nursery Rd. T Hth —3A 46
Nursery Way. Oxt —7A 106
Nursery Way. Wray —9N 5
Nutbourne. Farnh —5K 109
Nutbourne Cotts. Hamb —2H 173
Nutcombe. —7C 170
Nutcombe Down. —6C 170
Nutcombe La. Dork —5F 118 (2H 201)
Nutcombe La. Hind —9C 170
Nutcroft Gro. Fet —8E 78
Nutfield. —2K 123
Nutfield Clo. Cars —9C 44
Nutfield Ct. Nutf —1K 123
Nutfield Marsh Rd. Nutf —9H 103
Nutfield Park. —6L 123
Nutfield Rd. Coul —3E 82
Nutfield Rd. Mers —7G 102
Nutfield Rd. Red & Nutf —3F 122
Nutfield Rd. T Hth —3M 45
Nuthatch Clo. Ews —5C 108
Nuthatch Clo. Stai —2A 22
Nuthatch Gdns. Reig —7A 122
Nuthatch Way. H'ham —1K 197
Nuthatch Way. Turn H —4F 184
Nuthurst. Brack —4C 32
Nuthurst Av. SW2 —3K 29
Nuthurst Av. Cranl —7N 155
Nuthurst Clo. Craw —2M 181
Nutley. Brack —7M 31
Nutley Clo. Yat —1C 68
Nutley Ct. Reig —3L 121
(off Nutley La.)
Nutley Gro. Reig —3M 121
Nutley La. Reig —2L 121
Nutmeg Ct. Farn —9H 69
Nutshell La. Farnh —6H 109
Nutty La. Shep —2D 38
Nutwell St. SW17 —6C 28
Nutwood. G'ming —5G 133
(off Frith Hill Rd.)
Nutwood Av. Brock —4B 120
Nutwood Clo. Brock —4B 120
Nye Bevan Ho. SW6 —3L 13
(off St Thomas's Way)
Nyefield Pk. Tad —4F 100
Nylands Av. Rich —4N 11
Nymans Clo. H'ham —1N 197
Nymans Ct. Craw —6F 182
Nymans Gdns. SW20 —2G 42

Oakapple Clo. Craw —8N 181
Oakapple Clo. S Croy —1E 84
Oak Av. Croy —7K 47
Oak Av. Egh —8E 20
Oak Av. Hamp —6M 23
Oak Av. Houn —3L 9
Oak Av. Owl —6J 49
Oakbank. Fet —1C 98
Oak Bank. New Ad —3M 65
Oakbank. Wok —6A 74
Oakbank Av. W on T —6N 39
Oakbury Rd. SW6 —5N 13
Oak Clo. C'fold —5D 172
Oak Clo. Copt —7L 163
Oak Clo. G'ming —3H 133
Oak Clo. Sutt —8A 44
Oak Clo. Tad —8A 100
Oakcombe Clo. N Mald —9D 26
Oak Corner. Bear G —7J 139
Oak Cottage Clo. Wood S —2F 112
Oak Cotts. Hand —5N 199
Oak Cotts. Hasl —2C 188
(in two parts)
Oak Ct. Craw —8B 162
Oak Ct. Farn —4C 90
Oak Ct. Farnh —2G 129
Oak Cft. E Grin —1C 186
Oakcroft Bus. Cen. Chess —1M 59
Oakcroft Clo. W Byf —1H 75
Oakcroft Rd. Chess —1M 59
Oakcroft Rd. W Byf —1H 75
Oakcroft Vs. Chess —1M 59
Oakdale. Brack —5B 32
Oakdale La. Crock H —2L 127
Oakdale Rd. SW16 —6J 29
Oakdale Rd. Eps —5C 60
Oakdale Rd. Wey —9B 38
Oakdale Way. Mitc —6E 44
Oak Dell. Craw —2G 183
Oakdene. Asc —5C 34
Oakdene. Chob —6J 53
Oakdene. Tad —7K 81
Oakdene Av. Th Dit —7G 40
Oakdene Clo. Bookh —5C 98
Oakdene Clo. Brock —5B 120
Oakdene Ct. W on T —9J 39
Oakdene Dri. Surb —6B 42
Oakdene M. Sutt —7L 43
Oakdene Pde. Cobh —1J 77
Oakdene Rd. Bookh —2N 97
Oakdene Rd. Brock —5A 120
Oakdene Rd. Cobh —1J 77
Oakdene Rd. G'ming —8G 133
Oakdene Rd. P'mrsh —2M 133
Oakdene Rd. Red —3D 122
Oak Dri. Tad —8A 100
Oake Ct. SW15 —8K 13
Oaken Coppice. Asht —6N 79
Oaken Copse. C Crook —9C 88
Oaken Copse Cres. Farn —7N 69
Oak End. Bear G —8J 139
Oaken Dri. Clay —3F 58
Oak End Way. Wdhm —8G 55
Oakengates. Brack —7M 31
Oaken La. Clay —1E 58
Oakenshaw Clo. Surb —6L 41
Oakey Dri. Wokgm —3A 30
Oak Farm Clo. B'water —1H 69
Oakfield. Plais —6A 192
Oakfield. Wok —4H 73
Oakfield Clo. N Mald —4E 42
Oakfield Clo. Wey —1D 56
Oakfield Cotts. Hasl —7M 189
Oakfield Ct. Horl —8E 142
(off Consort Way)
Oakfield Dri. Reig —1M 121
Oakfield Gdns. Beck —4L 47
Oakfield Gdns. Cars —7C 44
Oakfield Glade. Wey —1D 56
Oakfield La. Kes —1E 66
Oakfield Rd. SW19 —4J 27
Oakfield Rd. Afrd —6C 22
Oakfield Rd. Asht —4K 79
Oakfield Rd. B'water —2K 69
Oakfield Rd. Cobh —1J 77
Oakfield Rd. Croy —7N 45 (1B 200)
Oakfield Rd. Eden —7K 127
Oakfields. Camb —1N 69
Oakfields. Guild —1H 113
Oakfields. Wal W —1L 177
Oakfields. W on T —7H 39
Oakfields. W Byf —1K 75
Oakfields. Worth —1H 183
Oakfield St. SW10 —2N 13
Oakfield Way. E Grin —7B 166
Oak Gdns. Croy —8K 47
Oak Glade. Eps —8N 59
Oak Grange Rd. W Cla —7K 95
Oak Grove. —9K 49
Oak Gro. Cranl —9A 156
Oak Gro. Loxw —4J 193
Oak Gro. Sun —8J 23
Oak Gro. W Wick —7M 47
Oak Gro. Cres. Coll T —9K 49
Oak Gro. Rd. SE20 —1F 46
Oakhall Dri. Sun —6G 22
Oakhaven. Craw —5B 182
Oakhill. —7M 197
Oak Hill. Burp —7E 94
Oakhill. Clay —3G 58
Oak Hill. Eps —3C 80
Oakhill. Surb —6L 41
Oak Hill. Wood S —1E 112
Oakhill Clo. Asht —5J 79
Oakhill Cotts. Oke H —1N 177
Oakhill Ct. SW20 —8J 27
Oakhill Cres. Surb —6L 41
Oakhill Dri. Surb —6L 41
Oakhill Gdns. Wey —8F 38
Oakhill Gro. Surb —5L 41
Oakhill Path. Surb —5L 41
Oakhill Pl. SW15 —8M 13
Oakhill Rd. SW15 —8L 13
Oakhill Rd. SW16 —9J 29
Oakhill Rd. Add —3H 55
Oakhill Rd. Asht —5J 79
Oakhill Rd. Beck —1M 47
Oakhill Rd. Head D —4G 169
Oakhill Rd. H'ham —6L 197
Oakhill Rd. Reig —4N 121
Oakhill Rd. Surb —5L 41
Oakhill Rd. Sutt —9N 43
Oakhurst. Chob —5H 53
Oakhurst. Gray —6B 170
Oakhurst Clo. Tedd —6E 24
Oakhurst Gdns. E Grin —8M 165
Oakhurst La. Loxw —2G 193
Oakhurst Ri. Cars —6C 62
Oakhurst Rd. Eps —3B 60
Oakington Av. Hayes —1E 8
Oakington Dri. Sun —1K 39
Oakland Av. Farnh —5K 109
Oakland Ct. Add —9K 37
Oaklands. Cranl —9M 155
Oaklands. Fet —2D 98
Oaklands. Hasl —1G 188
Oaklands. Horl —8G 143
Oaklands. H'ham —6L 197
Oaklands. Kenl —1N 83
Oaklands. S God —7H 125
Oaklands. Yat —9C 48
Oaklands Av. Esh —7D 40
Oaklands Av. Iswth —2F 10
Oaklands Av. T Hth —3L 45
Oaklands Av. W Wick —9L 47
Oaklands Bus. Cen. Wokgm —5A 30
Oaklands Clo. Asc —8K 17
Oaklands Clo. Chess —1J 59
Oaklands Clo. H'ham —8L 197
Oaklands Clo. Shalf —2A 134
Oaklands Dri. Asc —8K 17
Oaklands Dri. Red —5F 122
Oaklands Dri. Twic —1C 24
Oaklands Dri. Wokgm —3A 30
Oaklands Est. SW4 —1G 29
Oaklands Gdns. Kenl —1N 83
Oaklands La. Big H —9D 66
Oaklands La. Crowt —1F 48
(in two parts)
Oaklands Pk. Wokgm —4A 30
Oaklands Rd. SW14 —6C 12
Oaklands Way. Tad —9H 81
Oaklands Way. Wall —4H 63
Oakland Way. Eps —3D 60
Oak La. Broad H —5E 196
Oak La. Eng G —4M 19
Oak La. Iswth —7E 10
Oak La. Twic —1G 25
Oak La. Wind —4D 4
Oak La. Wok —3D 74
Oaklawn Rd. Lea —5E 78
Oaklea. Ash V —8E 90
Oak Leaf Clo. Eps —8B 60 (5H 201)
Oak Leaf Clo. Guild —2G 113
Oak Leaf Ct. Asc —9H 17
Oaklea Pas. King T —2K 41 (5J 203)
Oakleigh. God —8F 104
Oakleigh Av. Surb —7N 41
Oakleigh Flats. Eps —1D 80 (8M 201)
Oakleigh Gdns. Orp —1N 67
Oakleigh Rd. H'ham —4M 197
Oakleigh Way. Mitc —9F 28
Oakleigh Way. Surb —7N 41
Oakley Av. Croy —1K 63
Oakley Clo. Add —1M 55
Oakley Clo. E Grin —2D 186
Oakley Clo. Iswth —4D 10
Oakley Ct. Red —2E 122
(off St Anne's Ri.)
Oakley Dell. Guild —1E 114
Oakley Dri. Brom —1G 66
Oakley Dri. Fleet —5B 88
Oakley Gdns. Bans —2N 81
Oakley Ho. G'ming —3H 133
Oakley M. Wind —5B 4
Oakley Rd. SE25 —4E 46
Oakley Rd. Brom —1G 66
Oakley Rd. Camb —2N 69
Oakley Rd. Warl —5D 84
Oakley Wlk. W6 —2J 13
Oak Lodge. Crowt —2H 49
Oak Lodge. Hasl —4J 189
Oak Lodge Clo. W on T —2K 57
Oaklodge Dri. Red —2E 142
Oak Lodge Dri. W Wick —6L 47
Oak Lodge La. W'ham —3M 107
Oak Mead. G'ming —3G 133
Oakmead Grn. Eps —2B 80
Oakmead Pl. Mitc —9C 28
Oakmead Rd. SW12 —2E 28
Oakmead Rd. Croy —5H 45
Oakmede Pl. Binf —7H 15
Oak Pk. W Byf —9G 55
Oak Pk. Gdns. SW19 —2J 27
Oak Pl. SW18 —8N 13
Oak Ridge. Dork —8H 119
Oakridge. W End —9C 52
Oak Rd. Cat —9B 84
Oak Rd. Cobh —2L 77
Oak Rd. Craw —4A 182
Oak Rd. Farn —2A 90
Oak Rd. Lea —5G 79
Oak Rd. N Mald —1C 42
Oak Rd. Reig —2N 121
Oak Rd. W'ham —3M 107
Oak Row. SW16 —1G 45
Oaks Av. Felt —3M 23
Oaks Av. Wor Pk —9G 43
Oaks Cvn. Pk., The. Chess —9J 41
Oaks Clo. H'ham —2A 198
Oaks Clo. Lea —8G 79
Oakshade Rd. Oxs —1C 78
Oakshaw. Oxt —5N 105
Oakshaw Rd. SW18 —1N 27
Oaks Ho. Cvn. Pk., The. Bear G —1K 159
Oakside Ct. Horl —7G 143
Oakside La. Horl —7G 143
Oaks La. Croy —9F 46
(in two parts)
Oaks La. Mid H —3H 139
Oaks Rd. Croy —2E 64
Oaks Rd. Kenl —1M 83
Oaks Rd. Reig —2B 122
Oaks Rd. Stanw —9M 7
Oaks Rd. Wok —4A 74
Oaks Sq., The. Eps —6L 201
Oaks, The. Brack —1B 32
Oaks, The. C'fold —5E 172
Oaks, The. Dork —8H 119
Oaks, The. E Grin —1C 186
Oaks, The. Eps —1D 80
Oaks, The. Farn —2J 89
Oaks, The. Mord —3K 43
Oaks, The. Stai —5H 21
Oaks, The. Tad —1H 101
(off Tadworth St.)
Oaks, The. W Byf —1J 75
Oaks, The. Yat —1C 68
Oaks Track. Cars —7D 62
Oaks Way. Cars —4D 62
Oaks Way. Eps —6G 80
Oaks Way. Kenl —1N 83
Oaksway. Surb —7K 41

Oak Tree Clo.—Orchard Leigh

Oak Tree Clo. Alder —4C 110
Oak Tree Clo. Ash V —4D 90
Oak Tree Clo. Burp —7E 94
Oak Tree Clo. Guild —6N 93
Oak Tree Clo. Head —5E 168
Oak Tree Clo. Knap —5E 72
Oak Tree Clo. Vir W —5N 35
Oak Tree Dri. Eng G —6M 19
Oak Tree Dri. Guild —8M 93
Oak Tree La. Hasl —2B 188
Oak Tree M. Brack —2B 32
Oak Tree Rd. Knap —5E 72
Oak Tree Rd. Milf —1B 152
Oaktrees. As —3D 110
Oaktrees. Farnh —6G 109
Oaktrees Ct. As —3D 110
(off Oaktrees)
Oak Tree Vw. Farnh —6K 109
Oaktree Way. H'ham —4M 197
Oaktree Way. Sand —6F 48
Oak Vw. Eden —1K 147
Oak Vw. Wokgm —4A 30
Oakview Gro. Croy —7H 47
Oak Wlk. Fay —8E 180
Oak Way. SW20 —3H 43
Oakway. Alder —4C 110
Oak Way. Asht —3N 79
Oakway. Brom —1N 47
Oak Way. Craw —2C 182
Oak Way. Croy —5G 47
Oak Way. Felt —2F 22
Oak Way. Man H —9B 198
Oak Way. Reig —4B 122
Oakway. Wok —6H 73
Oakway Dri. Frim —5C 70
Oakwood. C Crook —9B 88
Oakwood. Guild —7K 93
Oakwood. Wall —5F 62
Oakwood Av. Beck —1M 47
Oakwood Av. Eps —5N 59
Oakwood Av. Mitc —1B 44
Oakwood Av. Purl —8M 63
Oakwood Clo. E Hor —5F 96
Oakwood Clo. Red —3E 122
Oakwood Clo. S Nut —5K 123
Oakwood Ct. Bisl —3D 72
Oakwood Dri. E Hor —5F 96
Oakwood Gdns. Knap —5D 72
Oakwood Gdns. Sutt —8M 43
Oakwood Hall. Kgswd —1A 102
Oakwoodhill. —1N 177
Oakwood Ind. Pk. Craw —8E 162
Oakwood Pk. F Row —7H 187
Oakwood Pl. Croy —5L 45
Oakwood Ri. Cat —3B 104
Oakwood Rd. SW20 —9F 26
Oakwood Rd. Brack —1C 32
Oakwood Rd. Croy —5L 45
Oakwood Rd. Horl —7E 142
Oakwood Rd. Mers —7L 103
Oakwood Rd. Vir W —4M 35
Oakwood Rd. W'sham —3B 52
Oakwood Rd. Wok —6H 73
Oareborough. Brack —3C 32
Oarsman Pl. E Mol —3E 40
Oast Ho. Clo. Wray —1A 20
Oast Ho. Cres. Farnh —6H 109
Oast Ho. Dri. Fleet —1D 88
Oast Ho. La. Farnh —7J 109
Oast La. Alder —5N 109
Oast Lodge. W4 —3D 12
(off Corney Reach Way)
Oast Rd. Oxt —9B 106
Oates Clo. Brom —2N 47
Oates Wlk. Craw —6D 182
Oatfield Rd. Tad —7G 80
Oatlands. Craw —4M 181
Oatlands. Horl —7G 142
Oatlands Av. Wey —2E 56
Oatlands Chase. Wey —9F 38
Oatlands Clo. Wey —1D 56
Oatlands Dri. Wey —1D 56
Oatlands Grn. Wey —9E 38
Oatlands Mere. Wey —9E 38
Oatlands Park. —9F 38
Oatlands Rd. Tad —6K 81
Oatsheaf Pde. Fleet —5A 88
Oban Rd. SE25 —3A 46
Obelisk Way. Camb —9A 50
(in two parts)
Oberon Way. Craw —6K 181
Oberon Way. Shep —2N 37
Oberursel Way. Alder —2L 109
Observatory Rd. SW14 —7B 12
Observatory Wlk. Red —3D 122
Occam Rd. Sur R —3G 112
Occupation Rd. Eps —4C 60
Ocean Ho. Brack —1N 31
Ockenden Clo. Wok —5B 74
Ockenden Gdns. Wok —5B 74
Ockenden Rd. Wok —5B 74
Ockfields. Milf —1C 152
Ockford Ct. G'ming —7G 132
Ockford Dri. G'ming —8F 132
Ockford Ridge. —8E 132
Ockford Ridge. G'ming —8E 132
Ockford Rd. G'ming —8F 132
Ockham. —8C 76
Ockham Dri. W Hor —2E 96
Ockham La. Ock —8B 76
Ockham Rd. N. Ock & W Hor —7N 75
Ockham Rd. S. E Hor —4F 96
Ockley. —5D 158
Ockley Ct. Guild —7D 94
Ockley Ct. Sutt —1A 62
Ockley Rd. SW16 —5J 29
Ockley Rd. Bear G —1H 159
Ockley Rd. Croy —6K 45
Ockley Rd. Ewh & Bear G —4F 156
Ockleys Mead. God —7F 104
O'Connor Rd. Alder —6C 90
Octagon Rd. W Vill —5F 56
Octavia. Brack —7M 31
Octavia Clo. Mitc —4C 44
Octavia Rd. Iswth —6E 10
Octavia Way. Stai —7J 21
Odard Rd. W Mol —3A 40
Odiham Rd. Farnh —5E 108
Offers Ct. King T —2M 41 (5M 203)
Offley Pl. Iswth —5D 10
Off Up. Manor Rd. G'ming —4H 133
(off Up. Manor Rd.)
Ogden Ho. Felt —4M 23
Oglethorpe Ct. G'ming —7G 133
(off High St.)
Oil Mill La. W6 —1F 12
Okeburn Rd. SW17 —6E 28
Okehurst Rd. Bil —9B 194
Okingham Clo. Owl —5J 49
Oldacre. W End —8C 52
Old Acre. Wok —1J 75
Oldacre M. SW12 —1E 28
Old Av. W Byf —9G 55
Old Av. Wey —4D 56
Old Av. Clo. W Byf —9G 54
Old Bakery M. Alb —8K 115
Old Barn Clo. Sutt —4K 61
Old Barn Cotts. K'fold —2J 179
Old Barn Dri. Capel —4K 159
Old Barn La. Churt —8N 149
Old Barn La. Kenl —3C 84
Old Barn Rd. Eps —4B 80
Old Barn Vw. G'ming —9F 132
Old Bath Rd. Coln —4G 6
Old Bisley Rd. Frim —4E 70
Old Bracknell Clo. Brack —2N 31
Old Bracknell La. E. Brack —2N 31
Old Bracknell La. W. Brack —2M 31
Old Brentford. —3K 11
Old Brickfield Rd. Alder —5N 109
Old Bri. St. Hamp W —1K 41 (3H 203)
Old Brighton Rd. Peas P —3N 199 & 9A 182
Old Brighton Rd. S. Low H —6C 162
Old Brompton Rd. SW5 & SW7 —1M 13
Oldbury. Brack —2L 31
Oldbury Clo. Frim —6D 70
Oldbury Clo. H'ham —1N 197
Old Bury Hill. —7E 118
Old Bury Hill Ho. Westc —7E 118
Oldbury Rd. Cher —6G 36
Old Chapel La. As —2E 110
Old Charlton Rd. Shep —4D 38
Old Char Wharf. Dork —4F 118 (1H 201)
Old Chertsey Rd. Chob —6L 53
Old Chestnut Av. Clar P —3A 58
Old Chiswick Yd. W4 —2D 12
(off Pumping Sta. Rd.)
Old Church La. Farnh —4J 129
Old Church Path. Esh —1C 58
Old Claygate La. Clay —3G 58
Old Coach Rd. Cher —4F 36
Old Common. —9J 57
Old Comn. Rd. Cobh —9J 57
Old Compton La. Farnh —1K 129
Old Convent. E Grin —8A 166
Oldcorne Hollow. Yat —1A 68
Old Corn M. G'ming —5J 133
Old Cote Dri. Houn —2A 10
Old Coulsdon. —7L 83
Old Ct. Asht —6L 79
Old Ct. Rd. Guild —4K 113
Old Cove Rd. Fleet —2C 88
Old Crawley Rd. Fay —2B 198
Old Cross Tree Way. Ash G —4G 111
Old Dairy M. SW12 —2E 28
Old Dean Rd. Camb —8B 50
Old Deer Pk. Gdns. Rich —6L 11
Old Denne Gdns. H'ham —7J 197
Old Devonshire Rd. SW12 —1F 28
Old Dock Clo. Rich —2N 11
Old Dorking Rd. Warn —2H 197
Old Dri. Gom —7D 116
Olde Farm Dri. B'water —9G 48
Old Elstead Rd. Milf —9B 132
Olden La. Purl —8L 63
Old Epsom Rd. E Clan —9M 95
Old Esher Clo. W on T —2L 57
Old Esher Rd. W on T —2L 57
Old Farleigh Rd. S Croy & Warl —6F 64
Old Farm Clo. SW17 —3C 28
Old Farm Clo. Houn —7N 9
Old Farm Dri. Brack —8A 16
Old Farm Ho. Dri. Oxs —2D 78
Old Farm Pas. Hamp —9C 24
Old Farm Pl. Ash V —9D 90
Old Farm Rd. Guild —9N 93
Old Farm Rd. Hamp —7N 23
(in two parts)
Old Farnham La. Farnh —3H 129
(GU9)
Old Farnham La. Farnh —2A 128
(GU10)
Old Ferry Dri. Wray —9M 5
Oldfield Clo. Horl —1D 162
Oldfield Ct. Surb —8M 203
Oldfield Gdns. Asht —6K 79
Oldfield Ho. W4 —1D 12
(off Devonshire Rd.)
Oldfield Rd. SW19 —7K 27
Oldfield Rd. Hamp —9N 23
Oldfield Rd. Horl —1D 162
Oldfields Rd. Sutt —9L 43
Oldfields Trad. Est. Sutt —9M 43
Oldfieldwood. Wok —4D 74
Old Forge Ct. Shalf —9B 114
Old Forge Cres. Shep —5C 38
Old Forge End. Sand —8G 49
Old Forge, The. Slin —5L 195
Old Fox Clo. Cat —8M 83
Old Frensham Rd. Lwr Bo —5J 129
Old Glebe. Fern —9F 188
Old Grn. La. Camb —8A 50
Old Guildford Rd. Broad H —4D 196
Old Guildford Rd. Frim G & Pirb —9F 70
Old Harrow La. W'ham —5L 87
Old Haslemere Rd. Hasl —3G 189
Old Heath Way. Farnh —5H 109
Old Hill. Orp —3M 67
Old Hill. Wok —7N 73
Old Hill Est. Wok —7N 73
Old Holbrook. H'ham —9L 179
Old Hollow. Worth —3K 183
Old Horsham Rd. Bear G —6J 139
Old Horsham Rd. Craw —5N 181
Old Hospital Clo. SW17 —2D 28
Old Ho. Clo. SW19 —6K 27
Old Ho. Clo. Eps —6E 60
Old Ho. Gdns. Twic —9J 11
Oldhouse La. Bisl —1D 72
Oldhouse La. W'sham —4M 51
Old Ho. M. H'ham —6J 197
Old Isleworth. —6H 11
Old Kiln Clo. Churt —8L 149
Old Kiln La. Brock —3B 120
Old Kiln La. Churt —7L 149
Old Kiln Mus. & Rural Life Cen. —8L 129
Old Kingston Rd. Wor Pk —8B 42
Old Lands Hill. Brack —9B 16
Old La. Alder —5M 109
(GU11)
Old La. Alder —1C 110
(GU12)
Old La. Dock —5F 148
Old La. Ock & Cobh —4C 76
Old La. Oxt —7B 106
(in two parts)
Old La. Tats —7F 86
Old La. Gdns. Cobh —9H 77
Old Lodge Clo. G'ming —8E 132
Old Lodge La. Purl —9K 63
Old Lodge Pl. Twic —9H 11
Old London Rd. E Hor —4H 97
Old London Rd. Eps —6F 80
(in two parts)
Old London Rd. Mick —5J 99
Old Malden. —7D 42
Old Malden La. Wor Pk —9C 42
Old Malt Way. Wok —4N 73
Old Mnr. Clo. Craw —1M 181
Old Mnr. Ct. Craw —1M 181
Old Mnr. Dri. Iswth —9C 10
Old Mnr. Ho. M. Shep —2B 38
Old Mnr. La. Chil —9E 114
Old Mnr. Yd. SW5 —1N 13
Old Martyrs. Craw —9B 162
Old Merrow St. Guild —9F 94
Old Mill La. Red —6F 102
Old Millmeads. H'ham —3J 197
Old Mill Pl. Hasl —1D 188
Old Mill Pl. Wray —9D 6
Old Monteagle La. Yat —9A 48
Old Museum Ct. Hasl —2H 189
Old Nursery Pl. Afrd —6C 22
Old Oak Av. Coul —6C 82
Old Oak Clo. Chess —1M 59
Old Orchard. Byfl —8A 56
Old Orchard. Sun —1K 39
Old Orchards. M'bowr —3J 183
Old Orchard, The. Farnh —4F 128
Old Overthorpe. Small —1M 163
Old Oxted. —8N 105
Old Pal. La. Rich —8J 11
Old Pal. Rd. Croy —9M 45 (4A 200)
Old Pal. Rd. Guild —4K 113
Old Pal. Rd. Wey —9C 38
Old Pal. Ter. Rich —8K 11
Old Pal. Yd. Rich —8J 11
Old Pk. Av. SW12 —1E 28
Old Pk. Clo. Farnh —6F 108
Old Pk. La. Farnh —5E 108
(Odiham Rd.)
Old Pk. La. Farnh —7F 108
(Up. Old Pk. La.)
Old Pk. M. Houn —3N 9
Old Parvis Rd. W Byf —8L 55
Old Pasture Rd. Frim —4D 70
Old Pharmacy Ct. Crowt —3G 49
Old Pond Clo. Camb —5A 70
Old Portsmouth Rd. Camb —1E 70
Old Portsmouth Rd. G'ming —3L 133
Old Portsmouth Rd. Thur —6H 151
Old Post Cotts. Broad H —5D 196
Old Pottery Clo. Reig —5N 121
Old Pound Clo. Iswth —5G 10
Old Pound Cotts. If'd —2J 181
Old Priory La. Warf —7B 16
Old Pump Ho. Clo. Fleet —3D 88
Old Quarry, The. Hasl —4D 188
Old Rectory Clo. Brmly —5B 134
Old Rectory Clo. Tad —2F 100
Old Rectory Dri. As —2F 110
Old Rectory Gdns. Farn —1B 90
Old Rectory Gdns. G'ming —9J 133
Old Rectory La. E Hor —4F 96
Old Redstone Dri. Red —4E 122
Old Reigate Rd. Bet —3A 120
Old Reigate Rd. Dork —3L 119
Oldridge Rd. SW12 —1E 28
Old Rd. Add —4H 55
Old Rd. Buck —3D 120
Old Rd. E Grin —9B 166
Old Row Ct. Wokgm —2B 30
Old St Mary's. W Hor —7C 96
Old Sawmill La. Crowt —1H 49
Old School Clo. SW19 —1M 43
Old School Clo. As —1E 110
(in two parts)
Old School Clo. Beck —1G 47
Old School Clo. Fleet —4B 88
Old School Ct. Wray —1A 20
Old School Ho. Eden —2L 147
Old School La. Brock —6A 120
Old School La. Yat —9B 48
Old School M. Wey —1E 56
Old School Pl. Ling —7N 145
Old School Pl. Wok —8A 74
Old Schools La. Eps —5E 60
Old School Sq. Th Dit —5F 40
Old School Ter. Fleet —4B 88
(off Old School Clo.)
Old Slade La. Iver —1H 7
Old Sta. App. Lea —8G 78
Old Sta. Clo. Craw D —2E 184
Old Sta. Gdns. Tedd —7G 24
(off Victoria Rd.)
Old Sta. Way. G'ming —6H 133
Oldstead. Brack —4B 32
Old Surrey Hall. —6G 166
Old Swan Yd. Cars —1D 62
Old Thorn. —6F 172
Old Tilburstow Rd. God —3F 124
Old Town. Croy —9M 45 (4A 200)
Old Tye Av. Big H —3G 87
Old Welmore. Yat —1D 68
Old Westhall Clo. Warl —6F 84
Old Wickhurst La. Broad H —7D 196
Old Windsor. —8K 5
Old Windsor Lock. Old Win —8M 5
Old Woking. —8D 74
Old Wokingham Rd. Wokgm & Crowt —6G 31
Old Woking Rd. W Byf —9H 55
Old Woking Rd. Wok —6D 74
Oldwood Chase. Farn —2G 89
Old York Rd. SW18 —8N 13
Oleander Clo. Crowt —9E 30
Oleander Clo. Orp —2M 67
Oliver Av. SE25 —2C 46
Oliver Clo. W4 —2A 12
Oliver Clo. Add —1K 55
Oliver Gro. SE25 —3C 46
Olive Rd. SW19 —8A 28
Oliver Rd. Asc —3L 33
Oliver Rd. H'ham —7G 197
Oliver Rd. N Mald —1B 42
Oliver Rd. Sutt —1B 62
Olivette St. SW15 —6J 13
Olivia Ct. Wokgm —2A 30
Olivier Rd. M'bowr —4H 183
Ollerton. Brack —7M 31
Olley Clo. Wall —4J 63
Olveston Wlk. Cars —5B 44
O'Mahoney Ct. SW17 —4A 28
Omega Rd. Wok —3C 74
Omega Way. Egh —9E 20
Omnibus Building. Reig —4N 121
One Tree Hill Rd. Guild —4D 114
Ongar Clo. Add —3H 55
Ongar Hill. Add —3J 55
Ongar Pde. Add —3J 55
Ongar Pl. Add —3J 55
Ongar Rd. SW6 —2M 13
Ongar Rd. Add —2J 55
Onslow Av. Rich —8L 11
Onslow Av. Sutt —6L 61
Onslow Clo. Th Dit —7E 40
Onslow Clo. Wok —4C 74
Onslow Cres. Wok —4C 74
Onslow Dri. Asc —8L 17
Onslow Gdns. S Croy —8D 64
Onslow Gdns. Th Dit —7E 40
Onslow Gdns. Wall —3G 62
Onslow Ho. King T —1M 203
Onslow M. Cher —5H 37
Onslow Rd. Asc —6E 34
Onslow Rd. Croy —6K 45
Onslow Rd. Guild —3N 113 (3D 202)
Onslow Rd. N Mald —3F 42
Onslow Rd. Rich —8L 11
Onslow Rd. W on T —1G 57
Onslow St. Guild —4M 113 (5B 202)
Onslow Village. —5J 113
Onslow Way. Th Dit —7E 40
Onslow Way. Wok —2H 75
Ontario Clo. Small —9L 143
Openfields. Head —4D 168
Openview. SW18 —2A 28
Ophelia Ho. W6 —1J 13
(off Fulham Pal. Rd.)
Opladen Way. Brack —4A 32
Opossum Way. Houn —6K 9
Opus Pk. Sly I —8N 93
Oracle Cen. Brack —1A 32
Orange Ct. La. Orp —5J 67
Orangery, The. Rich —3J 25
Orbain Rd. SW6 —3K 13
Orchard Av. Afrd —7D 22
Orchard Av. Croy —8H 47
Orchard Av. Felt —8E 8
Orchard Av. Houn —3M 9
Orchard Av. Mitc —7E 44
Orchard Av. N Mald —1D 42
Orchard Av. Th Dit —7G 41
Orchard Av. Wind —4D 4
Orchard Av. Wdhm —7H 55
Orchard Bus. Cen. Red —3E 142
Orchard Clo. SW20 —3H 43
Orchard Clo. Afrd —7D 22
Orchard Clo. Ash V —8E 90
Orchard Clo. Bad L —6N 109
Orchard Clo. Bans —1N 81
Orchard Clo. B'water —5L 69
Orchard Clo. E Hor —2G 97
Orchard Clo. Eden —1K 147
Orchard Clo. Egh —6D 20
Orchard Clo. Elst —7H 131
Orchard Clo. Fet —9D 78
Orchard Clo. Guild —3D 114
Orchard Clo. Hasl —3D 188
Orchard Clo. Horl —7D 142
Orchard Clo. Lea —6F 78
Orchard Clo. Norm —3M 111
Orchard Clo. Th Dit —7H 41
Orchard Clo. W on T —6J 39
Orchard Clo. W End —9A 52
Orchard Clo. W Ewe —3A 60
Orchard Clo. Wok —3D 74
Orchard Clo. Wokgm —2C 30
Orchard Cotts. Charl —3L 161
Orchard Cotts. Chil —9G 114
Orchard Cotts. King T —9M 25 (2N 203)
Orchard Ct. Brack —1A 32
Orchard Ct. Iswth —3D 10
Orchard Ct. Ling —8N 145
Orchard Ct. Twic —3D 24
Orchard Ct. Wall —2F 62
Orchard Ct. W Dray —3L 7
Orchard Ct. Wor Pk —7F 42
Orchard Dene. W Byf —9J 55
(off Madeira Rd.)
Orchard Dri. Asht —7K 79
Orchard Dri. Eden —1K 147
Orchard Dri. Shep —2F 38
Orchard Dri. Wok —2A 74
Orchard End. Cat —9B 84
Orchard End. Fet —2C 98
Orchard End. Rowl —8E 128
Orchard End. Wey —8F 38
Orchard Fld. Rd. G'ming —4J 133
Orchard Fields. Fleet —4A 88
Orchard Gdns. Alder —4A 110
Orchard Gdns. Chess —1L 59
Orchard Gdns. Cranl —8A 156
Orchard Gdns. Eff —6M 97
Orchard Gdns. Eps —1B 80
Orchard Gdns. Sutt —2M 61
Orchard Ga. Esh —7D 40
Orchard Ga. Sand —7G 49
Orchard Gro. Croy —6H 47
Orchard Hill. Cars —2D 62
Orchard Hill. Rud —1D 194
Orchard Hill. W'sham —4A 52
Orchard Ho. SW6 —3K 13
(off Varna Rd.)
Orchard Ho. Guild —2F 114
(off Merrow St.)
Orchard Ho. Tong —5D 110
Orchard La. SW20 —9G 27
Orchard La. E Mol —5D 40
Orchard Lea Clo. Wok —2G 75
Orchard Leigh. Lea —9H 79

A-Z Surrey 257

Orchard Mains—Park Av.

Orchard Mains. Wok —6M 73
Orchard Mobile Home Pk. Tad —8A 100
Orchard Pk. Cvn. Site. Out —3K 143
Orchard Pl. Kes —5E 66
Orchard Pl. Wokgm —2B 30
Orchard Ri. Croy —7H 47
Orchard Ri. King T —9B 26
Orchard Ri. Rich —7A 12
Orchard Rd. Bad L —6M 109
Orchard Rd. Bren —2J 11
Orchard Rd. Chess —1L 59
Orchard Rd. Dork —6H 119
Orchard Rd. F'boro —2K 67
Orchard Rd. Farn —1M 89
Orchard Rd. Guild —8D 94
Orchard Rd. Hamp —8N 23
Orchard Rd. H'ham —7L 197
Orchard Rd. Houn —8N 9
Orchard Rd. King T —1L 41 (4K 203)
Orchard Rd. Mitc —7E 44
Orchard Rd. Old Win —9L 5
Orchard Rd. Onsl —5J 113
Orchard Rd. Reig —3N 121
Orchard Rd. Rich —6N 11
Orchard Rd. Shalf —9A 114
Orchard Rd. Shere —8B 116
Orchard Rd. Small —8N 143
Orchard Rd. S Croy —1E 84
Orchard Rd. Sun —8J 23
Orchard Rd. Sutt —2M 61
Orchard Rd. Twic —8G 11
Orchards Clo. W Byf —1J 75
Orchard Sq. W14 —1L 13
Orchards, The. H'ham —3M 197
Orchards, The. If'd —4J 181
Orchard St. Craw —3B 182
Orchard, The. Bans —2M 81
Orchard, The. Broad H —5D 196
Orchard, The. Eps —4E 60 (Meadow Wlk.)
Orchard, The. Eps —6E 60 (Tayles Hill)
Orchard, The. Horl —8E 142
Orchard, The. H'ham —4A 198
Orchard, The. Houn —5C 10
Orchard, The. Light —7L 51
Orchard, The. N Holm —9J 119
Orchard, The. Vir W —4A 36
Orchard, The. Wey —1C 56
Orchard, The. Wok —9A 74
Orchard Way. Add —2K 55
Orchard Way. Alder —4A 110
Orchard Way. Afrd —3A 22
Orchard Way. Camb —4N 69
Orchard Way. Croy —7H 47
Orchard Way. Dork —6H 119
Orchard Way. E Grin —1N 185
Orchard Way. Esh —3C 58
Orchard Way. Norm —3M 111
Orchard Way. Oxt —2C 126
Orchard Way. Reig —6N 121
Orchard Way. Send —3E 94
Orchard Way. Sutt —1B 62
Orchard Way. Tad —4L 101
Orchid Ct. Egh —5D 20
Orchid Dri. Bisl —2D 72
Orchid Mead. Bans —1N 81
Orde Clo. Craw —9H 163
Ordnance Clo. Felt —3H 23
Ordnance Rd. Alder —2N 109
Ordnance Roundabout. Alder —2N 109
Oregano Way. Guild —7K 93
Oregon Clo. N Mald —3B 42
Orestan La. Eff —5J 97
Orewell Gdns. Reig —5N 121
Orford Ct. SE27 —3M 29
Orford Gdns. Twic —3F 24
Organ Crossroads. (Junct.) —4F 60
Oriel Clo. Craw —9G 162
Oriel Clo. Mitc —3H 45
Oriel Ct. Croy —7A 46 (1D 200)
Oriel Dri. SW13 —2H 13
Oriel Hill. Camb —2B 70
Oriental Clo. Wok —4B 74
Oriental Rd. Asc —3A 34
Oriental Rd. Wok —4B 74
Orion. Brack —7M 31
Orion Cen., The. Croy —8J 45
Orion Ct. Bew —5J 181
Orlando Gdns. Eps —6C 60
Orleans Clo. Esh —8D 40
Orleans Ct. Twic —1H 25
Orleans House Gallery. —2H 25
Orleans Rd. Twic —1H 25
Orltons La. Rusp —8E 160
Ormathwaites Corner. Warf —8C 16
Ormeley Rd. SW12 —2F 28
Orme Rd. King T —1A 42
Ormerod Gdns. Mitc —1E 44
Ormesby Wlk. Craw —5F 182
Ormond Av. Hamp —9B 24
Ormond Av. Rich —8K 11
Ormond Cres. Hamp —9B 24
Ormond Dri. Hamp —8B 24
Ormonde Av. Eps —6C 60
Ormonde Ct. SW15 —7H 13
Ormonde Rd. SW14 —6B 12
Ormonde Rd. G'ming —5H 133
Ormonde Rd. Wok —3M 73
Ormonde Rd. Wokgm —3A 30
Ormond Rd. Rich —8K 11
Ormsby. Sutt —4N 61
Ormside Way. Red —8F 102
Orpin Rd. Red —8F 102
Orpwood Clo. Hamp —7N 23
Orwell Clo. Farn —8K 69
Orwell Clo. Wind —6G 4
Osborne Av. Stai —2A 22
Osborne Clo. Beck —3H 47
Osborne Clo. Felt —6L 23
Osborne Clo. Frim —6D 70
Osborne Ct. Craw —7N 181
Osborne Ct. Farn —5A 90
Osborne Ct. Wind —5F 4
Osborne Dri. Fleet —6C 88
Osborne Dri. Light —7L 51
Osborne Gdns. T Hth —1N 45
Osborne La. Warf —6A 16
Osborne M. Wind —5F 4
Osborne Pl. Sutt —2B 62
Osborne Rd. Egh —7B 20
Osborne Rd. Farn —4A 90
Osborne Rd. Houn —6N 9
Osborne Rd. King T —8L 25
Osborne Rd. Red —9E 102
Osborne Rd. T Hth —1N 45
Osborne Rd. W on T —7H 39
Osborne Rd. Wind —5F 4
Osborne Rd. Wokgm —2B 30
Osborne Ter. SW17 —6D 28 (off Church La.)
Osborn Rd. Farnh —8J 109
Osbourne Ho. Twic —3C 24
Osgood Av. Orp —2N 67
Osgood Gdns. Orp —2N 67
Osier Ct. Bren —2L 11 (off Ealing Rd.)
Osier M. W4 —2D 12
Osier Pl. Egh —7E 20
Osiers Ct. King T —2J 203
Osiers Rd. SW18 —7M 13
Osier Way. Bans —1K 81
Osier Way. Mitc —4D 44
Osman's Clo. Brack —8F 16
Osmond Gdns. Wall —2G 62
Osmunda Bank. Dor P —4A 166
Osmund Clo. Worth —3J 183
Osnaburgh Hill. Camb —1N 69
Osney Clo. Craw —4A 182
Osney Wlk. Cars —5B 44
Osprey Clo. Fet —9C 78
Osprey Clo. Sutt —2L 61
Osprey Gdns. S Croy —6H 65
Ostade Rd. SW2 —1K 29
Osterley. —3D 10
Osterley Av. Iswth —3D 10
Osterley Clo. Wokgm —3E 30
Osterley Ct. Iswth —4D 10
Osterley Cres. Iswth —4E 10
Osterley Gdns. T Hth —1N 45
Osterley La. S'hall —1A 10 (in two parts)
Osterley Lodge. Iswth —3E 10 (off Church Rd.)
Osterley Pk. House. —2C 10
Osterley Rd. Iswth —3E 10
Oswald Clo. Fet —9C 78
Oswald Clo. Warf —8C 16
Oswald Rd. Fet —9C 78
Osward. Croy —5J 65 (in four parts)
Osward Rd. SW17 —3D 28
Otford Clo. Craw —9A 182
Othello Gro. Warf —9C 16
Otho Ct. Bren —3K 11
Otterbourne Rd. Croy —8N 45 (2B 200)
Otterburn Gdns. Iswth —3G 10
Otterburn St. SW17 —7D 28
Otter Clo. Crowt —9F 30
Otter Clo. Ott —3D 54
Otterden Clo. Orp —1N 67
Ottermead La. Ott —3E 54
Otter Mdw. Lea —6F 78
Ottershaw. —3E 54
Ottershaw Pk. Ott —4C 54 (in two parts)
Ottway's Av. Asht —6K 79
Ottways La. Asht —7K 79
Otway Clo. Craw —5L 181
Oulton Wlk. Craw —5F 182
Ouseley Rd. SW12 —2D 28
Ouseley Rd. Old Win —1M 19
Ousley Rd. Wray —1M 19
Outdowns. Eff —8J 97 (in two parts)
Outram Pl. Wey —2D 56
Outram Rd. Croy —8C 46
Outwood. —3N 143
Outwood Common. —3A 144
Outwood Ho. SW2 —1K 29 (off Deepdene Gdns.)
Outwood La. Blet & Out —2A 124
Outwood La. Kgswd & Coul —9N 81
Outwood Postmill. —3A 144
Oval Ho. Croy —1F 200
Oval Rd. Croy —8A 46 (2E 200)
Oval, The. Bans —1M 81
Oval, The. G'ming —4J 133
Oval, The. Guild —4K 113
Oval, The. Wood S —2E 112
Overbrook. G'ming —6K 133
Overbrook. W Hor —7C 96
Overbury Av. Beck —2L 47
Overbury Cres. New Ad —6M 65
Overdale. Asht —2L 79
Overdale. Blet —2N 123
Overdale. Dork —4J 119
Overdale Av. N Mald —1B 42
Overdale Ri. Frim —3C 70
Overdene Dri. Craw —3M 181
Overford Clo. Cranl —8M 155
Overford Dri. Cranl —8N 155
Overhill. Warl —6F 84
Overhill Rd. Purl —6L 63
Overhill Way. Beck —4N 47
Overlord Clo. Camb —7A 50
Overstand Clo. Beck —4K 47
Overstone Gdns. Croy —6J 47
Overthorpe Clo. Knap —4H 73
Overton Clo. Alder —6A 110
Overton Clo. Iswth —4F 10
Overton Ct. Sutt —4M 61
Overton Ho. SW15 —1E 26 (off Tangley Gro.)
Overton Rd. Sutt —3M 61
Overton Shaw. E Grin —6A 166
Overton's Yd. Croy —9N 45 (4B 200)
Oveton Way. Bookh —4A 98
Ovington Ct. Wok —3J 73
Owen Clo. Croy —5A 46
Owen Ho. Twic —1H 25
Owen Mans. W14 —2K 13 (off Queen's Club Gdns.)
Owen Pl. Lea —9H 79
Owen Rd. G'ming —5J 133
Owen Rd. W'sham —2A 52
Owers Clo. H'ham —6L 197
Owlbeech Ct. H'ham —4A 198
Owlbeech Pl. H'ham —4A 198
Owlbeech Way. H'ham —4A 198
Owl Clo. S Croy —6G 65
Owletts. Craw —2H 183
Owlscastle Clo. H'ham —3K 197
Owlsmoor. —6K 49
Owlsmoor Rd. Owl —7J 49 (in two parts)
Ownstead Gdns. S Croy —7C 64
Ownsted Hill. New Ad —6M 65
Oxberry Av. SW6 —5K 13
Oxdowne Clo. Stoke D —1B 78
Oxenden Ct. Tong —4C 110
Oxenden Rd. Tong —4C 110
Oxenhope. Brack —3M 31
Oxfield. Eden —9M 127
Oxford Av. SW20 —1K 43
Oxford Av. Hayes —3G 8
Oxford Av. Houn —1A 10
Oxford Clo. Afrd —8D 22
Oxford Clo. Mitc —2G 44
Oxford Ct. W4 —1A 12
Oxford Ct. Felt —5L 23
Oxford Cres. N Mald —5C 42
Oxford Gdns. W4 —1N 11
Oxford Rd. SE19 —7N 29
Oxford Rd. SW15 —7K 13
Oxford Rd. Cars —3C 62
Oxford Rd. Craw —7C 182
Oxford Rd. Farn —4A 90
Oxford Rd. Guild —5N 113 (6D 202)
Oxford Rd. H'ham —6K 197
Oxford Rd. Owl —5K 49
Oxford Rd. Red —2C 122
Oxford Rd. Tedd —6D 24
Oxford Rd. Wall —2G 62
Oxford Rd. Wokgm —2A 30
Oxford Rd. E. Wind —4F 4
Oxford Rd. N. W4 —1A 12
Oxford Rd. S. W4 —1N 11
Oxford Ter. Guild —5N 113 (6D 202)
Oxford Way. Felt —5L 23
Ox La. Eps —5F 60
Oxleigh Clo. N Mald —4D 42
Oxlip Clo. Croy —7G 46
Oxshott. —9D 58
Oxshott Ri. Cobh —9L 57
Oxshott Rd. Lea —3E 78
Oxshott Way. Cobh —2M 77
Oxted. —7A 106
Oxted Clo. Mitc —2B 44
Oxted Grn. Milf —3B 152
Oxted Rd. God —8F 104
Oxtoby Way. SW16 —9H 29
Oyster Hill. —2B 100
Oyster La. Byfl —6M 55

Pachesham Dri. Lea —3F 78
Pachesham Park. —3F 78
Pachesham Pk. Lea —3G 78
Pacific Clo. Felt —2G 23
Packer Clo. E Grin —7C 166
Packway. Farnh —4K 129
Padbrook. Oxt —7C 106 (in two parts)
Padbrook Clo. Oxt —7C 106
Padbury Clo. Felt —2E 22
Paddock Cvn. Site, The. Vir W —5A 36
Paddock Clo. Bear G —7K 139
Paddock Clo. Camb —9E 50
Paddock Clo. F'boro —1K 67
Paddock Clo. Hamb —9F 152
Paddock Clo. Ling —8M 145
Paddock Clo. Oxt —9B 106
Paddock Clo. Wor Pk —7D 42
Paddock Gdns. E Grin —2A 186
Paddock Gro. Bear G —7K 139
Paddock Ho. Guild —2F 114 (off Merrow St.)
Paddockhurst Rd. Craw —4M 181
Paddockhurst Rd. Turn H —9K 183
Paddocks Clo. Asht —5L 79
Paddocks Clo. Cobh —1K 77
Paddocks Mead. Wok —3H 73
Paddocks Rd. Guild —8C 94
Paddocks, The. Bookh —4B 98
Paddocks, The. Croy —3K 65
Paddocks, The. New H —6K 55
Paddocks, The. Norm —3N 111
Paddocks, The. Wey —9F 38
Paddocks Way. Asht —5L 79
Paddocks Way. Cher —7K 37
Paddock, The. Brack —2A 32
Paddock, The. Cranl —7M 155
Paddock, The. Craw —2H 183
Paddock, The. Crowt —1F 48
Paddock, The. Dat —4L 5
Paddock, The. Ewh —6F 156
Paddock, The. G'ming —8J 133
Paddock, The. Gray —5M 169
Paddock, The. Guild —2F 114
Paddock, The. Hasl —9E 170
Paddock, The. Head —4D 168
Paddock, The. Light —7M 51
Paddock, The. Westc —6B 118
Paddock, The. W'ham —4L 107
Paddock, The. Wink —2M 17
Paddock Wlk. Warl —6E 84
Paddock Way. Eps —7H 61
Paddock Way. G'wood —7L 171
Paddock Way. Oxt —9B 106
Paddock Way. Wok —1D 74
Padstow Wlk. Craw —5K 181
Padstow Wlk. Felt —2G 22
Padwick Rd. H'ham —6N 197
Pageant Wlk. Croy —9B 46 (4F 200)
Page Clo. Hamp —7M 23
Page Ct. H'ham —7K 197
Page Cres. Croy —2M 63
Page Cft. Add —8K 37
Pagehurst Rd. Croy —6E 46
Page Rd. Felt —9E 8
Page's Cft. Wokgm —3C 30
Pages Yd. W4 —2E 12
Paget Av. Sutt —9B 44
Paget Clo. Camb —8F 50
Paget Clo. Hamp —5D 24
Paget Clo. H'ham —8L 197
Paget La. Iswth —6D 10
Paget Pl. King T —7B 26
Paget Pl. Th Dit —7F 40
Pagewood. —3J 161
Pagewood Clo. M'bowr —5H 183
Pagoda Av. Rich —6M 11
Paice Grn. Wokgm —1C 30
Pain's Clo. Mitc —1F 44
Pains Hill. —9E 106
Painshill. (Junct.) —9G 56
Pains Hill. Oxt —1E 126
Paisley Rd. Cars —7B 44
Pakenham Clo. SW12 —2E 28
Pakenham Dri. Alder —1L 109
Pakenham Rd. Brack —6B 32
Palace Dri. Wey —9C 38
Palace Grn. Croy —4J 65
Palace Mans. King T —8J 203
Palace M. SW6 —3M 13
Palace Rd. SW2 —2K 29
Palace Rd. E Mol —2D 40
Palace Rd. King T —3K 41 (8J 203)
Palace Rd. W'ham —8J 87
Palace Vw. Croy —1J 65
Palace Way. Wey —9C 38
Palestine Gro. SW19 —9B 28
Palestra Ho. Craw —3A 182
Palewell Comn. Dri. SW14 —8C 12
Palewell Pk. SW14 —8C 12
Palgrave Ho. Twic —1C 24
Pallant Way. Orp —1J 67
Pallingham Dri. M'bowr —6G 182
Palliser Ct. W14 —1K 13
Palliser Rd. W14 —1K 13
Palmer Av. Sutt —1H 61
Palmer Clo. Horl —6D 142
Palmer Clo. Houn —4A 10
Palmer Clo. Red —4E 122
Palmer Clo. W Wick —9N 47
Palmer Clo. Wokgm —8F 30
Palmer Ct. Wokgm —2B 30
Palmer Cres. King T —2L 41 (5K 203)
Palmer Cres. Ott —3F 54
Palmer Rd. M'bowr —6G 182
Palmer School Rd. Wokgm —2B 30
Palmers Cross. —4F 154
Palmersfield Rd. Bans —1M 81
Palmers Gro. W Mol —3A 40
Palmers Lodge. Guild —4K 113
Palmers Pas. SW14 —6B 12 (off Palmers Rd.)
Palmers Rd. SW14 —6B 12
Palmers Rd. SW16 —1K 45
Palmerston Clo. Farn —2J 89
Palmerston Clo. Wok —1C 74
Palmerston Ct. Surb —6K 41
Palmerston Gro. SW19 —8M 27
Palmerston Mans. W14 —2K 13 (off Queen's Club Gdns.)
Palmerston Rd. SW14 —7B 12
Palmerston Rd. SW19 —8M 27
Palmerston Rd. Cars —1D 62
Palmerston Rd. Croy —4A 46
Palmerston Rd. Houn —4C 10
Palmerston Rd. Orp —1L 67
Palmerston Rd. Sutt —2A 62
Palmerston Rd. Twic —9E 10
Palm Gro. Guild —7M 93
Pampisford Rd. Purl —7L 63
Pams Way. Eps —2C 60
Pankhurst Clo. Iswth —6F 10
Pankhurst Ct. Craw —8N 181
Pankhurst Dri. Brack —4B 32
Pankhurst Rd. W on T —6K 39
Panmuir Rd. SW20 —9G 27
Pannell Clo. E Grin —1N 185
Pannells. Lwr Bo —6J 129
Pannells Clo. Cher —7H 37
Pannells Ct. Guild —4N 113 (5D 202)
Pan's Gdns. Camb —2D 70
Pantile Rd. Wey —1E 56
Pantiles Clo. Wok —5L 73
Papercourt La. Rip —9H 75
Paper M. Dork —4H 119 (1M 201)
Papermill Clo. Cars —1E 62
Papworth Way. SW2 —1L 29
Parade Ct. E Hor —4F 96
Parade M. SE27 —3M 29
Parade Rd. Deep —6H 71
Parade, The. Ash V —9E 90
Parade, The. Cars —2D 62 (off Beynon Rd.)
Parade, The. Clay —3E 58
Parade, The. Craw —2C 182
Parade, The. Croy —5J 45
Parade, The. E Grin —7L 165
Parade, The. Eps —9C 60 (7L 201) (in two parts)
Parade, The. Frim —6B 70
Parade, The. Hamp —6D 24
Parade, The. H'ham —5G 197 (off Caterways)
Parade, The. King T —3L 203
Parade, The. Lea —7G 79 (off Kingston Rd.)
Parade, The. Red —4E 122
Parade, The. Stai —6F 20
Parade, The. Sun —8G 23
Parade, The. Sutt —9L 43
Parade, The. Tad —6K 81
Parade, The. Vir W —5N 35
Parade, The. Wind —4A 4
Parade, The. Wor Pk —1E 60
Parade, The. Yat —9D 48
Paradise Rd. Rich —8K 11
Paragon Cotts. E Clan —9M 95
Paragon Gro. Surb —5M 41
Paragon Pl. Surb —5M 41
Paragon Technology Cen. Wdhm —7C 54
Parbury Ri. Chess —3L 59
Parchmore Rd. T Hth —1M 45
Parchmore Way. T Hth —1M 45
Pares Clo. Wok —3N 73
Parfitts Clo. Farnh —1F 128
Parfour Dri. Kenl —3N 83
Parfrey St. W6 —2H 13
Parham Rd. Craw —2L 181
Parish Clo. As —3F 110
Parish Clo. Farnh —6F 108
Parish Ct. Surb —4L 41
Parish Ho. Craw —4B 182
Parish La. Peas P —1N 199 & 9E 182
Parish Rd. Farn —5A 90
Park Av. SW14 —7C 12
Park Av. Camb —2A 70
Park Av. Cars —3E 62
Park Av. Cat —2B 104
Park Av. Eden —1K 147
Park Av. Egh —7E 20
Park Av. Houn —9B 10
Park Av. Mitc —8F 28
Park Av. Pep H —6N 131
Park Av. Red —2D 142

Park Av.—Peddlars Gro.

Park Av. *Shep* —2F **38**
Park Av. *Stai* —7H **21**
Park Av. *W Wick* —8M **47**
Park Av. *Wokgm* —3A **30**
(in two parts)
Park Av. *Wray* —8N **5**
Park Av. E. *Eps* —3F **60**
Park Av. M. *Mitc* —8F **28**
Park Av. W. *Eps* —3F **60**
Park Barn. —2H 113
Pk. Barn Dri. *Guild* —1H **113**
Pk. Barn E. *Guild* —2J **113**
Park Chase. *G'ming* —9H **133**
Park Chase. *Guild*
—3A **114** (3E **202**)
Park Clo. *W4* —2C **12**
Park Clo. *Cars* —3D **62**
Park Clo. *Esh* —3A **58**
Park Clo. *Fet* —2D **98**
Park Clo. *G'wood* —8K **171**
Park Clo. *Hamp* —9C **24**
Park Clo. *Holt P* —9A **128**
Park Clo. *Houn* —8C **10**
Park Clo. *King T* —9N **25** (1N **203**)
Park Clo. *New H* —6K **55**
Park Clo. *Str G* —8A **120**
Park Clo. *W on T* —8G **38**
Park Clo. *Wind* —5G **5**
Park Copse. *Dork* —5K **119**
Park Corner. *Wind* —6B **4**
Pk. Corner Dri. *E Hor* —6F **96**
Park Cotts. *F Grn* —2L **157**
Park Ct. *Farnh* —9J **109**
Park Ct. *Hamp W* —9J **25**
Park Ct. *N Mald* —3C **42**
Park Ct. *S Croy* —8B **200**
Park Ct. *Wok* —5B **74**
Park Cres. *Asc* —4C **34**
Park Cres. *F Row* —7J **187**
Park Cres. *Twic* —2D **24**
Parkdale Cres. *Wor Pk* —9C **42**
Park Dri. *SW14* —8C **12**
Park Dri. *Asc* —5C **34**
Park Dri. *Asht* —5N **79**
Park Dri. *Brmly* —5B **134**
Park Dri. *Cranl* —6A **156**
Park Dri. *Wey* —2C **56**
Park Dri. *Wok* —5B **74**
Parker Clo. *Craw* —4H **183**
Parke Rd. *SW13* —4F **12**
Parke Rd. *Sun* —3H **39**
Parker Rd. *Croy* —1N **63** (6C **200**)
Parker's Clo. *Asht* —6L **79**
Parkers Ct. *Bag* —4J **51**
Parker's Hill. *Asht* —6L **79**
Parker's La. *Asht* —6L **79**
Parkers La. *Maid G* —4F **16**
Pk. Farm Clo. *H'ham* —1K **197**
Pk. Farm Ind. Est. *Camb* —5A **70**
Pk. Farm Rd. *H'ham* —1K **197**
Pk. Farm Rd. *King T* —8L **25**
Parkfield. *G'ming* —9H **133**
Parkfield. *H'ham* —5J **197**
Parkfield. *Iswth* —4E **10**
Parkfield Av. *SW14* —7D **12**
Parkfield Av. *Felt* —4H **23**
Parkfield Clo. *Craw* —4L **181**
Parkfield Cres. *Felt* —4H **23**
Parkfield Pde. *Felt* —4H **23**
Parkfield Rd. *Felt* —4H **23**
Parkfields. *SW15* —7H **13**
Parkfields. *Croy* —7J **47**
Parkfields. *Oxs* —7D **58**
Parkfields. *Yat* —1C **68**
Parkfields Av. *SW20* —9G **26**
Parkfields Clo. *Cars* —1E **62**
Parkfields Rd. *King T* —6M **25**
Park Gdns. *King T* —6M **25**
Parkgate. —7C 140
Pk. Gate Clo. *King T* —7A **26**
Pk. Gate Cotts. *Cranl* —7K **155**
Pk. Gate Ct. *Hamp H* —7C **24**
Pk. Gate Ct. *Wok* —5A **74**
Parkgate Gdns. *SW14* —8C **12**
Parkgate Rd. *Newd* —9A **140**
Parkgate Rd. *Reig* —4N **121**
Parkgate Rd. *Wall* —2E **62**
Park Grn. *Bookh* —2A **98**
Pk. Hall Rd. *SE21* —4N **29**
Pk. Hall Rd. *Reig* —1M **121**
Pk. Hall Trad. Est. *SE21* —4N **29**
Parkham Ct. *Brom* —1N **47**
Park Hill. *Cars* —3C **62**
Park Hill. *C Crook* —8A **88**
Park Hill. *Rich* —9M **11**
Parkhill Clo. *B'water* —2J **69**
Pk. Hill Clo. *Cars* —2C **62**
Pk. Hill Ct. *SW17* —4D **28**
Pk. Hill M. *S Croy* —8E **200**
Pk. Hill Ri. *Croy* —8B **46**
Parkhill Rd. *B'water* —2J **69**
Pk. Hill Rd. *Brom* —1N **47**
Pk. Hill Rd. *Croy*
—8B **46** (3F **200**) & (6F **200**)
Parkhill Rd. *Eps* —7E **60**
Pk. Hill Rd. *Wall* —4F **62**
Park Horsley. *E Hor* —7H **97**
Park Ho. Dri. *Reig* —5L **121**
Park House Gardens. —6K 197
(off North St.)
Park Ho. Gdns. *Twic* —8J **11**
Parkhurst. *Eps* —6B **60**
Parkhurst Fields. *Churt* —9L **149**
Parkhurst Gro. *Horl* —7D **142**
Parkhurst Rd. *Guild* —2K **113**
Parkhurst Rd. *Horl* —7C **142**
Parkhurst Rd. *Sutt* —1B **62**
Parkland Av. *Slou* —1N **5**
Parkland Dri. *Brack* —9C **16**
Parkland Gdns. *SW19* —2J **27**
Parkland Gro. *Afrd* —5B **22**
Parkland Gro. *Farnh* —4L **109**
Parkland Rd. *Afrd* —5B **22**
Parklands. *Add* —2L **55**
Parklands. *Bookh* —1A **98**
Parklands. *N Holm* —9H **119**
Parklands. *Oxt* —9A **106**
Parklands. *Red* —1E **122**
Parklands. *Surb* —4M **41**
Parklands Clo. *SW14* —8B **12**
Parklands Clo. *Cher* —9E **36**
Parklands Cotts. *Shere* —1A **136**
Parklands Ct. *Houn* —5L **9**
Parklands Gro. *Iswth* —4F **10**
Parklands Pde. *Houn* —5L **9**
Parklands Pl. *Guild* —3D **114**
Parklands Rd. *SW16* —6F **28**
Parklands Way. *Wor Pk* —8D **42**
Park La. *Asht* —5M **79**
Park La. *Ash W* —3F **186**
Park La. *Binf* —9K **15**
Park La. *Brook* —2J **171**
Park La. *Camb* —1A **70**
Park La. *Cars* —1E **62**
Park La. *Churt* —9G **149**
Park La. *Coul* —8H **83**
Park La. *Cran* —3H **9**
Park La. *Croy* —9A **46** (3D **200**)
Park La. *Guild* —9F **94**
Park La. *Hort* —6C **6**
Park La. *Ockl* —4F **158**
Park La. *Reig* —5K **121**
Park La. *Rich* —7K **11**
Park La. *Sutt* —3K **61**
Park La. *Tedd* —7F **24**
Park La. *Wink* —2M **17**
Park La. E. *Reig* —6L **121**
Park La. Mans. *Croy* —5D **200**
Park Langley. —3M 47
Parklawn Av. *Eps* —9A **60**
Pk. Lawn Av. *Horl* —6D **142**
Pk. Lawn Rd. *Wey* —1D **56**
Parkleigh Rd. *SW19* —1N **43**
Park Ley Rd. *Wold* —7G **85**
Parkleys. *Rich* —5K **25**
*Parkleys Pde. Rich —5K **25***
(off Parkleys)
*Park Mnr. Sutt —4A **62***
(off Christchurch Pk.)
Parkmead. *SW15* —9G **12**
Parkmead. *Cranl* —6A **156**
Park M. *SE24* —1N **29**
Park M. *Stai* —1A **22**
Parkpale La. *Bet* —8N **119**
Park Pl. *C Crook* —8A **88**
Park Pl. *Hamp H* —7C **24**
Park Pl. *H'ham* —7J **197**
*Park Pl. Wok —5B **74***
(off Hill Vw. Rd.)
Park Ride. *Wind* —1A **18**
Park Ri. *H'ham* —4H **197**
Park Ri. *Lea* —8H **79**
Park Ri. Clo. *Lea* —8H **79**
Park Rd. *SE25* —3B **46**
Park Rd. *SW19* —7B **28**
Park Rd. *W4* —3B **12**
Park Rd. *Alb* —9N **115**
Park Rd. *Alder* —4N **109**
Park Rd. *Afrd* —6C **22**
Park Rd. *Asht* —5L **79**
Park Rd. *Bans* —2N **81**
Park Rd. *Brack* —1B **32**
Park Rd. *Camb* —3N **69**
Park Rd. *Cat* —1B **104**
Park Rd. *Cheam* —3K **61**
Park Rd. *Crow* —9A **126**
Park Rd. *Dor P* —4A **166**
Park Rd. *E Grin* —9N **165**
Park Rd. *E Mol* —3C **40**
Park Rd. *Egh* —5C **20**
Park Rd. *Esh* —1B **58**
Park Rd. *Farn* —4C **90**
Park Rd. *Farnh* —8J **109**
Park Rd. *Fay* —8E **180**
Park Rd. *Felt* —5L **23**
Park Rd. *F Row* —7H **187**
Park Rd. *G'ming* —9J **133**
Park Rd. *Guild* —3N **113** (3C **202**)
Park Rd. *Hack* —8F **44**
Park Rd. *Hamp H* —5B **24**
Park Rd. *Hamp W* —9J **25**
Park Rd. *Hand* —9N **199**
Park Rd. *Hasl* —2G **188**
Park Rd. *Houn* —8B **10**
Park Rd. *Iswth* —4H **11**
Park Rd. *Kenl* —2N **83**
Park Rd. *King T* —6M **25** (1N **203**)
Park Rd. *N Mald* —3C **42**
Park Rd. *Oxt* —6B **106**
Park Rd. *Red* —1D **122**
Park Rd. *Rich* —9M **11**
Park Rd. *Sand* —8H **49**
Park Rd. *Shep* —7B **38**
Park Rd. *Slin* —5L **195**
Park Rd. *Small* —1N **163**
Park Rd. *Stanw* —9K **7**
Park Rd. *Sun* —8J **23**
Park Rd. *Surb* —5M **41**
Park Rd. *Tedd* —7F **24**
Park Rd. *Twic* —9J **11**
Park Rd. *Wall* —2F **62**
Park Rd. *Warl* —1A **86**
Park Rd. *Wok* —4B **74**
(in two parts)
Park Rd. *Wokgm* —2A **30**
Park Rd. Ho. *King T*
—8N **25** (1N **203**)
Park Rd. N. *W4* —1C **12**
Park Rd. Roundabout. *Farn* —5C **90**
Park Row. *Farnh* —9G **109**
Parkshot. *Rich* —7K **11**
Parkside. *SW19* —4J **27**
Parkside. *Craw* —3C **182**
Parkside. *E Grin* —9M **165**
Parkside. *Farnh* —6H **109**
Parkside. *Hamp H* —6D **24**
Parkside. *New H* —7K **55**
Parkside. *Sutt* —3K **61**
Parkside Av. *SW19* —6J **27**
Parkside Clo. *E Hor* —3G **96**
Parkside Cotts. *W Cla* —1J **115**
Parkside Ct. *Wey* —1B **56**
Parkside Cres. *Surb* —5B **42**
Parkside Gdns. *SW19* —5J **27**
Parkside Gdns. *Coul* —4F **82**
Parkside M. *H'ham* —6K **197**
Parkside Pl. *E Hor* —3G **96**
Parkside Rd. *Asc* —5D **34**
Parkside Rd. *Houn* —8B **10**
Park Sq. *Esh* —1B **58**
Park Sq. *Wink* —2M **17**
Parkstead Rd. *SW15* —8F **12**
Parkstone Dri. *Camb* —2A **70**
Park Street. —5K 195
Park St. *Bag* —4J **51**
Park St. *Camb* —9A **50**
Park St. *Coln* —4F **6**
Park St. *Croy* —9N **45** (3C **200**)
Park St. *Guild* —5M **113** (6B **202**)
Park St. *H'ham* —6K **197**
Park St. *Slin* —5K **195**
Park St. *Tedd* —7E **24**
Park St. *Wind* —4G **5**
Parkstreet La. *Slin* —5J **195**
Park Ter. *Cars* —9C **44**
Park Ter. *Wor Pk* —7F **42**
*Park Ter. Courtyard. H'ham —7K **197***
(off Park Ter. W.)
Park Ter. E. *H'ham* —7K **197**
Pk. Terrace W. *H'ham* —7K **197**
Park, The. *Bookh* —1A **98**
Park, The. *Cars* —2D **62**
Park, The. *Dork* —7G **118**
Park, The. *Eng G* —8M **19**
Parkthorne Rd. *SW12* —1H **29**
Park Vw. *Add* —2L **55**
Park Vw. *Bag* —4H **51**
Park Vw. *Bookh* —3A **98**
Park Vw. *Craw* —4A **182**
Park Vw. *Horl* —8E **142**
Park Vw. *N Mald* —2E **42**
Pk. View Clo. *Eden* —1K **147**
Parkview Ct. *SW6* —5K **13**
Parkview Ct. *SW18* —8M **13**
Pk. View Ct. *Wok* —6B **74**
Pk. View Rd. *Croy* —7D **46**
Pk. View Rd. *Red* —1E **142**
Pk. View Rd. *Wold* —9H **85**
Parkview Va. *Guild* —9E **94**
Park Vs. *B'water* —4L **69**
Parkville Rd. *SW6* —3L **13**
Park Wlk. *Asht* —6M **79**
Parkway. *SW20* —3J **43**
Park Way. *Bookh* —1A **98**
Parkway. *Camb* —3A **70**
Park Way. *Craw* —2F **182**
Parkway. *Crowt* —2F **48**
Parkway. *Dork* —4G **119** (1K **201**)
Park Way. *Felt* —1J **23**
Parkway. *Guild* —2A **114** (1D **202**)
Parkway. *Horl* —8E **142**
Park Way. *H'ham* —6J **197**
Parkway. *New Ad* —5L **65**
Park Way. *W Mol* —2B **40**
Park Way. *Wey* —9E **38**
Parkway, The. *Houn* —5J **9**
Parkway, The. *Houn & S'hall* —1H **9**
Parkway Trad. Est. *Houn* —2K **9**
Parkwood Av. *Esh* —7C **40**
Pk. Wood Clo. *Bans* —2J **81**
Parkwood Gro. *Sun* —2H **39**
Parkwood Rd. *SW19* —6L **27**
Pk. Wood Rd. *Bans* —2J **81**
Parkwood Rd. *Iswth* —4F **10**
Parkwood Rd. *Nutf* —2J **123**
Parkwood Rd. *Tats* —8G **87**
Pk. Wood Vw. *Bans* —3H **81**
Park Works Rd. *Nutf* —2K **123**
Parley Dri. *Wok* —4M **73**
Parliamentary Rd. *Brkwd* —8L **71**
Parliament M. *SW14* —5B **12**
Parnell Clo. *M'bowr* —5H **183**
Parnell Gdns. *Wey* —7B **56**
Parnham Av. *Light* —7A **52**
Parr Av. *Eps* —5G **61**
Parr Clo. *Lea* —7F **78**
Parr Ct. *Felt* —5K **23**
Parrington Ho. *SW4* —1H **29**
Parris Cft. *Dork* —8J **119**
Parrock La. *Cole H* —8M **187**
Parrs Clo. *S Croy* —5A **64**
Parrs Pl. *Hamp* —8A **24**
Parry Clo. *Eps* —4G **60**
Parry Clo. *H'ham* —4B **198**
Parry Dri. *Wey* —6B **56**
Parry Rd. *SE25* —2B **46**
Parsley Gdns. *Croy* —7G **46**
Parsonage Bus. Pk. *H'ham* —4L **197**
Parsonage Clo. *Warl* —3J **85**
Parsonage Clo. *Westc* —7C **118**
Parsonage La. *Westc* —6C **118**
Parsonage La. *Wind* —4D **4**
Parsonage Rd. *Cranl* —7M **155**
Parsonage Rd. *Eng G* —6N **19**
Parsonage Rd. *H'ham* —4K **197**
Parsonage Sq. *Dork* —2K **201**
Parsonage Way. *Frim* —5C **70**
Parsonage Way. *H'ham* —4L **197**
*Parsons Barracks. Alder —2A **110***
(off Ordnance Rd.)
Parsons Clo. *C Crook* —8A **88**
Parsons Clo. *Hasl* —9G **171**
Parsons Clo. *Horl* —7C **142**
Parsons Cotts. *As* —1G **111**
Parsons Fld. *Sand* —7G **49**
Parsonsfield Clo. *Bans* —2J **81**
Parsonsfield Rd. *Bans* —3J **81**
Parsons Green. —4M 13
Parson's Grn. *SW6* —4M **13**
Parsons Grn. *Guild* —1N **113**
Parsons Grn. *Hasl* —9G **171**
Parsons Grn. Ct. *Guild* —9N **93**
Parson's Grn. La. *SW6* —4M **13**
Parsons La. *Hind* —3A **170**
Parson's Mead. *Croy*
—7M **45** (1A **200**)
Parsons Mead. *E Mol* —2C **40**
Parson's Ride. *Brack* —6D **32**
Parson's Wlk. *H'ham* —8F **196**
Parthenia Rd. *SW6* —4M **13**
Parthia Clo. *Tad* —6G **81**
Parthings La. *H'ham* —9E **196**
Partridge Av. *Yat* —9A **48**
Partridge Clo. *Ews* —4C **108**
Partridge Clo. *Frim* —5C **70**
Partridge Knoll. *Purl* —8M **63**
Partridge La. *Newd* —7C **140**
Partridge La. *Rusp* —8C **160**
Partridge Mead. *Bans* —2H **81**
Partridge Pl. *Turn H* —3F **184**
Partridge Rd. *Hamp* —7N **23**
Partridge Way. *Guild* —1F **114**
Parvis Rd. *W Byf & Byfl* —9K **55**
Paschal Rd. *Camb* —7D **50**
Passage, The. *Rich* —8L **11**
Passfield. —8D 168
Passfield Common. —9B 168
Passfield Enterprise Cen. *Pass*
—9C **168**
Passfield Mill Bus. Pk. *Pass*
—8C **168**
Passfield Rd. *Pass* —9D **168**
*Passfields. W14 —1L **13***
(off Star St.)
Passingham Ho. *Houn* —2A **10**
Pastens Rd. *Oxt* —9E **106**
Paston Clo. *Wall* —9G **44**
Pasture, The. *Craw* —3G **182**
Pasture Wood Rd. *Holm M*
—6K **137**
Patching Clo. *Craw* —2L **181**
Patchings. *H'ham* —5M **197**
Paterson Rd. *Afrd* —6M **21**
Pates Mnr. Dri. *Felt* —1E **22**
Pathfield. *C'fold* —5E **172**
Pathfield Clo. *C'fold* —5E **172**
Pathfield Clo. *Rud* —1E **194**
Pathfield Rd. *SW16* —7H **29**
Pathfield Rd. *Rud* —1E **194**
Pathfields. *Shere* —9B **116**
Pathfields Clo. *Hasl* —1G **189**
Pathfinders, The. *Farn* —2H **89**
Path Link. *Craw* —2C **182**
Path, The. *SW19* —9N **27**
Pathway, The. *Binf* —6H **15**
Pathway, The. *Send* —3H **95**
Patmore La. *W on T* —3G **56**
Patricia Gdns. *Sutt* —7M **61**
Patrick Gdns. *Warf* —8C **16**
Patrington Clo. *Craw* —6M **181**
Patten All. *Rich* —8K **11**
Patten Ash Dri. *Wokgm* —1D **30**
Patten Av. *Yat* —1B **68**
Patten Rd. *SW18* —1C **28**
Patterdale Clo. *Craw* —5N **181**
Patterson Clo. *Frim* —3G **71**
Paul Clo. *Alder* —4K **109**
Paul Ct. *Egh* —6F **20**
Paul Gdns. *Croy* —8C **46**
Pauline Cres. *Twic* —2C **24**
Pauls Mead. *Ling* —6A **146**
Paul's Pl. *Asht* —6A **80**
Paved Ct. *Rich* —8K **11**
Pavement Sq. *Croy* —7D **46**
Pavement, The. *Craw* —3C **182**
*Pavement, The. Iswth —6G **11***
(off South St.)
Pavilion Gdns. *Stai* —8K **21**
(in two parts)
Pavilion La. *Alder* —1K **109**
Pavilion Rd. *Alder* —3K **109**
Pavilions End, The. *Camb* —3B **70**
Pavilion, The. *Reig* —1C **122**
Pavilion Way. *E Grin* —1A **186**
Pavillion, The. *Kgswd* —1A **102**
Paviours. *Farnh* —9G **109**
Pawley Clo. *Tong* —5D **110**
Pawsons Rd. *Croy* —5N **45**
Pax Clo. *Bew* —5K **181**
Paxton Clo. *Rich* —5M **11**
Paxton Clo. *W on T* —6K **39**
Paxton Gdns. *Wok* —8G **54**
(in two parts)
Paxton Rd. *W4* —2D **12**
Payley Dri. *Wokgm* —9D **14**
Payne Clo. *Craw* —1H **183**
Paynesfield Av. *SW14* —6C **12**
Paynesfield Rd. *Tats* —8E **86**
(in two parts)
Paynes Green. —1D 178
Paynes Wlk. *W6* —2K **13**
Peabody Clo. *Croy* —7F **46**
Peabody Est. *SE24* —1M **29**
*Peabody Est. SW6 —2L **13***
(off Lillie Rd.)
Peabody Est. *W6* —1H **13**
Peabody Hill. *SE21* —2M **29**
Peabody Rd. *Farn* —4B **90**
Peace Clo. *SE25* —3B **46**
Peacemaker Clo. *Bew* —5K **181**
Peaches Clo. *Sutt* —4K **61**
Peach St. *Wokgm* —2B **30**
Peach Tree Clo. *Farn* —7M **69**
Peacock Av. *Felt* —2E **22**
Peacock Cotts. *Brack* —3H **31**
Peacock Gdns. *S Croy* —6H **65**
Peacock La. *Wokgm* —4G **31**
Peacocks Shop. Cen., The. *Wok*
—4A **74**
Peacock Wlk. *Craw* —6M **181**
Peacock Wlk. *Dork*
—6G **119** (4K **201**)
Peaked Hill. —1A 110
Peakfield. *Fren* —3H **149**
Peak Rd. *Guild* —9K **93**
Peaks Hill. *Purl* —6H **63**
Peaks Hill Ri. *Purl* —6J **63**
Peall Rd. *Croy* —5K **45**
Peall Rd. Ind. Est. *Croy* —5K **45**
Pearce Clo. *Mitc* —1E **44**
Pearce Rd. *W Mol* —2B **40**
Pearl Ct. *Wok* —3H **73**
Pearmain Clo. *Shep* —4C **38**
Pears Av. *Shep* —2F **38**
Pearscroft Ct. *SW6* —4N **13**
Pearscroft Rd. *SW6* —4N **13**
Pearson Rd. *Craw* —3F **182**
Pears Rd. *Houn* —6C **10**
Peartree Av. *SW17* —4A **28**
Pear Tree Av. *Fleet* —3A **88**
Pear Tree Clo. *Add* —2J **55**
Pear Tree Clo. *Chess* —2N **59**
Pear Tree Clo. *Lind* —5A **168**
Peartree Clo. *Mitc* —1C **44**
Peartree Clo. *S Croy* —1E **84**
Pear Tree Ct. *Camb* —7F **50**
Peartree Grn. *Duns* —2N **173**
Pear Tree Hill. *Salf* —3E **142**
Pear Tree La. *Rowl* —8E **128**
Pear Tree Rd. *Add* —2J **55**
Pear Tree Rd. *Afrd* —6D **22**
Pear Tree Rd. *Lind* —5A **168**
Peary Clo. *H'ham* —2K **197**
Peascod St. *Wind* —4F **4**
Pease Pottage. —1M 199
Pease Pottage Hill. *Craw* —8A **182**
Peaslake. —5E 136
Peaslake La. *Peasl* —5E **136**
Peasmarsh. —2M 133
Peat Comn. *Elst* —9G **131**
Peat Cotts. *Elst* —9G **131**
Peatmoor Clo. *Fleet* —3A **88**
Peatmore Av. *Wok* —3J **75**
Peatmore Clo. *Wok* —3J **75**
Peatmore Dri. *Brkwd* —8N **71**
Pebble Clo. *Tad* —6D **100**
Pebble Hill Rd. *Bet* —7D **100**
Pebble La. *Lea* —2M **99**
Pebworth Ct. *Red* —1E **122**
Peddlars Gro. *Yat* —9D **48**

Pipers Cft.—Priestwood

Pipers Cft. C Crook —9B 88
Pipers End. Slin —5M 195
Piper's End. Vir W —2N 35
Piper's Gdns. Croy —6H 47
Pipers La. N'chap —8D 190
Pipers Patch. Farn —1N 89
Pipewell Rd. Cars —5C 44
Pippbrook. —4J 119 (1M 201)
Pippbrook Gdns. Dork —4H 119
Pippin Clo. Croy —7J 47
Pippins Ct. Afrd —7C 22
Pipson La. Yat —1C 68
Pipsons Clo. Yat —9C 48
Piquet Rd. SE20 —1F 46
Pirbright. —1C 92
Pirbright Camp. —8M 71
Pirbright Cres. New Ad —3M 65
Pirbright Grn. Pirb —1C 92
Pirbright Rd. SW18 —2L 27
Pirbright Rd. Farn —2A 90
Pirbright Rd. Norm —1J 111
Pirbright Ter. Pirb —1C 92
Piries Pl. H'ham —6J 197
(off East St.)
Pisley Rd. Ockl —6N 157
Pitcairn Rd. Mitc —8D 28
Pitchfont La. Oxt —2B 106
(in two parts)
Pitch Hill. —1D 156
Pitch Place. —7E 150
(Godalming)
Pitch Place. —7K 93
(Guildford)
Pitch Pl. Binf —6J 15
Pit Farm Rd. Guild —3C 114
Pitfold Av. Hasl —2B 188
Pitfold Clo. Hasl —2C 188
Pitlake. Croy —8M 45 (2A 200)
Pitland Street. —6K 137
Pitland St. Holm M —6K 137
Pit La. Eden —8L 127
Pitson Clo. Add —1M 55
Pitt Cres. SW19 —5N 27
Pitt Pl. Eps —1D 80 (8N 201)
Pitt Rd. Eps —1D 80 (8N 201)
Pitt Rd. Orp —1L 67
Pitt Rd. T Hth —4N 45
Pitts Clo. Binf —7J 15
Pitts Rd. Alder —9N 89
Pittville Gdns. SE25 —2D 46
Pitt Way. Farn —9L 69
Pitwood Grn. Tad —7H 81
Pitwood Pk. Ind. Est. Tad —7G 81
Pixham. —3K 119
Pixham End. Dork —2J 119
Pixham La. Dork —2J 119
Pixholme Gro. Dork —3J 119
Pixton Hill. —5K 187
Pixton Way. Croy —5H 65
Place Ct. Alder —5A 110
Place Farm Rd. Blet —8A 104
Placehouse La. Coul —6K 83
Plain Ride. Wind —2N 17
Plaistow. —6B 192
Plaistow Rd. C'fold —3G 190
Plaistow Rd. Duns —1M 191
Plaistow Rd. Kird —8D 192
Plaistow Rd. Loxw —5D 192
Plaistow St. Ling —7N 145
Plane Ho. Short —1N 47
Planes, The. Cher —6L 37
Plane Tree Cres. Felt —4J 23
Plantagenet Clo. Wor Pk —1C 60
Plantagenet Pk. Warf —9D 16
Plantain Cres. Craw —7M 181
Plantation La. Warl —6H 85
Plantation Row. Camb —1N 69
Plantation Wharf. SW11 —6N 13
Plas Newydd. Dor P —4B 166
Plateau, The. Warf P —8E 16
Plat, The. Eden —2M 147
Plat, The. H'ham —5G 197
Platt Mdw. Guild —9F 94
Platt, The. SW15 —6J 13
Platt, The. D'land —1C 166
Platt, The. Hand —8N 199
(off Windmill Platt)
Plaws Hill. Peasl —5E 136
Playden Ct. Craw —6L 181
Playfair Mans. W14 —2K 13
(off Queen's Club Gdns.)
Playfair St. W6 —1H 13
Playground Clo. Beck —1G 47
Pleasance Rd. SW15 —8G 12
Pleasance, The. SW15 —7G 12
Pleasant Gro. Croy —9J 47
Pleasant Pl. W on T —3K 57
Pleasant Vw. Pl. Orp —2K 67
Pleasure Pit Rd. Asht —5A 80
Plesman Way. Wall —5J 63
Plevna Rd. Hamp —9B 24
Plough Clo. If'd —1L 181
Plough Ind. Est. Lea —7G 79
Ploughlands. Brack —9L 15
Plough La. SW19 & SW17 —6N 27
Plough La. D'side —4H 77
Plough La. Ewh —6G 156
Plough La. H'ham —3L 197
Plough La. Purl —5J 63
Plough La. Tedd —6G 24
Plough La. Wall —1J 63
Plough La. Wokgm —1E 30
Plough La. Clo. Wall —2J 63
Ploughmans End. Iswth —8D 10
Plough Rd. D'land —9C 146
Plough Rd. Eps —5C 60
Plough Rd. Small —8M 143
Plough Rd. Yat —8D 48
Plough Wlk. Eden —9L 127
Plover Clo. Craw —1A 182
Plover Clo. Eden —9L 127
Plover Clo. Stai —4H 21
Plovers Ri. Brkwd —7B 72
Plovers Rd. H'ham —5M 197
Plum Clo. Felt —2H 23
Plum Gth. Bren —1K 11
Plummer La. Mitc —1D 44
Plummer Rd. SW4 —1H 29
Plumpton Way. Cars —9C 44
Plumtree Clo. Wall —4H 63
Plymouth Ct. Surb —8L 203
Pocket Clo. Binf —1J 31
Pockford Rd. C'fold —5F 172
Pococks La. Eton —1H 5
Podmore Rd. SW18 —7N 13
Poels Ct. E Grin —8A 166
Pointers Cotts. Rich —3J 25
Pointers Green. —5H 77
Pointers Hill. Westc —7C 118
Pointers Rd. Cobh —3D 76
Pointers, The. Asht —7L 79
Point Pleasant. SW18 —7M 13
Polden Clo. Farn —7K 69
Polecat. —8D 170
Polecat Copse. —9D 170
Polecat Hill. Hind —8D 170
Polehamptons, The. Hamp —8C 24
Polesden Gdns. SW20 —1G 42
Polesden Lacey. —8C 98
Polesden Lacey. —8B 98
Polesden La. Rip —1H 95
Polesden Rd. Bookh —7B 98
Polesden Vw. Bookh —5B 98
Poles La. Low H —6A 162
Polesteeple Hill. Big H —4F 86
Police Sta. Rd. W on T —3K 57
Polkerris Way. C Crook —9C 88
Pollard Clo. Old Win —8L 5
Pollard Gro. Camb —2G 71
Pollard Rd. Mord —4B 44
Pollard Rd. Wok —3D 74
Pollardrow Av. Brack —9L 15
(in two parts)
Pollards. Craw —4M 181
Pollards Cres. SW16 —2J 45
Pollards Dri. H'ham —5L 197
Pollards Hill E. SW16 —2K 45
Pollards Hill N. SW16 —2J 45
Pollards Hill S. SW16 —2J 45
Pollards Hill W. SW16 —2K 45
Pollards Oak Cres. Oxt —1C 126
Pollards Oak Rd. Oxt —1C 126
Pollards Wood Hill. Oxt —8D 106
Pollards Wood Rd. SW16 —2J 45
Pollards Wood Rd. Oxt —9D 106
Pollocks Path. Gray —7B 170
Polmear Clo. C Crook —9C 88
Polsted La. Comp —1E 132
Poltimore Rd. Guild —5K 113
Polworth Rd. SW16 —6J 29
Polyanthus Way. Crowt —8G 30
Polygon Bus. Cen. Coln —5H 7
Pond Clo. Loxw —4H 193
Pond Clo. W on T —3G 57
(in two parts)
Pond Copse La. Loxw —3H 193
Pond Cottage La. Beck —7K 47
Pond Cft. Yat —9D 48
Pond Farm Clo. Tad —2G 100
Pondfield Ho. SE27 —6N 29
Pondfield La. Plais —4D 192
Pondfield Rd. G'ming —4J 133
Pondfield Rd. Kenl —3M 83
(in two parts)
Pondfield Rd. Rud —9E 176
Pond Head La. Ockl —6L 157
Pond Hill Gdns. Sutt —3K 61
Pond La. Churt —6H 149
Pond La. Peasl —4D 136
Pond Mdw. Guild —3H 113
Pond Moor Rd. Brack —4N 31
Pond Piece. Oxs —9B 58
Pond Pl. Asht —4L 79
Pond Rd. Egh —7E 20
Pond Rd. Head D —5F 168
Pond Rd. Wok —7K 73
Pondside Clo. Hayes —2E 8
Ponds La. Alb & Shere —2N 135
(in three parts)
Ponds, The. Wey —3E 56
Pondtail. —5M 167
(Edenbridge)
Pondtail. —5D 88
(Fleet)
Pondtail Clo. Fleet —5D 88
Pondtail Clo. H'ham —2K 197
Pondtail Copse. H'ham —2K 197
Pondtail Dri. H'ham —1K 197
Pondtail Gdns. Fleet —5D 88
Pondtail Rd. Fleet —5D 88
Pondtail Rd. H'ham —3J 197
Pond Vw. Clo. Fleet —3C 88
Pond Way. E Grin —9D 166
Pond Way. Tedd —7J 25
Pond Wood Rd. Craw —1E 182
Ponsonby Rd. SW15 —1G 26
Pony Chase. Cobh —9N 57
Pook Hill. C'fold —5B 172
Pool Clo. W Mol —4N 39
Poole Ct. Houn —5M 9
Poole Ct. Rd. Houn —5M 9
Pool End. —4B 38
Pool End Clo. Shep —4B 38
Poole Rd. Eps —3C 60
Poole Rd. Wok —5A 74
Pooles Cotts. Rich —3K 25
Pooles La. SW10 —3N 13
Pooley Av. Egh —6D 20
Pooley Green. —6E 20
Pooley Grn. Clo. Egh —6E 20
Pooley Grn. Rd. Egh —6D 20
Poolmans Rd. Wind —6A 4
Pool Rd. Alder —5A 110
Pool Rd. W Mol —4N 39
Pootings. —4M 127
Pootings Rd. Crock H & Four E —3M 127
Pope Clo. SW19 —7B 28
Pope Clo. Felt —2G 22
Popes Av. Twic —3E 24
Popes Clo. Coln —3D 6
Popes Ct. Twic —3E 24
Popes Gro. Croy —9J 47
Popes Gro. Twic —3E 24
Popes La. Oxt —3A 126
Popes Mead. Hasl —1G 189
Popeswood. —9J 15
Popeswood Rd. Binf —8J 15
Popham Clo. Brack —4D 32
Popham Clo. Hanw —4N 23
Popham Gdns. Rich —6N 11
Popinjays Row. Cheam —2J 61
(off Netley Clo.)
Poplar Av. Lea —9H 79
Poplar Av. Mitc —9D 28
Poplar Av. W'sham —1L 51
Poplar Clo. Brack —2B 32
Poplar Clo. Coln —4G 7
Poplar Clo. Craw —9A 162
Poplar Clo. Farn —9H 69
Poplar Clo. Myt —2E 90
Poplar Cotts. Guild —9H 93
Poplar Ct. SW19 —6M 27
Poplar Ct. Frim G —8D 70
(off Beech Rd.)
Poplar Ct. Twic —9J 11
Poplar Cres. Eps —3B 60
Poplar Dri. Bans —1J 81
Poplar Farm Clo. Eps —3B 60
Poplar Gdns. N Mald —1C 42
Poplar Gro. N Mald —1C 42
Poplar Gro. Wok —6A 74
Poplar Ho. Langl —1B 6
Poplar La. F Row —8G 187
Poplar Rd. SW19 —1M 43
Poplar Rd. Afrd —6D 22
Poplar Rd. Lea —9H 79
Poplar Rd. Shalf —1A 134
Poplar Rd. Sutt —7L 43
Poplar Rd. S. SW19 —2M 43
Poplars, The. Asc —4L 33
Poplars, The. H'ham —5L 197
Poplar Vs. Frim G —8D 70
(off Beech Rd.)
Poplar Wlk. Cat —1B 104
Poplar Wlk. Croy —8N 45 (1B 200)
Poplar Wlk. Farnh —5J 109
Poplar Way. Felt —4H 23
Poppy Clo. Wall —7E 44
Poppyhills Rd. Camb —7D 50
Poppy La. Croy —6F 46
Poppy Pl. Wokgm —2A 30
Porchester. Asc —3L 33
Porchester Rd. King T —1A 42
Porchfield Clo. Sutt —6N 61
Porridge Pot All. Guild —5N 113 (7B 202)
Portal Clo. SE27 —4L 29
Portesbery Hill Dri. Camb —9C 50
Portesbery Rd. Camb —9B 50
Portia Gro. Warf —9C 16
Portinscale Rd. SW15 —8K 13
Portland Av. N Mald —6E 42
Portland Bus. Cen. Dat —4L 5
(off Manor Ho. La.)
Portland Cres. Felt —5E 22
Portland Dri. C Crook —9A 88
Portland Dri. Red —7H 103
Portland Ho. Red —7G 103
Portland Pl. SE25 —3D 46
(off Portland Rd.)
Portland Pl. Eps —8D 60
Portland Rd. SE25 —3D 46
Portland Rd. Afrd —4N 21
Portland Rd. Dork —4G 119 (1K 201)
Portland Rd. E Grin —1A 186
Portland Rd. King T —2L 41 (6L 203)
Portland Rd. Mitc —1C 44
Portland Ter. Rich —7K 11
Portley La. Cat —8B 84
Portley Wood Rd. Whyt —7C 84
Portman Av. SW14 —6C 12
Portman Clo. Brack —9M 15
Portman Rd. King T —1M 41 (4N 203)
Portmore Pk. Rd. Wey —1A 56
(in two parts)
Portmore Quays. Wey —1A 56
Portmore Way. Wey —9B 38
Portnall Dri. Vir W —5G 35
Portnall Ri. Vir W —4J 35
Portnall Rd. Vir W —4J 35
Portnalls Clo. Coul —3F 82
Portnalls Ri. Coul —3F 82
Portnalls Rd. Coul —5F 82
Portsmouth Av. Th Dit —6G 40
Portsmouth Rd. SW15 —1G 27
Portsmouth Rd. Cobh & Esh —9G 57
Portsmouth Rd. Esh & Th Dit (High St.) —1C 58
Portsmouth Rd. Esh —3A 58 (Stony Hill)
Portsmouth Rd. Frim & Cam —5B 70
Portsmouth Rd. Guild —7M 113 (8B 202)
Portsmouth Rd. Hind & Thur —5E 170
Portsmouth Rd. Lip & Hind —9M 169 & 1A 188
Portsmouth Rd. Milf & G'ming —1D 152
Portsmouth Rd. Rip & Send —3H 95 (Clandon Rd.)
Portsmouth Rd. Rip & Cobh —8M 75 (High St.)
Portsmouth Rd. Th Dit & King T —6G 41 (8H 203)
Portswood Pl. SW15 —9E 12
Portugal Gdns. Twic —3C 24
Portugal Rd. Wok —3B 74
Port Way. Bisl —3D 72
Portway. Eps —5F 60
Portway Cres. Eps —5F 60
Postford Farm Cotts. Alb —1J 135
Postford Mill Cotts. Chil —7H 115
Post Horn Clo. F Row —8K 187
Post Horn La. F Row —8J 187
Post Ho. La. Bookh —3A 98
Post La. Twic —2D 24
Postmill Clo. Croy —9F 46
Post Office All. Hamp —1B 40
Post Office Row. Oxt —9G 107
Potbury Clo. Wink —7M 17
Pot Common. —8G 131
Potley Hill Rd. Yat —9E 48
Potter Clo. Mitc —1F 44
Potteries La. Myt —2D 90
Potteries, The. Farn —8J 69
Potteries, The. Ott —3G 54
Potterne Clo. SW19 —1J 27
Potters Clo. Croy —7H 47
Potters Clo. Milf —9C 132
Potters Cres. As —1F 110
Potter's Cft. H'ham —6L 197
Pottersfield. Craw —2B 182
Potters Ga. Farnh —1F 128
Potters Gro. N Mald —3B 42
Potter's Hill. Hamb —5F 152
Potters Ind. Pk. C Crook —8D 88
Potter's La. SW16 —7H 29
Potters La. Send —1D 94
Potters Pl. H'ham —6J 197
Potters Rd. SW6 —5N 13
Potters Way. Reig —7A 122
Pottery Ct. Wrec —5E 128
Pottery La. Wrec —5E 128
Pottery Rd. Bren —2L 11
Poulcott. Wray —9A 6
Poulett Gdns. Twic —2G 24
Poulters Wood. Kes —2F 66
Poulton Av. Sutt —9B 44
Pound Clo. G'ming —7H 133
Pound Clo. Head —4E 168
Pound Clo. Loxw —3H 193
Pound Clo. Surb —7J 41
Pound Ct. Asht —5M 79
Pound Ct. Wood S —2E 112
Pound Cres. Fet —8D 78
Pound Farm La. Ash G —2H 111
Pound Fld. Guild —2N 113 (2C 202)
Poundfield Ct. Wok —8E 74
Poundfield Gdns. Wok —7E 74
(in two parts)
Poundfield Rd. Wok —7E 74
Pound Hill. —3G 183
Pound Hill. Wood S —2E 112
Pound Hill Pde. Craw —2G 183
Pound Hill Pl. Craw —3G 183
Pound La. Eps —8B 60 (5H 201)
Pound La. G'ming —7H 133
(in two parts)
Pound La. Hurst —4A 14
Pound La. W'sham —3N 51
Pound La. Wood S —2E 112
Pound Pl. Shalf —9B 114
Pound Pl. Clo. Shalf —9B 114
Pound Rd. Alder —3A 110
Pound Rd. Bans —4L 81
Pound Rd. Cher —6K 37
Pound St. Cars —2D 62
Povey Cross. —1B 162
Povey Cross Rd. Horl —1B 162
Powderham Ct. Knap —5G 72
Powder Mill La. Twic —1N 23
Powell Clo. Chess —2K 59
Powell Clo. Guild —5J 113
Powell Clo. Horl —7C 142
Powell Clo. Wall —4J 63
Powell Ct. S Croy —7A 200
Powells Clo. Dork —8J 119
Powell's Wlk. W4 —2D 12
Power Rd. W4 —1N 11
Powers Ct. Twic —1K 25
Pownall Gdns. Houn —7B 10
Pownall Rd. Houn —7B 10
Poyle. —4G 7
Poyle Cvn. Pk. Coln —6G 6
Poyle Clo. Coln —5G 6
Poyle Gdns. Brack —9B 16
Poyle Ho. Guild —2F 114
(off Merrow St.)
Poyle Ind. Est. Coln —6H 7
Poyle Rd. Coln —6G 6
Poyle Rd. Guild —5A 114 (7E 202)
Poyle Rd. Tong —6D 110
Poyle Technical Cen. Coln —5G 7
Poyle Ter. Guild —5N 113 (6D 202)
Poyle Trad. Est. Coln —6G 7
Poynders Ct. SW4 —1G 29
Poynders Gdns. SW4 —1G 29
Poynders Rd. SW4 —1G 28
Poynes Rd. Horl —6C 142
Poynings Rd. If'd —4J 181
Prairie Clo. Add —9K 37
Prairie Rd. Add —9K 37
Pratts La. W on T —1L 57
Pratts Pas. King T —1L 41 (4K 203)
Prebend Mans. W4 —1E 12
(off Chiswick High Rd.)
Precincts, The. Mord —5M 43
Precinct, The. Cranl —6N 155
Precinct, The. Egh —6C 20
Precinct, The. W Mol —2B 40
Premier Pde. Horl —8F 142
(off High St.)
Premier Pl. SW15 —7K 13
Prentice Clo. Farn —6N 69
Prentice Ct. SW19 —6L 27
Prentis Rd. SW16 —5H 29
Presburg Rd. N Mald —4D 42
Presbury Ct. Wok —5K 73
Prescott. Brack —6L 31
Prescott Clo. SW16 —8J 29
Prescott Rd. Coln —5G 6
Presentation M. SW2 —3K 29
Preshaw Cres. Mitc —2C 44
Prestbury Cres. Bans —3D 82
Preston Clo. Twic —4E 24
Preston Ct. W on T —7K 39
Preston Dri. Eps —3D 60
Preston Gro. Asht —4J 79
Preston La. Tad —8H 81
Preston Pl. Rich —8L 11
Preston Rd. SE19 —7M 29
Preston Rd. SW20 —8E 26
Preston Rd. Shep —4B 38
Prestwick Clo. If'd —4J 181
Prestwick Clo. S'hall —1M 9
Prestwick La. G'wood —7L 171
Prestwood Clo. Craw —9N 161
Prestwood Gdns. Croy —6N 45
Prestwood La. If'd —9H 161
Prestwood La. Rusp —9F 160
Pretoria Rd. SW16 —7F 28
Pretoria Rd. Cher —7H 37
Pretty La. Coul —8G 82
Prey Heath Clo. Wok —2M 93
Prey Heath Rd. Wok —2L 93
Preymead Ind. Est. Bad L —5N 109
Price Clo. SW17 —4D 28
Price Gdns. Warf —7N 15
Price Rd. Croy —2M 63 (8A 200)
Prices La. Reig —6M 121
Price Way. Hamp —7M 23
Priddy's Yd. Croy —8N 45 (3B 200)
Prides Crossing. Asc —8L 17
Pridham Rd. T Hth —3A 46
Priest Av. Wokgm —3E 30
Priestcroft Clo. Craw —3M 181
Priest Hill. Egh & Old Win —4M 19
Priest Hill. Oxt —7D 106
Priest La. W End —9N 51
(in two parts)
Priestley Gdns. Wok —7C 74
Priestley Rd. Mitc —1E 44
Priestley Rd. Sur R —3G 112
Priestley Way. Craw —8E 162
Priest's Bri. SW14 & SW15 —6D 12
Priestwood. —9M 15

Queen's Rd.—Red Ho. La.

Queen's Rd. Farn —5A 90
Queens Rd. Farnh —6H 109
Queen's Rd. Felt —2J 23
Queen's Rd. Fleet —6B 88
Queen's Rd. Guild —3N 113 (3D 202)
Queen's Rd. Hamp H —5B 24
Queen's Rd. Horl —8E 142
Queen's Rd. Houn —6B 10
Queens Rd. King T —8N 25
Queen's Rd. Knap —5F 72
Queens Rd. Mord —3M 43
Queens Rd. N Mald —3E 42
Queen's Rd. Rich —1M 25
Queen's Rd. Sutt —6M 61
Queen's Rd. Tedd —7F 24
Queen's Rd. Th Dit —4F 40
Queens Rd. Twic —2G 24
Queens Rd. Wall —2F 62
Queen's Rd. Wey —1C 56
Queen's Rd. Wind —5F 4
Queen's Roundabout. Farn —6N 89
Queen's Sq. Craw —3B 182
Queens Ter. Iswth —7G 11
Queen St. Alder —2B 110
Queen St. Cher —7J 37
Queen St. Croy —1N 63 (6B 200)
Queen St. G'ming —7H 133
Queen St. Gom —8D 116
Queen St. H'ham —7K 197
Queensville Rd. SW12 —1H 29
Queen's Wlk. Afrd —5M 21
Queens Wlk. E Grin —9A 166
Queensway. Brack —9L 15
Queen's Way. Brkwd —6A 72
Queensway. Cranl —8A 156
Queensway. Craw —3C 182
Queensway. Croy —3K 63
Queensway. E Grin —9A 166
Queens Way. Felt —5K 23
Queensway. Frim G —7E 70
Queensway. H'ham —7J 197
Queensway. Red —2D 122
Queensway. Sun —1J 39
Queensway. W Wick —1A 66
Queensway N. W on T —1K 57
(in two parts)
Queensway S. W on T —2K 57
(in two parts)
Queens Wharf. W6 —1H 13
Queenswood Av. Hamp —7B 24
Queenswood Av. Houn —5N 9
Queenswood Av. T Hth —4L 45
Queenswood Av. Wall —1H 63
Queenswood Rd. Wok —6G 73
Queen Victoria. (Junct.) —9H 43
Queen Victoria Ct. Farn —9N 69
Queen Victoria Rd. Brkwd —6A 72
Queen Victoria's Wlk. Coll T —9L 49
Queen Victoria Wlk. Wind —4H 5
Quell La. Hasl —9L 189
Quell, The. —9M 189
Quelmans Head Ride. Wind —3A 18
Quelm La. Brack —8N 15
Quelm La. Warf —7N 15
Quennell Clo. Asht —6M 79
Quennells Hill. Wrec —5D 128
Quentins Dri. Berr G —3K 87
Quentin Way. Vir W —3L 35
Querrin St. SW6 —5N 13
Questen M. Craw —1H 183
Quetta Pk. C Crook —2C 108
Quick Rd. W4 —1D 12
Quicks Rd. SW19 —8N 27
Quiet Clo. Add —1J 55
Quiet Nook. Brom —1F 66
Quill La. SW15 —7J 13
Quillot, The. W on T —2G 56
Quince Clo. Asc —3N 33
Quince Dri. Bisl —2E 72
Quincy Rd. Egh —6C 20
Quinney's. Farn —4A 90
Quintilis. Brack —7L 31
(in two parts)
Quintin Av. SW20 —9L 27
Quinton Clo. Beck —2M 47
Quinton Clo. Houn —3J 9
Quinton Clo. Wall —1F 62
Quinton Rd. Th Dit —7G 41
Quinton St. SW18 —3A 28
Quintrell Clo. Wok —4L 73

Rabbit La. W on T —4H 57
Rabies Heath Rd. Blet —2B 124
Raby Rd. N Mald —3C 42
Raccoon Way. Houn —5K 9
Racecourse Rd. Ling & D'land —8A 146
Racecourse Rd. Gat A —2D 162 (off Gatwick Way)
Rachael's Lake Vw. Warf —8C 16
Rackfield. Hasl —1B 188
Rackham Clo. Craw —5B 182
Rackham M. SW16 —7G 29
Rack's Ct. Guild —5N 113 (7D 202)
Rackstraw Rd. Sand —6H 49
Racquets Ct. Hill. G'ming —5F 132
Racton Rd. SW6 —2M 13
Radbourne Rd. SW12 —1G 29
Radbroke. Lea —9J 79
Radcliffe Clo. Frim —7D 70
Radcliffe Gdns. Cars —5C 62
Radcliffe M. Hamp H —6C 24
Radcliffe Rd. Croy —8C 46
Radcliffe Sq. SW15 —9J 13
Radcliffe Way. Brack —9K 15
Radford Clo. Farnh —7K 109
Radford Rd. Tin G —6F 162
Radipole Rd. SW6 —4L 13
Radius Pk. Felt —7G 9
Rad La. Peasl —2E 136
(in two parts)
Radley Clo. Felt —2G 23
Radnor Clo. Mitc —3J 45
Radnor Ct. Red —3C 122
Radnor Gdns. Twic —3F 24
Radnor La. Holm M —4H 137
(Horsham Rd.)
Radnor La. Holm M —9H 137
(Three Mile Rd.)
Radnor Rd. Brack —2D 32
Radnor Rd. Peasl —5E 136
Radnor Rd. Twic —2F 24
Radnor Rd. Wey —9B 38
Radnor Ter. Sutt —4M 61
Radnor Wlk. Croy —5H 47
Radnor Way. Slou —1A 6
Radolphs. Tad —9J 81
Radstock Way. Red —6H 103
Radstone Ct. Wok —5B 74
Raeburn Av. Surb —7A 42
Raeburn Clo. King T —8K 25 (1H 203)
Raeburn Ct. Wok —6K 73
Raeburn Gro. Wok —5K 73
Raeburn Way. Coll T —9J 49
Rafborough. —2L 89
Rafborough Footpath. Farn —2M 89
Rag Hill Clo. Tats —8G 86
Rag Hill Rd. Tats —8F 86
Raglan Clo. Alder —3A 110
Raglan Clo. Frim —6E 70
Raglan Clo. Houn —8N 9
Raglan Clo. Reig —1B 122
Raglan Ct. S Croy —2M 63 (8A 200)
Raglan Precinct. Cat —9B 84
Raglan Rd. Knap —5H 73
Raglan Rd. Reig —9N 101
Raikes Hollow. Ab H —2J 137
Raikes La. Ab H —2J 137
Railey Rd. Craw —2C 182
Railpit La. Warl —2A 86
Railshead Rd. Iswth —7H 11
Rails La. Pirb —3N 91
Railton Rd. Guild —8L 93
Railway App. Cher —7H 37
Railway App. E Grin —9A 166
Railway App. Twic —1G 24
Railway App. Wall —2F 62
Railway Cotts. SW19 —5N 27
Railway Cotts. Bag —3J 51
Railway Cotts. Twic —9A 10
Railway Pas. Tedd —7G 24
Railway Pl. SW19 —7L 27
Railway Rd. Tedd —5E 24
Railway Side. SW13 —6D 12
(in two parts)
Railway Ter. Coul —2H 83 (off Station App.)
Railway Ter. Felt —2H 23
Railway Ter. Stai —6F 20
Railway Ter. W'ham —3M 107
Rainbow Ct. Wok —3H 73
Rainville Rd. W6 —2H 13
Rake La. Milf —3C 152
Rakers Ridge. H'ham —3K 197
Raleigh Av. Wall —1H 63
Raleigh Ct. Craw —7E 162
Raleigh Ct. Stai —5J 21
Raleigh Ct. Wall —3F 62
Raleigh Dri. Clay —2D 58
Raleigh Dri. Small —8L 143
Raleigh Dri. Surb —7B 42
Raleigh Gdns. Mitc —2D 44
(in two parts)
Raleigh Rd. Felt —4G 22
Raleigh Rd. Rich —6M 11
Raleigh Rd. S'hall —1M 9
Raleigh Wlk. Craw —5C 182
Raleigh Way. Felt —6K 23
Raleigh Way. Frim —3D 70
Ralliwood Rd. Asht —6N 79
Ralph Perring Ct. Beck —3K 47
Ralph's Ride. Brack —2C 32
(Broad La.)
Ralph's Ride. Brack —4C 32
(Mendip Rd.)
Rama Clo. SW16 —8J 29
Rambler Clo. SW16 —5G 28
Ramblers Way. Craw —9N 181
Rame Clo. SW17 —6E 28
Ramillies Clo. Alder —6C 90
Ramillies Park. —7B 90
Ramin Ct. Guild —9M 93
Ramones Ter. Mitc —3J 45
Ramornie Clo. W on T —2N 57
Ram Pas. King T —1K 41 (4J 203)
Ramsay Clo. Camb —8F 50
Ramsay Ct. Craw —8N 181
Ramsay Rd. W'sham —2B 52
Ramsbury Clo. Brack —5K 31
Ramsdale Rd. SW17 —6E 28
Ramsden Rd. SW12 —1E 28
Ramsden Rd. G'ming —8G 133
Ramsey Clo. Horl —8D 142
Ramsey Clo. H'ham —3K 197
Ramsey Ct. Croy —3A 200
Ramsey Pl. Cat —9N 83
Ramsey Rd. T Hth —5K 45
Ramslade Cotts. Brack —2A 32
Ramslade Rd. Brack —3B 32
Rams La. Duns —7C 174
Ramsnest Common. —1D 190
Ramster Cotts. C'fold —1C 190
Ramster Gardens. —1C 190
Ram St. SW18 —8N 13
Ramuswood Av. Orp —2N 67
Ranald Ct. Asc —7K 17
Rances La. Wokgm —2D 30
Randal Cres. Reig —5M 121
Randall Clo. Slou —1B 6
Randall Farm La. Lea —6G 79
Randall Mead. Binf —7G 15
Randall Scholfield Ct. Craw —2E 182
Randalls Cres. Lea —7G 78
Randalls Pk. Av. Lea —7G 78
Randalls Park Crematorium. Lea —7E 78
Randalls Pk. Dri. Lea —8G 78
Randalls Research Pk. Lea —7G 78
Randalls Rd. Lea —6E 78
Randalls Way. Lea —8G 78
Randell Clo. B'water —5K 69
Randell Ho. B'water —5K 69
Randle Rd. Rich —5J 25
Randolph Clo. King T —6B 26
Randolph Clo. Knap —4H 73
Randolph Clo. Stoke D —2A 78
Randolph Dri. Farn —2H 89
Randolph Rd. Eps —1E 80 (8N 201)
Randolph's La. W'ham —4K 107
Ranelagh. Wink —3M 17
Ranelagh Av. SW6 —6L 13
Ranelagh Av. SW13 —5F 12
Ranelagh Cres. Asc —9G 17
Ranelagh Dri. Brack —2A 32
Ranelagh Dri. Twic —7H 11
Ranelagh Gdns. SW6 —6K 13
Ranelagh Gdns. W4 —3B 12
Ranelagh Gdns. Mans. SW6 —6K 13 (off Ranelagh Gdns.)
Ranelagh Pl. N Mald —4D 42
Ranelagh Rd. Red —3C 122
Ranfurly Rd. Sutt —8M 43
Range Ride. Camb —8L 49
Range Rd. Finch —9A 30
Ranger Wlk. Add —2K 55
Range, The. Brmly —7C 134
Range Vw. Coll T —7K 49
Range Way. Shep —6B 38
Rankine Clo. Bad L —6M 109
Ranmere St. SW12 —2F 28
Ranmore Av. Croy —9C 46
Ranmore Clo. Craw —9A 182
Ranmore Clo. Red —9E 102
Ranmore Common. —3D 118
Ranmore Common. —2B 118
Ranmore Comn. Rd. Westh —3M 117
Ranmore Pl. Wey —2D 56 (off Princes Rd.)
Ranmore Rd. Dork —3C 118 (1J 201)
Ranmore Rd. Sutt —5J 61
Rannoch Rd. W6 —2H 13
Ransome Clo. Craw —6K 181
Ranyard Clo. Chess —9M 41
Rapallo Clo. Farn —1A 90
Rapeland Hill. H'ham —7M 179
Raphael Dri. Th Dit —6F 40
Rapley Clo. Camb —7D 50
Rapley Grn. Brack —5A 32
Rapley's Fld. Pirb —1B 92
Rapsley La. Knap —5E 72
Rashleigh Ct. C Crook —9C 88
Rassett Mead. C Crook —1A 108
Rastell Av. SW2 —3H 29
Ratcliffe Rd. Farn —6L 69
Rathbone Ho. Craw —8N 181
Rathbone Sq. Croy —1N 63 (6B 200)
Rathgar Clo. Red —8E 122
Rathlin Rd. Craw —6N 181
Rathmell Dri. SW4 —1H 29
Raven Clo. H'ham —2L 197
Raven Clo. Turn H —4F 184
Raven Clo. Yat —9A 48
Ravendale Rd. Sun —1G 38
Ravendene Ct. Craw —4B 182
Ravenfield. Eng G —7M 19
Ravenfield Rd. SW17 —4D 28
Raven La. Craw —1A 182
Ravenna Rd. SW15 —8J 13
Ravensbourne Av. Brom —1N 47
Ravensbourne Av. Stai —2N 21
Ravensbourne Rd. Twic —9J 11
Ravensbury Av. Mord —4A 44
Ravensbury Ct. Mitc —3B 44 (off Ravensbury Gro.)
Ravensbury Gro. Mitc —3B 44
Ravensbury La. Mitc —3B 44
Ravensbury Path. Mitc —3B 44
Ravensbury Rd. SW18 —3M 27
Ravensbury Ter. SW18 —3N 27
Ravenscar Rd. Surb —8M 41
Ravens Clo. Knap —3F 72
Ravens Clo. Red —2D 122
Ravens Clo. Surb —5K 41
Ravens Ct. King T —8J 203
Ravenscourt. Sun —9G 23
Ravenscourt Av. W6 —1F 12
Ravenscourt Pk. W6 —1F 12
Ravenscourt Pl. W6 —1G 12
Ravenscourt Rd. Orp —1G 12
Ravenscroft Clo. As —1G 111
Ravenscroft Ct. H'ham —5J 197
Ravenscroft Rd. Beck —1F 46
Ravenscroft Rd. Wey —7D 56
Ravensdale Cotts. Bram C —9A 170
Ravensdale M. Stai —7K 21
Ravensdale Rd. Asc —4L 33
Ravensdale Rd. Houn —6M 9
Ravensfield Gdns. Eps —2D 60
Ravenshead Clo. S Croy —7F 64
Ravenside. King T —8H 203
Ravenslea Rd. SW12 —1D 28
Ravensmede Way. W4 —1E 12
Ravenstone Rd. Camb —1H 71
Ravenstone St. SW12 —2E 28
Ravens Wold. Kenl —2N 83
Ravenswood Av. Crowt —2D 48
Ravenswood Av. Surb —8M 41
Ravenswood Av. W Wick —7M 47
Ravenswood Clo. Cobh —2L 77
Ravenswood Ct. King T —7A 26
Ravenswood Ct. Wok —5B 74
Ravenswood Cres. W Wick —7M 47
Ravenswood Dri. Camb —1E 70
Ravenswood Gdns. Iswth —4E 10
Ravenswood Rd. SW12 —1F 28
Ravenswood Rd. Croy —9M 45 (5A 200)
Ravensworth Ct. SW6 —3L 13 (off Fulham Rd.)
Rawchester Clo. SW18 —2L 27
Rawdon Ri. Camb —1F 70
Rawlins Clo. S Croy —4H 65
Rawlinson Rd. Camb —9L 49
Rawnsley Av. Mitc —4B 44
Raworth Clo. M'bowr —5F 182
Rawsthorne Ct. Houn —7N 9
Raybell Ct. Iswth —5F 10
Ray Clo. Chess —3J 59
Ray Clo. Ling —6M 145
Ray La. Ling —4J 145
Rayleigh Av. Tedd —7E 24
Rayleigh Ct. King T —1N 41 (3N 203)
Rayleigh Ri. S Croy —3B 64
Rayleigh Rd. SW19 —9L 27
Raymead Av. T Hth —4L 45
Raymead Clo. Fet —9E 78
Raymead Way. Fet —9E 78
Raymer Wlk. Horl —7G 142
Raymond Clo. Coln —4G 7
Raymond Ct. Sutt —3N 61
Raymond Cres. Guild —4J 113
Raymond Rd. SW19 —7K 27
Raymond Rd. Beck —3H 47
Raymond Way. Clay —3G 59
Raynald Ho. SW16 —4J 29
Rayners Clo. Coln —3E 6
Rayners Rd. SW15 —8K 13
Raynes Park. —3H 43
Raynes Pk. Bri. SW20 —1H 43
Ray Rd. W Mol —4B 40
Ray's Av. Wind —3C 4
Rays Rd. W Wick —6M 47
Raywood Clo. Hayes —3D 8
Read Clo. Th Dit —6G 40
Readens, The. Bans —3C 82
Reading Arch Rd. Red —3D 122
Reading Rd. Eve —8A 48
Reading Rd. Farn —4A 90
Reading Rd. Sutt —2A 62
Reading Rd. Wokgm —1A 30
Reading Rd. Yat & B'wtr —8A 48
Reading Rd. N. Fleet —4A 88
Reading Rd. S. Fleet & C Crook —5A 88
Read Rd. Asht —4K 79
Reads Rest La. Tad —7M 81
Reapers Clo. H'ham —3K 197
Reapers Way. Iswth —8D 10
Rebecca Clo. C Crook —1A 108
Reckitt Rd. W4 —1D 12
Recovery St. SW17 —6C 28
Recreation Clo. Farn —5L 69
Recreation Rd. Guild —3N 113 (2B 202)
Recreation Rd. Rowl —8D 128
Recreation Way. Mitc —2H 45
Rectory Clo. SW20 —2H 43
Rectory Clo. Asht —6M 79
Rectory Clo. Brack —3A 32
Rectory Clo. Byfl —9M 55
Rectory Clo. Ewh —5F 156
Rectory Clo. G'ming —9J 133
Rectory Clo. Guild —1F 114
Rectory Clo. Ockl —7C 158
Rectory Clo. Sand —7E 48
Rectory Clo. Shep —2B 38
Rectory Clo. Surb —7J 41
Rectory Clo. Wind —4D 4
Rectory Clo. Wokgm —2B 30
Rectory Ct. Felt —5K 23
Rectory Ct. Wall —1G 63
Rectory Flats. If'd —1L 181
Rectory Garden. Cranl —7M 155
Rectory Grn. Beck —1J 47
Rectory Gro. Croy —8M 45 (3A 200)
Rectory Gro. Hamp —5N 23
Rectory La. SW17 —7E 28
Rectory La. Asht —6M 79
Rectory La. Bans —1D 82
Rectory La. Bookh —4N 97
Rectory La. Brack —4N 31
Rectory La. Bram —9K 169
Rectory La. Buck —9E 100
Rectory La. Byfl —9N 55
Rectory La. Charl —3J 161
Rectory La. If'd —1L 181
Rectory La. Shere —8B 116
Rectory La. Surb —7H 41
Rectory La. Wall —1G 63
Rectory La. W'ham —1G 106
Rectory La. W'sham —3N 51
Rectory Orchard. SW19 —5K 27
Rectory Pk. S Croy —9B 64
Rectory Rd. SW13 —5F 12
Rectory Rd. Beck —1K 47
Rectory Rd. Coul —3A 102
Rectory Rd. Farn —1A 90
Rectory Rd. Houn —5K 9
Rectory Rd. Kes —4F 66
Rectory Rd. Sutt —9M 43
Rectory Rd. Wokgm —2B 30
Rectory Row. Brack —3N 31
Red Admiral St. H'ham —3L 197
Redan Gdns. Alder —2A 110
Redan Hill. —2A 110
Redan Hill Ind. Est. Alder —2A 110
Redan Rd. Alder —2A 110
Redbarn Clo. Purl —7M 63
Redcliffe Clo. SW5 —1N 13 (off Old Brompton Rd.)
Redcliffe Gdns. SW10 —1N 13
Redcliffe Gdns. W4 —3A 12
Redcliffe M. SW10 —1N 13
Redcliffe Pl. SW10 —2N 13
Redcliffe Rd. SW10 —1N 13
Redcliffe Sq. SW10 —1N 13
Redcliffe St. SW10 —2N 13
Redclose Av. Mord —4M 43
Redcote Pl. Dork —3K 119
Red Cotts. G'wood —7J 171
Redcourt. Croy —9B 46 (5F 200)
Redcourt. Wok —2F 74
Redcrest Gdns. Camb —1D 70
Redcroft Wlk. Cranl —8N 155
Red Deer Clo. H'ham —4A 198
Reddington Clo. S Croy —5A 64
Reddington Dri. Slou —1B 6
Redding Way. Knap —6E 72
Redditch. Brack —6B 32
Redditch Clo. Craw —7K 181
Reddown Rd. Coul —5H 83
Rede Ct. Farn —4A 90
Rede Ct. Wey —9C 38 (off Old Palace Rd.)
Redehall Rd. Small —8M 143
Redenham Ho. SW15 —1F 26 (off Ellisfield Dri.)
Redesdale Gdns. Iswth —3G 10
Redfern Av. Houn —1A 24
Redfields La. C Crook —2A 108
Redfields Pk. C Crook —1A 108
Redford Av. Coul —1F 82
Redford Av. H'ham —4H 197
Redford Av. T Hth —3K 45
Redford Av. Wall —3J 63
Redford Clo. Felt —3G 22
Redford Rd. Wind —4A 4
Redgarth Ct. E Grin —7L 165
Redgate Ter. SW15 —9J 13
Redgrave Clo. Croy —5C 46
Redgrave Ct. As —2D 110
Redgrave Dri. Craw —4H 183
Redgrave Rd. SW15 —6J 13
Redhall Ct. Cat —1A 104
Redhearn Fields. Churt —8K 149
Redhearn Grn. Churt —8K 149
Red Hill. —1L 109 (Aldershot)
Redhill. —2D 122 (Reigate)
Redhill Aerodrome. —8H 123
Redhill Ct. SW2 —3L 29
Redhill Distribution Cen. Red —2E 142
Redhill Ho. Red —1D 122
Redhill Rd. Cobh —8C 56
Red Ho. La. Elst —8G 131
Red Ho. La. W on T —8H 39

Riverdene Ind. Est.—Rosewood Gro.

Riverdene Ind. Est. W on T —2L 57
Riverfield Rd. Stai —7H 21
River Gdns. Cars —8E 44
River Gdns. Felt —8J 9
River Gdns. Bus. Cen. Felt —8J 9
River Gro. Pk. Beck —1J 47
Riverhead Dri. Sutt —6N 61
River Hill. Cobh —2J 77
Riverhill. Wor Pk —8C 42
Riverholme Dri. Eps —5C 60
River Island Clo. Fet —8D 78
River La. Farnh —4D 128
River La. Fet —8D 78
(in two parts)
River La. Rich —1K 25
River La. Stoke D —3M 77
Rivermead. Byfl —9A 56
Rivermead. E Mol —2C 40
River Mead. H'ham —7H 197
River Mead. If'd —9M 161
Rivermead. King T —4K 41 (8J 203)
Rivermead Clo. Add —4L 55
Rivermead Clo. Tedd —6H 25
Rivermead Ct. SW6 —6L 13
Rivermead Rd. Camb —4N 69
River Meads Av. Twic —4A 24
Rivermede. Bord —5A 168
River Mole Bus. Pk. Esh —8A 40
River Mt. W on T —6G 38
Rivermount Gdns. Guild —6M 113
Rivernook Clo. W on T —4K 39
River Pk. Av. Stai —5F 20
River Reach. Tedd —6J 25
River Rd. Stai —9H 21
River Rd. Wind —3A 4
River Rd. Yat —7A 48
River Row. Farnh —4E 128
River Row Cotts. Farnh —3E 128
Rivers Clo. Farn —4C 90
Riversdale Rd. Th Dit —4G 40
Riversdell Clo. Cher —6H 37
Rivers Ho. W4 —1N 11
(off Chiswick High Rd.)
Riverside. Cher —2J 37
Riverside. Dork —3K 119
Riverside. Eden —2L 147
Riverside. Egh —4C 20
Riverside. F Row —6G 187
Riverside. Guild —1N 113
Riverside. Horl —1E 162
Riverside. H'ham —6G 196
Riverside. Rich —8K 11
Riverside. Shep —6F 38
Riverside. Stai —9H 21
(Laleham Rd.)
Riverside. Stai —6H 21
(Temple Gdns.)
Riverside. Sun —1L 39
Riverside. Twic —2H 25
Riverside. Wray —1M 19
Riverside Av. E Mol —4D 40
Riverside Av. Light —7N 51
Riverside Bus. Cen. SW18 —2N 27
Riverside Bus. Cen. Guild —3M 113 (3A 202)
Riverside Bus. Pk. Farnh —9J 109
Riverside Clo. Brkwd —7C 72
Riverside Clo. Farn —9L 69
Riverside Clo. King T —3K 41 (7J 203)
Riverside Clo. Stai —9H 21
Riverside Clo. Wall —9F 44
Riverside Ct. Dork —3K 119
Riverside Ct. Eden —2M 147
Riverside Ct. Farnh —9H 109
Riverside Ct. Felt —1F 22
Riverside Ct. Fet —9G 78
Riverside Ct. Iswth —5F 10
(off Woodlands Rd.)
Riverside Dri. W4 —3C 12
Riverside Dri. Brmly —4C 134
Riverside Dri. Esh —1A 58
Riverside Dri. Mitc —4C 44
Riverside Dri. Rich —4H 25
Riverside Dri. Stai —6G 21
(Chertsey La.)
Riverside Dri. Stai —8H 21
(Wheatsheaf La.)
Riverside Gdns. W6 —1G 13
Riverside Gdns. Old Wok —8D 74
Riverside Ind. Pk. Farnh —9J 109
Riverside M. Croy —9J 45
Riverside Pk. Add —2N 55
Riverside Pk. Camb —3M 69
Riverside Pk. Coln —5G 6
Riverside Pk. Farnh —9J 109
Riverside Pl. Stanw —9M 7
Riverside Rd. SW17 —5N 27
Riverside Rd. Stai —8H 21
Riverside Rd. Stanw —8M 7
(in two parts)
Riverside Rd. W on T —1M 57
Riverside, The. E Mol —2D 40
Riverside Wlk. SW6 —6K 13
Riverside Wlk. W4 —2E 12
(off Chiswick Wharf)
Riverside Wlk. G'ming —6G 133
Riverside Wlk. Iswth —6E 10
Riverside Wlk. King T —2K 41 (3H 203)
Riverside Wlk. W Wick —7L 47
Riverside Wlk. Wind —3G 5
(off Thames Side)
Riverside Way. Camb —3M 69
Riverstone Ct. King T —9M 25 (2M 203)
River St. Wind —3G 4
River Ter. W6 —1H 13
River Vw. Add —2L 55
Riverview. Guild —3M 113 (2A 202)
Riverview Gdns. SW13 —2G 13
Riverview Gdns. Cobh —9G 57
River Vw. Gdns. Twic —3F 24
Riverview Gro. W4 —2A 12
Riverview Rd. W4 —3A 12
Riverview Rd. Eps —1B 60
River Wlk. W6 —3H 13
River Wlk. W on T —5H 39
River Way. Eps —2C 60
Riverway. Stai —9K 21
River Way. Twic —3B 24
Riverway Est. P'mrsh —3L 133
Riverwood Ct. Guild —1M 113
Rives Av. Yat —1A 68
Rivett Drake Rd. Guild —8K 93
Rivey Clo. W Byf —1H 75
Road Ho. Est. Old Wok —8C 74
Roakes Av. Add —8K 37
Roasthill La. Eton W —2A 4
Robert Clo. W on T —2J 57
Robert Gentry Ho. W14 —1K 13
Robert Owen Ho. SW6 —4J 13
Robertsbridge Rd. Cars —7A 44
Roberts Clo. Stanw —9L 7
Roberts Clo. Sutt —4J 61
Robertson Ct. Wok —5H 73
Robertson Way. As —3D 110
Roberts Rd. Alder —3A 110
Roberts Rd. Camb —9M 49
Robert St. Croy —9N 45 (4C 200)
Roberts Way. Eng G —8M 19
Robert Way. H'ham —1M 197
Robert Way. Myt —2D 90
Robin Clo. Add —2M 55
Robin Clo. Ash V —7E 90
Robin Clo. Craw —1A 182
Robin Clo. E Grin —8B 166
Robin Clo. Hamp —6M 23
Robin Gdns. Red —1E 122
Robin Gro. Bren —2J 11
Robin Hill. G'ming —4G 133
Robin Hill Dri. Camb —3E 70
Robin Hood. (Junct.) —4D 26
Robin Hood Clo. Farn —7M 69
Robinhood Clo. Mitc —2G 45
Robin Hood Clo. Wok —5J 73
Robin Hood Cres. Knap —4H 73
Robin Hood La. SW15 —4D 26
Robinhood La. Mitc —2G 45
Robin Hood La. Sutt —2M 61
Robin Hood La. Sut G —2B 94
Robin Hood La. Warn —3E 196
Robin Hood Rd. SW19 & SW15 —6F 26
Robin Hood Rd. Knap & Wok —4G 73
(in two parts)
Robin Hood Way. SW15 & SW20 —4D 26
Robin Hood Works. Knap —4H 73
(off Robin Hood Rd.)
Robin La. Sand —7G 49
Robin Row. Turn H —4F 184
Robin's Bow. Camb —2N 69
Robin's Ct. Beck —1N 47
Robins Ct. S Croy —7F 200
Robins Dale. Knap —4F 72
Robins Gro. W Wick —1C 66
Robins Gro. Cres. Yat —9A 48
Robinson Rd. SW17 & SW19 —7C 28
Robinson Rd. Craw —4B 182
Robinson Way. Bord —7A 168
Robinsway. W on T —1K 57
Robinswood Ct. H'ham —4M 197
Robin Way. Guild —8L 93
Robin Way. Stai —4H 21
Robin Willis Way. Old Win —9K 5
Robinwood Pl. SW15 —5C 26
Robson Rd. SE27 —4M 29
Roby Dri. Brack —6B 32
Robyns Way. Eden —3M 147
Roche Rd. SW16 —9K 29
Rochester Av. Felt —3G 23
Rochester Clo. SW16 —8J 29
Rochester Gdns. Cat —9B 84
Rochester Gdns. Croy —9B 46
Rochester Gro. Fleet —5A 88
Rochester Pde. Felt —3H 23
Rochester Rd. Cars —1D 62
Rochester Rd. Stai —7F 20
Rochester Wlk. Reig —8M 121
Roche Wlk. Cars —5B 44
Rochford Way. Croy —5J 45
Rock Av. SW14 —6C 12
Rock Clo. Mitc —1B 44
Rockdale Dri. Gray —6B 170
Rockery, The. Farn —2J 89
Rockfield Clo. Oxt —9B 106
Rockfield Rd. Oxt —7B 106
Rockfield Way. Coll T —7J 49
Rock Gdns. Alder —3L 109
Rockhampton Clo. SE27 —5L 29
Rockhampton Rd. SE27 —5L 29
Rockhampton Rd. S Croy —3B 64
Rock Hill. Hamb —8G 152
Rockingham Clo. SW15 —7E 12
Rockland Rd. SW15 —7K 13
Rock La. Wrec —6F 128
Rockshaw Rd. Red —5G 102
Rocks La. SW13 —4F 12
Rocks, The. Ash W —3E 186
Rockwood Park. —4M 185
Rocky La. Reig —6D 102
Rocque Ho. SW6 —3L 13
(off Estcourt Rd.)
Rodale Mans. SW18 —9N 13
Rodborough Hill Cotts. Milf —3N 151
Roden Gdns. Croy —5B 46
Rodenhurst Rd. SW4 —1G 29
Rodgate La. Hasl —3A 190
Rodgers Ho. SW4 —1H 29
(off Clapham Pk. Est.)
Roding Clo. Cranl —8H 155
Rodmel Ct. Farn —4C 90
Rodmill La. SW2 —1J 29
Rodney Clo. Croy —7M 45 (1A 200)
Rodney Clo. N Mald —4D 42
Rodney Clo. W on T —7K 39
Rodney Gdns. W Wick —1C 66
Rodney Grn. W on T —8K 39
Rodney Pl. SW19 —9A 28
Rodney Rd. Mitc —2C 44
Rodney Rd. N Mald —4D 42
Rodney Rd. Twic —9A 10
Rodney Rd. W on T —8K 39
Rodney Way. Coln —4G 7
Rodney Way. Guild —2C 114
Rodona Rd. Wey —7E 56
Rodsall La. P'ham —3K 131
Rodway Rd. SW15 —1F 26
Rodwell Ct. Add —1L 55
Roebuck Clo. Asht —7L 79
Roebuck Clo. Felt —5J 23
Roebuck Clo. H'ham —4A 198
Roebuck Clo. Reig —3M 121
Roebuck Est. Binf —8H 15
Roebuck Rd. Chess —2N 59
Roedean Cres. SW15 —9D 12
Roedeer Copse. Hasl —2C 188
Roehampton. —1F 26
Roehampton Clo. SW15 —7F 12
Roehampton Ga. SW15 —9D 12
Roehampton High St. SW15 —1F 26
Roehampton Lane. (Junct.) —2G 27
Roehampton La. SW15 —7F 12
Roehampton Va. SW15 —4E 26
Roffe's La. Cat —2A 104
Roffey. —4N 197
Roffey Clo. Horl —8D 142
Roffey Clo. Purl —3M 83
Roffey Park. —2E 198
Roffey's Clo. Copt —6L 163
Roffords. Wok —4L 73
Roffye Ct. H'ham —4N 197
Rogers Clo. Cat —9E 84
Rogers Clo. Coul —5M 83
Roger Simmons Ct. Bookh —2N 97
Rogers La. Warl —5J 85
Rogers Mead. God —1E 124
Rogers Rd. SW17 —5B 28
Rokeby Clo. Brack —9B 16
Rokeby Ct. Wok —4J 73
Rokeby Pl. SW20 —8G 27
Roke Clo. Kenl —1N 83
Roke Clo. Witl —5B 152
Roke La. Witl —6N 151
Roke Lodge Rd. Kenl —9M 63
Roke Rd. Kenl —2N 83
Rokers La. Shack —4A 132
(in two parts)
Rokes Pl. Yat —9A 48
Roland Way. Wor Pk —8E 42
Rolinsden Way. Kes —2F 66
Rollesby Rd. Chess —3N 59
Rolleston Rd. S Croy —4A 64
Rollit Cres. Houn —8A 10
Rolston Ho. Hasl —2D 188
Romana Ct. Stai —5J 21
Romanby Ct. Red —4D 122
Roman Clo. Felt —8K 9
Romanfield Rd. SW2 —1K 29
Romanhurst Av. Brom —3N 47
Romanhurst Gdns. Brom —3N 47
Roman Ind. Est. Croy —6B 46
Roman Ride. Crowt —2C 48
Roman Rd. Dork —7G 119
Roman Rd. M Grn —5M 147
Romans Bus. Pk. Farnh —9J 109
Romans Way. Wok —2J 75
Roman Way. Cars —5D 62
Roman Way. Croy —8M 45 (2A 200)
Roman Way. Farnh —8K 109
Roman Way. Warf —9D 16
Romany Gdns. Sutt —6M 43
Romany Rd. Knap —2F 72
Romany, The. Farn —4F 88
Roma Read Clo. SW15 —1G 26
Romayne Clo. Farn —9M 69
Romberg Rd. SW17 —4E 28
Romeo Hill. Warf —9D 16
Romeyn Rd. SW16 —4K 29
Romily Ct. SW6 —5K 13
Romley Ct. Farnh —2J 129
Rommany Rd. SE27 —5N 29
(in two parts)
Romney Clo. Afrd —6D 22
Romney Clo. Chess —1L 59
Romney Ho. Brack —3C 32
Romney Lock Rd. Wind —3G 5
Romney Rd. N Mald —5C 42
Romola Rd. SE24 —2M 29
Romsey Clo. Alder —6A 110
Romsey Clo. B'water —9H 49
Romsey Clo. Orp —1K 67
Romulus Ct. Bren —3K 11
Rona Clo. Craw —6N 181
Ronald Clo. Beck —3J 47
Ronelean Rd. Surb —8M 41
Ronneby Clo. Wey —9F 38
Roof of the World Cvn. Pk. Tad —9A 100
Rookeries Clo. Felt —4J 23
Rookery Clo. Fet —2E 98
Rookery Dri. Westc —7A 118
Rookery Hill. Asht —5N 79
Rookery Hill. Out —4L 143
Rookery La. Small —6L 143
Rookery Rd. Orp —6H 67
Rookery Rd. Stai —6K 21
Rookery, The. Westc —7A 118
Rookery Way. Lwr K —5L 101
Rook La. Cat —3K 103
Rookley Clo. Sutt —5N 61
Rooks Hill. Brmly —9D 134
Rooksmead Rd. Sun —1H 39
Rooks Nest. —8H 105
Rookstone Rd. SW17 —6D 28
Rookswood. Brack —8N 15
Rook Way. H'ham —2M 197
Rookwood Av. N Mald —3F 42
Rookwood Av. Owl —5K 49
Rookwood Av. Wall —1H 63
Rookwood Clo. Red —7F 102
Rookwood Ct. Guild —6M 113 (8A 202)
Rookwood Pk. H'ham —5F 196
Roosthole Hill. Man H —8C 198
Roothill La. Bet —1N 139
Ropeland Way. H'ham —1L 197
Ropers Wlk. SW2 —1L 29
Roper Way. Mitc —1E 44
Rope Wlk. Sun —2K 39
Rorkes Drift. Myt —1D 90
Rosa Av. Afrd —5B 22
Rosalind Franklin Clo. Guild —4H 113
Rosaline Rd. SW6 —3K 13
Rosaline Ter. SW6 —3K 13
(off Rosaline Rd.)
Rosamund Clo. S Croy —1A 64 (7E 200)
Rosamund Rd. Craw —5F 182
Rosamun St. S'hall —1M 9
Rosary Clo. Houn —5M 9
Rosary Gdns. SW7 —1N 13
Rosary Gdns. Afrd —5C 22
Rosary Gdns. Yat —9C 48
Rosaville Rd. SW6 —3L 13
Roseacre. Oxt —3C 126
Roseacre Clo. Shep —4B 38
Roseacre Gdns. Chil —9H 115
Rose & Crown Pas. Iswth —4G 10
Rose Av. Mitc —9D 28
Rose Av. Mord —4A 44
Rosebank. SW6 —3H 13
Rosebank. Eps —1B 80 (8J 201)
Rosebank Clo. Tedd —7G 25
Rose Bank Cotts. Wok —9A 74
Rosebay. Wokgm —9D 14
Roseberry Av. T Hth —1N 45
Roseberry Gdns. Orp —1N 67
Rosebery Av. Eps —1D 80 (8N 201)
Rosebery Av. N Mald —1E 42
Rosebery Clo. Mord —5J 43
Rosebery Cres. Wok —7B 74
Rosebery Gdns. Sutt —1N 61
Rosebery Rd. SW2 —1J 29
Rosebery Rd. Eps —6C 80
Rosebery Rd. Houn —8C 10
Rosebery Rd. King T —1A 42
Rosebery Rd. Sutt —3L 61
Rosebery Sq. King T —1A 42
Rosebine Av. Twic —1D 24
Rosebriar Clo. Wok —3J 75
Rosebriars. Cat —7B 84
Rosebriars. Esh —2C 58
(in two parts)
Rosebury Dri. Bisl —2D 72
Rosebury Rd. SW6 —5N 13
Rosebushes. Eps —3G 81
Rose Cotts. Fay —9H 181
Rose Cotts. F Row —6G 187
Rose Cotts. Kes —7E 66
Rose Cotts. Wmly —8D 152
Rose Ct. Wokgm —2B 30
Rosecourt Rd. Croy —5K 45
Rosecroft Clo. Big H —5H 87
Rosecroft Gdns. Twic —2D 24
Rosedale. Alder —2A 110
Rosedale. Asht —5J 79
Rosedale. Binf —6H 15
Rosedale. Cat —1B 104
Rosedale Clo. Craw —5M 181
Rosedale Gdns. Brack —4M 31
Rosedale Pl. Croy —6G 47
Rosedale Rd. Eps —2F 60
Rosedale Rd. Rich —6L 11
Rosedene Av. SW16 —4K 29
Rosedene Av. Croy —6J 45
Rosedene Av. Mord —4M 43
Rosedene Gdns. Fleet —3A 88
Rosedene La. Coll T —9J 49
Rosedew Rd. W6 —2J 13
Rose End. Wor Pk —7J 43
Rosefield Clo. Cars —2C 62
Rosefield Gdns. Ott —3F 54
Rosefield Rd. Stai —5J 21
Rose Gdns. Farn —2K 89
Rose Gdns. Felt —3H 23
Rose Gdns. Stanw —1M 21
Rose Gdns. Wokgm —2B 30
Roseheath Rd. Houn —8N 9
Rose Hill. —5G 119 (3L 201)
(Dorking)
Rosehill. —7A 44
(Sutton)
Rose Hill. Binf —6H 15
Rosehill. Clay —3G 58
Rose Hill. Dork —5G 119 (3K 201)
Rosehill. Hamp —9A 24
Rosehill. Sutt —8N 43
Rose Hill Arch M. Dork —2L 201
Rosehill Av. Sutt —7A 44
Rosehill Av. Wok —3M 73
Rosehill Ct. Mord —6A 44
(off St Helier Av.)
Rosehill Ct. Pde. Mord —6A 44
(off St Helier Av.)
Rosehill Farm Mdw. Bans —2N 81
Rosehill Gdns. Sutt —8N 43
Rosehill Pk. W. Sutt —7A 44
Rosehill Rd. SW18 —9N 13
Rosehill Rd. Big H —4E 86
Rose Hill Roundabout. (Junct.) —6A 44
Rose La. Rip —8L 75
Roseleigh Clo. Twic —9K 11
Rosemary Av. Ash V —5E 90
Rosemary Av. Houn —5L 9
Rosemary Av. W Mol —2A 40
Rosemary Clo. Croy —5J 45
Rosemary Clo. Farn —9J 69
Rosemary Clo. Oxt —2C 126
Rosemary Ct. Hasl —1G 188
Rosemary Ct. Horl —7C 142
Rosemary Cres. Guild —8J 93
Rosemary Gdns. SW14 —6B 12
Rosemary Gdns. B'water —1H 69
Rosemary Gdns. Chess —1L 59
Rosemary La. SW14 —6B 12
Rosemary La. Alf —9E 174
Rosemary La. B'water —9H 49
Rosemary La. Charl —3K 161
(in two parts)
Rosemary La. Egh —2D 36
Rosemary La. Horl —9F 142
Rosemary La. Rowl —7D 128
Rosemary Rd. SW17 —4A 28
Rosemead. Cher —6K 37
Rosemead Av. Felt —3G 22
Rosemead Av. Mitc —2G 45
Rosemead Clo. Red —5B 122
Rosemont Rd. N Mald —2B 42
Rosemont Rd. Rich —9L 11
Rosemount Av. W Byf —9J 55
Rosendale Rd. SE24 & SE21 —1N 29
Roseneath Dri. C'fold —5E 172
Roseneath Rd. SW11 —1E 28
Rose Pk. Cvn. Site. Ott —5G 54
Rosery, The. Croy —5G 46
Rosery, The. Egh —1G 36
Roses Cotts. Dork —5G 119 (2K 201)
Roses La. Wind —5A 4
Rose St. Wokgm —2B 30
Rosethorn Clo. SW12 —1H 29
Rosetrees. Guild —4C 114
Rose Vw. Add —2L 55
Roseville Av. Houn —8A 10
Roseville Rd. Hayes —1H 9
Rosevine Rd. SW20 —9H 27
Rose Wlk. Craw —5N 181
Rose Wlk. Fleet —3A 88
Rose Wlk. Purl —7H 63
Rose Wlk. Surb —4A 42
Rose Wlk. W Wick —8M 47
Rosewarne Clo. Wok —5K 73
Rosewood. Sutt —6A 62
Rosewood. Th Dit —8G 40
Rosewood. Wok —6C 74
Rosewood Dri. Shep —4A 38
Rosewood Gro. Sutt —8A 44

Rosewood Rd.—Ryefield Path

Rosewood Rd. Lind —4B 168
Rosewood Way. W End —9B 52
Roshni Ho. SW17 —7C 28
Roskell Rd. SW15 —6J 13
Roslan Ct. Horl —9F 142
Roslyn Clo. Mitc —1B 44
Roslyn Ct. Wok —5K 73
Ross Clo. Craw —6D 182
Rossdale. Sutt —2C 62
Rossdale Rd. SW15 —7H 13
Rossett Clo. Brack —3N 31
Rossetti Gdns. Coul —5K 83
Rossignol Gdns. Cars —8E 44
Rossindel Rd. Houn —8A 10
Rossiter Lodge. Guild —4C 114
Rossiter Rd. SW12 —2F 28
Rosslare Clo. W'ham —3M 107
Rosslea. W'sham —1L 51
Rosslyn Av. SW13 —6D 12
Rosslyn Av. Felt —9H 9
Rosslyn Clo. Sun —7F 22
Rosslyn Pk. Wey —1E 56
Rosslyn Park R.U.F.C. —7E 12
Rosslyn Rd. Twic —9J 11
Rossmore Clo. Craw —8H 163
Rossmore Gdns. Alder —3K 109
Ross Pde. Wall —3F 62
Ross Rd. SE25 —2A 46
Ross Rd. Cobh —9K 57
Ross Rd. Twic —2B 24
Ross Rd. Wall —2G 62
Rosswood Gdns. Wall —3G 62
Rostella Rd. SW17 —5B 28
Rostrevor Gdns. S'hall —1M 9
Rostrevor M. SW6 —4L 13
Rostrevor Rd. SW6 —4L 13
Rostrevor Rd. SW19 —6M 27
Rothbury Gdns. Iswth —3G 10
Rothbury Wlk. Camb —2G 71
Rother Clo. Sand —7H 49
Rother Cres. Craw —4L 181
Rotherfield Rd. Cars —1E 62
Rotherhill Av. SW16 —7H 29
Rothermere Rd. Croy —2K 63
Rother Rd. Farn —8K 69
Rothervale. Horl —5E 142
Rotherwick Ct. Farn —5A 90
Rotherwood Clo. SW20 —9K 27
Rotherwood Rd. SW15 —6J 13
Rothesay Av. SW20 —1K 43
Rothesay Av. Rich —7A 12
Rothesay Rd. SE25 —3A 46
Rothes Rd. Dork —4H 119 (1L 201)
Rothschild St. SE27 —5M 29
Rothwell Ho. Crowt —3H 49
Rothwell Ho. Houn —2A 10
Rotten Grn. La. Elv —8A 68
Rotunda Est. Alder —2N 109
Rougemont Av. Mord —5M 43
Roughets La. Blet —7B 104
Roughets, The. —7C 104
Rough Fld. E Grin —6N 165
Roughgrove Copse. Binf —7G 15
Roughlands. Wok —2G 75
Rough Rew. Dork —8H 119
Rough Rd. Pirb & Wok —9F 72
Rough Way. H'ham —3M 197
Rounce La. W End —9A 52
Roundacre. SW19 —3J 27
Roundals La. Hamb —1H 173
Round Clo. Yat —1E 68
Round Gro. Croy —6G 47
Round Hill. —1K 109
Roundhill. Wok —6D 74
Roundhill Dri. Wok —5D 74
Roundhill Way. Cobh —7B 58
Roundhill Way. Guild —3J 113
Round House, The. —9C 154
Roundhurst. —7M 189
Round Oak Rd. Wey —1A 56
Roundshaw. —4J 63
Roundshaw Cen. Wall —4J 63
(off Mollison Dri.)
Roundshead Dri. Warf —9B 16
Rounds Hill. —9L 15
Rounds Hill. Brack —9K 15
Roundthorn Way. Wok —3J 73
Roundway. Big H —3E 86
Roundway. Camb —9G 50
Roundway. Egh —6E 20
Roundway Clo. Camb —9G 50
Roundway Ct. Craw —1B 182
Roundway, The. Clay —3F 58
Roundwood Vw. Bans —2J 81
Roundwood Way. Bans —2J 81
Rounton Rd. C Crook —7B 88
Roupell Ho. King T —1N 203
Roupell Rd. SW2 —2K 29
Routh Ct. Felt —2E 22
Routh Rd. SW18 —1C 28
Rowallan Rd. SW6 —3K 13
Rowan. Brack —4D 32
Rowan Av. Egh —6E 20
Rowan Chase. Wrec —6F 128
Rowan Clo. SW16 —9G 29
Rowan Clo. Camb —7D 50
Rowan Clo. Craw —3D 182
Rowan Clo. Fleet —4D 88
Rowan Clo. Guild —9L 93
Rowan Clo. H'ham —3A 198
Rowan Clo. N Mald —1D 42
Rowan Clo. Reig —5A 122
Rowan Ct. SW11 —1D 28
Rowan Cres. SW16 —9G 29
Rowan Dale. C Crook —8A 88
Rowan Dri. Crowt —9H 31
Rowan Gdns. Croy —9C 46
Rowan Grn. Wey —1E 56
Rowan Gro. Coul —8F 82
Rowan Ho. Short —1N 47
Rowan Rd. SW16 —1G 45
Rowan Rd. W6 —1J 13
Rowan Rd. Bren —3H 11
Rowan Rd. W Dray —1M 7
Rowans Clo. Farn —5K 69
Rowanside Clo. Head D —5H 169
Rowans, The. Hind —7B 170
Rowans, The. Sun —6G 23
Rowans, The. Wok —5A 74
Rowan Ter. W6 —1J 13
(off Rowan Rd.)
Rowan Wlk. Brom —1H 67
Rowan Wlk. Craw D —1F 184
Rowan Way. H'ham —3B 198
Rowbarns Way. E Hor —8G 97
Rowberry Clo. SW6 —3H 13
Rowbury. G'ming —3K 133
Rowcroft Clo. Ash V —7E 90
Rowden Rd. Beck —1H 47
Rowden Rd. Eps —1A 60
Rowdown Cres. New Ad —5N 65
Rowe La. Pirb —2D 92
Rowfant. —1M 183
Rowfant Clo. Worth —3J 183
Rowfant Rd. SW17 —2E 28
Rowfield. Eden —9M 127
Rowhill. —3H 55
Row Hill. Add —3H 55
Rowhill Av. Alder —3L 109
Rowhill Cres. Alder —4L 109
Rowhills. Farnh —4J 109
Rowhills Clo. Farnh —5L 109
Rowhook. —8M 177
Rowhook Hill. Rowh —8N 177
Rowhook Rd. Rowh —8M 177
Rowhurst Av. Add —3K 55
Rowhurst Av. Lea —4F 78
Rowland Clo. Copt —5B 164
Rowland Clo. Wind —6A 4
Rowland Hill Almshouses. Afrd
(off Feltham Hill Rd.) —6B 22
Rowland Rd. Cranl —7M 155
Rowlands Rd. H'ham —2N 197
Rowland Way. SW19 —9N 27
Rowland Way. Afrd —8E 22
Row La. Alb —8N 135
(in two parts)
Rowledge. —8D 128
Rowley. —4K 155
Rowley Clo. Brack —2C 32
Rowley Clo. Pyr —3K 75
Rowley Ct. Cat —9A 84
Rowlls Rd. King T —2M 41 (5N 203)
Rowly Dri. Cranl —5J 155
Rowly Edge. Cranl —4J 155
Rowntree Rd. Twic —2E 24
Rowplatt La. Felb —7H 165
Row, The. Eden —8K 127
Row Town. —4H 55
Rowtown. Add —4H 55
Roxbee Cox Ct. Farn —3E 88
Roxborough Av. Iswth —3F 10
Roxburgh Clo. Camb —2G 71
Roxburgh Rd. SE27 —6M 29
Roxby Pl. SW6 —2M 13
Roxeth Ct. Afrd —6B 22
Roxford Clo. Shep —4F 38
Roxton Gdns. Croy —2K 65
Royal Aerospace Establishment.
Farn —3N 89
Royal Aerospace Establishment Rd.
Farn —4N 89
Royal Army Chaplain's
Department Mus. —2H 51
(off Bagshot Pk.)
Royal Army Dental Corps Mus.
(off Evelyn Woods Rd.) —6A 90
Royal Ascot Racecourse. —1L 33
Royal Av. Wor Pk —8D 42
Royal Botanic Gardens. —4L 11
(Kew)
Royal Cir. SE27 —4L 29
Royal Clo. SW19 —3J 27
Royal Clo. Orp —1K 67
Royal Clo. Wor Pk —8D 42
Royal Dri. Eps —5G 80
Royal Duchess M. SW12 —1F 28
Royal Earlswood Pk. Red —6D 122
Royale Clo. Alder —4A 110
Royal Free Ct. Wind —4G 4
(off Batchelors Acre)
Royal Horticultural Society Cotts.
Wis —3N 75
Royal Horticultural Society
Gardens, The. —5N 75
(Wisley Gardens)
Royal M. Wind C —4G 5
Royal Oak Clo. Yat —9D 48
Royal Oak Dri. Crowt —8G 30
Royal Oak Rd. Wok —5M 73
Royal Orchard Clo. SW18 —1K 27
Royal Pde. SW6 —3K 13
(off Dawes Rd.)
Royal Pde. Hind —5D 170
Royal Pde. Rich —4N 11
(off Layton Pl.)
Royal Rd. Tedd —6D 24
Royals, The. Guild —4N 113 (5E 202)
Royal Surrey Regiment Mus.
—1J 115
Royal Victoria Gdns. S Asc —3L 33
Royal Victoria Patriotic Building.
SW18 —1B 28
Royal Wlk. Wall —8F 44
Royal Windsor Racecourse. —2B 4
Royce Rd. Craw —7E 162
Roycroft Clo. SW2 —2L 29
Roydon Ct. W on T —1J 57
Roy Gro. Hamp —7B 24
Roymount Ct. Twic —4E 24
Royston Av. Byfl —8N 55
Royston Av. Sutt —9B 44
Royston Av. Wall —1H 63
Royston Cen., The. Ash V —5D 90
Royston Clo. Craw —8E 162
Royston Clo. Houn —4J 9
Royston Clo. W on T —7H 39
Royston Ct. SE24 —1N 29
Royston Ct. Hin W —8F 40
Royston Ct. Rich —4M 11
Royston Gdns. Wokgm —1A 48
Royston Rd. SE20 —1G 46
Royston Rd. Byfl —8N 55
Royston Rd. Rich —8L 11
Roystons, The. Surb —4A 42
Rozeldene. Hind —6C 170
Rozel Ter. Croy —3B 200
Rubus Clo. W End —9B 52
Ruckmans La. Oke H —3A 178
(in two parts)
Rudd Hall Ri. Camb —3B 70
Ruddlesway. Wind —5A 4
(in three parts)
Ruden Way. Eps —3G 80
Rudge Ri. Add —2H 55
Rudgwick. —1E 194
Rudgwick Keep. Horl —7G 142
(off Langshott La.)
Rudgwick Rd. Craw —2L 181
Rudgwick Two Tiered Bridge.
—2F 194
Rudloe Rd. SW12 —1G 28
Rudsworth Clo. Coln —4F 6
Ruffetts Clo. S Croy —4E 64
Ruffetts, The. S Croy —4E 64
Ruffetts Way. Tad —5K 81
Rufford Clo. Fleet —7B 88
Rufwood. Craw D —1D 184
Rugby Clo. Owl —6K 49
Rugby La. Sutt —5J 61
Rugby Rd. Twic —8E 10
Rugglesbrise Rd. Afrd —6M 21
Rugosa Rd. W End —9B 52
Ruislip St. SW17 —5D 28
Rumbold Rd. SW6 —3N 13
Rumsey Clo. Hamp —7N 23
Run Common. —1G 155
Runcorn Clo. Bew —7K 181
Runes Clo. Mitc —3B 44
Runfold. —8A 110
Runfold St George. Bad L —7N 109
Runnemede Rd. Egh —5B 20
(in two parts)
Running Horse Yd. Bren —2L 11
Runnymede. —3N 19
Runnymede. SW19 —9A 28
Runnymede Clo. Twic —9B 10
Runnymede Ct. SW15 —2F 26
Runnymede Ct. Egh —5C 20
Runnymede Ct. Farn —7M 69
Runnymede Cres. SW16 —9H 29
Runnymede Gdns. Twic —9B 10
Runnymede Ho. Cher —6J 37
(off Heriot Rd.)
Runnymede Rd. Twic —9B 10
Runshooke Ct. Craw —6M 181
Runtley Wood La. Sut G —3B 94
Runwick La. Farnh —3A 128
Rupert Ct. W Mol —3A 40
(off St Peters Rd.)
Rupert Rd. Guild —4M 113 (5A 202)
Rural Way. SW16 —8F 28
Rural Way. Red —3E 122
Ruscoe Dri. Wok —4C 74
Ruscombe Gdns. Dat —3K 5
Ruscombe Way. Felt —1G 22
Rusham Ct. Egh —7C 20
Rusham Pk. Av. Egh —7B 20
Rusham Rd. SW12 —1D 28
Rusham Rd. Egh —7B 20
Rushams Rd. H'ham —6H 197
Rushbury Ct. Hamp —9A 24
Rushcroft. G'ming —3K 133
Rushdene Wlk. Big H —4F 86
Rushden Way. Farnh —5J 109
Rushen Wlk. Cars —7B 44
Rushett. —5K 127
Rushett Clo. Th Dit —7H 41
Rushett Common. —1E 154
Rushett Dri. Dork —8H 119
Rushett La. Chess —7J 59
Rushett Rd. Th Dit —6H 41
Rushetts Farm. —7A 122
Rushetts Pl. Craw —9A 162
Rushetts Rd. Craw —9N 161
Rushetts Rd. Reig —7A 122
Rushey Clo. N Mald —3C 42
Rushfords. Ling —6A 146
Rushley Clo. Kes —1F 66
Rushmead. Rich —4H 25
Rushmead Clo. Croy —1C 64
Rushmere Ct. Wor Pk —8F 42
Rushmere Pl. SW19 —6J 27
Rushmere Pl. Eng G —6A 20
Rushmon Gdns. W on T —9J 39
Rushmon Pl. Cheam —3K 61
Rushmon Vs. N Mald —3E 42
Rushmoor. —4A 150
Rushmoor Clo. Fleet —6B 88
Rushmoor Clo. Guild —9J 93
Rushmoor Ct. Farn —5A 90
Rushmoor Rd. Alder —8J 89
Rusholme Rd. SW15 —9J 13
Rush, The. SW19 —9L 27
(off Kingston Rd.)
Rushton Av. S God —7F 124
Rushworth Rd. Reig —2M 121
Rushy Mdw. La. Cars —9C 44
Ruskin Av. Felt —9G 9
Ruskin Av. Rich —3N 11
(in two parts)
Ruskin Clo. Craw —9G 163
Ruskin Ct. Crowt —3D 48
Ruskin Dri. Wor Pk —8G 43
Ruskin Ho. S Croy —8D 200
Ruskin Mans. W14 —2K 13
(off Queen's Club Gdns.)
Ruskin Pde. S Croy —8D 200
Ruskin Rd. Cars —2D 62
Ruskin Rd. Croy —8M 45 (2A 200)
Ruskin Rd. Iswth —6F 10
Ruskin Rd. Stai —7H 21
Ruskin Way. SW19 —9B 28
Rusper. —2C 180
Rusper Ct. Cotts. Rusp —3D 180
Rusper Rd. Capel —6J 159
Rusper Rd. H'ham —4M 197
Rusper Rd. Newd —2A 160
Rusper Rd. Rusp & If'd —2F 180
Ruspers Keep. If'd —2L 181
Russell Clo. W4 —2E 12
Russell Clo. Beck —2L 47
Russell Clo. Brack —7B 32
Russell Clo. Tad —3F 100
Russell Clo. Wok —2M 73
Russell Ct. SW16 —6K 29
Russell Ct. B'water —1J 69
Russell Ct. Guild —9M 93
Russell Ct. Hind —5D 170
Russell Ct. Lea —9H 79
Russell Ct. Purl —6L 63
Russell Ct. Wall —2G 63
(off Ross Rd.)
Russell Dri. Stanw —9M 7
Russell Gdns. Rich —3J 25
Russell Gdns. W Dray —1B 8
Russell Grn. Clo. Purl —6L 63
Russell Hill. Purl —6K 63
Russell Hill Pl. Purl —7L 63
Russell Hill Rd. Purl —7L 63
Russell Kerr Clo. W4 —3B 12
Russell Rd. SW19 —8M 27
Russell Rd. Mitc —2C 44
Russell Rd. Shep —6D 38
Russell Rd. Twic —9F 10
Russell Rd. W on T —5H 39
Russell Rd. Wok —2M 73
Russells. Tad —9J 81
Russells Cres. Horl —9E 142
Russell's Footpath. SW16 —6J 29
Russell St. Wind —4G 4
Russell Wlk. Rich —9M 11
Russell Way. Craw —4E 182
Russell Way. Sutt —2N 61
Russell Yd. SW15 —7K 13
Russet Av. Shep —2F 38
Russet Clo. Horl —8G 143
Russet Clo. Stai —9H 7
Russet Clo. Tong —5C 110
Russet Clo. W on T —9L 39
Russet Dri. Croy —7H 47
Russet Gdns. Camb —3B 70
Russet Glade. Alder —4J 109
Russett Ct. Cat —3D 104
Russetts Clo. Wok —2B 74
Russetts Dri. Fleet —5B 88
Russet Way. N Holm —8K 119
Russ Hill. —5G 161
Russ Hill. Charl —5F 160
Russ Hill Rd. Charl —4J 161
Russington Rd. Shep —5E 38
Russley Grn. Wokgm —7A 30
Rusthall Clo. Croy —5F 46
Rustic Av. SW16 —8F 28
Rustic Glen. C Crook —8A 88
Rustington Wlk. Mord —6L 43
Ruston Av. Surb —6A 42
Ruston Clo. M'bowr —6G 182
Ruston Way. Asc —1H 33
Rutford Rd. SW16 —6J 29
Ruth Clo. Farn —9H 69
Ruthen Clo. Eps —1A 80
Rutherford Clo. Sutt —3B 62
Rutherford Clo. Wind —4C 4
Rutherford Way. Craw —7E 162
Rutherford Way Ind. Est. Craw
—7E 162
Rutherwick Clo. Horl —8D 142
Rutherwick Ri. Coul —4J 83
Rutherwick Tower. Horl —8D 142
Rutherwyke Clo. Eps —3F 60
Rutherwyk Rd. Cher —6G 36
Rutland Clo. SW14 —6A 12
Rutland Clo. SW19 —8C 28
Rutland Clo. Alder —1M 109
Rutland Clo. Asht —4L 79
Rutland Clo. Chess —3M 59
Rutland Clo. Eps —6C 60
Rutland Clo. Red —2D 122
Rutland Ct. King T —8J 203
Rutland Dri. Mord —5L 43
Rutland Dri. Rich —2K 25
Rutland Gdns. Croy —1B 64
Rutland Gro. W6 —1G 13
Rutland Rd. SW19 —8C 28
Rutland Rd. Hayes —1E 8
Rutland Rd. Twic —3D 24
Rutland Ter. Alder —1M 109
Rutlish Rd. SW19 —9M 27
Rutson Rd. Byfl —1A 76
Rutter Gdns. Mitc —3A 44
Rutton Hill Rd. G'ming —2H 171
Ruvigny Gdns. SW15 —6J 13
Ruxbury Rd. Cher —5E 36
Ruxley Clo. Eps —2A 60
Ruxley Ct. Eps —2B 60
Ruxley Cres. Clay —3H 59
Ruxley La. Eps —3A 60
Ruxley M. Eps —2A 60
Ruxley Ridge. Clay —4G 58
Ruxley Towers. Clay —4G 59
Ryan Ct. SW16 —8J 29
Ryan Dri. Bren —2G 11
Ryan Mt. Sand —7F 48
Ryarsh Cres. Orp —1N 67
Rycroft. Wind —6C 4
Rydal Clo. Camb —1H 71
Rydal Clo. Farn —2J 89
Rydal Clo. If'd —5J 181
Rydal Clo. Purl —9A 64
Rydal Dri. C Crook —8A 88
Rydal Dri. W Wick —8N 47
Rydal Gdns. SW15 —6D 26
Rydal Gdns. Houn —9B 10
Rydal Pl. Light —7M 51
Rydal Rd. SW16 —5H 29
Rydal Way. Egh —8D 20
Ryde Clo. Rip —8L 75
Ryde Ct. Alder —3A 110
Ryde Gdns. Yat —9A 48
Ryde Heron. Knap —4H 73
Ryde Lands. Cranl —6A 156
Rydens. —9K 39
Rydens Av. W on T —8J 39
Rydens Clo. W on T —8K 39
Rydens Gro. W on T —1L 57
Rydens Pk. W on T —8L 39
Rydens Rd. W on T —9J 39
Rydens Way. Wok —7C 74
Ryde Pl. Twic —9K 11
Ryders Way. H'ham —1M 197
Rydes Av. Guild —9J 93
Rydes Clo. Wok —7E 74
Rydeshill. —1H 113
Ryde's Hill Cres. Guild —8J 93
Ryde's Hill Rd. Guild —1J 113
Ryde, The. Stai —9K 21
Ryde Va. Rd. SW12 —3G 28
Rydings. Wind —6C 4
Rydon M. SW19 —8H 27
Rydon's La. Coul —7N 83
Rydon's Wood Clo. Coul —7N 83
Rye Ash. Craw —2E 182
(in two parts)
Ryebeck Rd. C Crook —8B 88
Ryebridge Clo. Lea —5G 79
Ryebrook. Lea —7G 79
Ryebrook Rd. Lea —5G 79
Rye Clo. Brack —8B 16
Rye Clo. Farn —8K 69
Rye Clo. Fleet —9D 68
Rye Clo. Guild —1H 113
Ryecroft Av. Twic —1B 24
Ryecroft Dri. H'ham —5G 196
Ryecroft Gdns. B'water —2K 69
Ryecroft Lodge. SW16 —7M 29
Ryecroft Rd. SW16 —7L 29
Ryecroft St. SW6 —4N 13
Rye Fld. Asht —3K 79
Ryefield Path. SW15 —2F 26

266 A-Z Surrey

Ryefield Rd. *SE19* —7N **29**
Rye Gro. *Cranl* —7J **155**
Rye Gro. *Light* —4C **52**
Ryehurst La. *Binf* —5K **15**
Ryeland Clo. *Fleet* —1D **88**
Ryelands. *Craw* —4M **181**
Ryelands. *Horl* —7G **142**
Ryelands Clo. *Cat* —8B **84**
Ryelands Ct. *Lea* —5G **79**
Ryelands Pl. *Wey* —9F **38**
Ryelaw Rd. *C Crook* —8B **88**
Ryemead La. *Wink* —4G **17**
Ryersh La. *Capel* —3H **159**
Rye Wlk. *SW15* —8J **13**
Ryfold Rd. *SW19* —4M **27**
Ryland Clo. *Felt* —5G **23**
Rylandes Rd. *S Croy* —5E **64**
Ryle Rd. *Farnh* —3G **128**
Rylston Rd. *SW6* —2L **13**
Rymer Rd. *Croy* —6B **46**
Rysted La. *W'ham* —4L **107**
Ryst Wood Rd. *F Row* —7K **187**
Rythe Ct. *Th Dit* —6G **41**
Rythe Rd. *Clay* —2D **58**
Rythe, The. *Esh* —6B **58**

Sabah Ct. *Afrd* —5B **22**
Sable Clo. *Houn* —6K **9**
Sabre Ct. *Alder* —2K **109**
Sachel Ct. Dri. *Alf* —7H **175**
Sachel Ct. M. *Alf* —7G **174**
Sachel Ct. Rd. *Alf* —6F **174**
Sachel Hill La. *Alf* —7F **174**
Sackville Clo. *E Grin* —7M **165**
Sackville College. —9C 166
Sackville Cotts. *Blet* —2A **124**
Sackville Ct. *E Grin* —1B **186**
Sackville Gdns. *E Grin* —7M **165**
(in two parts)
Sackville Ho. *SW16* —4J **29**
Sackville La. *E Grin* —7L **165**
Sackville Rd. *Sutt* —4M **61**
Saddleback Rd. *Camb* —7C **50**
Saddleback Way. *Fleet* —1C **88**
Saddlebrook Pk. *Sun* —8F **22**
Saddler Corner. *Sand* —8G **49**
Saddler Row. *Craw* —6B **182**
Saddlers Clo. *Guild* —2F **114**
Saddlers M. *King T* —9J **25**
Saddlers Scarp. *Gray* —5M **169**
Saddlers Way. *Eps* —6C **80**
Saddlewood. *Camb* —2A **70**
Sadler Clo. *Mitc* —1D **44**
Sadlers Ride. *W Mol* —1C **40**
Sadlers Way. *Hasl* —1H **189**
Saffron Clo. *Craw* —6M **181**
Saffron Clo. *Croy* —5J **45**
Saffron Clo. *Dat* —4L **5**
Saffron Ct. *Farn* —1H **89**
Saffron Ct. *Felt* —1D **22**
Saffron Platt. *Guild* —8K **93**
Saffron Rd. *Brack* —3N **31**
Saffron Way. *Surb* —7K **41**
Sage Wlk. *Warf* —8B **16**
Sailmakers Ct. *SW6* —5N **13**
Sailors La. *Thur* —8D **150**
Sainfoin Rd. *SW17* —3E **28**
St Agatha's Dri. *King T* —7M **25**
St Agatha's Gro. *Cars* —7D **44**
St Agnes Rd. *E Grin* —8A **166**
St Albans Av. *Felt* —6L **23**
St Albans Av. *Wey* —9B **38**
St Alban's Clo. *Wind* —4G **5**
St Albans Clo. *Wood S* —2E **112**
St Alban's Gdns. *Tedd* —6G **25**
St Alban's Gro. *Cars* —6C **44**
St Alban's Rd. *King T* —7L **25**
St Alban's Rd. *Reig* —1M **121**
St Alban's Rd. *Sutt* —1L **61**
St Albans Roundabout. *Farn* —5A **90**
St Alban's St. *Wind* —4G **5**
St Albans Ter. *W6* —2K **13**
St Andrews. *Brack* —5K **31**
St Andrews. *Cranl* —6K **155**
*St Andrews. Horl —9F **142***
(off Aurum Clo.)
St Andrew's Av. *Wind* —5C **4**
St Andrew's Clo. *Crowt* —1E **48**
St Andrew's Clo. *Iswth* —4E **10**
St Andrew's Clo. *Old Win* —9K **5**
St Andrews Clo. *Reig* —4N **121**
St Andrew's Clo. *Shep* —3E **38**
St Andrews Clo. *Wok* —4M **73**
St Andrew's Clo. *Wray* —9A **6**
St Andrew's Ct. *SW18* —3A **28**
St Andrews Ct. *Sutt* —9C **44**
St Andrew's Cres. *Wind* —5C **4**
St Andrews Gdns. *Cobh* —9K **57**
St Andrew's Ga. *Wok* —5B **74**
*St Andrews Mans. W14 —2K **13***
(off St Andrews Rd.)
St Andrews M. *SW12* —2H **29**
St Andrew's Rd. *W14* —2K **13**
St Andrew's Rd. *Cars* —9C **44**
St Andrew's Rd. *Coul* —3E **82**
St Andrew's Rd. *Croy*
—1N **63** (6B **200**)
St Andrews Rd. *If'd* —4J **181**
St Andrew's Rd. *Surb* —5K **41**
St Andrew's Sq. *Surb* —5K **41**
St Andrew's Wlk. *Cobh* —2J **77**
St Andrew's Way. *Frim* —7D **70**
St Andrews Way. *Oxt* —9G **107**
St Anne's Av. *Stanw* —1M **21**
St Annes Boulevd. *Red* —1F **122**
St Anne's Ct. *W Wick* —1A **66**
St Anne's Dri. *Red* —2E **122**
St Annes Dri. *Wokgm* —2F **30**
St Annes Dri. N. *Red* —1E **122**
St Annes Glade. *Bag* —4H **51**
St Anne's Mt. *Red* —2E **122**
St Anne's Ri. *Red* —2E **122**
St Annes Rd. *Craw* —9G **163**
St Anne's Rd. *G'ming* —6K **133**
St Ann's Clo. *Cher* —5H **37**
St Ann's Ct. *Vir W* —4B **36**
St Ann's Cres. *SW18* —9N **13**
St Ann's Hill. *SW18* —8N **13**
St Anns Hill Rd. *Cher* —5E **36**
St Ann's Pk. Rd. *SW18*
—9N **13** & 1A **28**
St Ann's Pas. *SW13* —6D **12**
St Ann's Rd. *SW13* —5E **12**
St Ann's Rd. *Cher* —5G **36**
(in two parts)
St Anns Way. *Berr G* —3K **87**
St Ann's Way. *S Croy* —3M **63**
St Anthony's Clo. *SW17* —3C **28**
St Anthonys Clo. *Brack* —9M **15**
St Anthony's Way. *Felt* —7G **9**
St Arvan's Clo. *Croy* —9B **46**
St Aubin Clo. *Craw* —7L **181**
St Aubyns. *Dork* —7G **119**
St Aubyn's Av. *SW19* —6L **27**
St Aubyn's Av. *Houn* —8A **10**
St Augustine's Av. *S Croy* —3N **63**
St Augustine's Clo. *Alder* —3B **110**
St Austins. *Gray* —6B **170**
St Barnabas Clo. *Beck* —1M **47**
St Barnabas Ct. *Craw* —2G **182**
St Barnabas Gdns. *W Mol* —4A **40**
St Barnabas Rd. *Mitc* —8E **28**
St Barnabas Rd. *Sutt* —2B **62**
St Bartholomews Ct. *Guild* —5B **114**
St Benedict's Clo. *SW17* —6E **28**
St Benedicts Clo. *Alder* —3M **109**
St Benet's Clo. *SW17* —3C **28**
St Benet's Gro. *Cars* —6A **44**
St Bernards. *Croy* —9B **46** (5F **200**)
St Bernard's Clo. *SE27* —5N **29**
St Brelades Clo. *Dork* —7G **119**
St Brelades Rd. *Craw* —7L **181**
St Catherines. *Wey* —9C **38**
St Catherines. *Wok* —6M **73**
St Catherines Clo. *Chess* —3K **59**
St Catherine's Clo. *SW17* —3C **28**
St Catherine's Ct. *Brmly* —4B **134**
St Catherines Ct. *Felt* —2H **23**
St Catherines Ct. *Stai* —5J **21**
St Catherine's Cross. *Blet* —3B **124**
St Catherine's Dri. *Guild* —7L **113**
St Catherine's Hill. *Guild* —7M **113**
St Catherines Pk. *Guild* —5B **114**
St Catherines Rd. *Craw* —9G **163**
St Catherines Rd. *Frim* —5D **70**
(in two parts)
St Cecilia's Clo. *Sutt* —7K **43**
St Chads Clo. *Surb* —6J **41**
St Charles Pl. *Wey* —2B **56**
St Christopher's. *Ling* —7N **145**
St Christophers Clo. *Alder* —2B **110**
St Christopher's Clo. *Hasl* —2E **188**
St Christopher's Clo. *H'ham* —4J **197**
St Christopher's Clo. *Iswth* —4E **10**
St Christophers Gdns. *Asc* —9H **17**
St Christopher's Gdns. *T Hth* —2L **45**
St Christopher's Grn. *Hasl* —2E **188**
St Christopher's M. *Wall* —2G **62**
St Christopher's Pl. *Farn* —2L **89**
St Christopher's Rd. *Farn* —2M **89**
St Christopher's Rd. *Hasl* —2E **188**
St Clair Clo. *Oxt* —8M **105**
St Clair Clo. *Reig* —3A **122**
St Clair Dri. *Wor Pk* —9G **42**
St Claire Cotts. *D'land* —1D **166**
St Clair's Rd. *Croy* —8B **46** (3F **200**)
St Clare Bus. Pk. *Hamp* —7C **24**
St Clement Rd. *Craw* —7L **181**
St Clements Ct. *Farn* —7N **69**
*St Clements Mans. SW6 —2J **13***
(off Lillie Rd.)
St Cloud Rd. *SE27* —5N **29**
St Crispins Way. *Ott* —5E **54**
St Cross Rd. *Farnh* —9H **109**
St Cross Rd. *Frim G* —7E **70**
St Cuthberts Clo. *Eng G* —7N **19**
St Cyprian's St. *SW17* —5D **28**
St David's. *Coul* —4K **83**
St David's Clo. *Farn* —6L **69**
St David's Clo. *Farnh* —5K **109**
St David's Clo. *Reig* —2A **122**
St David's Clo. *W Wick* —6L **47**
St David's Dri. *Eng G* —8M **19**
St Denis Rd. *SE27* —5N **29**
St Denys Clo. *Knap* —5F **72**
St Dionis Rd. *SW6* —5L **13**
St Dunstan's. (Junct.) —3L **61**
St Dunstan's Clo. *Hayes* —1G **9**
St Dunstan's Hill. *Sutt* —2K **61**
St Dunstan's La. *Beck* —5M **47**
St Dunstan's Rd. *SE25* —3C **46**
St Dunstan's Rd. *W6* —1J **13**
St Dunstan's Rd. *Felt* —4G **23**
St Dunstan's Rd. *Houn* —5J **9**
(in two parts)
St Edith Clo. *Eps* —1B **80** (8J **201**)
St Edmund Clo. *Craw* —9B **162**
St Edmund's Clo. *SW17* —3C **28**
St Edmund's La. *Twic* —1B **24**
St Edmunds Sq. *SW13* —2H **13**
St Edmund's Steps. *G'ming* —7G **133**
St Edward's Clo. *E Grin* —9M **165**
St Edward's Clo. *New Ad* —7N **65**
St Elizabeth Dri. *Eps* —1B **80** (8J **201**)
St Faith's Rd. *SE21* —2M **29**
St Francis Gdns. *Copt* —6N **163**
St Francis Wlk. *Bew* —5K **181**
St George's Av. *Wey* —3C **56**
St Georges Bus. Pk. *Wey* —5B **56**
St George's Clo. *Bad L* —7N **109**
St Georges Clo. *Horl* —8F **142**
St George's Clo. *Wey* —2D **56**
St Georges Clo. *Wind* —4B **4**
St George's Ct. *SW15* —7L **13**
St Georges Ct. *Add* —1L **55**
St George's Ct. *Craw* —2B **182**
St Georges Ct. *E Grin* —7M **165**
St Georges Ct. *Owl* —5K **49**
St George's Gdns. *Eps* —1E **80**
St George's Gdns. *H'ham* —4L **197**
St George's Gdns. *Surb* —8A **42**
St George's Gro. *SW17* —4B **28**
St George's Hill. —6C 56
St George's Hill. *Red* —2H **143**
St George's Ind. Est. *Camb* —3N **69**
St George's Ind. Est. *King T* —6K **25**
St George's La. *Asc* —2M **33**
(in two parts)
*St George's M. Farnh —9G **109***
(off Bear La.)
St George's Pl. *Twic* —2G **25**
St George's Rd. *SW19* —8L **27**
(in two parts)
St George's Rd. *Add* —1L **55**
St George's Rd. *Alder* —3N **109**
St Georges Rd. *Bad L* —6N **109**
(in two parts)
St George's Rd. *Beck* —1L **47**
St George's Rd. *Camb* —9B **50**
St George's Rd. *Farnh* —2J **129**
St George's Rd. *Felt* —5L **23**
St George's Rd. *King T*
—8N **25** (1N **203**)
St George's Rd. *Mitc* —2F **44**
St George's Rd. *Red* —2H **143**
St Georges Rd. *Rich* —6M **11**
St George's Rd. *Twic* —8H **11**
St George's Rd. *Wall* —2F **62**
St George's Rd. *Wey* —3E **56**
St George's Rd. E. *Alder* —3N **109**
St George's Sq. *N Mald* —2D **42**
St George's Wlk. *Croy*
—9N **45** (3C **200**)
*St George's Yd. Farnh —1G **129***
(off Castle St.)
St Giles Clo. *Orp* —2M **67**
St Gothard Rd. *SE27* —5N **29**
(in two parts)
St Helens. *Th Dit* —6F **40**
St Helen's Cres. *SW16* —9K **29**
St Helens Cres. *Sand* —7G **48**
St Helen's Rd. *SW16* —9K **29**
St Helier. —6C 44
St Helier Av. *Mord* —6A **44**
St Helier Clo. *Craw* —7M **181**
St Helier Clo. *Wokgm* —5A **30**
St Helier's Av. *Houn* —8A **10**
St Hilda's Av. *Afrd* —6N **21**
St Hilda's Clo. *SW17* —3C **28**
St Hilda's Clo. *Craw* —8G **163**
St Hilda's Clo. *Horl* —8F **142**
St Hilda's Clo. *Knap* —4G **73**
St Hilda's Rd. *SW13* —2G **12**
Saint Hill. —5M 185
Saint Hill Grn. *E Grin* —5N **185**
Saint Hill Rd. *E Grin* —3L **185**
St Hughes Clo. *SW17* —3C **28**
St Hughs Clo. *Craw* —9G **163**
St Ives. *Craw* —2G **182**
St James Av. *Eps* —7E **60**
St James Av. *Farnh* —8J **109**
St James Av. *Sutt* —2M **61**
St James Clo. *Eps* —1D **80** (8M **201**)
St James Clo. *N Mald* —4E **42**
St James Clo. *Wok* —5K **73**
St James Ct. *Asht* —4K **79**
St James Ct. *Farnh* —9H **109**
St James M. *Wey* —1C **56**
St James Rd. *Cars* —9C **44**
St James Rd. *E Grin* —9N **165**
St James Rd. *Fleet* —5A **88**
St James Rd. *Mitc* —8E **28**
St James Rd. *Purl* —9M **63**
St James' Rd. *Surb* —5K **41**
St James Rd. *Sutt* —2M **61**
St James's Av. *Beck* —2H **47**
St James's Av. *Hamp H* —6C **24**
St James's Clo. *SW17* —3D **28**
St James's Cotts. *Rich* —8K **11**
St James's Ct. *King T*
—2L **41** (6K **203**)
St James's Dri. *SW17 & SW12*
—2D **28**
St James's Pk. *Croy* —6N **45**
St James's Pl. *Cranl* —7L **155**
St James's Rd. *Croy* —6M **45**
St James's Rd. *Hamp H* —6B **24**
St James's Rd. *King T*
—1K **41** (4J **203**)
St James St. *W6* —1H **13**
St James Ter. *SW12* —2E **28**
St James' Ter. *Farnh* —9H **109**
St James Wlk. *Craw* —8A **182**
St Joan Clo. *Craw* —9B **162**
St John Clo. *H'ham* —7L **197**
St John's. —5C 122
(Redhill)
St Johns. —6K 73
(Woking)
St John's. *N Holm* —9J **119**
St John's. *Red* —5C **122**
St John's Av. *SW15* —8J **13**
St John's Av. *Eps* —8F **60**
St John's Av. *Lea* —8H **79**
St Johns Chu. Rd. *Wott* —8N **117**
St John's Clo. *SW6* —3M **13**
St John's Clo. *E Grin* —8A **166**
St John's Clo. *Guild* —4K **113**
St John's Clo. *Lea* —8J **79**
St John's Ct. *Brkwd* —7C **72**
St John's Ct. *Egh* —6C **20**
St John's Ct. *Farn* —9J **69**
St John's Ct. *Iswth* —5F **10**
St John's Ct. *King T* —7L **203**
St Johns Ct. *S God* —7J **125**
*St John's Ct. Westc —6C **118***
(off St John's Rd.)
St Johns Ct. *Wok* —6K **73**
St John's Cres. *Broad H* —5E **196**
St Johns Dri. *SW18* —2N **27**
St John's Dri. *W on T* —7K **39**
St John's Dri. *Wind* —5D **4**
St John's Gro. *SW13* —5E **12**
St Johns Gro. *Farnh* —3G **129**
St John's Gro. *Rich* —7L **11**
St John's Hill. *Coul* —4L **83**
(in two parts)
St John's Hill. *Purl* —3L **83**
St John's Hill Rd. *Wok* —6K **73**
St John's Lye. *Wok* —6J **73**
(in three parts)
St John's Mdw. *Blind H* —3G **145**
St John's M. *Wok* —6K **73**
St John's Pas. *SW19* —7K **27**
St Johns Ri. *Berr G* —3K **87**
St John's Ri. *Wok* —5L **73**
St John's Rd. *SW19* —8K **27**
St John's Rd. *Asc* —8K **17**
St John's Rd. *Cars* —9C **44**
St John's Rd. *Craw* —3A **182**
St John's Rd. *Croy* —9M **45** (4A **200**)
St John's Rd. *E Grin* —8A **166**
St John's Rd. *E Mol* —3D **40**
St John's Rd. *Farn* —1J **89**
St John's Rd. *Farnh* —3G **129**
St John's Rd. *Felt* —5M **23**
St John's Rd. *Guild* —4L **113**
St John's Rd. *Hamp W* —1J **41**
St John's Rd. *Iswth* —5F **10**
St John's Rd. *Lea* —8J **79**
St John's Rd. *N Mald* —2B **42**
St John's Rd. *Red* —5D **122**
St John's Rd. *Rich* —7L **11**
St John's Rd. *Sand* —8G **49**
St John's Rd. *Sutt* —8N **43**
St John's Rd. *Westc* —6C **118**
St John's Rd. *Wind* —5D **4**
St John's Rd. *Wok* —6J **73**
St Johns St. *Crowt* —2G **49**
St John's St. *G'ming* —5J **133**
*St John's Ter. SW15 —4D **26***
(off Kingston Va.)
St John's Ter. Rd. *Red* —5D **122**
St John's Way. *Cher* —7J **37**
St Joseph's Rd. *Alder* —3M **109**
St Jude's Clo. *Eng G* —6M **19**
St Judes Rd. *Eng G* —5M **19**
St Julian's Clo. *SW16* —5L **29**
St Julian's Farm Rd. *SE27* —5L **29**
St Katherines Rd. *Cat* —3D **104**
St Lawrence Bus. Cen. *Felt* —3J **23**
St Lawrence Ct. *Chob* —7H **53**
*St Lawrence Ho. Chob —7H **53***
(off Bagshot Rd.)
St Lawrence's Way. *Reig* —3M **121**
St Lawrence Way. *Cat* —1N **103**
St Leonard's Av. *Wind* —5F **4**
St Leonards Ct. *SW14* —6B **12**
St Leonard's Dri. *Craw* —5E **182**
St Leonards Forest. —4C 198
St Leonard's Gdns. *Houn* —4M **9**
St Leonard's Hill. *Wind* —7A **4**
St Leonard's Park. —5A 198
St Leonards Pk. *E Grin* —9N **165**
St Leonard's Ri. *Orp* —1N **67**
St Leonard's Rd. *SW14* —6A **12**
St Leonard's Rd. *Clay* —3F **58**
St Leonard's Rd. *Croy* —9M **45**
St Leonard's Rd. *Eps* —6H **81**
St Leonard's Rd. *H'ham* —8L **197**
St Leonard's Rd. *Surb* —4K **41**
St Leonard's Rd. *Th Dit* —5G **40**
St Leonard's Rd. *Wind* —6D **4**
(Imperial Rd.)
St Leonard's Rd. *Wind* —9A **4**
(Queen Adelaide's Ride)
St Leonards Sq. *Surb* —4K **41**
St Leonard's Wlk. *SW16* —8K **29**
St Louis Rd. *SE27* —5N **29**
St Luke's Clo. *SE25* —5E **46**
St Lukes Ct. *Wok* —1E **74**
St Luke's Pas. *King T*
—9M **25** (1M **203**)
St Luke's Rd. *Old Win* —9K **5**
St Luke's Rd. *Whyt* —5C **84**
St Lukes Sq. *Guild* —4B **114**
St Margaret Dri. *Eps*
—1B **80** (8J **201**)
St Margarets. —9H 11
St Margaret's. *Guild* —3B **114**
St Margaret's Av. *Afrd* —6C **22**
St Margarets Av. *Berr G* —3K **87**
St Margaret's Av. *Dor P* —4A **166**
St Margaret's Av. *Sutt* —9K **43**
St Margarets Bus. Cen. *Twic* —9H **11**
St Margarets Cotts. *Fern* —9F **188**
St Margarets Ct. *SW15* —7G **12**
St Margaret's Cres. *SW15* —8G **13**
St Margaret's Dri. *Twic* —8H **11**
St Margaret's Gro. *Twic* —9G **11**
St Margaret's Rd. *Coul* —8F **82**
St Margaret's Rd. *E Grin* —7B **166**
St Margarets Rd. *Iswth & Twic*
—7H **11**
St Margarets Roundabout. (Junct.)
—9H **11**
St Marks Clo. *SW6* —4M **13**
St Mark's Clo. *Farn* —4A **90**
St Mark's Gro. *SW10* —3N **13**
St Mark's Hill. *Surb* —5L **41**
St Mark's La. *H'ham* —2L **197**
St Mark's Pl. *SW19* —7L **27**
St Mark's Pl. *Farnh* —5G **109**
St Marks Pl. *Wind* —5F **4**
St Mark's Rd. *SE25* —3D **46**
St Mark's Rd. *Binf* —8H **15**
St Mark's Rd. *Eps* —5H **81**
St Marks Rd. *Mitc* —1D **44**
St Mark's Rd. *Tedd* —8H **25**
St Marks Rd. *Wind* —5F **4**
St Martha's Av. *Wok* —8B **74**
St Marthas Ct. *Chil* —9D **114**
St Martin Clo. *Hand* —9N **199**
St Martin's Av. *Eps* —1D **80** (8M **201**)
St Martins Clo. *E Hor* —7F **96**
St Martins Clo. *Eps* —9D **60** (7N **201**)
St Martin's Ct. *Afrd* —6L **21**
St Martin's Ct. *E Hor* —7F **96**
St Martins Dri. *W on T* —9K **39**
St Martins Est. *SW2* —2L **29**
St Martins La. *Beck* —4L **47**
St Martins M. *Dork*
—5G **119** (2K **201**)
St Martins M. *Pyr* —3J **75**
St Martin's Wlk. *Dork*
—4H **119** (1L **201**)
St Martins Way. *SW17* —4A **28**
St Mary Av. *Wall* —9E **44**
St Marys. *Wey* —9E **38**
St Mary's Av. *Brom* —2N **47**
St Mary's Av. *Stanw* —1M **21**
St Mary's Av. *Tedd* —7F **24**
St Mary's Av. Central. *S'hall* —1B **10**
St Mary's Av. S. *S'hall* —1B **10**
St Mary's Clo. *Chess* —4M **59**
St Mary's Clo. *Eps* —4E **60**
St Mary's Clo. *Fet* —1D **98**
St Mary's Clo. *Oxt* —7A **106**
St Mary's Clo. *Sand* —7H **49**
St Mary's Clo. *Stanw* —1M **21**
St Mary's Clo. *Sun* —3H **39**
St Mary's Ct. *Wall* —1G **62**
St Mary's Ct. *W'ham* —4M **107**
St Mary's Cres. *Iswth* —3D **10**
St Mary's Cres. *Stanw* —1M **21**
St Mary's Dri. *Craw* —1F **182**
St Mary's Dri. *Felt* —1D **22**
St Marys Garden. *Worp* —5H **93**
St Mary's Gdns. *Bag* —4J **51**
St Mary's Gdns. *H'ham* —7J **197**
St Mary's Grn. *Big H* —5E **86**
St Mary's Gro. *SW13* —6G **12**
St Mary's Gro. *W4* —2A **12**
St Mary's Gro. *Big H* —5E **86**
St Mary's Gro. *Rich* —7M **11**
St Mary's Hill. *Asc* —5N **33**
St Mary's La. *Wink* —4H **17**
St Marys M. *Rich* —3J **25**
St Marys Mill. *C'fold* —6E **172**

St Mary's Mt.—School All.

St Mary's Mt. Cat —2C 104
St Marys Pl. Farnh —9H 109
St Mary's Rd. SE25 —2B 46
St Mary's Rd. SW19 —6K 27
St Mary's Rd. Asc —6M 33
St Mary's Rd. Ash V —8E 90
St Mary's Rd. Camb —9A 50
St Mary's Rd. Dit H —6J 41
St Mary's Rd. E Mol —4D 40
St Mary's Rd. Lea —9H 79
St Mary's Rd. Reig —4N 121
St Mary's Rd. S Croy —6A 64
St Mary's Rd. Surb —5K 41
St Mary's Rd. Wey —1E 56
St Mary's Rd. Wok —4M 73
St Mary's Rd. Wor Pk —8D 42
St Mary's Wlk. Blet —2A 124
St Mary's Wlk. H'ham —7J 197
St Mary's Way. Guild —1H 113
St Matthew's Av. Surb —7L 41
St Matthew's Rd. Red —2D 122
St Maur Rd. SW6 —4L 13
St Michael's Av. Guild —7F 92
St Michaels Clo. Fleet —5C 88
St Michael's Clo. W on T —8K 39
St Michaels Clo. Wor Pk —8E 42
St Michaels Cotts. Wokgm —8H 31
St Michael's Ct. Wey —2D 56
(off Princes Rd.)
St Michael's Rd. Alder —3N 109
St Michael's Rd. Afrd —6B 22
St Michael's Rd. Camb —1N 69
St Michael's Rd. Cat —9A 84
St Michael's Rd. Croy
—7N 45 (1C 200)
St Michaels Rd. E Grin —8A 166
St Michael's Rd. Farn —8N 69
St Michael's Rd. Sand —7E 48
St Michael's Rd. Wall —3G 62
St Michael's Rd. Wok —1F 74
St Mildred's Rd. Guild —2B 114
St Monica's Rd. Kgswd —8L 81
St Nazaire Clo. Egh —6E 20
St Nicholas Av. Bookh —3B 98
St Nicholas Cen. Sutt —2N 61
St Nicholas Clo. Fleet —4A 88
St Nicholas Ct. Craw —2G 182
St Nicholas Ct. King T —8K 203
St Nicholas Cres. Pyr —3J 75
St Nicholas Dri. Shep —6B 38
St Nicholas Glebe. SW17 —6E 28
St Nicholas Hill. Lea —9H 79
St Nicholas Rd. Sutt —2N 61
St Nicholas Rd. Th Dit —5F 40
St Nicholas Way. Sutt —1N 61
St Nicolas Av. Cranl —7N 155
St Nicolas Clo. Cranl —7N 155
St Normans Way. Eps —6F 60
St Olaf's Rd. SW6 —3K 13
St Olaves Clo. Stai —8H 21
St Olaves Wlk. SW16 —1G 45
St Omer Barracks. Alder —8B 90
St Omer Ridge. Guild —4C 114
St Omer Rd. Guild —4C 114
St Oswald's Rd. SW16 —9M 29
St Paul's Clo. Add —2J 55
St Paul's Clo. Afrd —6D 22
St Paul's Clo. Cars —7C 44
St Paul's Clo. Chess —1K 59
St Paul's Clo. Hayes —1E 8
St Paul's Clo. Houn —5M 9
St Pauls Clo. Tong —5D 110
St Paul's Ct. Houn —6M 9
St Paul's Ga. Wokgm —1A 30
St Paul's Rd. Bren —2K 11
St Paul's Rd. Rich —6M 11
St Paul's Rd. Stai —6F 20
St Paul's Rd. T Hth —2N 45
St Paul's Rd. Wok —4C 74
St Paul's Rd. E. Dork
—5H 119 (3M 201)
St Paul's Rd. W. Dork
—6G 119 (4K 201)
St Paul's Studios. W6 —1K 13
(off Talgarth Rd.)
St Paul's Wlk. King T —8N 25
St Peters Av. Berr G —3K 87
St Peter's Clo. SW17 —3C 28
St Peter's Clo. Old Win —8K 5
St Peter's Clo. Stai —7H 21
St Peter's Clo. Wok —7E 74
St Peters Ct. W Mol —3A 40
St Peter's Gdns. SE27 —4L 29
St Peters Gdns. Wrec —5E 128
St Peter's Gdns. Yat —9C 48
St Peter's Gro. W6 —1F 12
St Peters Mead. As —2F 110
St Peters Pk. Alder —4K 109
St Peter's Rd. W6 —1F 12
St Peter's Rd. Craw —3A 182
St Peter's Rd. Croy
—1A 64 (6D 200)
St Peter's Rd. King T —1N 41
St Peters Rd. Old Win —8K 5
St Peters Rd. Twic —8H 11
St Peter's Rd. W Mol —3A 40
St Peter's Rd. Wok —8D 74
St Peter's Sq. W6 —1E 12
St Peter's St. S Croy
—2A 64 (8E 200)
St Peter's Ter. SW6 —3L 13
St Peter's Vs. W6 —1F 12
St Peter's Way. Cher —1F 54
St Peter's Way. Frim —7D 70
St Peter's Way. Hayes —1E 8
St Peter's Wharf. W4 —1F 12
St Philip's Av. Wor Pk —8G 42
St Philip's Ga. Wor Pk —8G 43
St Philips Rd. Surb —5K 41
St Phillips Ct. Fleet —4B 88
St Pier's La. Ling —8B 146
St Pinnock Av. Stai —9J 21
St Richard's M. Craw —3D 182
(off Broomdashers Rd.)
St Sampson Rd. Craw —7L 181
St Saviour's College. SE27 —5N 29
St Saviours Pl. Guild
—3M 113 (3B 202)
St Saviour's Rd. Croy —5M 45
Saints Clo. SE27 —5M 29
St Sebastian's Clo. Wokgm —9D 30
St Simon's Av. SW15 —8H 13
St Stephen Clo. Craw —9B 162
St Stephen's Av. Asht —3L 79
St Stephens Clo. Hasl —2D 188
St Stephen's Cres. T Hth —2L 45
St Stephen's Gdns. SW15 —8L 13
St Stephen's Gdns. Twic —9J 11
St Stephen's Pas. Twic —9J 11
St Stephen's Rd. Houn —9A 10
St Stevens Clo. Hasl —1G 188
St Swithun's Clo. E Grin —9B 166
St Theresa Clo. Eps —1B 80 (8J 201)
St Theresa's Rd. Felt —7G 9
St Thomas Clo. Surb —7M 41
St Thomas Clo. Wok —4M 73
St Thomas Dri. E Clan —9N 95
St Thomas Rd. W4 —2B 12
St Thomas's M. Guild —5B 114
St Thomas's Way. SW6 —3L 13
St Thomas Wlk. Coln —3F 6
St Vincent Clo. SE27 —6M 29
St Vincent Clo. Craw —4H 183
St Vincent Rd. Twic —9C 10
St Vincent Rd. W on T —9J 39
St Winifreds. Kenl —2N 83
St Winifred's Rd. Big H —5H 87
St Winifred's Rd. Tedd —7H 25
Salamanca. Crowt —2D 48
Salamanca Pk. Alder —1L 109
Salamander Clo. King T —6J 25
Salamander Quay. King T
—9K 25 (2H 203)
Salbrook Rd. Red —2E 142
Salcombe Dri. Mord —7J 43
Salcombe Rd. Afrd —4N 21
Salcot Cres. New Ad —6M 65
Salcott Rd. Croy —9J 45
Sale Garden Cotts. Wokgm —3B 30
Salehurst Rd. Worth —3J 183
Salem Pl. Croy —9N 45 (5B 200)
Salerno Clo. Alder —1M 109
Sales Ct. Alder —3L 109
Salesian Gdns. Cher —7J 37
Salesian Vw. Farn —5C 90
Salford Rd. SW2 —2H 29
Salfords. —2E 142
Salfords Ind. Est. Red —3F 142
Salfords Way. Red —2E 142
Salisbury Av. Sutt —3L 61
Salisbury Clo. Wokgm —6A 30
Salisbury Clo. Wor Pk —9E 42
Salisbury Ct. Cars —2D 62
Salisbury Gdns. SW19 —8K 27
Salisbury Gro. Myt —1D 90
Salisbury M. SW6 —3L 13
Salisbury Pas. SW6 —3L 13
(off Dawes Rd.)
Salisbury Pavement. SW6 —3L 13
(off Dawes Rd.)
Salisbury Pl. W Byf —7L 55
Salisbury Rd. God —9F 104
Salisbury Rd. SE25 —5D 46
Salisbury Rd. SW19 —8K 27
Salisbury Rd. As —1E 110
Salisbury Rd. Bans —1N 81
Salisbury Rd. B'water —1H 69
Salisbury Rd. Cars —3D 62
Salisbury Rd. Craw —7C 182
(in two parts)
Salisbury Rd. Farn —1A 90
Salisbury Rd. Felt —2K 23
Salisbury Rd. H'ham —8G 196
Salisbury Rd. Houn —6K 9
Salisbury Rd. H'row A —8D 8
Salisbury Rd. N Mald —2C 42
Salisbury Rd. Rich —7L 11
Salisbury Rd. Wok —6A 74
Salisbury Rd. Wor Pk —1C 60
Salisbury Ter. Myt —2E 90
Salix Clo. Sun —8J 23
Salliesfield. Twic —9D 10
Salmons La. Whyt —7B 84
Salmons La. W. Cat —7B 84
Salmons Rd. Chess —3L 59
Salmons Rd. Eff —7J 97
Salomons Memorial. —1K 119
Saltash Clo. Sutt —1L 61
Saltbox Hill. Big H —9D 66
Salt Box Rd. Guild —7J 93
Saltdean Clo. Craw —6B 182
Salterford Rd. SW17 —7E 28
Salterns Rd. M'bowr —6G 182
Salter's Hill. SE19 —6N 29
Saltire Gdns. Brack —9M 15
Salt La. Hyde —4G 153
Saltram Rd. Farn —3C 90
Salvador. SW17 —6D 28
Salvation Pl. Lea —2G 98
Salvia Ct. Bisl —3D 72
Salvington Rd. Craw —6L 181
Salvin Rd. SW15 —6J 13
Salwey Clo. Brack —5N 31
Samaritan Clo. Bew —5K 181
Samarkand Clo. Camb —2F 70
Samels Ct. W6 —1F 12
Samian Pl. Binf —8K 15
Samos Rd. SE20 —1E 46
Samphire Clo. Craw —6M 181
Sampleoak La. Chil —9G 114
Sampson Pk. Binf —9J 15
Sampson's Almshouses. Farnh
—2E 128
Sampsons Ct. Shep —4D 38
Samuel Gray Gdns. King T
—9K 25 (1J 203)
Samuel Johnson Clo. SW16 —5K 29
Samuel Lewis Trust Dwellings.
(off Vanston Pl.) SW6 —3M 13
Samuel Lewis Trust Dwellings.
(off Lisgar Ter.) W14 —1L 13
Samuel Richardson Ho. W14 —1L 13
(off N. End Cres.)
San Carlos App. Alder —2A 110
Sanctuary Rd. H'row A —9B 8
Sanctuary, The. Mord —5M 43
Sandal Rd. N Mald —4C 42
Sandalwood. Guild —4L 113
Sandalwood Av. Cher —9G 36
Sandalwood Rd. Felt —4J 23
Sandbanks. Felt —2F 22
Sandbourne Av. SW19 —1N 43
Sandcross La. Reig —6L 121
Sandell's Av. Afrd —5C 22
Sandeman Way. H'ham —8L 197
Sanders Clo. Hamp H —6C 24
Sandersfield Gdns. Bans —2M 81
Sandersfield Rd. Bans —2N 81
Sanderstead. —8D 64
Sanderstead Clo. SW12 —1G 29
Sanderstead Ct. Av. S Croy —9D 64
Sanderstead Hill. S Croy —7B 64
Sanderstead Rd. S Croy —4A 64
Sandes Pl. Lea —5G 79
Sandfield Gdns. T Hth —2M 45
Sandfield Rd. T Hth —2M 45
Sandfields. Send —2F 94
Sandfield Ter. Guild
—4N 113 (4C 202)
Sandford Ct. Alder —3L 109
Sandford Down. Brack —4D 32
Sandford Rd. Alder —3L 109
Sandford Rd. Farnh —5G 109
Sandford St. SW6 —3N 13
Sandgate La. SW18 —2C 28
Sandhawes Hill. E Grin —6C 166
Sandheath Rd. Hind —2A 170
Sand Hill. Farn —7N 69
Sand Hill Ct. Farn —7N 69
Sandhill La. Craw D —2E 184
Sandhills. —9A 152
Sandhills. Wall —1H 63
Sandhills. Wmly —9A 152
(in two parts)
Sandhills Ct. Vir W —4A 36
Sandhills La. Vir W —4A 36
Sandhills Mdw. Shep —6D 38
Sandhills Rd. Reig —4M 121
Sandhurst. —8G 49
Sandhurst Av. Surb —6A 42
Sandhurst Clo. S Croy —5B 64
Sandhurst La. B'water —9G 48
Sandhurst Rd. Crowt —4G 49
Sandhurst Rd. Finch —8A 30
Sandhurst Rd. Yat —8E 48
Sandhurst Way. S Croy —4B 64
Sandiford Rd. Sutt —8L 43
Sandilands. Croy —8D 46
Sandilands Rd. SW6 —4N 13
Sandlands Gro. Tad —1F 100
Sandlands Rd. Tad —1F 100
Sandon Clo. Esh —6D 40
Sandown Av. Esh —2C 58
Sandown Clo. B'water —1J 69
Sandown Clo. Houn —4H 9
Sandown Ct. Craw —3H 183
Sandown Ct. Red —2C 122
(off Station Rd.)
Sandown Ct. Sutt —4N 61
Sandown Cres. Alder —5N 109
Sandown Dri. Cars —5E 62
Sandown Dri. Frim —4B 70
Sandown Ga. Esh —9D 40
Sandown Lodge. Eps —1C 80
Sandown Pk. Racecourse. —9C 40
Sandown Rd. SE25 —4E 46
Sandown Rd. Coul —3E 82
Sandown Rd. Esh —1C 58
Sandpiper Clo. If'd —5J 181
Sandpiper Rd. S Croy —7G 64
Sandpiper Rd. Sutt —2L 61
Sandpit Cotts. Pirb —9B 72
Sandpit Hall Rd. Chob —8K 53
Sandpit Heath. Guild —8G 92
Sandpit La. Knap —1E 72
(in two parts)
Sandpit Rd. Red —4C 122
Sandpit Site. Wey —6B 56
Sandpits Rd. Croy —1G 64
Sandpits Rd. Rich —3K 25
Sandra Clo. Houn —8B 10
Sandringham Av. SW20 —9K 27
Sandringham Clo. SW19 —2J 27
Sandringham Clo. E Grin —1C 186
Sandringham Clo. Wok —3J 75
Sandringham Ct. Sutt —5M 61
Sandringham Dri. Afrd —5M 21
Sandringham Gdns. Houn —4H 9
Sandringham Pk. Cobh —8A 58
Sandringham Rd. Craw —7N 181
Sandringham Rd. H'row A —8N 7
Sandringham Rd. T Hth —4N 45
Sandringham Rd. Wor Pk —9F 42
Sandringham Way. Frim —6D 70
Sandrock. Hasl —2G 188
Sandrock Cotts. N'chap —8D 190
Sandrock Hill Rd. Wrec —5E 128
Sandrock Pl. Croy —1G 64
Sandrock Rd. Westc —7B 118
Sandroyd Way. Cobh —9A 58
Sands Clo. Seale —1B 130
Sands End. —4N 13
Sand's End La. SW6 —4N 13
Sands Rd. Farnh & Seale —9A 110
Sands, The. —2C 130
Sandy Bury. Orp —1M 67
Sandy Clo. Wok —4E 74
Sandycombe Rd. Felt —2H 23
Sandycombe Rd. Rich —6M 11
Sandycoombe Rd. Twic —9J 11
Sandy Cft. Eps —6H 61
Sandy Cross. —8C 110
Sandy Dri. Cobh —7A 58
Sandy Dri. Felt —2F 22
Sandy Hill Rd. Farnh —5F 108
Sandy Hill Rd. Wall —5G 62
Sandy Holt. Cobh —9N 57
Sandy La. Alb —1L 135
Sandy La. Asc —4D 34
Sandy La. Bet —4D 120
Sandy La. Blet —1M 123
Sandy La. Brack —8A 16
Sandy La. Camb —9C 50
Sandy La. Chav D —9F 16
Sandy La. Chob —5H 53
Sandy La. C Crook —9B 88
Sandy La. Cobh & Oxs —8N 57
Sandy La. Comp —8G 112
Sandy La. Craw D —1C 184
Sandy La. E Grin —9A 166
Sandy La. Farn —8H 69
Sandy La. G'ming —5G 133
Sandy La. G'wood —8J 171
Sandy La. Guild —8K 113
Sandy La. Hasl —1A 188
Sandy La. Hind —8D 170
Sandy La. Kgswd —2L 101
(in two parts)
Sandy La. Limp —5D 106
Sandy La. Milf —2B 152
Sandy La. Mitc —9E 28
(in two parts)
Sandy La. Norm —9B 92
Sandy La. Oxt —7M 105
Sandy La. Pyr —4J 75
(in two parts)
Sandy La. Reig —4G 120
Sandy La. Rich —3J 25
Sandy La. Sand —6E 48
Sandy La. Send —1E 94
Sandy La. Shere —8B 116
Sandy La. S Nut & Nutf —4H 123
Sandy La. Sutt —4K 61
Sandy La. Tedd —8G 24
Sandy La. Tilf —4M 149
Sandy La. Vir W —3A 36
(in three parts)
Sandy La. W on T —5J 39
Sandy La. W'ham —3M 107
Sandy La. Wok —4D 74
Sandy La. N. Wall —2H 63
Sandy La. S. Wall —5G 62
Sandy Mead. Eps —6N 59
Sandy Ride. S'hill —3B 34
Sandy Rd. Add —3J 55
Sandy Way. Cobh —8A 58
Sandy Way. Croy —9J 47
Sandy Way. W on T —7G 38
Sandy Way. Wok —4E 74
San Feliu Ct. E Grin —8D 166
Sanger Av. Chess —2L 59
Sanger Dri. Send —1E 94
Sangers Dri. Horl —8D 142
Sangers Wlk. Horl —8D 142
Sangley Rd. SE25 —3B 46
Sankey La. Fleet —1E 88
Santina Clo. Farnh —4J 109
Santos Rd. SW18 —8M 13
Sanway. —1N 75
Sanway Clo. Byfl —1N 75
Sanway Rd. Byfl —1N 75
Saphora Clo. Orp —2M 67
Sapphire Cen., The. Wokgm —4A 30
Sappho Ct. Wok —3H 73
Sapte Clo. Cranl —7B 156
Saracen Clo. Croy —5A 46
Sarah Way. Farn —1N 89
Sarel Way. Horl —6F 142
Sargent Clo. Craw —7D 182
Sarjant Path. SW19 —3J 27
(off Blincoe Clo.)
Sark Clo. Craw —7M 181
Sark Clo. Houn —3A 10
Sarsby Dri. Stai —3C 20
Sarsen Av. Houn —5A 10
Sarsfeld Rd. SW12 —3D 28
Sarum. Brack —7K 31
Sarum Cres. Wokgm —1C 30
Sarum Grn. Wey —9F 38
Satellite Bus. Village. Craw —8C 162
Satis Ct. Eps —7E 60
Saturn Clo. Bew —5K 181
Saturn Cft. Wink R —7F 16
Saunders Clo. Craw —3F 182
Saunders Copse. Wok —9L 73
Saunders La. Wok —9H 73
Saunton Av. Hayes —3G 8
Saunton Gdns. Farn —8M 69
Savernake Wlk. Craw —6D 182
Savernake Way. Brack —5C 32
Savery Dri. Surb —6J 41
Savile Clo. N Mald —4D 42
Savile Clo. Th Dit —7F 40
Savile Gdns. Croy —8C 46
Saville Cres. Afrd —7E 22
Saville Gdns. Camb —1F 70
Saville Rd. Twic —2F 24
Savill Gdns. SW20 —2F 42
Savill Gardens, The. —7H 19
Savill Ho. SW4 —1H 29
Savin Lodge. Sutt —4A 62
(off Walnut M.)
Savona Clo. SW19 —8J 27
Savory Wlk. Binf —7G 15
Savoy Av. Hayes —1F 8
Savoy Gro. B'water —3J 69
Sawkins Clo. SW19 —3K 27
Sawpit La. E Clan —9N 95
Sawtry Clo. Cars —6C 44
Sawyers Clo. Wind —3B 4
Sawyer's Hill. Rich —1M 25
Saxby Rd. SW2 —1J 29
Saxby's La. Ling —7N 145
Saxley. Horl —7G 142
Saxon Av. Felt —3M 23
Saxonbury Av. Sun —2J 39
Saxonbury Clo. Mitc —2B 44
Saxonbury Gdns. Surb —7J 41
Saxon Bus. Cen. SW19 —1A 44
Saxon Clo. Surb —5K 41
Saxon Cres. H'ham —4H 197
Saxon Cft. Farnh —2H 129
Saxon Dri. Warf —9D 16
Saxonfield Clo. SW2 —2K 29
Saxon Ho. Felt —3N 23
Saxon Lodge. Croy —1C 200
Saxon Rd. SE25 —4A 46
Saxon Rd. Afrd —7E 22
Saxon Rd. W on T —9L 39
Saxon Rd. Worth —4J 183
Saxons. Tad —8J 81
Saxon Way. Old Win —9L 5
Saxon Way. Reig —2L 121
Saxon Way. W Dray —2L 7
Saxon Way Ind. Est. W Dray —2L 7
Saxony Way. Yat —2B 68
Sayers Clo. Fet —1C 98
Sayers Clo. Frim G —7C 70
Sayers Clo. H'ham —6L 197
Sayers, The. E Grin —9M 165
Sayer's Wlk. Rich —1M 25
Sayes Ct. Add —2L 55
Sayes Ct. Farm Dri. Add —2K 55
Scallows Clo. Craw —2E 182
Scallows Rd. Craw —2E 182
Scampton Rd. H'row A —9A 8
Scania Wlk. Wink R —7F 16
Scarborough Clo. Big H —5E 86
Scarborough Clo. Sutt —7L 61
Scarborough Rd. H'row A —9D 8
Scarbrook Rd. Croy —9N 45 (5B 200)
Scarlet Oaks. Camb —3C 70
Scarlett Clo. Wok —5J 73
Scarlette Mnr. Way. SW2 —1L 29
Scarlett's Rd. Alder —1M 109
Scarth Rd. SW13 —6E 12
Scawen Clo. Cars —1E 62
Scholars Rd. SW12 —2G 28
Scholars Wlk. Guild —4L 113
School All. Twic —2G 25

School Allotment Ride—Sherborne Clo.

School Allotment Ride. *Wind* —1M **17**
School Clo. *Bisl* —2C **72**
School Clo. *Guild* —9N **93**
School Clo. *H'ham* —2N **197**
School Cotts. *Asc* —9H **17**
School Cotts. *Wok* —9M **73**
School Fld. *Eden* —1L **147**
School Hill. *Crowt* —3J **49**
School Hill. *Red* —6G **102**
School Hill. *Sand* —6F **48**
School Hill. *Seale* —8F **110**
School Hill. *Warn* —9F **178**
School Hill. *Wrec* —4E **128**
School Ho. La. *Tedd* —8H **25**
School La. *Add* —2J **55**
School La. *Asc* —9H **17**
School La. *Ash W* —3F **186**
School La. *Bag* —5H **51**
(in two parts)
School La. *Cat* —4C **104**
School La. *C'fold* —5E **172**
School La. *E Clan* —9N **95**
School La. *Egh* —6C **20**
School La. *Ews* —4C **108**
School La. *Fet* —9D **78**
School La. *F Row* —7H **187**
School La. *King T* —9J **25**
School La. *Lwr Bo* —5J **129**
School La. *Mick* —5J **99**
School La. *Norm* —9K **91**
School La. *Ock* —9C **76**
School La. *Pirb* —9B **72**
School La. *P'ham* —8N **111**
School La. *Shack* —5B **132**
School La. *Shep* —5C **38**
School La. *Surb* —7N **41**
School La. *Tad* —3F **100**
School La. *Westc* —6D **118**
School La. *W Hor* —7C **96**
School La. *W'sham* —2A **52**
School La. *Worp* —6H **93**
School La. *Yat* —9A **48**
School Pas. *King T* —1M **41** (4N **203**)
School Rd. *Asc* —4A **34**
School Rd. *Afrd* —7C **22**
School Rd. *E Mol* —3D **40**
School Rd. *Gray* —6N **169**
School Rd. *Hamp H* —7C **24**
School Rd. *Hasl* —3D **188**
School Rd. *Houn* —6C **10**
School Rd. *King T* —9J **25**
School Rd. *Rowl* —8D **128**
School Rd. *W on T* —2G **57**
School Rd. *W Dray* —2M **7**
School Rd. *W'sham* —1L **51**
School Rd. *Wokgm* —2C **30**
School Rd. Av. *Hamp H* —7C **24**
School Road Junction. (Junct.) —7C **22**
School Wlk. *Horl* —8C **142**
School Wlk. *Sun* —3G **38**
Schroder Ct. *Eng G* —6L **19**
Schroders Av. *Red* —1F **122**
Schubert Rd. *SW15* —8L **13**
Scillonian Rd. *Guild* —4K **113**
Scilly Isles. (Junct.) —8E **40**
Scizdons Climb. *G'ming* —7J **133**
Scoles Cres. *SW2* —2L **29**
Scope Way. *King T* —3L **41** (7L **203**)
Scory Clo. *Craw* —6M **181**
Scotia Rd. *SW2* —1L **29**
Scotland Bri. *New H* —7J **55**
Scotland Bri. Rd. *New H* —7J **55**
Scotland Clo. *Ash V* —8E **90**
Scotland Farm Rd. *Ash V* —8E **90**
Scotland Hill. *Sand* —6F **48**
Scotland La. *Hasl* —3F **188**
Scotlands Clo. *Hasl* —3F **188**
Scotney Clo. *Orp* —1J **67**
Scots Clo. *Stai* —2M **21**
Scotsdale Clo. *Sutt* —4K **61**
Scotshall La. *Warl* —2M **85**
Scott Clo. *SW16* —9K **29**
Scott Clo. *Eps* —2B **60**
Scott Clo. *Guild* —1K **113**
Scott Clo. *W Dray* —1A **8**
Scott Farm Clo. *Th Dit* —7H **41**
Scott Gdns. *Houn* —3L **9**
Scott Rd. *Craw* —6D **182**
Scotts Av. *Brom* —1N **47**
Scotts Av. *Sun* —8F **22**
Scott's Ct. *Farn* —7N **69**
Scotts Dri. *Hamp* —8B **24**
Scotts Farm Rd. *Eps* —3B **60**
Scott's Gro. Clo. *Chob* —9G **52**
Scott's Gro. Rd. *Chob* —9E **52**
Scott's Hill. *Out* —5A **144**
Scott's La. *Brom* —2N **47**
Scotts La. *W on T* —1L **57**
Scotts Way. *Sun* —8F **22**
Scott Ter. *Brack* —9C **16**
Scott Trimmer Way. *Houn* —5M **9**
Scrutton Clo. *SW12* —1H **29**
Scutley La. *Light* —5B **52**
Scylla Cres. *H'row A* —1C **22**
Scylla Pl. *St J* —6K **73**
Scylla Rd. *H'row A* —9C **8**
Seabrook Dri. *W Wick* —8N **47**
Seaford Ct. *Wokgm* —2C **30**
Seaford Rd. *Craw* —8M **181**
Seaford Rd. *H'row A* —8M **7**
Seaford Rd. *Wokgm* —2C **30**
Seaforth Av. *N Mald* —4G **42**
Seaforth Gdns. *Eps* —1E **60**
Seagrave Lodge. SW6 —2M 13
(off Seagrave Rd.)
Seagrave Rd. *SW6* —2M **13**
Sealand Rd. *H'row A* —9B **8**
Seale. —8F 110
Seale Hill. *Reig* —5M **121**
Seale La. *Seale* —8B **110**
Seale La. *Seale & P'ham* —8J **111**
Seale Rd. *Seale & Elst* —3F **130**
Searchwood Rd. *Warl* —5E **84**
Searle Rd. *Farnh* —3H **129**
Searle's Vw. *H'ham* —3L **197**
Seaton Clo. *SW15* —2G **27**
Seaton Clo. *Twic* —9D **10**
Seaton Dri. *Afrd* —3N **21**
Seaton Rd. *Camb* —1N **69**
Seaton Rd. *Mitc* —1C **44**
Seaton Rd. *Twic* —9C **10**
Sebastopol La. *Wmly* —9A **152**
Sebastopol Rd. *Alder* —2N **109**
Secombe Centre. —2N 61
Second Av. *SW14* —6D **12**
Second Av. *W on T* —5J **39**
Second Clo. *W Mol* —3C **40**
Second Cross Rd. *Twic* —3E **24**
Seddon Ct. *Craw* —8N **181**
Seddon Hill. *Warf* —7N **15**
Seddon Rd. *Mord* —4B **44**
Sedgefield Clo. *Worth* —2J **183**
Sedgemoor. *Farn* —7N **69**
Sedgewick Clo. *Craw* —3G **183**
Sedgwick La. *H'ham* —9M **197**
Sedleigh Rd. *SW18* —9L **13**
Sedlescombe Rd. *SW6* —2M **13**
Seebys Oak. *Coll T* —9J **49**
Seely Rd. *SW17* —7E **28**
Seething Wells. —5J 41
Seething Wells La. *Surb* —5J **41**
Sefton Clo. *W End* —9C **52**
Sefton Ct. *Houn* —4B **10**
Sefton Rd. *Croy* —7D **46**
Sefton Rd. *Eps* —6C **60**
Sefton St. *SW15* —6H **13**
Sefton Vs. *N Holm* —9H **119**
Segrave Clo. *Wey* —4B **56**
Segsbury Gro. *Brack* —3C **32**
Sekhon Ter. *Felt* —4A **24**
Selborne Av. *Alder* —5N **109**
Selborne Clo. *B'water* —9H **49**
Selborne Gdns. *Farnh* —4F **128**
Selborne Rd. *Croy* —9B **46**
Selborne Rd. *N Mald* —1D **42**
Selbourne Av. *New H* —5K **55**
Selbourne Av. *Surb* —8M **41**
Selbourne Clo. *Craw* —8H **163**
Selbourne Clo. *New H* —5K **55**
Selbourne Rd. *Guild* —9C **94**
Selbourne Sq. *God* —8F **104**
Selby Clo. *Chess* —4L **59**
Selby Grn. *Cars* —6C **44**
Selby Rd. *SE20* —1D **46**
Selby Rd. *Afrd* —7D **22**
Selby Rd. *Cars* —6C **44**
Selbys. *Ling* —6A **146**
Selby Wlk. *Wok* —5L **73**
Selcroft Rd. *Purl* —8M **63**
Selham Clo. *Craw* —2M **181**
Selhurst. —5A 46
Selhurst Clo. *SW19* —2J **27**
Selhurst Clo. *Wok* —2B **74**
Selhurst Common. —3C 154
Selhurst New Rd. *SE25* —5B **46**
Selhurst Pl. *SE25* —5B **46**
Selhurst Rd. *SE25* —5B **46**
Selkirk Rd. *SW17* —5C **28**
Selkirk Rd. *Twic* —3C **24**
Sellar's Hill. *G'ming* —4G **132**
Sellincourt Rd. *SW17* —6C **28**
Sells, The. *Guild* —5B **114**
Selsdon. —6F 64
Selsdon Av. *S Croy* —3A **64**
Selsdon Clo. *Surb* —4L **41**
Selsdon Cres. *S Croy* —6F **64**
Selsdon Pk. Rd. *S Croy & Croy* —5G **65**
Selsdon Rd. *SE27* —4L **29**
Selsdon Rd. *New H* —7J **55**
Selsdon Rd. *S Croy* —2A **64** (8D **200**)
Selsey Ct. *Craw* —7N **181**
Selsey Rd. *Craw* —7M **181**
Selsfield Common. —8E 184
Selsfield Rd. *Turn H & E Grin* —6D **184**
Seltops Clo. *Cranl* —8A **156**
Selwood Clo. *Stanw* —9L **7**
Selwood Gdns. *Stanw* —9L **7**
Selwood Rd. *Chess* —1K **59**
Selwood Rd. *Croy* —8E **46**
Selwood Rd. *Sutt* —7L **43**
Selwood Rd. *Wok* —7D **74**
Selwyn Av. *Rich* —6L **11**
Selwyn Clo. *Craw* —9G **163**
Selwyn Clo. *Houn* —7M **9**
Selwyn Clo. *Wind* —5A **4**
Selwyn Dri. *Yat* —9A **48**
Selwyn Rd. *N Mald* —4C **42**
Semaphore Rd. *Guild* —5A **114** (7E **202**)
Semley Rd. *SW16* —1J **45**
Semper Clo. *Knap* —4H **73**
Sen Clo. *Brack* —7A **16**
Send. —2F 94
Send Barns La. *Send* —2F **94**
Send Clo. *Send* —1E **94**
Send Hill. *Send* —3E **94**
Send Marsh. —1H 95
Send Marsh Grn. *Rip* —1H **95**
Send Marsh Rd. *Send & Rip* —2F **94**
Send Pde. Clo. *Send* —1E **94**
Send Rd. *Send* —1D **94**
Seneca Rd. *T Hth* —3N **45**
Senga Rd. *Wall* —7E **44**
Senhouse Rd. *Sutt* —9J **43**
Sepen Meade. *C Crook* —9A **88**
Sequoia Pk. *Craw* —5B **182**
Sergeant Ind. Est. *SW18* —9N **13**
Sergeants Pl. *Cat* —9N **83**
Serpentine Grn. *Red* —7H **103**
Serrin Way. *H'ham* —3L **197**
Servite Ho. Wor Pk —8E 42
(off Avenue, The)
Servius Ct. *Bren* —3K **11**
Setley Way. *Brack* —2D **32**
Setter Combe. *Warf* —7B **16**
Settrington Rd. *SW6* —5N **13**
Sett, The. *Yat* —1A **68**
Seven Acres. *Cars* —8C **44**
Seven Arches App. *Wey* —4A **56**
Seven Hills Clo. *W on T* —5F **56**
Seven Hills Rd. *W on T* —5F **56**
Seven Hills Rd. S. *Cobh* —9F **56**
Sevenoaks Clo. *Sutt* —6M **61**
Sevenoaks Rd. *Orp* —2N **67**
Sevenoaks Rd. *Prat B* —4N **67**
Severells Copse. —4N 137
Severn Clo. *Sand* —7H **49**
Severn Ct. *King T* —9K **25** (1J **203**)
Severn Cres. *Slou* —1D **6**
Severn Dri. *Esh* —8G **41**
Severn Dri. *W on T* —8L **39**
Severn Rd. *Farn* —8K **69**
Severn Rd. *M'bowr* —4G **182**
Seward Rd. *Beck* —1G **47**
Sewell Av. *Wokgm* —9A **14**
Sewer's Farm Rd. *Ab C* —5N **137**
Sewill Clo. *Charl* —3L **161**
Seymour Av. *Cat* —1N **103**
Seymour Av. *Eps* —5G **61**
Seymour Av. *Mord* —6J **43**
Seymour Clo. *E Mol* —4C **40**
Seymour Ct. *Cobh* —9G **57**
Seymour Ct. *Crowt* —3D **48**
Seymour Ct. *Fleet* —3B **88**
Seymour Dri. *Camb* —7F **50**
Seymour Gdns. *Felt* —5K **23**
Seymour Gdns. *Surb* —4M **41**
Seymour Gdns. *Twic* —1H **25**
Seymour Ho. Sutt —3N 61
(off Mulgrave Rd.)
Seymour M. *Ewe* —6F **60**
Seymour Pl. *SE25* —3E **46**
Seymour Rd. *SW18* —1L **27**
Seymour Rd. *SW19* —4J **27**
Seymour Rd. *Cars* —2E **62**
Seymour Rd. *Craw* —7M **181**
Seymour Rd. *E Mol* —4C **40**
Seymour Rd. *G'ming* —8E **132**
Seymour Rd. *Hamp H* —6C **24**
Seymour Rd. *Head D* —5H **169**
Seymour Rd. *King T* —9K **25** (2H **203**)
Seymour Rd. *Mitc* —6E **44**
Seymour Ter. *SE20* —1E **46**
Seymour Vs. *SE20* —1E **46**
Seymour Wlk. *SW10* —2N **13**
Seymour Way. *Sun* —8G **22**
Shackleford. —4A 132
Shackleford Rd. *Elst & Shack* —7L **131**
Shackleford Rd. *Shack* —4A **132**
Shackleford Rd. *Wok* —7C **74**
Shacklegate La. *Tedd* —5E **24**
Shackleton Clo. *Ash V* —8D **90**
Shackleton Rd. *Craw* —6C **182**
Shackleton Wlk. Guild —3H 113
(off Chapelhouse Clo.)
Shackstead La. *G'ming* —8F **132**
Shadbolt Clo. *Wor Pk* —8E **42**
Shadyhanger. *G'ming* —5H **133**
Shady Nook. *Farnh* —6G **108**
Shaef Way. *Tedd* —8G **25**
Shaftesbury Av. *Felt* —9H **9**
Shaftesbury Clo. *Brack* —4B **32**
Shaftesbury Ct. SW6 —4N 13
(off Maltings Pl.)
Shaftesbury Ct. *SW16* —4H **29**
Shaftesbury Ct. *Farn* —5A **90**
Shaftesbury Ct. *Wokgm* —1C **30**
Shaftesbury Cres. *Stai* —8M **21**
Shaftesbury Ho. *Coul* —9H **83**
Shaftesbury Mt. *B'water* —4J **69**
Shaftesbury Pl. W14 —1L 13
(off Warwick Rd.)
Shaftesbury Rd. *Beck* —1J **47**
Shaftesbury Rd. *Bisl* —3C **72**
Shaftesbury Rd. *Cars* —6B **44**
Shaftesbury Rd. *M'bowr* —5H **183**
Shaftesbury Rd. *Rich* —6L **11**
Shaftesbury Rd. *Wok* —4D **74**
Shaftesbury Way. *Twic* —4D **24**
Shakespeare Av. *Felt* —9H **9**
Shakespeare Gdns. *Farn* —9J **69**
Shakespeare Rd. *Add* —1M **55**
Shakespeare Way. *Felt* —5K **23**
Shakespeare Way. *Warf* —8C **16**
Shalbourne Ri. *Camb* —1B **70**
Shalden Ho. *SW15* —9E **12**
Shalden Rd. *Alder* —4B **110**
Shaldon Dri. *Mord* —4K **43**
Shaldon Way. *W on T* —9K **39**
Shale Grn. *Red* —7H **103**
Shalesbrook La. *F Row* —8H **187**
(in two parts)
Shalford. —9A 114
Shalford Clo. *Orp* —1L **67**
Shalford Mill. —8A 114
Shalford Rd. *Guild & Shalf* —6N **113** (8D **202**)
Shalstone Rd. *SW14* —6A **12**
Shalston Vs. *Surb* —5M **41**
Shambles, The. *Guild* —5N **113** (6C **202**)
Shamley Green. —7G 134
Shamrock Clo. *Fet* —8D **78**
Shamrock Clo. *Frim* —6B **70**
Shamrock Cotts. *Guild* —6L **93**
Shamrock Rd. *Croy* —5K **45**
Shandys Clo. *H'ham* —7G **196**
Shanklin Ct. *Alder* —3A **110**
Shannon Clo. *S'hall* —1L **9**
Shannon Corner. (Junct.) —3F **42**
Shannon Corner Retail Pk. *N Mald* —3F **42**
Shannon Ct. *Croy* —1C **200**
Shanti Ct. *SW18* —2M **27**
Shap Cres. *Cars* —7D **44**
Sharland Clo. *T Hth* —5L **45**
Sharnbrook Ho. *W14* —2M **13**
Sharon Clo. *Bookh* —2A **98**
Sharon Clo. *Craw* —6E **182**
Sharon Clo. *Eps* —9B **60** (6J **201**)
Sharon Clo. *Surb* —7J **41**
Sharon Ct. *S Croy* —8C **200**
Sharon Rd. *W4* —1C **12**
Sharp Ho. *Twic* —9K **11**
Sharpthorne Clo. *If'd* —3L **181**
Shaw Clo. *Eps* —7E **60**
Shaw Clo. *Ott* —3E **54**
Shaw Clo. *S Croy* —8C **64**
Shaw Ct. *Old Win* —8K **5**
Shaw Cres. *S Croy* —8C **64**
Shaw Dri. *W on T* —6K **39**
Shaw Farm. —7H 5
Shawfield Cotts. *As* —2D **110**
Shawfield La. *As* —2D **110**
Shawfield Rd. *As* —3D **110**
Shawford Ct. *SW15* —1F **26**
Shawford Rd. *Eps* —3C **60**
Shawley Cres. *Eps* —5H **81**
Shawley Way. *Eps* —5G **81**
Shaw Pk. *Crowt* —4G **48**
Shaw Rd. *Tats* —7E **86**
Shaws Cotts. Guild —7J 93
(off Worplesdon Rd.)
Shaws Path. Hamp W —9J 25
(off High St.)
Shaws Rd. *Craw* —2D **182**
Shaw Way. *Wall* —4J **63**
Shaxton Cres. *New Ad* —5M **65**
Shearing Dri. *Cars* —6A **44**
Shears Ct. *Sun* —8F **22**
Shears, The. (Junct.) —8F **22**
Shearwater Ct. If'd —4J 181
(off Stoneycroft Wlk.)
Shearwater Rd. *Sutt* —2L **61**
Sheath's La. *Oxs* —9B **58**
Sheen Comn. Dri. *Rich* —7N **11**
Sheen Ct. *Rich* —7N **11**
Sheen Ct. Rd. *Rich* —7N **11**
Sheendale Rd. *Rich* —7M **11**
Sheen Ga. Gdns. *SW14* —7B **12**
Sheengate Mans. *SW14* —7C **12**
Sheen La. *SW14* —8B **12**
Sheen Pk. *Rich* —7L **11**
Sheen Rd. *Rich* —8L **11**
Sheen Way. *Wall* —2K **63**
Sheen Wood. *SW14* —8B **12**
Sheepbarn La. *Warl* —8B **66**
Sheepcote Clo. *Houn* —3H **9**
Sheepcote Rd. *Eton W* —1D **4**
Sheepcote Rd. *Wind* —5B **4**
Sheepfold Rd. *Guild* —9J **93**
Sheep Green. —3C 158
Sheephatch La. *Tilf* —6N **129**
Sheep Ho. *Farnh* —3H **129**
Sheephouse Grn. *Wott* —9N **117**
Sheephouse La. *Ab C* —7N **137**
Sheephouse La. *Wott & Ab C* —8N **117**
Sheephouse Way. *N Mald* —7C **42**
Sheeplands Av. *Guild* —1E **114**
Sheep Wlk. *Eps* —8C **80**
Sheep Wlk. *Reig* —9L **101**
Sheep Wlk. *Shep* —4B **38**
Sheepwalk La. *E Hor & Ran C* —3G **116**
Sheep Wlk. M. *SW19* —7J **27**
Sheep Wlk., The. *Shep* —6A **38**
Sheep Wlk., The. *Wok* —5F **74**
Sheerwater. —1F 74
Sheerwater Av. *Wdhm* —8G **55**
Sheerwater Rd. *Wok* —8G **54**
Sheet's Heath La. *Brkwd* —6D **72**
Sheet St. *Wind* —5G **5**
Sheet St. Rd. *Wind* —5A **18**
Sheffield Clo. *Craw* —5F **182**
Sheffield Clo. *Farn* —1L **89**
Sheffield Rd. *H'row A* —9D **8**
Sheffield Way. *H'row A* —8E **8**
Shefford Cres. *Wokgm* —9C **14**
Shelburne Dri. *Houn* —9A **10**
Sheldon Clo. *Craw* —4H **183**
Sheldon Clo. *Reig* —4N **121**
Sheldon Ct. *Guild* —4B **114**
Sheldon St. *Croy* —9N **45** (5B **200**)
Sheldrick Clo. *SW19* —1B **44**
Shelley Av. *Brack* —1C **32**
Shelley Clo. *Bans* —2J **81**
Shelley Clo. *Coul* —4K **83**
Shelley Clo. *Craw* —1G **182**
Shelley Clo. *Fleet* —5B **88**
Shelley Clo. *Slou* —1C **6**
Shelley Ct. *Camb* —1A **70**
Shelley Cres. *Houn* —4L **9**
Shelley Dri. *Broad H* —5C **196**
Shelley Ri. *Farn* —8L **69**
Shelley Rd. *E Grin* —9M **165**
Shelley Rd. *H'ham* —5H **197**
Shelleys Ct. *H'ham* —4N **197**
Shelley Wlk. *Yat* —1A **68**
Shelley Way. *SW19* —7B **28**
Shellfield Clo. *Stai* —8J **7**
Shellwood Cross. —4D 140
Shellwood Dri. *N Holm* —9J **119**
Shellwood Rd. *Leigh* —1B **140**
Shelson Av. *Felt* —4G **22**
Shelton Av. *Warl* —4F **84**
Shelton Clo. *Guild* —7K **93**
Shelton Clo. *Warl* —4F **84**
Shelton Rd. *SW19* —9M **27**
Shelvers Grn. *Tad* —8H **81**
Shelvers Hill. *Tad* —8G **81**
Shelvers Spur. *Tad* —8H **81**
Shelvers Way. *Tad* —8H **81**
Shenfield Clo. *Coul* —6G **82**
Shenley Rd. *Houn* —4M **9**
Shenstone Clo. *Finch* —8A **30**
Shenstone Pk. *S'hill* —5B **34**
Shepherd & Flock Roundabout. *Farnh* —9K **109**
Shepherd Clo. *Craw* —6C **182**
Shepherd's Bush Rd. *W6* —1H **13**
Shepherds Chase. *Bag* —5J **51**
Shepherds Clo. *Shep* —5C **38**
Shepherds Ct. *Farnh* —3H **129**
Shepherdsgrove La. *Hamm* —5H **167**
Shepherds Hill. *Brack* —9A **16**
Shepherd's Hill. *Cole H* —8M **187**
Shepherd's Hill. *Guild* —1K **113**
Shepherd's Hill. *Hasl* —2G **188**
Shepherds Hill. *Red* —4G **102**
Shepherd's Hill Bungalows. Hasl
(off Shepherd's Hill) —2G 189
Shepherds La. *Brack* —8M **15**
Shepherd's La. *Guild* —9J **93**
Shepherds La. *W'sham* —2C **52**
Shepherd's Wlk. *Eps* —8A **80**
Shepherds Wlk. *Farn* —7K **69**
Shepherds Way. *Crowt* —3D **48**
Shepherd's Way. *Guild* —7A **114**
(in two parts)
Shepherds Way. *H'ham* —3N **197**
Shepherds Way. *S Croy* —4G **64**
Shepherds Way. *Tilf* —7A **130**
Shepiston La. *Hayes* —1C **8**
Shepley Clo. *Cars* —9E **44**
Shepley Dri. *Asc* —5F **34**
Shepley End. *Asc* —4F **34**
Sheppard Clo. *King T* —3L **41** (8L **203**)
Sheppard Ho. *SW2* —2L **29**
Shepperton. —5D 38
Shepperton Bus. Pk. *Shep* —4D **38**
Shepperton Ct. *Shep* —5C **38**
Shepperton Ct. Dri. *Shep* —4C **38**
Shepperton Film Studios. —2A 38
Shepperton Green. —3B 38
Shepperton Rd. *Lale & Shep* —2L **37**
Sheppey Clo. *Craw* —6N **181**
Sheraton Clo. *B'water* —2K **69**
Sheraton Dri. *Eps* —9B **60** (6J **201**)
Sheraton Wlk. *Craw* —8N **181**
Sherborne Clo. *Coln* —4G **7**
Sherborne Clo. *Eps* —4H **81**

Sherborne Ct.—Somerset Gdns.

Sherborne Ct. Guild
—5M 113 (6B 202)
Sherborne Cres. Cars —6C 44
Sherborne Gdns. Shep —6F 38
Sherborne La. Peasl —1G 157
Sherborne Rd. Chess —2L 59
Sherborne Rd. Farn —4B 90
Sherborne Rd. Felt —2E 22
(in two parts)
Sherborne Rd. Sutt —8M 43
Sherborne Wlk. Lea —8J 79
Sherbourne. Alb —8M 115
Sherbourne Cotts. Alb —7N 115
Sherbourne Ct. Sutt —3A 62
Sherbourne Dri. Asc —4G 34
Sherbourne Dri. Wind —7C 4
Sherbrooke Rd. SW6 —3K 13
Shere. —8B 116
Shere Av. Sutt —6H 61
Shere Clo. Chess —2K 59
Shere Clo. N Holm —9J 119
Shere La. Shere —8B 116
Shere Mus. —8B 116
Shere Rd. Ewh —2E 156
Shere Rd. W Cla —4J 115
Shere Rd. W Hor —8C 96
(in two parts)
Sherfield Clo. N Mald —3A 42
Sherfield Gdns. SW15 —9E 12
Sheridan Clo. Alder —4M 109
Sheridan Ct. Croy —6F 200
Sheridan Ct. Houn —8M 9
Sheridan Dri. Reig —1N 121
Sheridan Grange. Asc —5D 34
Sheridan Pl. SW13 —6E 12
Sheridan Pl. E Grin —9M 165
Sheridan Pl. Hamp —9B 24
Sheridan Rd. SW19 —9L 27
Sheridan Rd. Frim —6B 70
Sheridan Rd. Rich —4J 25
Sheridans Rd. Bookh —4C 98
Sheridan Wlk. Cars —2D 62
Sheridan Way. Beck —1J 47
Sheringham Av. Felt —4H 23
Sheringham Av. Twic —2N 23
Sheringham Ct. Felt —4H 23
(off Sheringham Av.)
Sheringham Rd. SE20 —2F 46
Sherland Rd. Twic —2F 24
Shernden La. M Grn —5L 147
Sherring Clo. Brack —6A 16
Sherrydon. Cranl —6A 156
Sherwin Cres. Farn —6N 69
Sherwood Av. SW16 —8H 29
Sherwood Clo. SW13 —6G 13
Sherwood Clo. Brack —1E 32
Sherwood Clo. Fet —1C 98
Sherwood Ct. Coln —1B 6
Sherwood Ct. S Croy —8B 200
Sherwood Cres. Reig —7N 121
Sherwood Pk. Rd. Mitc —3G 44
Sherwood Pk. Rd. Sutt —2M 61
Sherwood Rd. SW19 —8L 27
Sherwood Rd. Coul —3G 82
Sherwood Rd. Croy —6E 46
Sherwood Rd. Hamp H —6C 24
Sherwood Rd. Knap —4H 73
Sherwood Wlk. Craw —6D 182
Sherwood Way. W Wick —8M 47
Shetland Clo. Craw —2J 183
Shetland Clo. Guild —7D 94
Shetland Way. Fleet —1C 88
Shewens Rd. Wey —1E 56
Shey Copse. Wok —4E 74
Shield Dri. Bren —2G 11
Shield Rd. Afrd —5D 22
Shilburn Way. Wok —5K 73
Shildon Clo. Camb —3H 71
Shillinglee. —3G 190
Shillinglee Rd. Plais —4K 191
Shimmings, The. Guild —2C 114
Shingle End. Bren —3J 11
Shinners Clo. SE25 —4D 46
Shinwell Wlk. Craw —8N 181
Ship All. W4 —2N 11
Ship All. Farn —8A 70
Shipfield Clo. Tats —8E 86
Ship Hill. Tats —8E 86
Shipka Rd. SW12 —2F 28
Shiplake Ho. Brack —3D 32
Ship La. SW14 —6B 12
Ship La. Farn —8A 70
Shipley Bridge. —4K 163
Shipleybridge La. Ship B & Copt
—5K 163
Shipley Rd. Craw —2M 181
Ship St. E Grin —1A 186
Ship Yd. Wey —9C 38
Shire Av. Fleet —1D 88
Shire Clo. Bag —5J 51
Shire Ct. Alder —2K 109
Shire Ct. Eps —4E 60
Shire Horse Way. Iswth —6F 10
Shire La. Kes —5G 67
(in two parts)
Shire La. Orp —2N 67
Shire M. Whit —9C 10
Shire Pde. Craw —2H 183
Shire Pl. SW18 —1A 28
Shire Pl. Bren —3J 11
Shire Pl. Craw —2H 183
(off Ridings, The)
Shire Pl. Red —5D 122
Shires Clo. Asht —6K 79
Shires Ho. Byfl —9N 55
Shires, The. Ham —5L 25
Shires Way. Yat —8C 48
Shirley. —8F 46
Shirley Av. Cheam —5L 61
Shirley Av. Coul —6M 83
Shirley Av. Croy —7F 46
Shirley Av. Red —8D 122
Shirley Av. Sutt —1B 62
Shirley Av. Wind —4C 4
Shirley Chu. Rd. Croy —9F 46
Shirley Clo. Craw —7J 181
Shirley Clo. Houn —8C 10
Shirley Ct. SW16 —8J 29
Shirley Cres. Beck —3H 47
Shirley Dri. Houn —8C 10
Shirley Heights. Wall —5G 62
Shirley Hills Rd. Croy —2F 64
Shirley Oaks. —7G 46
Shirley Oaks Rd. Croy —7G 46
Shirley Pk. Croy —8F 46
Shirley Pk. Rd. Croy —7E 46
Shirley Pl. Knap —4F 72
Shirley Rd. Croy —6E 46
Shirley Rd. Wall —5G 62
Shirley Way. Croy —9H 47
Shoe La. Alder —7M 89
Shophouse La. Alb —4M 135
Shoppe Hill. Duns —4A 174
Shop Rd. Wind —3A 4
Shops, The. Won —3D 134
Shord Hill. Kenl —3A 84
Shore Clo. Felt —1H 23
Shore Clo. Hamp —7M 23
Shore Gro. Felt —3A 24
Shoreham Clo. SW18 —8N 13
Shoreham Clo. Croy —5F 46
Shoreham Rd. M'bowr —6G 183
Shoreham Rd. E. H'row A —8N 7
Shoreham Rd. W. H'row A —8N 7
Shores Rd. Wok —1A 74
Shorland Oaks. Brack —7A 16
Shorrold's Rd. SW6 —3L 13
Shortacres. Nutf —2K 123
Short Clo. Craw —9B 162
Shortcroft Rd. Eps —4E 60
Shortdale Rd. Alder —6A 110
Shortfield Common. —1H 149
Shortfield Rd. Fren —1H 149
Short Gallop. Craw —2H 183
Shortheath. —5F 128
Shortheath Crest. Farnh —5E 128
Shortheath Rd. Farnh —5F 128
Short Hedges. Houn —4A 10
Shortlands. —1N 47
Shortlands. W6 —1J 13
Shortlands. Fren —1G 149
Shortlands. Hayes —2E 8
Shortlands Gro. Brom —2N 47
Shortlands Rd. Brom —2N 47
Shortlands Rd. King T
—8M 25 (1N 203)
Short La. Oxt —1D 126
Short La. Stai —1A 22
Short Rd. W4 —2D 12
Short Rd. H'row A —9N 7
Shortsfield Clo. H'ham —3J 197
Shorts Rd. Cars —1C 62
Short St. Alder —2M 109
Short Way. Twic —1C 24
Shortwood Av. Stai —4K 21
Shotfield. Wall —3F 62
Shott Clo. Sutt —2A 62
Shottendane Rd. SW6 —4M 13
Shottermill. —1D 188
Shottermill. H'ham —1N 197
Shottermill Pk. Hasl —1C 188
Shottermill Pond. Hasl —3C 188
Shottermill Ponds. —3C 188
Shottermill Rd. Hasl —3C 188
Shottfield Av. SW14 —7D 12
Shovelstrode La. E Grin & Ash W
—1E 186
Shrewsbury Av. SW14 —7B 12
Shrewsbury Clo. Surb —8L 41
Shrewsbury Rd. Beck —2H 47
Shrewsbury Rd. Cars —6C 44
Shrewsbury Rd. H'row A —9D 8
Shrewsbury Rd. Red —3C 122
Shrewsbury Wlk. Iswth —6G 11
Shrewton Rd. SW17 —8D 28
Shrivenham Clo. Coll T —7J 49
Shropshire Clo. Mitc —3J 45
Shropshire Gdns. Warf —8D 16
Shrubbery Rd. SW16 —5J 29
Shrubbery, The. Farn —2J 89
Shrubbery, The. Surb —7L 41
Shrubbs Hill. Chob —5F 52
Shrubbs Hill La. Asc —5F 34
Shrubbs La. Rowl —7E 128
Shrubland Gro. Wor Pk —9H 43
Shrubland Rd. Bans —3L 81
Shrublands Av. Croy —9K 47
Shrublands Dri. Light —7M 51
Shrubs Hill. —5F 34
Shulbrede Priory. —8B 188
Shurlock Dri. Orp —1L 67
Shute End. Wokgm —2A 30
Shuters Sq. W14 —1L 13
Sian Clo. C Crook —8C 88
Sibthorp Rd. Mitc —1D 44
Sibton Rd. Cars —6C 44
Sickle Rd. Hasl —3D 188
Sidbury Clo. Asc —4D 34
Sidbury St. SW6 —4K 13
Siddeley Dri. Houn —6M 9
Siddons Rd. Croy —9L 45
Sideways La. Hkwd —1A 162
Sidings, The. Alder —1A 110
Sidings, The. Rud —1E 194
Sidings, The. Stai —5K 21
Sidlaws Rd. Farn —7J 69
Sidlow. —1N 141
Sidmouth Av. Iswth —5E 10
Sidney Gdns. Bren —2K 11
Sidney Rd. SE25 —4D 46
Sidney Rd. Beck —1H 47
Sidney Rd. Stai —5J 21
Sidney Rd. Twic —9G 11
Sidney Rd. W on T —6H 39
Sidney Rd. Wind —6A 4
Sidney Wood. —9E 174
Signal Ct. Ling —6A 146
Sigrist Sq. King T —9L 25 (2L 203)
Silbury Av. Mitc —9C 28
Silchester Dri. Craw —6N 181
Silent Pool. —6N 115
Silistria Clo. Knap —5F 72
Silkham Rd. Oxt —5N 105
Silkin Wlk. Craw —8M 181
Silkmore La. W Hor —3B 96
(in two parts)
Silo Clo. G'ming —3J 133
Silo Dri. G'ming —3J 133
Silo Rd. G'ming —3J 133
Silver Birch Clo. C Crook —8A 88
Silver Birch Clo. Wdhm —8G 55
Silver Birch Cotts. Churt —9B 150
Silver Birches Way. Elst —8J 131
Silver Birch Ho. Craw —8A 182
Silver Clo. Kgswd —2K 101
Silver Cres. W4 —1A 12
Silverdale. Fleet —7B 88
Silverdale Av. Oxs —1C 78
Silverdale Av. W on T —8G 38
Silverdale Clo. Brock —7A 120
Silverdale Clo. Sutt —1L 61
Silverdale Ct. Stai —5K 21
Silverdale Dri. Sun —1J 39
Silver Dri. Frim —3G 70
Silverglade Bus. Pk. Chess —8J 59
Silver Glades. Yat —2B 68
Silverhall St. Iswth —6G 11
Silver Hill. Coll T —7K 49
Silver Jubilee Way. Houn —5J 9
Silverlands Clo. Ott —9F 36
Silver La. Purl —8H 63
Silver La. W Wick —8N 47
Silverlea Gdns. Horl —9G 142
Silverleigh Rd. T Hth —3K 45
Silvermere Ct. Purl —8L 63
Silver Pk. Clo. C Crook —7C 88
Silversmiths Way. Wok —5M 73
Silverstead La. W'ham —8M 87
Silverstone Clo. Red —1D 122
Silverton Rd. W6 —2J 13
Silver Tree Clo. W on T —9H 39
Silver Wing Ind. Est. Croy —3K 63
Silverwood. Cranl —4K 155
Silverwood Clo. Croy —5J 65
Silverwood Cotts. Shere —7N 115
Silverwood Dri. Camb —8E 50
Silverwood Ind. Est. Craw D —7C 164
Silwood. Brack —7K 31
Silwood Clo. Asc —1A 34
Silwood Rd. Asc —3C 34
Simkin's Clo. Wink R —7F 16
Simmil Rd. Clay —2E 58
Simmonds Clo. Brack —9K 15
Simmond's Cotts. G'ming —7E 132
Simmondstone La. Churt —8J 149
Simmons Clo. Chess —3J 59
Simmons Clo. Slou —1C 6
Simmons Pl. Stai —6G 21
Simms Clo. Cars —8C 44
Simone Dri. Kenl —3N 83
Simons Clo. Ott —3E 54
Simons Wlk. Eng G —8M 19
Simons Wood. —2B 48
Simplemarsh Ct. Add —1K 55
Simplemarsh Rd. Add —1J 55
Simpson Rd. Houn —9N 9
Simpson Rd. Rich —5J 25
Simpson Way. Surb —5J 41
Simrose Ct. SW18 —8M 13
Sinclair Clo. M'bowr —5G 182
Sinclair Ct. Croy —8B 46
Sinclair Dri. Sutt —5N 61
Sinclair Rd. Wind —6F 4
Sincots Rd. Red —3D 122
Sine Clo. Farn —6N 69
Single Street. —2K 87
Single St. Berr G —2K 87
Singleton Clo. SW17 —8D 28
Singleton Clo. Croy —6N 45
Singleton Rd. Broad H —5D 196
Sinhurst Rd. Camb —2N 69
Sion Ct. Twic —2H 25
Sion Rd. Twic —2H 25
Sipson. —2B 8
Sipson Clo. W Dray —2B 8
Sipson La. W Dray —2B 8
Sipson Rd. W Dray —1A 8
(in two parts)
Sipson Way. W Dray —3B 8
Sir Abraham Dawes Cotts. SW15
—7K 13
Sir Cyril Black Way. SW19 —8M 27
Sirdar Rd. Mitc —7E 28
Sir Oswald Stoll Foundation, The.
(off Fulham Rd.) SW6 —3N 13
Sir Oswald Stoll Mans. SW6 —3N 13
(off Fulham Rd.)
Sir Sydney Camm Ho. Wind —4E 4
Sir William Atkins Ho. Eps
—1C 80 (7K 201)
Sir William Powell's Almshouses.
SW6 —5K 13
Siskin Av. Turn H —4F 184
Siskin Clo. H'ham —3L 197
Sispara Gdns. SW18 —9L 13
Sissinghurst Clo. Craw —2H 183
Sissinghurst Rd. Croy —6D 46
Sistova Rd. SW12 —2F 28
Siward Rd. SW17 —4A 28
Six Bells Roundabout. Farnh
—7K 109
Sixteenth Av. Tad —3K 101
(off Holly Lodge Mobile Home Pk.)
Sixth Cross Rd. Twic —4C 24
Skeena Hill. SW18 —1K 27
Skelbrook St. SW18 —3A 28
Skelgill Rd. SW15 —7L 13
Skelmersdale Wlk. Bew —7K 181
Skelton Fields. Warf —8A 16
Skelwith Rd. W6 —2H 13
Skerne Rd. King T —9K 25 (2J 203)
Skeynes Rd. Eden —3K 147
Skid Hill La. Warl —8B 66
Skiffington Clo. SW2 —2L 29
Skiff La. Wis G —9H 193
Skimmington Cotts. Reig —4J 121
Skimped Hill. —1N 31
Skimped Hill La. Brack —1M 31
Skinners La. Asht —5K 79
Skinners La. C'fold —4G 172
Skinner's La. Eden —9M 127
Skinners La. Houn —4B 10
Skipton Way. Horl —6F 142
Sky Bus. Cen. Egh —1E 36
Skylark Vw. H'ham —1K 197
Skyport Dri. W Dray —3M 7
Skyway Trad. Est. Coln —6H 7
Slade Ct. Ott —3F 54
Slade Ho. Houn —9N 9
Slade La. As —9H 91
Slade Rd. Brkwd —7A 72
Slade Rd. Ott —3F 54
Slaidburn Grn. Brack —6C 32
Slapleys. Wok —7A 74
Slattery Rd. Felt —2L 23
Slaugham Ct. Craw —6L 181
Sleaford. —7A 148
Sledmere Ct. Felt —2F 22
Sleets Rd. Broad H —5E 196
Slim Clo. Alder —6C 90
Slim Rd. Camb —8N 49
Slines New Rd. Wold —7G 84
Slines Oak Rd. Warl —6K 85
Slinfold. —5L 195
Slinfold Wlk. Craw —3M 181
(in two parts)
Slip of Wood. Cranl —6N 155
Slipshatch Rd. Reig —7J 121
Slipshoe St. Reig —3L 121
Slip, The. W'ham —4L 107
Sloane Wlk. Croy —5J 47
Slocock Hill. Wok —4M 73
Sloughbrook Clo. H'ham —2M 197
Slough La. Buck —1F 120
Slough La. H'ley —3B 100
Slough Rd. Dat —1K 5
Slough Rd. Eton & Slou —2G 4
Slyfield Ct. Guild —9A 94
Slyfield Green. —9N 93
Slyfield Grn. Guild —8A 94
Slyfield Ind. Est. Sly I —8A 94
Smallberry Av. Iswth —5F 10
Smallfield. —8M 143
Smallfield Rd. Horl & Small —8F 142
Smallfield Rd. Small & Horne
—8A 144
Smallholdings Rd. Eps —1H 81
(in two parts)
Smallmead. Horl —8F 142
Smalls Hill Rd. Leigh —1F 140
Small's La. Craw —3B 182
Smalls Mead. Craw —3A 182
Smallwood Rd. SW17 —5B 28
Smart's Heath La. Wok —1K 93
Smart's Heath Rd. Wok —1J 93
Smeaton Clo. Chess —3K 59
Smeaton Rd. SW18 —1M 27
Smitham Bottom La. Purl —7G 63
Smitham Downs Rd. Purl —9H 63
Smithbarn. H'ham —5N 197
Smithbarn Clo. Horl —7F 142
Smithbrook. —7E 154
Smithbrook Kilns. Cranl —7F 154
Smith Clo. Craw —6B 182
Smith Ct. Wok —9F 54
Smithers La. Hamm —5J 167
Smithers, The. Brock —5A 120
Smithfield La. Head D —8F 148
Smith Hill. Bren —2L 11
Smith Rd. Reig —6L 121
Smiths La. Crock H —2L 127
Smith's La. Wind —5B 4
Smith's Lawn. —7H 19
(Polo Ground)
Smith Sq. Brack —1B 32
Smith St. Surb —5M 41
Smith's Yd. SW18 —3A 28
Smiths Yd. Croy —4C 200
Smithwood Av. Cranl —3K 155
Smithwood Clo. SW19 —2K 27
Smithwood Comn. Rd. Cranl
—2J 155
Smithy Clo. Lwr K —4L 101
Smithyfield. Eden —9M 127
Smithy La. Dock —8C 148
Smithy La. Lwr K —5L 101
Smithy's Grn. W'sham —3A 52
Smock Wlk. Croy —5N 45
Smokejack Hill. Wal W —2L 177
Smoke La. Reig —5N 121
Smoky Hole. —4E 136
Smolletts. E Grin —1M 185
Smoothfield. Houn —7A 10
Smugglers End. Hand —8N 199
Smugglers La. Ockl —2E 178
(in two parts)
Smugglers La. Rusp —3F 180
Smugglers Way. SW18 —7N 13
Smugglers' Way. Seale —3B 130
Snag La. Cud —7M 67
(in two parts)
Snailslynch. Farnh —1J 129
Snatts Hill. Oxt —7B 106
Snelgar Rd. Wok —5A 74
Snelgate Cotts. E Clan —9M 95
Snell Hatch. Craw —3N 181
Snellings Rd. W on T —2K 57
Snipe Rd. Hasl —7E 188
Snodland Clo. Orp —6J 67
Snowbury Rd. SW6 —5N 13
Snowden Clo. Wind —7A 4
Snowdenham La. Brmly —6A 134
Snowdenham Links Rd. Brmly
—5N 133
Snowdon Rd. Farn —7K 69
Snowdon Rd. H'row A —9D 8
Snowdown Clo. SE20 —1F 46
Snowdrop Clo. Craw —7M 181
Snowdrop Clo. Hamp —7A 24
Snowdrop Wlk. Fleet —3A 88
(off Stockton Av.)
Snowdrop Way. Bisl —4D 72
Snowerhill Rd. Bet —5D 120
Snow Hill. —6D 164
Snow Hill. Copt —7C 164
(in two parts)
Snowhill Bus. Cen. Copt —6D 164
Snow Hill La. Copt —5C 164
Snows Paddock. W'sham —9M 33
Snows Ride. W'sham —2M 51
Snowy Fielder Waye. Iswth —5H 11
Snoxhall Fld. Cranl —8M 155
Soames Wlk. N Mald —9D 26
Soane Clo. Craw —5K 181
Sobraon Ho. King T —1M 203
Solartron Rd. Farn —2N 89
Soldiers Ri. Finch —9C 30
Solecote. Bookh —3A 98
Sole Farm Av. Bookh —3N 97
Sole Farm Clo. Bookh —2N 97
Sole Farm Rd. Bookh —3N 97
Solent Rd. H'row A —9A 8
Solna Av. SW15 —8H 13
Soloms Ct. Rd. Bans —4B 82
(in two parts)
Solway Clo. Houn —6M 9
Sol-y-Vista. G'ming —5G 133
Somer Ct. SW6 —2M 13
(off Anselm Rd.)
Somerfield Clo. Tad —6K 81
Somergate. H'ham —6F 196
Somersbury La. Ewh & Rud —8G 156
Somers Clo. Reig —2M 121
Somerset Av. SW20 —1G 42
Somerset Av. Chess —1K 59
Somerset Clo. Eps —5C 60
Somerset Clo. N Mald —5D 42
Somerset Clo. W on T —2J 57
Somerset Ct. Farn —4A 90
Somerset Gdns. SW16 —2K 45

Somerset Gdns.—Springfield Rd.

Somerset Gdns. Tedd —6E 24
Somerset Gro. Warf —8D 16
Somerset Ho. Red —2D 122
Somerset Lodge. Bren —2K 11
Somerset Rd. SW19 —4J 27
Somerset Rd. Bren —2J 11
Somerset Rd. Farn —4A 90
Somerset Rd. King T —1M 41 (4N 203)
Somerset Rd. Red —5B 122
Somerset Rd. Tedd —6E 24
Somerset Waye. Houn —2M 9
Somers Pl. SW2 —1K 29
Somers Pl. Reig —2M 121
Somers Rd. SW2 —1K 29
Somers Rd. Reig —2L 121
Somerswey. Shalf —2A 134
Somerton Av. Rich —6A 12
Somerton Clo. Purl —2L 83
Somertons Clo. Guild —9K 93
Somerville Av. SW13 —2G 13
Somerville Ct. Red —2C 122 (off Oxford Rd.)
Somerville Cres. Yat —9D 48
Somerville Dri. Craw —9G 163
Somerville Rd. Cobh —1A 78
Somerville Rd. Eton —1F 4
Sondes Farm. Dork —5F 118 (3H 201)
Sondes Pl. Dri. Dork —5F 118
Sonia Gdns. Houn —3A 10
Sonnet Wlk. Big H —5D 86
Sonninge Clo. Coll T —7J 49
Sonning Gdns. Hamp —7M 23
Sonning Rd. SE25 —5D 46
Sontan Ct. Twic —2D 24
Soper Dri. Cat —1A 104
Sophia Ho. W6 —1H 13 (off Queen Caroline St.)
Sopwith Av. Chess —2L 59
Sopwith Clo. Big H —3F 86
Sopwith Clo. King T —6M 25
Sopwith Dri. Wey —7N 55
Sopwith Rd. Houn —3K 9
Sopwith Way. King T —9L 25 (2K 203)
Sorbie Clo. Wey —3E 56
Sorrel Bank. Croy —6H 65
Sorrel Clo. Craw —7M 181
Sorrel Clo. Farn —9H 69
Sorrel Clo. Wokgm —9D 14
Sorrel Dri. Light —8K 51
Sorrell Clo. Eden —9L 127
Sorrell Rd. H'ham —3L 197
Sorrento Rd. Sutt —9M 43
Sotheron Rd. SW6 —3N 13
S. Albert Rd. Reig —2L 121
Southall La. Houn & S'hall —2J 9
Southam Ho. Add —2K 55 (off Addlestone Pk.)
Southampton Clo. B'water —9H 49
Southampton Gdns. Mitc —4J 45
Southampton Rd. H'row A —9N 7
Southampton St. Farn —5N 89
Southampton Way. H'row A —9N 7
South Ascot. —5L 33
S. Atlantic Dri. Alder —1A 110
South Av. Cars —4E 62
South Av. Egh —7E 20
South Av. Farnh —6J 109
South Av. Rich —5N 11
South Av. Wey —6B 56
South Av. W Vill —6F 56
South Bank. Surb —5L 41
Southbank. Th Dit —6H 41
South Bank. W'ham —4M 107
S. Bank Ter. Surb —5L 41
South Beddington. —3H 63
S. Black Lion La. W6 —1F 12
S. Bolton Gdns. SW5 —1N 13
S. Border, The. Purl —7H 63
Southborough. —7L 41
Southborough Clo. Surb —7K 41
Southborough Rd. Surb —7L 41
Southbridge Pl. Croy —1N 63 (6B 200)
Southbridge Rd. Croy —1N 63 (6B 200)
Southbrook. Craw —8A 182
Southbrook Rd. SW16 —9J 29
Southby Dri. Fleet —4C 88
South Camp. —9A 90
S. Circular Rd. SW15 —7F 12
South Clo. Craw —2D 182
South Clo. Mord —5M 43
South Clo. Twic —4A 24
South Clo. Wok —3M 73
South Clo. Wokgm —2B 30 (Peach St.)
South Clo. Wokgm —4C 30 (South Dri.)
South Clo. Grn. Red —7F 102
Southcote. Wok —2N 73
Southcote Av. Felt —3G 23
Southcote Av. Surb —6A 42
Southcote Dri. Camb —1E 70
Southcote Rd. SE25 —4E 46
Southcote Rd. Red —8G 102
Southcote Rd. S Croy —6B 64
South Cft. Eng G —6L 19
Southcroft Av. W Wick —8M 47
Southcroft Rd. SW17 & SW16 —7E 28
South Croydon. —2A 64
Southdean Gdns. SW19 —3L 27
Southdown Clo. H'ham —3N 197
Southdown Dri. SW20 —8J 27
Southdown Rd. SW20 —9J 27
Southdown Rd. Cars —5E 62
Southdown Rd. W on T —1M 57
Southdown Rd. Wold —9J 85
South Dri. Bans —9C 62
South Dri. Brkwd —8N 71
South Dri. Coul —2H 83
South Dri. Dork —5J 119 (2N 201)
South Dri. Orp —2N 67
South Dri. Sutt —6K 61
South Dri. Vir W —7K 35
South Dri. Wokgm —3B 30
S. Ealing Rd. W5 —1K 11
S. Eden Pk. Rd. Beck —5L 47
South End. Bookh —4B 98
South End. Croy —1N 63 (6C 200)
Southerland Clo. Wey —1D 56
Southern Av. SE25 —2C 46
Southern Av. Felt —2H 23
Southern Av. Red —1E 142
Southern Bungalows. Chil —1D 134
Southern Cotts. Stai —8J 7
Southern Industrial Area, Bracknell. —2K 31
Southern Perimeter Rd. H'row A (in two parts) —8K 7
Southern Rd. Camb —9A 50
Southerns La. Coul —3A 102
Southern Way. Farn —2J 89
Southern Way. Farnh —2H 129
Southey Ct. Bookh —2B 98
Southey Rd. SW19 —8M 27
S. Farm La. Bag —5L 51
South Farnborough. —5B 90
Southfield Gdns. Twic —5F 24
Southfield Pl. Wey —4C 56
Southfields. —1M 27
Southfields. E Mol —5E 40
Southfields Av. Afrd —7C 22
Southfields Ct. Sutt —8M 43
Southfields M. SW18 —9M 13
Southfields Pas. SW18 —9M 13
Southfields Rd. SW18 —9M 13
Southfields Rd. Wold —9L 85
Southfleet Rd. Orp —1N 67
South Gdns. SW19 —8B 28
Southgate. —5B 182
Southgate Av. Craw —6B 182
Southgate Av. Felt —5E 22
Southgate Dri. Craw —5B 182
Southgate Pde. Craw —5B 182
Southgate Rd. Craw —5B 182
South Godstone. —7H 125
South Gro. Cher —5H 37
South Gro. Fleet —1D 88
South Gro. H'ham —7K 197
South Hill. G'ming —7H 133
South Hill. Guild —5N 113 (6D 202)
S. Hill Rd. Brack —5M 31
S. Hill Rd. Brom —2N 47
S. Holmes Rd. H'ham —4A 198
South Holmwood. —5J 139
South Kensington. —1N 13
Southlands. E Grin —2A 186
Southlands Av. Horl —7D 142
Southlands Av. Orp —1M 67
Southlands Clo. As —3E 110
Southlands Clo. Coul —4K 83
Southlands Clo. Wokgm —3C 30
Southlands Dri. SW19 —3J 27
Southlands La. Tand & Oxt —3L 125
Southlands Rd. As —3E 110
Southlands Rd. Wokgm —4C 30
Southland Way. Houn —8D 10
South La. As —3F 110
South La. King T —2K 41 (5J 203) (in two parts)
South La. N Mald —3C 42
South La. W. N Mald —3C 42
Southlea. —5L 5
Southlea Rd. Dat & Old Win —4L 5
South Lodge. Twic —9C 10
S. Lodge Av. Mitc —3J 45
S. Lodge Rd. W on T —5H 57
South London Crematorium. Mitc —1G 44
Southly Clo. Sutt —9M 43
S. Lynn Cres. Brack —4N 31
South Mall. Fleet —4A 88
South Mall. Stai —5H 21 (off Elmsleigh Shop. Cen.)
South Mead. Eps —4E 60
South Mead. Red —9D 102
South Mdw. Crowt —4J 49
South Mdw. La. Eton —2F 4
Southmead Rd. SW19 —2K 27
Southmead Rd. Alder —4N 109
South Merstham. —7H 103
Southmont Rd. Esh —8E 40
South Munstead. —4M 153
S. Munstead La. G'ming —3L 153
South Norwood. —3C 46
South Norwood Country Pk. —3F 46
S. Norwood Hill. SE25 —1B 46
South Nutfield. —5K 123
S. Oak Rd. SW16 —5K 29
South Pde. Horl —7D 142
South Pde. Red —6G 102
South Pde. Wall —3G 62
South Park. —6D 124 (Godstone)
South Park. —6M 121 (Reigate)
S. Park Gro. N Mald —3B 42
S. Park Hill Rd. S Croy —2A 64 (8E 200)
S. Park La. Blet —5D 124
S. Park M. SW6 —6N 13
S. Park Rd. SW19 —7M 27
South Path. Wind —4F 4
S. Pier Rd. Gat A —3F 162
South Pl. Surb —6M 41
South Ridge. Wey —6C 56
Southridge Pl. SW20 —8J 27
South Ri. Cars —5C 62
South Rd. SW19 —7A 28
South Rd. Ash V —9E 90
South Rd. Bisl —3C 72
South Rd. Crowt —4K 49
South Rd. Eng G —7M 19
South Rd. Felt —6L 23
South Rd. Guild —1L 113
South Rd. Hamp —7M 23
South Rd. Reig —4N 121
South Rd. St G —5C 56
South Rd. Twic —4D 24
South Rd. Wey —2D 56
South Rd. Wok —2M 73
South Rd. Wokgm —6J 31
Southsea Rd. King T —3L 41 (7K 203)
South Side. Cher —2J 37
South Side. Tong —5D 110
Southside Comn. SW19 —7H 27
Southside House. —7H 27
S. Station App. S Nut —5J 123
South Street. —6J 87
South St. Dork —6G 119 (4K 201)
South St. Eps —9C 60 (7K 201)
South St. Farn —4C 90
South St. Farnh —1H 129
South St. G'ming —7G 133 (in two parts)
South St. H'ham —7J 197
South St. Iswth —6G 10
South St. Stai —6H 21
South Ter. Dork —6H 119 (4L 201)
South Ter. Surb —5L 41
South Vw. Brack —2J 31
South Vw. Eps —6N 59
South Vw. Eton W —1E 4
Southview. Fren —1J 149
Southview Clo. SW17 —6E 28
Southview Clo. Copt —7B 164
S. View Ct. SE19 —8N 29
S. View Ct. Wok —5A 74
Southview Gdns. Wall —4G 63
S. View Rd. Asht —6K 79
Southview Rd. Head D —4G 168
Southview Rd. Warl —6D 84 (in three parts)
Southview Rd. Wold —2L 105
Southviews. S Croy —6G 65
Southville Clo. Eps —5C 60
Southville Clo. Felt —2F 22
Southville Cres. Felt —2F 22
Southville Rd. Felt —2F 22
Southville Rd. Th Dit —6G 41
South Wlk. Alder —2B 110
South Wlk. Reig —3N 121
South Wlk. W Wick —9N 47
Southwark Clo. Craw —7N 181
Southwark Clo. Yat —9B 48
Southwater Clo. If'd —3M 181
Southway. SW20 —4H 43
Southway. Camb —2N 69
South Way. Cars —6B 62
South Way. Croy —9H 47
Southway. Guild —3H 113
Southway. Wall —1G 63
Southway Ct. Guild —3H 113
Southwell Cotts. Charl —3K 161
Southwell Pk. Rd. Camb —1N 69
Southwell Rd. Croy —5L 45
S. Western Rd. Twic —9G 11
South West Middlesex Crematorium. Felt —2M 23
Southwick. Bag —6J 51
Southwick Clo. E Grin —8N 165
Southwick Ct. Brack —5C 32
South Wimbledon. —7N 27
Southwold. Brack —7K 31
Southwood. —2J 89
Southwood. Wokgm —4C 30
Southwood Av. Coul —2G 83
Southwood Av. King T —9B 26
Southwood Av. Knap —5G 73
Southwood Av. Ott —4E 54
Southwood Bus. Cen. Farn —1J 89
Southwood Chase. Cranl —9A 156
Southwood Clo. Wor Pk —7J 43
Southwood Cres. Swd B —1J 89
Southwood Dri. Surb —6B 42
Southwood Gdns. Esh —9G 40
Southwood La. Farn —2J 89
Southwood La. Fleet —2E 88
Southwood Rd. Farn —2J 89
Southwood Village Cen. Farn —2J 89
S. Worple Av. SW14 —6D 12
S. Worple Way. SW14 —6C 12
Sovereign Clo. Purl —6K 63
Sovereign Ct. Asc —6E 34
Sovereign Ct. Houn —6A 10
Sovereign Ct. W Mol —3N 39
Sovereign Dri. Camb —8F 50
Soyer Ct. Wok —5H 73
Space Waye. Felt —8H 9
Spa Clo. SE25 —1B 46
Spa Ct. SW16 —5K 29
Spa Dri. Eps —1N 79
Spa Hill. SE19 —9N 29
Spalding Rd. SW17 —6F 28
Sparks Clo. Hamp —7M 23
Sparrow Clo. Hamp —7M 23
Sparrow Farm Dri. Felt —1K 23
Sparrow Farm Rd. Eps —1F 60
Sparrowhawk Clo. Ews —5C 108
Sparrow Row. —3E 52
Sparrow Row. Chob —3E 52
Sparrows Mead. Red —9E 102
Sparvell Rd. Knap —6E 72
Sparvell Way. Camb —9A 50
Spats La. Head D —1D 168
Speakers Ct. Croy —7A 46
Spear M. SW5 —1M 13
Speart La. Houn —3M 9
Speedbird Way. Harm —3K 7
Speedwell Clo. Eden —9M 127
Speedwell Clo. Guild —9E 94
Speedwell Way. H'ham —3L 197
Speer Rd. Th Dit —5F 40
Speirs Clo. N Mald —5E 42
Speke Rd. T Hth —1A 46
Spelthorne Gro. Sun —8G 22
Spelthorne La. Afrd —9D 22
Spelthorne Mus. —6G 21
Spence Av. Byfl —1N 75
Spencer Clo. C Crook —8D 88
Spencer Clo. Eps —6D 80
Spencer Clo. Frim G —8C 70
Spencer Clo. Wok —9E 54
Spencer Ct. Lea —1J 99
Spencer Ct. Orp —2L 67
Spencer Gdns. SW14 —8B 12
Spencer Gdns. Eng G —6N 19
Spencer Hill Rd. SW19 —8K 27
Spencer Mans. W14 —2K 13 (off Queen's Club Gdns.)
Spencer M. W6 —2K 13 (off Queen's Club Gdns.)
Spencer Pk. E Mol —4C 40
Spencer Pl. Croy —6A 46
Spencer Rd. SW19 —7K 27
Spencer Rd. SW20 —9G 27
Spencer Rd. W4 —3B 12
Spencer Rd. Brack —9L 15
Spencer Rd. Cat —8A 84
Spencer Rd. Cobh —2J 77
Spencer Rd. E Mol —3C 40
Spencer Rd. Iswth —4C 10
Spencer Rd. Mitc —2E 44
Spencer Rd. Mit J —6E 44
Spencer Rd. S Croy —2B 64
Spencer Rd. Twic —4E 24
Spencers La. Horl —1L 161
Spencers Pl. H'ham —4H 197
Spencers Rd. Craw —4A 182 (in two parts)
Spencer's Rd. H'ham —5H 197
Spencer's Way. Red —8E 122
Spencer Wlk. SW15 —7J 13
Spenser Av. Wey —5B 56
Spenser M. SE21 —3N 29
Spiceall. Comp —1E 132
Spicer Clo. W on T —5K 39
Spicers Fld. Oxs —9D 58
Spice's Yd. Croy —1N 63 (6C 200)
Spiers Way. Horl —1F 162
Spindle Way. Craw —4D 182
Spindlewood Gdns. Croy —1B 64 (6F 200)
Spindlewoods. Tad —9G 81
Spinis. Brack —7K 31
Spinnaker Ct. Hamp W —2H 203
Spinner Grn. Brack —4N 31
Spinners Wlk. Wind —4F 4
Spinney Clo. Beck —3L 47
Spinney Clo. Cobh —7A 58
Spinney Clo. Craw D —1F 184
Spinney Clo. H'ham —2A 198
Spinney Clo. N Mald —4D 42
Spinney Clo. Wor Pk —8E 42
Spinney Cft. Oxs —2D 78
Spinney Dri. Felt —1D 22
Spinney Hill. Add —2G 55
Spinney La. Wink —2M 17
Spinney Oak. Ott —3F 54
Spinney, The. SW13 —3G 12
Spinney, The. SW16 —4G 29
Spinney, The. Asc —4B 34
Spinney, The. Bookh —2B 98
Spinney, The. Camb —9G 51
Spinney, The. Craw —5N 181
Spinney, The. Eps —9D 60 (7M 201) (Epsom)
Spinney, The. Eps —6G 81 (Tattenham Corner)
Spinney, The. Gray —5M 169
Spinney, The. Hasl —9G 171
Spinney, The. Horl —6E 142
Spinney, The. Oxs —8C 58
Spinney, The. Purl —7M 63
Spinney, The. Send —5L 95
Spinney, The. Shot —3B 188
Spinney, The. Sun —9H 23
Spinney, The. Sutt —1H 61
Spinney, The. Yat —8B 48
Spinney Way. Cud —7M 67
Spinning Wlk., The. Shere —8B 116
Spinningwheel La. Binf —1H 15 (in two parts)
Spital. —6E 4
Spital Heath. Dork —4J 119
Spitals Cross. —9L 127
Spitals Cross Estate. —9M 127
Spitfire Est., The. Houn —1K 9
Spitfire Rd. H'row A —9D 8
Spitfire Rd. Wall —4K 63
Spitfire Way. Houn —1K 9
Splash, The. Warf —7N 15
Spode La. Cowd —1N 167
Spoil La. Tong —5D 110
Spokane Clo. Alder —4L 109
Spook Hill. N Holm —1H 139
Spooner Ho. Houn —2A 10
Spooners Rd. H'ham —4N 197
Spooner Wlk. Wall —2J 63
Spout Hill. Croy —2K 65
Spout La. Crock H —3L 127
Spout La. Stai —7J 7
Spout La. N. Stai —7K 7
Spratts All. Ott —3G 54
Spratts La. Ott —3G 54
Spray La. Twic —9E 10
Spread Eagle Wlk. Eps —9C 60 (6L 201)
Spreakley. —2G 149
Spreighton Rd. W Mol —3B 40
Spring Av. Egh —7A 20
Springbok Cotts. Alf —7F 174
Springbok Est. Alf —7F 174 (in two parts)
Spring Bottom La. Blet —5L 103
Spring Clo. G'ming —3H 133
Spring Clo. La. Sutt —3K 61
Spring Copse. Copt —7N 163
Spring Copse. E Grin —7B 166
Spring Copse Bus. Pk. Slin —5K 195
Springcopse Rd. Reig —5A 122
Spring Corner. Felt —4H 23
Spring Cotts. Holmw —6J 139
Spring Cotts. Surb —4K 41
Spring Ct. Eps —5E 60
Spring Ct. Guild —8L 93
Springcross Av. B'water —3J 69
Springfarm Rd. Hasl —3C 188
Springfield. E Grin —6N 165
Springfield. Elst —7H 131
Springfield. Light —7A 52
Springfield. Oxt —8N 105
Springfield Av. SW20 —2L 43
Springfield Av. Hamp —7B 24
Springfield Clo. Knap —5H 73
Springfield Clo. Wind —5E 4
Springfield Ct. Craw —4B 182
Springfield Ct. H'ham —6J 197
Springfield Ct. King T —6K 203
Springfield Ct. Wall —2F 62
Springfield Cres. H'ham —6H 197
Springfield Dri. Lea —6E 78
Springfield Gdns. W Wick —8L 47
Springfield Gro. Sun —9G 23
Springfield La. Colg —5F 198
Springfield La. Fleet —4A 88
Springfield La. Wey —1C 56
Springfield Meadows. Wey —1C 56
Springfield Pk. H'ham —5J 197
Springfield Pk. Rd. H'ham —6H 197
Springfield Pl. N Mald —3B 42
Springfield Rd. SW19 —6L 27
Springfield Rd. Afrd —6A 22
Springfield Rd. Ash V —8E 90
Springfield Rd. Binf —1H 31
Springfield Rd. Camb —1E 70
Springfield Rd. Craw —4A 182
Springfield Rd. Eden —2K 147
Springfield Rd. Eps —6H 61
Springfield Rd. Guild —4A 114 (4E 202)
Springfield Rd. H'ham —6H 197 (in two parts)
Springfield Rd. King T —2L 41 (6L 203)

Springfield Rd.—Station Rd. S.

Springfield Rd. *Slou* —3D **6**
Springfield Rd. *Tedd* —6G **24**
Springfield Rd. *T Hth* —9N **29**
Springfield Rd. *Twic* —2A **24**
Springfield Rd. *Wall* —2F **62**
Springfield Rd. *Westc* —6B **118**
Springfield Rd. *Wind* —5E **4**
Springfields Clo. *Cher* —7K **37**
Springfield Way. *Elst* —8J **131**
Springflower Cotts. *Guild* —9F **92**
Spring Gdns. *Asc* —3M **33**
Spring Gdns. *Big H* —5E **86**
Spring Gdns. *Camb* —1E **70**
Spring Gdns. *Copt* —7N **163**
Spring Gdns. *Dork* —5G **118** (2J **201**)
Spring Gdns. *Farn* —7M **69**
Spring Gdns. *H'ham* —5J **197**
Spring Gdns. *N Asc* —8J **17**
Spring Gdns. *Wall* —2G **62**
Spring Gdns. *W Mol* —4B **40**
Spring Grove. —4E 10
Spring Gro. *W4* —1N **11**
Spring Gro. *Fet* —1B **98**
Spring Gro. *G'ming* —3H **133**
Spring Gro. *Hamp* —9B **24**
Spring Gro. *Mitc* —9E **28**
Spring Gro. Cres. *Houn* —4C **10**
Spring Gro. Rd. *Houn* —4B **10**
Spring Gro. Rd. *Rich* —8M **11**
Springhaven. *Elst* —8J **131**
Springhaven Clo. *Guild* —3C **114**
Springhead. —3C 188
Springhill. *Elst* —8J **131**
Springhill Ct. *Brack* —3N **31**
Springholm Clo. *Big H* —5E **86**
Springhurst Clo. *Croy* —1J **65**
Springlakes Ind. Est. *Alder* —1C **110**
Spring La. *SE25* —5E **46**
Spring La. *Farnh* —5F **108**
Spring La. *Oxt* —9N **105**
Spring La. *Slin* —5K **195**
Spring La. W. *Farnh* —6F **108**
Springmead Ct. *Sand* —6K **49**
Spring Mdw. *Brack* —9B **16**
Spring Mdw. *F Row* —8H **187**
Spring M. *Eps* —5E **60**
Spring Park. —9K 47
Spring Pk. Av. *Croy* —8G **47**
Springpark Dri. *Beck* —2M **47**
Spring Pk. Rd. *Croy* —8G **47**
Spring Pas. *SW15* —6J **13**
Spring Plat. *Craw* —3G **183**
Spring Plat Ct. *Craw* —3G **183**
Spring Ri. *Egh* —7A **20**
Spring Rd. *Felt* —4G **23**
Springside Ct. *Guild*
—2M **113** (1B **202**)
Spring St. *Eps* —5E **60**
Spring Ter. *Rich* —8L **11**
Springvale Av. *Bren* —1K **11**
Spring Wlk. *Horl* —8D **142**
Spring Way. *E Grin* —6C **166**
Springwell Clo. *SW16* —5K **29**
Springwell Ct. *Houn* —5L **9**
Springwell Rd. *SW16* —5L **29**
Springwell Rd. *Bear G* —8K **139**
Springwell Rd. *Houn* —5L **9**
Springwood. *Milf* —1D **152**
Springwood Ct. *S Croy* —7F **200**
Spring Woods. *Fleet* —6A **88**
Spring Woods. *Sand* —6H **49**
Spring Woods. *Vir W* —3L **35**
Sprint Ind. Est. *Byfl* —7M **55**
Spruce Clo. *Red* —2D **122**
Sprucedale Gdns. *Croy* —1G **65**
Sprucedale Gdns. *Wall* —5J **63**
Spruce Dri. *Light* —8L **51**
Spruce Rd. *Big H* —3F **86**
Spruce Way. *Fleet* —4E **88**
Spurfield. *W Mol* —2B **40**
Spurgeon Av. *SE19* —9N **29**
Spurgeon Clo. *Craw* —2A **182**
Spurgeon Rd. *SE19* —9N **29**
Spur Rd. *Felt* —7J **9**
Spur Rd. *Iswth* —3G **11**
Spurs Ct. *Alder* —2K **109**
Spur, The. *Knap* —5E **72**
Spy La. *Loxw* —3H **193**
Square Dri. *Hasl* —7F **188**
Square, The. *W6* —1H **13**
Square, The. *Bag* —4J **51**
Square, The. *Brack* —3C **32**
Square, The. *Cars* —2E **62**
Square, The. *Cat* —2D **104**
Square, The. *Craw* —3B **182**
Square, The. *Gray* —6B **170**
Square, The. *Guild* —5J **113**
Square, The. *Light* —6N **51**
Square, The. *Ling* —7M **145**
Square, The. *Rich* —8K **11**
Square, The. *Rowl* —8D **128**
Square, The. *Shere* —8B **116**
Square, The. *Tats* —7E **86**
Square, The. *W Dray* —4K **7**
Square, The. *Wey* —1D **56**
Square, The. *Wis* —3N **75**
Squarey St. *SW17* —4A **28**
Squerryes. *W'ham* —6L **107**
Squerryes Court. —6L 107
Squerryes Mede. *W'ham* —5L **107**
Squire's Bri. Rd. *Shep* —3A **38**
Squires Clo. *Craw D* —1D **184**
Squires Ct. *SW19* —5M **27**
Squires Ct. *Cher* —7K **37**
Squires Hill La. *Tilf* —6A **130**
Squire's Rd. *Shep* —3B **38**
Squires Wlk. *Afrd* —8E **22**
Squirrel Clo. *Craw* —9N **161**
Squirrel Clo. *Houn* —6K **9**
Squirrel Clo. *Sand* —7G **48**
Squirrel Dri. *Wink* —2M **17**
Squirrel La. *Farn* —9M **69**
Squirrel La. *Wink* —2M **17**
Squirrel Ridge. *Craw D* —2E **184**
Squirrel's Clo. *G'ming* —2G **133**
Squirrels Ct. Wor Pk —8F 42
(off Avenue, The)
Squirrels Drey. Brom —1N 47
(off Park Hill Rd.)
Squirrels Drey. *Crowt* —2E **48**
Squirrels Grn. *Bookh* —1A **98**
Squirrels Grn. *Red* —2D **122**
Squirrels Grn. *Wor Pk* —8E **42**
Squirrels Way. *Eps* —1C **80**
Squirrel Wood. *W Byf* —8K **55**
Stable Clo. *M'bowr* —6H **183**
Stable Cotts. *G'ming* —4K **133**
Stable Ct. *Cat* —9D **84**
Stable Cft. *Bag* —5H **51**
Stable M. *Reig* —3M **121**
Stables M. *SE27* —6N **29**
Stables, The. *Cobh* —1N **77**
Stables, The. *Guild* —9N **93**
Stable Vw. *Yat* —8C **48**
Stable Yd. *SW15* —6H **13**
Stace Way. *Worth* —1J **183**
Stacey Ct. *Red* —7G **102**
Stacey's Farm Rd. *Elst* —8H **131**
Staceys Mdw. *Elst* —7H **131**
Stackfield. *Eden* —9M **127**
Stackfield Rd. *If'd* —4K **181**
Staff College Mus. —8A 50
Staff College Rd. *Camb* —9M **49**
Staffhurst Wood Rd. *Eden* —6E **126**
Stafford Clo. *Cat* —1C **104**
Stafford Clo. *Sutt* —3K **61**
Stafford Cripps Ho. SW6 —2L 13
(off Clem Attlee Ct.)
Stafford Cross Bus. Pk. *Croy* —2K **63**
Stafford Gdns. *Croy* —2K **63**
Staffordlake. —5C 72
Stafford Lake. *Knap* —5C **72**
Stafford Pl. *Rich* —1M **25**
Stafford Rd. *Cat* —9C **84**
Stafford Rd. *Craw* —9M **161**
Stafford Rd. *N Mald* —2B **42**
Stafford Rd. *Wall & Croy* —3G **62**
Staffordshire Cft. *Warf* —7D **16**
Staffords Pl. *Horl* —1F **162**
Stafford Sq. *Wey* —1E **56**
Staff Rd. *Alder* —2A **110**
Stagbury Av. *Coul* —5C **82**
Stagbury Clo. *Coul* —6C **82**
Stagbury Ho. *Coul* —6C **82**
Stag Ct. *King T* —2N **203**
Stagelands. *Craw* —1N **181**
Stagelands Ct. *Craw* —1A **182**
Stag Hill. *Guild* —4K **113**
Stag Lane. (Junct.) —3E **26**
Stag La. *SW15* —4E **26**
Stag Leys. *Asht* —7L **79**
Stag Leys Clo. *Bans* —2B **82**
Stags Way. *Iswth* —3F **10**
Stainash Cres. *Stai* —6K **21**
Stainash Pde. Stai —6K 21
(off Kingston Rd.)
Stainbank Rd. *Mitc* —2F **44**
Staines. —5H 21
Staines Av. *Sutt* —8J **43**
Staines Bri. *Stai* —6G **20**
Staines By-Pass. *Stai* —3E **20**
Staines La. *Cher* —5H **37**
Staines La. Clo. *Cher* —5H **37**
Staines Rd. *Cher* —1H **37**
Staines Rd. *Felt* —2B **22**
Staines Rd. *Stai* —9K **21**
Staines Rd. *Twic* —4A **24**
Staines Rd. *Wray* —1A **20**
Staines Rd. E. *Sun* —8H **23**
Staines Rd. W. *Afrd & Sun* —7C **22**
Stainford Clo. *Afrd* —6E **22**
Stainton Wlk. *Wok* —5M **73**
Staithes Way. *Tad* —7G **81**
Stake La. *Farn* —1M **89**
Stakescorner Rd. *Guild* —2K **133**
Stalisfield Pl. *Dow* —6J **67**
Stambourne Way. *W Wick* —8M **47**
Stamford Av. *Frim* —5D **70**
Stamford Ga. *SW6* —3N **13**
Stamford Green. —9A 60
Stamford Grn. Rd. *Eps* —9A **60**
Stamford Ho. Chob —7H 53
(off Bagshot Rd.)
Stamford Rd. *W on T* —9L **39**
Stanborough Clo. *Hamp* —7N **23**
Stanborough Rd. *Houn* —6D **10**
Stanbridge Clo. *If'd* —3K **181**
Stanbridge Rd. *SW15* —6H **13**
Stanbridge Rd. *Eden* —1K **147**
Standard Rd. *Dow* —6J **67**
Standard Rd. *Houn* —6M **9**
Standen. —5N 185
Standen Clo. *Felb* —7K **165**
Standen Pl. *H'ham* —1N **197**
Standen Rd. *SW18* —1L **27**
Standford. —7B 168
Standford Hill. *Stand* —8B **168**
Standford La. *Lind* —5B **168**
Standford La. *Stand & Pass* —8B **168**
Standinghall La. *Turn H* —6L **183**
Standish Ho. W6 —1F 12
(off St Peter's Gro.)
Standish Rd. *W6* —1F **12**
Standon Cotts. *Ockl* —7B **158**
Standon La. *Ockl* —8M **157**
Stane Clo. *SW19* —8N **27**
Stane Pas. *SW16* —6J **29**
Stane St. *Bil & Slin* —9G **195**
Stane St. *Ockl* —9B **158**
Stane Way. *Eps* —6F **60**
Stanford Clo. *Hamp* —7N **23**
Stanford Common. —4B 92
Stanford Cotts. *Pirb* —4B **92**
Stanford Ct. *SW6* —4N **13**
Stanford Orchard. *Warn* —9F **178**
Stanford Rd. *SW16* —1H **45**
Stanfords Pl. *Ling* —8N **145**
Stanfords, The. Eps —8E 60
(off East St.)
Stanford Way. *SW16* —1H **45**
Stanford Way. *Broad H* —5D **196**
Stanger Rd. *SE25* —3D **46**
Stangrove Ct. *Eden* —2L **147**
Stangrove Lodge. *Eden* —2L **147**
Stangrove Pde. *Eden* —2L **147**
Stangrove Rd. *Eden* —2L **147**
Stan Hill. *Charl* —8F **140**
Stanhope Gro. *Beck* —4J **47**
Stanhope Heath. *Stanw* —9L **7**
Stanhope Rd. *Camb* —2L **69**
Stanhope Rd. *Cars* —4E **62**
Stanhope Rd. *Croy* —9B **46** (4F **200**)
Stanhopes. *Oxt* —6D **106**
Stanhope Ter. *Twic* —1F **24**
Stanhope Way. *Stanw* —9L **7**
Stanier Clo. *W14* —1L **13**
Stanier Clo. *M'bowr* —4F **182**
Staniland Dri. *Wey* —7A **56**
Stanley Av. *Beck* —1M **47**
Stanley Av. *N Mald* —4F **42**
Stanley Cen. *Craw* —9D **162**
Stanley Clo. *Coul* —4K **83**
Stanley Clo. *Craw* —5C **182**
Stanley Ct. *Cars* —4E **62**
Stanley Ct. *Sutt* —4N **61**
Stanleycroft Clo. *Iswth* —4E **10**
Stanley Dri. *Farn* —2H **89**
Stanley Gdns. *Mitc* —7E **28**
Stanley Gdns. *S Croy* —8D **64**
Stanley Gdns. *Wall* —3G **62**
Stanley Gdns. *W on T* —3K **57**
Stanley Gdns. Rd. *Tedd* —6E **24**
Stanley Gro. *Croy* —5L **45**
Stanley Hill. *Pirb* —9N **71**
Stanley Pk. Rd. *Cars* —4D **62**
Stanley Rd. *SW14* —7A **12**
Stanley Rd. *SW19* —7M **27**
Stanley Rd. *Afrd* —6N **21**
Stanley Rd. *Cars* —4E **62**
Stanley Rd. *Croy* —6L **45**
Stanley Rd. *Houn* —7C **10**
Stanley Rd. *Mitc* —8E **28**
Stanley Rd. *Mord* —3M **43**
Stanley Rd. *Sutt* —3N **61**
Stanley Rd. *Twic* —4D **24**
Stanley Rd. *Wok* —3B **74**
Stanley Rd. *Wokgm* —2D **30**
Stanley Sq. *Cars* —5D **62**
Stanley St. *Cat* —9N **83**
Stanley Wlk. *Brack* —1A **32**
Stanley Wlk. *H'ham* —6K **197**
Stanmore Clo. *Asc* —3L **33**
Stanmore Gdns. *Rich* —6M **11**
Stanmore Gdns. *Sutt* —9A **44**
Stanmore Rd. *Rich* —6M **11**
Stanmore Ter. *Beck* —1K **47**
Stanners Hill. —4N 53
Stannet Way. *Wall* —1G **62**
Stansfield Rd. *Houn* —5J **9**
Stanstead Mnr. *Sutt* —3M **61**
Stanstead Rd. *Cat* —5A **104**
Stanstead Rd. *H'row A* —9A **8**
Stanthorpe Clo. *SW16* —6J **29**
Stanthorpe Rd. *SW16* —6J **29**
Stanton Av. *Tedd* —7E **24**
Stanton Clo. *Cranl* —7J **155**
Stanton Clo. *Eps* —2A **60**
Stanton Clo. *Wor Pk* —7J **43**
Stanton Ct. *S Croy* —8F **200**
Stanton Dri. *Fleet* —5A **88**
Stanton Rd. *SW13* —5E **12**
Stanton Rd. *SW20* —9J **27**
Stanton Rd. *Croy* —6N **45**
Stantons Wharf. *Brmly* —4C **134**
Stanton Way. *Slou* —1A **6**
Stanwell. —9M 7
Stanwell Clo. *Stanw* —9M **7**
Stanwell Gdns. *Stanw* —9M **7**
Stanwell Moor. —8J 7
Stanwell Moor Rd. *Stai* —4J **21**
Stanwell New Rd. *Stai* —4J **21**
Stanwell Rd. *Afrd* —3N **21**
Stanwell Rd. *Felt* —1C **22**
Stanwell Rd. *Hort* —6C **6**
Stanwick Rd. *W14* —1L **13**
Stanworth Ct. *Houn* —3N **9**
Staplecross Ct. *Craw* —6M **181**
Staplefield Clo. *SW2* —2J **29**
Staplefield Rd. *Hand* —8N **199**
Stapleford Clo. *SW19* —1K **27**
Stapleford Clo. *King T* —1N **41**
Staple Hill Rd. *Chob* —3G **53**
Staplehurst. *Brack* —6K **31**
Staplehurst Clo. *Reig* —7A **122**
Staplehurst Rd. *Cars* —4C **62**
Staplehurst Rd. *Reig* —7A **122**
Staple La. *E Clan* —1M **115**
Stapleton Gdns. *Croy* —2L **63**
Stapleton Rd. *SW17* —4E **28**
Stapleton Rd. *Orp* —1N **67**
Star & Garter Hill. *Rich* —2L **25**
Starborough Rd. *M Grn* —5F **146**
Star Clo. *H'ham* —4N **197**
Star Hill. *Churt* —8J **149**
Star Hill. *Wok* —6M **73**
Star Hill Dri. *Churt* —7J **149**
Star La. *As* —2D **110**
Star La. *Coul* —8E **82**
Starlings, The. *Oxs* —9C **58**
Starling Wlk. *Hamp* —6M **23**
Starmead Dri. *Wokgm* —3C **30**
Star Post Rd. *Camb* —7C **50**
Star Rd. *W14* —2L **13**
Star Rd. *Iswth* —5D **10**
Starrock La. *Chip* —7D **82**
Starrock Rd. *Coul* —6F **82**
Starts Clo. *Orp* —1J **67**
Starts Hill Av. *F'boro* —1K **67**
Starwood Clo. *W Byf* —7L **55**
State Farm Av. *Orp* —1K **67**
Staten Gdns. *Twic* —2F **24**
Statham Ct. *Brack* —9K **15**
Station App. *SW6* —6K **13**
Station App. *SW14* —6B **12**
Station App. *SW16* —7H **29**
(Estreham Rd.)
Station App. *SW16* —6H **29**
(Streatham High Rd.)
Station App. *Afrd* —5A **22**
Station App. *Ash V* —6E **90**
Station App. *Belm* —6N **61**
Station App. *B'water* —2K **69**
Station App. *Bren* —2J **11**
Station App. *Capel* —5H **159**
Station App. *Cars* —1D **62**
Station App. *Cheam* —4K **61**
Station App. *Chip* —5D **82**
Station App. *Coul* —3H **83**
Station App. *Dork* —3J **119**
Station App. *E Hor* —4F **96**
Station App. *Eden* —1L **147**
Station App. *Eps* —9C **60** (6K **201**)
Station App. *Ewe* —6G **60**
(Ewell East)
Station App. *Ewe* —5E **60**
(Ewell West)
Station App. *Farn* —9N **69**
Station App. *Fleet* —2C **88**
Station App. *Frim* —6B **70**
Station App. *G'ming* —7G **132**
Station App. *Gom* —8E **116**
Station App. *Guild* —4A **114** (4E **202**)
Station App. *Hamp* —9A **24**
Station App. *Hin W* —9F **40**
Station App. *Horl* —8F **142**
Station App. *King T* —9N **25**
Station App. *Lea* —8G **79**
(in two parts)
Station App. *Oxs* —8C **58**
Station App. *Oxt* —7A **106**
Station App. *Purl* —7L **63**
Station App. *Rich* —4N **11**
Station App. *Shalf* —9A **114**
Station App. *Shep* —4D **38**
Station App. *S Croy* —5A **64**
Station App. *Stai* —6J **21**
Station App. *S'leigh* —2F **60**
Station App. *Sun* —9H **23**
Station App. *Vir W* —3N **35**
Station App. *Wanb* —3M **111**
Station App. *W Byf* —8J **55**
Station App. *W Wick* —6M **47**
Station App. *Wey* —3B **56**
Station App. *Whyt* —4D **84**
Station App. *Wok* —5B **74**
Station App. *Wokgm* —2A **30**
Station App. *Wor Pk* —7F **42**
Station App. *Wmly* —1C **172**
Station App. E. *Earl* —5D **122**
Station App. Rd. *W4* —3B **12**
Station App. Rd. *Coul* —2H **83**
Station App. Rd. *Gat A* —2F **162**
Station App. Rd. *Tad* —9H **81**
Station App. W. *Earl* —5D **122**
Station Av. *Cat* —2D **104**
Station Av. *Eps* —5D **60**
Station Av. *Kew* —4N **11**
Station Av. *N Mald* —2D **42**
Station Av. *W on T* —1H **57**
Station Bldgs. *King T* —3K **203**
Station Clo. *Hamp* —9B **24**
Station Clo. *H'ham* —6K **197**
Station Cres. *Afrd* —4M **21**
Station Est. *Beck* —2G **47**
Station Est. Rd. *Felt* —2J **23**
Station Garage M. *SW16* —7H **29**
Station Gdns. *W4* —3B **12**
Station Hill. *Asc* —2L **33**
Station Hill. *Craw* —2F **182**
Station Hill. *Farnh* —1H **129**
Station Ind. Est. *Wokgm* —2A **30**
Station La. *Milf* —1D **152**
Station La. *Wmly* —9B **152**
Station Pde. *Chip* —5D **82**
Station Pde. *SW12* —2E **28**
Station Pde. *W4* —3B **12**
Station Pde. *Afrd* —5A **22**
Station Pde. *E Hor* —4F **96**
(in two parts)
Station Pde. *Felt* —2J **23**
Station Pde. *Rich* —4N **11**
Station Pde. *S'dale* —6D **34**
Station Pde. Sutt —3A 62
(off High St.)
Station Pde. *Vir W* —3N **35**
Station Path. *SW6* —6L **13**
Station Path. *Stai* —5H **21**
Station Pl. *G'ming* —4J **133**
Station Ri. *SE27* —3M **29**
Station Rd. *SE25* —3C **46**
Station Rd. *SW13* —5E **12**
Station Rd. *SW19* —9A **28**
Station Rd. *Add* —1L **55**
Station Rd. *Alder* —2N **109**
Station Rd. *Asc & S'dale* —5D **34**
Station Rd. *Afrd* —5A **22**
Station Rd. *Bag* —3J **51**
Station Rd. *Bet* —9D **100**
Station Rd. *Brack* —1N **31**
Station Rd. *Brmly* —5B **134**
Station Rd. *Cars* —1D **62**
Station Rd. *Cher* —7H **37**
Station Rd. *Chess* —2L **59**
Station Rd. *Chob* —7J **53**
Station Rd. *C Hosp* —9D **196**
Station Rd. *Clay* —3E **58**
Station Rd. *Craw* —4B **182**
Station Rd. *Craw D* —1E **184**
Station Rd. *Croy* —7N **45** (1B **200**)
Station Rd. *Dork* —4G **118** (1J **201**)
Station Rd. *E Grin* —9N **165**
Station Rd. *Eden* —9L **127**
Station Rd. *Egh* —6C **20**
Station Rd. *Esh* —8D **40**
Station Rd. *Farn* —1N **89**
Station Rd. *Farnc* —4J **133**
Station Rd. *F Row* —6H **187**
Station Rd. *Frim* —5A **70**
Station Rd. *G'ming* —7G **132**
Station Rd. *Gom* —8D **116**
Station Rd. *Hamp* —9A **24**
Station Rd. *Hamp W* —9J **25**
Station Rd. *Hayes* —1F **8**
(in three parts)
Station Rd. *Horl* —8F **142**
Station Rd. *H'ham* —6K **197**
Station Rd. *Houn* —7B **10**
Station Rd. *Kenl* —1N **83**
Station Rd. *King T* —9N **25**
Station Rd. *Lea* —8G **79**
Station Rd. *Ling* —6A **146**
Station Rd. *Loxw* —5H **193**
Station Rd. *Mers* —6G **102**
Station Rd. *N Mald* —4G **42**
Station Rd. *Red* —2C **122**
Station Rd. *Rud* —6C **176**
(Baynards Rd.)
Station Rd. *Rud* —1E **194**
(Church St.)
Station Rd. *Shalf* —9A **114**
Station Rd. *Shep* —4D **38**
Station Rd. *S God* —7H **125**
Station Rd. *Stoke D* —4M **77**
Station Rd. *Sun* —8H **23**
Station Rd. *Sutt* —6M **61**
Station Rd. *Tedd* —7G **24**
Station Rd. *Th Dit* —6F **40**
Station Rd. *Twic* —2F **24**
Station Rd. *Warn* —9G **179**
Station Rd. *W Byf* —8J **55**
Station Rd. *W Wick* —7M **47**
Station Rd. *Whyt* —5C **84**
Station Rd. *Wokgm* —2A **30**
Station Rd. *Wold* —9H **85**
Station Rd. *Wray* —9B **6**
Station Rd. E. *Ash V* —6D **90**
Station Rd. E. *Oxt* —7A **106**
Station Rd. N. *Egh* —6C **20**
Station Rd. N. *Mers* —6G **102**
Station Rd. S. *Mers* —6G **102**

Station Rd. W.—Summerlay Clo.

Station Rd. W. Ash V —5D 90
Station Rd. W. Oxt —7A 106
Station Row. Shalf —9A 114
Station Ter. Dork —4G 118 (1J 201)
Station Vw. Ash V —5E 90
Station Vw. Guild —4M 113 (4A 202)
Station Way. Clay —3E 58
Station Way. Craw —4B 182
Station Way. Eps —9C 60 (6K 201)
Station Way. Sutt —3K 61
Station Yd. Purl —8M 63
Station Yd. Twic —1G 24
Staunton Rd. King T —7L 25
Staveley Gdns. W4 —4C 12
Staveley Rd. W4 —2B 12
Staveley Rd. Afrd —7E 22
Staveley Way. Knap —4H 73
Staverton Clo. Brack —8N 15
Staverton Clo. Wokgm —2E 30
Stavordale Rd. Cars —6A 44
Stayne End. Vir W —3K 35
Stayton Rd. Sutt —9M 43
Steadfast Rd. King T —9K 25 (2J 203)
Steam Farm La. Felt —7G 8
Steeforth Copse. Owl —5K 49
Steele Rd. Iswth —7G 11
Steele's Rd. Alder —9N 89
(in two parts)
Steel's La. Oxs —1B 78
Steep Hill. SW16 —4H 29
Steep Hill. Chob —4F 52
Steep Hill. Croy —1B 64 (6F 200)
Steeple Clo. SW6 —5K 13
Steeple Clo. SW19 —6K 27
Steeple Gdns. Add —2K 55
Steeple Heights Dri. Big H —4F 86
Steeple Point. Asc —2M 33
Steepways. Hind —3N 169
Steeres Hill. Rusp —3B 180
Steerforth St. SW18 —3A 28
Steer Pl. Salf —3E 142
Steers La. Tin G —6G 162
Steers Mead. Mitc —9D 28
Stella Rd. SW17 —7D 28
Stembridge Rd. SE20 —1E 46
Stennings, The. E Grin —7M 165
Stents La. Stoke D —7N 77
Stepbridge Path. Wok —4N 73
Stepgates. Cher —6K 37
Stepgates Clo. Cher —6K 37
Stephanie Chase Ct. Wokgm —1C 30
Stephen Clo. Egh —7E 20
Stephendale Rd. SW6 —6N 13
Stephendale Rd. Farnh —8J 109
Stephen Fox Ho. W4 —1D 12
(off Chiswick La.)
Stephenson Ct. Cheam —4K 61
(off Station App.)
Stephenson Dri. E Grin —2B 186
Stephenson Dri. Wind —3E 4
Stephenson Pl. Craw —3F 182
Stephenson Rd. Twic —1A 24
Stephenson Way. Craw —3E 182
Stephenson Way Ind. Est. Craw —3F 182
Stepney Clo. M'bowr —5G 182
Sterling Cen. Brack —1B 32
Sterling Ct. Cher —6J 37
Sterling Gdns. Coll T —7K 49
Sterling Pl. W5 —1L 11
Sternhold Av. SW2 —3H 29
Sterry Dri. Eps —1D 60
Sterry Dri. Th Dit —5E 40
Steve Biko Way. Houn —6A 10
Stevenage Rd. SW6 —3J 13
Stevenage Rd. Bew —6K 181
Stevens Clo. Eps —8D 60 (6N 201)
Stevens Clo. Hamp —6M 23
Stevens Hill. Yat —1D 68
Stevens La. Clay —4G 59
Stevenson Dri. Binf —6H 15
Stevens Pl. Purl —9M 63
Stewards Ri. Wrec —4E 128
Stewart. Tad —8J 81
Stewart Av. Shep —3B 38
Stewart Clo. Hamp —7M 23
Stewart Clo. Wok —4J 73
Steyning Clo. Craw —1C 182
Steyning Clo. Kenl —3M 83
Steyning Way. Houn —7K 9
Stile Footpath. Red —3D 122
Stile Gdns. Hasl —2D 188
Stile Hall Gdns. W4 —1N 11
Stile Hall Pde. Bren —1N 11
Stile Ho. Guild —2F 114
(off Merrow St.)
Stile Path. Sun —2H 39
Stillers. C'fold —5E 172
Stillingfleet Rd. SW13 —2F 12
Stilwell Clo. Yat —9D 48
Stirling Av. Shep —2F 38
Stirling Bldgs. H'ham —6J 197
(off Carfax)
Stirling Clo. SW16 —9H 29
Stirling Clo. Ash V —8D 90
Stirling Clo. Bans —4L 81
Stirling Clo. Farn —2M 89
Stirling Clo. Frim —4C 70
Stirling Clo. M'bowr —4F 182
Stirling Clo. Wind —5A 4
Stirling Gro. Houn —5C 10
Stirling Rd. H'row A —9A 8
Stirling Rd. Sur R —3G 113
Stirling Rd. Twic —1A 24
Stirling Wlk. Surb —5A 42
Stirling Way. Croy —6J 45
Stirling Way. E Grin —7D 166
Stirling Way. H'ham —6L 197
Stirrup Way. Craw —2H 183
Stites Hill Rd. Coul —7M 83
Stoatley Green. —8E 170
Stoatley Hollow. Hasl —9E 170
Stoatley Ri. Hasl —9E 170
Stoats Nest Rd. Coul —1J 83
Stoats Nest Village. Coul —2J 83
Stockbridge Dri. Alder —6A 110
Stockbridge Way. Yat —2C 68
Stockbury Rd. Croy —5F 46
Stockdales Rd. Eton W —1C 4
Stockers La. Wok —7B 74
(in two parts)
Stockfield. Horl —7F 142
Stockfield Rd. SW16 —4K 29
Stockfield Rd. Clay —2E 58
Stockham's Clo. S Croy —6A 64
Stock Hill. Big H —3F 86
Stockhurst Clo. SW15 —5H 13
Stocklund Sq. Cranl —7L 155
Stockport Rd. SW16 —9H 29
Stocks Clo. Horl —9F 142
Stockton Av. Fleet —2A 88
Stockton Pk. Fleet —3A 88
Stockton Rd. Reig —6M 121
Stockwell Cen. Craw —3E 182
Stockwell Rd. E Grin —3A 186
Stockwood Ri. Camb —1D 70
Stockwood Way. Farnh —5L 109
Stocton Clo. Guild —2M 113 (1B 202)
Stocton Rd. Guild —2N 113 (1B 202)
Stodart Rd. SE20 —1F 46
Stoford Clo. SW19 —1K 27
Stoke Clo. Stoke D —3N 77
Stoke D'abernon. —4M 77
Stoke Fields. Guild —3N 113 (4C 202)
Stokeford Clo. Brack —4D 32
Stoke Gro. Guild —3N 113 (3D 202)
Stoke Hills. Farnh —9H 109
Stoke Hospital. Guild —3D 202
Stoke M. Guild —4N 113 (4D 202)
Stokenchurch St. SW6 —4N 13
Stoke Pk. Guild —3N 113 (3D 202)
Stoke Rd. Cobh & Stoke D —2K 77
Stoke Rd. Guild —2N 113 (1D 202)
Stoke Rd. King T —8B 26
Stoke Rd. W on T —9K 39
Stoke Rd. Cotts. Fet —8D 78
Stokers Clo. Gat A —2C 162
Stokesby Rd. Chess —3M 59
Stokes Clo. M'bowr —5G 183
Stokesheath Rd. Oxs —7C 58
Stokes Ridings. Tad —1J 101
Stokes Rd. Croy —5G 47
Stompond La. W on T —8H 39
Stonards Brow. Sham G —7E 134
Stonebanks. W on T —6H 39
Stonebridge. —8K 119
Stonebridge Ct. Craw —7A 182
Stonebridge Ct. H'ham —6G 197
Stonebridge Fld. Eton —1E 4
Stonebridge Fields. Shalf —1N 133
Stonebridge Wharf. Shalf —1N 133
Stonecot Clo. Sutt —7K 43
Stonecot Hill. Sutt —7K 43
Stonecourt Clo. Horl —8G 143
Stone Cres. Felt —1G 22
Stonecroft Way. Croy —6J 45
Stonecrop Clo. Craw —6N 181
Stonecrop Rd. Guild —1E 114
Stonedene Clo. F Row —7K 187
Stonedene Clo. Head D —5H 169
Stonefield Clo. Craw —4B 182
Stonegate. Camb —9G 50
Stone Hatch. Alf —6J 175
Stonehill. —3A 54
Stone Hill. E Grin —7M 185
Stonehill Clo. SW14 —8C 12
Stonehill Clo. Bookh —3A 98
Stonehill Cres. Ott —3A 54
Stonehill Ga. Asc —5A 34
Stonehill Pk. Head D —5G 169
Stonehill Rd. SW14 —8B 12
Stone Hill Rd. W4 —1N 11
Stonehill Rd. Chob & Ott —6M 53
Stonehill Rd. Head D —5H 169
Stonehill Rd. Light —6L 51
Stonehouse Gdns. Cat —3B 104
Stonehouse Ri. Frim —5C 70
Stoneleigh. —2F 60
Stoneleigh Av. Wor Pk —1F 60
Stoneleigh B'way. Eps —2F 60
Stoneleigh Clo. E Grin —9B 166
Stoneleigh Ct. Frim —5D 70
Stoneleigh Ct. Stoke D —4M 77
Stoneleigh Cres. Eps —2E 60
Stoneleigh Pk. Wey —3D 56
Stoneleigh Pk. Av. Croy —5G 47
Stoneleigh Pk. Rd. Eps —3E 60
Stoneleigh Rd. Cars —6C 44
Stoneleigh Rd. Oxt —8G 107
Stone Pk. Av. Beck —3K 47
Stonepark Dri. F Row —7J 187
Stonepit Clo. G'ming —7E 132
Stone Pl. Wor Pk —8F 42
Stonequarry. —6C 166
Stones La. Westc —6C 118
Stone's Rd. Eps —8D 60
Stone St. Alder —4B 110
Stone St. Croy —2L 63
Stoneswood Rd. Oxt —8D 106
Stoney Bottom. Gray —6A 170
Stoney Brook. Guild —2H 113
Stoneybrook. H'ham —7F 196
Stoney Clo. Yat —2C 68
Stoney Cft. Coul —9G 83
(in two parts)
Stoneycroft Wlk. If'd —4J 181
Stoneydeep. Tedd —5G 25
Stoneyfield Rd. Coul —4K 83
Stoneyfields. Farnh —2K 129
Stoneylands Ct. Egh —6B 20
Stoneylands Rd. Egh —6B 20
Stoney Rd. Brack —9M 15
Stonny Cft. Asht —4M 79
Stonor Rd. W14 —1L 13
Stonyfield. Eden —9M 127
Stony Hill. Esh —4N 57
Stookes Way. Yat —2A 68
Stoop Ct. W Byf —8K 55
Stopham Rd. M'bowr —6G 182
Stormont Way. Chess —2J 59
Stornaway Rd. Slou —1E 6
Storrington Ct. Craw —2M 181
Storrington Rd. Croy —7C 46
Stoughton. —9K 93
Stoughton Av. Sutt —2J 61
Stoughton Clo. SW15 —2F 26
Stoughton Rd. Guild —9K 93
Stour Clo. Kes —1E 66
Stourhead Clo. SW19 —1J 27
Stourhead Clo. Farn —1B 90
Stourhead Gdns. SW20 —2F 42
Stourton Av. Felt —5N 23
Stovell Rd. Wind —3E 4
Stovolds Hill. Cranl —9E 154
Stovold's Way. Alder —4L 109
Stowell Av. New Ad —6N 65
Stowting Rd. Orp —1N 67
Strachan Pl. SW19 —7H 27
Strachey Ct. Craw —8N 181
Stradella Rd. SE24 —1N 29
Strafford Rd. Houn —6N 9
Strafford Rd. Twic —1G 25
Straight Mile, The. Shur R —1C 14
Straight Rd. Old Win —8K 5
Strand Clo. Eps —6C 80
Strand Clo. M'bowr —5H 183
Strand on the Green. —2N 11
Strand on the Grn. W4 —2N 11
Strand School App. W4 —2N 11
Stranraer Rd. H'row A —9N 7
Stranraer Way. H'row A —9N 7
Stratfield. Brack —7K 31
Stratford Ct. Farnh —2H 129
Stratford Ct. N Mald —3C 42
Stratford Gro. SW15 —7J 13
Stratford Rd. Ash V —5D 90
Stratford Rd. H'row A —9C 8
Stratford Rd. S'hall —1M 9
Stratford Rd. T Hth —3L 45
Strathan Clo. SW18 —9K 13
Strathavon Clo. Cranl —3K 155
Strathbrook Rd. SW16 —8K 29
Strathcona Av. Bookh —6M 97
Strathcona Gdns. Knap —5G 72
(in two parts)
Strathdale. SW16 —6K 29
Strathdon Dri. SW17 —4B 28
Strathearn Av. Hayes —3G 9
Strathearn Av. Twic —2B 24
Strathearn Rd. SW19 —6M 27
Strathearn Rd. Sutt —2M 61
Strathmore Clo. Cat —8B 84
Strathmore Ct. Camb —9B 50
Strathmore Rd. SW19 —4M 27
Strathmore Rd. Croy —6A 46
Strathmore Rd. If'd —9M 161
Strathmore Rd. Tedd —5E 24
Strathville Rd. SW18 —3M 27
Strathyre Av. SW16 —2L 45
Stratton. —1F 124
Stratton Av. Wall —5H 63
Stratton Clo. SW19 —1M 43
Stratton Clo. Houn —4A 10
Stratton Clo. W on T —7K 39
Stratton Ct. Guild —1K 113
Stratton Rd. SW19 —1M 43
Stratton Rd. Sun —1G 38
Stratton Ter. W'ham —5L 107
Stratton Wlk. Farn —7M 69
Strawberry Clo. Brkwd —8A 72
Strawberry Fields. Bisl —2D 72
Strawberry Hill. —4F 24
Strawberry Hill. Twic —4F 24
Strawberry Hill. Warf —7C 16
Strawberry Hill Clo. Twic —4F 24
Strawberry Hill House. —4F 24
(off Strawberry Va.)
Strawberry Hill Rd. Twic —4F 24
Strawberry La. Cars —9E 44
Strawberry Ri. Bisl —2D 72
Strawberry Va. Twic —4G 24
(in two parts)
Straw Clo. Cat —1N 103
Stream Clo. Byfl —8M 55
Stream Cotts. Frim —5B 70
(off Gro. Cross Rd.)
Stream Farm Clo. Lwr Bo —4J 129
Stream Pk. E Grin —7K 165
Streamside. Fleet —5B 88
Stream Valley Rd. Lwr Bo —5H 129
Streatfield. Eden —2M 147
Streatham. —6J 29
Streatham Clo. SW16 —3J 29
Streatham Common. —7J 29
Streatham Comn. N. SW16 —6J 29
Streatham Comn. S. SW16 —7J 29
Streatham Ct. SW16 —4J 29
Streatham High Rd. SW16 —5J 29
Streatham Hill. —3J 29
Streatham Hill. SW2 —3J 29
Streatham Ice Rink. —6H 29
Streatham Park. —6G 29
Streatham Pl. SW2 —1J 29
Streatham Rd. Mitc & SW16 —9E 28
Streatham Vale. —8G 29
Streatham Va. SW16 —9G 29
Streathbourne Rd. SW17 —3E 28
Streeters Clo. G'ming —5K 133
Streeters La. Wall —9H 45
Streetfield Rd. Slin —5L 195
Street Hill. M'bowr —4J 183
Streets Heath. W End —8C 52
(in two parts)
Street, The. Alb —8K 115
Street, The. Asht —6L 79
Street, The. Bet —4D 120
Street, The. Capel —5J 159
Street, The. Charl —3K 161
Street, The. Comp —9D 112
Street, The. Dock —4D 148
Street, The. E Clan —9M 95
Street, The. Eff —5L 97
Street, The. Ewh —4F 156
(in two parts)
Street, The. Fet —9D 78
Street, The. Fren —3H 149
Street, The. Hasc —4N 153
Street, The. Plais —6A 192
Street, The. P'ham —8M 111
Street, The. Shack —3N 131
Street, The. Shalf —8N 113
Street, The. Shur R —1F 14
Street, The. Slin —5L 195
Street, The. Thur —7G 150
Street, The. Tong —5D 110
Street, The. W Cla —6J 95
Street, The. W Hor —7C 96
Street, The. Won —4C 134
Street, The. Wrec —5D 128
Stretton Rd. Croy —6B 46
Stretton Rd. Rich —3J 25
Strickland Clo. If'd —4K 181
Strickland Row. SW18 —1B 28
Strickland Way. Orp —1N 67
Stringer's Av. Guild —6N 93
Stringers Common. —7M 93
Stringhams Copse. Rip —2H 95
Strode Rd. SW6 —3K 13
Strode's College La. Egh —6B 20
(off High St.)
Strode's Cres. Stai —6L 21
Strode St. Egh —5C 20
Strood Green. —7B 120
(Betchworth)
Strood Green. —2B 196
(Horsham)
Strood La. Warn —1B 196
Strood La. Wink —7N 17
Stroud Clo. Wind —6A 4
Stroud Common. —9H 135
Stroud Comn. Sham G —8H 135
Stroud Cres. SW15 —4F 26
Stroude. —2A 36
Stroude Rd. Egh —7C 20
Stroudes Clo. Wor Pk —6D 42
Stroud Grn. Gdns. Croy —6F 46
Stroud Grn. Way. Croy —6E 46
Stroud La. B'water —2F 68
Stroud La. Sham G —9J 135
Stroudley Clo. M'bowr —4F 182
Stroud Rd. SE25 —5D 46
Stroud Rd. SW19 —4M 27
Stroudwater Pk. Wey —3C 56
Stroud Way. Afrd —7C 22
Struan Gdns. Wok —2A 74
Strudgate Clo. Craw —5F 182
Strudwicks Fld. Cranl —6A 156
Stuart Av. W on T —7J 39
Stuart Clo. Farn —9M 69
Stuart Clo. M'bowr —4G 183
Stuart Clo. Wind —5C 4
Stuart Ct. Croy —4A 200
Stuart Ct. G'ming —7H 133
Stuart Ct. Red —2E 122
(off St Anne's Ri.)
Stuart Cres. Croy —9J 47
Stuart Cres. Reig —6M 121
Stuart Gro. Tedd —6E 24
Stuart Pl. Mitc —9D 28
Stuart Rd. SW19 —4M 27
Stuart Rd. Reig —6M 121
Stuart Rd. Rich —3H 25
Stuart Rd. T Hth —3N 45
Stuart Rd. Warl —7E 84
Stuart Way. E Grin —2B 186
Stuart Way. Stai —7K 21
Stuart Way. Vir W —3K 35
Stuart Way. Wind —5B 4
Stubbs Ct. W4 —1A 12
(off Chaseley Dri.)
Stubbs Folly. Coll T —8J 49
Stubbs Hill. Binf —5K 15
Stubbs La. Lwr K —6L 101
Stubbs Moor Rd. Farn —9L 69
Stubbs Way. SW19 —9B 28
Stubfield. H'ham —5G 196
Stubpond La. Newc —2F 164
Stubs Clo. Dork —7J 119
Stubs Hill. Dork —7J 119
Stucley Rd. Houn —3C 10
Studdridge St. SW6 —5M 13
(in two parts)
Studios Rd. Shep —2A 38
Studland Rd. Byfl —9A 56
Studland Rd. King T —7L 25
Studland St. W6 —1G 12
Stumblets. Craw —2G 183
Stumps La. Whyt —4B 84
Sturdee Clo. Frim —5C 70
Sturges Rd. Wokgm —3B 30
Sturt Av. Hasl —3D 188
Sturt Ct. Guild —1D 114
Sturt Mdw. Cotts. Hasl —3D 188
Sturt Rd. Farnh —5G 109
Sturt Rd. Frim G —9D 70
Sturt Rd. Hasl —2D 188
Sturt's La. Tad —5E 100
Stychens Clo. Blet —2N 123
Stychens La. Blet —9N 103
(in two parts)
Styles End. Bookh —5B 98
Styles Way. Beck —3M 47
Styventon Pl. Cher —6H 37
Subrosa Cvn. Site. Red —8F 102
Subrosa Dri. Red —8F 102
Succombs Hill. Warl —7E 84
Succombs Pl. Warl —6E 84
Sudbrooke Rd. SW12 —1D 28
Sudbrook Gdns. Rich —4K 25
Sudbrook La. Rich —2L 25
Sudbury Gdns. Croy —1B 64
Sudbury Ho. SW18 —8N 13
Sudlow Rd. SW18 —8M 13
Suffield Clo. S Croy —8G 64
Suffield La. Shack & P'ham —4H 131
Suffield Rd. SE20 —1F 46
Suffolk Clo. Bag —5J 51
Suffolk Clo. Horl —9E 142
Suffolk Combe. Warf —8D 16
Suffolk Dri. Guild —7D 94
Suffolk Ho. Croy —3D 200
Suffolk Rd. SE25 —3C 46
Suffolk Rd. SW13 —3E 12
Suffolk Rd. Wor Pk —8E 42
Sugden Rd. Th Dit —7H 41
Sulina Rd. SW2 —1J 29
Sulivan Ct. SW6 —5M 13
Sulivan Enterprise Cen. SW6 —6N 13
Sulivan Rd. SW6 —6M 13
Sullington Hill. Craw —5B 182
Sullington Mead. Broad H —5E 196
Sullivan Clo. Farn —1N 89
Sullivan Clo. W Mol —2B 40
Sullivan Dri. Craw —6K 181
Sullivan Rd. Camb —1M 69
Sullivans Reach. W on T —6G 39
Sultan St. Beck —1G 47
Summer Av. E Mol —4E 40
Summerene Clo. SW16 —8G 29
Summerfield. Asht —6K 79
Summerfield Clo. Add —2H 55
Summerfield La. Fren —9F 128
Summerfield La. Surb —8K 41
Summerfield Pl. Ott —3F 54
Summer Gdns. Camb —1G 71
Summer Gdns. E Mol —4E 40
Summerhayes Clo. Wok —1A 74
Summerhays. Cobh —9L 57
Summerhill. G'ming —5G 132
Summerhill Clo. Orp —1N 67
Summerhill Way. Mitc —9E 28
Summerhouse Av. Houn —4M 9
Summerhouse Clo. G'ming —8G 133
Summerhouse Ct. Gray —6B 170
Summerhouse La. W Dray —2M 7
Summerhouse Rd. G'ming —8G 133
Summerlands. Cranl —6N 155
Summerlands Lodge. Orp —1J 67
Summerlay Clo. Tad —7K 81

Summerleigh—Tankerville Rd.

Summerleigh. Wey —3E 56
(off Gower Rd.)
Summerley St. SW18 —3N 27
Summerly Av. Reig —2M 121
Summer Rd. E Mol & Th Dit —4E 40
Summersbury Dri. Shalf —2A 134
Summersbury Hall. Shalf —2A 134
Summersby Clo. G'ming —4J 133
Summers Clo. Sutt —4M 61
Summers Clo. Wey —7B 56
Summers La. Hurt —3D 132
Summer's Rd. G'ming —4J 133
Summerstown. —4A 28
Summerstown. SW17 —4A 28
Summersvere Clo. Craw —9E 162
Summerswood Clo. Kenl —3A 84
Summer Trees. Sun —9J 23
Summerville Gdns. Sutt —3L 61
Summerwood Rd. Iswth —8F 10
Summit Av. Farn —1G 88
Summit Bus. Pk. Sun —8H 23
Summit Pl. Wey —4B 56
Sumner Clo. Fet —2D 98
Sumner Clo. Orp —1L 67
Sumner Ct. Farnh —9H 109
Sumner Gdns. Croy —7L 45
Sumner Pl. Add —2J 55
Sumner Rd. Croy —7L 45
Sumner Rd. Farnh —9H 109
Sumner Rd. S. Croy —7L 45
Sun All. Rich —7L 11
Sun Brow. Hasl —3D 188
Sunbury. —2K 39
Sunbury Av. SW14 —7C 12
Sunbury Av. Pas. SW14 —7D 12
Sunbury Common. —8G 23
Sunbury Ct. Eton —2G 4
Sunbury Ct. Island. Sun —2L 39
Sunbury Ct. M. Sun —1L 39
Sunbury Ct. Rd. Sun —1K 39
Sunbury Cres. Felt —5G 23
Sunbury Cross. (Junct.) —8H 23
Sunbury Cross Shop. Cen. Sun —8G 23
Sunbury La. W on T —5H 39
Sunburylock Ait. W on T —3J 39
Sunbury Pk. Walled Garden. —2J 39
Sunbury Rd. Eton —2G 4
Sunbury Rd. Felt —4G 23
Sunbury Rd. Sutt —9J 43
Sunbury Way. Hanw —6K 23
Sun Clo. Eton —2G 4
Sundale Av. S Croy —6F 64
Sunderland Ct. Stanw —9N 7
Sunderland Rd. H'row A —9N 7
Sundew Clo. Craw —7M 181
Sundew Clo. Light —7A 52
Sundew Clo. Wokgm —1D 30
Sundial Av. SE25 —2C 46
Sundials Cvn. Site. Hkwd —9B 142
Sundon Cres. Vir W —4L 35
Sundown Av. S Croy —7C 64
Sundown Rd. Afrd —6D 22
Sundridge Pl. Croy —7D 46
Sundridge Rd. Croy —6C 46
Sundridge Rd. Wok —6C 74
Sun Hill. Wok —8K 73
Sun Inn Rd. Duns —4B 174
Sunken Rd. Croy —2F 64
Sunkist Way. Wall —5J 63
Sunlight Clo. SW19 —7A 28
Sunmead Clo. Fet —9F 78
Sunmead Rd. Sun —2H 39
Sunna Gdns. Sun —1J 39
Sunniholme Ct. S Croy —8B 200
Sunning Av. Asc —6B 34
Sunningdale. —4D 34
Sunningdale Av. Felt —3M 23
Sunningdale Clo. Surb —8L 41
Sunningdale Ct. Craw —5B 182
Sunningdale Ct. Iswth —9D 10
(off Whitton Dene)
Sunningdale Golf Course. —8E 34
Sunningdale Rd. Sutt —9L 43
Sunninghill. —4A 34
Sunninghill Clo. Asc —3A 34
Sunninghill Ct. Asc —3A 34
Sunninghill Park. —8A 18
Sunninghill Rd. Asc —4A 34
Sunninghill Rd. W'sham —9L 33
Sunninghill Rd. Wink & Asc —6A 18
Sunningvale Av. Big H —2E 86
Sunningvale Clo. Big H —2F 86
Sunny Av. Craw D —1D 184
Sunny Bank. SE25 —2D 46
Sunnybank. Asc —3L 33
Sunnybank. Eps —3B 80
Sunnybank. Warl —4H 85
Sunnybank Rd. Farn —8J 69
(in two parts)
Sunnybank Vs. Blet —1C 124
Sunnycroft Rd. SE25 —2D 46
Sunnycroft Rd. Houn —5B 10
Sunnydell La. Wrec —5F 128
(in two parts)
Sunnydene Rd. Purl —9M 63
Sunny Down. Witl —5B 152
Sunny Hill. Witl —5B 152
Sunnyhill Clo. Craw D —1D 184
Sunnyhill Rd. SW16 —5J 29
Sunny Hill Rd. Alder —2J 109
Sunnyhurst Clo. Sutt —9M 43
Sunnymead. Craw —3B 182
Sunnymead. Craw D —1E 184
(in two parts)
Sunnymead Av. Mitc —2H 45
Sunnymead Rd. SW15 —8G 12
Sunnymeads. —7A 6
Sunnymede Av. Cars —7B 62
Sunnymede Av. Eps —5D 60
Sunny Nook Gdns. S Croy —3A 64
Sunny Ri. Cat —2A 104
Sunnyside. —2A 186
Sunnyside. SW19 —7K 27
Sunnyside. Eden —9K 127
Sunnyside. Fleet —3A 88
Sunny Side. Knap —6E 72
Sunnyside. W on T —4K 39
Sunnyside Cotts. Holm M —6K 137
Sunnyside Pas. SW19 —7K 27
Sunnyside Rd. Head D —5H 169
Sunnyside Rd. Tedd —5D 24
Sunny Vw. Clo. Alder —3A 110
Sunoak Rd. H'ham —6B 198
Sun Pas. Wind —4G 4
Sunray Av. Surb —8A 42
Sun Ray Est. Sand —7F 48
Sunrise Clo. Felt —4N 23
Sun Rd. W14 —1L 13
Sunset Gdns. SE25 —1C 46
Sunshine Way. Mitc —1D 44
Sunstone Gro. Red —7H 103
Sunvale Av. Hasl —2B 188
Sunvale Clo. Hasl —2B 188
Superior Dri. G Str —3N 67
Surbiton. —5K 41
Surbiton Ct. Surb —5J 41
Surbiton Cres. King T —3L 41 (8K 203)
Surbiton Hall Clo. King T —3L 41 (8K 203)
Surbiton Hill Pk. Surb —4M 41
Surbiton Hill Rd. Surb —3L 41 (8K 203)
Surbiton Pde. Surb —5L 41
Surbiton Rd. Camb —6E 50
Surbiton Rd. King T —3K 41 (7J 203)
Surly Hall Wlk. Wind —4C 4
Surrenden Ri. Craw —9A 182
Surrey Av. Camb —2M 69
Surrey Ct. Guild —3L 113
Surrey Ct. Warf —8D 16
Surrey Cres. W4 —1N 11
Surrey Gdns. Eff J —9H 77
Surrey Gro. Sutt —9B 44
Surrey Heath Mus. —9B 50
Surrey Hills Av. Tad —8B 100
Surrey Hills Residential Pk. Tad —8B 100
Surrey Research Pk., The. Sur R —3G 112
Surrey Rd. W Wick —7L 47
Surrey St. Croy —8N 45 (3B 200)
Surrey Technology Cen. Guild —4G 113
Surrey Towers. Add —2L 55
(off Garfield Rd.)
Surridge Ct. Bag —5J 51
Surridge Gdns. SE19 —7N 29
Sussex Av. Iswth —6E 10
Sussex Clo. Knap —5F 72
Sussex Clo. N Mald —3D 42
Sussex Clo. Reig —4B 122
Sussex Clo. Twic —9H 11
Sussex Ct. Add —2L 55
Sussex Ct. Knap —4F 72
Sussex Gdns. Chess —3K 59
Sussex Gdns. Fleet —1C 88
Sussex Lodge. H'ham —4J 197
Sussex Mnr. Bus. Pk. Craw —8E 162
Sussex Pl. W6 —1H 13
Sussex Pl. Knap —5F 72
Sussex Pl. N Mald —3D 42
Sussex Rd. Cars —4D 62
Sussex Rd. Knap —5F 72
Sussex Rd. Mitc —4J 45
Sussex Rd. N Mald —3D 42
Sussex Rd. S Croy —3A 64
Sussex Rd. W Wick —7L 47
Sutherland Av. Big H —4F 86
Sutherland Av. Jac —6A 94
Sutherland Av. Sun —1G 39
Sutherland Chase. Asc —9J 17
Sutherland Dri. SW19 —9B 28
Sutherland Dri. Burp —9B 94
Sutherland Gdns. SW14 —6D 12
Sutherland Gdns. Sun —1G 39
Sutherland Gdns. Wor Pk —7G 42
Sutherland Gro. SW18 —9K 13
Sutherland Gro. Tedd —6E 24
Sutherland Rd. W4 —2D 12
Sutherland Rd. Croy —6L 45
Sutton. —2N 61
(Cheam)
Sutton. —1E 6
(Colnbrook)
Sutton Abinger. —3H 137
Sutton Arc. Sutt —2N 61
Sutton Av. Wok —6H 73
Sutton Comn. Rd. Sutt —6L 43
Sutton Ct. W4 —2B 12
Sutton Ct. Sutt —3A 62
Sutton Ct. Rd. W4 —3B 12
Sutton Ct. Rd. Sutt —3A 62
Sutton Dene. Houn —4B 10
Sutton Gdns. SE25 —4C 46
Sutton Gdns. Red —7H 103
Sutton Green. —4B 94
Sutton Grn. Rd. Sut G —4A 94
Sutton Gro. Sutt —1B 62
Sutton Hall Rd. Houn —3A 10
Sutton La. Ab H & Ab C —3J 137
Sutton La. Houn —6N 9
Sutton La. Slou —2D 6
Sutton La. Sutt & Bans —7N 61
Sutton La. N. W4 —1B 12
Sutton La. S. W4 —2B 12
Sutton Park. —5B 94
Sutton Pk. Rd. Sutt —3N 61
Sutton Pl. Ab H —3G 136
Sutton Pl. Slou —2D 6
Sutton Rd. Camb —6E 50
Sutton Rd. Houn —4A 10
Sutton Sq. Houn —4N 9
Sutton United F.C. —1M 61
Sutton Way. Houn —4N 9
Swabey Rd. Slou —1C 6
Swaby Rd. SW18 —2A 28
Swaffield Rd. SW18 —1N 27
Swail Ho. Eps —7L 201
Swain Clo. SW16 —7F 28
Swain Rd. T Hth —4N 45
Swains Rd. SW17 —8D 28
Swaledale. Brack —4M 31
Swaledale Clo. Craw —6A 182
Swaledale Gdns. Fleet —1C 88
Swale Rd. Farn —8K 69
Swallow Clo. Milf —3B 152
Swallow Clo. Stai —5H 21
Swallow Clo. Yat —9A 48
Swallowdale. S Croy —5G 65
Swallow Fld. D'land —1C 166
Swallowfield. Eng G —7L 19
Swallowfields. Horl —8F 142
(off Rosemary La.)
Swallow Gdns. SW16 —6H 29
Swallow La. Mid H —2H 139
Swallow Pk. Cvn. Site. Surb —9M 41
Swallow Ri. Knap —4F 72
Swallow Rd. Craw —1A 182
Swallow St. Turn H —4F 184
Swallowtail Rd. H'ham —2L 197
Swanage Rd. SW18 —1A 28
Swan Barn Rd. Hasl —2H 189
Swan Cen., The. SW17 —4N 27
Swan Cen., The. Lea —8H 79
Swan Clo. Croy —6B 46
Swan Clo. Felt —5M 23
Swancote Grn. Brack —4N 31
Swan Ct. SW6 —3M 13
(off Fulham Rd.)
Swan Ct. Guild —1N 113
Swan Ct. Iswth —6H 11
(off Swan St.)
Swan Ct. Lea —9H 79
Swandon Way. SW18 —8N 13
Swan La. Charl —3L 161
Swan La. Eden —8L 127
Swan La. Guild —4N 113 (5C 202)
Swan La. Sand —8G 48
Swan M. SW6 —4L 13
Swan Mill Gdns. Dork —3J 119
Swann Ct. Iswth —6G 11
(off South St.)
Swanns Mdw. Bookh —4A 98
Swann Way. Broad H —5E 196
Swan Pl. SW13 —5E 12
Swan Ridge. Eden —8M 127
Swan Rd. Felt —6M 23
Swanscombe Rd. W4 —1D 12
Swansea Rd. Felt —9D 8
Swans Ghyll. F Row —6G 187
Swan Sq. H'ham —6J 197
Swan St. Iswth —6H 11
Swansway, The. Wey —9B 38
Swan Ter. Wind —3E 4
Swan, The. (Junct.) —8M 47
Swanton Gdns. SW19 —2J 27
Swan Wlk. H'ham —6J 197
Swan Wlk. Shep —6F 38
Swanwick Clo. SW15 —1E 26
Swanworth La. Mick —6G 99
Swathling Ho. SW15 —9E 12
(off Tunworth Cres.)
Swaynesland Rd. Eden —3H 127
Swayne's La. Guild —3G 114
Sweeps Ditch Clo. Stai —9J 21
Sweeps La. Egh —6B 20
Sweetbriar. Crowt —9F 30
Sweet Briar La. Eps —1C 80 (8K 201)
Sweet La. Peasl —3F 136
Sweetwater Clo. Sham G —7F 134
Sweetwater La. Sham G —7F 134
Sweetwater La. Wmly —7D 152
Sweetwell Rd. Brack —1K 31
Swievelands Rd. Big H —6D 86
Swift Ct. Sutt —4N 61
Swift La. Bag —4K 51
Swift La. Craw —1A 182
Swift Rd. Farnh —5H 109
Swift Rd. Felt —4M 23
Swift's Clo. Farnh —2N 129
Swift St. SW6 —4L 13
Swinburne Cres. Croy —5F 46
Swinburne Rd. SW15 —7F 12
Swindon Rd. H'ham —4H 197
Swindon Rd. H'row A —8D 8
Swinfield Clo. Felt —4M 23
Swingate Rd. Farnh —3J 129
Swinley Rd. Asc —2G 32
Swinley Rd. Bag —1H 51
Swires Shaw. Kes —1F 66
Swiss Clo. Wrec —7F 128
Swissland Hill. Dor P —4N 165
Switchback La. Rowl —7E 128
(in three parts)
Swithin Chase. Warf —8C 16
Swyncombe Av. W5 —1H 11
Sybil Thorndike Casson Ho. SW5
(off Old Brompton Rd.) —1M 13
Sycamore Av. H'ham —2B 198
Sycamore Clo. Cars —1D 62
Sycamore Clo. Craw —9A 162
Sycamore Clo. Felt —4H 23
Sycamore Clo. Fet —1F 98
Sycamore Clo. Frim —5C 70
Sycamore Clo. Sand —7G 48
Sycamore Cotts. Camb —3N 69
(off Frimley Rd.)
Sycamore Ct. G'ming —3J 133
Sycamore Ct. Houn —7M 9
Sycamore Ct. N Mald —2D 42
Sycamore Ct. Wind —6F 4
Sycamore Cres. C Crook —7A 88
Sycamore Dri. Ash V —6E 90
Sycamore Dri. E Grin —9C 166
Sycamore Dri. Frim —4C 70
Sycamore Dri. Wrec —5F 128
Sycamore Gdns. Mitc —1B 44
Sycamore Gro. N Mald —2C 42
Sycamore Ho. Short —1N 47
Sycamore Ri. Bans —1J 81
Sycamore Ri. Brack —2B 32
Sycamore Rd. SW19 —7H 27
Sycamore Rd. Farn —3A 90
(in two parts)
Sycamore Rd. Guild —3N 113 (2C 202)
Sycamores, The. B'water —1G 68
Sycamores, The. Farn —2B 90
Sycamore Wlk. Eng G —7L 19
Sycamore Wlk. Reig —6A 122
Sycamore Way. Tedd —7J 25
Sycamore Way. T Hth —4L 45
Sydcote. SE21 —2N 29
Sydenham Ct. Croy —1D 200
Sydenham Pl. SE27 —4M 29
Sydenham Rd. Croy —7N 45 (2C 200)
Sydenham Rd. Guild —5N 113 (6D 202)
Sydney Av. Purl —8K 63
Sydney Clo. Crowt —9H 31
Sydney Cres. Afrd —7C 22
Sydney Pl. Guild —4B 114
Sydney Rd. SW20 —1J 43
Sydney Rd. Felt —2H 23
Sydney Rd. Guild —4B 114
Sydney Rd. Rich —7L 11
Sydney Rd. Sutt —1M 61
Sydney Rd. Tedd —6F 24
Sykes Dri. Stai —6K 21
Sylvan Clo. Oxt —7D 106
Sylvan Clo. S Croy —6E 64
Sylvan Clo. Wok —4D 74
Sylvan Est. SE19 —1C 46
Sylvan Gdns. Surb —6K 41
Sylvan Ridge. Sand —6F 48
Sylvan Rd. SE19 —1C 46
Sylvan Rd. Craw —5E 182
Sylvanus. Brack —6L 31
Sylvan Way. C Crook —8A 88
Sylvan Way. Red —4E 122
(in two parts)
Sylvan Way. W Wick —1A 66
Sylvaways Clo. Cranl —7B 156
Sylverdale Rd. Croy —9M 45 (4A 200)
Sylverdale Rd. Purl —9M 63
Sylverns Ct. Warf —8B 16
Sylvestrus Clo. King T —9N 25
Symondson M. Binf —5H 15
Syon Ga. Way. Bren —3G 11
Syon House & Pk. —4J 11
Syon La. Iswth —2F 10
Syon Pk. Gdns. Iswth —3F 10
Syon Pl. Farn —1B 90
Sythwood. Wok —3L 73
Szabo Cres. Norm —3M 111

T

Tabarin Way. Eps —3H 81
Tabor Ct. Sutt —3K 61
Tabor Gdns. Sutt —3L 61
Tabor Gro. SW19 —8K 27
Tachbrook Rd. Felt —1G 23
Tadlow. King T —5N 203
Tadmor Clo. Sun —3G 39
Tadorne Rd. Tad —8H 81
Tadpole La. Ews —3C 108
Tadworth. —9H 81
Tadworth Av. N Mald —3E 42
Tadworth Clo. Tad —9J 81
Tadworth Ct. Tad —8J 81
Tadworth Park. —8J 81
Tadworth St. Tad —1H 101
Taffy's Row. Mitc —2C 44
Tailworth St. Houn —5C 10
Tait Rd. Croy —6B 46
Talavera Pk. Alder —1M 109
Talbot Clo. Myt —1E 90
Talbot Clo. Reig —4N 121
Talbot La. H'ham —7J 197
Talbot Pl. Bag —3J 51
Talbot Pl. Dat —4M 5
Talbot Rd. Afrd —6N 21
Talbot Rd. Cars —2E 62
Talbot Rd. Farnh —3G 128
Talbot Rd. Iswth —7G 11
Talbot Rd. Ling —8N 145
Talbot Rd. T Hth —3A 46
Talbot Rd. Twic —2E 24
Talcott Path. SW2 —2L 29
Taleworth Clo. Asht —7K 79
Taleworth Pk. Asht —7K 79
Taleworth Rd. Asht —6K 79
Talgarth Dri. Farn —3B 90
Talgarth Mans. W14 —1K 13
(off Talgarth Rd.)
Talgarth Rd. W6 & W14 —1J 13
Talina Cen. SW6 —4N 13
Talisman Clo. Crowt —2C 48
Talisman Way. Eps —3H 81
Tallis Clo. Craw —6L 181
Tall Pines. Eps —7E 60
Tall Trees. SW16 —2K 45
Tall Trees. Coln —4F 6
Tall Trees. E Grin —1B 186
Tally Rd. Oxt —9G 107
Talma Gdns. Twic —9E 10
Talman Clo. If'd —4K 181
Tamar Clo. M'bowr —4G 182
Tamarind Clo. Guild —7K 93
Tamarind Ct. Egh —6B 20
Tamarisk Ri. Wokgm —1B 30
Tamar Way. Slou —1D 6
Tamerton Sq. Wok —6A 74
Tamesis Gdns. Wor Pk —8D 42
Tamian Ind. Est. Houn —7K 9
Tamian Way. Houn —7K 9
Tamworth. Brack —6B 32
Tamworth Dri. Fleet —1C 88
Tamworth La. Mitc —1F 44
Tamworth Pk. Mitc —2F 44
Tamworth Pl. Croy —8N 45 (3B 200)
Tamworth Rd. Croy —8M 45 (3A 200)
Tamworth St. SW6 —2M 13
Tamworth Vs. Mitc —3F 44
Tanbridge Pk. H'ham —7G 197
Tanbridge Pl. H'ham —7H 197
Tanbridge Retail Pk. H'ham —7H 197
Tandem Cen. Retail Pk. SW19 —9B 28
Tandem Way. SW19 —9B 28
Tandridge. —2K 125
Tandridge Ct. Cat —9D 84
Tandridge Gdns. S Croy —9C 64
Tandridge Hill La. God —6J 105
Tandridge La. Tand & Oxt —1K 125
Tandridge Rd. Warl —6G 84
Tanfield Ct. H'ham —6H 197
Tanfield Rd. Croy —1N 63 (6B 200)
Tangier Ct. Alder —2L 109
Tangier Ct. Eton —2G 5
Tangier La. Eton —2G 4
Tangier Rd. Guild —4C 114
Tangier Rd. Rich —7N 11
Tangier Way. Tad —4K 81
Tangier Wood. Tad —5K 81
Tangle Oak. Felb —6H 165
Tanglewood. Finch —9A 30
Tanglewood Clo. Croy —9F 46
Tanglewood Clo. Longc —9L 35
Tanglewood Clo. Wok —3F 74
Tanglewood Ride. W End —8A 52
Tanglewood Way. Felt —4J 23
Tangley Dri. Wokgm —4A 30
Tangley Gro. SW15 —9E 12
Tangley La. Guild —8J 93
Tangley Pk. Rd. Hamp —6N 23
Tanglyn Av. Shep —4C 38
Tangmere Gro. King T —6K 25
Tangmere Rd. Craw —3L 181
Tanhouse La. Wokgm —3A 30
Tanhouse Rd. Oxt —1N 125
Tanhurst Ho. SW2 —1K 29
(off Redlands Way)
Tanhurst La. Holm M —2M 157
Tankerton Rd. Surb —8M 41
Tankerton Ter. Croy —5K 45
Tankerville Rd. SW16 —8H 29

274 A-Z Surrey

Tank Rd.—Tideswell Rd.

Tank Rd. Sand —1L 69
Tanners Clo. W on T —5J 39
Tanners Ct. Brock —4A 120
Tanners Dean. Lea —9J 79
Tannersfield. Shalf —2A 134
Tanner's Hill. Brock —5A 120
Tanners La. Hasl —1G 188
Tanners Mead. Eden —2L 147
Tanners Mdw. Brock —7A 120
Tanners Yd. Bag —4H 51
Tannery Clo. Beck —4G 46
Tannery Clo. Slin —5L 195
Tannery La. Brmly —3B 134
Tannery La. Send —1F 94
Tannery, The. Red —3D 122
Tansy Clo. Guild —1E 114
Tantallon Rd. SW12 —2E 28
Tanyard Av. E Grin —1C 186
Tanyard Clo. H'ham —7L 197
Tanyard Clo. M'bowr —6G 182
Tanyard Way. Horl —6F 142
Tapestry Clo. Sutt —4N 61
Taplow Ct. Mitc —3C 44
Tapners Rd. Bet —8E 120
Tara Ct. Beck —1L 47
Tarbat Ct. Coll T —7J 49
Target Clo. Felt —9F 8
Target Hill. Warf —8B 16
Tarham Clo. Horl —6C 142
Tarmac Way. W Dray —3K 7
Tarnbrook Way. Brack —6C 32
Tarn Clo. Farn —3K 89
Tarn Rd. Hind —6B 170
Tarragon Clo. Brack —8B 16
Tarragon Clo. Farn —1H 89
Tarragon Ct. Guild —8K 93
Tarragon Dri. Guild —7K 93
Tarrant Grn. Warf —8A 16
Tarrington Clo. SW16 —4H 29
Tartar Hill. Cobh —9K 57
Tartar Rd. Cobh —9K 57
Tasker Clo. Hayes —3D 8
Tasman Ct. Sun —8F 22
Tasso Rd. W6 —2K 13
Tasso Yd. W6 —2K 13
(off Tasso Rd.)
Tatchbury Ho. SW15 —9E 12
(off Tunworth Cres.)
Tate Clo. Lea —1J 99
Tate Rd. Sutt —2M 61
Tate's Way. Rud —1E 194
Tatham Ct. Craw —8N 181
Tatsfield. —8E 86
Tatsfield Green. —8G 86
Tatsfield La. Tats —8H 87
Tattenham Corner. —5G 80
Tattenham Corner Rd. Eps —4E 80
Tattenham Cres. Eps —5F 80
Tattenham Gro. Eps —5G 80
Tattenham Way. Tad —5J 81
Tattersall Clo. Wokgm —3D 30
Taunton Av. SW20 —1G 42
Taunton Av. Cat —1C 104
Taunton Clo. Craw —2H 183
Taunton Clo. Sutt —7M 43
Taunton La. Coul —6L 83
Tavern Clo. Cars —6C 44
Tavistock Clo. Stai —8M 21
Tavistock Ct. Croy —7A 46
(off Tavistock Rd.)
Tavistock Cres. Mitc —3J 45
Tavistock Gdns. Farn —7N 69
Tavistock Ga. Croy —7A 46 (1D 200)
Tavistock Gro. Croy —6A 46
Tavistock Rd. Cars —7B 44
Tavistock Rd. Croy —7A 46 (1D 200)
Tavistock Rd. Fleet —5A 88
Tavistock Wlk. Cars —7B 44
Tawfield. Brack —6K 31
Tawny Clo. Felt —4H 23
Tawny Cft. Sand —7K 49
Tayben Av. Twic —9E 10
Tay Clo. Farn —8K 69
Tayles Hill Dri. Eps —6E 60
Taylor Av. Rich —5A 12
Taylor Clo. Eps —7N 59
Taylor Clo. Hamp H —6C 24
Taylor Clo. Houn —4C 10
Taylor Clo. Orp —1N 67
Taylor Ct. SE20 —1F 46
(off Elmers End Rd.)
Taylor Rd. Asht —4K 79
Taylor Rd. Mitc —8C 28
Taylor Rd. Wall —2F 62
Taylor's Bushes Ride. Wink —3N 17
Taylors Clo. Lind —4A 168
Taylors Ct. Felt —3H 23
Taylors Cres. Cranl —7A 156
Taylors La. Lind —4A 168
Taylor Wlk. Craw —3A 182
Taymans Track. Hand —8L 199
Taynton Dri. Red —8H 103
Teal Clo. H'ham —3J 197
Teal Clo. S Croy —7G 64
Teal Ct. Dork —1K 201
Tealing Dri. Eps —1C 60
Teal Pl. Sutt —2L 61
Teasel Clo. Craw —6N 181
Teasel Clo. Croy —7G 46
Teazlewood Pk. Lea —4G 78
Tebbit Clo. Brack —1B 32
Teck Clo. Iswth —5G 11
Tedder Clo. Chess —2J 59
Tedder Rd. S Croy —4F 64
Teddington. —6G 24
Teddington Bus. Pk. Tedd —7F 24
(off Station Rd.)
Teddington Clo. Eps —6C 60
Teddington Pk. Tedd —6F 24
Teddington Pk. Rd. Tedd —5F 24
Tedham La. God —3E 144
Tees Clo. Farn —8K 69
Teesdale. Craw —6A 182
Teesdale Av. Iswth —4G 11
Teesdale Gdns. SE25 —1B 46
Teesdale Gdns. Iswth —4G 11
Teevan Clo. Croy —6D 46
Teevan Rd. Croy —7D 46
Tegg's La. Wok —3H 75
Tekels Av. Camb —1B 70
Tekels Pk. Camb —1C 70
Tekels Way. Camb —3C 70
Telconia Clo. Head D —5H 169
Telegraph La. Clay —2F 58
Telegraph Pas. SW2 —1J 29
Telegraph Rd. SW15 —1G 27
Telegraph Track. Cars —7E 62
Telephone Pl. SW6 —2L 13
Telferscot Rd. SW12 —2H 29
Telford Av. SW2 —2H 29
Telford Av. Crowt —9H 31
Telford Ct. Guild —3B 114
Telford Dri. W on T —6K 39
Telford Pl. Craw —4C 182
Telford Rd. Twic —1A 24
Telham Ct. Craw —6L 181
Tellisford. Esh —1B 58
Temperley Rd. SW12 —1E 28
Tempest Rd. Egh —7E 20
Templar Clo. Sand —7F 48
Templar Ct. Eden —9L 127
Templar Pl. Hamp —8A 24
Temple Av. Croy —8J 47
Temple Bar Rd. Wok —6J 73
Temple Clo. Craw —4H 183
Temple Clo. Eps —8C 60 (5K 201)
Templecombe M. Wok —3D 74
Templecombe Way. Mord —4K 43
Temple Ct. Eps —8C 60
Templecroft. Afrd —7E 22
Templedene Av. Stai —8K 21
Temple Fld. Clo. Add —3K 55
Temple Gdns. Stai —9H 21
Temple La. Capel —4L 159
Templeman Clo. Purl —3L 83
Templemere. Wey —9E 38
Temple Rd. Big H —4F 86
Temple Rd. Croy —1A 64 (6D 200)
Temple Rd. Eps —8C 60 (5K 201)
Temple Rd. Houn —7B 10
Temple Rd. Rich —5M 11
Temple Rd. Wind —5F 4
Temple's Clo. Farnh —2A 130
Temple Sheen. SW14 —7B 12
Temple Sheen Rd. SW14 —7A 12
Templeton Clo. SE19 —1A 46
Templeton Pl. SW5 —1M 13
Temple Way. Brack —9K 15
Temple Way. Sutt —9B 44
Temple Wood Dri. Red —9D 102
Ten Acre. Wok —5K 73
Ten Acre La. Egh —1E 36
Ten Acres. Fet —2D 98
Ten Acres Clo. Fet —2D 98
Ten Acre Wlk. Rowl —7E 128
(in two parts)
Tenbury Ct. SW12 —2H 29
Tenby Dri. Asc —4A 34
Tenby Rd. Frim —6E 70
Tenchley's La. Oxt —9F 106
(in two parts)
Tenham Av. SW2 —2H 29
Tenniel Clo. Guild —1L 113
Tennis Ct. La. E Mol —2F 40
Tennison Clo. Coul —7M 83
Tennison Rd. SE25 —3C 46
Tennyson Av. N Mald —4G 43
Tennyson Av. Twic —2F 24
Tennyson Clo. Craw —1F 182
Tennyson Clo. Felt —9G 9
Tennyson Clo. H'ham —2L 197
Tennyson Ct. SW6 —4N 13
(off Maltings Pl.)
Tennyson Mans. W14 —2L 13
(off Queen's Club Gdns.)
Tennyson Ri. E Grin —9M 165
Tennyson Rd. SW19 —7A 28
Tennyson Rd. Add —1N 55
Tennyson Rd. Afrd —6N 21
Tennyson Rd. Houn —5C 10
Tennyson's La. Hasl —3H 189
Tentelow La. S'hall —1A 10
Tenterden Gdns. Croy —6D 46
Tenterden Rd. Croy —6D 46
Teresa Va. Warf —7C 16
Tern Rd. If'd —4J 181
Terrace Gdns. SW13 —5E 12
Terrace Hill. Croy —5A 200
Terrace La. Rich —9L 11
Terrace Rd. W on T —6H 39
Terrace Rd. N. Binf —6H 15
Terrace Rd. S. Binf —7H 15
Terrace, The. SW13 —5D 12
Terrace, The. Add —2N 55
Terrace, The. Asc —4A 34
Terrace, The. Camb —1L 69
Terrace, The. Crowt —2J 49
Terrace, The. Dork —6J 119
Terrace, The. Farn —2C 90
Terrace, The. Old Wok —7C 74
(in two parts)
Terrace, The. Wokgm —2A 30
Terra Cotta Ct. Wrec —5E 128
Terra Cotta Rd. S God —7F 124
Terrapin Rd. SW17 —4F 28
Terry Rd. Craw —8N 181
Tersha St. Rich —7M 11
Tesimond Dri. Yat —1A 68
Testard Rd. Guild —5M 113 (6A 202)
Tester's Clo. Oxt —9D 106
Testwood Rd. Wind —4A 4
Tetcott Rd. SW10 —3N 13
(in two parts)
Teviot Clo. Guild —9K 93
Tewkesbury Clo. Byfl —7M 55
Tewkesbury Rd. Cars —7B 44
Textile Est. Yat —8C 48
Teynham Ct. Beck —2L 47
Thackeray Clo. SW19 —8J 27
Thackeray Clo. Iswth —5G 11
Thackeray Lodge. Felt —9E 8
Thames Av. Cher —2J 37
Thames Av. Wind —3G 4
Thames Bank. SW14 —5B 12
Thames Clo. Cher —6K 37
Thames Clo. Farn —8K 69
Thames Clo. Hamp —1B 40
Thames Cres. W4 —3D 12
Thames Ditton. —5G 40
Thames Ditton Miniature Railway. —7G 41
Thames Eyot. Twic —2G 24
Thamesfield Ct. Shep —6D 38
Thamesfield M. Shep —6D 38
Thames Ga. Stai —1K 37
Thamesgate Clo. Rich —5H 25
Thames Ho. King T —7J 203
Thameside. Tedd —8K 25
Thameside. W Mol —2B 40
Thameside Cen. Bren —2M 11
Thames Lock. Sun —2K 39
Thames Lock. Wey —8B 38
Thames Mead. W on T —6H 39
Thames Mead. Wind —4B 4
Thames Mdw. Shep —7E 38
Thames Mdw. W Mol —1A 40
Thames Pl. SW15 —6J 13
(in two parts)
Thamespoint. Tedd —8K 25
Thames Rd. W4 —2N 11
Thames Rd. Wind —3A 4
Thames Side. King T —9K 25 (2J 203)
Thames Side. Stai —1K 37
Thames Side. Th Dit —5H 41
Thames Side. Wind —3G 5
Thames St. Hamp —9B 24
Thames St. King T —1K 41 (3J 203)
(in two parts)
Thames St. Stai —6H 21
Thames St. Sun —3J 39
Thames St. W on T —6G 39
Thames St. Wey —8C 38
Thames St. Wind —4G 4
Thames Va. Clo. Houn —6A 10
Thamesview Houses. W on T —5H 39
Thames Village. W4 —4B 12
Thanescroft Gdns. Croy —9B 46
Thanet Dri. Kes —1F 66
Thanet Ho. Croy —6C 200
Thanet Pl. Croy —1N 63 (6C 200)
Tharp Rd. Wall —2H 63
Thatcher Clo. Craw —6B 182
Thatchers Clo. Horl —6F 142
Thatchers Clo. H'ham —4L 197
Thatchers La. Worp —5G 93
Thatchers Way. Iswth —8D 10
Thaxted Pl. SW20 —8J 27
Thaxton Rd. W14 —2L 13
Thayers Farm Rd. Beck —1H 47
Theal Clo. Coll T —7J 49
Theatre Ct. Eps —9C 60 (7K 201)
Theatre Royal. —3G 5
Thelma Gro. Tedd —7G 24
Thelton Av. Broad H —5D 196
Theobald Rd. Croy —8M 45 (2A 200)
Theobalds Way. Frim —3G 71
Thepps Clo. S Nut —6K 123
Therapia La. Croy —6H 45
(in two parts)
Theresa Rd. W6 —1F 12
Theresa's Wlk. S Croy —5A 64
Thetford Rd. Afrd —5N 21
Thetford Rd. N Mald —5C 42
Thetford Wlk. Craw —7K 181
Thetis Ter. Rich —2N 11
Theydon Clo. Craw —5E 182
Thibet Rd. Sand —7H 49
Thicket Cres. Sutt —1A 62
Thicket Rd. Sutt —1A 62
Thickthorne La. Stai —8L 21
Third Clo. W Mol —3C 40
Third Cross Rd. Twic —3D 24
Thirlmere Clo. Egh —8D 20
Thirlmere Clo. Farn —1K 89
Thirlmere Cres. C Crook —8A 88
Thirlmere Rd. SW16 —5H 29
Thirlmere Rd. If'd —5J 181
Thirlmere Wlk. Camb —2H 71
Thirsk Ct. Alder —2B 110
Thirsk Rd. SE25 —3A 46
Thirsk Rd. Mitc —8E 28
Thistlecroft Rd. W on T —1K 57
Thistledene. Th Dit —5E 40
Thistledene. W Byf —9H 55
Thistledown Va. Loxw —4F 192
Thistle Gro. SW10 —1N 13
Thistle Way. Small —8N 143
Thistlewood Cres. New Ad —8N 65
Thistleworth Clo. Iswth —3D 10
Thistleworth Marina. Iswth —7H 11
(off Railshead Rd.)
Thistley La. Cranl —6N 155
Thomas Av. Cat —8N 83
Thomas Dri. Warf —8C 16
Thomas Ho. Sutt —4N 61
Thomas Moore Ho. Reig —3A 122
(off Reigate Rd.)
Thomas Turner Path. Croy —3C 200
Thomas Wall Clo. Sutt —2N 61
Thompson Av. Rich —6N 11
Thompson Clo. Slou —1B 6
Thompson's Clo. Pirb —1A 92
Thompson's La. Chob —5G 53
Thomson Ct. Craw —8N 181
Thomson Cres. Croy —7L 45
Thorburn Chase. Coll T —9K 49
Thorburn Way. SW19 —9B 28
Thorkhill Gdns. Th Dit —7G 41
Thorkhill Rd. Th Dit —7G 41
Thorley Clo. W Byf —1J 75
Thorley Gdns. Wok —2J 75
Thornash Clo. Wok —2M 73
Thornash Rd. Wok —2M 73
Thornash Way. Wok —2M 73
Thorn Bank. Guild —5K 113
Thornbank Clo. Stai —8J 7
Thornbury Av. Iswth —3D 10
Thornbury Clo. Crowt —2G 48
Thornbury Ct. Iswth —3E 10
Thornbury Ct. S Croy —8E 200
Thornbury Rd. SW2 —1J 29
Thornbury Rd. Iswth —3D 10
Thorncliffe Rd. SW4 —1J 29
Thorncliffe Rd. S'hall —1N 9
Thorn Clo. Wrec —7E 128
Thorncombe Street. —1N 153
Thorncombe St. Brmly —1N 153
Thorncroft. Eng G —8M 19
Thorncroft Clo. Coul —6L 83
Thorncroft Dri. Lea —1H 99
Thorncroft Rd. Sutt —2N 61
Thorndean St. SW18 —3A 28
Thorndike Clo. SW10 —3N 13
Thorndon Gdns. Eps —2D 60
Thorndown La. W'sham —4A 52
Thorndyke Clo. Craw —4H 183
Thorne Clo. Afrd —8D 22
Thorne Clo. Crowt —9F 30
Thorne Ho. Clay —4H 59
Thorneloe Gdns. Croy —2L 63
Thorne Pas. SW13 —5D 12
Thornes Clo. Beck —2M 47
Thorne St. SW13 —6D 12
Thorneycroft Clo. W on T —5K 39
Thorney Hedge Rd. W4 —1A 12
Thornfield Grn. B'water —3L 69
Thornfield Rd. Bans —4M 81
Thornhill. Brack —3C 32
Thornhill. Craw —5N 181
Thornhill Av. Surb —8L 41
Thornhill Ho. W4 —1D 12
(off Wood St.)
Thornhill Rd. Alder —9B 90
Thornhill Rd. Croy —6N 45
Thornhill Rd. Surb —8L 41
Thornhill Way. Shep —4B 38
Thornlaw Rd. SE27 —5L 29
Thornleas Pl. E Hor —4F 96
Thorn Rd. Wrec —6F 128
Thornsett Pl. SE20 —1E 46
Thornsett Rd. SE20 —1E 46
Thornsett Rd. SW18 —2N 27
Thornsett Ter. SE20 —1E 46
(off Croydon Rd.)
Thornton Av. SW2 —2H 29
Thornton Av. W4 —1D 12
Thornton Av. Croy —5K 45
Thornton Clo. Guild —9K 93
Thornton Clo. Horl —8C 142
Thornton Cres. Coul —6L 83
Thornton Dene. Beck —1K 47
Thornton Gdns. SW12 —2H 29
Thornton Heath. —3N 45
Thornton Heath Pond. (Junct.) —4L 45
Thornton Hill. SW19 —8K 27
Thornton Pl. Horl —8C 142
Thornton Rd. SW12 —1H 29
Thornton Rd. SW14 —7C 12
Thornton Rd. SW19 —7J 27
Thornton Rd. Cars —7B 44
Thornton Rd. Croy & T Hth —6K 45
Thornton Rd. E. SW19 —7J 27
Thornton Row. T Hth —4L 45
Thornton Wlk. Horl —8C 142
Thornville Gro. Mitc —1B 44
Thornycroft Ho. W4 —1D 12
(off Fraser St.)
Thornyhurst Rd. Myt —1E 90
Thorold Clo. S Croy —6G 65
Thorold Rd. Farnh —9H 109
Thoroughfare, The. Tad —2F 100
Thorp Clo. Binf —6H 15
Thorpe. —2D 36
Thorpe By-Pass. Egh —1D 36
Thorpe Clo. New Ad —7M 65
Thorpe Clo. Wokgm —5A 30
Thorpe Green. —3C 36
Thorpe Lea. —7E 20
Thorpe Lea Rd. Egh —7D 20
Thorpe Pk. —3F 36
Thorpe Rd. Cher —4F 36
Thorpe Rd. King T —8L 25
Thorpe Rd. Stai —7F 20
Thorpe's Clo. Guild —9K 93
Thorpeside Clo. Stai —1G 37
Thorsden Clo. Wok —6A 74
Thorsden Ct. Wok —5A 74
Thrale Rd. SW16 —5G 28
Three Acres. H'ham —7G 197
Three Arch Bus. Pk. Red —7E 122
Three Arches Pk. Red —7D 122
Three Arch Rd. Red —7D 122
Three Bridges. —2E 182
Three Bridges Rd. Craw —3D 182
Three Gates. Guild —2E 114
Three Gates La. Hasl —1H 189
Three Mile Rd. Holm M —9H 137
Three Pears Rd. Guild —3G 114
Threestile Rd. Warn —8F 178
Three Stiles Rd. Farnh —9E 108
Threshers Corner. Fleet —1D 88
Threshfield. Brack —4M 31
Thrift La. Knock —4N 87
Thrift Va. Guild —9F 94
Thrigby Rd. Chess —3M 59
Throgmorton Rd. Yat —1A 68
Throwley Rd. Sutt —2N 61
Throwley Way. Sutt —1N 61
Thrupp Clo. Mitc —1F 44
Thrupp Ho. Guild —2F 114
(off Merrow St.)
Thrupp's Av. W on T —2L 57
Thrupp's La. W on T —2L 57
Thundery Hill. Seale —8D 110
Thurbans Rd. Farnh —4F 128
Thurbarns Hill. Bear G —1L 159
Thurlby Rd. SE27 —5L 29
Thurleigh Av. SW12 —1E 28
Thurleigh Rd. SW12 —1D 28
Thurleston Av. Mord —4K 43
Thurlestone Clo. Shep —5D 38
Thurlestone Pde. Shep —5D 38
(off High St.)
Thurlestone Rd. SE27 —4L 29
Thurlow Hill. SE21 —2N 29
Thurlow Ho. SW16 —4J 29
Thurlow Pk. Rd. SE21 —3M 29
Thurlow Wlk. Cranl —9N 155
Thurlton Ct. Wok —3A 74
Thurnby Ct. Twic —4E 24
Thurne Way. Rud —1E 194
Thurnham Way. Tad —7J 81
Thursby Rd. Wok —5K 73
Thursley. —6G 150
Thursley Cres. New Ad —4M 65
Thursley Gdns. SW19 —3J 27
Thursley Ho. SW2 —1K 29
(off Holmewood Gdns.)
Thursley Rd. Churt & Thur —7A 150
Thursley Rd. Elst —4F 150
Thurso St. SW17 —5B 28
Thurstan Rd. SW20 —8G 26
Thurston Ho. Fleet —4A 88
Thyer Clo. Orp —1L 67
Thyme Ct. Farn —9H 69
Thyme Ct. Guild —9D 94
Tibbet's Clo. SW19 —2J 27
Tibbet's Corner. (Junct.) —1J 27
Tibbet's Ride. SW15 —1J 27
Tichborne Clo. B'water —1J 69
Tichborne Clo. Frim —3D 70
Tichborne Pl. Alder —4B 110
Tichmarsh. Eps —6B 60
Tickleback Row. —3N 15
Tickleback Row. Warf —3N 15
Tickners Heath. —6F 174
Tidenham Gdns. Croy —9B 46
Tideswell Rd. SW15 —7H 13

Tideswell Rd.—Trojan Way

Tideswell Rd. Croy —9K 47
Tideway Clo. Rich —5H 25
Tidwells Lea. Warf —9C 16
Tierney Ct. Croy —8B 46
Tierney Rd. SW2 —2J 29
Tiffany Heights. SW18 —1M 27
Tilburstow Hill Rd. God —1F 124
(in two parts)
Tildesley Rd. SW15 —9H 13
Tile Barn Clo. Farn —9M 69
Tile Farm Rd. Orp —1M 67
Tilehouse Rd. Guild —7A 114
Tilehurst Clo. Worth —3J 183
Tilehurst La. Binf —6H 15
Tilehurst La. Dork —6L 119
Tilehurst Rd. SW18 —2B 28
Tilehurst Rd. Sutt —2K 61
Tiler's Wlk. Reig —7A 122
Tiler's Way. Reig —7A 122
Tilford. —8A 130
Tilford Av. New Ad —5M 65
Tilford Common. —1A 150
Tilford Gdns. SW19 —2J 27
Tilford Ho. SW2 —1K 29
(off Holmewood Gdns.)
Tilford Rd. Churt & Tilf —7A 150
Tilford Rd. Farnh & Tilf —2J 129
Tilford Rd. Hind —2B 170
Tilford St. Tilf —8A 130
Tilgate. —6C 182
Tilgate Comn. Blet —2N 123
Tilgate Dri. Craw —7B 182
(Brighton Rd.)
Tilgate Dri. Craw —4E 182
(Water Lea)
Tilgate Forest (Forest Ga.) Bus. Cen. Craw —8B 182
Tilgate Forest Lodge. Peas P —4N 199
Tilgate Forest Pk. —8C 182
Tilgate Forest Row. —3N 199
Tilgate Forest Row. Peas P —3N 199
Tilgate Mans. Craw —8D 182
Tilgate Pde. Craw —6C 182
Tilgate Pl. Craw —6C 182
Tilgate Way. Craw —6C 182
Tilia Clo. Sutt —2L 61
Tilletts La. Warn —9E 178
Tilley La. H'ley —9B 80
Tillingbourne Rd. Shalf —9A 114
Tillingdown Hill. Cat —9D 84
(in two parts)
Tillingdown La. Cat —2E 104
(in two parts)
Tillotson Clo. Craw —4H 183
Tillys La. Stai —5H 21
Tilson Gdns. SW12 —1J 29
Tilson Ho. SW2 —1J 29
Tilstone Av. Eton W —1B 4
Tilstone Clo. Eton W —1B 4
Tilt Clo. Cobh —3M 77
Tilthams Corner Rd. G'ming —3L 133
Tilthams Grn. G'ming —3L 133
Tilt Mdw. Cobh —3M 77
Tilton St. SW6 —2K 13
Tilt Rd. Cobh —2K 77
Tiltview. Cobh —2K 77
Tiltwood Dri. Craw D —9F 164
Timber Bank. Frim G —8E 70
Timber Clo. Bookh —4C 98
Timber Clo. Farnh —1G 128
(off Hart, The)
Timber Clo. Wok —1H 75
Timber Ct. H'ham —5J 197
Timbercroft. Eps —1D 60
Timberham Farm Rd. Gat A —2B 162
Timberham Way. Gat A —2C 162
Timberhill. Asht —6L 79
Timber Hill Clo. Ott —4E 54
Timber Hill Rd. Cat —2D 104
Timberlands. Craw —8N 181
Timber La. Cat —2D 104
Timberley Pl. Crowt —3D 48
Timberling Gdns. S Croy —5A 64
Timbermill Ct. Hasl —2D 188
Timberslip Dri. Wall —5H 63
Timbers, The. Man H —9B 198
Timbers, The. Sutt —3K 61
Timbertop Rd. Big H —5E 86
Times Sq. Sutt —2N 61
Timline Grn. Brack —1D 32
Timperley Ct. Red —1C 122
Timperley Gdns. Red —1C 122
Timsbury Wlk. SW15 —2F 26
Timsway. Stai —6H 21
Tindal Clo. Yat —9C 48
Tindale Clo. S Croy —7A 64
Tinderbox All. SW14 —6C 12
Tinefields. Tad —6K 81
Tinkers La. S'dale —5E 34
Tinkers La. Wind —5A 4
Tinmans Row. D'side —5K 77
Tinsey Clo. Egh —6D 20
Tinsley Clo. Craw —9E 162
Tinsley Green. —6F 162
Tinsley Grn. Tin G —6F 162
Tinsley La. Craw —8E 162
Tinsley La. N. Craw —7F 162
Tinsley La. S. Craw —1E 182
Tintagel Clo. Eps —1E 80 (8N 201)
Tintagel Ct. H'ham —7K 197
Tintagel Dri. Frim —5D 70
Tintagel Rd. Finch —8A 30
Tintagel Way. Wok —3C 74
Tintells La. W Hor —6C 96
Tintern Clo. SW15 —8K 13
Tintern Clo. SW19 —7A 28
Tintern Rd. Cars —7B 44
Tintern Rd. Craw —5M 181
Tippits Mead. Brack —9J 15
Tipton Dri. Croy —1B 64
Tiree Path. Craw —6N 181
Tirlemont Rd. S Croy —4N 63
Tirrell Rd. Croy —5N 45
Tisbury Rd. SW16 —1J 45
Tisman's Common. —2A 194
Tismans Comn. Rud —2A 194
Titan Ct. Bren —1M 11
Titchfield Rd. Cars —7B 44
Titchfield Wlk. Cars —6B 44
Titchwell Rd. SW18 —2B 28
Tite Hill. Eng G & Egh —6N 19
Tithe Barn Clo. King T —9M 25 (2M 203)
Tithebarns La. Send —4J 95
Tithe Clo. Vir W —5N 35
Tithe Clo. W on T —5J 39
Tithe Ct. Wokgm —1B 30
Tithe La. Wray —9C 6
Tithe Meadows. Vir W —5M 35
Tithe Orchard. Felb —6H 165
Tithepit Shaw La. Warl —4E 84
Titlarks Hill. Asc —8E 34
Titmus Dri. Craw —6D 182
Titness Pk. S'hill —2D 34
Titsey. —3D 106
Titsey Hill. T'sey —1C 106
Titsey Place. —2D 106
Titsey Rd. Oxt —3D 106
Tiverton Rd. Houn —5C 10
Tiverton Rd. T Hth —4L 45
Tiverton Way. Chess —2K 59
Tiverton Way. Frim —5D 70
Tivoli Rd. SE27 —6N 29
Tivoli Rd. Houn —7M 9
Toad La. B'water —2K 69
Toad La. Houn —7N 9
Toat Hill. Slin —8N 195
Toby Way. Surb —8A 42
Tocker Gdns. Warf —7N 15
Tockington Ct. Yat —9C 48
Todds Clo. Horl —6C 142
Toftwood Clo. Craw —4G 183
Token Yd. SW15 —7K 13
Toland Sq. SW15 —8F 12
Toll Bar Ct. Sutt —5N 61
Tolldene Clo. Knap —4H 73
Tollers La. Coul —5K 83
Toll Gdns. Brack —2D 32
Tollgate. Guild —3F 114
Tollgate Av. Red —8D 122
Tollgate Hill. Craw —9A 182
Tollgate Rd. Dork —8H 119
Tollhouse La. Wall —5G 63
Tolpuddle Way. Yat —1E 68
Tolson Rd. Iswth —6G 10
Tolvaddon Clo. Wok —4K 73
Tolverne Rd. SW20 —9H 27
Tolworth. —8A 42
Tolworth Clo. Surb —7A 42
Tolworth Junction (Toby Jug) (Junct.) —8A 42
Tolworth Pk. Rd. Surb —8M 41
Tolworth Ri. N. Surb —7A 42
Tolworth Ri. S. Surb —8A 42
Tolworth Rd. Surb —8L 41
Tolworth Tower. Surb —8A 42
Tomlin Clo. Eps —7C 60
Tomlin Ct. Eps —7C 60
Tomlins All. Twic —2G 24
Tomlins Av. Frim —4D 70
Tomlinscote Way. Frim —4E 70
Tomlinson Clo. W4 —1A 12
Tomlinson Dri. Finch —9A 30
Tompset's Bank. —9H 187
Tompset's Bank. F Row —9H 187
Tomtit Cres. Turn H —4F 184
Tomtits La. F Row —8G 187
Tom Williams Ho. SW6 —2L 13
(off Clem Attlee Ct.)
Tonbridge Clo. Bans —1D 82
Tonbridge Rd. W Mol —3N 39
Tonfield Rd. Sutt —7L 43
Tonge Clo. Beck —4K 47
Tongham. —6D 110
Tongham Meadows. Tong —5C 110
Tongham Rd. Alder —4B 110
Tongham Rd. Farnh —7B 110
Tongham Rd. Runf —8A 110
Tonsley Hill. SW18 —8N 13
Tonsley Pl. SW18 —8N 13
Tonsley Rd. SW18 —8N 13
Tonsley St. SW18 —8N 13
Tonstall Rd. Eps —6C 60
Tonstall Rd. Mitc —1E 44
Tony Law Ho. SE20 —1E 46
Toogood Pl. Warf —6B 16
Tooting. —6C 28
Tooting Bec. —4E 28
Tooting Bec Gdns. SW16 —5H 29
(in two parts)
Tooting Bec Rd. SW17 & SW16 —4E 28
Tooting B'way. SW17 —6C 28
Tooting Graveney. —7D 28
Tooting Gro. SW17 —6C 28
Tooting High St. SW17 —7C 28
Tooting Mkt. SW17 —5D 28
Tootswood Rd. Brom —4N 47
Topcliffe Dri. Orp —1M 67
Top Common. Warf —8B 16
Topiary Sq. Rich —6M 11
Topiary, The. Asht —7L 79
Topiary, The. Farn —2K 89
Toplady Pl. Farnh —5H 109
Top Pk. Beck —4N 47
Topsham Rd. SW17 —4D 28
Torin Ct. Eng G —6M 19
Torland Dri. Oxs —9D 58
Tor La. Wey —7D 56
Tormead Clo. Sutt —3M 61
Tormead Rd. Guild —3B 114
Toronto Dri. Small —9L 143
Torrens Clo. Guild —9K 93
Torre Wlk. Cars —7C 44
Torridge Rd. Slou —2D 6
Torridge Rd. T Hth —4M 45
Torridon Clo. Wok —4L 73
Torrington Clo. Clay —3E 58
Torrington Clo. Lind —4B 168
Torrington Rd. Clay —3E 58
Torrington Sq. Croy —6A 46
Torrington Way. Mord —5M 43
Tor Rd. Farnh —1E 128
(in two parts)
Torwood La. Whyt —7C 84
Torwood Rd. SW15 —8F 12
Totale Ri. Warf —7N 15
Totford La. Seale —9J 111
Tot Hill. —4B 100
Totland Clo. Farn —8M 69
Tottenham Rd. G'ming —5H 133
Tottenham Wlk. Owl —6J 49
Totterdown St. SW17 —5D 28
Totton Rd. T Hth —2L 45
Toulouse Clo. Camb —8F 50
Tourist Info. Cen. —7A 90
(Aldershot)
Tourist Info. Cen. —4G 107
(Clacket Lane Services)
Tourist Info. Cen. —9N 45
(Croydon)
Tourist Info. Cen. —1G 128
(Farnham)
Tourist Info. Cen. —4A 88
(Fleet)
Tourist Info. Cen. —3F 162
(Gatwick Airport)
Tourist Info. Cen.
(Guildford) —5N 113 (6D 202)
Tourist Info. Cen. —6C 8
(Heathrow Airport)
Tourist Info. Cen. —7J 197
(Horsham)
Tourist Info. Cen. —6B 10
(Hounslow)
Tourist Info. Cen. —1K 41 (4J 203)
(Kingston upon Thames)
Tourist Info. Cen. —8K 11
(Richmond upon Thames)
Tourist Info. Cen. —2H 25
(Twickenham)
Tourist Info. Cen. —4G 5
(Windsor)
Tournai Clo. Alder —6C 90
Tournay Rd. SW6 —3L 13
Tovil Clo. SE20 —1E 46
Tower Clo. E Grin —8A 166
Tower Clo. Hind —5C 170
Tower Clo. Horl —8D 142
Tower Clo. H'ham —8G 196
Tower Clo. Wok —4N 73
Tower Ct. E Grin —8A 166
Tower Ct. H'ham —7K 197
Tower Gdns. Clay —4H 59
Tower Gro. Wey —8F 38
Tower Hill. —7H 119
(Dorking)
Tower Hill. —9G 196
(Horsham)
Tower Hill. Dork —7H 119
Tower Hill. Farn —2M 89
Towerhill. Gom —9D 116
Tower Hill. H'ham —9F 196
Towerhill La. Gom —8D 116
(in two parts)
Towerhill Ri. Gom —9D 116
Tower Hill Rd. Dork —7H 119
Tower Ride. Wind —4B 18
Tower Ri. Rich —6L 11
Tower Rd. Fay —9E 180
Tower Rd. Hind —5C 170
Tower Rd. Tad —1H 101
Tower Rd. Twic —4F 24
Towers Dri. Crowt —3G 48
Towers Pl. Rich —8L 11
Towers, The. Kenl —2N 83
Towers Wlk. Wey —3C 56
Tower Vw. Croy —7H 47
Tower Yd. Rich —8M 11
Towfield Ct. Felt —3N 23
Towfield Rd. Felt —3N 23
Town & Crown Exhibition. —4G 5
Town Barn Rd. Craw —3A 182
Townend. Cat —9B 84
Townend Clo. Cat —9B 84
Town End Clo. G'ming —7H 133
Town End Pde. King T —5J 203
Town End St. G'ming —7H 133
Town Farm Way. Stanw —1M 21
Townfield Ct. Dork —6G 119 (4K 201)
Townfield Rd. Dork —6G 119 (4K 201)
Town Fld. Way. Iswth —5G 11
Towngate. Cobh —2M 77
Town Hall Av. W4 —1C 12
Town Hill. Ling —7N 145
Town La. Stanw —9M 7
(in two parts)
Town Mead. Blet —2A 124
Town Mead. Craw —2B 182
Townmead Bus. Cen. SW6 —6N 13
Town Mdw. Bren —2K 11
Town Mdw. Rd. Bren —3K 11
Townmead Rd. SW6 —6N 13
Townmead Rd. Rich —5A 12
Townquay. Stai —2K 37
(off Blacksmiths La.)
Townsend Clo. Brack —4C 32
Townsend La. Wok —8D 74
Townsend Rd. Afrd —6N 21
Townshend Rd. Rich —7M 11
Townshend Ter. Rich —7M 11
Townshott Clo. Bookh —3A 98
Townside Pl. Camb —9B 50
Townslow La. Wis —3L 75
Town Sq. Brack —1A 32
Town Sq. Camb —9A 50
Town Sq. Iswth —6H 11
(off Swan St.)
Town Sq. Wok —4A 74
Town Tree Rd. Afrd —6B 22
Town Wharf. Iswth —6H 11
Towpath. Shep —7A 38
Towpath. W on T —4H 39
Towpath Way. SE25 —5C 46
Towton Rd. SE27 —3N 29
Toynbee Rd. SW20 —9K 27
Tozer Wlk. Wind —6A 4
Tracery, The. Bans —2N 81
Tracious Clo. Wok —3L 73
Tracious La. Wok —3L 73
Trade Dri. Owl —5K 49
Trafalgar Av. Wor Pk —7J 43
Trafalgar Ct. Farnh —2G 129
Trafalgar Dri. W on T —9J 39
Trafalgar Rd. SW19 —8N 27
Trafalgar Rd. H'ham —4J 197
Trafalgar Rd. Twic —3D 24
Trafalgar Way. Camb —2L 69
Trafalgar Way. Croy —8L 45
Trafford Rd. Frim —6B 70
Trafford Rd. T Hth —4K 45
Tramsheds Ind. Est. Croy —6H 45
Tramway Path. Mitc —3C 44
(in three parts)
Tranmere Ct. Sutt —4A 62
Tranmere Rd. SW18 —3A 28
Tranmere Rd. Twic —1B 24
Tranquil Dale. Buck —1E 120
Transport Av. Bren —1G 11
Trap La. Ockl —8N 157
Traps La. N Mald —9D 26
Trasher Mead. Dork —7J 119
Travellers Way. Houn —5K 9
Travis La. Sand —8H 49
Treadcroft Dri. H'ham —3L 197
Treadwell Rd. Eps —3D 80
Treaty Cen. Houn —6B 10
Trebor Av. Farnh —2J 129
Trebovir Rd. SW5 —1M 13
Tredenham Clo. Farn —5A 90
Tredwell Clo. SW2 —3K 29
Tredwell Rd. SE27 —5M 29
Treebourne Rd. Big H —4E 86
Treebys Av. Guild —6N 93
Tree Clo. Rich —2K 25
Treelands. N Holm —8J 119
Treemount Ct. Eps —9D 60 (6N 201)
Treen Av. SW13 —6E 12
Treeside Dri. Farnh —5K 109
Tree Tops. S God —6H 125
Treetops. Whyt —5D 84
Tree Tops Av. Camb —7E 50
Tree Tops Cvn. Pk. Alb —6N 135
Treeview. Craw —8A 182
Treeview Ct. Reig —3B 122
(off Wray Comn. Rd.)
Tree Way. Reig —9N 101
Trefoil Clo. H'ham —3L 197
Trefoil Clo. Wokgm —1D 30
Trefoil Cres. Craw —7M 181
Trefusis Ct. Houn —4J 9
Tregaron Gdns. N Mald —3D 42
Tregarthen Pl. Lea —8J 79
Tregarth Pl. Wok —4J 73
Tregolls Dri. Farn —2A 90
Tregunter Rd. SW10 —2N 13
Trehaven Pde. Reig —6N 121
Treherne Ct. SW17 —5E 28
Trehern Rd. SW14 —6C 12
Trelawn Clo. Ott —4E 54
Trelawne Dri. Cranl —8N 155
Trelawney Av. Slou —1B 6
Trelawney Gro. Wey —3B 56
Treloar Gdns. SE19 —7N 29
Tremaine Rd. SE20 —1E 46
Trematon Pl. Tedd —8J 25
Tremayne Wlk. Camb —2G 70
Trenance. Wok —4K 73
Trenchard Clo. W on T —2K 57
Trenchard Ct. Mord —5M 43
Trenear Clo. H'ham —6L 197
Trenham Dri. Warl —3F 84
Trenholme Ct. Cat —9D 84
Trent Clo. Craw —5L 181
Trent Clo. Farn —8K 69
Trent Ct. S Croy —8B 200
Trentham Cres. Wok —8C 74
Trentham Rd. Red —5D 122
Trentham St. SW18 —2M 27
Trent Ho. King T —9K 25 (1J 203)
Trenton Clo. Frim —4E 70
Trent Rd. Slou —2D 6
Trent Way. Wor Pk —9H 43
Treport St. SW18 —1N 27
Tresham Cres. Yat —9A 48
Tresidder Ho. SW4 —1H 29
Tresillian Way. Wok —3K 73
Tresta Wlk. Wok —3K 73
Trevanion Rd. W14 —1K 13
Trevanne Plat. Craw —2H 183
Trevelyan. Brack —6K 31
Trevelyan Rd. SW17 —6C 28
Trevereux Hill. Oxt —9H 107
Treville St. SW15 —1G 26
Trevithick Clo. Felt —2G 23
Trevone Ct. SW2 —1J 29
(off Doverfield Rd.)
Trevor Clo. Iswth —8F 10
Trevor Rd. SW19 —8K 27
Trevose Av. W Byf —1H 75
Trewaren Ct. Craw —3N 181
Trewenna Dri. Chess —2K 59
Trewince Rd. SW20 —9H 27
Trewint St. SW18 —3A 28
Treyford Clo. Craw —3L 181
Triangle, The. King T —1A 42
Triangle, The. Wok —5M 73
Trickett Ho. Sutt —5N 61
Trident Bus. Cen. SW17 —6D 28
Trident Ind. Est. Coln —6G 7
Trigg's Clo. Wok —6N 73
Trigg's La. Wok —6M 73
Trigo Ct. Eps —7C 60
Trig St. Newd —1L 159
Trilakes Country Pk. —7E 48
Trimmers. Farnh —2F 128
Trimmers Clo. Farnh —5G 109
Trimmers Fld. Farnh —2K 129
Trimmers Wood. Hind —3B 170
Trimmer Wlk. Bren —2L 11
Trindledown. Brack —7M 15
Trindles Rd. S Nut —5J 123
Tring Ct. Twic —5G 24
Tringham Clo. Ott —2E 54
Tringham Cotts. W End —8C 52
Trinity. Owl —5K 49
Trinity Chu. Pas. SW13 —2G 13
Trinity Chu. Rd. SW13 —2G 13
Trinity Chyd. Guild —5N 113 (6D 202)
Trinity Clo. Craw —1G 183
Trinity Clo. Houn —7M 9
Trinity Clo. S Croy —5B 64
Trinity Clo. Stanw —9L 7
Trinity Cotts. Rich —6M 11
Trinity Ct. SE25 —5B 46
Trinity Ct. Brack —9L 15
Trinity Ct. Croy —8N 45 (2C 200)
Trinity Ct. H'ham —5J 197
Trinity Cres. SW17 —3D 28
Trinity Cres. Asc —4D 34
Trinity Fields. Farnh —5F 108
Trinity Hill. Farnh —5F 108
Trinity M. SE20 —1E 46
Trinity Pl. Wind —5F 4
Trinity Ri. SW2 —2L 29
Trinity Rd. SW18 & SW17 —7N 13 & 1B 28
Trinity Rd. SW19 —7M 27
Trinity Rd. Knap —5E 72
Trinity Rd. Rich —6M 11
Tritton Av. Croy —1J 63
Tritton Rd. SE21 —4N 29
Trittons. Tad —8J 81
Triumph Clo. Hayes —4D 8
Trodd's La. Guild & W Cla —2F 114
Trojan Way. Croy —9K 45

Troon Clo.—Valley M.

Troon Clo. If'd —4J 181
Troon Ct. S'hill —4N 33
Trotsford Mdw. B'water —2H 69
Trotsworth Av. Vir W —3A 36
Trotsworth Ct. Vir W —3N 35
Trotters La. Chob —8L 53
Trotter Way. Eps —8A 60
Trotton Clo. M'bowr —6G 182
Trotts La. W'ham —5L 107
Trotwood Clo. Owl —5K 49
Troutbeck Wlk. Camb —3H 71
Trout Rd. Hasl —2C 188
Trouville Rd. SW4 —1G 28
Trowers Way. Red —9F 102
Trowlock Av. Tedd —7J 25
Trowlock Way. Tedd —7K 25
Troy Clo. Tad —7G 81
Troy La. Eden —8H 127
Troy Town. —7H 127
Truggers. Hand —8N 199
Trumble Gdns. T Hth —3M 45
Trumbull Rd. Brack —8M 15
Trumpets Hill Rd. Reig —4G 120
Trumps Green. —5N 35
Trumpsgreen Av. Vir W —5N 35
Trumps Grn. Clo. Vir W —4A 36
Trumpsgreen Rd. Vir W —7M 35
Trumps Mill La. Vir W —5B 36
Trundle Mead. H'ham —3J 197
Trunk Rd. Farn —1H 89
Trunley Heath Rd. Brmly —4M 133
Truslove Rd. SE27 —6L 29
Truss Hill Rd. Asc —4N 33
Trust Wlk. SE21 —2M 29
Trystings Clo. Clay —3G 59
Tubbenden Dri. Orp —1M 67
Tubbenden La. Orp —1M 67
Tubbenden La. S. Orp —2M 67
Tucker Rd. Ott —3F 54
Tuckers Corner. Cranl —7K 155
Tuckers Dri. Cranl —7K 155
Tuckey Gro. Rip —1H 95
Tucklow Wlk. SW15 —1E 26
Tudor Av. Hamp —8A 24
Tudor Av. Wor Pk —9G 42
Tudor Circ. G'ming —4H 133
Tudor Clo. SW2 —1K 29
Tudor Clo. Afrd —5N 21
Tudor Clo. Bans —2K 81
Tudor Clo. Bookh —2N 97
(in two parts)
Tudor Clo. Chess —2L 59
Tudor Clo. Cobh —9N 57
Tudor Clo. Coul —5L 83
Tudor Clo. E Grin —1B 186
Tudor Clo. Eps —6E 60
Tudor Clo. Gray —7B 170
Tudor Clo. Hamp —6C 24
Tudor Clo. M'bowr —4H 183
Tudor Clo. Small —8M 143
Tudor Clo. S Croy —2E 84
Tudor Clo. Sutt —2J 61
Tudor Clo. Wall —4G 63
Tudor Clo. Wok —4C 74
Tudor Clo. Wokgm —3E 30
Tudor Ct. As —3D 110
Tudor Ct. Big H —5G 86
Tudor Ct. Felt —5K 23
Tudor Ct. Red —2E 122
(off St Anne's Ri.)
Tudor Ct. Stanw —9N 7
Tudor Ct. Tedd —7F 24
Tudor Dri. King T —6K 25
Tudor Dri. Mord —5J 43
Tudor Dri. W on T —7L 39
Tudor Dri. Yat —2C 68
Tudor Gdns. SW13 —6D 12
Tudor Gdns. Twic —2F 24
Tudor Gdns. W Wick —9M 47
Tudor Ho. Brack —4N 31
Tudor La. Old Win —1M 19
Tudor Lodge Mans. Kgswd —8L 81
Tudor Pl. Mitc —8C 28
Tudor Rd. SE25 —4E 46
Tudor Rd. Afrd —7E 22
Tudor Rd. Beck —2M 47
Tudor Rd. G'ming —4H 133
Tudor Rd. Hamp —8A 24
Tudor Rd. Houn —7D 10
Tudor Rd. King T —8N 25
Tudors, The. Reig —9A 102
Tudor Wlk. Lea —7F 78
Tudor Wlk. Wey —9C 38
Tudor Way. C Crook —9B 88
Tudor Way. Wind —4B 4
Tuesley. —1F 152
Tuesley Corner. G'ming —8G 132
Tuesley La. G'ming —8G 133
Tufton Gdns. W Mol —1B 40
Tugela Rd. Croy —5A 46
Tuggles Plat. Warn —1E 196
Tugmutton Clo. Orp —1K 67
Tulip Clo. Croy —7G 46
Tulip Clo. Hamp —7N 23
Tulip Ct. H'ham —4J 197
Tulip Tree Ct. Belm —7M 61
Tullett Rd. M'bowr —7F 182
Tulls La. Stand —7C 168
Tull St. Mitc —6D 44
Tulse Clo. Beck —2M 47
Tulse Hill. —2M 29
Tulse Hill. SW2 —1L 29
Tulse Hill Est. SW2 —1L 29
Tulse Ho. SW2 —1L 29
Tulsemere Rd. SE27 —3N 29
Tulyar Clo. Tad —7G 81
Tumber St. H'ley —3B 100
Tumblewood Rd. Bans —3K 81
Tumbling Bay. W on T —5H 39
Tummons Gdns. SE25 —1B 46
Tunbridge La. Bram —8F 168
Tunley Rd. SW17 —2E 28
Tunnel Link Rd. H'row A —8B 8
Tunnel Rd. Reig —3M 121
Tunnel Rd. E. H'row A —4C 8
Tunnel Rd. W. H'row A —4B 8
Tunnmeade. If'd —4K 181
Tunsgate. Guild —5N 113 (6D 202)
Tunsgate Sq. Guild —6C 202
Tunstall Clo. Orp —1N 67
Tunstall Rd. Croy —7B 46
Tunstall Wlk. Bren —2L 11
Tunworth Cres. SW15 —9E 12
Tuppers Ct. Alb —8L 115
Tupwood La. Cat —3D 104
Tupwood Scrubbs Rd. Cat —6D 104
Turf Hill Rd. Camb —7D 50
Turfhouse La. Chob —5H 53
Turing Dri. Brack —5M 31
Turle Rd. SW16 —1J 45
Turnberry. Brack —5K 31
Turner Av. Mitc —9D 28
Turner Av. Twic —4C 24
Turner Clo. Guild —9B 94
Turner Ct. E Grin —7C 166
Turner Ho. Bear G —7J 139
Turner Ho. Twic —9K 11
(off Clevedon Rd.)
Turner Pl. Coll T —9J 49
Turner Rd. Big H —8E 66
Turner Rd. N Mald —6C 42
Turners Clo. Stai —6K 21
Turners Hill. —5D 184
Turners Hill Pk. Turn H —4G 184
Turners Hill Rd. Copt & Craw D —7B 164
Turners Hill Rd. Craw & Worth —3H 183
Turners Hill Rd. E Grin —4J 185
Turners Hill Rd. Turn H —5A 184
Turners La. W on T —3J 57
Turners Mead. C'fold —6F 172
Turners Mdw. Way. Beck —1J 47
Turner's Way. Croy —8L 45
Turner Wlk. Craw —6D 182
Turneville Rd. W14 —2L 13
Turney Rd. SE21 —1N 29
Turnham Clo. Guild —7M 113
Turnham Green. —1D 12
Turnham Grn. Ter. W4 —1D 12
Turnham Grn. Ter. M. W4 —1D 12
Turnoak Av. Wok —7A 74
Turnoak La. Wok —7A 74
Turnoak Pk. Wind —7B 4
Turnpike La. Sutt —2A 62
Turnpike Link. Croy —8B 46 (3F 200)
Turnpike Pl. Craw —1B 182
Turnpike Rd. Brack —1J 31
Turnpike Way. Iswth —4G 10
Turnstone Clo. S Croy —6H 65
Turnstone End. Yat —9A 48
Turnville Clo. Light —6L 51
Turpin Rd. Felt —9G 9
Turpins Ri. W'sham —1M 51
Turpin Way. Wall —4F 62
Turtledove Av. Turn H —4F 184
Tuscam Way. Camb —2L 69
Tuscany Gdns. Craw —9C 162
Tuscany Way. Yat —2B 68
Tushmore Av. Craw —9C 162
Tushmore Ct. Craw —1C 182
Tushmore Cres. Craw —9C 162
Tushmore La. Craw —1C 182
Tushmore Roundabout. Craw —1B 182
Tussock Clo. Craw —5M 181
Tuxford Clo. M'bowr —5G 182
Tweed Clo. Farn —8K 69
Tweeddale Rd. Cars —7B 44
Tweed La. If'd —9L 161
Tweed La. Str G —7N 119
(in two parts)
Tweed Rd. Slou —2D 6
Tweedsmuir Clo. Farn —2J 89
Twelve Acre Clo. Bookh —2N 97
Twelve Acre Cres. Farn —9J 69
Tweseldown Rd. C Crook —9C 88
Twickenham. —2G 25
Twickenham Clo. Croy —9K 45
Twickenham Rd. Felt —4N 23
Twickenham Rd. Iswth —8G 10
Twickenham Rd. Rich —7J 11
Twickenham Rd. Tedd —5G 24
(in two parts)
Twickenham Rugby Union Football Ground. —9E 10
Twickenham Trad. Est. Twic —9F 10
Twilley St. SW18 —1N 27
Twin Bridges Bus. Pk. S Croy —3A 64
Twining Av. Twic —4C 24
Twinoaks. Cobh —9A 58
Twisell Thorne. C Crook —9A 88
Twitten La. Felb —6H 165
Twitten, The. Craw —3A 182
Two Rivers Retail Pk. Stai —5G 21
Two Ways. Loxw —4J 193
Twycross Rd. G'ming —4G 132
Twycross Rd. Wokgm —1D 30
Twyford La. Wrec —5G 128
Twyford Rd. Binf —1H 15
Twyford Rd. Cars —7B 44
Twyford Rd. Wokgm —9A 14
Twyhurst Ct. E Grin —7N 165
Twyne Clo. Craw —5L 181
Twyner Clo. Horl —7H 143
Twynersh Av. Cher —5H 37
Twynham Rd. Camb —1A 70
Tybenham Rd. SW19 —2M 43
Tychbourne Dri. Guild —9E 94
Tydcombe Rd. Warl —6F 84
Tye La. H'ley —5D 100
Tye La. Orp —2L 67
Tylden Way. H'ham —2M 197
Tylecroft Rd. SW16 —1J 45
Tylehost. Guild —8K 93
Tyle Pl. Old Win —8K 5
Tyler Gdns. Add —1L 55
Tyler Rd. Craw —6B 182
Tylers Clo. God —8E 104
Tylers Ct. Cranl —7M 155
(off Rowland Rd.)
Tyler's Green. —8E 104
Tylers Path. Cars —1D 62
Tymperley Ct. H'ham —5L 197
(off King's Rd.)
Tynamara. King T —7J 203
Tynan Clo. Felt —2H 23
Tyndalls. Hind —5D 170
Tyndalls Wood. —6D 170
Tyne Clo. Craw —4G 183
Tyne Clo. Farn —8K 69
Tynedale Rd. Str G —7A 120
Tyne Ho. King T —9K 25 (1J 203)
Tynemouth Rd. Mitc —8E 28
Tynemouth St. SW6 —5N 13
Tynley Gro. Guild —6N 93
Tyrawley Rd. SW6 —4N 13
Tyrell Ct. Cars —1D 62
Tyrell Gdns. Wind —6C 4
Tyrell's Wood. —2N 99
Tyrrell Sq. Mitc —9C 28
Tyrwhitt Av. Guild —8L 93
Tythebarn Clo. Guild —7D 94
Tytherton. Brack —1A 32
Tyting Cotts. Guild —6E 114

Uckfield Gro. Mitc —8E 28
Udney Pk. Rd. Tedd —7G 25
Uffington Dri. Brack —3C 32
Uffington Rd. SE27 —5L 29
Ujima Ct. SW16 —5J 29
Ullathorne Rd. SW16 —5G 28
Ullswater. Brack —6K 31
Ullswater Av. Farn —2K 89
Ullswater Clo. SW15 —5C 26
Ullswater Clo. Farnh —6F 108
Ullswater Clo. Light —6M 51
Ullswater Ct. Ash V —8D 90
(off Lakeside Clo.)
Ullswater Cres. SW15 —5C 26
Ullswater Cres. Coul —3H 83
Ullswater Rd. SE27 —3M 29
Ullswater Rd. SW13 —3F 12
Ullswater Rd. Light —6M 51
Ulstan Clo. Wold —1K 105
Ulva Rd. SW15 —8J 13
Ulverstone Rd. SE27 —3M 29
Ulwin Av. Byfl —9N 55
Umbria St. SW15 —9F 12
Underhill Clo. G'ming —8H 133
Underhill La. Lwr Bo —4G 129
Underhill Pk. Rd. Reig —9M 101
Underhill Rd. Newd —1A 160
Underwood. Brack —5K 31
Underwood. New Ad —2M 65
Underwood Av. As —3C 110
Underwood Clo. Craw D —1E 184
Underwood Ct. Binf —7H 15
Underwood Ct. Cat —3B 104
Underwood Rd. Cat —4B 104
Underwood Rd. Hasl —1D 188
Undine St. SW17 —6D 28
Unicorn Ind. Est. Hasl —1F 188
Union Clo. Owl —5K 49
Union Ct. Rich —8L 11
Union Rd. Croy —6N 45
Union Rd. Deep —6H 71
Union Rd. Farnh —1H 129
Union St. Alder —2M 109
Union St. Brkwd —8L 71
Union St. Farn —1M 89
Union St. King T —1K 41 (3J 203)
Union Ter. Alder —2M 109
Unitair Cen. Felt —9D 8
Unity Clo. SE19 —6N 29
Unity Clo. New Ad —5L 65
University of Surrey Gallery. —3K 113
University Rd. SW19 —7B 28
Unstead La. Brmly —4M 133
Unstead Wood. P'mrsh —2M 133
Unwin Av. Felt —8E 8
Unwin Mans. W14 —2L 13
(off Queen's Club Gdns.)
Unwin Rd. Iswth —6E 10
Upavon Gdns. Brack —4D 32
Upcerne Rd. SW10 —3N 13
Upcroft. Wind —6E 4
Updown Hill. W'sham —3A 52
Upfield. Croy —9E 46
Upfield. Horl —9E 142
Upfield Clo. Horl —1E 162
Upfold Clo. Cranl —4K 155
Upfold La. Cranl —5K 155
Upfolds Grn. Guild —8E 94
Upgrove Mnr. Way. SE24 —1L 29
Upham Pk. Rd. W4 —1D 12
Upland Rd. Camb —8B 50
Upland Rd. S Croy —2A 64
Upland Rd. Sutt —4B 62
Upland Rd. Wold —7K 85
(in two parts)
Uplands. Asht —7K 79
Uplands. Beck —1K 47
Uplands Clo. SW14 —8A 12
Uplands Clo. Hasl —9H 171
Uplands Clo. Sand —7G 48
Uplands Dri. Oxs —1D 78
Uplands Rd. Farnh —2K 129
Uplands Rd. Kenl —3N 83
Upland Way. Eps —5H 81
Uppark Gdns. H'ham —2M 197
Up. Bourne La. Wrec —6F 128
Up. Bourne Va. Wrec —6F 128
Up. Bridge Rd. Red —3C 122
Up. Brighton Rd. Surb —5K 41
Up. Broadmoor Rd. Crowt —2H 49
Upper Butts. Bren —2J 11
Up. Charles St. Camb —9A 50
Up. Chobham Rd. Camb —3E 70
Up. Church La. Farnh —1G 129
Upper Clo. F Row —7H 187
Up. College Ride. Camb —7C 50
Up. Court Rd. Eps —7B 60
Up. Court Rd. Wold —1K 105
Upper Dri. Big H —5E 86
Upper Dunnymans. Bans —1L 81
Upper Eashing. —7D 132
Up. Edgeborough Rd. Guild —4B 114
Upper Elmers End. —4J 47
Up. Elmers End Rd. Beck —3H 47
Up. Elms Rd. Alder —3M 109
Up. Fairfield Rd. Lea —8H 79
Up. Farm Rd. W Mol —3N 39
Upper Forecourt. Gat A —3F 162
(off Ring Rd. S.)
Upper Gatton. —5B 102
Up. Gordon Rd. Camb —1B 70
Up. Green E. Mitc —2D 44
Up. Green W. Mitc —1D 44
(in two parts)
Up. Grotto Rd. Twic —3F 24
Upper Gro. SE25 —3B 46
Up. Guildown Rd. Guild —6L 113 (8A 202)
Upper Hale. —6H 109
Up. Hale Rd. Farnh —5F 108
Upper Halliford. —3F 38
Up. Halliford By-Pass. Shep —4F 38
Up. Halliford Grn. Shep —3F 38
Up. Halliford Rd. Shep —2F 38
Up. Ham Rd. Rich —5K 25
Upper Harestone. Cat —5D 104
Up. High St. Eps —9D 60 (6M 201)
Up. House La. Sham G —2H 155
Upper Ifold. —1B 192
Upper Kiln. Dork —7J 119
(off Stubs Hill)
Upper Mall. W6 —1F 12
(in two parts)
Up. Manor Rd. G'ming —4H 133
Up. Manor Rd. Milf —1B 152
Upper Mount. G'wood —8K 171
Up. Mulgrave Rd. Sutt —4K 61
Upper Norwood. —1B 46
Upper Nursery. Asc —4D 34
Up. Old Pk. La. Farnh —7E 108
Up. Palace Rd. E Mol —2C 40
Up. Park Rd. Camb —1B 70
Up. Park Rd. King T —7N 25
Upper Parrock. —7N 187
Upper Path. Dork —7H 119
Up. Pillory Down. Cars —9E 62
Upper Pines. Bans —4D 82
Up. Pinewood Rd. As —1H 111
Up. Queen St. G'ming —7H 133
Up. Richmond Rd. SW15 —7E 12
Up. Richmond Rd. W. Rich & SW14 —7N 11
Upper Rd. Wall —2H 63
Up. Rose Hill. Dork —6H 119 (4L 201)
Up. St Michael's Rd. Alder —4N 109
Up. Sawley Wood. Bans —1L 81
Up. Selsdon Rd. S Croy —4C 64
Upper Shirley. —1G 64
Up. Shirley Rd. Croy —8F 46
Up. South Vw. Farnh —9H 109
Upper Springfield. Elst —8J 131
Upper Sq. F Row —6H 187
Upper Sq. Iswth —6G 11
Upper Stanford. Pirb —3C 92
Up. Star Post Ride. Crowt —9N 31
Upper St. Fleet —4A 88
Upper St. Shere —7A 116
Up. Sunbury Rd. Hamp —9M 23
Up. Sutton La. Houn —3A 10
Up. Teddington Rd. King T —8J 25
Upperton Rd. Guild —4M 113 (6A 202)
Upper Tooting. —4D 28
Up. Tooting Pk. SW17 —3D 28
Up. Tooting Rd. SW17 —5D 28
Up. Tulse Hill. SW2 —1K 29
Up. Union St. Alder —2M 109
Up. Union Ter. Alder —2M 109
Upper Vann. —8J 153
Up. Vann La. Hamb —9K 153
Up. Vernon Rd. Sutt —2B 62
Up. Verran Rd. Camb —3B 70
Up. Village Rd. Asc —4N 33
Upper Wlk. Vir W —3A 36
Upper Way. Farnh —4F 128
Up. West St. Reig —3L 121
Up. Weybourne La. Farnh —4J 109
Up. Woodcote Village. Purl —8H 63
Upshire Gdns. Brack —3D 32
Upshott La. Wok —4H 75
Upton. Wok —4L 73
Upton Clo. Farn —2B 90
Upton Dene. Sutt —4N 61
Upton Rd. Houn —6A 10
Upton Rd. T Hth —1A 46
Upwood Rd. SW16 —9J 29
Urmston Dri. SW19 —2K 27
Usherwood Clo. Tad —9A 100
Uvedale Clo. New Ad —7N 65
Uvedale Cres. New Ad —7N 65
Uvedale Rd. Oxt —8B 106
Uverdale Rd. SW10 —3N 13
Uxbridge Ct. King T —8J 203
Uxbridge Rd. Felt —3K 23
Uxbridge Rd. Hamp H —5A 24
Uxbridge Rd. King T —3K 41 (8H 203)

Vachery La. Cranl —2N 175
Vaillant Rd. Wey —1D 56
Vale Border. S Croy —7G 65
Vale Clo. Coul —1J 83
Vale Clo. Lwr Bo —7H 129
Vale Clo. Orp —1J 67
Vale Clo. Twic —4G 24
Vale Clo. Wey —9E 38
Vale Clo. Wok —3A 74
Vale Cotts. SW15 —4D 26
Vale Ct. Ash V —6E 90
Vale Ct. Wey —9E 38
Vale Cres. SW15 —5D 26
Vale Cft. Clay —5F 58
Vale Dri. H'ham —6H 197
Vale Farm Rd. Wok —4A 74
Valentines. Plais —3N 191
Valentines Lea. N'chap —8D 190
Valentyne Clo. New Ad —7A 66
Vale Pde. SW15 —4D 26
Valerie Ct. Sutt —4N 61
Vale Rd. Ash V —6E 90
Vale Rd. Camb —2M 69
Vale Rd. Clay —5E 58
Vale Rd. Eps —1E 60
Vale Rd. Mitc —2H 45
Vale Rd. Sutt —1N 61
Vale Rd. Wey —9E 38
Vale Rd. Wind —3C 4
Vale Rd. Wor Pk —9E 42
Vale Rd. N. Surb —8L 41
Vale Rd. S. Surb —8L 41
Valery Pl. Hamp —8A 24
Vale St. SE27 —4N 29
Vale, The. Coul —1H 83
Vale, The. Croy —8G 47
Vale, The. Felt —9J 9
Vale, The. Houn —2M 9
Vale, The. Sun —7H 23
Vale Wood Dri. Lwr Bo —7J 129
Vale Wood La. Gray —5A 170
Valewood Rd. Hasl —4G 188
Valley Ct. Cat —9D 84
Valley Cres. Wokgm —9A 14
Valley End. —3D 52
Valley End Rd. Chob —3D 52
Valleyfield Rd. SW16 —6K 29
Valley Gardens, The. —1H 35
Valley Gdns. SW19 —8B 28
Valley La. Lwr Bo —5H 129
Valley M. Twic —3F 24

A-Z Surrey 277

Valley Rd.—Wall Hill

Valley Rd. SW16 —6K 29
Valley Rd. Frim —6E 70
Valley Rd. Kenl —2A 84
Valley, The. Guild —7M 113
Valley Vw. Big H —5E 86
Valley Vw. G'ming —7G 132
Valley Vw. Sand —8F 48
Valley Vw. Gdns. Kenl —2B 84
Valley Wlk. Croy —8F 46
Vallis Way. Chess —1K 59
Valnay St. SW17 —6D 28
Valonia Gdns. SW18 —9L 13
Valroy Clo. Camb —9B 50
Vanbrugh Clo. Craw —6K 181
Vanbrugh Dri. W on T —6K 39
Van Common. —9E 188
Vancouver Clo. Eps —7B 60
Vancouver Ct. Small —8L 143
Vancouver Dri. Craw —9B 162
Vancouver Rd. Rich —5J 25
Vanderbilt Rd. SW18 —2N 27
Van Dyck Av. N Mald —6C 42
Vandyke. Brack —5K 31
Vandyke Clo. SW15 —1J 27
Vandyke Clo. Red —9D 102
Van Gogh Clo. Iswth —6G 10
Vanguard Clo. Croy —7M 45 (1A 200)
Vanguard Way. H'row A —5F 8
Vanguard Way. Wall —4J 63
Vann Bri. Clo. Fern —9E 188
Vanneck Sq. SW15 —8F 12
Vanners. Craw —2C 182
Vanners Pde. Byfl —9N 55
Vann Farm Rd. Ockl —6E 158
Vann Lake. Ockl —6F 158
Vann Lake Rd. Capel & Ockl —7F 158
Vann La. Hamb —9G 152
Vann Rd. Fern —9E 188
Vansittart Est. Wind —3F 4
Vansittart Rd. Wind —4E 4
Vanston Pl. SW6 —3M 13
Vantage W. W3 —1M 11
Vant Rd. SW17 —6D 28
Vapery La. Pirb —8A 72
Varley Way. Mitc —1B 44
Varna Rd. SW6 —3K 13
Varna Rd. Hamp —9B 24
Varney Clo. Farn —9K 69
Varsity Dri. Twic —8E 10
Varsity Row. SW14 —5B 12
Vaughan Almshouses. Afrd —6C 22 (off Feltham Hill Rd.)
Vaughan Clo. Hamp —7M 23
Vaughan Gdns. Eton W —1C 4
Vaughan Ho. SW4 —1G 29
Vaughan Rd. Th Dit —6H 41
Vaughan Way. Dork —5G 118 (2J 201)
Vaux Cres. W on T —3J 57
Vauxhall Gdns. S Croy —3N 63
Veals Mead. Mitc —9C 28
Vectis Gdns. SW17 —7F 28
Vectis Rd. SW17 —7F 28
Vector Point. Craw —8D 162
Vegal Cres. Eng G —6L 19
Vellum Dri. Cars —9E 44
Velmead Clo. Fleet —6C 88
Velmead Rd. Fleet —6B 88
Vencourt Pl. W6 —1F 12
Ventnor Rd. Sutt —4N 61
Ventnor Ter. Alder —3A 110
Venton Clo. Wok —4L 73
Vera Rd. SW6 —4K 13
Verbania Way. E Grin —9D 166
Verbena Clo. W Dray —1M 7
Verbena Gdns. W6 —1F 12
Verdayne Av. Croy —7G 47
Verdayne Gdns. Warl —3F 84
Verdun Rd. SW13 —2F 12
Vereker Dri. Sun —2H 39
Vereker Rd. W14 —1K 13
Verge Wlk. Alder —5M 109
Vermont Rd. SW18 —9N 13
Vermont Rd. Sutt —9N 43
Verner Clo. Head —5D 168
Verne, The. C Crook —8B 88
Vernon Av. SW20 —1J 43
Vernon Clo. Eps —3B 60
Vernon Clo. H'ham —4N 197
Vernon Clo. Ott —3F 54
Vernon Ct. Farnh —1F 128
Vernon Dri. Asc —1H 33
Vernon Dri. Cat —9N 83
Vernon M. W14 —1K 13 (off Vernon St.)
Vernon Rd. SW14 —6C 12
Vernon Rd. Felt —3G 22
Vernon Rd. Sutt —2A 62
Vernon St. W14 —1K 13
Vernon Wlk. Tad —7J 81
Vernon Way. Guild —2J 113
Verona Dri. Surb —8L 41
Veronica Gdns. SW16 —9G 28
Veronica Rd. SW17 —3F 28
Verralls. Wok —4D 74 (in two parts)
Verran Rd. SW12 —1F 28
Verran Rd. Camb —3B 70
Verulam Av. Purl —8G 63
Veryan. Wok —4K 73
Vesey Clo. Farn —9M 69
Vevers Rd. Reig —6A 122
Vibart Gdns. SW2 —1K 29
Vibia Clo. Stanw —1M 21
Viburnum Ct. W End —9B 52
Vicarage Av. Egh —6D 20
Vicarage Clo. Bookh —3A 98
Vicarage Clo. Farnh —4J 129
Vicarage Clo. Ling —7N 145
Vicarage Clo. Tad —2K 101
Vicarage Clo. Wor Pk —7D 42
Vicarage Ct. Beck —2H 47
Vicarage Ct. Egh —7D 20
Vicarage Ct. Felt —1D 22
Vicarage Cres. Egh —6D 20
Vicarage Dri. SW14 —8C 12
Vicarage Dri. Beck —1K 47
Vicarage Farm Ct. Houn —3N 9
Vicarage Farm Rd. Houn —5M 9
Vicarage Fields. W on T —5K 39
Vicarage Gdns. SW14 —8B 12
Vicarage Gdns. Asc —4L 33
Vicarage Gdns. C Crook —9A 88
Vicarage Gdns. Gray —6A 170
Vicarage Gdns. Mitc —2C 44
Vicarage Ga. Guild —5K 113
Vicarage Hill. Farnh & Lwr Bo —4J 129
Vicarage Hill. Loxw —5J 193
Vicarage Hill. W'ham —4M 107
Vicarage Ho. King T —3N 203
Vicarage La. Capel —4K 159
Vicarage La. Crowt & Bag —2E 50
Vicarage La. Eps —5F 60 (in two parts)
Vicarage La. Farnh —1G 129 (Downing St.)
Vicarage La. Farnh —5H 109 (Heath La.)
Vicarage La. Farnh —4J 129 (Vicarage Hill)
Vicarage La. Hasl —2D 188
Vicarage La. Horl —7D 142
Vicarage La. Lea —9H 79
Vicarage La. Send —4E 94
Vicarage La. Stai —2L 37
Vicarage La. Wray —2A 20
Vicarage La. Yat —8B 48
Vicarage Rd. SW14 —8B 12
Vicarage Rd. Bag —3G 50
Vicarage Rd. B'water —2K 69
Vicarage Rd. Chob —7G 53
Vicarage Rd. Craw D —2D 184
Vicarage Rd. Croy —9L 45
Vicarage Rd. Egh —6C 20
Vicarage Rd. Hamp W —9J 25
Vicarage Rd. King T —1K 41 (3J 203)
Vicarage Rd. Ling —7N 145
Vicarage Rd. Stai —4G 20
Vicarage Rd. Sun —6G 23
Vicarage Rd. Sutt —1N 61
Vicarage Rd. Tedd —6G 24
Vicarage Rd. Twic —3E 24 (Green, The)
Vicarage Rd. Twic —9C 10 (Kneller Rd.)
Vicarage Rd. Wok —8B 74
Vicarage Rd. Yat —8A 48
Vicarage Wlk. E Grin —9B 166
Vicarage Wlk. G'ming —6G 132 (off Borough Rd.)
Vicarage Wlk. W on T —6H 39
Vicarage Way. Coln —3E 6
Viceroy Ct. Croy —7A 46 (1D 200)
Vickers Clo. Wall —4K 63
Vickers Dri. N. Bro P —6N 55
Vickers Dri. S. Wey —7N 55
Vickers Rd. Ash V —8D 90
Vickers Way. Houn —8M 9
Victor Ct. Craw —9H 163
Victoria Almshouses. Red —9E 102
Victoria Almshouses. Reig —3A 122
Victoria Av. Camb —1M 69
Victoria Av. Houn —8A 10
Victoria Av. S Croy —6N 63
Victoria Av. Surb —5K 41
Victoria Av. Wall —9E 44
Victoria Av. W Mol —2B 40
Victoria Clo. Eden —3L 147
Victoria Clo. Horl —8E 142
Victoria Clo. W Mol —2A 40
Victoria Clo. Wey —9E 38
Victoria Cotts. Rich —4M 11
Victoria Ct. Bag —6J 51
Victoria Ct. Fleet —4A 88
Victoria Ct. H'ham —6K 197
Victoria Ct. Red —6E 122
Victoria Ct. Shalf —9A 114 (off Station Row)
Victoria Cres. SW19 —8L 27
Victoria Dri. SW19 —1J 27
Victoria Dri. B'water —2H 69
Victoria Gdns. Big H —2E 86
Victoria Gdns. Fleet —4A 88
Victoria Gdns. Houn —4M 9
Victoria Hill Rd. Fleet —4A 88
Victoria La. Hayes —1D 8
Victoria M. SW18 —2A 28
Victoria Pde. Rich —4N 11 (off Sandycombe Rd.)
Victoria Pl. Eps —8D 60 (5N 201)
Victoria Pl. Esh —1B 58
Victoria Pl. Rich —8K 11
Victoria Rd. SW14 —6C 12
Victoria Rd. Add —1M 55
Victoria Rd. Alder —2M 109
Victoria Rd. Asc —4L 33
Victoria Rd. Coul —2H 83
Victoria Rd. Cranl —7M 155
Victoria Rd. Craw —3A 182
Victoria Rd. Eden —3L 147
Victoria Rd. Eton W —1B 4
Victoria Rd. Farn —1M 89
Victoria Rd. Farnh —1H 129
Victoria Rd. Felt —2J 23
Victoria Rd. Fleet —4A 88
Victoria Rd. G'ming —7H 133
Victoria Rd. Guild —3A 114 (3E 202)
Victoria Rd. Horl —8E 142
Victoria Rd. King T —1M 41 (4M 203)
Victoria Rd. Knap —4G 72
Victoria Rd. Mitc —8C 28
Victoria Rd. Owl —6K 49
Victoria Rd. Red —4E 122
Victoria Rd. Stai —4G 20
Victoria Rd. Surb —5K 41
Victoria Rd. Sutt —2B 62
Victoria Rd. Tedd —7G 24
Victoria Rd. Twic —1H 25
Victoria Rd. Wey —9E 38
Victoria Rd. Wok —4A 74
Victoria Sq. Horl —8E 142 (off Consort Way)
Victoria St. Eng G —7M 19
Victoria St. H'ham —6K 197
Victoria St. Wind —4G 4
Victoria Ter. Deep —5H 71
Victoria Ter. Dork —5G 119 (3K 201)
Victoria Vs. Rich —6M 11
Victoria Way. E Grin —2B 186
Victoria Way. Wey —9E 38
Victoria Way. Wok —4A 74
Victor Rd. Tedd —5E 24
Victor Rd. Wind —6F 4
Victors Dri. Hamp —7M 23
Victory Av. Mord —4A 44
Victory Bus. Cen. Iswth —7F 10
Victory Cotts. Eff —6M 97
Victory Pk. Rd. Add —9L 37
Victory Rd. SW19 —8A 28
Victory Rd. Cher —7J 37
Victory Rd. H'ham —5H 197
Victory Rd. M. SW19 —8A 28
Victory Way. Houn —1K 9
Vidler Clo. Chess —3J 59
View Clo. Big H —3E 86
Viewfield Rd. SW18 —9L 13
Viewlands Av. W'ham —7N 87
View Ter. D'land —2C 166
Viggory La. Wok —2M 73
Vigo La. Yat —1B 68
Viking. Brack —4K 31
Viking Ct. SW6 —2M 13 (off Halford Rd.)
Village Clo. Wey —9E 38
Village Gdns. Eps —6E 60
Village Grn. Av. Big H —4G 87
Village Grn. Way. Big H —4G 87
Village Rd. Egh —2E 36
Village Row. Sutt —4M 61
Village St. Newd —1A 160
Village, The. —4D 18
Village, The. Ewh —4E 156
Village Way. Afrd —5A 22
Village Way. Beck —1K 47
Village Way. Cranl —7M 155
Village Way. S Croy —9D 64
Village Way. Yat —8C 48
Villas, The. Blind H —3H 145
Villiers Av. Surb —4M 41 (8M 203)
Villiers Av. Twic —2N 23
Villiers Clo. Surb —3M 41 (8N 203)
Villiers Gro. Sutt —5J 61
Villiers Mead. Wokgm —2A 30
Villiers Path. Surb —4L 41
Villiers Rd. Beck —1G 47
Villiers Rd. Iswth —5E 10
Villiers Rd. King T —3M 41 (7M 203)
Villiers, The. Wey —3E 56
Vinall Gdns. Broad H —4D 196
Vincam Clo. Twic —1A 24
Vincennes Est. SE27 —5N 29
Vincent Av. Cars —7B 62
Vincent Av. Surb —8B 42
Vincent Clo. Cher —6G 37
Vincent Clo. Coul —7D 82
Vincent Clo. Esh —9B 40
Vincent Clo. Fet —1B 98
Vincent Clo. H'ham —6M 197
Vincent Clo. W Dray —2B 8
Vincent Dri. Dork —6G 118 (4J 201)
Vincent Dri. Shep —2F 38
Vincent Grn. Coul —7D 82
Vincent La. Dork —5G 118 (2J 201)
Vincent Ri. Brack —2C 32
Vincent Rd. Cher —6G 37
Vincent Rd. Coul —3G 82
Vincent Rd. Croy —6B 46
Vincent Rd. Dork —5G 118 (3J 201)
Vincent Rd. Houn —5L 9
Vincent Rd. Iswth —4D 10
Vincent Rd. King T —2N 41
Vincent Rd. Stoke D —3M 77
Vincent Row. Hamp H —7C 24
Vincent Sq. Big H —9E 66
Vincent Wlk. Dork —5G 118 (2K 201)
Vincent Works. Dork —3J 201
Vine Clo. Alder —7M 89
Vine Clo. Holmw —4J 139
Vine Clo. Stai —8J 7
Vine Clo. Surb —5M 41
Vine Clo. Sutt —9A 44
Vine Clo. W Dray —1B 8
Vine Clo. Worp —4G 93
Vine Clo. Wrec —7F 128
Vine Cotts. Cranl —7K 155
Vine Cotts. N'chap —8D 190
Vine Farm Cotts. Worp —5G 93
Vine Ho. Clo. Myt —2E 90
Vine La. Wrec —6F 128
Vine Pl. Houn —7B 10
Viner Clo. W on T —5K 39
Vineries Clo. W Dray —2B 8
Vine Rd. SW13 —6E 12
Vine Rd. E Mol —3C 40
Vine Rd. Orp —3N 67
Vine Sq. W14 —1L 13 (off Star Rd.)
Vine St. Alder —3M 109
Vine Way. Wrec —6F 128
Vineyard Clo. King T —2M 41 (5M 203)
Vineyard Hill Rd. SW19 —5L 27
Vineyard Pas. Rich —8L 11
Vineyard Path. SW14 —6C 12
Vineyard Rd. Felt —4H 23
Vineyard Row. Hamp W —9J 25
Vineyards, The. Felt —4H 23 (off High St.)
Vineyards, The. Sun —2H 39
Vineyard, The. Rich —8L 11
Viney Bank. Croy —5J 65
Viola Av. Felt —9K 9
Viola Av. Stai —2M 21
Viola Cft. Warf —9D 16
Violet Clo. Wall —7E 44
Violet Gdns. Croy —2M 63
Violet La. Croy —3M 63 (8A 200)
Virginia Av. Vir W —4M 35
Virginia Beeches. Vir W —2M 35
Virginia Clo. Asht —5K 79
Virginia Clo. N Mald —3B 42
Virginia Clo. Stai —2L 37
Virginia Clo. Wey —3D 56
Virginia Dri. Vir W —4M 35
Virginia Gdns. Farn —3A 90
Virginia Pk. Vir W —3A 36
Virginia Pl. Cobh —1H 77
Virginia Rd. T Hth —9M 29
Virginia Wlk. SW2 —1K 29
Virginia Water. —4A 36
Virginia Water. —2H 35
Viscount Clo. Ash V —8D 90
Viscount Gdns. W Byf —8N 55
Viscount Ind. Est. Coln —6G 6
Viscount Rd. Stanw —2N 21
Viscount Way. H'row A —7F 8
Vivian Clo. C Crook —7C 88
Vivien Clo. Chess —4L 59
Vivienne Clo. Craw —9B 162
Vivienne Clo. Twic —9K 11
Voewood Clo. N Mald —5E 42
Vogan Clo. Reig —6N 121
Volta Way. Croy —7K 45
Voss Ct. SW16 —7J 29
Vowels La. E Grin —8F 184
Vulcan Clo. Craw —7A 182
Vulcan Clo. Sand —8F 48
Vulcan Clo. Wall —4K 63 (off Handley Page Rd.)
Vulcan Ct. Sand —8F 48
Vulcan Way. New Ad —6A 66
Vulcan Way. Sand —8F 48

Wadbrook St. King T —1K 41 (4J 203)
Waddington Av. Coul —7L 83
Waddington Clo. Coul —6M 83
Waddington Clo. Craw —6M 181
Waddington Way. SE19 —8N 29
Waddon. —9L 45
Waddon Clo. Croy —9L 45
Waddon Ct. Rd. Croy —9L 45
Waddon Marsh Way. Croy —7K 45
Waddon New Rd. Croy —9M 45 (4A 200)
Waddon Pk. Av. Croy —1L 63
Waddon Rd. Croy —9L 45 (4A 200)
Waddon Way. Croy —3L 63
Wades La. Tedd —6G 24
Wadham. Owl —6L 49
Wadham Clo. Craw —9G 162
Wadham Clo. Shep —6D 38
Wadham Rd. SW15 —7K 13
Wadhurst Clo. SE20 —1E 46
Wadlands Brook Rd. E Grin —5N 165
Wagbullock Ri. Brack —5A 32
Wagg Clo. E Grin —9C 166
Waggon Clo. Guild —2H 113
Waggoners Hollow. Bag —5J 51
Waggoners Roundabout. (Junct.) —4J 9
Waggoners Way. Gray —6M 169
Waggoners Wells. —8L 169
Waggoners Wells Rd. Gray —6M 169
Wagon Yd. Farnh —1G 129
Wagtail Clo. H'ham —1K 197
Wagtail Gdns. S Croy —6H 65
Wagtail Wlk. Beck —4M 47
Waight's Ct. King T —9L 25 (1L 203)
Wain End. H'ham —3K 197
Wainford Clo. SW19 —1J 27
Wainhouse Clo. Eden —9M 127
Wainscot. Asc —5C 34
Wainwright Clo. Wokgm —2F 30
Wainwright Gro. Iswth —7D 10
Wainwrights. Craw —6B 182
Wake Ct. Guild —9L 93
Wakefield Clo. Byfl —8N 55
Wakefield Rd. Rich —8K 11
Wakefords Copse. C Crook —1C 108
Wakefords Pk. C Crook —1C 108 (in three parts)
Wakehams Grn. Dri. Craw —9H 163
Wakehurst Dri. Craw —6B 182
Wakehurst M. H'ham —7F 196
Wakehurst Path. Wok —1E 74
Wakely Clo. Big H —5E 86
Walburton Rd. Purl —9G 63
Walbury. Brack —3C 32
Waldby Ct. Craw —6M 181
Waldeck Gro. SE27 —4M 29
Waldeck Rd. SW14 —6B 12
Waldeck Rd. W4 —2N 11
Waldeck Ter. SW14 —6B 12 (off Waldeck Rd.)
Waldegrave Av. Tedd —6F 24
Waldegrave Gdns. Twic —3F 24
Waldegrave Pk. Twic —5F 24
Waldegrave Rd. Tedd —5F 24
Waldegrove. Croy —9C 46
Waldemar Av. SW6 —4K 13
Waldemar Rd. SW19 —6M 27
Walden Cotts. Norm —1L 111
Walden Gdns. T Hth —2K 45
Waldens Pk. Rd. Wok —3M 73
Waldens Rd. Wok —4N 73
Waldo Pl. Mitc —8C 28
Waldorf Clo. S Croy —5M 63
Waldorf Heights. B'water —3J 69
Waldron Gdns. Brom —2N 47
Waldron Hill. Brack —9D 16
Waldronhyrst. S Croy —1M 63 (7A 200)
Waldron Rd. SW18 —4A 28
Waldron's Path. S Croy —1N 63 (7B 200)
Waldrons, The. Croy —1M 63 (7A 200)
Waldrons, The. Oxt —9B 106
Waldy Ri. Cranl —6N 155
Wales Av. Cars —2C 62
Walesbeech. Craw —4E 182
Waleton Acres. Wall —3G 63
Waleys La. Ockl —9E 158
Walford Rd. N Holm —9H 119
Walham Green. —4N 13
Walham Grn. Ct. SW6 —3N 13 (off Waterford Rd.)
Walham Gro. SW6 —3M 13
Walham Ri. SW19 —7K 27
Walham Yd. SW6 —3M 13
Walker Clo. Felt —1G 22
Walker Clo. Hamp —7N 23
Walker Rd. M'bowr —5F 182
Walkerscroft Mead. SE21 —2N 29
Walkers Pl. SW15 —7K 13
Walker's Ridge. Camb —2C 70
Walkfield Dri. Eps —4G 81
Walking Bottom. Peasl —5D 136
Walk, The. Eton W —1D 4
Walk, The. Sun —8G 22
Walk, The. Tand —2K 125
Wallace Clo. Guild —9F 92
Wallace Clo. Shep —3E 38
Wallace Cres. Cars —2D 62
Wallace Fields. Eps —9F 60
Wallace Sq. Coul —9H 83
Wallace Wlk. Add —1L 55
Wallace Way. Alder —1L 109
Wallage La. Rowf —3N 183
Wallbrook Bus. Cen. Houn —6J 9
Wallcroft Clo. Binf —8K 15
Walldown Rd. W'hill —8A 168
Walled Garden, The. Bet —4C 120
Walled Garden, The. Loxw —1H 193
Walled Garden, The. Tad —9J 81
Waller La. Cat —1C 104
Wall Hill. —5G 186

Watt's Mead—West Kensington

Watt's Mead. Tad —9J 81
Watts Memorial Chapel. —9E 112
Watts Rd. Farn —9L 69
Watts Rd. Th Dit —6G 40
Wavel Ct. Croy —8E 200
Wavendene Av. Egh —8D 20
Wavendon Av. W4 —1C 12
Waveney Wlk. Craw —5F 182
Waverleigh Rd. Cranl —9N 155
Waverley. Brack —4K 31
Waverley Abbey. —4N 129
Waverley Av. Fleet —2A 88
Waverley Av. Kenl —3B 84
Waverley Av. Surb —5A 42
Waverley Av. Sutt —8N 43
Waverley Av. Twic —2N 23
Waverley Clo. Camb —2D 70
Waverley Clo. Farnh —1J 129
Waverley Clo. Hayes —1E 8
Waverley Clo. W Mol —4A 40
Waverley Cotts. Farnh —3B 130
Waverley Ct. H'ham —6H 197
Waverley Ct. Wok —5A 74
Waverley Dri. Ash V —7E 90
Waverley Dri. Camb —1C 70
Waverley Dri. Cher —9F 36
Waverley Dri. Vir W —2K 35
Waverley Gdns. Ash V —7E 90
Waverley La. Farnh —1J 129
Waverley Pl. Lea —9H 79
Waverley Rd. SE25 —3E 46
Waverley Rd. Bag —4J 51
Waverley Rd. Eps —2G 60
Waverley Rd. Farn —2B 90
Waverley Rd. Stoke D —1B 78
Waverley Rd. Wey —2B 56
Waverley Way. Cars —3C 62
Waverton Rd. SW18 —1A 28
Wavertree Ct. SW2 —2J 29
Wavertree Rd. SW2 —2K 29
Waye Av. Houn —4H 9
Wayland Clo. Brack —3D 32
Waylands. Wray —9A 6
Waylands Mead. Beck —1L 47
Waylett Pl. SE27 —4M 29
Wayman Rd. Farn —6K 69
Wayne Clo. Orp —1N 67
Wayneflete Tower Av. Esh —9A 40
Waynflete Av. Croy —9M 45 (5A 200)
Waynflete La. Farnh —1E 128
Waynflete St. SW18 —3A 28
Ways End. Camb —2C 70
Wayside. SW14 —8B 12
Wayside. Capel —4K 159
Wayside. If'd —5K 181
Wayside. New Ad —3L 65
Wayside Cotts. Churt —7J 149
Wayside Cotts. Holm M —5K 137
Wayside Ct. Twic —9J 11
Wayside Ct. Wok —3H 73
Wayside Dri. Eden —9M 127
Way, The. Reig —2B 122
Weald Clo. H'ham —8L 197
Weald Clo. Shalf —9A 114
Weald Dri. Craw —4E 182
Wealdon Ct. Guild —3J 113
Wealdstone Rd. Sutt —8L 43
Weald, The. E Grin —6B 166
Weald Way. Cat —6B 104
Weald Way. Reig —7A 122
Weall Clo. Purl —8K 63
Weare St. Capel —5G 158
Weare St. Ockl —2C 178
Weasdale Ct. Wok —3J 73
Weatherall Clo. Add —2K 55
Weatherhill. —8L 143
Weatherhill Clo. Horl —8K 143
Weatherhill Rd. Small —8K 143
Weaver Clo. Croy —1C 64
Weaver Clo. If'd —4K 181
Weaver Moss. Sand —8G 49
Weavers Clo. Iswth —7E 10
Weavers Gdns. Farnh —4E 128
Weavers Ter. SW6 —2M 13
(off Micklethwaite Rd.)
Weavers Yd. Farnh —1G 129
Weaver Wlk. SE27 —5N 29
Webb Clo. Bag —6J 51
Webb Clo. Binf —8K 15
Webb Clo. Craw —8N 181
Webb Ct. Wokgm —9D 14
Webb Ho. Felt —4M 23
Webb Rd. Witl —3N 151
Webster Clo. Oxs —1B 78
Websters Clo. Wok —7L 73
Weddell Rd. Craw —6D 182
Wedgwood Pl. Cobh —9H 57
Wedgwoods. Tats —8E 86
Wedgwood Way. SE19 —8N 29
Weighton M. SE20 —1E 46
Weighton Rd. SE20 —1E 46
Weihurst Ct. Sutt —2C 62
Weihurst Gdns. Sutt —2B 62
Weir Av. Farn —2M 89
Weirbrook. Craw —6E 182
Weir Clo. Farn —2M 89
Weir Pl. Stai —9G 21
Weir Rd. SW12 —1G 28
Weir Rd. SW19 —4N 27
Weir Rd. Cher —6K 37
Weir Rd. Farn —3E 88
Weir Rd. W on T —5H 39
Weir Wood. —7E 186
Weiss Rd. SW15 —6J 13
Welbeck. Brack —4K 31
Welbeck Clo. Eps —4F 60
Welbeck Clo. Farn —2L 89
Welbeck Clo. N Mald —4E 42
Welbeck Rd. Sutt —8B 44
Welbeck Wlk. Cars —7B 44
Welcomes Rd. Kenl —5N 83
Welcome Ter. Whyt —3C 84
Weldon Clo. C Crook —8C 88
Weldon Dri. W Mol —3N 39
Weldon Way. Red —7H 103
Welford Pl. SW19 —5K 27
Welham Rd. SW17 & SW16 —6E 28
Welhouse Rd. Cars —7C 44
Welland Clo. Slou —2D 6
Wellbrook Rd. Orp —1J 67
Wellburn Clo. Sand —8G 49
Well Clo. SW16 —5K 29
Well Clo. Camb —2N 69
Well Clo. Wok —4M 73
Weller Clo. M'bowr —4H 183
Weller Dri. Camb —3A 70
Weller Pl. Orp —7J 67
Wellers Clo. W'ham —5L 107
Wellers Ct. Shere —8B 116
Weller's La. Warf —3A 16
Wellesford Clo. Bans —4L 81
Wellesley Clo. Ash V —6D 90
Wellesley Clo. Bag —4G 51
Wellesley Ct. Sutt —7K 43
Wellesley Ct. Rd. Croy —8A 46 (3D 200)
Wellesley Cres. Twic —3E 24
Wellesley Dri. Crowt —2D 48
Wellesley Garden. Farnh —5H 109
Wellesley Ga. Alder —3N 109
Wellesley Gro. Croy —8A 46 (3D 200)
Wellesley Lodge. Sutt —4M 61
(off Worcester Rd.)
Wellesley Mans. W14 —1L 13
(off Edith Vs.)
Wellesley Pde. Twic —4E 24
Wellesley Pas. Croy —8N 45 (2C 200)
Wellesley Rd. W4 —1N 11
Wellesley Rd. Alder —1J 109
Wellesley Rd. Ash V —6D 90
(in two parts)
Wellesley Rd. Croy —7N 45 (1C 200)
Wellesley Rd. Sutt —3A 62
Wellesley Rd. Tilf —4N 149
Wellesley Rd. Twic —4D 24
Welley Av. Wray —7A 6
Welley Rd. Wray —9A 6
Well Farm Rd. Warl —6D 84
Wellfield. E Grin —2E 186
Wellfield Gdns. Cars —5C 62
Wellfield Rd. SW16 —5J 29
Wellfield Wlk. SW16 —6K 29
(in two parts)
Wellhouse Rd. Beck —3K 47
Wellhouse Rd. Brock —7B 120
Wellington Av. Alder —2K 109
Wellington Av. Fleet —3C 88
Wellington Av. Houn —8A 10
Wellington Av. Vir W —4L 35
Wellington Av. Wor Pk —9H 43
Wellington Bus. Pk. Crowt —3D 48
Wellington Cen., The. Alder —2M 109
Wellington Clo. Craw —9J 163
Wellington Clo. Sand —7H 49
Wellington Clo. W on T —7G 39
Wellington Cotts. E Hor —7F 96
Wellington Ct. SW6 —4N 13
(off Maltings Pl.)
Wellington Ct. Hamp —6D 24
Wellington Ct. Stai —1N 21
Wellington Cres. N Mald —2B 42
Wellington Dri. Brack —4B 32
Wellington Dri. Purl —6K 63
Wellington Gdns. Alder —3L 109
Wellington Gdns. Twic —5D 24
Wellingtonia Av. Camb —1H 71
Wellingtonia Av. Crowt —3A 48
Wellingtonia Ho. Add —2J 55
Wellingtonia Roundabout. Crowt —3D 48
Wellingtonias. Warf P —8D 16
Wellingtonia Way. Eden —1L 147
Wellington La. Farnh —5J 109
Wellington Lodge. Wink —3M 17
Wellington M. SW16 —4H 29
Wellington Monument. —1K 109
Wellington Pl. Ash V —9D 90
Wellington Pl. Cobh —8A 58
Wellington Rd. SW19 —3M 27
Wellington Rd. Afrd —6N 21
Wellington Rd. Cat —9N 83
Wellington Rd. Crowt —3H 49
Wellington Rd. Croy —6M 45
Wellington Rd. Felt —8F 8
Wellington Rd. Hamp —6D 24
Wellington Rd. H'ham —6K 197
Wellington Rd. Sand —7G 48
Wellington Rd. Wokgm —2A 30
Wellington Rd. N. Houn —6N 9
Wellington Rd. S. Houn —7N 9
Wellington Roundabout. Alder —2K 109
Wellington St. Alder —2M 109
Wellington Ter. Knap —5H 73
Wellington Ter. Sand —7H 49
Wellington Town Rd. E Grin —8N 165
Wellington Way. Horl —6D 142
Wellington Way. Wey —6A 56
Well La. SW14 —8B 12
Well La. Hasl —2H 189
Well La. Wok —4M 73
Well La. Wmly —1A 172
Wellow Wlk. Cars —7B 44
Well Path. Wok —4M 73
Wells Clo. Bookh —2C 98
Wells Clo. H'ham —6F 196
Wells Clo. Red —8F 102
Wells Clo. Wind —4D 4
Wells Cotts. Farnh —4F 128
Wells Ho. Eps —1N 79
Wellside Gdns. SW14 —7B 12
Wells La. Asc —2M 33
(in two parts)
Wells La. Norm —9N 91
Wells Lea. E Grin —7N 165
Wells Mdw. E Grin —7N 165
Wells Pl. Ind. Est. Red —7F 102
Wells Rd. Craw —7C 182
Wells Rd. Eps —1N 79
Wells Rd. Guild —9E 94
Wells, The. —1N 79
Well Way. Eps —2N 79
Wellwood Clo. Coul —1J 83
Wellwood Clo. H'ham —4A 198
Wellwynds Rd. Cranl —8N 155
Weltje Rd. W6 —1F 12
Welwyn Av. Felt —9G 8
Welwyn Clo. Bew —7K 181
Wembley Rd. Hamp —9A 24
Wembury Pk. Newc —1H 165
Wendela Clo. Wok —5B 74
Wenderholme. S Croy —8E 200
Wendley Dri. New H —6H 55
Wendling Rd. Sutt —7B 44
Wendover Dri. Frim —3G 70
Wendover Dri. N Mald —5E 42
Wendover Pl. Stai —6F 20
Wendover Rd. Stai —6E 20
Wendron Clo. Wok —5K 73
Wend, The. Coul —1H 83
Wendy Cres. Guild —1K 113
Wenlock Clo. Craw —5M 181
Wenlock Edge. Dork —7J 119
Wensleydale. Craw —6A 182
Wensleydale Dri. Camb —1H 71
Wensleydale Gdns. Hamp —8B 24
Wensleydale Pas. Hamp —9A 24
Wensleydale Rd. Hamp —7A 24
Wensley Dri. Fleet —2B 88
Wentworth. —4H 35
Wentworth Av. Asc —1G 33
Wentworth Clo. Afrd —5C 22
Wentworth Clo. Ash V —6E 90
Wentworth Clo. Crowt —1E 48
Wentworth Clo. Farnh —6L 109
Wentworth Clo. Mord —6M 43
Wentworth Clo. Orp —2N 67
Wentworth Clo. Rip —8K 75
Wentworth Clo. Surb —8K 41
Wentworth Clo. Yat —1C 68
Wentworth Ct. W6 —2K 13
(off Laundry Rd.)
Wentworth Ct. Twic —4E 24
Wentworth Cres. Ash V —7E 90
(in two parts)
Wentworth Dene. Wey —2C 56
(off Hanger Hill)
Wentworth Dri. Craw —2H 183
Wentworth Dri. Vir W —3J 35
Wentworth Golf Course. —4J 35
Wentworth Ho. Add —1K 55
Wentworth Rd. Croy —6L 45
Wentworth Rd. S'hall —1K 9
Wentworth Way. Asc —1G 33
Wentworth Way. S Croy —1D 84
Werndee Rd. SE25 —3D 46
Werter Rd. SW15 —7K 13
Wesco Ct. Wok —3C 74
Wescott Rd. Wokgm —2C 30
Wesley Av. Houn —5M 9
Wesley Clo. Craw —6K 181
Wesley Clo. Horl —6E 142
Wesley Clo. Reig —4L 121
Wesley Dri. Egh —7C 20
Wesley Pl. Wink —3M 17
Wessels. Tad —8J 81
Wessex Av. SW19 —2M 43
Wessex Clo. King T —9A 26
Wessex Clo. Th Dit —8F 40
Wessex Ct. Beck —1H 47
Wessex Ct. Stanw —9N 7
Wessex Pl. Farnh —2H 129
Wessex Rd. H'row A —5L 7
West Acres. Esh —4N 57
West Av. Craw —1E 182
West Av. Farnh —6J 109
West Av. Red —9E 122
West Av. Wall —2J 63
West Av. W Vill —6F 56
West Bank. Dork —6F 118 (4H 201)
Westbank Rd. Hamp H —7C 24
West Barnes. —3G 42
W. Barnes La. N Mald & SW20 —4F 42
West Bedfont. —9A 8
Westborough. —2J 113
Westbourne Av. Sutt —8K 43
Westbourne Ho. Houn —2A 10
Westbourne Rd. Coll T —8K 49
Westbourne Rd. Croy —5C 46
Westbourne Rd. Felt —4G 22
Westbourne Rd. Stai —8K 21
West Brompton. —2N 13
Westbrook. —6F 132
Westbrook. F Row —6G 187
Westbrook Av. Hamp —8N 23
Westbrook Gdns. Brack —9A 16
Westbrook Hill. Elst —7F 130
Westbrook Rd. G'ming —6F 132
Westbrook Rd. Houn —3N 9
Westbrook Rd. Stai —6H 21
Westbrook Rd. T Hth —9N 29
Westbury Av. Clay —3F 58
Westbury Av. Fleet —5E 88
Westbury Clo. Crowt —1G 48
Westbury Clo. Fleet —5D 88
Westbury Clo. Shep —5C 38
Westbury Clo. Whyt —5C 84
Westbury Gdns. Farnh —8K 109
Westbury Gdns. Fleet —5E 88
Westbury Pl. Bren —2K 11
Westbury Rd. SE20 —1G 46
Westbury Rd. Beck —2H 47
Westbury Rd. Croy —5A 46
Westbury Rd. Felt —2L 23
Westbury Rd. N Mald —3C 42
Westbury Ter. W'ham —5L 107
Westbury Way. Alder —2B 110
West Byfleet. —8J 55
Westcar La. W on T —3J 57
W. Chiltington La. Slin —9M 195
West Clandon. —6K 95
West Clo. Afrd —5N 21
West Clo. Farnh —5J 109
West Clo. Fern —9F 188
West Clo. Hamp —7M 23
Westcombe Av. Croy —6J 45
Westcombe Clo. Brack —6C 32
W. Common Rd. Brom & Kes —1D 66
Westcoombe Av. SW20 —9E 26
Westcote Rd. SW16 —6G 29
Westcott. —6C 118
Westcott Clo. Craw —9A 182
Westcott Clo. New Ad —5L 65
Westcott Common. —7B 118
Westcott Keep. Horl —7G 142
(off Langshott La.)
Westcott Rd. Dork —6D 118 (3H 201)
Westcotts Grn. Warf —7B 16
Westcott St. Westc —6B 118
Westcott Way. Sutt —6H 61
West Ct. Iswth —3C 10
West Cres. Wind —4C 4
Westcroft Gdns. Mord —2L 43
Westcroft Rd. Cars —1E 62
Westcroft Sq. W6 —1F 12
W. Cromwell Rd. W14 & SW5 —1L 13
W. Cross Cen. Bren —2G 11
W. Cross Way. Bren —2H 11
W. Dean Clo. SW18 —9N 13
West Dene. Sutt —3K 61
Westdene Meadows. Cranl —7J 155
W. Dene Way. Wey —9F 38
West Down. Bookh —5B 98
West Dri. SW16 —5G 28
West Dri. Asc —4G 34
(in two parts)
West Dri. Cars —6B 62
West Dri. Sutt —5J 61
West Dri. Tad —5J 81
West Dulwich. —3N 29
West End. —7N 15
(Bracknell)
West End. —2N 57
(Esher)
West End. —8C 52
(Woking)
W. End Cen. Alder —2L 109
(off Queen's Rd.)
W. End Gdns. Esh —2N 57
W. End Gro. Farnh —1F 128
W. End La. Esh —4N 57
W. End La. Fren —1D 148
W. End La. Hasl —9A 172
W. End La. Hayes —3D 8
W. End La. Warf —6N 15
Westerdale Dri. Frim —3F 70
Westerfolds Clo. Wok —4E 74
Westergate Ho. King T —8J 203
Westerham. —4M 107
Westerham Clo. Add —3L 55
Westerham Clo. Sutt —6M 61
Westerham Hill. —8K 87
Westerham Hill. W'ham —8J 87
Westerham Rd. Kes —4F 66
Westerham Rd. Oxt —7B 106
Westerham Trade Cen. W'ham —3M 107
Westermain. New H —6L 55
Western Av. Cher —2J 37
Western Av. Egh —2D 36
Western Cen., The. Brack —1L 31
Western Clo. Cher —2J 37
Western Dri. Shep —5E 38
Western Industrial Area, Bracknell. —1L 31
Western International Mkt. S'hall —1J 9
Western La. SW12 —1E 28
Western Pde. Reig —6N 121
Western Perimeter Rd. W Dray & H'row A —5K 7
Western Pl. Dork —3K 201
Western Rd. SW19 & Mitc —9B 28
Western Rd. Alder —3K 109
Western Rd. Brack —9K 15
Western Rd. Sutt —2M 61
Western Ter. W6 —1F 12
(off Chiswick Mall)
West Ewell. —4D 60
W. Farm Av. Asht —5J 79
W. Farm Clo. Asht —6J 79
W. Farm Dri. Asht —6K 79
Westfield. —8A 74
Westfield. Ab H —3G 136
West Fld. Asht —5M 79
Westfield. Reig —9N 101
Westfield Av. S Croy —9A 64
Westfield Av. Wok —8A 74
Westfield Clo. SW10 —3N 13
Westfield Clo. Sutt —1L 61
Westfield Comn. Wok —9A 74
Westfield Ct. Fleet —4B 88
Westfield Ct. Surb —8J 203
Westfield Dri. Bookh —9A 78
Westfield Gro. Wok —7A 74
Westfield Ho. SW18 —2N 27
Westfield La. Wrec —5D 128
Westfield Pde. New H —6M 55
Westfield Rd. Beck —1J 47
Westfield Rd. Camb —4N 69
Westfield Rd. Craw —3N 181
Westfield Rd. Croy —8M 45 (2A 200)
Westfield Rd. Mitc —1C 44
Westfield Rd. Sly I —8A 94
Westfield Rd. Surb —4K 41
Westfield Rd. Sutt —1L 61
Westfield Rd. W on T —6M 39
Westfield Rd. Wok —9N 73
Westfields. SW13 —6E 12
Westfields. Witl —5C 152
Westfields Av. SW13 —6D 12
Westfield Sq. Wok —9A 74
Westfield Way. Wok —9A 74
W. Flexford La. Wanb —3N 111
West Fryerne. Yat —7C 48
West Gdns. SW17 —7C 28
West Gdns. Eps —6D 60
Westgate Clo. Eps —2C 80
Westgate Rd. SE25 —3E 46
Westgate Rd. Beck —1L 47
Westgate Ter. SW10 —1N 13
West Glade. Farn —1J 89
West Green. —2A 182
West Grn. Yat —8A 48
West Grn. Dri. Craw —2A 182
West Gro. W on T —2J 57
Westhall Pk. Warl —6F 84
W. Hall Rd. Rich —4A 12
Westhall Rd. Warl —5D 84
Westhatch La. Warf —5N 15
Westhay Gdns. SW14 —8A 12
West Heath. —9L 69
(Farnborough)
West Heath. —8C 106
(Oxted)
West Heath. Pirb —1A 92
(in two parts)
W. Heath Rd. Farn —1L 89
West Hill. —9L 13
West Hill. SW15 & SW18 —1J 27
West Hill. Dor P —4A 166
West Hill. E Grin —1N 185
West Hill. Elst —8G 131
West Hill. Eps —9A 60 (6H 201)
West Hill. Orp —8H 67
West Hill. Oxt —8N 105
West Hill. S Croy —6B 64
W. Hill Av. Eps —9A 60 (5H 201)
W. Hill Bank. Oxt —8N 105
W. Hill Clo. Brkwd —7E 72
W. Hill Clo. Elst —8G 131
W. Hill Ct. Eps —6H 201
W. Hill Rd. SW18 —9L 13
W. Hill Rd. Wok —6N 73
W. Hoathly Rd. E Grin —7M 185
Westhorpe Rd. SW15 —6H 13
West Horsley. —7C 96
West Ho. Clo. SW19 —2K 27
Westhumble. —9H 99
West Humble Chapel. —9F 98
Westhumble St. Westh —9H 99
West Kensington. —1L 13

W. Kensington Ct.—Wickham Rd.

W. Kensington Ct. W14 —1L 13 (off Edith Vs.)
W. Kensington Mans. W14 —1L 13 (off Beaumont Cres.)
Westland Clo. Stanw —9N 7
Westland Ct. Farn —1J 89
Westlands. H'ham —5L 197
Westlands Ct. Eps —2B 80
Westlands Ter. SW12 —1G 28
Westlands Way. Oxt —5N 105
West La. Ab H —8L 117
West La. E Grin —1N 185
Westleas. Horl —6C 142
Westlees Clo. N Holm —8K 119
West Leigh. E Grin —2A 186
Westleigh Av. SW15 —8G 13
Westleigh Av. Coul —3E 82
Westleigh Ct. S Croy —7F 200
Westley Mill. Binf —1K 15
Westmacott Dri. Felt —2G 22
Westmead. SW15 —9G 12
West Mead. Eps —3D 60
Westmead. Farn —2N 89
Westmead. Farnh —1G 128 (off Hart, The)
Westmead. Wind —6E 4
Westmead. Wok —4L 73
Westmead Corner. Cars —1C 62
Westmead Dri. Red —2E 142
Westmead Rd. Sutt —1B 62
West Meads. Guild —4J 113
Westminster Av. T Hth —1M 45
Westminster Clo. Felt —2H 23
Westminster Clo. Fleet —3B 88
Westminster Clo. Tedd —6G 24
Westminster Ct. Guild —4A 114 (5E 202)
Westminster Ct. Wok —8D 74
Westminster Rd. M'bowr —4G 182
Westminster Rd. Sutt —8B 44
West Molesey. —3A 40
Westmont Rd. Esh —8E 40
Westmore Grn. Tats —7E 86
Westmoreland Dri. Sutt —4N 61
Westmoreland Rd. SW13 —4E 12
Westmoreland Rd. Brom —4N 47
Westmore Rd. Tats —8E 86
Westmorland Clo. Eps —6D 60
Westmorland Clo. Twic —9H 11
Westmorland Ct. Surb —6K 41
Westmorland Dri. Camb —3F 70
Westmorland Dri. Warf —7D 16
Westmorland Sq. Mitc —4J 45 (off Westmorland Way)
Westmorland Way. Mitc —3H 45
West Mt. Guild —5M 113 (7A 202) (in two parts)
West Norwood. —4M 29
West Norwood Crematorium. SE27 —4N 29
Weston Av. Add —1K 55
Weston Av. Th Dit —6E 40
Weston Av. W Mol —2M 39
Weston Clo. Coul —7K 83
Weston Clo. G'ming —5H 133
Weston Ct. G'ming —5H 133
Weston Ct. King T —6K 203
Weston Dri. Cat —8N 83
Weston Farm Cotts. Alb —8K 115
Westonfields. Alb —8L 115
Weston Gdns. Iswth —4E 10
Weston Gdns. Wok —3G 75
Weston Green. —7E 40
Weston Grn. Th Dit —8E 40 (in two parts)
Weston Grn. Rd. Esh —7D 40 (in two parts)
Weston Gro. Bag —5K 51
Weston Lea. W Hor —3E 96
Weston Pk. King T —1L 41 (3K 203)
Weston Pk. Th Dit —7E 40
Weston Pk. Clo. Th Dit —7E 40
Weston Rd. Eps —7D 60
Weston Rd. Guild —2K 113 (in two parts)
Weston Rd. Th Dit —7E 40
Westons Clo. H'ham —1K 197
Weston Way. Wok —3G 75
Weston Yd. Alb —8L 115
Westover Clo. Sutt —5N 61
Westover Rd. SW18 —1A 28
Westover Rd. Fleet —4C 88
West Pal. Gdns. Wey —9C 38
West Pde. H'ham —4J 197
West Pk. Av. Rich —4N 11
W. Park Clo. Houn —2N 9
W. Park Rd. Copt & Newc —6C 164
W. Park Rd. Eps —8M 59
W. Park Rd. Hand —9N 199
W. Park Rd. Rich —4N 11
West Pl. SW19 —6H 27
West Ramp. H'row A —4B 8
West Ridge. Seale —7C 110
West Ring. Tong —5D 110
West Rd. Camb —1B 70
West Rd. Chess —8J 59
West Rd. Farn —7N 69
West Rd. Felt —9E 8
West Rd. Guild —4A 114 (4F 202)
West Rd. King T —9B 26
West Rd. Reig —4N 121
West Rd. Wey —5C 56
West Rd. Wokgm —6H 31
Westrow. SW15 —9H 13
W. Sheen Va. Rich —7M 11
W. Side Comn. SW19 —6H 27
Westside Ct. W End —9B 52
Westside Ho. Red —1F 142
West St. Bren —2J 11
West St. Cars —9D 44
West St. Craw —4B 182
West St. Croy —1N 63 (6C 200)
West St. Dork —5G 119 (2K 201)
West St. D'land —1C 166
West St. E Grin —1A 186
West St. Eps —9B 60 (7J 201)
West St. Ewe —6D 60
West St. Farnh —2E 128
West St. Hasl —1G 189
West St. H'ham —6J 197
West St. Reig —3K 121
West St. Sutt —2N 61
West St. Wok —4B 74
West St. La. Cars —1D 62 (in two parts)
W. Street Pl. Croy —6C 200
W. Temple Sheen. SW14 —8A 12
West Vw. Felt —1D 22
W. View Av. Whyt —5C 84
Westview Clo. Red —5C 122
W. View Cotts. Newd —2A 160
W. View Gdns. E Grin —1A 186
W. View Rd. Head D —5H 169
W. View Rd. Warl —6E 84
Westville Rd. Th Dit —7G 41
Westward Ho. Guild —1B 114
Westwates Clo. Brack —9B 16
Westway. SW20 —2G 43
West Way. Cars —6B 62
Westway. Cat —9A 84
Westway. Copt —7K 163
West Way. Craw —2E 182
West Way. Croy —8H 47
Westway. Guild —1J 113
West Way. Houn —4N 9
Westway. Gat A —3F 162
West Way. Shep —5E 38
West Way. Slin —5L 195
West Way. W Wick —5N 47
Westway. Wmly —1C 172
Westway Clo. SW20 —2G 43
W. Way Gdns. Croy —8G 47
Westway Gdns. Red —9E 102
Westways. Eden —1L 147
Westways. Eps —1E 60
Westways. W'ham —4L 107
Westwell M. SW16 —7J 29
Westwell Rd. SW16 —7J 29
Westwell Rd. App. SW16 —7J 29
Westwick. King T —4N 203
Westwick Gdns. Houn —5J 9
West Wickham. —7M 47
Westwood Av. SE19 —9N 29
Westwood Av. Wdhm —8H 55
Westwood Clo. Esh —9D 40
Westwood Ct. Guild —2J 113
Westwood Gdns. SW13 —6E 12
Westwood La. Norm & Wanb —1L 111
Westwood Rd. SW13 —6E 12
Westwood Rd. Coul —5H 83
Westwood Rd. W'sham —8B 34
Wetherby Gdns. SW5 —1N 13
Wetherby Gdns. Farn —5A 90
Wetherby Mans. SW5 —1N 13 (off Earl's Ct. Sq.)
Wetherby M. SW5 —1N 13
Wetherby Pl. SW7 —1N 13
Wetherby Way. Chess —4L 59
Wetlands Cen., The. —4G 13
Wettern Clo. S Croy —6B 64
Wetton Pl. Egh —6B 20
Wexfenne Gdns. Wok —3K 75
Wexford Rd. SW12 —1D 28
Wey Av. Cher —2J 37
Weybank. Wis —3N 75
Weybank Clo. Farnh —1H 129
Weybarton. Byfl —9A 56
Weybourne. —6K 109
Weybourne Pl. S Croy —6A 64
Weybourne Rd. Farnh & Alder —7K 109
Weybourne St. SW18 —3A 28
Weybridge. —1B 56
Weybridge Bus. Pk. Add —1N 55
Weybridge Mead. Yat —8D 48
Weybridge Pk. Wey —2B 56
Weybridge Rd. Add —1N 55
Weybridge Rd. T Hth —3L 45
Weybridge Trad. Est. Add —1M 55
Weybrook Dri. Guild —7D 94
Wey Clo. As —3E 110
Wey Clo. Camb —1N 69
Wey Clo. W Byf —9K 55
Weycombe Rd. Hasl —1G 189
Wey Ct. Eps —1B 60
Wey Ct. G'ming —5K 133
Wey Ct. Guild —4M 113 (4B 202)
Wey Ct. New H —5M 55
Wey Ct. Clo. G'ming —5J 133
Weycrofts. Brack —8L 15
Weydon Farm La. Farnh —3G 128
Weydon Hill Clo. Farnh —3G 129
Weydon Hill Rd. Farnh —3G 129
Weydon La. Farnh —4E 128
Weydon Mill La. Farnh —2G 128
Weydown Clo. SW19 —2K 27
Weydown Clo. Guild —7K 93
Weydown Cotts. Hasl —8G 170
Weydown Ind. Est. Hasl —2F 188 (in two parts)
Weydown La. Guild —7K 93
Weydown Rd. Hasl —2F 188
Wey Hill. Hasl —2E 188
Weylands Clo. W on T —7N 39
Weylands Pk. Wey —3E 56
Weylea Av. Guild —9C 94
Wey Mnr. Rd. New H —5M 55
Weymead Clo. Cher —7L 37
Wey Meadows. Add —2N 55
Weymede. Byfl —8A 56
Weymouth Ct. Sutt —4M 61
Wey Retail Pk. Byfl —8N 55
Wey Rd. G'ming —6K 133
Wey Rd. Wey —9A 38
Weyside. Farnh —1H 129
Weyside Clo. Byfl —8A 56
Weyside Gdns. Guild —1M 113
Weyside Pk. G'ming —6K 133
Weyside Rd. Guild —1L 113
Weysprings. Hasl —1D 188
Weystone Rd. Add —1A 56
Weyvern Pk. P'mrsh —2L 133
Weyvern Pl. P'mrsh —2L 133
Weyview Clo. Guild —1M 113
Wey Vw. Ct. Guild —4M 113 (4A 202)
Weywood Clo. Farnh —5L 109
Weywood La. Farnh —5K 109
Whaley Rd. Wokgm —9C 14
Wharfedale Gdns. T Hth —3K 45
Wharfedale St. SW10 —1N 13
Wharfenden Way. Frim G —8D 70
Wharf La. Send —5M 75 (Mill La.)
Wharf La. Send —1E 94 (Send Rd.)
Wharf La. Twic —2G 24
Wharf Rd. Ash V —9E 90
Wharf Rd. Frim G —8D 70
Wharf Rd. Guild —3M 113 (3B 202)
Wharf Rd. Wray —1M 19
Wharf St. G'ming —7H 133
Wharf, The. G'ming —6H 133
Wharf Way. Frim G —8E 70
Wharncliffe Gdns. SE25 —1B 46
Wharncliffe Rd. SE25 —1B 46
Whateley Rd. Guild —8L 93
Whatley Av. SW20 —2J 43
Whatley Grn. Brack —5N 31
Whatmore Clo. Stai —9J 7
Wheatash Rd. Add —8K 37
Wheatbutts, The. Eton W —1C 4
Wheatfield Way. Horl —6F 142
Wheatfield Way. King T —1L 41 (5K 203)
Wheathill Rd. SE20 —2E 46
Wheat Knoll. Kenl —3N 83
Wheatlands. Houn —2A 10
Wheatlands Rd. SW17 —4E 28
Wheatley. Brack —4K 31
Wheatley Ho. SW15 —1F 26 (off Ellisfield Dri.)
Wheatley Rd. Alder —1L 109
Wheatley Rd. Iswth —6F 10
Wheatsheaf Clo. H'ham —3L 197
Wheatsheaf Clo. Ott —3F 54
Wheatsheaf Clo. Wok —3A 74
Wheatsheaf La. SW6 —3H 13
Wheatsheaf La. Stai —8H 21
Wheatsheaf Ter. SW6 —3L 13
Wheatstone Clo. Craw —7F 162
Wheatstone Clo. Mitc —9C 28
Wheeler Av. Oxt —7N 105
Wheeler La. Witl —4B 152
Wheeler Rd. M'bowr —5F 182
Wheelers La. Brock —5A 120
Wheelers La. Eps —1A 80 (8H 201)
Wheelers La. Small —9L 143
Wheelerstreet. —4C 152
Wheelerstreet. Witl —4C 152
Wheelers Way. Felb —7H 165
Wheelwrights La. Gray —5M 169
Wheelwrights Pl. Coln —3E 6
Whelan Way. Wall —9H 45
Wherwell Rd. Guild —5M 113 (6A 202)
Whetstone Rd. Farn —1H 89
Whimbrel Clo. S Croy —7A 64
Whinfell Clo. SW16 —6H 29
Whin Holt. Fleet —7B 88
Whins Clo. Camb —2N 69
Whins Dri. Camb —2N 69
Whipley Clo. Guild —7D 94
Whistler Clo. Craw —6D 182
Whistler Gro. Coll T —9J 49
Whistley Clo. Brack —2C 32
Whitby Clo. Big H —6D 86
Whitby Clo. Farn —4C 90
Whitby Gdns. Sutt —8B 44
Whitby Rd. Sutt —8B 44
Whitchurch Clo. Alder —6B 110
White Acres Rd. Myt —1D 90
Whitebeam Dri. Reig —6N 121
Whitebeam Gdns. Farn —2H 89
White Beam Way. Tad —8F 80
White Beech La. C'fold —4K 173
Whiteberry Rd. Ab C —3B 138
Whitebines. Farnh —1J 129
White Bri. Av. Mitc —2B 44
Whitebridge Clo. Felt —9G 9
White Bushes. —8E 122
Whitebushes. Red —8E 122
White City. Crowt —2J 49 (in two parts)
White Cottage Clo. Farnh —6J 109
Whitecroft. Horl —7F 142
Whitecroft Clo. Beck —3N 47
Whitecroft Way. Beck —4M 47
White Down La. Ran C —4K 117
Whitefield Av. Purl —3L 83
Whitefield Clo. SW18 —9K 13
White Ga. Wok —7B 74
Whitegates. Whyt —6D 84
Whitegate Way. Tad —7G 81
Whitehall. —3K 61
Whitehall Cres. Chess —2K 59
Whitehall Dri. If'd —3K 181
Whitehall Farm La. Vir W —1A 36 (in two parts)
Whitehall Gdns. W4 —2A 12
Whitehall La. Egh —8B 20
Whitehall La. S Pk —7L 121
Whitehall La. Wray —9C 6
Whitehall Pde. E Grin —9A 166 (off London Rd.)
Whitehall Pk. Rd. W4 —2A 12
Whitehall Pl. Wall —1F 62
Whitehall Rd. T Hth —4L 45
White Hart Clo. Hayes —2E 8
White Hart Ct. H'ham —4J 197
White Hart Ct. Rip —8L 75
White Hart Ind. Est. B'water —2K 69
White Hart La. SW13 —6D 12
White Hart La. Wood S —2D 112
White Hart Meadows. Rip —8L 75
White Hart Row. Cher —6J 37
Whitehead Clo. SW18 —1A 28
White Hermitage. Old Win —8M 5
White Heron M. Tedd —7F 24
White Hill. Chip —1C 102
White Hill. S Croy —6A 64
White Hill. W'sham —1M 51
Whitehill Clo. Camb —8B 50
Whitehill La. Blet —5A 104
Whitehill La. Cobh —1D 96
Whitehill Pk. W'hill —9A 168
Whitehill Pl. Vir W —4A 36
Whitehill Rd. Stand —8A 168
White Horse Dri. Eps —1B 80 (8H 201)
Whitehorse La. SE25 —3A 46
White Horse La. Rip —8L 75
Whitehorse Rd. Croy & T Hth —6N 45
Whitehorse Rd. H'ham —2A 198
White Horse Rd. Wind —6A 4
White Ho. SW4 —1H 29 (off Clapham Pk. Est.)
White House. Add —1L 55
White Ho. Dri. Guild —3D 114
White Ho. Gdns. Yat —8B 48
White Ho. La. Guild —7N 93 (in two parts)
White Ho. Wlk. Farnh —5J 109
Whiteknights. Cars —7B 62
White Knights Rd. Wey —4D 56
White Knobs Way. Cat —3D 104
Whitelands Dri. Asc —9H 17
White La. Ash G & Tong —3G 110
White La. Guild —5E 114
White La. Tats & T'sey —1D 106
Whiteley. Wind —3B 4
Whiteley's Cotts. W14 —1L 13
Whiteley's Way. Hanw —4A 24
Whiteley Village. —5F 56
White Lilies Island. Wind —3D 4
White Lion Ct. Iswth —6H 11
White Lion Wlk. Guild —4N 113 (5C 202)
White Lion Way. Yat —8C 48
White Lodge. SE19 —8M 29
White Lodge Clo. Sutt —4A 62
Whitelodge Gdns. Red —2E 142
Whitely Hill. —8K 183
Whitely Hill. Turn H —8K 183
Whitemore Rd. Guild —8N 93
White Oak Dri. Beck —1M 47
Whiteoaks. Bans —9N 61
White Post. —3C 124
Whitepost Hill. Red —3C 122 (in two parts)
White Post La. Wrec —7F 128
White Rd. Coll T —9L 49
White Rd. Brock —2N 119 (in two parts)
White Rose La. Lwr Bo —4G 129
White Rose La. Wok —5B 74
Whites La. Dat —2L 5
Whites La. Pirb —2D 92 (in two parts)
Whites Rd. Farn —4C 90
Whitestile Rd. Bren —1J 11
Whiteswan M. W4 —1D 12
Whitethorn Av. Coul —2E 82
Whitethorn Clo. As —3F 110
Whitethorn Cotts. Cranl —5K 155
Whitethorn Gdns. Croy —8E 46
Whitewalls. Craw —3L 181 (off Rusper Rd.)
White Way. Bookh —4B 98
Whiteways Ct. Stai —8K 21
Whitewood. —5D 144
Whitewood Cotts. Tats —7E 86
Whitewood La. S God —5D 144
Whitfield Clo. Guild —9K 93
Whitfield Clo. Hasl —8G 171
Whitfield Rd. Hasl —9G 171
Whitford Gdns. Mitc —2D 44
Whitgift Av. S Croy —2M 63 (8A 200)
Whitgift Cen. Croy —8N 45 (2C 200)
Whitgift Ct. S Croy —8C 200
Whitgift Sq. Croy —8N 45 (3C 200)
Whitgift St. Croy —9N 45 (5B 200)
Whitgift Wlk. Craw —6B 182
Whither Dale. Horl —7C 142
Whitland Rd. Cars —7B 44
Whitlet Clo. Farnh —2G 128
Whitley Clo. Stanw —9N 7
Whitley Rd. Yat —2C 68
Whitlock Dri. SW19 —1K 27
Whitmead Clo. S Croy —3B 64
Whitmead La. Tilf —6C 130
Whitmoor La. Guild —4N 93
Whitmoor Rd. Bag —4K 51
Whitmoor Va. Gray —2K 169
Whitmoor Va. Rd. Gray —2L 169
Whitmore Clo. Owl —7J 49
Whitmore Grn. Farnh —6K 109
Whitmore La. Asc —4D 34
Whitmore Rd. Beck —2J 47
Whitmores Clo. Eps —2B 80
Whitmore Way. Horl —7C 142
Whitnell Way. SW15 —8H 13
Whitstable Clo. Beck —1J 47
Whitstable Pl. Croy —1N 63 (7C 200)
Whittaker Av. Rich —8K 11
Whittaker Ct. Asht —4K 79
Whittaker Pl. Rich —8K 11 (off Whittaker Av.)
Whittaker Rd. Sutt —9L 43
Whittingham Ct. W4 —3D 12
Whittingstall Rd. SW6 —4L 13
Whittington Rd. Craw —6B 182
Whittlebury Clo. Cars —4D 62
Whittle Clo. Ash V —8D 90
Whittle Clo. Sand —6F 48
Whittle Cres. Farn —7L 69
Whittle Rd. Houn —3K 9
Whittle Way. Craw —6E 162
Whitton. —1C 24
Whitton Dene. Houn —8C 10
Whitton Mnr. Rd. Iswth —9C 10
Whitton Rd. Brack —2D 32
Whitton Rd. Houn —7B 10
Whitton Rd. Twic —9E 10
Whitton Road Roundabout. (Junct.) —9F 10
Whitton Waye. Houn —9A 10
Whitworth Rd. SE25 —2B 46
Whitworth Rd. Craw —8B 162
Whopshott Av. Wok —3M 73
Whopshott Clo. Wok —3M 73
Whopshott Dri. Wok —3M 73
Whynstones Rd. Asc —5L 33
Whyteacre. Whyt —7E 84
Whyte Av. Alder —4B 110
Whytebeam Vw. Whyt —5C 84
Whytecliffe Rd. N. Purl —7M 63
Whytecliffe Rd. S. Purl —7L 63
Whytecroft. Houn —3L 9
Whyteleafe. —5C 84
Whyteleafe Bus. Village. Whyt —4C 84
Whyteleafe Hill. Whyt —7B 84 (in two parts)
Whyteleafe Rd. Cat —7B 84
Wicket Hill. Wrec —5F 128
Wickets, The. Afrd —5N 21
Wicket, The. Croy —2K 65
Wickham Av. Croy —8H 47
Wickham Av. Sutt —2H 61
Wickham Chase. W Wick —7N 47
Wickham Clo. Bag —1J 51
Wickham Clo. C Crook —7A 88
Wickham Clo. Horl —7D 142
Wickham Clo. N Mald —4E 42
Wickham Ct. C Crook —7A 88
Wickham Ct. Surb —8M 203
Wickham Ct. Rd. W Wick —8M 47
Wickham Cres. W Wick —8M 47
Wickham La. Egh —8C 20
Wickham Pl. C Crook —7A 88
Wickham Rd. Beck —1L 47
Wickham Rd. Camb —7C 50
Wickham Rd. C Crook —7A 88

Wickham Rd.—Windy Wood

Wickham Rd. Croy —8F 46
Wickham Va. Brack —5K 31
Wickham Way. Beck —3M 47
Wick Hill. —1A 48
Wick Hill La. Finch —1A 48
(in five parts)
Wick Ho. King T —1H 203
Wickhurst Gdns. Broad H —5E 196
Wickhurst La. Broad H —5E 196
Wickland Ct. Craw —6B 182
Wick La. Eng G —7J 19
Wick Rd. Eng G —9K 19
Wick Rd. Tedd —8H 25
Wick's Grn. Binf —5G 15
Wicks La. Shur R —1D 14
Wicksteed Ho. Bren —1M 11
Wide Way. Mitc —2H 45
Widewing Clo. Tedd —8H 25
Widgeon Way. H'ham —3J 197
Widmer Ct. Houn —5M 9
Wient, The. Coln —3E 6
Wiggett Gro. Binf —7H 15
Wiggie La. Red —1E 122
Wiggins Yd. G'ming —7H 133
Wight Ho. King T —6J 203
Wigley Rd. Felt —3L 23
Wigmore La. Bear G —9J 139
Wigmore Rd. Cars —8B 44
Wigmore Wlk. Cars —8B 44
Wilberforce Clo. Craw —9A 182
Wilberforce Ct. Eps —8L 201
Wilberforce Way. SW19 —7J 27
Wilberforce Way. Brack —4B 32
Wilbury Av. Sutt —6L 61
Wilbury Rd. Wok —4N 73
Wilcot Clo. Bisl —3D 72
Wilcot Gdns. Bisl —3D 72
Wilcox Gdns. Shep —2N 37
Wilcox Rd. Sutt —1N 61
Wilcox Rd. Tedd —5D 24
Wildacre Clo. Loxw —5F 192
Wild Acres. W Byf —7L 55
Wildbank Ct. Wok —5B 74
Wildcroft Dri. N Holm —8K 119
Wildcroft Dri. Wokgm —7A 30
Wildcroft Mnr. SW15 —1H 27
Wildcroft Rd. SW15 —1H 27
Wildcroft Wood. Witl —4A 152
Wilde Pl. SW18 —1B 28
Wilderness Ct. Guild —5J 113
Wilderness Ri. Dor P —5C 166
Wilderness Rd. Frim —4C 70
Wilderness Rd. Guild —5J 113
Wilderness Rd. Oxt —8N 105
Wilderness, The. E Mol —4C 40
Wilderness, The. Hamp —5B 24
Wilders Clo. Brack —8M 15
Wilders Clo. Frim —3C 70
Wilders Clo. Wok —5M 73
Wilderwick Rd. D'land & Dor P —3C 166
Wilderwick Rd. E Grin —6D 166
Wildfield Clo. Wood S —2E 112
Wildgoose Dri. H'ham —5F 196
Wildridings. —3M 31
Wildridings Rd. Brack —3M 31
Wildridings Sq. Brack —3M 31
Wild Wood. H'ham —5F 196
Wildwood Clo. Cranl —9A 156
Wildwood Clo. E Hor —3G 96
Wildwood Clo. Wok —2H 75
Wildwood Ct. Kenl —2A 84
Wildwood Gdns. Yat —2B 68
Wildwood La. Cranl —4J 175
Wilfred Owen Clo. SW19 —7A 28
Wilfred St. Wok —5N 73
Wilhelmina Av. Coul —6G 83
Wilkes Rd. Bren —2L 11
Wilkins Clo. Hayes —1G 9
Wilkins Clo. Mitc —9C 28
Wilkinson Ct. SW17 —5B 28
Wilkinson Ct. Craw —8N 181
Wilks Gdns. Croy —7H 47
Willats Clo. Cher —5H 37
Willcocks Clo. Chess —9L 41
Willems Av. Alder —2L 109
Willems Roundabout. Alder —2L 109
Willett Pl. T Hth —4L 45
Willett Rd. T Hth —4L 45
Willey Broom La. Cat —3L 103
Willey Farm La. Cat —4N 103
Willey Green. —9A 92
Willey La. Cat —3A 104
William Banfield Ho. SW6 —5L 13
(off Munster Rd.)
William Dyce M. SW16 —5H 29
William Ellis Clo. Old Win —8K 5
William Evans Rd. Eps —7N 59
William Evelyn Ct. Wott —8N 117
William Farthing Clo. Alder —2M 109
William Gdns. SW15 —8G 13
William Hitchcock Ho. Farn —7N 69
William Hunt Mans. SW13 —2H 13
William Morris Ho. W6 —2J 13
William Morris Way. SW6 —6N 13
William Morris Way. Craw —9N 181
William Rd. SW19 —8K 27
William Rd. Cat —9A 84
William Rd. Guild —3M 113 (3B 202)
William Rd. Sutt —2A 62
William Russell Ct. Wok —5H 73
Williams Clo. SW6 —3K 13
Williams Clo. Add —2K 55
Williams Clo. Ewh —5F 156
Williams Gro. Surb —5J 41
William Sim Wood. Wink R —7F 16
William's La. SW14 —6B 12
Williams La. Mord —4A 44
Williamson Clo. G'wood —8K 171
Williams Rd. S'hall —1M 9
Williams Ter. Croy —3L 63
William St. Cars —9C 44
William St. Wind —4G 4
William's Wlk. Guild —8L 93
Williams Way. Craw —3F 182
Williams Way. Fleet —4D 88
Willian Pl. Hind —3C 170
Willingham Way. King T —2N 41
Willington Clo. Camb —9N 49
Willis Av. Sutt —3C 62
Willis Clo. Eps —1A 80
Willis Ct. T Hth —5L 45
Willis Rd. Croy —6N 45
Will Miles Ct. SW19 —8A 28
Willmore End. SW19 —9N 27
Willoughby Av. Croy —1K 63
Willoughby Rd. Brack —2L 31
Willoughby Rd. King T —9M 25 (1N 203)
Willoughby Rd. Twic —8J 11
(in two parts)
Willoughbys, The. SW15 —6D 12
Willow Av. SW13 —5E 12
Willow Bank. SW6 —6K 13
Willowbank. Coul —1J 83
Willow Bank. Rich —4H 25
Willow Bank. Wok —9A 74
Willowbank Gdns. Tad —9G 81
Willowbank Pl. S Croy —5M 63
Willow Brean. Horl —7C 142
Willowbrook. Eton —1G 4
Willowbrook. Hamp H —6B 24
Willowbrook Rd. Stai —3N 21
Willow Bus. Cen., The. Mitc —5D 44
Willow Clo. Bear G —7J 139
Willow Clo. Bord —6A 168
Willow Clo. Bren —2J 11
Willow Clo. Coln —3E 6
Willow Clo. Craw —1C 182
Willow Clo. E Grin —7N 165
Willow Clo. Myt —1C 90
Willow Clo. Wdhm —7H 55
Willow Corner. Charl —3L 161
Willow Cotts. Felt —4M 23
Willow Cotts. Rich —2N 11
Willow Ct. W4 —3D 12
(off Corney Reach Way)
Willow Ct. Ash V —6E 90
Willow Ct. Brack —9M 15
Willow Ct. Frim —5B 70
(off Gro. Cross Rd.)
Willow Ct. Horl —6F 142
Willow Ct. Tad —1G 101
Willow Cres. Farn —7N 69
Willowdene Clo. Twic —1C 24
Willow Dri. Brack —9A 16
Willow Dri. Norm —3N 111
Willow Dri. Rip —2J 95
Willow End. Surb —7L 41
Willow Farm La. SW15 —6G 13
Willowfield. Craw —4A 182
Willowford. Yat —9C 48
Willow Gdns. Houn —4A 10
Willow Glade. Reig —6A 122
Willow Grn. N Holm —9H 119
Willow Grn. W End —9C 52
Willowhayne Dri. W on T —6J 39
Willowhayne Gdns. Wor Pk —9H 43
Willowherb Clo. Wokgm —1D 30
Willow Ho. Short —1N 47
Willow La. B'water —2J 69
Willow La. Guild —2C 114
Willow La. Mitc —4D 44
Willow Lodge. SW6 —4J 13
Willow Mead. Dork —4G 119 (1K 201)
Willow Mead. E Grin —1B 186
Willowmead. Stai —9K 21
Willow Mead. Witl —5B 152
Willowmead Clo. Wok —3K 73
Willow Mere. Esh —1C 58
Willow M. Witl —5C 152
Willow Mt. Croy —9B 46
Willow Pk. As —2D 110
Willow Pl. Eton —2F 4
Willow Ridge. Turn H —6D 184
Willow Rd. Coln —5G 7
Willow Rd. G'ming —3J 133
Willow Rd. H'ham —3A 198
Willow Rd. N Mald —3B 42
Willow Rd. Red —6A 122
Willow Rd. Wall —4F 62
Willow Rd. W End —9C 52
Willows Av. Mord —4N 43
Willows End. Sand —7G 48
Willows Lodge. Wind —3A 4
Willows Mobile Home Pk., The. Norm —9A 92
Willows Path. Eps —1A 80
Willows, The. Beck —1K 47
Willows, The. Brack —3D 32
Willows, The. Byfl —9N 55
Willows, The. C'fold —5D 172
Willows, The. Clay —3E 58
Willows, The. Guild —7K 93
(off Worplesdon Rd.)
Willows, The. Guild —1E 114
(Collier Way)
Willows, The. H'ham —3K 197
Willows, The. Light —6A 52
Willows, The. Red —4D 122
Willows, The. Wey —9B 38
Willows, The. Wind —3A 4
Willow Tree Clo. SW18 —2N 27
Willowtree Way. T Hth —9L 29
Willow Va. Fet —1B 98
(in two parts)
Willow Vw. SW19 —9B 28
Willow Wlk. Cher —6J 37
Willow Wlk. Eng G —6M 19
Willow Wlk. Orp —1K 67
Willow Wlk. Red —5F 122
Willow Wlk. Shere —8B 116
Willow Wlk. Sutt —9L 43
Willow Wlk. Tad —8A 100
Willow Way. God —1E 124
Willow Way. Alder —4C 110
Willow Way. Eps —3C 60
Willow Way. Farnh —6J 109
Willow Way. Guild —8L 93
Willow Way. Sand —6E 48
Willow Way. Sun —3H 39
Willow Way. Twic —3B 24
Willow Way. W Byf —7L 55
Willow Way. Wok —8A 74
Willow Wood Cres. SE25 —5B 46
Wills Cres. Houn —9B 10
Willson Rd. Eng G —6L 19
Wilmar Gdns. W Wick —7L 47
Wilmer Clo. King T —6M 25
Wilmer Cres. King T —6M 25
Wilmerhatch La. Eps —5A 80
Wilmington Av. W4 —3C 12
Wilmington Clo. Craw —8N 181
Wilmington Ct. SW16 —8J 29
Wilmot Clo. Binf —7H 15
Wilmot Cotts. Bans —2N 81
Wilmot Rd. Cars —2D 62
Wilmot Rd. Purl —8L 63
Wilmots Clo. Reig —2A 122
Wilmot's La. Horne —4A 144
(in three parts)
Wilmot Way. Bans —1M 81
Wilmot Way. Camb —3D 70
Wilna Rd. SW18 —1A 28
Wilson Av. Mitc —9C 28
Wilson Clo. M'bowr —6H 183
Wilson Clo. S Croy —2A 64 (8D 200)
Wilson Dri. Ott —2D 54
Wilson Rd. Alder —3B 110
Wilson Rd. Chess —3M 59
Wilson Rd. Farn —2L 89
Wilsons. Tad —8J 81
Wilson's Rd. W6 —1J 13
Wilsons Rd. Head D —4G 169
Wilson Way. Wok —3N 73
Wilstrode Av. Binf —8L 15
Wilton Av. W4 —1D 12
Wilton Clo. W Dray —2M 7
Wilton Ct. Farn —2B 90
Wilton Cres. SW19 —8L 27
Wilton Cres. Wind —7A 4
Wilton Gdns. W on T —7L 39
Wilton Gdns. W Mol —2A 40
Wilton Gro. SW19 —9L 27
Wilton Gro. N Mald —5E 42
Wilton Ho. S Croy —8B 200
Wilton Pde. Felt —2J 23
Wilton Pl. New H —5M 55
Wilton Rd. SW19 —8C 28
Wilton Rd. Camb —3N 69
Wilton Rd. Houn —6L 9
Wilton Rd. Red —4D 122
Wiltshire Av. Crowt —1G 48
Wiltshire Ct. S Croy —2N 63 (8C 200)
Wiltshire Dri. Wokgm —1C 30
Wiltshire Gdns. Twic —2C 24
Wiltshire Gro. Warf —7D 16
Wiltshire Rd. T Hth —2L 45
Wiltshire Rd. Wokgm —9B 14
Wilverley Cres. N Mald —5D 42
Wilwood Rd. Brack —9K 15
Wimbart Rd. SW2 —1K 29
Wimbledon. —7L 27
Wimbledon. —5K 27
(All England Tennis Club)
Wimbledon Bri. SW19 —7L 27
Wimbledon Clo. SW20 —8J 27
Wimbledon Clo. Camb —6D 50
Wimbledon Common. —5F 26
Wimbledon Common Postmill & Mus. —3G 27
Wimbledon F.C. —3B 46
(Crystal Palace Football Ground)
Wimbledon Greyhound Stadium. —5A 28
Wimbledon Hill Rd. SW19 —7K 27
Wimbledon Lawn Tennis Mus. —5K 27
(Wimbledon All England Lawn Tennis & Croquet Club)
Wimbledon Mus. of Local History. —7K 27
Wimbledon Park. —4M 27
Wimbledon Pk. Rd. SW19 & SW18 —3K 27
Wimbledon Pk. Side. SW19 —4J 27
Wimbledon Rd. SW17 —5A 28
Wimbledon Rd. Camb —6D 50
Wimbledon Stadium Bus. Cen. SW17 —4N 27
Wimble Hill. —1A 128
Wimblehurst Ct. H'ham —4J 197
Wimblehurst Rd. H'ham —4J 197
Wimborne Av. Red —8D 122
Wimborne Av. S'hall —1A 10
Wimborne Clo. Eps —9D 60 (7N 201)
Wimborne Clo. Wor Pk —7H 43
Wimborne Ct. SW12 —4G 28
Wimborne Way. Beck —2G 47
Wimland Hill. Fay —7C 180
Wimland Rd. Fay —4A 180
Wimlands La. Fay —7C 180
Wimpole Clo. King T —1M 41 (4N 203)
Wimshurst Clo. Croy —7J 45
Wincanton Clo. Craw —2H 183
Wincanton Rd. SW18 —1L 27
Winch Clo. Binf —6H 15
Winchcombe Clo. Fleet —5B 88
Winchcombe Rd. Cars —6B 44
Winchelsea Clo. SW15 —8J 13
Winchelsea Cres. W Mol —1C 40
Winchelsey Ri. S Croy —3C 64
Winchendon Rd. SW6 —4L 13
Winchendon Rd. Tedd —5D 24
Winchester Av. Houn —2N 9
Winchester Clo. Coln —4G 7
Winchester Clo. Esh —1A 58
Winchester Clo. King T —8A 26
Winchester Rd. As —1E 110
Winchester Rd. Craw —7C 182
Winchester Rd. Felt —4N 23
Winchester Rd. Hayes —3F 8
Winchester Rd. Tilf —3N 149
Winchester Rd. Twic —9H 11
Winchester Rd. W on T —7H 39
Winchester St. Farn —5A 90
Winchester Way. B'water —9H 49
Winches, The. Colg —2H 199
Winchet Wlk. Croy —5F 46
Winchfield Ho. SW15 —9E 12
Winchgrove Rd. Brack —8M 15
Winchstone Clo. Shep —3A 38
Windborough Rd. Cars —4E 62
Windermere Av. SW19 —2N 43
Windermere Clo. Egh —8D 20
Windermere Clo. Farn —2K 89
Windermere Clo. Felt —2G 22
Windermere Clo. Stai —2N 21
Windermere Ct. SW13 —2E 12
Windermere Ct. Ash V —9D 90
(off Lakeside Clo.)
Windermere Ct. Kenl —2M 83
Windermere Rd. SW15 —5D 26
Windermere Rd. SW16 —9G 29
Windermere Rd. Coul —2J 83
Windermere Rd. Croy —7C 46
Windermere Rd. Light —6M 51
Windermere Rd. W Wick —8N 47
Windermere Wlk. Camb —1H 71
Windermere Way. Farnh —6F 108
Windermere Way. Reig —2C 122
Windfield. Lea —8H 79
Windgates. Guild —9E 94
Windham Av. New Ad —6N 65
Windham Rd. Rich —6M 11
Windings, The. S Croy —7C 64
Winding Wood Dri. Camb —2F 70
Windlebrook Grn. Brack —9M 15
Windle Clo. W'sham —3A 52
Windlesham. —3A 52
Windlesham Ct. W'sham —9N 33
Windlesham Ct. Dri. W'sham —1N 51
Windlesham Gro. SW19 —2J 27
Windlesham Rd. Brack —9L 15
Windlesham Rd. Chob —4D 52
Windlesham Rd. W End —7B 52
Windmill Av. Eps —7E 60
Windmill Bridge Ho. Croy —7B 46
(off Freemasons Rd.)
Windmill Bus. Village. Sun —9F 22
Windmill Clo. Cat —8N 83
Windmill Clo. Eps —8E 60
Windmill Clo. Horl —8F 142
Windmill Clo. H'ham —4N 197
Windmill Clo. Sun —8F 22
Windmill Clo. Surb —7J 41
Windmill Clo. Wind —5E 4
Windmill Ct. Craw —1B 182
Windmill Dri. Head D —3G 168
Windmill Dri. Kes —1E 66
Windmill Dri. Lea —1J 99
Windmill Dri. Reig —1B 122
Windmill End. Eps —8E 60
Windmill Fld. W'sham —3N 51
Windmill Grn. Shep —6F 38
(off Walton La.)
Windmill Gro. Croy —5N 45
Windmill Hill. Alder —3A 110
Windmill La. Ash W —2E 186
Windmill La. E Grin —7N 165
Windmill La. Eps —8E 60
Windmill La. S'hall —1E 10
Windmill La. Surb —5H 41
Windmill M. W4 —1D 12
Windmill Pas. W4 —1D 12
Windmill Platt. Hand —8N 199
Windmill Ri. King T —8A 26
Windmill Rd. SW19 —5G 27
Windmill Rd. W4 —1D 12
Windmill Rd. W5 —1J 11
Windmill Rd. Alder —3A 110
Windmill Rd. Brack —9L 15
Windmill Rd. Croy —6N 45
Windmill Rd. Hamp H —6B 24
Windmill Rd. Mitc —4G 44
Windmill Rd. Sun —9F 22
Windmill Rd. W. Sun —1F 38
Windmill Shott. Egh —7B 20
Windmill Ter. Shep —6F 38
Windmill Way. Reig —1B 122
Windrum Clo. H'ham —8F 196
Windrush. N Mald —3A 42
Windrush Clo. W4 —4B 12
Windrush Clo. Brmly —5B 134
Windrush Clo. Craw —5L 181
Windrush Heights. Sand —7F 48
Windsor. —4G 5
Windsor & Eton Relief Rd. Wind —4E 4
Windsor Av. SW19 —9A 28
Windsor Av. N Mald —4B 42
Windsor Av. Sutt —9K 43
Windsor Av. W Mol —2A 40
Windsor Brass Rubbing Cen. —4G 5
(off High St., Windsor Parish Church)
Windsor Bus. Cen. Wind —3F 4
Windsor Castle. —4H 5
Windsor Clo. SE27 —5N 29
Windsor Clo. Bren —2H 11
Windsor Clo. Craw —7A 182
Windsor Clo. Guild —5J 113
Windsor Ct. Alder —2L 109
(off Queen Elizabeth Dri.)
Windsor Ct. Brack —3A 32
Windsor Ct. Chob —5H 53
Windsor Ct. Fleet —4B 88
Windsor Ct. H'ham —5M 197
Windsor Ct. King T —8J 203
Windsor Ct. Sun —8H 23
Windsor Ct. Whyt —5C 84
Windsor Ct. Rd. Chob —5H 53
Windsor Cres. Farnh —6G 108
Windsor Dri. Afrd —5M 21
Windsor Gdns. As —2D 110
Windsor Gdns. Croy —9J 45
Windsor Great Pk. —4E 18
Windsor Gro. SE27 —5N 29
Windsor Guildhall. —4G 5
Windsor M. SW18 —1A 28
(off Wilna Rd.)
Windsor Pk. Rd. Hayes —3G 8
Windsor Pl. Cher —5J 37
Windsor Pl. E Grin —1C 186
Windsor Racecourse. —2B 4
Windsor Ride. Brack —5D 32
Windsor Ride. Camb & C'then —7M 49
Windsor Rd. Asc & Wink —2J 33
Windsor Rd. Chob —1F 52
Windsor Rd. Dat —3K 5
Windsor Rd. Farn —4B 90
Windsor Rd. Houn —5J 9
Windsor Rd. King T —8L 25
Windsor Rd. Lind —4A 168
Windsor Rd. M'head —4A 4
Windsor Rd. Old Win & Egh —2M 19
Windsor Rd. Rich —5M 11
Windsor Rd. Sun —7H 23
Windsor Rd. Tedd —6D 24
Windsor Rd. T Hth —1M 45
Windsor Rd. Wor Pk —8F 42
Windsor Rd. Wray —9A 6
Windsor St George's Chapel. —4G 5
Windsor St. Cher —5J 37
Windsor Wlk. Lind —4A 168
(in two parts)
Windsor Wlk. W on T —7L 39
Windsor Wlk. Wey —2C 56
Windsor Way. Alder —2N 109
Windsor Way. Frim —6D 70
Windsor Way. Wok —3E 74
Winds Ridge. Send —3E 94
Windways. Duns —2B 174
Windycroft Clo. Purl —9H 63
Windy Gap. —3M 169
Windyridge. Craw —4M 181
Windy Ridge Clo. SW19 —6J 27
Windy Wood. G'ming —8F 132

Winern Glebe—Woodpecker Mt.

Winern Glebe. Byfl —9M 55
Winery La. King T —2M 41 (5M 203)
Winfield Gro. Newd —1N 159
Winfrith Rd. SW18 —1A 28
Wingate Ct. Alder —2L 109
Wingate Cres. Croy —5J 45
Wingfield Clo. New H —6K 55
Wingfield Gdns. Frim —3H 71
Wingfield Rd. King T —7M 25
Wingford Rd. SW2 —1J 29
Wingrave Rd. W6 —2H 13
Wings Clo. Farnh —6G 109
Wings Clo. Sutt —1M 61
Wings Rd. Farnh —6G 109
Winifred Rd. SW19 —9M 27
Winifred Rd. Coul —3E 82
Winifred Rd. Hamp H —5A 24
Winkfield. —4H 17
Winkfield Clo. Wokgm —5A 30
Winkfield La. Wink —3F 16
Winkfield Rd. Asc —7L 17
Winkfield Rd. Wink & Wind —2N 17
Winkfield Row. —6F 16
Winkfield Row. Wink R —5E 16
Winkfield Street. —3G 16
Winkfield St. Wink —3F 16
Winkworth Arboretum. —3M 153
Winkworth Pl. Bans —1L 81
Winkworth Rd. Bans —1M 81
Winnards. Wok —5K 73
Winnington Way. Wok —5L 73
Winnipeg Dri. G Str —3N 67
Winscombe. Brack —4K 31
Winslow Rd. W6 —2H 13
Winslow Way. Felt —4L 23
Winslow Way. W on T —9K 39
Winstanley Clo. Cobh —1J 77
Winstanley Wlk. Cobh —1J 77 (off Winstanley Clo.)
Winston Clo. Frim G —8D 70
Winston Dri. Stoke D —3M 77
Winston Wlk. Lwr Bo —5H 129
Winston Way. Old Wok —7D 74
Winterborne Av. Orp —1M 67
Winterbourne. H'ham —1M 197
Winterbourne Ct. Brack —1B 32
Winterbourne Gro. Wey —3D 56
Winterbourne Rd. T Hth —3L 45
Winterbourne Wlk. Frim —6D 70
Winter Box Wlk. Rich —8M 11
Winterbrook Rd. SE24 —1N 29
Winterdown Gdns. Esh —3N 57
Winterdown Rd. Esh —3N 57
Winterfold. Craw —6E 182
Winterfold Clo. SW19 —3K 27
Winterfold Cotts. Alb —7N 135
Winterfold Heath. —9N 135
Winterhill Way. Guild —8D 94
Winterpit Clo. Man H —9C 198
Wintersells Ind. Est. Byfl —6N 55
Wintersells Rd. Byfl —6M 55
Winters Rd. Th Dit —6H 41
Winterton Ct. SE20 —1D 46
Winterton Ct. H'ham —6K 197
Winterton Ct. King T —1H 203
Winterton Ct. W'ham —5M 107 (off Market Sq.)
Winthorpe Rd. SW15 —7K 13
Winton Cres. Yat —1C 68
Winton Rd. Alder —3M 109
Winton Rd. Farnh —9J 109
Winton Rd. Orp —1K 67
Winton Way. SW16 —6L 29
Wire Cut. Fren —1J 149
Wireless Rd. Big H —2F 86
Wire Mill La. Newc —2H 165
Wisbeach Rd. Croy —4A 46
Wisborough Ct. Craw —6L 181
Wisborough Rd. S Croy —5C 64
Wisdom Ct. Iswth —6G 11 (off South St.)
Wise La. W Dray —1M 7
Wiseton Rd. SW17 —2C 28
Wishanger La. Churt —8F 148
Wishbone Way. Wok —3J 73
Wishford Ct. Asht —5M 79
Wishmoor Clo. Camb —7C 50
Wishmoor Rd. Camb —7C 50
Wisley. —3N 75
Wisley Common. —3B 76
Wisley Ct. Red —2D 122 (off Clarendon Rd.)
Wisley Ct. S Croy —6A 64
Wisley Gardens. —5N 75
Wisley Gdns. Farn —2J 89
Wisley Interchange. (Junct.) —3D 76
Wisley La. Wis —3L 75
Wistaria La. Yat —1B 68
Wiston Ct. Craw —6L 181
Witham Rd. SE20 —2F 46
Witham Rd. Iswth —4D 10
Witherby Clo. Croy —2B 64
Withers Clo. Chess —3J 59
Witherslack Clo. Head D —5G 169
Withey Brook. Hkwd —1B 162
Withey Clo. Wind —4B 4
Witheygate Av. Stai —7K 21
Withey Meadows. Hkwd —1B 162
Withies La. Comp —1F 132
Withies, The. Knap —4H 73
Withies, The. Lea —7H 79
Withybed Corner. Tad —1G 100
Withy Clo. Light —6N 51
Withycombe Rd. SW19 —1J 27
Withypitts. Turn H —6D 184
Withypitts E. Turn H —6D 184
Witley. —6C 152
Witley Cres. New Ad —3M 65
Witley Ho. SW2 —1J 29
Witley Park. —7L 151
Wittenham Rd. Brack —9D 16
Wittering Clo. King T —6K 25
Wittmead Rd. Myt —1D 90
Witts Ho. King T —5M 203
Wivenhoe Ct. Houn —7N 9
Wix Hill. W Hor —8C 96
Wix Hill Clo. W Hor —9C 96
Woburn Av. Farn —1B 90
Woburn Av. Purl —7L 63
Woburn Clo. SW19 —7A 28
Woburn Clo. Frim —5E 70
Woburn Ct. Croy —7N 45
Woburn Hill. Add —8L 37
Woburn Park. —8M 37
Woburn Rd. Cars —7C 44
Woburn Rd. Craw —5M 181
Woburn Rd. Croy —7N 45 (1C 200)
Wodeland Av. Guild —5L 113 (7A 202)
Woffington Clo. King T —9J 25
Woking. —4B 74
Woking Bus. Pk. Wok —2D 74
Woking Clo. SW15 —7E 12
Woking Crematorium. Wok —6H 73
Woking F.C. —7B 74
Wokingham. —2B 30
Wokingham Rd. Brack —9K 15
Wokingham Rd. Crowt & Sand —3D 48
Wokingham Rd. Hurst —3A 14
Wokingham Theatre. —9A 14
Wokingham Without. —8E 30
Woking Rd. Guild —6M 93 (in five parts)
Wold Clo. Craw —5L 181
Woldhurstlea Clo. Craw —5M 181
Woldingham. —1K 105
Woldingham Garden Village. —7H 85
Woldingham Rd. Wold —7E 84
Wolds Dri. Orp —1J 67
Wold, The. Wold —9K 85
Wolfe Cotts. W'ham —5M 107
Wolfe Rd. Alder —3A 110
Wolfington Rd. SE27 —5M 29
Wolf La. Wind —6A 4
Wolf's Hill. Oxt —9C 106
Wolf's Rd. Oxt —8D 106
Wolf's Row. Oxt —7D 106
Wolfs Wood. Oxt —1C 126
Wolseley Av. SW19 —3M 27
Wolseley Gdns. W4 —2A 12
Wolseley Rd. Alder —3M 109
Wolseley Rd. G'ming —5H 133
Wolseley Rd. Mitc —6E 44
Wolsey Av. Th Dit —4F 40
Wolsey Clo. SW20 —8G 26
Wolsey Clo. Houn —7C 10
Wolsey Clo. King T —9A 26
Wolsey Clo. Wor Pk —1F 60
Wolsey Cres. Mord —6K 43
Wolsey Cres. New Ad —5M 65
Wolsey Dri. King T —6L 25
Wolsey Dri. W on T —7L 39
Wolsey Gro. Esh —1B 58
Wolsey M. Orp —2N 67
Wolsey Pl. Shop. Cen. Wok —4A 74
Wolsey Rd. Afrd —5N 21
Wolsey Rd. E Mol —3D 40
Wolsey Rd. Esh —1B 58
Wolsey Rd. Hamp H —7B 24
Wolsey Rd. Sun —8G 23
Wolsey Spring. King T —8B 26
Wolsey Wlk. Wok —4A 74
Wolsey Way. Chess —2N 59
Wolstonbury Clo. Craw —5A 182
Wolvens La. Dork & Ab C —9A 118
Wolverton Av. King T —9N 25
Wolverton Clo. Horl —1D 162
Wolverton Gdns. W6 —1J 13
Wolverton Gdns. Horl —9D 142
Wolves Hill. Capel —6J 159
Wondesford Dale. Binf —5H 15
Wonersh. —4D 134
Wonersh Common. —2D 134
Wonersh Comn. Rd. Won —2D 134
Wonersh Pk. Won —5D 134
Wonersh Way. Sutt —5J 61
Wonford Clo. King T —9D 26
Wonford Clo. Tad —4F 100
Wonham La. Bet —4D 120
Wonham Way. Gom & Peasl —8E 116
Wontford Rd. Purl —2L 83
Wontner Rd. SW17 —3D 28
Woodbarn, The. Farnh —2H 129 (off Alfred Rd.)
Woodbarn, The. Farnh —1H 129 (off Red Lion La.)
Woodberry Clo. C'fold —4D 172
Woodberry Clo. Sun —7H 23
Woodbine Clo. Sand —8H 49
Woodbine Clo. Twic —3D 24
Woodbine La. Wor Pk —9G 43
Woodbines Av. King T —2K 41 (6J 203)
Woodborough Rd. SW15 —7G 12
Woodbourne. Farnh —5K 109
Woodbourne Av. SW16 —4H 29
Woodbourne Clo. SW16 —4J 29
Woodbourne Clo. Yat —9C 48
Woodbourne Dri. Clay —3F 58
Woodbourne Gdns. Wall —4F 62
Woodbridge Av. Lea —5G 79
Woodbridge Bus. Pk. Guild —2M 113 (1B 202)
Woodbridge Corner. Lea —5G 78
Woodbridge Ct. H'ham —3N 197
Woodbridge Dri. Camb —8B 50
Woodbridge Gro. Lea —5G 79
Woodbridge Hill. —1K 113
Woodbridge Hill. Guild —2L 113
Woodbridge Hill Gdns. Guild —2K 113
Woodbridge Meadows. Guild —2M 113 (1A 202)
Woodbridge Rd. B'water —1G 69
Woodbridge Rd. Guild (in two parts) —2M 113 (1A 202)
Woodbury Av. E Grin —1D 186
Woodbury Clo. Big H —5H 87
Woodbury Clo. Croy —8C 46
Woodbury Clo. E Grin —1C 186 (in two parts)
Woodbury Dri. Sutt —6A 62
Woodbury Rd. Big H —5H 87
Woodbury St. SW17 —6C 28
Woodby Dri. Asc —6C 34
Wood Clo. Red —3E 142
Wood Clo. Wind —7F 4
Woodcock Bottom & Whitmore Vale. —4N 169
Woodcock Dri. Chob —4F 52
Woodcock Hill. Felb —4J 165
Woodcock La. Chob —4E 52
Woodcote. —3B 80 (Epsom)
Woodcote. —8H 63 (Purley)
Woodcote. Cranl —6K 155
Woodcote. G'ming —5G 133 (off Frith Hill Rd.)
Woodcote. Guild —7L 113
Woodcote. Horl —7F 142
Woodcote Av. T Hth —3M 45
Woodcote Av. Wall —5F 62
Woodcote Clo. Eps —1C 80 (8K 201)
Woodcote Clo. King T —6M 25
Woodcote Ct. Sutt —3M 61
Woodcote Dri. Purl —6H 63
Woodcote End. Eps —2C 80
Woodcote Green. —5G 62
Woodcote Grn. Wall —5G 62
Woodcote Grn. Rd. Eps —2B 80
Woodcote Gro. Cars —8F 62
Woodcote Gro. Rd. Coul —2H 83
Woodcote Hall. Eps —1C 80 (8K 201)
Woodcote Ho. Eps —2B 80
Woodcote Ho. Ct. Eps —2C 80
Woodcote Hurst. Eps —3B 80
Woodcote La. Purl —7H 63
Woodcote M. Wall —3F 62
Woodcote Park. —4B 80
Woodcote Pk. Av. Purl —8G 63
Woodcote Pk. Rd. Eps —3B 80
Woodcote Pl. SE27 —6M 29
Woodcote Pl. Asc —9K 17
Woodcote Rd. Eps —1C 80 (8K 201)
Woodcote Rd. F Row —7G 187 (in two parts)
Woodcote Rd. Wall —3F 62
Woodcote Side. Eps —2A 80
Woodcote Valley Rd. Purl —9H 63
Woodcot Gdns. Farn —1J 89
Woodcott Ter. Alder —4B 110
Woodcourt. Craw —8A 182
Wood Crest. Sutt —4A 62 (off Christchurch Pk.)
Woodcrest Rd. Purl —9J 63
Woodcrest Wlk. Reig —1C 122
Woodcroft Rd. If'd —5J 181
Woodcroft Rd. T Hth —4M 45
Woodcut Rd. Wrec —5E 128
Wood End. —7M 17
Woodend. SE19 —7N 29
Wood End. Crowt —3E 48
Woodend. Esh —8C 40
Wood End. Farn —2B 90
Wood End. H'ham —3B 198
Woodend. Lea —3J 99
Woodend. Sutt —8A 44
Woodend Clo. Asc —9J 17
Woodend Clo. Craw —1E 182
Wood End Clo. Pyr —3H 75
Woodend Clo. Wok —6K 73
Woodend Dri. Asc —4M 33
Woodend Pk. Cobh —2L 77
Woodend Ride. Asc —8L 17
Woodend Rd. Deep —7G 71
Woodend, The. Wall —5F 62
Woodenhill. Brack —6K 31
Wooderson Clo. SE25 —3B 46
Woodfield. Asht —4K 79
Woodfield Av. SW16 —4H 29
Woodfield Av. Cars —3E 62
Woodfield Clo. SE19 —8N 29
Woodfield Clo. Asht —4K 79
Woodfield Clo. Coul —6G 82
Woodfield Clo. Craw —2C 182
Woodfield Clo. Red —1C 122
Woodfield Gdns. N Mald —4E 42
Woodfield Gro. SW16 —4H 29
Woodfield Hill. Coul —6F 82
Woodfield La. SW16 —4H 29
Woodfield La. Asht —4L 79
Woodfield Rd. Asht —4K 79
Woodfield Rd. Craw —2C 182
Woodfield Rd. Houn —5J 9
Woodfield Rd. Rud —1E 194
Woodfield Rd. Th Dit —8F 40
Woodfields, The. S Croy —7C 64
Woodfield Way. Red —1C 122
Woodforde Ct. Hayes —1E 8
Woodford Grn. Brack —3D 32
Woodgate. Fleet —2D 88
Woodgate Av. Chess —2K 59
Woodgate Dri. SW16 —8H 29
Woodgates Clo. H'ham —5M 197
Woodgavil. Bans —3L 81
Woodger Clo. Guild —1E 114
Woodhall La. W'sham —8B 34
Woodham. —6J 55
Woodham Hall Est. Wok —1D 74
Woodham La. New H —5L 55
Woodham La. Wok & Wdhm —1D 74
Woodham Pk. Rd. Wdhm —5H 55
Woodham Pk. Way. Wdhm —7H 55
Woodham Ri. Wok —1B 74
Woodham Rd. Wok —2A 74
Woodham Waye. Wok —9D 54
Woodhatch. —6N 121
Woodhatch Rd. Reig —6N 121
Woodhatch Spinney. Coul —3J 83
Woodhaw. Egh —5D 20
Woodhayes. Horl —7F 142
Woodhayes Rd. SW19 —8H 27
Woodhill. Send —4F 94
Woodhill Ct. Send —3F 94
Woodhill La. Fren —2D 148
Woodhill La. Sham G —7G 135
Woodhouse La. Holm M —3H 137
Woodhouse St. Binf —9K 15
Woodhurst La. Oxt —8A 106
Woodhurst Pk. Oxt —8A 106
Woodhyrst Gdns. Kenl —2M 83
Woodies Clo. Brack —8H 15
Wooding Gro. Craw —8N 181
Woodland Av. Cranl —7A 156
Woodland Av. Wind —7C 4
Woodland Clo. E Hor —5G 97
Woodland Clo. Eps —3D 60
Woodland Clo. H'ham —4A 198
Woodland Clo. Wey —1E 56
Woodland Ct. C Crook —9A 88 (off Brandon Rd.)
Woodland Ct. Eps —8E 60
Woodland Ct. Oxt —6N 105
Woodland Cres. Brack —8A 16
Woodland Dri. Capel —5G 159
Woodland Dri. Craw D —1E 184
Woodland Dri. E Hor —5G 96
Woodland Dri. Eden —9L 127
Woodland Dri. Wrec —5G 128
Woodland Gdns. Iswth —6E 10
Woodland Gdns. S Croy —7F 64
Woodland Gro. Wey —1E 56
Woodland La. Colg —6G 198
Woodland Ri. C Crook —8A 88
Woodland Ri. Oxt —8A 106
Woodland Rd. T Hth —3L 45
Woodlands. —5E 10
Woodlands. SW20 —3H 43
Woodlands. Add —9N 37
Woodlands. Asht —5L 79
Woodlands. Craw —1H 183
Woodlands. Fleet —3A 88
Woodlands. Horl —7G 143
Woodlands. Send —3H 95
Woodlands. Wok —5B 74
Woodlands. Yat —3C 68
Woodlands Av. Farnh —5L 109
Woodlands Av. N Mald —9B 26
Woodlands Av. Red —4D 122
Woodlands Av. W Byf —9H 55
Woodlands Av. Wor Pk —8E 42
Woodlands Cvn. Pk. As —3D 110
Woodlands Clo. Asc —5K 33
Woodlands Clo. Ash V —8E 90
Woodlands Clo. B'water —5K 69
Woodlands Clo. Clay —4F 58
Woodlands Clo. Cranl —7A 156
Woodlands Clo. Craw D —2E 184
Woodlands Clo. Ott —6D 54
Woodlands Copse. Asht —3K 79
Woodlands Cotts. Newd —7B 160
Woodlands Ct. Owl —6L 49
Woodlands Ct. Wok —6A 74 (Constitution Hill)
Woodlands Ct. Wok —5K 73 (St John's Hill Rd.)
Woodlands Dri. S God —6H 125
Woodlands Dri. Sun —1K 39
Woodlands Est. Knap —5G 73
Woodlands Gdns. Eps —4H 81
Woodlands Ga. SW15 —8L 13
Woodlands Gro. Coul —4E 82
Woodlands Gro. Iswth —5E 10
Woodlands Ho. Wok —1E 74
Woodlands La. Hasl —1D 188
Woodlands La. Stoke D & Lea —4A 78
Woodlands La. W'sham —3A 52
Woodlands Pde. Afrd —7D 22
Woodlands Pk. Add —2H 55
Woodlands Pk. Guild —2D 114
Woodlands Pk. Tad —9A 100
Woodlands Ride. Asc —5K 33
Woodlands Rd. SW13 —6E 12
Woodlands Rd. Bookh —6M 97
Woodlands Rd. Camb —1N 69
Woodlands Rd. E Grin —6C 166
Woodlands Rd. Eps —2N 79
Woodlands Rd. Farn —8J 69
Woodlands Rd. Guild —8N 93
Woodlands Rd. Hamb —9G 152
Woodlands Rd. Iswth —6D 10
Woodlands Rd. Lea —4D 78
Woodlands Rd. Red —5D 122
Woodlands Rd. Surb —6K 41
Woodlands Rd. Vir W —3M 35
Woodlands Rd. W Byf —1H 75
Woodlands Rd. E. Vir W —3M 35
Woodlands Rd. W. Vir W —3M 35
Woodlands, The. SE19 —8N 29
Woodlands, The. Esh —8C 40
Woodlands, The. Iswth —5F 10
Woodlands, The. Small —8M 143
Woodlands, The. Wall —5F 62
Woodlands Vw. Mid H —2H 139
Woodlands Wlk. B'water —5K 69
Woodlands Way. SW15 —8L 13
Woodlands Way. Asht —3N 79
Woodland Vw. G'ming —2H 133
Woodland Wlk. Eps —3N 59
Woodland Way. Cat —6B 104
Woodland Way. Croy —7H 47
Woodland Way. H'ham —4A 198
Woodland Way. Kgswd —8B 100 (Surrey Hills Res. Pk.)
Woodland Way. Kgswd —9K 81 (Waterhouse La.)
Woodland Way. Mitc —8E 28
Woodland Way. Mord —3L 43
Woodland Way. Purl —9L 63
Woodland Way. Surb —8A 42
Woodland Way. W Wick —1L 65
Woodland Way. Wey —2E 56
Wood La. Binf —7J 15
Wood La. Cat —2A 104
Wood La. Farn —2M 89
Wood La. Fleet —4D 88
Wood La. Iswth —2E 10
Wood La. Knap —5G 72
Wood La. Seale —8F 110
Wood La. Tad —4L 81
Wood La. Wey —5D 56
Woodlawn Clo. SW15 —8L 13
Woodlawn Cres. Twic —3B 24
Woodlawn Dri. Felt —3L 23
Woodlawn Gro. Wok —2B 74
Woodlawn Rd. SW6 —3J 13
Woodlawns. Eps —4C 60
Wood Lea Cotts. Broad H —1N 195
Woodlee Clo. Vir W —1M 35
Wood Leigh. Fleet —5B 88
Woodleigh Gdns. SW16 —4J 29
Woodley Clo. SW17 —8D 28
Woodley Ho. G'ming —3H 133
Woodley La. Cars —9C 44
Woodlodge. Asht —4L 79
Wood Lodge La. W Wick —9M 47
Woodmancote Gdns. W Byf —9J 55
Woodmancott Clo. Brack —5D 32
Woodman Ct. Fleet —5A 88
Woodmancourt. G'ming —3F 132
Woodman Rd. Coul —2G 83
Woodmans Hill. Craw —8A 182
Woodmansterne. —2D 82
Woodmansterne La. Bans —2N 81
Woodmansterne La. Cars —8D 62
Woodmansterne Rd. SW16 —8G 29
Woodmansterne Rd. Cars —8D 62
Woodmansterne Rd. Coul —2G 83
Woodmansterne St. Bans —2C 82
Woodmere. Brack —3C 32
Woodmere Av. Croy —6F 46
Woodmere Clo. Croy —6G 47
Woodmere Gdns. Croy —6G 46
Woodmere Way. Beck —4N 47
Woodnook Rd. SW16 —6F 28
Woodpecker Clo. Cobh —8M 57
Woodpecker Clo. Eden —9M 127
Woodpecker Clo. Ews —4C 108
Woodpecker La. Newd —9B 140
Woodpecker Mt. Croy —5H 65

A-Z Surrey 283

Woodpeckers—Zion Rd.

Woodpeckers. Brack —3N 31
(off Crowthorne Rd.)
Woodpeckers. Milf —3B 152
Woodpecker Way. Turn H —4F 184
Woodpecker Way. Wok —2N 93
Woodplace Clo. Coul —6G 83
Woodplace La. Coul —5G 83
Woodridge Clo. Brack —2A 32
Wood Riding. Wok —2G 75
Woodridings. Wey —3B 56
Wood Ri. Guild —1H 113
Wood Rd. Big H —5E 86
Wood Rd. Camb —5N 69
Wood Rd. Farnh —5H 109
Wood Rd. G'ming —4J 133
Wood Rd. Hind —3B 170
Wood Rd. Shep —3B 38
Woodroffe Benton Ho. Craw
(off Rusper Rd.) —3L 181
Woodrough Copse. Brmly —6C 134
Woodrow Dri. Wokgm —2D 30
Woodroyd Av. Horl —9D 142
Woodroyd Gdns. Horl —1D 162
Woodruff Av. Guild —9C 94
Woods Hill Clo. Ash W —3F 186
Woods Hill La. Ash W —3F 186
Woodshore Clo. Vir W —5L 35
Woodside. —5D 46
(Croydon)
Woodside. —6N 17
(Windsor)
Woodside. SW19 —7L 27
Woodside. B'water —4H 69
Woodside. Camb —8L 49
Woodside. Farn —7N 69
Woodside. Fet —9B 78
Woodside. H'ham —4A 198
Woodside. Lwr K —6L 101
Woodside. W on T —7H 39
Woodside. W Hor —4D 96
Woodside Av. SE25 —5E 46
Woodside Av. Esh —6E 40
Woodside Av. W on T —1J 57
Woodside Clo. Cat —2B 104
Woodside Clo. C'fold —5E 172
Woodside Clo. Knap —4G 73
Woodside Clo. Surb —6B 42
Woodside Cotts. Elst —8G 131
Woodside Ct. Rd. Croy —6D 46
Woodside Cres. Small —8L 143
Woodside Gdns. Fleet —4D 88
Woodside Grn. SE25 —5D 46
(in two parts)
Woodside La. Wink —6N 17
Woodside Pk. SE25 —5E 46
Woodside Pk. Est. G'ming —7J 133
Woodside Rd. SE25 —5E 46
Woodside Rd. Bear G —8K 139
Woodside Rd. C'fold —4C 172
Woodside Rd. Cobh —9A 58
Woodside Rd. Craw —1D 182
Woodside Rd. Farn —6L 89
Woodside Rd. Farnh —5K 109
Woodside Rd. Guild —2J 113
Woodside Rd. King T —8L 25
Woodside Rd. N Mald —1C 42
Woodside Rd. Purl —9H 63
Woodside Rd. Sutt —9A 44
Woodside Rd. Wink —6M 17
Woodside Rd. Flats. C'fold —5E 172
(off Woodside Rd.)
Woodside Way. Croy —5F 46
Woodside Way. Mitc —9F 28
Woodside Way. Red —4E 122
(Old Redstone Dri.)
Woodside Way. Red —9E 122
(West Av.)
Woodside Way. Vir W —2L 35
Woodsome Lodge. Wey —3D 56
Woodspring Rd. SW19 —3K 27
Woodstock. E Grin —8M 165
Woodstock. W Cla —6K 95
Woodstock Av. Iswth —8G 10
Woodstock Av. Slou —1N 5
Woodstock Av. Sutt —6L 43
Woodstock Clo. Cranl —9A 156
Woodstock Clo. H'ham —3K 197
Woodstock Clo. Wok —3A 74
Woodstock Ct. Eps —9C 60 (5L 201)
Woodstock Gro. G'ming —4H 133
Woodstock La. N. Surb —8J 41
Woodstock La. S. Clay —2H 59
Woodstock Ri. Sutt —6L 43
Woodstock Rd. Cars —2E 62
Woodstock Rd. Coul —3F 82
Woodstock Rd. Croy
—9A 46 (5D 200)
Woodstocks. Farn —8A 70
Woodstock, The. (Junct.) —6L 43
Woodstock Way. Mitc —1F 44
Woodstone Av. Eps —2F 60
Wood St. W4 —1D 12
Wood St. Ash V —7E 90
Wood St. E Grin —9N 165
Wood St. King T —1K 41 (3J 203)
Wood St. Mitc —6E 44
Wood St. Red —7G 103
Wood St. Grn. Wood S —1D 112
Wood Street Village. —1E 112
Woodsway. Oxs —1E 78
Woodthorpe Rd. SW15 —7G 13
Woodthorpe Rd. Afrd —7M 21
Woodvale Av. SE25 —2C 46
Woodvale Wlk. SE27 —6N 29
Woodview. Chess —7J 59
Woodview Clo. SW15 —5C 26
Woodview Clo. S Croy —1E 84
Woodville Clo. B'water —1G 68
Woodville Clo. Tedd —5G 24
Woodville Ct. SE19 —1C 46
Woodville Gdns. Surb —6K 41
Woodville Pl. Cat —8N 83
Woodville Rd. Mord —3M 43
Woodville Rd. Rich —4H 25
Woodville Rd. T Hth —3N 45
Woodvill Rd. Lea —7H 79
Woodward Clo. Clay —3F 58
Woodwards. Craw —8N 181
Woodward's Footpath. Twic —9C 10
Wood Way. Camb —1N 69
Woodway. Guild —2D 114
Woodyers Clo. Won —4D 134
Woolacombe Way. Hayes —1F 8
Woolborough Clo. Craw —2C 182
Woolborough La. Craw —9D 162
Woolborough La. Out —3K 143
Woolborough Rd. Craw —2B 182
Woolf Dri. Wokgm —1A 30
Woolford Clo. Brack —8F 16
Woolfords La. Thur —3E 150
Woolhampton Way. Brack —4B 32
Woolhams. Cat —4D 104
Woollards Rd. Ash V —9F 90
Woolmead Rd. Farnh —9H 109
Woolmead, The. Farnh —1H 129
Woolmead Wlk. Farnh —9H 109
(off Woolmead Rd.)
Woolmer Hill. —1A 188
Woolmer Hill Rd. Hasl —9A 170
Woolmer La. Bram —8F 168
(in two parts)
Woolmer Vw. Gray —6B 170
Woolneigh St. SW6 —6N 13
Wool Rd. SW20 —7G 27
Woolsack Ct. Guild —9K 93
Woolsack Way. G'ming —7H 133
Wootton Clo. Eps —3E 80
Worbeck Rd. SE20 —1E 46
Worcester Clo. Croy —8K 47
Worcester Clo. Farn —7N 69
Worcester Clo. Mitc —1E 44
Worcester Ct. W on T —8K 39
Worcester Ct. Wor Pk —9D 42
Worcester Dri. Afrd —6C 22
Worcester Gdns. Wor Pk —9D 42
Worcester Park. —7F 42
Worcester Pk. Rd. Wor Pk —9C 42
Worcester Rd. SW19 —6L 27
Worcester Rd. Craw —7C 182
Worcester Rd. Guild —1J 113
Worcester Rd. Reig —2L 121
Worcester Rd. Sutt —4M 61
Worcestershire Lea. Warf —8D 16
Wordsworth. Brack —4K 31
Wordsworth Av. Kenl —2A 84
Wordsworth Av. Yat —1A 68
Wordsworth Clo. Craw —1F 182
Wordsworth Dri. Cheam & Sutt
—1H 61
Wordsworth Mead. Red —1E 122
Wordsworth Pl. H'ham —1L 197
Wordsworth Ri. E Grin —9M 165
Wordsworth Rd. Add —1M 55
Wordsworth Rd. Hamp —5N 23
Wordsworth Rd. Wall —3G 63
Wordsworth Way. W Dray —1N 7
World Bus. Cen. H'row A —4D 8
World's End. Cobh —1H 77
Worlds End Hill. Brack —5D 32
Worlds End La. Orp —3N 67
Worlidge St. W6 —1H 13
Wormley. —9C 152
Wormley La. Wmly & Hamb —9D 152
Worple Av. SW19 —8J 27
Worple Av. Iswth —8G 10
Worple Av. Stai —7K 21
Worple Rd. SW20 & SW19 —1H 43
Worple Rd. Eps —2C 80 (8M 201)
Worple Rd. Iswth —7G 10
Worple Rd. Lea —9H 79
(in two parts)
Worple Rd. Stai —7K 21
Worple Rd. M. SW19 —7L 27
Worplesdon. —5H 93
Worplesdon Hill. Wok —9F 72
Worplesdon Rd. Guild —4G 92
Worple St. SW14 —6C 12
Worple, The. Wray —9B 6
Worple Way. Rich —8L 11
Worslade Rd. SW17 —5B 28
Worsley Rd. Frim —6C 70
Worsted Grn. Red —7G 103
Worsted La. E Grin —1D 186
Worth. —3J 183
Worth Abbey. —8M 183
Worth Clo. Orp —1N 67
Worth Ct. Turn H —8M 183
Worthfield Clo. Eps —4C 60
Worthing Rd. H'ham —9G 197
Worthing Rd. Houn —2N 9
Worthington Clo. Mitc —3F 44
Worthington Rd. Surb —7M 41
Worth Pk. Av. Craw —2F 182
Worth Rd. Craw —2G 182
Worth Way. Worth —4J 183
Wortley Rd. Croy —6L 45
Worton Ct. Iswth —7E 10
Worton Gdns. Iswth —5D 10
Worton Hall Ind. Est. Iswth —7E 10
Worton Rd. Iswth —7D 10
Worton Way. Iswth —5D 10
Wotton. —8N 117
Wotton Dri. Wott —9L 117
Wotton Way. Sutt —6H 61
Wrabness Way. Stai —9K 21
Wrangthorn Wlk. Croy —1L 63
Wray Clo. Ash W —3F 186
Wray Common. —2B 122
Wray Comn. Rd. Reig —2A 122
Wrayfield Av. Reig —2A 122
Wrayfield Rd. Sutt —9J 43
Wraylands Dri. Reig —1B 122
Wray La. Reig —8A 102
Wraymead. Reig —2N 121
Wraymill Ct. Reig —3B 122
Wray Mill Pk. Reig —1B 122
Wray Pk. Rd. Reig —2N 121
Wray Rd. Sutt —5L 61
Wrays. —7N 141
Wraysbury. —9B 6
Wraysbury Clo. Houn —8M 9
Wraysbury Gdns. Stai —4G 21
Wraysbury Rd. Stai —3D 20
Wrecclesham. —4E 128
Wrecclesham Hill. Wrec —6C 128
Wrecclesham Rd. Wrec & Farnh
—4E 128
Wrekin, The. Farn —4C 90
Wren Clo. H'ham —1K 197
Wren Clo. S Croy —5G 65
Wren Clo. Yat —9A 48
Wren Ct. As —1F 110
Wren Ct. Craw —6C 182
Wren Ct. Croy —6E 200
Wren Cres. Add —2M 55
Wren Ho. Hamp W —1K 41 (3H 203)
(off High St.)
Wrenn Ho. SW13 —2H 13
Wren's Av. Afrd —5D 22
Wrens Hill. Oxs —2C 78
Wren St. Turn H —4F 184
Wren Way. Farn —7L 69
Wright. Wind —6A 4
Wright Clo. M'bowr —7F 182
Wright Gdns. Shep —4B 38
Wright Rd. Houn —3K 9
Wrights All. SW19 —7H 27
Wright Sq. Wind —6A 4
Wrights Rd. SE25 —2B 46
Wrights Row. Wall —1F 62
Wrights Wlk. SW14 —6C 12
Wright Way. Wind —6A 4
Wriotsley Way. Add —3J 55
Wrotham Hill. Duns —6A 174
Wroughton Rd. SW11 —1E 28
Wroxham. Brack —4L 31
Wroxham Wlk. Craw —5F 182
Wrythe Grn. Cars —9D 44
Wrythe Grn. Rd. Cars —9D 44
Wrythe La. Cars —7A 44
Wrythe, The. —9D 44
Wulwyn Ct. Crowt —2E 48
Wulwyn Side. Crowt —2E 48
Wyatt Clo. Felt —2L 23
Wyatt Dri. SW13 —2G 13
Wyatt Ho. Twic —9K 11
Wyatt Pk. Rd. SW2 —3J 29
Wyatt Rd. Stai —6J 21
Wyatt Rd. Wind —6A 4
Wyatts Almshouses. G'ming —5K 133
(off Meadrow)
Wyatt's Clo. G'ming —5K 133
Wyche Gro. S Croy —4A 64
Wych Elm Pas. King T
—8M 25 (1M 203)
Wych Elm Ri. Guild
—6A 114 (8F 202)
Wychelm Rd. Light —7N 51
Wych Hill. Wok —6M 73
Wych Hill La. Wok —6N 73
Wych Hill Pk. Wok —6N 73
Wych Hill Ri. Wok —6M 73
Wych Hill Way. Wok —7N 73
Wychwood. Loxw —5F 192
Wychwood Av. Brack —3D 32
Wychwood Av. T Hth —2N 45
Wychwood Clo. As —2D 110
Wychwood Clo. Sun —7H 23
Wychwood Pl. Camb —6F 50
Wycliffe Bldgs. Guild —6B 202
Wycliffe Ct. Craw —6K 181
Wycliffe Rd. SW19 —7N 27
Wycombe Pl. SW18 —9N 13
Wydehurst Rd. Croy —6D 46
Wydell Clo. Mord —5J 43
Wyecliffe Gdns. Red —8G 103
Wye Clo. Afrd —5C 22
Wye Clo. Craw —9A 182
Wyeths M. Eps —9E 60
Wyeths Rd. Eps —9E 60 (6N 201)
Wyfold Rd. SW6 —3K 13
Wyke. —1L 111
Wyke Av. As —1H 111
Wyke Bungalows. As —1H 111
Wyke Clo. Iswth —2F 10
Wyke Cross. Norm —1L 111
Wykeham Clo. W Dray —1B 8
Wykeham Rd. Farnh —9H 109
Wykeham Rd. Guild —2F 114
Wykehurst La. Ewh —4D 156
Wyke La. As —1H 111
Wyke Rd. SW20 —1H 43
Wylam. Brack —4L 31
Wylands Rd. Slou —1C 6
Wyldewoods. Asc —5A 34
Wymering Ct. Farn —2B 90
Wymond St. SW15 —6H 13
Wynash Gdns. Cars —2C 62
Wyncote Way. S Croy —5G 64
Wyndham Av. Cobh —9H 57
Wyndham Clo. Sutt —4M 61
Wyndham Clo. Yat —8C 48
Wyndham Cres. Cranl —7J 155
Wyndham Cres. Houn —9A 10
Wyndham Rd. King T —8M 25
(in two parts)
Wyndham Rd. Wok —5L 73
Wyndham St. Alder —3A 110
Wynfields. Myt —2D 90
Wynlea Clo. Craw D —1D 184
Wynne Gdns. C Crook —8C 88
Wynnstow Pk. Oxt —9B 106
Wynsham Way. W'sham —2M 51
Wynton Gdns. SE25 —4C 46
Wynton Gro. W on T —9H 39
Wyphurst Rd. Cranl —6M 155
Wyre Gro. Hayes —1H 9
Wyresdale. Brack —6C 32
Wysemead. Horl —7G 143
Wythemede. Binf —7G 15
Wyvern Clo. Ash V —8D 90
Wyvern Clo. Brack —3N 31
Wyvern Est. N Mald —3F 42
Wyvern Pl. Add —1K 55
Wyvern Rd. Purl —6M 63

Xylon Ho. Wor Pk —8G 42

Yaffle Rd. Wey —6D 56
Yale Clo. Houn —8N 9
Yale Clo. Owl —5L 49
Yarborough Rd. SW19 —9B 28
Yarbridge Clo. Sutt —6N 61
Yardley. Brack —4L 31
Yardley Clo. Reig —1N 121
Yardley Ct. Sutt —1H 61
Yard Mead. Egh —4C 20
Yarm Clo. Lea —1J 99
Yarm Ct. Rd. Lea —1J 99
Yarmouth Clo. Craw —5E 182
Yarm Way. Lea —1K 99
Yarnold Clo. Wokgm —1E 30
Yarrow Clo. H'ham —3L 197
Yarrowfield. Wok —1N 93
Yateley. —9D 48
Yateley Cen. Yat —9B 48
Yateley Common Country Pk.
—2C 68
Yateley Ct. Kenl —1N 83
Yateley Dri. Eve & B'water —5A 68
Yateley Rd. Sand —7E 48
Yatesbury Clo. Farnh —4E 128
Yattendon Rd. Horl —8F 142
Yaverland Dri. Bag —5H 51
Yeats Clo. Red —6A 122
Yeend Clo. W Mol —3A 40
Yeldham Ho. W6 —1J 13
(off Yeldham Rd.)
Yeldham Rd. W6 —1J 13
Yellowcress Dri. Bisl —3D 72
Yelverton Lodge. Twic —1J 25
Ye Market. S Croy —8D 200
Yenston Clo. Mord —5M 43
Yeoman Clo. SE27 —4M 29
Yeoman Ct. Houn —3N 9
Yeomanry Clo. Eps —8E 60
Yeomans Clo. Farn —9M 69
Yeomans Clo. Tong —4D 110
Yeomans M. Iswth —9D 10
Yeomans Pl. Head —4D 168
Yeomans Way. Camb —1C 70
Yeoman Way. Red —8F 122
Yeoveney Clo. Stai —3F 20
Yeovil Clo. Farn —4B 90
Yeovil Rd. Farn —4C 90
Yeovil Rd. Owl —6J 49
Yeovilton Pl. King T —6J 25
Yetminster Rd. Farn —4B 90
Yewbank Clo. Kenl —2A 84
Yewdells Clo. Buck —2F 120
Yewens. C'fold —4E 172
Yewlands Clo. Bans —2A 82
Yewlands Wlk. If'd —5J 181
Yew La. E Grin —7L 165
Yew Pl. Wey —9G 38
Yews, The. Afrd —4C 22
Yews, The. Byfl —8N 55
Yew Tree Bottom Rd. Eps —3G 80
Yew Tree Clo. Coul —6D 82
Yew Tree Clo. Farn —2H 89
Yew Tree Clo. Horl —7E 142
Yew Tree Clo. Wor Pk —7D 42
Yew Tree Cotts. Itch —8B 196
Yew Tree Cotts. Peas P —5N 199
Yew Tree Ct. Horl —6E 142
Yew Tree Ct. Sutt —4A 62
(off Walnut M.)
Yew Tree Dri. Cat —3C 104
Yew Tree Dri. Guild —8M 93
Yew Tree Gdns. Eps —2B 80
Yewtree La. Dork —9A 98
Yew Tree La. Reig —9N 101
Yew Tree Lodge. SW16 —5G 28
Yewtree Rd. Beck —2J 47
Yew Tree Rd. Charl —3K 161
Yew Tree Rd. Dork —3G 119
Yew Tree Rd. Witl —4A 152
Yew Trees. Egh —2E 36
Yew Trees. Shep —3A 38
Yew Tree Wlk. Eff —5L 97
Yew Tree Wlk. Frim —5D 70
Yew Tree Wlk. Houn —8N 9
Yew Tree Wlk. Purl —6N 63
Yew Tree Way. Croy —6H 65
(in two parts)
Yew Wlk. E Hor —1F 116
Yockley Clo. Camb —2H 71
Yolland Clo. Farnh —5H 109
York Av. SW14 —8B 12
York Av. E Grin —1B 186
York Av. Wind —5E 4
York Clo. Byfl —8N 55
York Clo. H'ham —5M 197
York Clo. Mord —3N 43
York Cres. Alder —3L 109
Yorke Gdns. Reig —2M 121
Yorke Ga. Cat —9A 84
Yorke Rd. Reig —2L 121
York Gdns. W on T —8L 39
York Hill. SE27 —4M 29
York Ho. Brack —9L 15
York Ho. King T —1N 203
York Mans. SW5 —1N 13
(off Earl's Ct. Rd.)
York Pde. Bren —1K 11
York Rd. SW18 & SW11 —7N 13
York Rd. SW19 —7A 28
York Rd. Alder —3L 109
York Rd. As —1E 110
York Rd. Big H —6D 86
York Rd. Binf —6J 15
York Rd. Bren —1K 11
York Rd. Byfl —8M 55
York Rd. Camb —8B 50
York Rd. Craw —7C 182
York Rd. Croy —6L 45
York Rd. Farn —4A 90
York Rd. Farnh —3H 129
York Rd. Guild —4N 113 (4C 202)
York Rd. Houn —6B 10
York Rd. King T —8M 25 (1N 203)
York Rd. Rich —8M 11
York Rd. S Croy —6G 64
York Rd. Sutt —3M 61
York Rd. Tedd —5E 24
York Rd. Wey —2D 56
York Rd. Wind —5E 4
York Rd. Wok —6N 73
Yorkshire Pl. Warf —8C 16
Yorkshire Rd. Mitc —4J 45
York St. Mitc —6E 44
York St. Twic —2G 25
York Ter. La. Camb —1M 69
York Town. —1M 69
York Town Ind. Est. Camb —2M 69
Yorktown Rd. Sand & Coll T —7F 48
York Way. Chess —4L 59
York Way. Felt —4M 23
(in two parts)
York Way. Sand —7G 48
Youlden Clo. Camb —1E 70
Youlden Dri. Camb —1E 70
Youngs Dri. As —2D 110
Young St. Fet —3E 98
Youngstroat La. Chob —6A 54
(in two parts)
Yukon Rd. SW12 —1F 28
Yvonne Arnaud Theatre.
—5N 113 (6C 202)

Zealand Av. W Dray —3M 7
Zennor Rd. SW12 —2G 28
Zennor Rd. Ind. Est. SW12 —2G 28
Zermatt Rd. T Hth —3N 45
Zig Zag Rd. Kenl —3N 83
Zigzag, The. Mick & Tad —8J 99
Zinnia Dri. Bisl —3D 72
Zion Pl. T Hth —3A 46
Zion Rd. T Hth —3A 46

HOSPITALS and HOSPICES
covered by this atlas
with their map square reference

N.B. Where Hospitals and Hospices are not named on the map, the reference given is for the road in which they are situated.

ABRAHAM COWLEY UNIT —9F **36**
Holloway Hill, Lyne
CHERTSEY
Surrey
KT16 0AE
Tel: 01932 872010

ASHFORD & ST PETER'S HOSPITALS NHS
TRUST., THE —9F **36**
Guildford Rd.
CHERTSEY
Surrey
KT16 0PZ
Tel: 01932 872000

ASHFORD HOSPITAL —3N **21**
London Rd.
ASHFORD
Middlesex
TW15 3AA
Tel: 01784 884488

ASHTEAD HOSPITAL —6L **79**
Warren, The
ASHTEAD
Surrey
KT21 2SB
Tel: 01372 276161

ATKINSON MORLEY'S HOSPITAL —8G **26**
31 Copse Hill
LONDON
SW20 0NE
Tel: 020 89467711

BARNES HOSPITAL —6D **12**
S. Worple Way
LONDON
SW14 8SU
Tel: 020 88784981

BECKENHAM HOSPITAL —1J **47**
379 Croydon Rd.
BECKENHAM
Kent
BR3 3QL
Tel: 020 82896600

BETHLEM ROYAL HOSPITAL, THE —6K **47**
Monks Orchard Rd.
BECKENHAM
Kent
BR3 3BX
Tel: 020 87776611

BRITISH HOME & HOSPITAL FOR
INCURABLES —6M **29**
Crown La., LONDON
SW16 3JB
Tel: 020 86708261

BROADMOOR HOSPITAL —3J **49**
Lwr. Broadmoor Rd.
CROWTHORNE
Berkshire
RG45 7EG
Tel: 01344 773111

CANE HILL FORENSIC MENTAL HEALTH UNIT
—4G **82**
Brighton Rd.
COULSDON
Surrey
CR5 3YL
Tel: 01737 556300

CARSHALTON WAR MEMORIAL HOSPITAL
—3D **62**
Park, The, CARSHALTON
Surrey
SM5 3DB
Tel: 020 86475534

CASSEL HOSPITAL, THE —5K **25**
1 Ham Comn., RICHMOND
Surrey
TW10 7JF
Tel: 020 89408181

CATERHAM DENE HOSPITAL —1C **104**
Church Rd., CATERHAM
Surrey
CR3 5RA
Tel: 01883 837500

CHARING CROSS HOSPITAL —2J **13**
Fulham Pal. Rd.
LONDON
W6 8RF
Tel: 020 88461234

CHASE CHILDREN'S HOSPICE SERVICE
—8M **113**
Old Portsmouth Rd., Artington
GUILDFORD
Surrey
GU3 1LP

CHELSEA & WESTMINSTER HOSPITAL
—2N **13**
369 Fulham Rd.
LONDON
SW10 9NH
Tel: 020 87468000

CHILDREN'S TRUST, THE —8J **81**
Tadworth Ct.
TADWORTH
Surrey
KT20 5RU
Tel: 01737 357171

CLARE PARK BUPA HOSPITAL —8A **108**
Crondall La., Clare Pk.
FARNHAM
Surrey
GU10 5XX
Tel: 01252 850216

CLAYPONDS HOSPITAL —1L **11**
Sterling Pl.
LONDON
W5 4RN
Tel: 020 85604011

COBHAM COTTAGE HOSPITAL —9J **57**
Portsmouth Rd.
COBHAM
Surrey
KT11 1HT
Tel: 01932 584200

COTTAGE DAY HOSPITAL —4C **28**
Springfield University Hospital
61 Glenburnie Rd.
LONDON
SW17 7DJ
Tel: 020 86826514

CRANLEIGH VILLAGE COMMUNITY HOSPITAL
—8M **155**
6 High St.
CRANLEIGH
Surrey
GU6 8AE
Tel: 01483 782000

CRAWLEY HOSPITAL —3A **182**
W. Green Dri.
CRAWLEY
West Sussex
RH11 7DH
Tel: 01293 600300

DORKING HOSPITAL —6H **119**
Horsham Rd.
DORKING
Surrey
RH4 2AA
Tel: 01737 768511

EAST SURREY HOSPITAL —7E **122**
Canada Av., REDHILL
RH1 5RH
Tel: 01737 768511

EDENBRIDGE & DISTRICT WAR MEMORIAL
HOSPITAL —4L **147**
Mill Hill, EDENBRIDGE
Kent
TN8 5DA
Tel: 01732 863164

EPSOM DAY SURGERY UNIT —9E **60** (6N **201**)
Old Cottage Hospital, The, Alexandra Rd.
EPSOM
Surrey
KT17 4BL
Tel: 01372 739002

EPSOM GENERAL HOSPITAL —2B **80**
Dorking Rd.
EPSOM
Surrey
KT18 7EG
Tel: 01372 735735

FARNBOROUGH HOSPITAL —1J **67**
Farnborough Comn.
ORPINGTON
Kent
BR6 8ND
Tel: 01689 814000

FARNHAM COMMUNITY HOSPITAL —9K **109**
Hale Rd.
FARNHAM
Surrey
GU9 9QL
Tel: 01483 782000

FARNHAM ROAD HOSPITAL —5L **113**
Farnham Rd.
GUILDFORD
Surrey
GU2 7LX
Tel: 01483 443535

FLEET COMMUNITY HOSPITAL —3A **88**
Church Rd.
FLEET
Hampshire
GU13 8LD
Tel: 01483 782000

FRIMLEY PARK HOSPITAL —4B **70**
Portsmouth Rd., Frimley
CAMBERLEY
Surrey
GU16 5UJ
Tel: 01276 604604

GATWICK PARK BUPA HOSPITAL —9C **142**
Povey Cross Rd.
HORLEY
Surrey
RH6 0BB
Tel: 01293 785511

GUILDFORD NUFFIELD HOSPITAL, THE
—3G **113**
Stirling Rd., Surrey Research Pk.
GUILDFORD
Surrey
GU2 7RF
Tel: 01483 555800

HASLEMERE & DISTRICT COMMUNITY
HOSPITAL —1H **189**
Church La., HASLEMERE
Surrey
GU27 2BJ
Tel: 01483 782000

HEATHERWOOD HOSPITAL —2K **33**
London Rd., ASCOT
Berkshire
SL5 8AA
Tel: 01344 23333

HENDERSON HOSPITAL —5N **61**
Homeland Dri., SUTTON
Surrey
SM2 5LY
Tel: 020 86611611

HOLY CROSS HOSPITAL —1C **188**
Hindhead Rd., HASLEMERE
Surrey
GU27 1NQ
Tel: 01428 643311

HOMEWOOD RESOURCE CENTRE —9E **36**
Bournewood Ho., Guildford Rd.
CHERTSEY
Surrey
KT16 0QA
Tel: 01932 872010

HORSHAM HOSPITAL —5J **197**
Hurst Rd., HORSHAM
West Sussex
RH12 2DR
Tel: 01403 227000

HRH PRINCESS CHRISTIAN'S HOSPITAL
—4F **4**
12 Clarence Rd.
WINDSOR
Berkshire
SL4 5AG
Tel: 01753 853121

KING EDWARD VII HOSPITAL —6F **4**
St Leonard's Rd.
WINDSOR
Berkshire
SL4 3DP
Tel: 01753 860441

KINGSTON HOSPITAL —9A **26**
Galsworthy Rd.
KINGSTON UPON THAMES
Surrey
KT2 7QB
Tel: 020 85467711

LEATHERHEAD HOSPITAL —9J **79**
Poplar Rd.
LEATHERHEAD
Surrey
KT22 8SD
Tel: 01372 384384

MARIE CURIE CENTRE CATERHAM —3C **104**
Harestone Dri.
CATERHAM
Surrey
CR3 6YQ
Tel: 01883 342226

MAYDAY UNIVERSITY HOSPITAL —5M **45**
Mayday Rd.
THORNTON HEATH
Surrey
CR7 7YE
Tel: 020 84013000

MEDICAL RECEPTION STATION HOSPITAL
—7M **49**
Royal Military Academy
Egerton Rd.
CAMBERLEY
Surrey
GU15 4PH
Tel: 01276 412234

MILFORD HOSPITAL —2F **152**
Tuesley La.
GODALMING
Surrey
GU7 1UF
Tel: 01483 782000

MOLESEY HOSPITAL —4A **40**
High St.
WEST MOLESEY
Surrey
KT8 2LU
Tel: 020 89414481

MOUNT ALVERNIA HOSPITAL
—5A **114** (6F **202**)
46 Harvey Rd.
GUILDFORD
Surrey
GU1 3LX
Tel: 01483 570122

NELSON HOSPITAL —1L **43**
Kingston Rd.
LONDON
SW20 8DB
Tel: 020 82962000

NEW EPSOM & EWELL COTTAGE HOSPITAL,
THE —7L **59**
W. Park Rd.
EPSOM
Surrey
KT19 8PH
Tel: 01372 734834

NEW VICTORIA HOSPITAL —9D **26**
184 Coombe La. W.
KINGSTON UPON THAMES
Surrey
KT2 7EG
Tel: 020 89499000

Hospitals & Hospices

NORTH DOWNS HOSPITAL —3D **104**
46 Tupwood La.
CATERHAM
Surrey
CR3 6DP
Tel: 01883 348981

OXTED & LIMPSFIELD HOSPITAL —6N **105**
Eastlands Way
OXTED
Surrey
RH8 0LR
Tel: 01883 714344

PARKLANDS DAY HOSPITAL —8L **59**
W. Park Hospital
Horton La.
EPSOM
Surrey
KT19 8PB
Tel: 01883 388300

PARKSIDE HOSPITAL —4J **27**
53 Parkside
LONDON
SW19 5NX
Tel: 020 89718000

PHYLLIS TUCKWELL HOSPICE —2K **129**
Waverley La.
FARNHAM
Surrey
GU9 8BL
Tel: 01252 729400

PRINCESS ALICE HOSPICE —2A **58**
W. End La.
ESHER
Surrey
KT10 8NA
Tel: 01372 468811

PRINCESS MARGARET HOSPITAL —5G **4**
Osborne Rd.
WINDSOR
Berkshire
SL4 3SJ
Tel: 01753 743434

PURLEY & DISTRICT WAR MEMORIAL
HOSPITAL —7L **63**
Brighton Rd.
PURLEY
Surrey
CR8 2YL
Tel: 020 84013000

QUEEN ELIZABETH HOUSE —6M **19**
Torin Ct., Englefield Green
EGHAM
Surrey
TW20 0PJ
Tel: 01784 471452

QUEEN MARY'S HOSPITAL FOR CHILDREN
—7A **44**
Wrythe La., CARSHALTON
Surrey
SM5 1AA
Tel: 020 82962000

QUEEN MARY'S UNIVERSITY HOSPITAL
—9F **12**
Roehampton La., LONDON
SW15 5PN
Tel: 020 87896611

QUEEN VICTORIA HOSPITAL —7B **166**
Holtye Rd.
EAST GRINSTEAD
West Sussex
RH19 3DZ
Tel: 01342 410210

REDWOOD BUPA HOSPITAL —7E **122**
Canada Dri.
REDHILL
RH1 5BY
Tel: 01737 277277

RICHMOND HEALTHCARE HAMLET —6L **11**
Kew Foot Rd.
RICHMOND
Surrey
TW9 2TE
Tel: 020 89403331

RIDGEWOOD CENTRE, THE —3G **71**
Old Bisley Rd.
CAMBERLEY
Surrey
GU16 9QE
Tel: 01276 692919

ROEHAMPTON PRIORY HOSPITAL —7E **12**
Priory La.
LONDON
SW15 5JJ
Tel: 020 88768261

ROYAL HOSPITAL FOR NEURO-DISABILITY
—9K **13**
West Hill
LONDON
SW15 3SW
Tel: 020 87804500

ROYAL MARSDEN HOSPITAL (SUTTON), THE
—6A **62**
Downs Rd.
SUTTON
Surrey
SM2 5PT
Tel: 020 86426011

ROYAL SURREY COUNTY HOSPITAL, THE
—3H **113**
Egerton Rd.
GUILDFORD
Surrey
GU2 5XX
Tel: 01483 571122

RUNNYMEDE HOSPITAL, THE —9F **36**
Guildford Rd.
Ottershaw
CHERTSEY
Surrey
KT16 0RQ
Tel: 01932 877800

ST ANTHONY'S HOSPITAL —8J **43**
London Rd.
LONDON
SM3 9DW
Tel: 020 83376691

ST CATHERINE'S HOSPICE —5B **182**
Malthouse Rd.
CRAWLEY
West Sussex
RH10 6BH
Tel: 01293 447333

ST EBBA'S —5B **60**
Hook Rd.
EPSOM
Surrey
KT19 8QJ
Tel: 01883 388300

ST GEORGE'S HOSPITAL (TOOTING) —6B **28**
Blackshaw Rd.
LONDON
SW17 0QT
Tel: 020 86721255

ST HELIER HOSPITAL —7A **44**
Wrythe La.
CARSHALTON
Surrey
SM5 1AA
Tel: 020 82962000

ST JOHN'S AND AMYAND HOUSE —1G **25**
Strafford Rd.
TWICKENHAM
TW1 3AD
Tel: 020 87449943

ST RAPHAEL'S HOSPICE —7J **43**
St Anthony's Hospital
London Rd.
SUTTON
Surrey
SM3 9DW
Tel: 020 83354575

SHIRLEY OAKS HOSPITAL —6F **46**
Poppy La.
CROYDON
CR9 8AB
Tel: 020 86555500

SLOANE HOSPITAL, THE —1N **47**
125-133 Albemarle Rd.
BECKENHAM
Kent
BR3 5HS
Tel: 020 84666911

SPRINGFIELD UNIVERSITY HOSPITAL —4C **28**
61 Glenburnie Rd., LONDON
SW17 7DJ
Tel: 020 86826000

SURBITON HOSPITAL —5L **41**
Ewell Rd., SURBITON
Surrey
KT6 6EZ
Tel: 020 83997111

SUTTON GENERAL HOSPITAL —6N **61**
Cotswold Rd., SUTTON
Surrey
SM2 5NF
Tel: 020 82962000

TEDDINGTON MEMORIAL HOSPITAL —7E **24**
Hampton Rd., TEDDINGTON
Middlesex
TW11 0JL
Tel: 020 84088210

THAMES VALLEY HOSPICE —6D **4**
Pine Lodge, Hatch La.
WINDSOR
Berkshire
SL4 3RW
Tel: 01753 842121

TOLWORTH HOSPITAL —8N **41**
Red Lion Rd.
SURBITON
Surrey
KT6 7QU
Tel: 020 83900102

UNSTED PARK REHABILITATION HOSPITAL
—6M **133**
Munstead Heath Rd.
GODALMING
Surrey
GU7 1UW
Tel: 01483 892061

WALTON COMMUNITY HOSPITAL —8J **39**
Rodney Rd.
WALTON-ON-THAMES
Surrey
KT12 3LD
Tel: 01932 220060

WEST MIDDLESEX UNIVERSITY HOSPITAL
—5G **11**
Twickenham Rd.
ISLEWORTH
Middlesex
TW7 6AF
Tel: 020 85602121

WEST PARK HOSPITAL —8L **59**
Horton La.
EPSOM
Surrey
KT19 8PB
Tel: 01883 388300

WEYBRIDGE COMMUNITY HOSPITAL —1B **56**
22 Church St.
WEYBRIDGE
Surrey
KT13 8DY
Tel: 01932 852931

WOKING COMMUNITY HOSPITAL —5B **74**
Heathside Rd.
WOKING
Surrey
GU22 7HS
Tel: 01483 715911

WOKING HOSPICE —5B **74**
5 Hill Vw. Rd.
WOKING
Surrey
GU22 7HW
Tel: 01483 881750

WOKING NUFFIELD HOSPITAL —1A **74**
Shores Rd.
WOKING
Surrey
GU21 4BY
Tel: 01483 227800

WOKINGHAM HOSPITAL —2A **30**
41 Barkham Rd.
WOKINGHAM
Berkshire
RG41 2RE
Tel: 0118 9495000

RAIL, CROYDON TRAMLINK, DOCKLANDS LIGHT RAILWAY AND LONDON UNDERGROUND STATIONS

with their map square reference

Addington Village Stop. CT —3K 65
Addiscombe Stop. CT —7D 46
Addlestone Station. Rail —1M 55
Aldershot Station. Rail —3N 109
Ampere Way Stop. CT —7K 45
Arena Stop. CT —4F 46
Ascot Station. Rail —3L 33
Ash Station. Rail —2F 110
Ashford Station. Rail —5A 22
Ashtead Station. Rail —4L 79
Ash Vale Station. Rail —6E 90
Avenue Road Stop. CT —1G 47

Bagshot Station. Rail —3J 51
Balham Station. Rail & Tube —2F 28
Banstead Station. Rail —1L 81
Barnes Bridge Station. Rail —5E 12
Barnes Station. Rail —6F 12
Barons Court Station. Tube —1K 13
Beckenham Road Stop. CT —1H 47
Beddington Lane Stop. CT —5G 45
Belgrave Walk Stop. CT —3B 44
Belmont Station. Rail —6N 61
Berrylands Station. Rail —3A 42
Betchworth Station. Rail —1C 120
Birkbeck Stop. CT —2F 46
Blackhorse Lane Stop. CT —6D 46
Blackwater Station. Rail —2K 69
Bookham Station. Rail —1N 97
Boston Manor Station. Tube —1G 11
Boxhill & Westhumble Station. Rail —9H 99
Bracknell Station. Rail —2N 31
Brentford Station. Rail —2J 11
Brookwood Station. Rail —8D 72
Byfleet & New Haw Station. Rail —6M 55

Camberley Station. Rail —1B 70
Carshalton Beeches Station. Rail —3D 62
Carshalton Station. Rail —1D 62
Caterham Station. Rail —2D 104
Cheam Station. Rail —4K 61
Chertsey Station. Rail —7H 37
Chessington North Station. Rail —2L 59
Chessington South Station. Rail —4K 59
Chilworth Station. Rail —9G 114
Chipstead Station. Rail —5D 82
Chiswick Park Station. Tube —1B 12
Chiswick Station. Rail —3B 12
Christs Hospital Station. Rail —9D 196
Church Street Stop. CT —8N 45 (3B 200)
Clandon Station. Rail —7K 95
Clapham South Station. Tube —1F 28
Claygate Station. Rail —3E 58
Clock House Station. Rail —1H 47
Cobham & Stoke D'abernon Station. Rail —4M 77
Colliers Wood Station. Tube —8B 28
Coombe Lane Stop. CT —2F 64
Coulsdon South Station. Rail —3H 83
Crawley Station. Rail —4C 182
Crowthorne Station. Rail —3D 48

Datchet Station. Rail —4L 5
Dorking Station. Rail —3J 119
Dorking (Deepdene) Station. Rail —3J 119
Dorking West Station. Rail —4F 118 (1J 201)
Dormans Station. Rail —2B 166
Dundonald Road Stop. CT —8L 27

Earls Court Station. Tube —1N 13
Earlsfield Station. Rail —2A 28
Earlswood Station. Rail —5D 122
East Croydon Station. Rail & CT —8A 46 (2E 200)
East Grinstead Station. Rail —9N 165
East Putney Station. Tube —8K 13
Edenbridge Station. Rail —9K 127
Edenbridge Town Station. Rail —1M 147
Eden Park Station. Rail —4K 47
Effingham Junction Station. Rail —1H 97
Egham Station. Rail —6C 20
Elmers End Station. Rail & CT —3G 47
Epsom Downs Station. Rail —2G 81
Epsom Station. Rail —9C 60 (6K 201)
Esher Station. Rail —8D 40
Ewell East Station. Rail —6G 60
Ewell West Station. Rail —5D 60

Farnborough Main —Rail —9N 69
Farnborough North Station. Rail —8B 70
Farncombe Station. Rail —4J 133
Farnham Station. Rail —2H 129
Faygate Station. Rail —8E 180
Feltham Station. Rail —2J 23
Fieldway Stop. CT —4L 65
Fleet Station. Rail —2C 88
Frimley Station. Rail —6A 70
Fulham Broadway Station. Tube —3M 13
Fulwell Station. Rail —5D 24

Gatwick Airport Station. Rail —3F 162
George Street Stop. CT —8N 45 (3C 200)
Godalming Station. Rail —7G 132
Godstone Station. Rail —7H 125
Gomshall Station. Rail —8E 116
Gravel Hill Stop. CT —3H 65
Guildford Station. Rail —4M 113 (5A 202)
Gunnersbury Station. Rail & Tube —1A 12

Hackbridge Station. Rail —8F 44
Hammersmith Station. Tube —1H 13
Hampton Court Station. Rail —3E 40
Hampton Station. Rail —9A 24
Hampton Wick Station. Rail —9J 25
Harrington Road Stop. CT —2F 46
Haslemere Station. Rail —2F 188
Hatton Cross Station. Tube —7G 8
Haydons Road Station. Rail —6A 28
Heathrow Central Station. Rail —6B 8
Heathrow Terminal 4 Station. Tube —9D 8
Heathrow Terminals 1, 2, 3 Station. Tube —6C 8
Hersham Station. Rail —9M 39
Hinchley Wood Station. Rail —9F 40
Holmwood Station. Rail —7J 139
Horley Station. Rail —9F 142
Horsham Station. Rail —6K 197
Horsley Station. Rail —3F 96
Hounslow Central Station. Tube —6B 10
Hounslow East Station. Tube —5C 10
Hounslow Station. Rail —8B 10
Hounslow West Station. Tube —5M 9
Hurst Green Station. Rail —1B 126

Ifield Station. Rail —3M 181
Isleworth Station. Rail —5F 10

Kenley Station. Rail —1N 83
Kew Bridge Station. Rail —1M 11
Kew Gardens Station. Rail & Tube —4N 11
King Henry's Drive Stop. CT —5L 65
Kingscote Station. Rail —5J 185
Kingston Station. Rail —9L 25 (2K 203)
Kingswood Station. Rail —8L 81

Leatherhead Station. Rail —8G 79
Lebanon Road Stop. CT —8B 46
Lingfield Station. Rail —7A 146
Littlehaven Station. Rail —3M 197
Lloyd Park Stop. CT —1C 64
London Road Station. Rail —3A 114 (3F 202)
Longcross Station. Rail —7J 35

Malden Manor Station. Rail —6D 42
Martin's Heron Station. Rail —3D 32
Merstham Station. Rail —6G 102
Merton Park Stop. CT —9M 27
Milford Station. Rail —3D 152
Mitcham Junction Station. Rail & CT —4E 44
Mitcham Stop. CT —3C 44
Morden Road Stop. CT —1N 43
Morden South Station. Rail —4M 43
Morden Station. Tube —2N 43
Mortlake Station. Rail —6B 12
Motspur Park Station. Rail —4G 42

New Addington Stop. CT —6M 65
New Malden Station. Rail —2D 42
Norbiton Station. Rail —9N 25
Norbury Station. Rail —9K 29
North Camp Station. Rail —5D 90
North Sheen Station. Rail —7N 11
Norwood Junction Station. Rail —3D 46
Nutfield Station. Rail —5K 123

Ockley Station. Rail —4G 159
Osterley Station. Tube —3D 10
Oxshott Station. Rail —9C 58
Oxted Station. Rail —7A 106

Parsons Green Station. Tube —4M 13
Phipps Bridge Stop. CT —2B 44
Purley Oaks Station. Rail —5A 64
Purley Station. Rail —7L 63
Putney Bridge Station. Tube —6L 13
Putney Station. Rail —7K 13

Ravenscourt Park Station. Tube —1G 12
Raynes Park Station. Rail —1H 43
Redhill Station. Rail —2E 122
Reedham Station. Rail —9K 63
Reeves Corner Stop. CT —8M 45 (3A 200)
Reigate Station. Rail —6N 121
Richmond Station. Rail & Tube —7L 11
Riddlesdown Station. Rail —9N 63

St Helier Station. Rail —5M 43
St Margarets Station. Rail —9H 11
Salfords Station. Rail —2F 142
Sanderstead Station. Rail —5A 64
Sandhurst Station. Rail —8F 48
Sandilands Stop. CT —8C 46
Selhurst Station. Rail —4B 46
Shalford Station. Rail —9A 114
Shepperton Station. Rail —4D 38
Smitham Station. Rail —2J 83
South Croydon Station. Rail —2A 64 (8E 200)
South Merton Station. Rail —2L 43
South Wimbledon Station. Tube —8N 27
Southfields Station. Tube —2L 27
Staines Station. Rail —6J 21
Stamford Brook Station. Rail —1E 12
Stoneleigh Station. Rail —2F 60
Strawberry Hill Station. Rail —4F 24
Streatham Common Station. Rail —8H 29
Streatham Hill Station. Rail —3J 29
Streatham Station. Rail —6H 29
Sunbury Station. Rail —9H 23
Sunningdale Station. Rail —6D 34
Sunnymeads Station. Rail —6A 6
Surbiton Station. Rail —5L 41
Sutton Common Station. Rail —8N 43
Sutton Station. Rail —3A 62
Syon Lane Station. Rail —3G 11

Tadworth Station. Rail —9H 81
Tattenham Corner Station. Rail —5G 80
Teddington Station. Rail —7G 24
Thames Ditton Station. Rail —6F 40
Therapia Lane Stop. CT —6J 45
Thornton Heath Station. Rail —3N 45
Three Bridges Station. Rail —3F 182
Tolworth Station. Rail —8A 42
Tooting Bec Station. Tube —4E 28
Tooting Broadway Station. Tube —6C 28
Tooting Station. Rail —7D 28
Tulse Hill Station. Rail —3M 29
Twickenham Station. Rail —1G 24

Upper Halliford Station. Rail —1F 38
Upper Warlingham Station. Rail —5D 84

Virginia Water Station. Rail —4A 36

Waddon Marsh Stop. CT —7K 45
Waddon Station. Rail —1L 63
Wallington Station. Rail —3F 62
Walton-on-Thames Station. Rail —1H 57
Wanborough Station. Rail —3N 111
Wandle Park Stop. CT —8L 45
Wandsworth Common Station. Rail —2D 28
Wandsworth Town Station. Rail —7N 13
Warnham Station. Rail —9J 179
Wellesley Road Stop. CT —8A 46 (2D 200)
West Brompton Station. Rail & Tube —2M 13
West Byfleet Station. Rail —8J 55
West Croydon Station. Rail & CT —7N 45 (1B 200)
West Dulwich Station. Rail —3N 29
West Kensington Station. Tube —1L 13
West Norwood Station. Rail —5M 29
West Sutton Station. Rail —1M 61
West Wickham Station. Rail —6M 47
Weybridge Station. Rail —3B 56
Whitton Station. Rail —1C 24
Whyteleafe South Station. Rail —6D 84
Whyteleafe Station. Rail —4C 84
Wimbledon Chase Station. Rail —1K 43
Wimbledon Park Station. Tube —4M 27
Wimbledon Station. Rail, CT & Tube —7L 27
Windsor & Eton Central Station. Rail —4G 4
Windsor & Eton Riverside Station. Rail —3G 5
Witley Station. Rail —1C 172
Woking Station. Rail —4B 74
Wokingham Station. Rail —2A 30
Woldingham Station. Rail —9G 85
Woodmansterne Station. Rail —3F 82
Woodside Stop. CT —5E 46
Worcester Park Station. Rail —7F 42
Worplesdon Station. Rail —2L 93
Wraysbury Station. Rail —9C 6